Vahlens Kompendium
der Wirtschaftstheorie
und Wirtschaftspolitik

Band 2

Vahlens Kompendium der Wirtschaftstheorie und Wirtschaftspolitik

Band 2

6., überarbeitete Auflage

von

Professor Dr. Dieter Bender
Universität Bochum

Professor Dr. Hartmut Berg
Universität Dortmund

Professor Dr. Dieter Cassel
Universität Duisburg

Professor Dr. Günter Gabisch
Universität Göttingen

Professor Dr. Heinz Grossekettler
Universität Münster

Professor Dr. Karl-Hans Hartwig
Universität Bochum

Professor Dr. Lothar Hübl
Universität Hannover

Professor Dr. Dietmar Kath
Universität Duisburg

Professor Dr. Jürgen Siebke
Universität Heidelberg

Professor Dr. H. Jörg Thieme
Universität Düsseldorf

Professor Dr. Manfred Willms
Universität Kiel

Verlag Franz Vahlen München

Die Deutsche Bibliothek – CIP-Einheitsaufnahme

Vahlens Kompendium der Wirtschaftstheorie und Wirtschaftspolitik / von Dieter Bender ... – München : Vahlen.
NE: Bender, Dieter; Kompendium der Wirtschaftstheorie und Wirtschaftspolitik
Bd. 2. – 6., überarb. Aufl. – 1995
ISBN 3-8006-1970-9

ISBN 3 8006 1970 9

Satz: Buch- und Offsetdruckerei Wagner GmbH, Nördlingen
Druck: C. H. Beck'sche Buchdruckerei, Nördlingen
Gedruckt auf alterungsbeständigem (säurefreiem) Papier
gemäß der ANSI-Norm für Bibliotheken

Vorwort zur sechsten Auflage

In der sechsten Auflage von Vahlens Kompendium der Wirtschaftstheorie und Wirtschaftspolitik hat HEINZ GROSSEKETTLER den Beitrag „Öffentliche Finanzen" neu verfaßt. ROLF PEFFEKOVEN, der diesen Beitrag bislang betreut hat, ist wegen der zusätzlichen Arbeitsbelastung durch seine Berufung in den SACHVERSTÄNDIGENRAT ZUR BEGUTACHTUNG DER GESAMTWIRTSCHAFTLICHEN ENTWICKLUNG aus dem Kreis der Kompendium-Autoren ausgeschieden. Die übrigen Beiträge wurden aktualisiert, in einzelnen Abschnitten präzisiert oder ergänzt. Auch wurden Druckfehler beseitigt, sprachliche Unebenheiten geglättet und die Literaturhinweise auf den neuesten Stand gebracht.

Für alle Änderungen galt nach wie vor das Prinzip, den Gesamtumfang beider Bände nicht wesentlich zu erweitern, um dem Leser auch weiterhin ein preiswertes und von der Fülle des gebotenen Stoffes her „zumutbares" Lehrbuch zu bieten.

Unser Dank gilt all jenen, die durch wertvolle Anregungen und kritische Hinweise wichtige Änderungen initiiert haben. Die mit dem Verlag vereinbarten Fristen hätten ohne die aktive Unterstützung von Sekretärinnen und wissenschaftlichen Mitarbeitern nicht eingehalten werden können. Ihnen sei herzlich gedankt.

Herbst 1995 Die Autoren

Vorwort zur zweiten Auflage

Das nunmehr in zweiter Auflage vorliegende Kompendium will seine Leser mit dem Stoff wichtiger Bereiche der modernen Volkswirtschaftslehre vertraut machen, wie sie den Studenten an den wissenschaftlichen Hochschulen des deutschsprachigen Raumes in Wirtschaftstheorie, Wirtschaftspolitik und Finanzwissenschaft angeboten werden. Die Verfasser waren bemüht, unter didaktischen Aspekten nicht nur die „herrschende Lehre" aufzubereiten, sondern auch solche neueren Entwicklungen einzuarbeiten, die nach intensiver Fachdiskussion weitgehend akzeptiert und deshalb in den Kanon akademischer Lehre aufzunehmen sind.

Die einzelnen Beiträge in beiden Bänden von Vahlens Kompendium sind so konzipiert, daß sie geschlossene Einheiten bilden. Auf diese Weise wird gewährleistet, daß jene Beiträge ausgewählt werden können, die sich thematisch auf die jeweilige Lehrveranstaltung beziehen. Das Kompendium kann jedoch auch in der Art eines Lehrbuchs verwendet werden. In diesem Fall wird empfohlen, sich zunächst mit dem Inhalt des Beitrags „Wirtschaftssysteme" (A) vertraut zu machen. Anschließend können die Grundlagen der Makroökonomik aus den Beiträgen „Wirtschaftskreislauf und gesamtwirtschaftliches Rechnungswesen" (B) und „Einkommen, Beschäftigung, Preisniveau" (C), die Grundzüge der Mikroökonomik aus den Beiträgen „Haushalte und Unternehmen" (K) und „Preistheorie" (L) erarbeitet werden. Eine Einführung in allgemeine Probleme der Wirtschaftspolitik bietet der Beitrag „Theorie der Wirtschaftspolitik" (N), der zugleich über wissenschaftstheoretische Positionen und Entwicklungen informiert, soweit sie für das Verständnis des methodischen Vorgehens in der Volkswirtschaftslehre bedeutsam sind. Auf dieser Basis können sodann die weiteren Gebiete der Volkswirtschaftslehre erarbeitet werden, denen einzelne Beiträge gewidmet sind. Als Regel empfiehlt es sich dabei, in jedem Gebiet zunächst das relevante theoretische Grundwissen zu erwerben, bevor die entsprechenden wirtschaftspolitischen Aspekte studiert werden.

Beide Bände des Kompendiums wurden von den Autoren gemeinsam konzipiert mit dem Ziel, die Einzelbeiträge in Anspruchsniveau, analytischer Vorgehensweise sowie Form aufeinander abzustimmen und inhaltlich zu verzahnen. Die in den Text aufgenommenen Verweise auf andere Beiträge (z. B.: Beitrag C-2.2.) sollen durch Angabe des Buchstabens und der Abschnittziffer die Suche nach ergänzenden oder vertiefenden Textstellen erleichtern.

Mathematische Darstellungen und Ableitungen beschränken sich auf das notwendige Maß. Wichtige Gleichungen werden innerhalb eines Beitrages fortlaufend – gegebenenfalls abschnittweise – numeriert. Die Verwendung der Symbole lehnt sich an den internationalen Sprachgebrauch an und erfolgt weitgehend einheitlich (s. Symbolverzeichnis).

Abbildungen. Tabellen und Ubersichten werden innerhalb eines Beitrages fortlaufend numeriert (z. B.: *Abb. C-5; Tab. A-1; Übersicht F-2*). Der vorangestellte Buchstabe des jeweiligen Beitrages soll das Auffinden bei Querverweisen erleichtern.

Jeder Beitrag schließt mit kommentierten Literaturhinweisen, die der Orientierung vor allem über die deutschsprachige Studienliteratur dienen. Weitere Literaturhinweise im Text sollen ein vertiefendes Studium der jeweils behandelten Probleme erleichtern und anregen. Dabei bezeichnet die dem Autorennamen folgende Jahreszahl die Erstauflage der zitierten Quelle. Am Schluß des Bandes sind die genauen bibliographischen Angaben aus allen Beiträgen in alphabetischer Reihenfolge vereinigt. Ihnen vorangestellt ist ein Verzeichnis ausgewählter deutschsprachiger Lehrbücher der Volkswirtschaftslehre.

Hinzuweisen ist schließlich darauf, daß ein solch umfangreicher Text nicht ohne die intensive Unterstützung der Mitarbeiter und Sekretärinnen der Autoren zustande gekommen wäre. Ihnen sei an dieser Stelle vielmals gedankt. Dank schulden die Autoren auch den Kollegen, die frühere Fassungen einzelner Beiträge gelesen und konstruktiver Kritik unterzogen haben. In der zweiten Auflage sind diese Anregungen gern berücksichtigt worden, sofern das mit vertretbarem drucktechnischen Aufwand möglich war. Zudem wurden Druckfehler berichtigt, die Literaturhinweise und -empfehlungen aktualisiert sowie einzelne Beiträge erweitert und ergänzt.

Frühjahr 1985 Die Autoren

Inhaltsverzeichnis

Band 2

Band 1

K. Haushalte und Unternehmen

Günter Gabisch

Gliederung

1. Problemstellung

Die Haushalte und Unternehmen sind die mikroökonomischen Entscheidungseinheiten einer Volkswirtschaft. Unter Berücksichtigung des Staates sind die Haushalte in private und öffentliche Haushalte (Beitrag J-1) zu unterscheiden. Die folgenden Ausführungen beziehen sich jedoch ausschließlich auf private Haushalte, die auch kurz „Haushalte" genannt werden.

Die Entscheidungen der Unternehmen und Haushalte sind in vielfältiger Weise miteinander verflochten. Die Unternehmen stellen Konsumgüter her und liefern diese an die Haushalte. Im Gegenzug bieten die Haushalte dafür Arbeitsleistungen den Unternehmen an. Diese Verflechtung von privaten Haushalten und Unternehmen wird in der Kreislauftheorie erfaßt. Dort wird jedoch nicht der Frage nachgegangen, warum ein einzelnes Unternehmen Produkte gerade in diesem oder jenem bestimmten Wert herstellt oder warum es gerade diese bestimmte Faktorkombination zur Herstellung seiner Produkte einsetzt. Ebensowenig interessiert dort die Frage, warum ein einzelner Haushalt in einer bestimmten Höhe Konsumgüter nachfragt und Arbeitszeit anbietet. Ein Verstehen des Wirtschaftsprozesses setzt aber eine Beantwortung dieser mikroökonomisch orientierten Fragen voraus.

Faßt man die privaten Haushalte und Unternehmen zu Sektoren zusammen, so zeigt *Abb. K-1* den Zusammenhang zwischen diesen Sektoren.

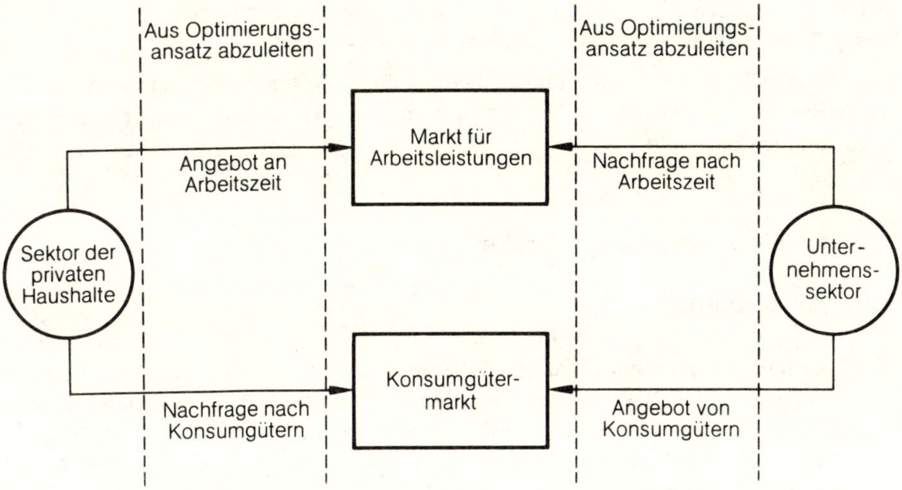

Abb. K-1: Kreislaufzusammenhang und Optimierungsansatz

Die privaten Haushalte und die Unternehmen treten auf dem Arbeitsmarkt sowie auf dem Konsumgütermarkt als Nachfrager und Anbieter auf. Den Märkten kommt dabei die Koordinierungsfunktion von Nachfrage und Angebot zu. Wie sich die Höhe des jeweiligen individuellen Angebots und der Nachfrage bestimmt, soll im folgenden untersucht werden.

2. Haushalte

Der Haushalt besteht im allgemeinen Fall aus mehreren Personen. Um zu einer einheitlichen Entscheidung zu gelangen, müssen diese Personen ihre Wünsche, Vorstellungen und Ansprüche miteinander abstimmen. Hier wird vorausgesetzt, daß diese Abstimmung bereits erfolgt ist. Für die theoretische Analyse des Haushalts kann dieser als nur aus einem Wirtschaftssubjekt bestehend aufgefaßt werden; Haushalt und Wirtschaftssubjekt werden deswegen im folgenden als Synonyme gebraucht.

Der Haushalt kann in der ökonomischen Analyse unter zwei Gesichtspunkten untersucht werden. Er tritt sowohl als Anbieter von Arbeitskraft wie auch als Nachfrager nach Konsumgütern auf. Beide Verhaltensweisen müßten simultan aus einem Optimierungsansatz abgeleitet werden. Um aber die Analyse übersichtlich zu halten, werden beide Verhaltensweisen getrennt hergeleitet. Grundlage dieser Optimierungsansätze ist jeweils eine Nutzenfunktion. Bei der Ableitung des optimalen Arbeitsangebots wird angenommen, daß der Nutzen des Haushalts eine Funktion der Freizeit sowie des erreichbaren Einkommens ist. Will der Haushalt seinen Nutzen maximieren, so muß er unter Beachtung gewisser Nebenbedingungen eine ganz bestimmte Arbeitszeit, eben die optimale, anbieten. Damit ist sein erzieltes Einkommen erklärt. Dieses wird bei der Bestimmung der Nachfrage nach Konsumgütern zur Nebenbedingung. Bei dieser Problemstellung wird eine andere Abhängigkeit des Nutzens angenommen. Hier wird unterstellt, daß der Nutzen von den zur Verfügung stehenden Mengen der Konsumgüter abhängt. Eine Nutzenmaximierung führt bei dieser Problemstellung zu optimalen Konsumgütermengen.

Um diese beiden Problemstellungen behandeln zu können, werden zunächst die wichtigsten Eigenschaften der Nutzenfunktion und ihre Ableitung aus einer Präferenzordnung dargestellt.

2.1. Präferenzordnung und Nutzenfunktion

2.1.1. Präferenzordnung

Ein Haushalt ist laufend vielfältigen Entscheidungssituationen ausgesetzt. Er muß festlegen, wie er seine beschränkte Zeit in Arbeitszeit und Freizeit aufteilen will, und er muß aus dem großen Angebot von Konsumgütern unter Beachtung seiner finanziellen Möglichkeiten, d. h. seines Einkommens, jene auswählen, die seine Bedürfnisse am besten befriedigen.

Um diese Entscheidungssituation eines Haushalts zu analysieren, wird zunächst angenommen, es seien m Güterarten, z. B. Brot, Bier, etc., zur Versorgung eines Haushalts vorhanden. Stehen von diesen Gütern bestimmte Mengen zur Verfügung, so können diese Mengen durch einen Vektor $x = (x_1, \ldots, x_m)$ wiedergegeben werden; ein solcher Vektor wird als Güterbündel bezeichnet. Das Entscheidungsproblem des Haushalts besteht in der Theorie jetzt darin, die alternativen Güterbündel hinsichtlich ihrer Wünschbarkeit zu beurteilen.

Diesen Sachverhalt drückt man auch so aus, daß man vom Haushalt fordert, er müsse seine Präferenzen für alternative Güterbündel angeben können, d. h. wenn der Haushalt die Möglichkeit hat, eines der Güterbündel x^1 oder x^2 auszuwählen, soll er stets angeben können, welches Güterbündel er vorzieht. Wenn x^1 besser oder gleichwertig zu x^2 erachtet wird, schreibt man $x^1 \gtrsim x^2$.

Alle diese möglichen Präferenzen bilden zusammen eine Präferenzordnung (Präferenzsystem), die bestimmte Eigenschaften aufweisen muß, damit man zu sinnvollen Aussagen gelangen kann. Diese Eigenschaften lauten:

(1) Reflexivität. Für jedes beliebige Güterbündel x^0 gilt

$$x^0 \gtrsim x^0.$$

Diese Eigenschaft besagt, daß jedes Güterbündel sich selbst mindestens gleichwertig ist. Vom ökonomischen Standpunkt aus ist diese Eigenschaft trivial. Sie wird aber später aus logischen Gründen zur Ableitung einer Nutzenfunktion gebraucht.

(2) Transitivität. Für je drei Güterbündel x^1, x^2 und x^3 trifft die folgende Beziehung zu:

$$\text{Falls } x^1 \gtrsim x^2 \text{ und } x^2 \gtrsim x^3, \text{ dann } x^1 \gtrsim x^3.$$

Wenn also x^1 mindestens so geschätzt wird wie x^2 und x^2 wiederum mindestens so wie x^3 geschätzt wird, dann soll auch x^1 mindestens so wie x^3 geschätzt werden.

(3) Vollständigkeit der Ordnung. Für je zwei Güterbündel x^1 und x^2 gilt immer mindestens eine der folgenden Beziehungen

$$x^1 \gtrsim x^2 \text{ oder } x^2 \gtrsim x^1.$$

Hier wird unterstellt, daß ein Haushalt von zwei verschiedenen Güterbündeln stets sagen kann, daß er das eine mindestens so schätzt wie das andere. Treffen beide Beziehungen zu, so schreibt man $x^1 \sim x^2$; in diesem Fall werden beide Güterbündel als gleichwertig erachtet, und der Haushalt ist indifferent in bezug auf diese beiden Güterbündel. Anzumerken ist an dieser Stelle, daß $x^1 \sim x^2$ keineswegs gleichbedeutend mit $x^1 = x^2$ ist. Vielmehr können unterschiedliche Güterbündel ($x^1 \neq x^2$) als gleichwertig ($x^1 \sim x^2$) angesehen werden.

Gilt jedoch nur und ausschließlich eine der beiden Beziehungen, z. B. $x^1 \gtrsim x^2$ und nicht $x^2 \gtrsim x^1$, so schreibt man auch $x^1 > x^2$. In diesem Fall wird das Güterbündel x^1 dem Bündel x^2 definitiv vorgezogen.

Neben diesen drei Eigenschaften verlangt man noch von einer Präferenzordnung, daß sie streng konvex sei:

$$\text{Falls } x^1 \gtrsim x^2, \text{ dann } (\lambda x^1 + (1 - \lambda)x^2) > x^2,\ 0 < \lambda < 1.$$

Wird also das Güterbündel x^1 mindestens so geschätzt wie x^2, dann soll eine „Mischung“ beider Bündel x^2 streng vorgezogen werden. In dieser Eigenschaft der Präferenzordnung kommt zum Ausdruck, daß die Menschen eine differenzierte Befriedigung ihrer Bedürfnisse gegenüber einer einseitigen vorziehen.

Bis jetzt ist lediglich gefordert worden, daß ein Haushalt über die Wünschbarkeit unterschiedlicher Güterbündel bestimmte Aussagen machen kann. Das Konzept der Präferenzordnung wird aber handhabbarer, wenn man jedem Güterbündel eine reelle Zahl dergestalt zuordnet, daß als gleichwertig erachtete Güterbündel dieselbe Zahl, vorgezogene Güterbündel aber eine größere Zahl erhalten. Diese Abbildungsvorschrift kann als

$$U = U(x_1, \ldots, x_m)$$

geschrieben werden; für $x^1 \gtrsim x^2$ gilt also immer $U(x^1) \geqq U(x^2)$. Die reelle Zahl U kann demnach als Index des Nutzens interpretiert werden, den der Haushalt dem Konsum des Güterbündels $(x_1, \ldots, x_m)$ beimißt. Dementsprechend sagt man auch, U sei ein Präferenz- oder Nutzenindex. Die Abbildungsvorschrift U heißt dann Präferenz- oder Nutzenfunktion.

Damit die Existenz einer stetigen Nutzenfunktion U sichergestellt ist, genügt es, Stetigkeit der Präferenzordnung zu fordern (DEBREU, 1959).

Diese Nutzenfunktion ist aber nur bis auf eine beliebige, streng monoton steigende Transformation bestimmt; wenn also $U = U(x_1, \ldots, x_m)$ eine Nutzenfunktion ist, dann ist $V = V(U(x_1, \ldots, x_m))$, $V' > 0$, eine äquivalente Nutzenfunktion. Diese Äquivalenz ist in der folgenden Weise zu verstehen. Der numerische Wert der Nutzenindizes ist solange belanglos, wie sichergestellt ist, daß ein vorgezogenes Güterbündel auch einen höheren Nutzenindex erhält, daß also für $x^1 > x^2$ die Beziehung $U(x^1) > U(x^2)$ gilt. Führt man für $U(x_1, \ldots, x_m)$ jetzt eine beliebige, streng monoton steigende Transformation durch, bildet man also eine neue Funktion $V = V(U(x_1, \ldots, x_m))$ mit $V' > 0$, so weist diese neue Funktion V immer noch die Eigenschaft $V(U(x^1)) > V(U(x^2))$ für $x^1 > x^2$ auf.

Beispiel: Es sei $x^1 = (9,1)$ und $x^2 = (1,4)$, und der Haushalt ziehe x^1 gegenüber x^2 vor. Dann ist eine mögliche Nutzenfunktion $U = (x_1 \cdot x_2)^{\frac{1}{2}}$, denn $U(x^1) = (9 \cdot 1)^{\frac{1}{2}} = 3$ und $U(x^2) = (1 \cdot 4)^{\frac{1}{2}} = 2$, also ist $U(x^1) > U(x^2)$: Das vorgezogene Güterbündel erhält den höheren Nutzenindex $(3 > 2)$. Aber auch die Nutzenfunktion

$$V = V(U(x_1, x_2)) = [(x_1 \cdot x_2)^{\frac{1}{2}}]^2 = (x_1 \cdot x_2)$$

ist anwendbar. In diesem Fall gilt $V(x^1) = (9 \cdot 1) = 9$ und $V(x^2) = (1 \cdot 4) = 4$; wieder erhält das vorgezogene Güterbündel den höheren Nutzenindex $(9 > 4)$.

Das einer solchen Nutzenfunktion zugrunde liegende Nutzenkonzept nennt man ordinal, da man nur die „Ordnung" der Wünschbarkeit einzelner Güterbündel bestimmen kann, nicht aber das genaue Maß der Wünschbarkeit. Die Bildung von Nutzendifferenzen ist damit sinnlos; zwar kann man sagen, der Nutzen des Güterbündels x^1 sei größer als der von x^2 $(U(x^1) > U(x^2))$, man kann aber nicht sagen, um wieviel dieser Nutzen größer ist.

Aus diesem Grunde ist auch der numerische Wert der ersten Ableitung einer solchen Nutzenfunktion sinnlos. Da lediglich gesagt werden kann, in welche Richtung der Nutzen sich ändert, wenn man die Menge eines Gutes ceteris paribus ändert, ist auch nur das Vorzeichen der ersten Ableitung wichtig: Für $\partial U/\partial x_i \gtrless 0$, nimmt der Nutzen zu bzw. ab, wenn man die Menge des i-ten Gutes um eine (kleine) Einheit vergrößert; mehr kann nicht gesagt werden.

Aus dem gleichen Grunde ist die Bildung der zweiten Ableitung einer ordinalen Nutzenfunktion nicht nur dem numerischen Wert, sondern auch dem Vorzeichen nach sinnlos. Da, anschaulich gesprochen, die zweite Ableitung angäbe, wie sich Nutzendifferenzen ändern, diese Differenzen aber nicht existieren, hat die zweite Ableitung einer ordinalen Nutzenfunktion keine Aussagekraft.

Das kardinale Nutzenkonzept, das bei einigen Problemen der intertemporalen Nutzenmaximierung benötigt wird, ist im Vergleich zum ordinalen weitergehend, da es die Meßbarkeit des Nutzens auf einer Skala zuläßt, wobei lediglich die Maßeinheit und der Nullpunkt frei zu wählen sind. Man kann auf der Grundlage dieses Konzepts nicht nur sagen, daß ein Güterbündel dem anderen vorgezogen wird und demnach einen höheren Nutzenindex zu bekommen hat, sondern man kann beiden Güterbündeln den „richtigen" Nutzenindex zuordnen, sofern man die Maßeinheit und den Nullpunkt festgelegt hat.

Formal bedeutet die Möglichkeit, Nullpunkt und Maßeinheit wählen zu können, daß die kardinale Nutzenfunktion bis auf eine positive, lineare Transformation bestimmt ist. Entwickelt man eine Funktion V aus einer linearen Transformation der Nutzenfunktion U, also $V = V(U(x_1, \ldots, x_m))$, V – linear, so sind U und V äquivalent im Sinne des kardinalen Nutzenkonzepts.

Beispiel: Die Temperaturmessung ist bis auf eine lineare Transformation bestimmt. Man mißt die Temperatur üblicherweise in Fahrenheit, Celsius oder Réaumur. Jede dieser Temperaturmeßvorschriften kann durch eine lineare Transformation in eine der übrigen übergeführt werden:

n^0 Celsius $= (^4/_5\, n)^0$ Réaumur $= (^9/_5\, n + 32)^0$ Fahrenheit,

n – Temperatur gemessen in Grad Celsius.

Inhaltlich läßt das Konzept der kardinalen Nutzenfunktion die Bildung von Nutzendifferenzen und -summen zu; denn hat man einmal Nullpunkt und Maßeinheit gewählt, dann kann man zwei beliebigen Güterbündeln einen genauen numerischen Wert des Nutzens zuordnen, und man kann demzufolge auch die Nutzendifferenz beider Güterbündel numerisch bestimmen. Damit ist nicht nur – wie bei der ordinalen Nutzenfunktion – das Vorzeichen der ersten Ableitung wichtig, sondern auch der numerische Wert. Auch die zweite Ableitung ist jetzt, im Gegensatz zur ordinalen Nutzenfunktion, sinnvoll. Sie gibt – wieder anschaulich gesprochen – an, wie sich Nutzendifferenzen ändern.

Natürlich ermöglicht eine kardinale Nutzenfunktion auch die Bildung von Nutzensummen oder Nutzenintegralen. Diese sind notwendig, um solche Probleme der intertemporalen Nutzenmaximierung (Beitrag G – 3.3.4.) untersuchen zu können, die die Maximierung eines Nutzenintegrals unter Nebenbedingungen erfordern.

2.1.2. Nutzenfunktion

Schreibt man die kardinale Nutzenfunktion eines Haushalts als

$$U = U(x_1, \ldots, x_m),\ 0 \leqq x_1, \ldots, x_m,$$

so soll die Funktion $U(\cdot)$ zweimal stetig differenzierbar sein, und sie muß bestimmte Eigenschaften aufweisen, damit sie akzeptabel erscheint. So soll der Nutzen immer dann zunehmen, wenn ceteris paribus die Menge eines Gutes vergrößert wird. Die Nutzenzuwächse sollen jedoch bei fortlaufender Vermehrung dieses Gutes laufend kleiner werden. Diese Forderungen bedeuten, daß die Nutzenfunktion die Eigenschaften $\partial U/\partial x_i > 0$ und $\partial^2 U/\partial x_i^2 < 0$ für jedes i erfüllen muß. Diese Eigenschaften sind in der *Abb. K-2* graphisch dargestellt.

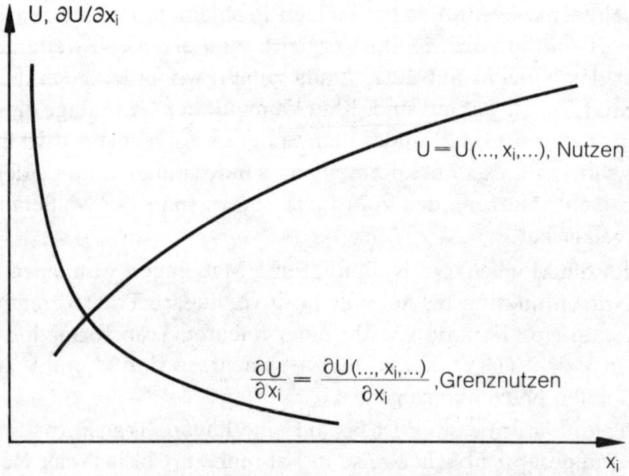

Abb. K-2: Nutzen- und Grenznutzen

Die Eigenschaften $\partial U/\partial x_i > 0$ und $\partial^2 U/\partial x_i^2 < 0$ können in der folgenden Weise verdeutlicht werden. Erhöht man die Menge des Gutes i um eine (kleine) Einheit Δx_i, so gibt der Quotient $\Delta U/\Delta x_i$ den Nutzenzuwachs pro Einheit des Gutes i an; dieser Quotient wird auch als Grenznutzen des Gutes i bezeichnet, und bei infinitesimaler Betrachtungsweise wird dieser Grenznutzen durch die Ableitung $\partial U/\partial x_i$ wiedergegeben. Dieser Grenznutzen soll, wie oben eingezeichnet, positiv sein, aber abnehmen; die zweite Ableitung $\partial^2 U/\partial x_i^2$ muß also negativ sein.

Eine Nutzenfunktion, die diese Eigenschaften aufweist, erfüllt das 1. GOSSENsche Gesetz: Bei fortlaufender Vermehrung der Menge eines Gutes nimmt der Nutzen zu und der Grenznutzen ab ($\partial U/\partial x_i > 0$, $\partial^2 U/\partial x_i^2 < 0$). Dieses Gesetz wurde nach H. H. GOSSEN (1810-1858) benannt, der bereits 1854 feststellte: „Die Größe eines und desselben Genusses nimmt, wenn wir mit der Bereitung dieses Genusses ununterbrochen fortfahren, fortwährend ab, bis zuletzt Sättigung eintritt." (GOSSEN, 1854).

Hält man den Nutzen U in der Nutzenfunktion konstant, so läßt sich dieser Nutzen mit unterschiedlichen Kombinationen der Gütermengen erreichen. Diese unterschiedlichen Kombinationen werden z. B. für den Nutzen U = 1 und die Güter i und j ceteris paribus wiedergegeben durch die implizite Funktion
$U(\ldots, x_i, x_j, \ldots) - 1 = 0$ oder $F(x_i, x_j) = 0$.
Den Graphen dieser Funktion nennt man Indifferenzkurve.

Vergrößert man auf einer Indifferenzkurve die Menge des Gutes i um eine (kleine) Einheit, so kann man nach jener Menge des Gutes j fragen, die der Haushalt aufgeben muß, um das vorgegebene Nutzenniveau zu halten. Bei infinitesimaler Betrachtungsweise läuft diese Fragestellung auf die Bestimmung der Ableitung der Indifferenzkurve hinaus. Diese Ableitung wird betragsmäßig wiedergegeben durch:

$$h_{ji}(\bar{U}) = -\frac{dx_j}{dx_i};$$

hierin bezeichnet $\bar{U}$ den konstanten Nutzen. Die Größe $h_{ji}(\bar{U})$ gibt also an, wieviel der Haushalt vom Gut j aufgeben muß, um die (infinitesimale) Vergrößerung des Gutes i so zu kompensieren, daß der Nutzen $\bar{U}$ konstant bleibt; sie wird als Grenzrate der Substitution von j in bezug auf i bezeichnet.

Diese Grenzrate der Substitution steht in einer einfachen Beziehung zu dem Grenznutzen der beiden Güter. Das totale Differential der Nutzenfunktion ist gegeben durch

$$dU = \frac{\partial U}{\partial x_1} dx_1 + \ldots + \frac{\partial U}{\partial x_m} dx_m.$$

Da auf einer Indifferenzkurve der Nutzen sich nicht ändert, muß dort $dU = 0$ sein, so daß für zwei beliebige Güter i und j ceteris paribus

$$0 = \frac{\partial U}{\partial x_i} dx_i + \frac{\partial U}{\partial x_j} dx_j, \text{ bzw. } -\frac{dx_j}{dx_i} = \frac{\partial U / \partial x_i}{\partial U / \partial x_j}$$

gelten muß. Die Grenzrate der Substitution des Gutes j in bezug auf das Gut i ist also gleich dem Verhältnis der Grenznutzen der beiden Güter i und j.

Es ist nun leicht vorstellbar, daß es im Urteil eines Haushalts immer schwieriger werden wird, den Zugang einer Einheit des einen Gutes durch Verminderung des anderen Gutes zu ersetzen. Daraus folgt, daß man pro Einheit des zusätzlichen Gutes bei fortgesetzter Substitution immer weniger von dem anderen Gut aufzugeben bereit ist, damit der Nutzen konstant bleibt.

Überträgt man diesen Gedanken auf die Substitution des Gutes j durch das Gut i, so muß das Verhältnis $-\Delta x_j / \Delta x_i$ bei fortgesetzter Substitution von j durch i immer kleiner werden. Δx_i stellt hierin den Zugang einer Einheit des Gutes i dar; Δx_j bezeichnet jenen Abgang des Gutes j, der den Nutzen konstant beläßt: Δx_j ist somit negativ, so daß $-\Delta x_j / \Delta x_i$ positiv sein muß. Bei infinitesimaler Betrachtungsweise muß der Differentialquotient $-dx_j / dx_i \mid \bar{U}$ laufend abnehmen:

$$\frac{dh_{ji}(\bar{U})}{dx_i} = -\frac{d^2 x_j}{dx_i^2 \mid \bar{U}} < 0.$$

Der absolute Anstieg einer Indifferenzkurve wird also bei der genannten Substitution immer geringer, d. h. die Indifferenzkurve ist streng konvex. Diese Eigenschaft ist in *Abb. K-3* für die Indifferenzkurve mit $U = \bar{U}$ veranschaulicht worden. Befindet sich der Haushalt zunächst im Punkt A, so wird das Austauschverhältnis zwischen den Gütern j und i durch tg α gemessen; im Punkt B dagegen, also nach erfolgter Substitution von j durch i, ist dieses Austauschverhältnis absolut gesehen auf tg β gesunken.

Diesen Sachverhalt bezeichnet man als das Gesetz der abnehmenden Grenzrate der Substitution: Wird bei konstant bleibendem Nutzen $\bar{U}$ das Gut j fortlaufend durch das Gut i substituiert, so wird pro Einheit des zusätzlich zur Verfügung stehenden Gutes i immer weniger vom Gut j aufgegeben, d. h. die Grenzrate der Substitution des Gutes j bezüglich des Gutes i sinkt.

Dieses Gesetz besagt inhaltlich dasselbe wie die strenge Konvexität der Präferenzordnung, daß nämlich eine differenzierte Bedürfnisbefriedigung einer einseitigen vorgezogen wird. Letzteres kommt in der strengen Konvexität der Indifferenzkurven zum

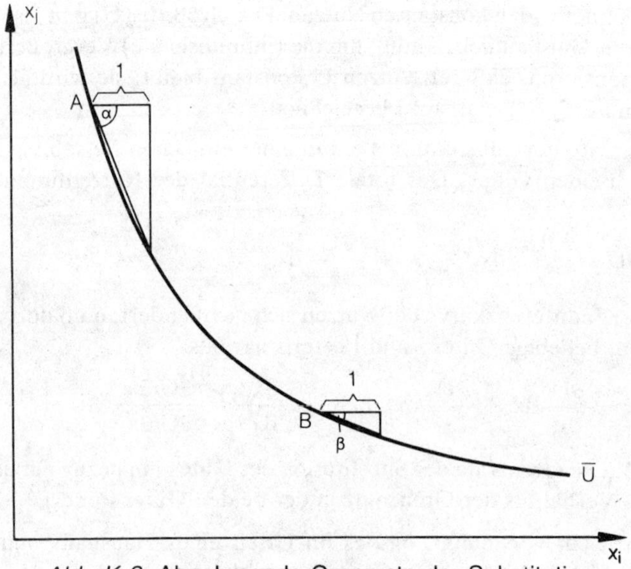

Abb. K-3: Abnehmende Grenzrate der Substitution

Ausdruck. Liegen zwei Güterbündel auf derselben Indifferenzkurve, so wird ihre „Mischung" jedem der beiden Bündel vorgezogen, d. h. die Verbindungslinie dieser beiden Güterbündel muß oberhalb der Indifferenzkurve liegen. Ebenso wie das Gesetz der abnehmenden Grenzrate der Substitution führt auch die strenge Konvexität der Präferenzordnung zu streng konvexen Indifferenzkurven. Ist nämlich eine Präferenzordnung streng konvex, dann muß auch für $x^1 \sim x^2 \Rightarrow (\lambda x^1 + (1 - \lambda)x^2) \succ x^1 \sim x^2$, $0 < \lambda < 1$ gelten. Diese Implikation bedeutet aber wieder, daß eine Mischung zweier einander indifferenter Güterbündel jedem dieser beiden Güterbündel vorgezogen wird, d. h. die Indifferenzkurve ist streng konvex.

Das Gesetz der abnehmenden Grenzrate der Substitution besagt keinesfalls dasselbe wie das 1. GOSSENsche Gesetz, jedoch besteht zwischen beiden Gesetzen ein enger Zusammenhang (KRELLE, 1961). Falls der Grenznutzen des einen Gutes unabhängig ist vom anderen Gut, falls also $\partial^2 U/\partial x_j \partial x_i = 0$ ist, sind 1. GOSSENsches Gesetz und Gesetz der abnehmenden Grenzrate der Substitution einander äquivalent. Ist $\partial^2 U/\partial x_j \partial x_i > 0$, so braucht das 1. GOSSENsche Gesetz nicht mehr erfüllt zu sein, damit das Gesetz der abnehmenden Grenzrate der Substitution gilt. Vielmehr kann jetzt bei seiner Gültigkeit der Grenznutzen eines Gutes steigen. Für $\partial^2 U/\partial x_j \partial x_i < 0$ kann zwar das 1. GOSSENsche Gesetz zutreffen, jedoch kann nun die Grenzrate der Substitution zunehmen.

In den folgenden Ausführungen wird angenommen, daß die Nutzenfunktion das Gesetz der abnehmenden Grenzrate der Substitution erfüllt.

Abschließend soll festgehalten werden, daß das Konzept der Nutzenfunktion in einen Haushalts-Produktionsfunktions-Ansatz integriert werden kann (BECKER, 1982). Nach diesem Ansatz ist der Nutzen nicht abhängig von den bloßen Gütermengen, die dem Haushalt zur Verfügung stehen, sondern von den Leistungen, die der Haushalt aus diesen Gütern erhält und die er selbst unter Zeitaufwand herstellen muß. Auf diese Weise ist es möglich, Zeitrestriktionen und Unterschiede in der „Konsum-Effizienz“ von Haushalten in die Haushaltstheorie einzuführen und damit eine differenziertere Erklärung des Konsumverhaltens von Wirtschaftssubjekten zu ermöglichen. Wir beschränken uns aber im folgenden auf das Konzept der oben eingeführten Nutzenfunktion.

2.2. Arbeitsangebot

Das Arbeitsangebot eines Haushalts kann mit Hilfe einer Nutzenfunktion abgeleitet werden. Um diese Analyse des Haushaltsverhaltens möglichst einfach zu halten, wird angenommen, daß er nur über Arbeitseinkommen verfügt. Dieses Einkommen soll ausschließlich zum Kauf von Konsumgütern verwandt werden. Aus diesem Grunde kann man statt der Konsumgüter bei dieser Problemstellung das Einkommen als ein Argument in der Nutzenfunktion des Haushalts betrachten.

Um ein Arbeitseinkommen zu erzielen, muß der Haushalt Arbeitszeit aufwenden. Diese Arbeitszeit steht in einer einfachen Beziehung zur Freizeit. Versteht man nämlich der Einfachheit halber unter Freizeit den gesamten Rest der Zeit pro Tag, also einschließlich der für Schlafen, Essen, etc. aufzuwendenden Zeit, und mißt man die Zeit in Stunden, so ist

$$\text{Arbeitszeit} + \text{Freizeit} = 24.$$

Nun stiftet erfahrungsgemäß die Freizeit ebenso wie die Konsumgüter bzw. das Einkommen dem Haushalt Nutzen, so daß auch die Freizeit ein Argument der Nutzenfunktion darstellt. Diese Nutzenfunktion läßt sich somit schreiben als

$$U = U(Y,FZ),\ \partial U/\partial Y > 0,\ \partial U/\partial FZ > 0,$$

mit Y – Einkommen und FZ – Freizeit. Ferner wird angenommen, daß diese Nutzenfunktion das Gesetz der abnehmenden Grenzrate der Substitution erfüllt.

Der Haushalt steht hier also vor dem Problem, seinen Nutzen in Abhängigkeit von der Freizeit und seinem Einkommen zu maximieren. Bei diesem Maximierungsproblem ist zu beachten, daß die Freizeit und das Einkommen nicht unabhängig voneinander sind. Bei konstantem Lohnsatz w ist nämlich das Einkommen bestimmt durch $Y = w \cdot AZ$, AZ – Arbeitszeit. Wegen $AZ + FZ = 24$ läßt sich die Gleichung auch schreiben als $Y = w \cdot (24 - FZ)$. Dieses ist die Nebenbedingung, die der Haushalt bei seinem Maximierungsproblem zu beachten hat; es lautet zusammengefaßt:

Zielfunktion:	$U = U(Y, FZ) = \max!$
Nebenbedingung:	$Y - w \cdot (24 - FZ) = 0.$

Für dieses Maximierungsproblem unter einer Nebenbedingung liefert die LAGRANGE-Methode die notwendigen Bedingungen erster Ordnung, die die optimale Freizeit und das optimale Einkommen in der Lösung erfüllen müssen. Die LAGRANGE-Funktion lautet:

$$L = U(Y, FZ) - \lambda\,[Y - w \cdot (24 - FZ)],$$

mit λ – LAGRANGEscher Multiplikator. Die partiellen Ableitungen dieser Funktion nach Y und FZ müssen Null sein:

$$\frac{\partial L}{\partial Y} = \frac{\partial U}{\partial Y} - \lambda = 0$$

$$\frac{\partial L}{\partial FZ} = \frac{\partial U}{\partial FZ} - \lambda w = 0.$$

Hieraus folgt durch Division:

$$\frac{\partial U/\partial FZ}{\partial U/\partial Y} = w.$$

Nach den Ausführungen im Abschnitt 2.1.2. stellt die linke Seite dieser Gleichung zum einen den absoluten Anstieg der Indifferenzkurve ($U(Y, FZ) - \bar{U} = 0$) und zum anderen die Grenzrate der Substitution des Einkommens in bezug auf die Freizeit dar, denn es gilt:

$$-\frac{dY}{dFZ \mid \bar{U}} = \frac{\partial U/\partial FZ}{\partial U/\partial Y}.$$

Damit muß im Optimum

- der absolute Anstieg der Indifferenzkurve gleich dem Lohnsatz sein
- und die Grenzrate der Substitution des Einkommens in bezug auf die Freizeit gleich dem Lohnsatz sein.

Dieses Ergebnis ist in *Abb. K–4* graphisch dargestellt.

In dieser Figur sind drei Indifferenzkurven der Nutzenfunktion $U(\cdot)$ für $U = 1$, $U = 2$ und $U = 3$ eingetragen. Ferner wurde die Gerade mit dem Anstieg $-w$ eingezeichnet, die durch den Punkt 24 auf der Abszisse geht. Beim bestehenden Lohnsatz w kann jede Einkommen-Freizeit-Kombination vom Haushalt realisiert werden, die auf dieser Geraden liegt. Das sei an zwei Beispielen erklärt. Für $FZ = 24$, also $AZ = 0$, kann kein Einkommen erzielt werden, da nicht gearbeitet wird, und man gelangt auf den Punkt 24 auf der Abszisse; ist andererseits $FZ = 0$, wird also

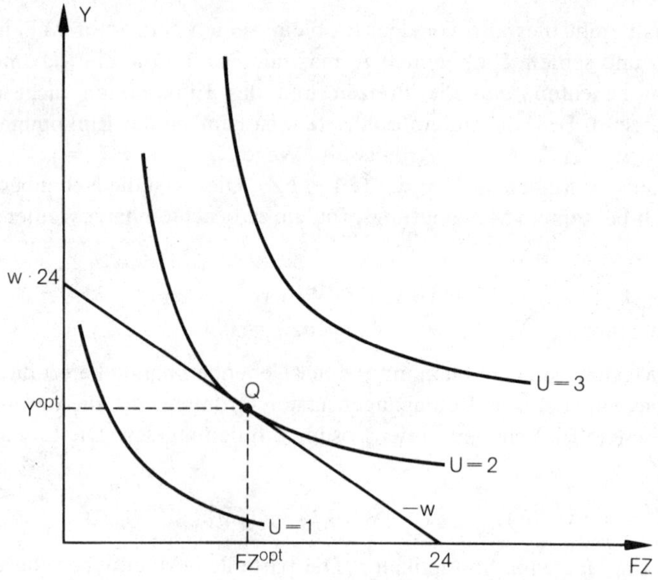

Abb. K-4: Ableitung der optimalen Freizeit

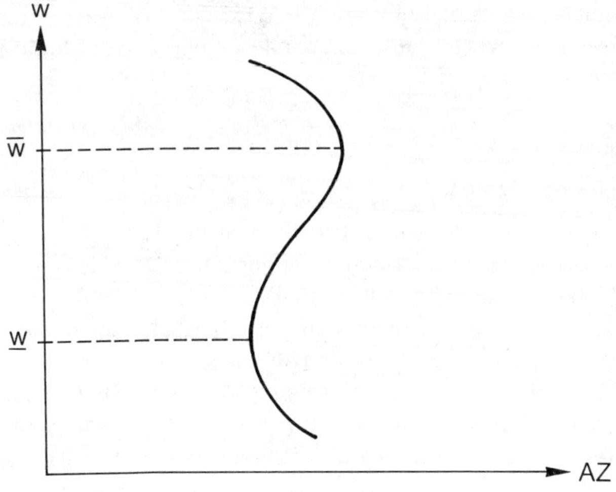

Abb. K–5: Arbeitsangebotsfunktion

24 Stunden am Tag gearbeitet, so kann der Punkt w · 24 auf der Ordinate realisiert werden. Das Entscheidungsproblem des Haushalts besteht jetzt darin, aus allen möglichen Punkten der Geraden den optimalen auszuwählen; das ist jener, der den Nutzen maximiert.

Der Punkt Q ist der gesuchte optimale Punkt. In ihm tangiert die Einkommen-Freizeit-Gerade die Indifferenzkurve U = 2; eine höher gelegene Indifferenzkurve kann nicht erreicht werden. Offensichtlich stimmen im Punkt Q der Anstieg der Einkommen-Freizeit-Geraden und der der Indifferenzkurve U = 2 miteinander überein, d. h. es gilt

$$\frac{dY}{dFZ}\Big|_{U = 2} = -w,$$

der Lohnsatz ist somit gleich der Grenzrate der Substitution des Einkommens bezüglich der Freizeit. Die Werte Y^{opt} und FZ^{opt} sind die optimalen Werte des Einkommens und der Freizeit. Damit liegt aber auch der optimale Wert der Arbeitszeit fest; er ist bestimmt durch $AZ^{opt} = 24 - FZ^{opt}$. Wir können somit resümieren: Ein Haushalt wird bei einem vorgegebenen Lohnsatz w die Arbeitszeit AZ^{opt} anbieten. Da das für jeden Lohnsatz gilt, ist somit eine Arbeitsangebotsfunktion des Haushalts aus einem Optimierungsansatz abgeleitet worden: AZ = AZ(w); die durch diese Funktion festgelegte Arbeitszeit ist stets optimal, wobei der einfacheren Schreibweise wegen hier die Kennzeichnung „opt“ weggelassen wurde.

Die Eigenschaften dieser Arbeitsangebotsfunktion hängen offensichtlich von der zugrundeliegenden Nutzenfunktion ab, da sie aus dieser abgeleitet wurde. Häufig wird unterstellt, daß die Nutzenfunktion solche Eigenschaften hat, daß die Arbeitsangebotsfunktion den in *Abb. K-5* dargestellten Verlauf hat.

Innerhalb eines Intervalls ($\underline{w}$, $\overline{w}$) führt ein steigender Lohnsatz zu einer längeren Arbeitszeit. Umgekehrt ist dieser Zusammenhang für $w \leqq \underline{w}$ und $w \geqq \overline{w}$. Wird der Lohnsatz $\overline{w}$ und damit das Einkommen $\overline{w} \cdot AZ(\overline{w})$ erreicht, so nimmt für noch höhere Lohnsätze die Wertschätzung der Freizeit wieder zu, d. h. für $w > \overline{w}$ nimmt das

Arbeitsangebot mit steigendem Lohnsatz ab. Wird der Lohnsatz $\underline{w}$ unterschritten, steigt das Arbeitsangebot wieder an, um zumindest ein gewisses Mindesteinkommen aufrechtzuerhalten.

2.3. Güternachfrage

2.3.1. Haushaltsgleichgewicht

Wie eingangs bereits festgestellt wurde, tritt der private Haushalt auf dem Konsumgütermarkt als Nachfrager von Konsumgütern auf. Diese Nachfrage läßt sich ebenfalls aus einem Optimierungsansatz ableiten.

Man geht davon aus, daß das Einkommen des Haushalts sowie die Güterpreise festliegen. Bei dieser Problemlage ist es sinnvoll anzunehmen, daß der Nutzen eines Haushalts von den für den Konsum zur Verfügung stehenden Mengen an Konsumgütern abhängt. Existieren m Konsumgüter und bezeichnet man mit x_i die Menge des i-ten Konsumgutes, so läßt sich die Nutzenfunktion wie oben bereits ausgeführt darstellen als

$$U = U(x_1, \ldots, x_m),$$

wobei unterstellt ist, daß diese Funktion die bekannten Eigenschaften aufweist.

Existiert für den Haushalt eine derartige Nutzenfunktion, so verhält sich der Haushalt bei gegebenen Güterpreisen und bei gegebenem Einkommen dann optimal, wenn die von ihm nachgefragten Gütermengen seinen Nutzen maximieren. Jedoch können diese Mengen nicht unabhängig voneinander gewählt werden. Die für den Gütereinkauf insgesamt aufgewandten Mittel müssen nämlich bei Vernachlässigung von Sparen und Horten genauso groß wie das Einkommen sein:

$$\sum_{i=1}^{m} x_i p_i = Y.$$

Damit stellt sich für den Haushalt das folgende Optimierungsproblem:

Zielfunktion: $U = U(x) = \max_x$

Nebenbedingung: $Y - px = 0;$

hierin ist $x = (x_1, \ldots, x_m)$, $p = (p_1, \ldots, p_m)$ und $px = \sum_{i=1}^{m} p_i x_i$.

Für diese Maximierungsaufgabe mit Nebenbedingung liefert wieder die LAGRANGE-Methode die notwendigen Bedingungen erster Ordnung. Diese führen hier auf

$$\frac{\partial U/\partial x_i}{\partial U/\partial x_j} = \frac{p_i}{p_j}, \quad i, j = 1, \ldots, m.$$

Dieses Ergebnis ist als das 2. GOSSENsche Gesetz bekannt:

Sind für einen Haushalt die Preise der Konsumgüter sowie sein Einkommen vorgegeben, so verhalten sich im Nutzenmaximum die Grenznutzen der Güter zueinander wie ihre Preise.

Durch ähnliches Vorgehen wie bei der Ableitung der Arbeitszeitangebotsfunktion im letzten Abschnitt läßt sich auch dieses Ergebnis leicht graphisch veranschaulichen. Da die Grenzrate der Substitution des Gutes j bezüglich des Gutes i gleich dem Verhältnis der Grenznutzen der Güter i und j ist, kann das 2. GOSSENsche Gesetz auch in der Form

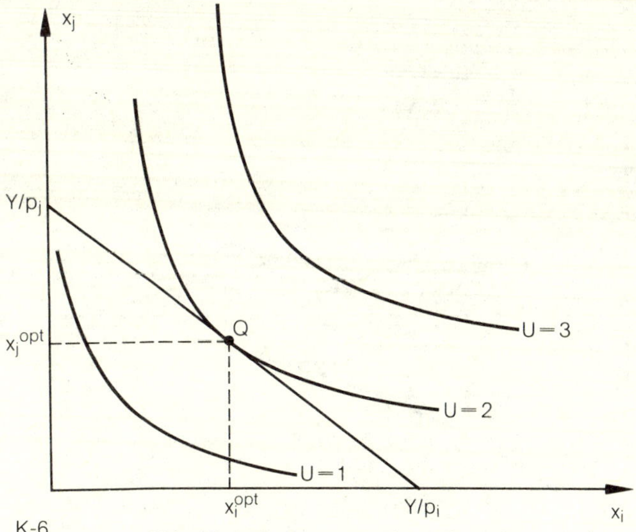

Abb. K–6: 2. GOSSENsches Gesetz

$$\frac{dx_j}{dx_i | \bar{U}} = - p_i/p_j$$

geschrieben werden, d. h. im Optimum stimmen das Preisverhältnis p_i/p_j und der absolute Anstieg der Indifferenzkurve $\bar{U}$ miteinander überein. Somit ergibt sich die *Abb. K–6.*

Die Indifferenzkurven U = 1, U = 2 und U = 3 sind aus der Nutzenfunktion $U = U(x_1, \ldots, x_m)$ abgeleitet worden. Die Gerade wird als Einkommensgerade bezeichnet. Bei gegebenen Preisen p_i und p_j sowie bei gegebenem Einkommen Y kann der Haushalt mit seiner Nachfrage jeden Punkt auf dieser Geraden realisieren. Das sei an einem Beispiel erläutert. Wird von dem Gut i nichts nachgefragt, also $x_i = 0$, kann vom Gut j wegen $p_j x_j = Y$ in Höhe von Y/p_j nachgefragt werden; entsprechend erhält man für $x_j = 0$ auf der Abszisse den Punkt Y/p_i. Zwar sind auf dieser Einkommensgeraden alle Punkte für den Haushalt realisierbar, doch liefert nur der Punkt Q den maximalen Nutzen. Dort tangieren die Einkommensgerade und die Indifferenzkurve U = 2 einander, so daß U = 2 den höchsten erreichbaren Nutzen darstellt. Da die Einkommensgerade den Anstieg $- p_i/p_j$ aufweist, lautet die genannte Tangentialeigenschaft formal: $dx_j/dx_{i|U=2} = - p_i/p_j$. Dies ist aber nichts anderes als der Inhalt des 2. GOSSENschen Gesetzes. Die durch den Punkt Q bestimmten Mengen x_i^{opt} und x_j^{opt} sind optimal in dem Sinne, daß sie zu einem maximalen Nutzen führen.

Das 2. GOSSENsche Gesetz läßt sich noch auf eine andere Weise zum Ausdruck bringen. Die Anwendung der LAGRANGE-Methode auf das eingangs formulierte Optimierungsproblem führt nämlich zunächst auf

$$\frac{\partial U}{\partial x_i} = \lambda p_i \text{ oder } \frac{\partial U}{\partial x_i} / p_i = \lambda,$$

mit λ – LAGRANGEscher Multiplikator. Der letzte Ausdruck läßt sich so interpretieren. Der Grenznutzen $\partial U/\partial x_i$ gibt (approximativ) den zusätzlichen Nutzen pro zusätzlicher Einheit des Gutes i an; der Preis p_i kann als zusätzlicher Geldbetrag pro

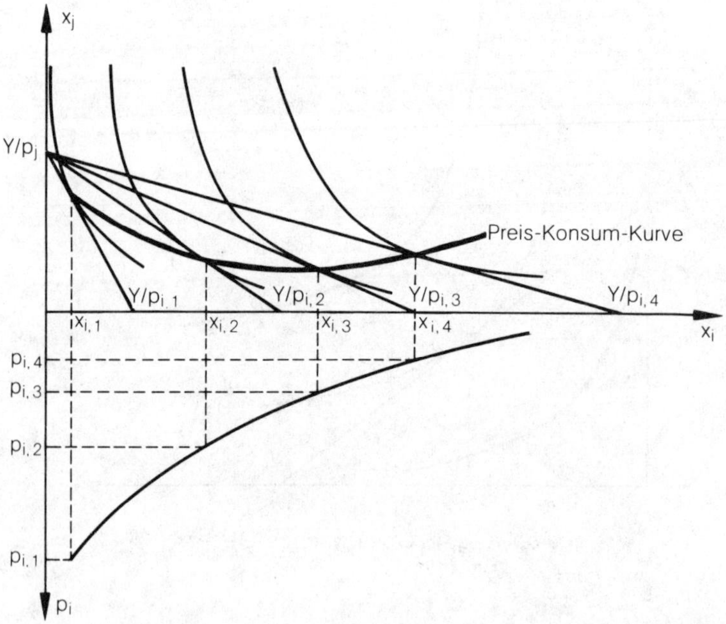

Abb. K–7: Nachfrage nach Gut i in Abhängigkeit vom Preis p_i

zusätzlicher Einheit des Gutes i aufgefaßt werden. Der Quotient beider Größen, also λ, gibt demzufolge den zusätzlichen Nutzen pro zusätzlicher Geldausgabe an, d. h. λ kann als der Grenznutzen der Geldausgabe für Konsumgüter interpretiert werden. In dieser Version besagt das 2. GOSSENsche Gesetz: Im Nutzenmaximum ist der Grenznutzen der Geldausgabe für alle Verwendungsarten gleich; jede „letzte" Mark, die für den Kauf eines der m Güter ausgegeben wird, bringt dem Haushalt den gleichen (Grenz-)Nutzen.

Mit Hilfe der bisherigen Überlegungen läßt sich eine Nachfragefunktion für das i-te Gut herleiten. Angenommen nämlich, der Preis des i-ten Gutes sinkt, dann dreht sich die Einkommensgerade in *Abb. K–6* gegen den Uhrzeigersinn um den Punkt Y/p_j auf der Ordinate, vgl. *Abb. K–7.*

Im oberen Quadranten dieser Figur sind vier Einkommensgeraden für die vier alternativen Preise $p_{i,1} > p_{i,2} > p_{i,3} > p_{i,4}$ eingetragen; diese Preise sind ebenfalls auf dem unteren Teil der Ordinate eingezeichnet. Jede dieser Einkommensgeraden führt zu einer optimalen Nachfragemenge des Gutes i, nämlich zu $x_{i,1} < x_{i,2} < x_{i,3} < x_{i,4}$. Offensichtlich steigt diese Nachfragemenge, wenn der Preis p_i fällt. Damit ist aber nichts anderes als die Nachfrage nach dem Gut i in Abhängigkeit von seinem Preis p_i, also die Nachfragefunktion, abgeleitet worden. Sie ist im unteren Quadranten von *Abb. K–7* dargestellt.

Die Verbindungslinie aller Tangentialpunkte im oberen Quadranten nennt man Preis-Konsum-Kurve. Sie gibt im Gegensatz zur Kurve der Nachfragefunktion die nachgefragten Mengen beider Güter bei einem bestimmten Preisverhältnis an. Selbstverständlich sind auch Nutzenfunktionen denkbar, die solche Eigenschaften aufweisen, daß die aus ihnen ableitbaren Nachfragefunktionen einen positiven Anstieg

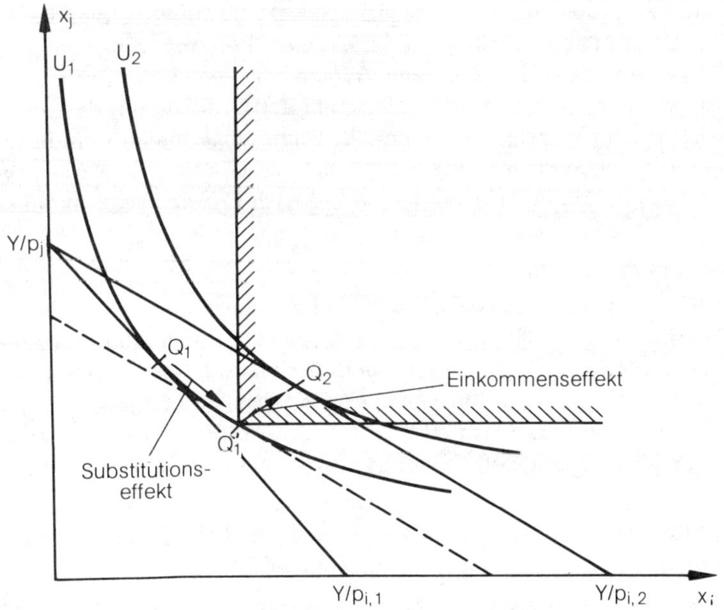

Abb. K–8: Einkommens- und Substitutionseffekt

aufweisen. Eine solche Nachfragefunktion beinhaltet das GIFFENsche Paradox: Steigt z. B. der Preis von Grundnahrungsmitteln, so kann bei einem niedrigen Einkommen eines Haushalts seine Nachfrage nach diesen Nahrungsmitteln zunehmen. Der Grund für diese Zunahme liegt darin, daß die Preiserhöhung es dem Haushalt beispielsweise unmöglich macht, höherwertige Lebensmittel im bisherigen Umfang nachzufragen; das gesamte für Lebensmittel zur Verfügung stehende Teilbudget muß jetzt für Grundnahrungsmittel ausgegeben werden. Dieses GIFFEN-Paradox wurde nach ROBERT GIFFEN (1837–1910) benannt; er führte aus, daß für untere Einkommensbezieher eine Brotpreiserhöhung zu einer erhöhten Nachfrage nach Brot führen könne.

Dieser anomale Verlauf einer Nachfragefunktion wird leicht erklärbar, wenn man die Auswirkungen einer Preisänderung in einen Einkommens- und einen Substitutionseffekt unterscheidet (SLUTSKY, 1915), vgl. *Abb. K–8.*

Ausgangspunkt der folgenden Überlegungen ist der Tangentialpunkt Q_1, in dem der zu untersuchende Haushalt zum Preis $p_{i,1}$ und zum Einkommen Y im Gleichgewicht ist. Sinkt der Preis des i-ten Gutes auf $p_{i,2}$, stellt Q_2 das neue Gleichgewicht dar. Der Übergang von Q_1 nach Q_2 kann in zwei Teilschritte zerlegt werden. Zunächst wirkt eine Preissenkung des i-ten Gutes so, daß das relativ teuer gewordene Gut j durch Gut i substituiert wird. Graphisch kann dieser Substitutionsvorgang in *Abb. K–8* so veranschaulicht werden, daß die ursprüngliche Einkommensgerade soweit entlang der Indifferenzkurve U_1 wandert, bis daß sie den neuen Anstieg $- p_{i,2}/p_j$ erreicht, und sie die Indifferenzkurve U_1 in Q_1' tangiert. Diese neue Gerade ist in *Abb. K–8* gestrichelt eingezeichnet; der Übergang von Q_1 nach Q_1' stellt den Substitutionseffekt der Preisänderung dar.

Ein sinkender Preis des i-ten Gutes bewirkt gleichzeitig eine Realeinkommenssteigerung des Haushalts. Dieser Einkommenseffekt einer Preisänderung kann graphisch so dargestellt werden, daß die gestrichelte Gerade der *Abb. K–8* so weit parallel nach „Nord-Osten" verschoben wird, bis daß sie auf der Ordinate mit der alten Einkommensgeraden im Punkt Y/p_j zusammenfällt. Dann tangiert sie die Indifferenzkurve U_2 im Punkt Q_2. Durch diese Parallelverschiebung kommt zum Ausdruck, daß das Einkommen steigt, und der Übergang von Q_1' nach Q_2 wird als Einkommenseffekt bezeichnet.

Liegt der Punkt Q_2 „nord-östlich" von Q_1' innerhalb des schraffierten Bereichs, dann wirkt der Einkommenseffekt so, daß von beiden Gütern mehr nachgefragt wird. In diesem Fall sind beide Güter superior. Wenn der Tangentialpunkt Q_2 außerhalb des schraffierten Bereichs zu liegen kommt, muß der Haushalt bei steigendem Einkommen und konstanten Preisen von einem Gut weniger nachfragen; dieses Gut wird inferior genannt. Läge z. B. Q_2 in *Abb. K–8* „nord-westlich" von Q_1', dann wäre das Gut i inferior; läge er „süd-östlich" von Q_1, so müßte Gut j inferior sein.

Aus diesem Zusammenwirken von Einkommens- und Substitutionseffekt einer Preisänderung läßt sich jetzt das GIFFENsche Paradox leicht erklären. Damit vom Gut i trotz sinkenden Preises p_i weniger nachgefragt wird,

- muß zwar zunächst wegen des Substitutionseffektes die Nachfrage nach Gut i zunehmen, d. h. Q_1' liegt „süd-östlich" von Q_1,
- dann muß aber der Einkommenseffekt so stark sein, daß der neue Tangentialpunkt Q_2 links (und oberhalb) nicht nur von Q'_1 sondern auch von Q_1 zu liegen kommt.

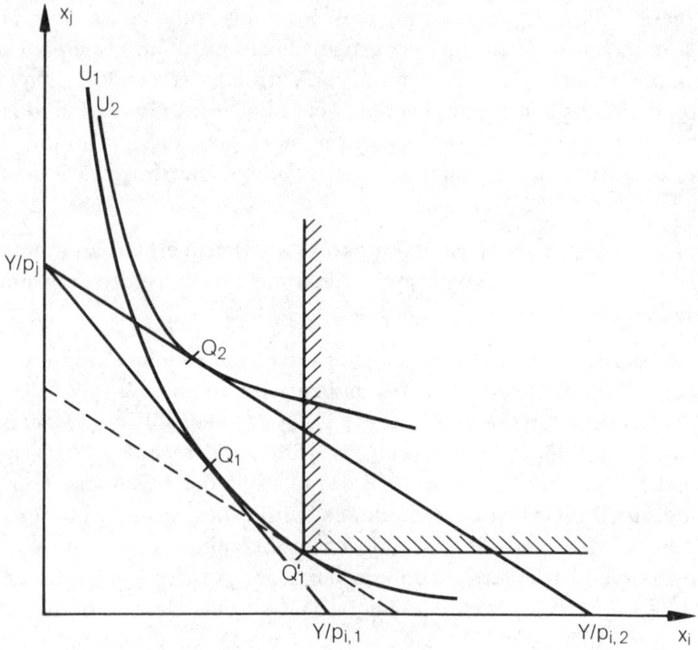

Abb. K–9: Gut i als inferiores Gut

Das Gut i muß also inferior sein (Q_2 liegt links von Q_1'). Jedoch reicht die Inferiorität des Gutes i nicht zur Erklärung des GIFFENschen Paradoxes. Dieses tritt eben erst auf, wenn Q_2 auch links von Q_1 zu liegen kommt. Die Inferiorität des Gutes i ist also eine notwendige, aber keine hinreichende Bedingung für das Zustandekommen des GIFFENschen Paradoxes. *Abb. K–9* zeigt dieses Paradox.

Ähnlich wie in *Abb. K–7* läßt sich auch die Nachfrage nach einem Gut in Abhängigkeit vom Einkommen ableiten. Vergrößert sich nämlich das Einkommen bei konstanten Preisen, so wandert die Einkommensgerade in Form einer Parallelverschiebung nach „Nord-Osten", vgl. *Abb. K–10.*

In dieser Figur ist $Y_1 < Y_2 < Y_3 < Y_4$. Die Menge aller Tangentialpunkte, hier Q_1, . . ., Q_4, liegt auf der ENGEL-Kurve. Sie gibt an, wie sich die Nachfrage nach den beiden Gütern i und j ändert, wenn sich das Einkommen bei konstanten Güterpreisen ändert. In dem hier dargestellten Fall nimmt die Nachfrage nach beiden Gütern bei

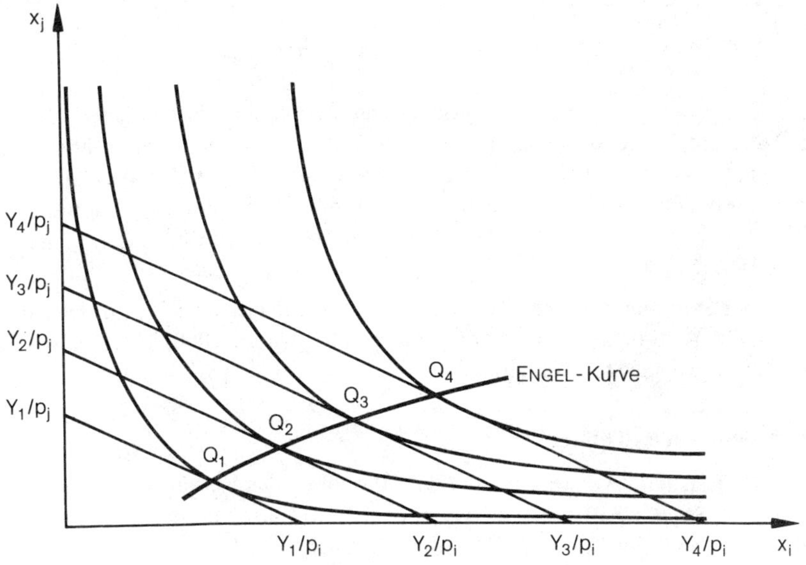

Abb. K–10: Ableitung der ENGEL-Kurve

steigendem Einkommen zu. Es sind aber auch Fälle denkbar, in denen die Nachfrage nach einem Gut bei steigendem Einkommen abnimmt; in diesem Fall ist das Gut inferior. Das aus der Nutzenfunktion ableitbare Indifferenzkurvenfeld kann z. B. wie in *Abb. K–11* strukturiert sein.

Hier nimmt bei steigendem Einkommen die Nachfrage nach Gut i ab. Als Beispiel für ein solches inferiores Gut können Kartoffeln dienen. Mit steigendem Einkommen werden weniger Kartoffeln nachgefragt, da die Verbraucher auf höherwertige Nahrungsmittel überwechseln.

Außer der hier behandelten Form der ENGEL-Kurve wird in der Literatur noch eine andere Darstellung dieser Kurve benutzt. Jene Kurve, die den funktionalen Zusammenhang zwischen Einkommen und nachgefragter Menge eines Gutes angibt, wird ebenfalls als ENGEL-Kurve bezeichnet.

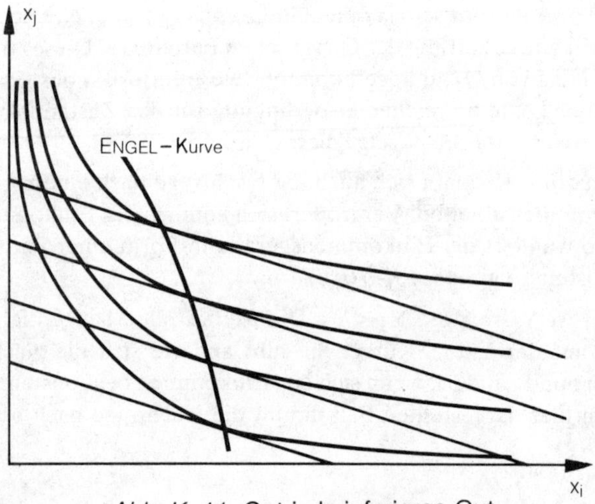

Abb. K–11: Gut i als inferiores Gut

Die ENGEL-Kurve steht in engem Zusammenhang mit dem ENGELschen Gesetz; es besagt, daß mit steigendem Einkommen die Nahrungsmittelausgaben absolut zwar zunehmen, ihr Anteil an den Gesamtausgaben eines Haushalts aber zurückgeht. Dieses Gesetz geht zurück auf ERNST ENGEL (1821–1896), der eben diesen Zusammenhang zwischen Einkommen und Nahrungsmittelausgaben bereits 1857 nachwies (ENGEL, 1857).

Denselben Zusammenhang konnte HERMANN SCHWABE (1830–1874) für das Einkommen und die Wohnungsausgaben nachweisen (SCHWABE, 1868). Man nennt diese Beziehung deswegen SCHWABEsches Gesetz.

2.3.2. Nachfrageelastizitäten

Unter einer Elastizität versteht man in der Ökonomie das Verhältnis zweier relativer Änderungen. So gibt z. B. $\mu := (\triangle y/y)/(\triangle x/x)$ die Elastizität der Größe y in bezug auf die Größe x an; mit anderen Worten: ändert sich x um 1 v. H., so ändert sich y um μ v. H. Der Vorteil einer solchen Elastizität besteht darin, daß sie einen Zusammenhang zwischen zwei Größen unabhängig von deren Maßeinheiten wiedergeben kann. Konzeptionell steht im Zähler der Elastizität die „abhängige" und im Nenner die „unabhängige" Größe, ohne daß notwendigerweise eine solche Kausalbeziehung zwischen beiden Größen bestehen muß.

Dieses Konzept der Elastizität wird vielfach angewandt, um das Nachfrageverhalten eines Haushaltes zu beschreiben. Man unterscheidet im wesentlichen drei solcher Elastizitäten, nämlich

- die Elastizität der Nachfrage nach einem Gut i in bezug auf seinen Preis (Preiselastizität der Nachfrage),
- die Elastizität der Nachfrage nach einem Gut i in bezug auf das Einkommen (Einkommenselastizität der Nachfrage),
- die Elastizität der Nachfrage nach einem Gut i in bezug auf den Preis eines Gutes j (Kreuzpreiselastizität der Güter i und j).

Alle drei Elastizitäten sind aus der Nachfragefunktion

$$x_i = x_i\,(p_1, \ldots, p_m, Y)$$

abzuleiten. Diese Nachfragefunktion faßt gewissermaßen die Ausführungen des letzten Abschnitts zusammen, indem sie jene Menge des Gutes i angibt, die ein Haushalt bei gegebenen Preisen aller Güter und bei gegebenem Einkommen nachfragt. Die drei oben genannten Elastizitäten werden auf der Grundlage dieser Nachfragefunktion definiert als:

Preiselastizität der Nachfrage: $\eta_p := \frac{\partial x_i}{\partial p_i} \frac{p_i}{x_i}$

Einkommenselastizität der Nachfrage: $\eta_Y := \frac{\partial x_i}{\partial Y} \frac{Y}{x_i}$

Kreuzpreiselastizität der Güter i und j: $\eta_{i,j} := \frac{\partial x_i}{\partial p_j} \frac{p_j}{x_i}$

Die Preiselastizität der Nachfrage eines Gutes i ist in der Regel negativ. Steigt nämlich der Preis p_i, geht die nachgefragte Menge x_i zurück, d. h. $\partial x_i/\partial p_i$ ist negativ. Eine positive Preiselastizität der Nachfrage spiegelt das GIFFENsche Paradox wieder: in diesem Fall wird bei steigendem Preis eines Gutes i von diesem Gut mehr nachgefragt.

Ist die Einkommenselastizität der Nachfrage eines Gutes i positiv, so handelt es sich bei diesem um ein superiores Gut, denn bei einer Erhöhung des Einkommens steigt auch die Nachfrage nach diesem Gut. Ist diese Elastizität dagegen negativ, so muß es sich entsprechend um ein inferiores Gut handeln.

Mit Hilfe dieser Elastizität lassen sich auch das ENGELsche und SCHWABEsche Gesetz wiedergeben. Diese beiden Gesetze besagen, daß die Nachfrageelastizitäten nach Nahrungsmitteln (ENGEL) bzw. nach Wohnung (SCHWABE) in bezug auf das Einkommen zwar positiv, aber kleiner als Eins sind.

Die Kreuzpreiselastizität der beiden Güter i und j zeigt auf, wie sich die Nachfrage nach einem Gut i ändert, wenn ceteris paribus der Preis des Gutes j geändert wird. Ist diese Elastizität positiv, bewirkt also ein steigender Preis des Gutes j eine Zunahme der Nachfrage nach Gut i, so beurteilt der Haushalt beide Güter offensichtlich als substitutiv. Er substituiert das Gut j durch das Gut i. Als Beispiel hierfür können Butter und Margarine dienen; steigt der Preis der Butter, wird die Nachfrage nach Margarine ausgedehnt.

Eine negative Kreuzpreiselastizität bedeutet, daß bei steigendem Preis p_j die nachgefragte Menge x_i sinkt. Beide Güter sind offensichtlich für den Haushalt komplementär. Steigt beispielsweise der Preis für Benzin, wird die Nachfrage nach Autos geringer werden.

Tabelle K–1 faßt die bisherigen Ausführungen zusammen.

Tab. K–1: Nachfrageelastizitäten und ihre Anwendungen

Elastizität	Definition	Anwendung
Preiselastizität der Nachfrage	$\eta_p := \frac{\partial x_i}{\partial p_i} \frac{p_i}{x_i}$	$< 0 \rightarrow$ Regelfall $> 0 \rightarrow$ GIFFENsches Paradox
Einkommens-elastizität der Nachfrage	$\eta_Y := \frac{\partial x_i}{\partial Y} \frac{Y}{x_i}$	$> 0 \rightarrow$ superiores Gut i $< 0 \rightarrow$ inferiores Gut i
Kreuzpreis-elastizität der Nachfrage	$\eta_{i,j} := \frac{\partial x_i}{\partial p_j} \frac{p_j}{x_i}$	$> 0 \rightarrow$ substitutive Güter i und j $< 0 \rightarrow$ komplementäre Güter i und j
ENGELsches Gesetz:	$0 < \eta_Y^N < 1$	η_Y^N – Einkommenselastizität der Nachfrage nach Nahrungsmitteln
SCHWABEsches Gesetz:	$0 < \eta_Y^W < 1$	η_Y^W – Einkommenselastizität der Nachfrage nach Wohnungen

2.3.3. Intertemporale Konsumgüternachfrage

Das Einkommen eines Haushalts wird sich in der Regel im Zeitverlauf ändern. Der typische Lebenszyklus des Einkommens eines Wirtschaftssubjektes sieht so aus, daß ab Beginn der Berufsausübung ein zunächst recht niedriges Einkommen erzielt wird, dieses Einkommen dann im Zeitverlauf bis zu einem Maximum ansteigt und anschließend leicht abfällt; mit Erreichen des Pensionsalters tritt an die Stelle des Einkommens die Renten- oder Pensionszahlung, sofern Ansprüche auf diese Zahlungen bestehen.

Die Konsumbedürfnisse eines Wirtschaftssubjektes werden in den meisten Fällen eine andere zeitliche Struktur aufweisen als sein Einkommensstrom. „Haushalts"-gründung und Aufzucht der Kinder machen relativ große Konsumausgaben notwendig; verlassen die Kinder das Elternhaus, können die Konsumausgaben sinken, und mit zunehmendem Alter wird in der Regel laufend weniger konsumiert.

Die beiden unterschiedlichen Zeitprofile des Einkommens und der gewünschten Konsumausgaben müssen vom Haushalt durch geeignete Dispositionen über seine finanziellen Forderungen und Verbindlichkeiten miteinander in Einklang gebracht werden. Die grundsätzliche Problematik, mit der der Haushalt bei diesen Entscheidungen konfrontiert ist, läßt sich an Hand eines einfachen Zwei-Perioden-Modells darstellen (IRVING FISHER, 1930).

Der Planungszeitraum eines Haushaltes umfasse zwei gleich lange Zeitperioden, nämlich die Perioden 1 und 2. Zu Beginn beider Perioden erhält er die Einkommen Y(1) und Y(2). Der Einfachheit halber sei angenommen, daß der Haushalt weder zu

Beginn der Periode 1 noch zum Ende der Periode 2 Vermögen aufweisen soll. Weiterhin sei angenommen, daß der Haushalt Verbindlichkeiten eingehen und Forderungen erwerben kann, die mit dem Zinssatz r verzinst werden. Auf diese Weise ist der Haushalt in der Lage, seinen Konsumstrom in gewissen Grenzen unabhängig von seinem Einkommensstrom zu planen; Grenzen werden ihm durch seine Fähigkeiten gesetzt, Verbindlichkeiten einzugehen und Forderungen zu erwerben.

Die Grenzen werden in der folgenden Weise bestimmt. Der Haushalt kann (hypothetisch) in der Periode 1 vollständig auf Konsum verzichten und Forderungen in Höhe seines Einkommens Y(1) erwerben. Das zu Beginn der Periode 2 ihm für Konsumzwecke zur Verfügung stehende Einkommen besteht dann aus $Y(1) \cdot (1+r) + Y(2)$. Umgekehrt soll der Haushalt zu Beginn der Periode 1 sich so verschulden können, daß er die am Ende dieser Periode fälligen Zins- und Tilgungszahlungen gerade mit seinem Einkommen Y(2) leisten kann. Er kann dann im Extremfall während der Periode 1 einen Konsum in Höhe von $Y(1) + Y(2)/(1+r)$ realisieren und dann für Periode 2 auf Konsum vollständig verzichten. Natürlich stehen dem Haushalt dann auch alle möglichen Kombinationen dieser beiden Extremfälle zur Verfügung, die in *Abb. K-12* durch die Gerade $Q_1 Q_2$ wiedergegeben werden. Diese Gerade entspricht in gewisser Weise der Einkommensgeraden der *Abb. K-6*, nur daß sie nicht die Konsummöglichkeiten der beiden Güter x_i und x_j, sondern der „beiden" Konsumgüter C(1) (Gegenwartskonsum) und C(2) (Zukunftskonsum) anzeigt.

Der Anstieg dieser Geraden beträgt $-(1+r)$. Ökonomisch bedeutet dies, daß der Haushalt durch Verzicht auf eine Einheit Gegenwartskonsum $(1+r)$-Einheiten Zukunftskonsum gewinnen kann.

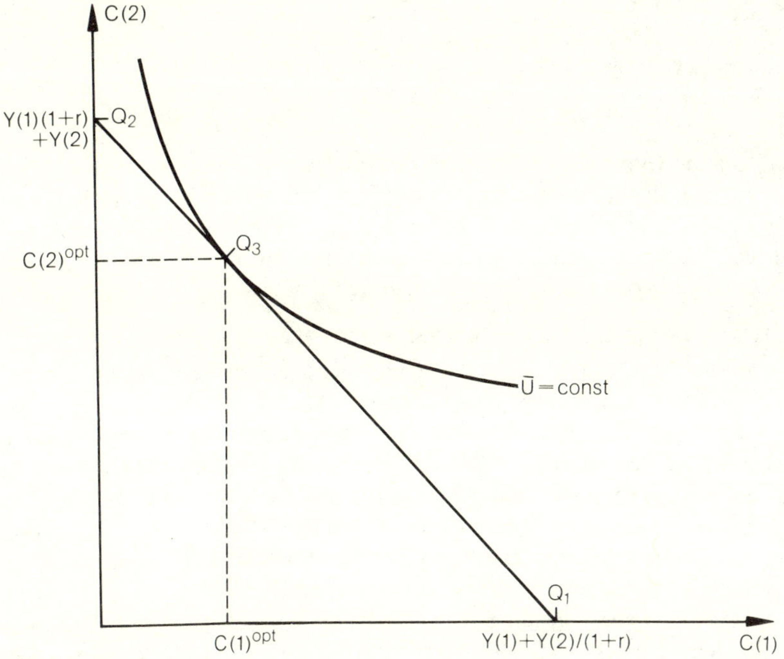

Abb. K-12: Zeitstruktur des Konsums

Die optimale Kombination von Gegenwarts- und Zukunftskonsum ist jetzt mit Hilfe der Nutzenfunktion

$$U = U(C(1), C(2))$$

zu bestimmen. Die aus dieser Nutzenfunktion ableitbaren Indifferenzkurven sollen das Gesetz der abnehmenden Grenzrate der Substitution erfüllen. Die optimale Zeitstruktur des Konsums wird durch den Tangentialpunkt der Geraden $Q_1 Q_2$ mit einer Indifferenzkurve, in *Abb. K-12* der Punkt Q_3, festgelegt; er liefert die optimalen Werte $C(1)^{opt}$ und $C(2)^{opt}$.

Die Interpretation dieses Ergebnisses geschieht weitgehend analog zum 2. GOSSENschen Gesetz, dargestellt in *Abb. K-6.* Der Anstieg der Indifferenzkurve $\bar{U}$ ist im Optimum gleich dem Anstieg der Geraden $Q_1 Q_2$:

$$\frac{dC(2)}{dC(1) \mid \bar{U}} = -(1 + r).$$

Weiterhin ist nach dem Satz über die Ableitung impliziter Funktionen dieser Anstieg bestimmt als

$$\frac{dC(2)}{dC(1) \mid \bar{U}} = -\frac{\partial U/\partial C(1)}{\partial U/\partial C(2) \mid \bar{U}}.$$

Demnach läßt sich die Bedingung des Optimums auch schreiben als

$$\frac{\partial U/\partial C(1)}{\partial U/\partial C(2) \mid \bar{U}} = 1 + r, \text{ oder als}$$

$$\frac{\partial U/\partial C(1) - \partial U/\partial C(2)}{\partial U/\partial C(2) \qquad \mid \bar{U}} =: \tau = r.$$

Der Bruch gibt an, um wieviel der Grenznutzen des Gegenwartskonsums relativ größer ist als der des Zukunftskonsums. Er gibt somit die Zeitpräferenz eines Wirtschaftssubjektes an und wird deswegen auch Zeitpräferenzrate genannt; diese Rate wird hier mit τ bezeichnet. Die optimale Zeitstruktur des Konsums beinhaltet also eine Übereinstimmung von Zeitpräferenzrate und Zinssatz.

Mit Hilfe dieses Ergebnisses läßt sich ableiten, ob der Haushalt in diesen Modellüberlegungen während der Periode 1 Forderungen erwirbt oder Verbindlichkeiten eingeht, d. h. ob er spart oder sich verschuldet. Dieser Ableitung dient *Abb. K-13.* Dort gibt der Punkt Q_3 auf der Bilanzgeraden jene Kombination von Gegenwarts- und Zukunftskonsum an, bei der in Periode 1 das gesamte Einkommen Y(1) und in Periode 2 das gesamte Einkommen Y(2) konsumiert wird. Ist in diesem Punkt die Zeitpräferenzrate des Haushalts geringer als der Zinssatz, weist also die durch diesen Punkt gehende Indifferenzkurve U_1 einen absolut geringeren Anstieg auf als die Bilanzgerade, so wird der Haushalt sparen. Eine Ersparnis in Höhe von Y(1) − C(1) ermöglicht dann einen zusätzlichen Zukunftskonsum in Höhe von C(2) − Y(2), und der Haushalt gelangt im Punkt Q_4 auf eine höher gelegene Indifferenzkurve, das Sparen vergrößert also seinen Nutzen.

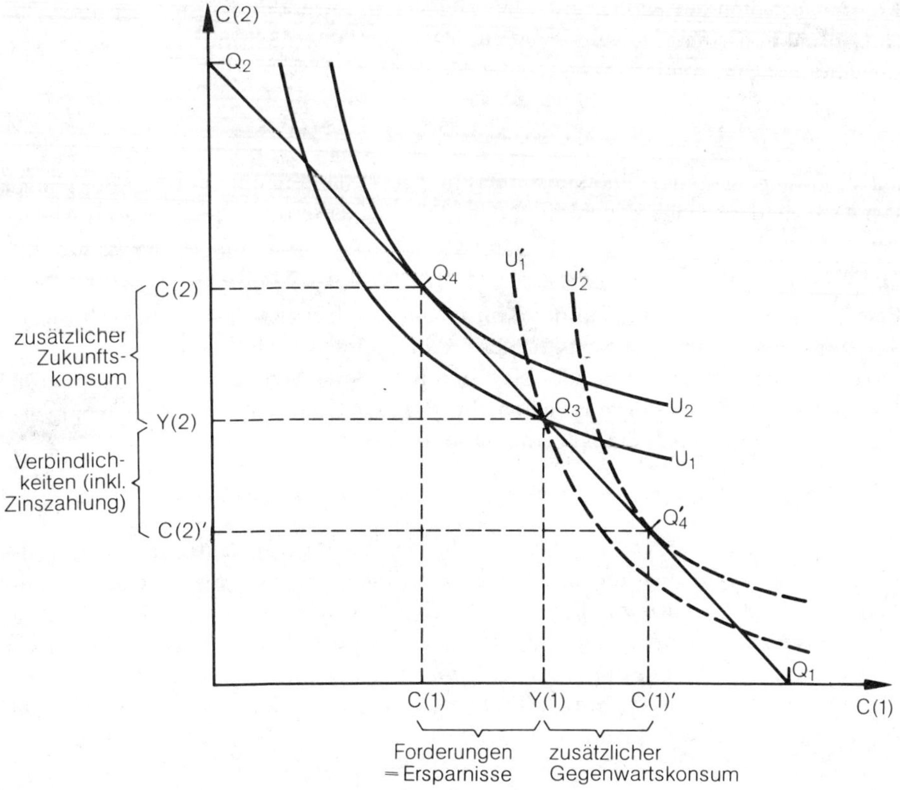

Abb. K-13: Optimale Konsumstruktur

Ist dagegen im Punkt Q_3 die Zeitpräferenzrate größer als der Zinssatz, dargestellt durch die gestrichelt eingezeichnete Indifferenzkurve U'_1, dann ist es für den Haushalt vorteilhaft, sich in Periode 1 zu verschulden. Einem zusätzlichen Gegenwartskonsum in Höhe von C(1)′ – Y(1) stehen dann Rückzahlungsverpflichtungen in Höhe von Y(2) – C(2)′ gegenüber. Aber auf diese Weise gelangt der Haushalt ebenfalls auf eine höher gelegene Indifferenzkurve, nämlich auf U'_2, und der neue Gleichgewichtspunkt ist Q'_4.

2.3.4. Interdependenzen in der Konsumgüternachfrage

Leitbild der bisherigen Überlegungen war ein Wirtschaftssubjekt, dessen Präferenzen insbesondere dadurch gekennzeichnet waren, daß sie sich nur auf Güter bezogen, die ihm selbst zur Verfügung standen. Dadurch konnte die Vorstellung eines homo oeconomicus entwickelt werden, der – unabhängig von sozialen Kontakten – seinen Nutzen maximierte.

In der Realität bestehen jedoch wechselseitige Beziehungen zwischen den individuellen Präferenzen; ein Beispiel ist die Familie. Das Konsumverhalten der Kinder beeinflußt den Nutzen der Eltern: in der Präferenzordnung der Eltern geht auch das

Konsumverhalten der Kinder ein. Dies läßt sich in folgender Weise präzisieren. Die Nutzenfunktion eines Elternteils enthält als Argumente nicht nur die eigenen Konsumgütermengen, sondern auch die des Kindes:

$$U = U(x_1, \dots x_m; x_1^K, \dots, x_m^K), \frac{\partial U}{\partial x_i} > 0, \frac{\partial U}{\partial x_i^K} > 0,$$

mit x_i^K – Menge des vom Kind konsumierten Gutes i. Unterstellt man, daß der Nutzen U mit steigender Menge x_i^K zunimmt, dann läßt sich diese Interdependenz als Altruismus deuten. Vater oder Mutter freuen sich über den guten Appetit des Kindes und sind bereit, auf den Konsum eines Gutes zugunsten des Kindes zu verzichten.

Eine solche Interdependenz in der Konsumgüternachfrage weicht in ihrer formalen Struktur erheblich von der Struktur der bisher analysierten Probleme ab. Nach dem 1. GOSSENschen Gesetz nimmt der Nutzen mit größerer Menge eines Gutes stets zu. Dies gilt im Fall des Altruismus nicht mehr. Bei zwei Gütern, deren Mengen vorgegeben sind, lautet nämlich die Nutzenfunktion:

$$U = U(x_1, x_2; \bar{x}_1 - x_1, \bar{x}_2 - x_2), x_i^K = \bar{x}_i - x_i;$$

$\bar{x}_i - x_i$ stellt die Konsummenge x_i^K des Kindes für das i-te Gut dar, wenn $\bar{x}_i$ die insgesamt zur Verfügung stehende Menge bezeichnet. Nunmehr existiert ein ,,inneres Maximum" für die Nutzenfunktion mit der Eigenschaft, daß eine Zunahme der eigenen Konsumgütermenge – die nämlich zu Lasten des Kindes geht – den Nutzen wieder abnehmen läßt (BOULDING, 1962; GABISCH, 1985). In *Abb. K-14* existiert für die Gütermengen x_1^* und x_2^* ein Nutzenmaximum, und es gibt Indifferenzkurven, die geschlossen um dieses Maximum liegen.

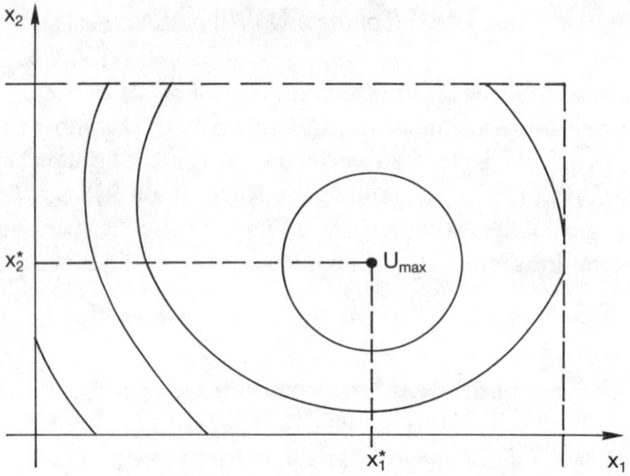

Abb. K-14: Indifferenzkurven eines Altruisten

An der Stelle U_{max} liegt das Nutzenmaximum des Altruisten. Je weiter eine Indifferenzkurve von diesem Maximum entfernt liegt, einen desto geringeren Nutzenindex weist sie auf. Altruistisches Verhalten führt also dazu, daß man nicht die maximal mögliche Menge der Güter für sich selbst wünscht, sondern eine geringere, also statt $\bar{x}_i$ nur x_i^*. Dieser Verzicht auf eigenen Konsum kommt eben dadurch zustande, daß in die eigene Nutzenfunktion indirekt auch der Nutzen eines anderen als Argument eingeht.

Auf der Grundlage derartiger Interdependenzen lassen sich auch andere soziale Phänomene wie Neid, Mißgunst, snobistisches Verhalten, etc. erklären. Bei Neid und Mißgunst konsumiert man mehr als ,,eigentlich" optimal wäre, nur weil man sich an den dadurch entgangenen Konsummöglichkeiten eines anderen erfreut.

Snobistisches Verhalten und andere soziale Phänomene im Konsumverhalten sind bisher überwiegend nur in ihren direkten Auswirkungen auf die Nachfrage untersucht worden (Fehl/Oberender, 1976). Die Methodik dieser Analyse besteht darin, die Marktnachfrage mit Interdependenzen in den Präferenzstrukturen der Individuen mit jener Marktnachfrage zu vergleichen, die sich ergäbe, wenn diese Interdependenzen nicht existierten.

So kann beispielsweise snobistisches Konsumverhalten dadurch gekennzeichnet sein, daß der Konsum eines Produkts nur deswegen eingeschränkt wird, weil andere dieses Produkt in steigendem Maße konsumieren; man will sich eben in seinem Konsumverhalten ,,von der Masse" abheben. Steigen in einem solchen Fall die Einkommen oder geht der Preis eines solchen Gutes zurück, dann steigt die Nachfrage nach diesem Gut nicht um den Betrag, um den sie ohne diese Interdependenzen steigen würde. Dieser Nachfrageausfall ist dann auf den Snob-Effekt zurückzuführen. Genau umgekehrt verhält es sich mit dem Mitläufereffekt (bandwagon effect) der Mode. Hier wird von einem Gut auch deswegen mehr nachgefragt, weil es auch von anderen nachgefragt wird: ,,man geht mit der Mode". Die Marktnachfrage nimmt hier stärker zu als ohne solche Interdependenzen.

Soziale Phänomene im Konsumverhalten können auf diese Weise mit wechselseitigen Abhängigkeiten in den individuellen Präferenzstrukturen erklärt werden.

2.3.5. Die Hypothese des permanenten Einkommens

Das tatsächliche Konsumverhalten der Haushalte hat eine Reihe von Erklärungen gefunden, so etwa die absolute (Keynes, 1936), relative (Duesenberry, 1949) und permanente Einkommenshypothese (Friedman, 1957). Diese drei Theorien wurden bereits im Beitrag C (C-3.1.2 und C-3.4) abgehandelt. Da aber Milton Friedmans (1957) Theorie des permanenten Einkommens im Mittelpunkt der wissenschaftlichen Diskussion der letzten Jahre stand, soll seine Theorie hier etwas ausführlicher dargestellt werden.

Anschaulich formuliert liegt seiner Theorie folgender Gedankengang zugrunde. Die Haushalte richten sich in ihrem Konsumverhalten nach jenem Einkommen, mit dem sie auf Dauer sicher rechnen können. Dieses Einkommen wird aus dem vergangenen und dem zukünftigen Einkommen ermittelt. Es existiert also eine zeitliche Verteilung des Einkommensstroms. Hieraus bestimmt Friedman die Höhe des gegenwärtigen Konsums. In den Grundzügen sieht seine Theorie wie folgt aus.

Das tatsächliche Einkommen Y und der tatsächliche Konsum C werden in eine permanente und eine transitorische Komponente eingeteilt:

$$Y = Y_p + Y_{tr}, \quad C = C_p + C_{tr};$$

Y_p und C_p heißen permanentes Einkommen und permanenter Konsum, Y_{tr} und C_{tr} werden transitorisches Einkommen und transitorischer Konsum genannt. Der permanente Konsum ist gleich dem für die betrachtete Periode geplanten Konsum. Die jeweiligen transitorischen Komponenten geben die Differenz zwischen den entsprechenden tatsächlichen und permanenten Werten an; sie erscheinen vom Standpunkt einer langfristigen Planung aus als zufallsbedingt.

Friedman unterstellt nun, daß der permanente Konsum dem permanenten Einkommen direkt proportional ist, wobei der Proportionalitätsfaktor von weiteren ökonomischen Größen abhängig ist:

$$C_p = C_{Y_p}(r, A/Y, b) \cdot Y_p, \quad 0 < C_{Y_p}(\cdot) < 1.$$

Der Proportionalitätsfaktor C_{Y_p} hängt vom Zinssatz r, dem Verhältnis von Vermögen zu Einkommen A/Y und von einer Sammelvariable b ab, in die alle Faktoren eingehen, die die Nutzenvorstellungen eines Haushalts sonst noch beeinflussen. Darüber hinaus nimmt Friedman noch an, daß zwischen den permanenten und transitorischen Komponenten des Einkommens und des Konsums sowie zwischen dem transitorischen Einkommen und dem transitorischen Konsum kein systematischer Zusammenhang besteht; bei einer Zeitreihenanalyse sollen die Korrelationskoeffizienten zwischen diesen Größen Null sein. Während die beiden ersten Annahmen keiner weiteren Begründung bedürfen, soll die letzte etwas näher erläutert werden. Im Durchschnitt sollen „Zufallseinkommen", also transitorische Einnahmen, nicht konsumiert, sondern gespart werden, weil das Konsumverhalten der Haushalte im Durchschnitt auf wohlbegründeten, längerfristig orientierten Überlegungen beruht. Das bedeutet, daß transitorische Einkommen, seien sie positiv oder negativ, in Form eines Residuums den Ersparnissen zugute kommen bzw. ihnen angelastet werden.

Um die bisher eingeführten Größen zu operationalisieren, führt Friedman die weitere Annahme ein, daß die transitorische Komponente des tatsächlichen Konsums vernachlässigbar klein sei. Dann ist der tatsächliche Konsum eine gute Approximation für den permanenten Konsum.

Das permanente Einkommen ist in der folgenden Weise zu bestimmen; vgl. *Abb. K-15*. Das gesamte Lebenseinkommen eines Wirtschaftssubjekts zum Zeitpunkt t_0 ist

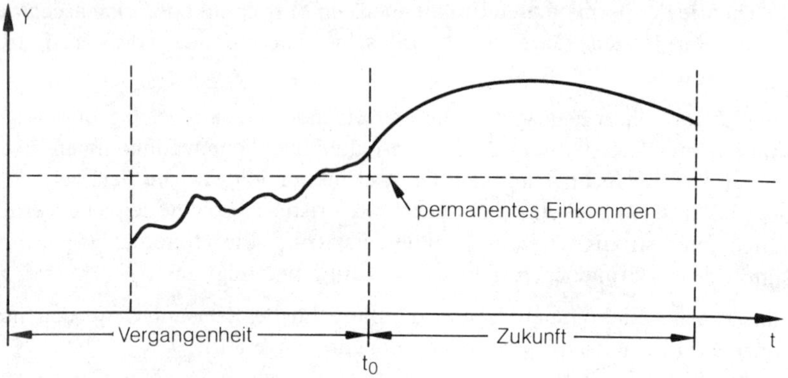

Abb. K-15: Bestimmung des permanenten Einkommens

gleich der Summe aus den bis zu diesem Zeitpunkt bereits tatsächlich bezogenen Einkommen und den zukünftigen Einkommen. Dieses zukünftige Einkommen wird geschätzt. Der Durchschnittswert dieses Gesamteinkommens ist in der Abb. als Gerade eingezeichnet, die das permanente Einkommen pro Periode angibt.

Formal leitet FRIEDMAN dieses Einkommen in der folgenden Weise ab. Das permanente Einkommen zum Zeitpunkt t_0, also $Y_p(t_0)$, wird zum Zwecke der empirischen Überprüfung durch die gewichtete Summe der bis zu t_0 tatsächlich erzielten Einkommen $Y(t)$ approximiert; die Summe der Gewichte ist dabei gleich Eins. Bei stetiger Betrachtungsweise ergibt sich somit:

$$Y_p(t_0) = \gamma \cdot \int_{-\infty}^{t_0} e^{\gamma \cdot (t-t_0)} \; Y(t)\, dt,$$

$$\gamma \cdot \int_{-\infty}^{t_0} e^{\gamma \cdot (t-t_0)}\, dt = 1.$$

Die zurückliegenden Einkommen erhalten also ein exponentiell fallendes Gewicht, wobei γ die Abnahmerate darstellt. FRIEDMAN modifiziert noch die tatsächlichen Werte $Y(t)$ um einen Trendfaktor, was hier aber nicht zu interessieren braucht. Die Konsumfunktion lautet somit:

$$C_p(t_0) = C_{Y_p}(\cdot)\; Y_p(t_0).$$

Nach dieser Konsumfunktion ist der permanente Konsum dem permanenten Einkommen proportional mit dem Proportionalitätsfaktor C_{Y_p}. Daraus folgt, daß die Elastizität des Konsums in bezug auf das permanente Einkommen gleich Eins ist. Immer wenn das „permanente Einkommen“ um einen bestimmten Prozentsatz steigt, nimmt der „permanente Konsum“ um denselben Prozentsatz zu. Das entspricht genau den Beobachtungen der langfristigen Konstanz der durchschnittlichen Konsumquote.

2.4. Dualität

In Abschnitt 2.3.1. war das Verhalten eines Haushalts durch das Maximierungsproblem

Zielfunktion: $U = U(x) = \max_x$

Nebenbedingung: $Y - px = 0$

beschrieben worden; hierin ist $x = (x_1, \ldots, x_m)$ und $p = (p_1, \ldots, p_m)$.

Statt dessen kann aber auch folgendes *Minimierungsproblem* betrachtet werden:

Zielfunktion: $Y = px = \min_x$

Nebenbedingung: $\overline{U} - U(x) = 0$

In diesem Minimierungsproblem wird verlangt, daß der Haushalt bei gegebenen Preisen p_i den vorgegebenen Nutzen $\overline{U}$ mit minimalen Ausgaben erreicht. Er soll also jenes Güterbündel auswählen, das ihm den Nutzen $\overline{U}$ bei geringsten Ausgaben gewährt.

Die notwendige Bedingung 1. Ordnung für dieses Minimierungsproblem liefert wieder die Lagrangesche Multiplikatormethode, so daß im Optimum gilt

$$\mu = \frac{p_i}{\partial U/\partial x_i}, \ \mu - \text{Lagrangescher Multiplikator.}$$

Ein Vergleich der beiden Lagrangeschen Multipolikatoren μ und λ aus Abschnitt 2.3.1. zeigt, daß $\mu = 1/\lambda$ ist, d. h., beide Lösungen entsprechen einander. Wenn das Maximierungsproblem das *primale Programm* ist, dann ist das korrespondierende Minimierungsproblem das *duale Programm.* Beide Ansätze führen in der folgenden Weise zu der gleichen Lösung. Gibt man im Maximierungsproblem das Einkommen Y^* in der Nebenbedingung vor, so erhält man als maximalen Nutzen U^*. Wird nun im Minimierungsproblem genau dieser Nutzen U^* vorgeschrieben, erhält man als minimale Ausgaben Y^*, wobei dieses Y^* identisch ist mit dem Y^* des Maximierungsproblems. Beide Programmierungsansätze führen also zu derselben Lösung.

Dieser Gedankengang läßt sich auch in *Abb. K-6* darstellen. Dort ist der Punkt x_i^{opt}, x_j^{opt} die Lösung beider Optimierungsprobleme. Vom Standpunkt des Maximierungsproblems wird die Budgetgerade Y vorgegeben, und der maximale Nutzen ist U = 2. Für das Minimierungsproblem wird die Indifferenzkurve mit U = 2 vorgegeben, und man erhält als minimale Ausgaben die Budgetgerade Y.

Die komparativ-statische Analyse dieses Minimierungsansatzes führt zu einem etwas anderen Ergebnis als die des Maximierungsproblems. Wird für das Maximierungsproblem eine Nachfragefunktion hergeleitet, so erhält man $x_i = x_i^Y(p, Y)$, d. h., die Nachfrage nach dem i-ten Gut hängt von den Preisen aller Güter und vom Einkommen ab. Der Preisvektor p und das Nominaleinkommen sind in dieser Nachfragefunktion exogen gegeben. Wird nur der Preis des i-ten Gutes variiert, erhält man die spezielle Nachfragekurve der *Abbildung K-7.* Dieser Nachfragefunktion liegt also die Vorstellung zugrunde, daß bei gegebenen Preisen p und Einkommen Y jene Menge des Gutes i nachgefragt wird, die den Nutzen maximiert. Es ist damit die Nachfragefunktion, die gewöhnlich auch unter diesem Begriff subsumiert wird; sie wird auch MARSHALLsche Nachfragefunktion genannt.

Dagegen führt die komparative Statik des Minimierungsproblems zu der Nachfragefunktion $x_i = x_i^U(p, U)$. Dieser Nachfragefunktion liegt die Vorstellung zugrunde, daß bei gegebenem Preisvektor p und gegebenem Nutzen U so viel vom i-ten Gut nachgefragt wird, daß die Ausgaben ein Minimum annehmen. Diese Nachfragefunktion wird HICKSsche oder auch kompensierte Nachfragefunktion genannt. Der letzte Name ist damit zu erklären, daß jeder Preisänderung eine kompensierende Einkommensänderung gegenübersteht, die dazu führt, daß der Nutzen konstant bleibt.

Dieser duale Ansatz hat sich als sehr fruchtbar für viele mikroökonomische Probleme erwiesen. So ist es z. B. verhältnismäßig einfach, unter Berücksichtigung der HICKSschen und MARSHALLschen Nachfragefunktionen die *Slutsky*-Gleichung herzuleiten, die den Einkommens- und Substitutionseffekt der *Abb. K-8* analytisch beschreibt (VARIAN, 1978).

3. Unternehmen

Die Produktion von Gütern und Dienstleistungen findet in Unternehmen statt, und die Endprodukte werden nach erfolgter Herstellung auf dem Gütermarkt angeboten. Handelt es sich hierbei um Konsumgüter, werden diese von den Haushalten nachgefragt. Dieser kreislaufmäßige Zusammenhang von Angebot und Nachfrage auf dem Gütermarkt wurde bereits in *Abb. K–1* dargestellt.

Um die Produktion durchführen zu können, müssen im Unternehmen Produktionsfaktoren auf der Grundlage einer vorhandenen Technologie in geeigneter Weise miteinander kombiniert werden. Dieser Produktionsvorgang kann unter zwei verschiedenen Aspekten betrachtet werden. Zunächst kann untersucht werden, welche Endproduktmengen mit bestimmten Faktoreinsatzmengen hergestellt werden können, wobei eine Faktorverschwendung ausgeschlossen ist. Bei dieser Problemstellung interessiert nur der technologisch bestimmte Zusammenhang von Endprodukt- und Faktoreinsatzmengen. Ist dieser Zusammenhang, z. B. in Form einer Produktionsfunktion, bekannt, kann ein Schritt weitergegangen werden, indem die Preise der Produktionsfaktoren für den Produktionsvorgang berücksichtigt werden. Damit kann die Produktion unter einem ökonomischen Aspekt betrachtet werden, und der Zusammenhang zwischen Endproduktmenge und mit Preisen bewerteten Faktoreinsatzmengen kommt in der Kostenfunktion zum Ausdruck.

3.1. Produktion und Kosten

Da die Produktionstheorie die Grundlage der Kostentheorie darstellt, behandeln wir zunächst den Bereich der Produktion.

3.1.1. Produktionsfunktion

Auf der Grundlage einer vorgegebenen Technologie werden mit Hilfe von m Produktionsfaktoren n Endprodukte hergestellt. Es bestehen zwei Möglichkeiten, diese Technologie darzustellen. Zunächst kann man fragen, welche alternativen Endproduktmengen mit Hilfe gegebener Faktoreinsatzmengen ohne Faktorverschwendung, d. h. effizient, hergestellt werden können. Geben die Vektoren $y = (y_1, \ldots, y_n)$ und $v = (v_1, \ldots, v_m)$ die Endprodukt- und Faktoreneinsatzmengen wieder, so läuft diese Frage darauf hinaus, welche Menge von Endproduktvektoren y einem gegebenen Vektor der Faktoreinsatzmengen zugeordnet ist, ohne daß Faktorverschwendung auftritt.

Zum anderen kann gefragt werden, mit welchen alternativen Kombinationen der m Produktionsfaktoren ein gegebener Vektor der Endproduktmengen effizient hergestellt werden kann. Bei dieser Fragestellung betrachtet man die Zuordnung einer Menge von Inputvektoren zu einem Endproduktvektor.

Existieren nur zwei Endprodukte ($n = 2$), kann die erstgenannte Zuordnung auf einfache Weise graphisch dargestellt werden; vgl. *Abb. K–16.*

In diesem Koordinatensystem sind auf den Achsen die Mengen der beiden Endprodukte 1 und 2, nämlich y_1 und y_2 abgetragen. Der Kurvenzug Q_1 Q_2 gibt alle möglichen Kombinationen dieser beiden Endproduktmengen an, die mit Hilfe gegebener Faktoreinsatzmengen hergestellt werden können, ohne daß auch nur ein Faktor verschwendet wird. Natürlich sind dann auch alle Endproduktmengen produzierbar, die durch Punkte innerhalb der Fläche O Q_1 Q_2 dargestellt werden können, z. B. die durch Q_3 festgelegten Mengen y'_1 und y'_2. Die hierzu gehörigen Produktionsverfahren sind aber nicht effizient.

Die in *Abb. K–16* enthaltene Kurve wird als Transformations- oder Produktionsmöglichkeitskurve bezeichnet, denn entlang ihr kann die Produktion des einen Gutes in die des anderen „transformiert" werden, bzw. sie stellt die Menge aller effizienten Produktionsmöglichkeiten dar.

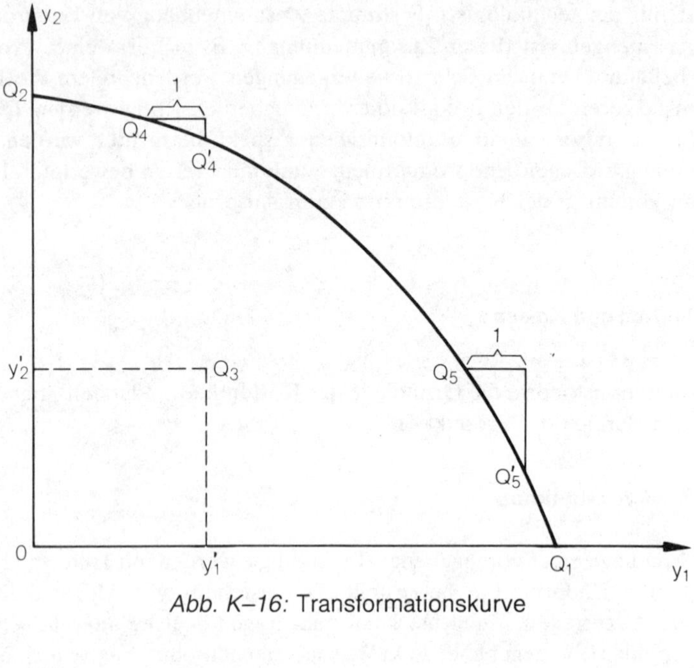

Abb. K–16: Transformationskurve

Für den streng konkaven Verlauf der Transformationskurve gibt es mehrere Erklärungsansätze, von denen hier einer vorgetragen werden soll. Angenommen, es gebe nur zwei Produktionsfaktoren (m = 2). Dann ist es sicher leicht vorstellbar, daß von den beiden Produktionsfaktoren der eine relativ besser zur Herstellung des Gutes 1 und der andere relativ besser zur Herstellung des Gutes 2 geeignet ist. Wird nun die Produktion des Gutes 1 entlang der Transformationskurve immer mehr in die des Gutes 2 „transformiert", so muß laufend mehr von jenem Produktionsfaktor zur Produktion dieses anderen Gutes eingesetzt werden, der eigentlich besser der Produktion des Gutes 1 diente. Das heißt aber nichts anderes, als daß man bei fortgesetzter Transformation pro Einheit des „transformierten" Gutes immer weniger vom anderen Gut erhält, oder daß die Transformationskurve streng konkav ist.

Ähnlich dem Vorgehen bei den Indifferenzkurven (Abschnitt K–2.1.2.) kann auch hier eine Grenzrate der Substitution und zwar die Grenzrate der Produktsubstitution oder Grenzrate der Transformation eingeführt werden:

$$h_{21}(v) = -\frac{dy_2}{dy_1} \mid v.$$

Substituiert man die Produktion des Gutes 2 durch die des Gutes 1, so gibt diese Grenzrate jene Menge des Gutes 2 an, die man aufgeben muß, um eine (kleine) zusätzliche Einheit des Gutes 1 zu erhalten. Formal gibt diese Grenzrate der Transformation den absoluten Anstieg der Transformationskurve an. Ökonomisch kann sie als (Grenz-)Opportunitätskosten der Produktion des Gutes 1 interpretiert werden. Um nämlich eine (kleine) zusätzliche Einheit des Gutes 1 zu erhalten, muß auf $h_{21}(v)$ Einheiten des Gutes 2 verzichtet werden. Dieser Verzicht stellt die Opportunitätskosten der zusätzlich erhaltenen Menge des Gutes 1 dar.

Die strenge Konkavität der Transformationskurve kann durch das Gesetz der zunehmenden Grenzrate der Produktsubstitution bzw. der Transformation wiedergegeben werden:

$$\frac{dh_{21}(v)}{dy_1} = -\frac{d^2y_2}{dy_1^2 \mid v} > 0.$$

Dieses Gesetz besagt, daß bei fortlaufender Substitution des Gutes 2 durch das Gut 1 für eine (kleine) zusätzliche Einheit des Gutes 1 laufend mehr vom Gut 2 aufgegeben werden muß. Diese Feststellung kann auch so interpretiert werden, daß bei fortgesetzter Substitution des Gutes 2 durch das Gut 1 die (Grenz-)Opportunitätskosten des Gutes 1 laufend zunehmen.

In *Abb. K–16* kann dieses Gesetz durch einen Vergleich der beiden Punkte Q_4 und Q_5 veranschaulicht werden. Wandert man in der Produktion beider Güter von Q_4 nach Q_5, substituiert man also Gut 2 durch Gut 1, so muß pro zusätzlicher Einheit des Gutes 1 mehr von Gut 2 aufgegeben werden. Der Übergang von Q_5 nach Q'_5 fordert vergleichsweise eine größere Produktionseinschränkung des Gutes 2 als beim Übergang von Q_4 nach Q'_4.

Existiert nur ein Endprodukt, so wird aus der Zuordnung von Vektoren eine Produktionsfunktion. Diese gibt an, welche maximale Menge des einen Endprodukts mit einem gegebenen Inputvektor hergestellt werden kann. Im folgenden werden die Eigenschaften unterschiedlicher Produktionsfunktionen behandelt.

Walras-Leontief-Produktionsfunktion

Um den Zusammenhang zwischen Änderungen der Faktoreinsatzmengen und Änderungen der Produktionsmenge zu untersuchen, bedient man sich des methodischen Vorgehens der partiellen Faktorvariation. Hierunter versteht man, daß die Einsatzmenge nur eines Faktors variiert wird und daß die Einsatzmengen aller übrigen Faktoren konstant gehalten werden. Produktionsänderungen können dann nur durch Änderungen der Einsatzmenge des einen Faktors hervorgerufen worden sein.

Ist nun die Produktionstechnologie so beschaffen, daß die Endproduktmenge bei partieller Faktorvariation der Einsatzmenge jedes Faktors in bestimmten Grenzen proportional ist, dann wird diese Technologie linear genannt. Die Beziehung zwischen Endproduktmenge y und Faktoreinsatzmenge des i-ten Faktors v_i kann demnach geschrieben werden als

$$y = a_i v_i, 0 \leqq v_i \leqq \bar{v}_i, 0 < a_i, i = 1, \ldots, m;$$

a_i gibt die Produktivität des i-ten Faktors an. Der reziproke Wert von a_i, also $b_i := 1/a_i$, wird als Produktionskoeffizient des i-ten Faktors bezeichnet.

Die obige Gleichung gilt für alle m Produktionsfaktoren, wobei die a_i unterschiedliche Werte annehmen können. Dann kann aber bei beliebig vorgegebenen Faktormengen v_i ein Faktor die Produktion des Endprodukts begrenzen bzw. „limitieren". Das sei an folgendem Beispiel erläutert. Von den Faktoren 2, 3, ..., m stehen so große Mengen zur Verfügung, daß eine Endproduktmenge von y = 2 herzustellen wäre. Ist dann aber von Faktor 1 nur soviel vorhanden, daß lediglich y = 1 realisierbar ist, so kann insgesamt auch nur y = 1 hergestellt werden. In diesem Beispiel limitiert der Faktor 1 die Produktion; diese Produktionsfunktion wird deswegen als limitational bezeichnet, und man schreibt sie als

$$y = \min\left(\frac{1}{b_1} v_1, \ldots, \frac{1}{b_m} v_m\right).$$

Wie allgemein üblich wurde hier der reziproke Wert des Produktionskoeffizienten anstelle des Produktivitätskoeffizienten a_i genommen. Jedes der in den Klammern stehenden Elemente gibt sozusagen den potentiellen Output jedes einzelnen Faktors an. Aber nur das Minimum aller dieser „möglichen" Endproduktmengen ist auch tatsächlich realisierbar. Da Wassily Leontief (1941) in der von ihm entwickelten Input-Output-Analyse konstante Produktionskoeffizienten annahm, nennt man eine solche Produktionsfunktion auch Leontief-Produktionsfunktion, oder auch Walras-Leontief-Produktionsfunktion, da bereits Leon Walras (1834–1910) mit der Hypothese fixer Produktionskoeffizienten arbeitete.

Wird nur der limitierende Faktor vermehrt, dann ist die Endproduktmenge diesem Faktor proportional, und es gilt $y = (1/b_i) \cdot v_i$. Die produktive Beziehung zwischen dem limitierenden Faktor und der Endproduktmenge gilt natürlich nur so lange, wie die übrigen Faktoren im überreichen Maße zur Verfügung stehen. Wird der limitierende Faktor genügend vermehrt, so kehren sich die Verhältnisse von einem bestimmten Punkt an um. Der ehemals limitierende Faktor ist jetzt selbst im überreichen Maße vorhanden, und mindestens einer der ehemals überreichlich vorhandenen Faktoren wird zum limitierenden.

Dieser Zusammenhang zwischen der Endproduktmenge und einem Produktionsfaktor bei Konstanz der übrigen Faktoreinsatzmengen ist in der *Abb. K–17* dargestellt. Vermehrt man, bei Null beginnend, bis hin zu $\bar{v}_i$ die Einsatzmenge des i-ten Faktors, so steigt die Endproduktmenge proportional mit dem Proportionalitätsfaktor $1/b_i$ an, denn der i-te Faktor ist bis dahin der limitierende Faktor. Wird die Einsatzmenge über $\bar{v}_i$ hinaus vermehrt, wird die darüber hinausgehende Menge verschwendet. Die Endproduktmenge nimmt nicht mehr zu, weil jetzt mindestens ein anderer Faktor die Produktion limitiert.

Strenggenommen ist der Begriff „Produktionsfunktion" für den in Abb. K-17 dargestellten Zusammenhang nicht ganz korrekt. Eine Produktionsfunktion beinhaltet nämlich definitionsgemäß nur effiziente Produktionsverfahren; für $v_i > \bar{v}_i$ wird aber der i-te Faktor verschwendet. Dennoch wird in der Literatur dieser Zusammenhang üblicherweise als „Produktionsfunktion" bezeichnet, und auch hier soll dieser Begriff weiterhin verwendet werden.

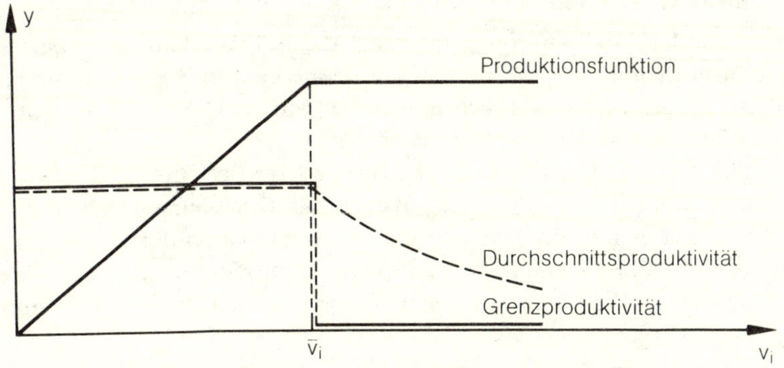

Abb. K–17: WALRAS-LEONTIEF-Produktionsfunktion

Faktoren werden nur dann nicht verschwendet, wenn in der obigen Produktionsfunktion $(1/b_1) \cdot v_1 = \ldots = (1/b_m) \cdot v_m$ gilt. Diese Bedingung läßt sich aber auch so schreiben: $v_1 : v_2 : \ldots : v_m = b_1 : b_2 : \ldots : b_m$. Eine Faktorverschwendung tritt also dann nicht auf, wenn sich die Einsatzmengen der Faktoren zueinander verhalten wie ihre Produktionskoeffizienten. Wegen dieses strikten Einsatzverhältnisses werden die Faktoren dieser Produktionsfunktion auch als komplementär bezeichnet.

So wie man bei der Nutzenfunktion eines Haushalts nach dem Grenznutzen fragen kann, so stellt sich hier die Frage nach dem Grenzprodukt. Dieses ist definiert als jene zusätzliche Endproduktmenge, die mit einer (kleinen) zusätzlichen Faktoreinsatzmenge hergestellt werden kann; der Quotient beider Größen ist die Grenzproduktivität des Faktors. Die Begriffe Grenzprodukt und Grenzproduktivität werden häufig synonym verwandt. Formal wird die Grenzproduktivität des i-ten Faktors durch die Ableitung der Produktionsfunktion wiedergegeben:

$$\text{Grenzproduktivität des i-ten Faktors} = \frac{\partial y}{\partial v_i}.$$

Die Grenzproduktivität des Faktors einer LEONTIEF-Produktionsfunktion ist im Intervall $0 \leqq v_i \leqq \bar{v}_i$ gleich a_i, denn in diesem Intervall limitiert der i-te Faktor die Produktion. Für $v_i \geqq \bar{v}_i$ ist die Grenzproduktivität Null, da jetzt ein anderer Faktor die Produktion limitiert. An der Stelle $\bar{v}_i$ weist die Produktionsfunktion unterschiedliche rechts- und linksseitige Ableitungen auf, so daß sie den in *Abb. K–17* gezeigten Verlauf hat.

Das Durchschnittsprodukt eines Faktors ist definiert als jene Endproduktmenge, die man „im Durchschnitt" mit einer Einheit der Faktoreinsatzmenge erzielt. Der Quotient beider Größen ist die Durchschnittsproduktivität dieses Faktors; auch diese beiden Begrifffe werden oft synonym benutzt. Formal lautet die Definition der Durchschnittsproduktivität:

$$\text{Durchschnittsproduktivität des i-ten Faktors} = \frac{y}{v_i}.$$

Wegen des konstanten Produktionskoeffizienten a_i muß die Kurve der Durchschnittsproduktivität des i-ten Faktors im Intervall $0 \leqq v_i \leqq \bar{v}_i$ mit der Kurve der Grenzproduktivität übereinstimmen. Für $v_i > \bar{v}_i$ nähert sich diese Kurve asymptotisch der Abszisse, da ab $\bar{v}_i$ die Endproduktmenge konstant bleibt; vgl. *Abb. K–17.*

Dem Konzept der Produktionsfunktion liegt die Fragestellung zugrunde, welchen Output man mit vorgegebenen Inputmengen ohne Faktorverschwendung herstellen kann. Diese Fragestellung läßt sich umkehren: Mit welchen Faktoreinsatzmengen kann eine vorgegebene Endproduktmenge hergestellt werden, ohne daß Faktoren verschwendet werden? Die Antwort folgt für die Leontief-Produktionsfunktion aus den zuvor getroffenen Ausführungen: Wegen der Komplementarität der Produktionsfaktoren gibt es nur eine ganz bestimmte Kombination der Faktoreinsatzmengen, die die Produktion einer vorgegebenen Endproduktmenge ohne Faktorverschwendung gestattet. Das sei an einem Beispiel mit $m = 2$ in der *Abb. K–18* erläutert.

Es sei die Endproduktmenge $y = 1$ vorgegeben. Um diese Menge ohne Faktorverschwendung herzustellen, muß $y = 1 = v_1 \cdot (1/b_1) = v_2 \cdot (1/b_2)$ gelten, woraus folgt:

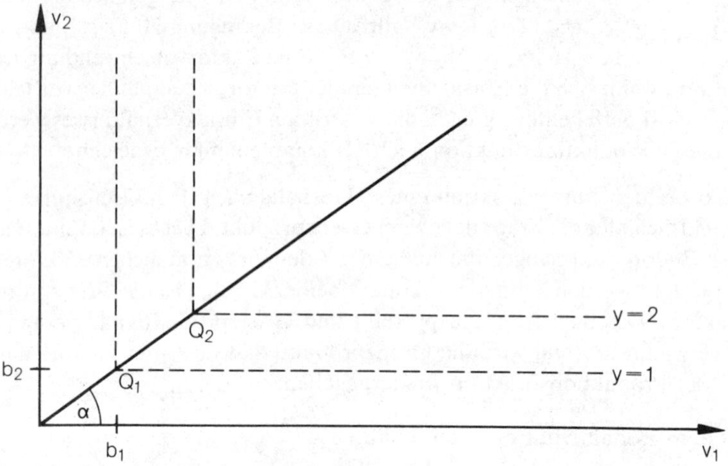

Abb. K–18: Linien gleichen Outputs einer Walras-Leontief-Produktionsfunktion

$v_1 = b_1$, $v_2 = b_2$. Der Punkt Q_1 mit den Koordinaten (b_1, b_2) ist demnach die einzige Kombination der Faktormengen, mit deren Hilfe $y = 1$ ohne Faktorverschwendung produziert werden kann. Vergrößert man die Einsatzmenge des Faktors 1 bei konstantem $v_2 = b_2$ über b_1 hinaus, so nimmt die Endproduktmenge nicht zu. In diesem Fall bewegt man sich auf der durch Q_1 gestrichelt eingezeichneten Parallelen zur Abszisse. Analoges gilt für eine Vermehrung des Faktors 2 über b_2 hinaus. Demnach gibt der gestrichelt eingezeichnete Linienzug mit dem rechten Winkel bei

Q_1 alle jene Mengenkombinationen der Faktoren 1 und 2 an, mit deren Hilfe die Endproduktmenge $y = 1$ hergestellt werden kann; es ist eine Linie gleichen Outputs. Aber nur für den Punkt Q_1 findet keine Faktorverschwendung statt.

Ähnlich wie für $y = 1$ lassen sich andere Linien gleichen Outputs konstruieren, so wie hier für $y = 2$ eingezeichnet ist. Festzuhalten bleibt, daß alle effizienten Produktionspunkte auf dem durch den Nullpunkt gehenden Strahl liegen, wobei $\text{tg}\,\alpha = b_2/b_1$ ist. Eine Produktionsfunktion, die diese Eigenschaft aufweist, wird auch linear-limitational genannt.

Die Annahme, daß die Technologie linear ist, schließt jede Änderung des Einsatzverhältnisses aus, will man eine Verschwendung von Faktoren vermeiden. Diese Annahme ist sehr rigide. Ganz kurzfristig dürften die Faktoren einer Unternehmung überwiegend komplementär sein. Aber schon mindestens bei mittelfristiger Betrachtung des Produktionsprozesses einer Unternehmung werden sich die Einsatzverhältnisse der Faktoren ändern lassen, ohne daß Faktoren verschwendet werden. Produktionsfunktionen, die eine solche Änderung ohne Verschwendung zulassen, werden im folgenden besprochen.

Klassische Produktionsfunktion (Das Ertragsgesetz)

Ausgangspunkt zur Entwicklung der klassischen Produktionsfunktion waren Überlegungen von Jacques Turgot (1727–1781) zu den Produktionsgesetzen in der Landwirtschaft, sowie deren Überprüfung durch Johann von Thünen (1783–1850). Es wurde nämlich von ihnen beobachtet, daß eine kontinuierliche Vermehrung der landwirtschaftlichen Arbeitskräfte auf einer konstanten Fläche zunächst nicht nur zu einem größeren Ertrag, sondern auch zu immer größeren Ertragszuwächsen führte. Erst von einem bestimmten Arbeitskräfteeinsatz an nahmen die Ertragszuwächse ab und wurden unter Umständen sogar negativ.

Diese Beobachtung läßt sich durch die Produktionsfunktion

$$y = y(v_1, \ldots, v_m), \quad \frac{\partial y}{\partial v_i} \begin{matrix} > \\ = \\ < \end{matrix} 0 \text{ für } v_i \begin{matrix} < \\ = \\ > \end{matrix} v_i^{**}, \quad \frac{\partial^2 y}{\partial v_i^2} \begin{matrix} > \\ = \\ < \end{matrix} 0 \text{ für } v_i \begin{matrix} < \\ = \\ > \end{matrix} v_i^{*}, \quad 0 \leqq v_1, \ldots, v_m$$

wiedergeben, wobei die Funktion y zweimal stetig differenzierbar ist. Variiert man nur die Menge eines Faktors i und hält die übrigen Faktoreinsatzmengen konstant, so erhält man folgende graphische Darstellung dieser Funktion *(Abb. K–19)*.

Die klassische Produktionsfunktion weist für jeden Faktor den hier gezeigten S-förmigen Verlauf auf. Im Intervall $(0, v_i^*)$ nimmt der Anstieg der Ertragskurve zu, erreicht im Punkt v_i^* ein Maximum und nimmt anschließend ab. Die Gesamtertragskurve nimmt bis zum Punkt v_i^{**} zu, erreicht dort ihr Maximum und nimmt anschließend ab. Auch hier gilt, ähnlich wie bei der Walras-Leontief-Produktionsfunktion, daß der Zusammenhang zwischen y und v_i für $v_i > v_i^{**}$ durch den Begriff „Produktionsfunktion" strenggenommen nicht gedeckt wird, da es sich in diesem Bereich um ineffiziente Produktionsverfahren handelt. Dennoch wird die Bezeichnung Produktionsfunktion auch für diesen Bereich beibehalten.

Vergrößert man an einer beliebigen Stelle $v_{i,o}$ *(Abb. K–19)* die Faktoreinsatzmenge um eine (kleine) zusätzliche Einheit $\triangle v_i$, dann muß die Endproduktmenge um $\triangle y$ zunehmen, und der Quotient $\triangle y/\triangle v_i$ ist die Grenzproduktivität. Bei infinitesimaler

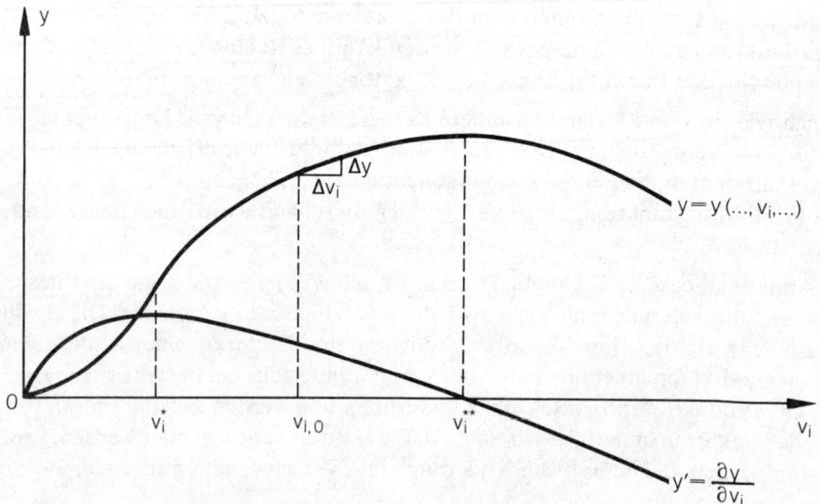

Abb. K–19: Klassische Produktionsfunktion

Betrachtung gibt der Differentialquotient $\partial y/\partial v_i$ an einer Stelle $v_{i,o}$, d. h. die Ableitung der Produktionsfunktion an dieser Stelle, die Grenzproduktivität des Faktors i an dieser Stelle an.

Die Kurve der Grenzproduktivität, oder kürzer die Grenzertragskurve, ist in *Abb. K-19* ebenfalls eingezeichnet. Mathematisch gesehen stellt sie die erste Ableitung der Produktionsfunktion dar; ökonomisch gibt sie an, um wieviel die tatsächliche Produktion zunimmt, wenn man den Faktoreinsatz um eine (infinitesimal) kleine Menge erhöht.

Die Grenzertragskurve erreicht im Punkt v_i^*, den man Schwelle des Ertragsgesetzes nennt, ihr Maximum. Von da an nehmen die Ertragszuwächse ab, d. h. die erste Ableitung ist zwar positiv, aber die zweite Ableitung wird negativ. Die Grenzertragskurve schneidet im Punkt v_i^{**} die Abszisse und verläuft anschließend im vierten Quadranten.

Während die obige *Abb. K–19* den Ertragsverlauf bei partieller Faktorvariation angibt, muß noch untersucht werden, was passiert, wenn alle Produktionsfaktoren um den gleichen Prozentsatz variiert werden. Dazu geht man von einem bestimmten Niveau (Skala) der Produktion aus, das durch ganz bestimmte Faktoreinsatzmengen der Produktionsfaktoren gekennzeichnet ist. Diese Einsatzmengen seien $v_1^o, \ldots, v_m^o$, die zu der Endproduktmenge y^o führen. Eine Änderung des Produktionsniveaus besteht darin, alle Faktoreinsatzmengen um das λ-fache, $0 < \lambda$, zu ändern. Ist die Funktion y homogen vom Grade ε, so gilt

$$\lambda^\varepsilon y^o = y(\lambda v_1^o, \ldots, \lambda v_m^o).$$

Ist z. B. $\varepsilon = 1$, ein Fall, der auch als Linearhomogenität bezeichnet wird, so führt der λ-fache Faktoreinsatz zum λ-fachen der Endproduktmenge. Offensichtlich ist es a priori vernünftig, daß eine Produktionsfunktion homogen vom Grade 1 ist, denn z. B. eine Verdoppelung ($\lambda = 2$) aller Produktionsfaktoren sollte auch zu einer Verdoppelung des Produktionsergebnisses führen. Wie aber WOLFGANG EICHHORN (1970) gezeigt hat, muß eine klassische Produktionsfunktion homogen vom Grade > 1 sein, sofern die Grenzproduktivitäten der Faktoren nicht negativ werden.

Als Beispiel für eine klassische Produktionsfunktion, bei der y für $v_i \to \infty$ gegen einen endlichen Grenzwert strebt, kann die folgende Funktion dienen (LINDE, 1979):

$$y = (v_1^{-\varrho_1} + v_2^{-\varrho_1})^{-\frac{1}{\varrho_2}}, 0 < \varrho_2 < \varrho_1.$$

Diese Funktion ist vom CES-Typ (vgl. unten), und sie ist homogen vom Grade $\varrho_1/\varrho_2 > 1$.

Wie bei der WALRAS-LEONTIEF-Produktionsfunktion kann hier die Frage gestellt werden, mit welchen Faktoreinsatzmengen ein vorgegebener Output hergestellt werden kann, ohne daß Faktoren verschwendet werden. Diese Fragestellung soll am Beispiel der obigen Produktionsfunktion angegangen werden. Die vorgegebene Endproduktmenge sei 1. Setzt man y = 1, so erhält man nach wenigen Umformungen aus der obigen Funktion: $1 = v_1^{-\varrho_1} + v_2^{-\varrho_1}$. Alle Faktoreinsatzmengen v_1 und v_2, die diese Gleichung erfüllen, liefern die Endproduktmenge 1. Graphisch läßt sich diese Gleichung in der folgenden Weise darstellen *(Abb. K–20)*.

Diese hyperbelförmige Kurve wird Isoquante genannt, da sie den Ort gleicher Produktionsmenge für unterschiedliche Faktoreinsatzmengenkombinationen angibt, ohne daß Faktoren verschwendet werden. Da die Produktionsfunktion homogen ist, lassen sich aus dieser einen Isoquante auch alle übrigen durch Streckung entlang durch den Nullpunkt gehender Strahlen konstruieren; vgl. *Abb. K–21*.

Da die zugrunde liegende Produktionsfunktion homogen vom Grade $\varrho_1/\varrho_2 > 1$ ist, werden die Abstände zwischen den oben eingezeichneten Isoquanten immer relativ kleiner.

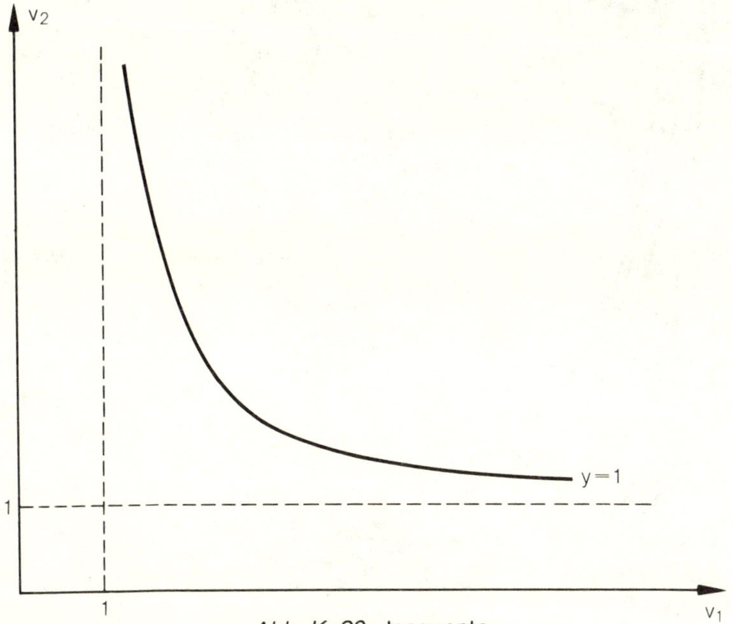

Abb. K–20: Isoquante

Die Tatsache, daß entlang einer Isoquante ein Produktionsfaktor durch den anderen ersetzt wird, bezeichnet man als Substitution der Faktoren; die Faktoren sind substituierbar. Diese Substitutionseigenschaft der Faktoren kommt in der Produktionsfunktion darin zum Ausdruck, daß die Faktoreinsatzverhältnisse variiert werden können. Es ist nicht selbstverständlich, daß Faktoren substituierbar sind; tatsächlich läßt die oben besprochene WALRAS-LEONTIEF-Produktionsfunktion keine Faktorsubstitution zu. Aus diesem Grunde degenerieren bei ihr die Isoquanten zu Punkten. So geben z. B. die Punkte Q_1 und Q_2 in *Abb. K–18* die „Isoquanten" der WALRAS-LEONTIEF-Produktionsfunktion für die Endproduktmenge $y = 1$ und $y = 2$ an.

Neoklassische Produktionsfunktion

Die neoklassische Produktionsfunktion kann als ein Sonderfall der klassischen betrachtet werden. Bei partieller Faktorvariation weist sie keinen Bereich zunehmender Ertragszuwächse auf, und es ist ausgeschlossen, daß die Grenzproduktivität eines Faktors negativ wird; oder umgekehrt formuliert: die Grenzproduktivität eines Faktors ist zwar immer positiv, wird aber bei fortlaufender Vermehrung dieses Faktors immer kleiner. Die Faktoren sind wie bei der klassischen Produktionsfunktion substituierbar.

Die wichtigsten neoklassischen Produktionsfunktionen sind die COBB-DOUGLAS- und die CES-Produktionsfunktion.

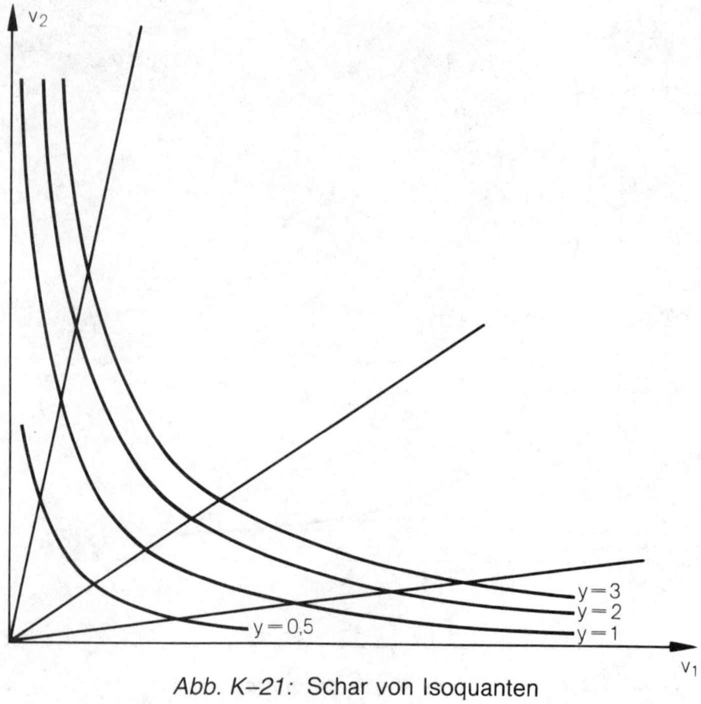

Abb. K–21: Schar von Isoquanten

COBB-DOUGLAS-Produktionsfunktion

Diese Produktionsfunktion geht auf Arbeiten von PAUL H. COBB und CHARLES W. DOUGLAS (1928) zurück. Diese Autoren haben die neoklassische Produktionsfunktion in der folgenden Form spezifiziert:

$$y = a_0 \, v_1^{a_1} \cdot \ldots \cdot v_m^{a_m}, \quad 0 < a_0, \quad 0 \leqq a_i < 1, \quad i = 1, \ldots, m.$$

Wie man leicht überprüft, erfüllt diese Funktion die beiden neoklassischen Eigenschaften $\partial y/\partial v_i > 0$ und $\partial^2 y/\partial v_i^2 < 0$. Bei partieller Faktorvariation läßt sich demnach diese Funktion in der folgenden Weise darstellen *(Abb. K–22)*.

Geht man zur totalen Faktorvariation über, d. h. vergrößert man alle Faktoreinsatzmengen um das λ-fache, erhält man folgendes Ergebnis. Es sei

$$y^o = a_o \cdot (v_1^o)^{a_1} \cdot \ldots \cdot (v_m^o)^{a_m}.$$

Eine Erhöhung aller Faktoreinsatzmengen v_i^o um das λ-fache führt dann auf

$$y = \lambda^{a_1 + \ldots + a_m} \cdot y^o.$$

Die COBB-DOUGLAS-Produktionsfunktion ist also homogen vom Grade $a_1 + \ldots + a_m$. Ist diese Summe gleich Eins, ist also die Produktionsfunktion linear-homogen, so spricht man von konstanten Skalenerträgen; für $a_1 + \ldots + a_m \gtreqless 1$ liegen zunehmende bzw. abnehmende Skalenerträge vor.

Diese Homogenitätseigenschaft der COBB-DOUGLAS-Produktionsfunktion ist ökonomisch weiter interpretierbar. Wie man nämlich mit Hilfe der Gleichung für die Grenzproduktivität nachprüft, gibt der Potenzexponent a_i die Produktionselastizität des Faktors i wieder, wobei diese Elastizität definiert ist als $(\partial y/\partial v_i) \cdot (v_i/y)$. Diese Elastizität ist leichter ökonomisch zu interpretieren, wenn man sie durch $(\triangle y/\triangle v_i) \cdot (v_i/y)$ bzw. durch $(\triangle y/y)/(\triangle v_i/v_i)$ approximiert. Hierdurch wird deutlich, daß die Produktionselastizität (Beitrag H-3.2.2.) – wie jede Elastizität – das Ver-

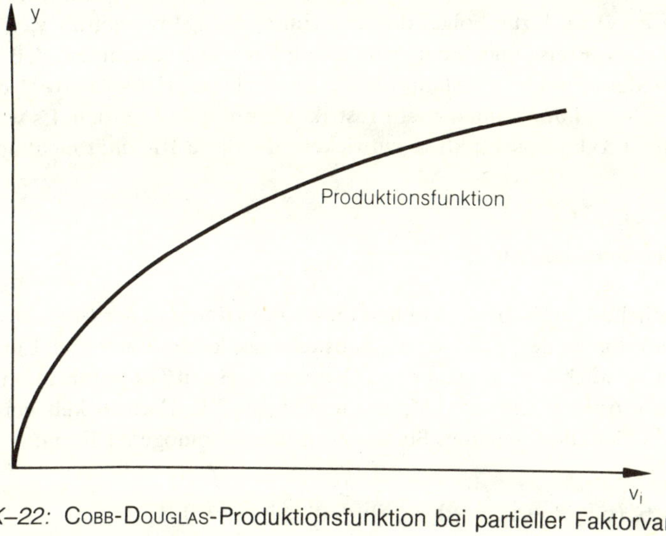

Abb. K–22: COBB-DOUGLAS-Produktionsfunktion bei partieller Faktorvariation

hältnis zweier relativer Änderungen ist und zwar die relative Änderung der Produktion dividiert durch die relative Änderung des Faktoreinsatzes. Wird also der Faktoreinsatz um 1 v. H. erhöht, dann ändert sich die Produktionsmenge um a_i v. H. $= [(\triangle y/y)/(\triangle v_i/v_i)]$ v. H. Fernerhin kann die Skalenelastizität $\varepsilon := (\partial y/\partial\lambda) \cdot (\lambda/y)$ definiert werden; sie besagt approximativ, um wieviel Prozent die Produktionsmenge erhöht wird, wenn alle Faktoreinsatzmengen um ein Prozent vergrößert werden.

Aus der letzten Gleichung folgt nun $\varepsilon = a_1 + \ldots + a_m$: die Skalenelastizität ist gleich der Summe der Produktionselastizitäten. Dieser Zusammenhang zwischen diesen Elastizitäten – der für alle homogenen Produktionsfunktionen gilt – wird als WICKSELL-JOHNSON-Theorem (ERICH SCHNEIDER, 1948), Passus-Gleichung (FRISCH, 1965) oder Skalenelastizitätsgleichung (KRELLE, 1969) bezeichnet.

Eine wichtige Eigenschaft der COBB-DOUGLAS-Produktionsfunktion steht in engem Zusammenhang mit der Substitutionsmöglichkeit der Faktoren. Werden nämlich die Faktoren nach ihren Grenzproduktivitäten entlohnt, und ändern sich die Preise bei konstant bleibender Endproduktmenge, so wird der teurer werdende Faktor durch den billigeren ersetzt werden. Das Ausmaß dieser Substitutionsmöglichkeit wird durch die Substitutionselastizität $\sigma_{ij}(\bar{y})$ (Beitrag H-3.2.2.) wiedergegeben, die ihrerseits definiert ist als:

$$\sigma_{ij}(\bar{y}) := -\frac{d(v_i/v_j)}{d\left(\frac{\partial y}{\partial v_i} / \frac{\partial y}{\partial v_j}\right)} \frac{\frac{\partial y}{\partial v_i} / \frac{\partial y}{\partial v_j}}{v_i/v_j} \Big|\bar{y};$$

das an σ_{ij} angehängte $\bar{y}$ soll darauf hinweisen, daß diese Definitionsgleichung konstante Endproduktmengen und konstante Einsatzmengen der übrigen Faktoren beinhaltet. Diese Elastizität ist bei der COBB-DOUGLAS-Produktionsfunktion stets Eins. Wenn also das Preisverhältnis der Faktoren i und j um 1 v. H. zunimmt und demzufolge auch das Verhältnis der Grenzproduktivitäten $(\partial y/\partial v_i)/(\partial y/\partial v_j)$ um 1 v. H. steigt, hat das wegen $\sigma_{ij}(\bar{y}) = 1$ zur Folge, daß das Einsatzmengenverhältnis v_i/v_j um 1 v. H. abnehmen muß. Preis- und Mengenänderung bewirken zusammen, daß die Entlohnung für jeden Faktor konstant bleibt. Diese hiermit implizierte Konstanz der Einkommensverteilung kann als sehr restriktiv empfunden werden. Es wurde deswegen die CES-Produktionsfunktion entwickelt, die diese Rigidität nicht aufweist.

CES-Produktionsfunktion

Der wesentliche Unterschied zwischen dieser Funktion und der COBB-DOUGLAS-Produktionsfunktion ist der, daß hier die Substitutionselastizität ungleich Eins sein kann, wenngleich sie auch hier konstant ist (**C**onstant **E**lasticity of **S**ubstitution). Da diese Funktion von ARROW, CHENERY, MINHAS und SOLOW (1961) entwickelt wurde, wird sie auch ACMS-Funktion genannt. Sie lautet in linear-homogener Form:

$$y = b_0 (b_1 v_1^{-\varrho} + \ldots + b_m v_m^{-\varrho})^{-\frac{1}{\varrho}}, 0 < b_i, i = 0, 1, \ldots, m, -1 < \varrho, \varrho \neq 0.$$

Wie man zeigen kann, erfüllt diese Funktion die beiden neoklassischen Eigenschaften $\partial y/\partial v_i > 0$ und $\partial^2 y/\partial v_i^2 < 0$:

$$\frac{\partial y}{\partial v_i} = b_i \left(\frac{y}{v_i}\right)^{1+\varrho} > 0$$

$$\frac{\partial^2 y}{\partial v_i^2} = \frac{\partial y}{\partial v_i} \cdot \frac{1+\varrho}{v_i} \cdot [b_i\left(\frac{y}{v_i}\right)^{\varrho} - 1] < 0.$$

Die Substitutionselastizität $\sigma_{ij}(\bar{y})$, so wie sie oben definiert worden ist, wird durch den Parameter ϱ festgelegt: $\sigma_{ij}(\bar{y}) = 1/(1+\varrho)$. Da $-1 < \varrho$, $0 \neq \varrho$ ist, kann somit die CES-Produktionsfunktion jede positive Substitutionselastizität, außer $\sigma_{ij}(\bar{y}) = 1$, aufweisen. Damit kann eine Änderung der Einkommensverteilung berücksichtigt werden, falls die Faktorpreise sich ändern.

Abschließend sei auf eine weitere wichtige Eigenschaft der CES-Produktionsfunktion hingewiesen. Für $\varrho \to 0$ und $\varrho \to \infty$, also für $\sigma_{ij}(\bar{y}) \to 1$ und $\sigma_{ij}(\bar{y}) \to 0$, geht die CES-Produktionsfunktion in die COBB-DOUGLAS-Produktionsfunktion und die WALRAS-LEONTIEF-Produktionsfunktion über. Stellt man die Isoquanten der CES-Produktionsfunktion graphisch dar, so sieht man für alternative Werte von ϱ unmittelbar, wie die CES-Funktion die COBB-DOUGLAS- und WALRAS-LEONTIEF-Produktionsfunktion als Spezialfälle enthält; vgl. *Abb. K-23*.

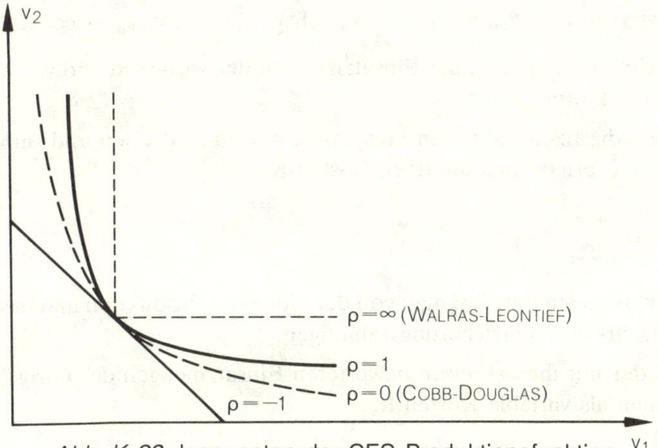

Abb. K-23: Isoquanten der CES-Produktionsfunktion

3.1.2. Kostenfunktion

Die Technologie, so wie sie in der Produktionsfunktion zum Ausdruck kommt, wird für eine Unternehmung nur von mittelbarem Interesse sein. Erst wenn man die Preise der Produktionsfaktoren berücksichtigt und damit die Kosten der Produktion erfassen kann, liefert man einer Unternehmung die für eine wirtschaftliche Erfolgsrechnung wichtige Wertgröße des Produktionsaufwands. Die Preise der Faktoren sowie die in der Produktionsfunktion zum Ausdruck kommende Technologie bestimmen zusammen die Kosten. Damit muß die Kostenfunktion einer Unternehmung bei bekannten Faktorpreisen aus der Produktionsfunktion ableitbar sein.

Fixe und variable Kosten

Die Produktionsfunktion einer Ein-Produkt-Unternehmung gibt den effizienten Zusammenhang zwischen der Endproduktmenge und den Einsatzmengen aller Faktoren an. Will man die Endproduktmenge ändern, so ist es für eine Unternehmung meistens weder nötig noch möglich, hierfür die Einsatzmengen aller Produktionsfaktoren zu variieren. Die bestehenden Gebäude und die genutzten Grundflächen werden für viele Fälle der Produktionsänderung als konstant angesehen werden können, ebenso werden Versicherungsleistungen, die Leistungen der Unternehmensleitung und der Verwaltung als in weitem Maße unabhängig von der Höhe der Produktion angenommen werden können. Wenn auch diese Faktoren nicht für den gesamten hypothetisch möglichen Bereich der Endproduktmenge konstant sein werden, so ist es doch in erster Annäherung an die Realität sinnvoll anzunehmen, daß es eine Gruppe von fixen Produktionsfaktoren gibt, deren Einsatzmengen unabhängig von der Endproduktmenge sind; darüber hinaus wird eine zweite Gruppe von variablen Produktionsfaktoren existieren, deren Einsatzmengen mit der Endproduktmenge variieren. Eine Produktionsfunktion, die diese Faktoren unterscheidet, lautet:

$$y = \tilde{y}(v_1, \ldots, v_m, v_{m+1}, \ldots, v_{m+n}), \; v_{m+1}, \ldots, v_{m+n} = \text{const.};$$

hierin bezeichnen $v_1, \ldots, v_m$ die Einsatzmengen der variablen und $v_{m+1}, \ldots, v_{m+n}$ die der fixen Faktoren.

Bewertet man die fixen Faktoreinsatzmengen mit ihren Preisen und summiert diese Wertgrößen auf, erhält man die fixen Kosten K_f:

$$K_f := \sum_{i=m+1}^{m+n} v_i \cdot p_i.$$

Diese fixen Kosten sind unabhängig von der Höhe der Produktion und bestehen z. B. aus Miet-, Pacht- und Versicherungszahlungen.

Die Summe der mit ihren Preisen bewerteten Einsatzmengen der übrigen Faktoren bezeichnet man als variable Kosten K_v:

$$K_v := \sum_{i=1}^{m} v_i \, p_i.$$

Diese variablen Kosten werden von der Endproduktmenge bestimmt und bestehen z. B. aus Lohn- und Materialzahlungen. Die Art dieser Abhängigkeit kann für eine Ein-Produkt-Unternehmung aus der obigen Produktionsfunktion abgeleitet werden. Dazu schreibt man diese der Einfachheit halber als

$$y = y(v_1, \ldots, v_m),$$

wobei zu beachten ist, daß diese Produktionsfunktion $y(\cdot)$ nur für vorgegebene Faktoreinsatzmengen der fixen Faktoren gilt.

Minimalkostenkombination

Aus dieser Produktionsfunktion kann bei gegebenen Faktorpreisen die Größe der variablen Kosten abgeleitet werden, wenn man zusätzlich annimmt, daß eine vorgegebene Endproduktmenge mit minimalen Kosten hergestellt wird. Diese Problemstellung lautet formal:

Zielfunktion: $K_v = \sum_{i=1}^{m} p_i v_i = \min!$

Nebenbedingung: $\bar{y} - y(v_1, \ldots, v_m) = 0$

Die Zielfunktion verlangt, daß die variablen Kosten und damit auch die Gesamtkosten ($= K_f + K_v$) der Produktion minimiert werden, und die Nebenbedingung schreibt vor, daß unter Berücksichtigung der Produktionsfunktion $y(\cdot)$ die Outputmenge $\bar{y}$ herzustellen ist. Die Faktoreinsatzmengen der fixen Faktoren und damit auch die fixen Kosten sind konstant und brauchen deswegen in dem obigen Optimierungsansatz nicht berücksichtigt zu werden.

Für zwei variable Faktoren i und j läßt sich das Problem in der folgenden Weise veranschaulichen *(Abb. K-24)*.

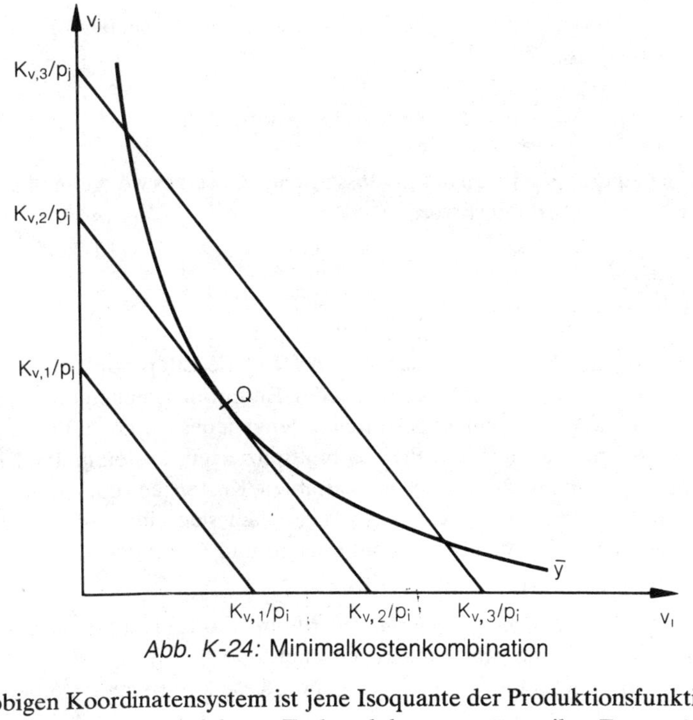

Abb. K-24: Minimalkostenkombination

In dem obigen Koordinatensystem ist jene Isoquante der Produktionsfunktion eingezeichnet, die die vorgeschriebene Endproduktmenge $\bar{y}$ angibt. Ferner lassen sich zueinander parallele Kostengeraden einzeichnen, die alle den Anstieg $-p_i/p_j$ haben, und die alle unterschiedlich hohe variable Kosten darstellen. In der obigen Figur ist offensichtlich $K_{v,1} < K_{v,2} < K_{v,3}$. Die Problemstellung verlangt nun, aus allen möglichen Kostengeraden jene auszuwählen, die die geringsten variablen Kosten für die Produktion von $\bar{y}$ ausweist. Dies ist für die Kostengerade $K_{v,2}$ der Fall, die im Punkt Q die Isoquante $\bar{y}$ tangiert.

Durch die prinzipiell gleichen Überlegungen wie zum 2. GOSSENschen Gesetz *(Abb. K-6),* gelangt man zu dem Ergebnis, daß im Punkt Q

$$\frac{\partial y/\partial v_i}{\partial y/\partial v_j} = \frac{p_i}{p_j}$$

gelten muß. Im Optimum, d. h. im Punkt der minimalen Kosten, müssen sich die Grenzproduktivitäten der variablen Faktoren zueinander verhalten wie ihre Preise. Dieses Ergebnis nennt man Minimalkostenkombination, und es ist in seiner logischen Struktur dem 2. GOSSENschen Gesetz gleich. Aus diesem Grunde läßt sich die Minimalkostenkombination auch ähnlich wic das 2. GOSSENsche Gesetz in der Weise formulieren:

– die Grenzrate der Faktorsubstitution $h_{ji}(\bar{y})$ ist gleich dem Verhältnis der Grenzproduktivitäten $\partial y/\partial v_i$ und $\partial y/\partial v_j$

$$h_{ji}(\bar{y}) := -\left.\frac{dv_j}{dv_i}\right|_{\bar{y}} = \left.\frac{\partial y/\partial v_i}{\partial y/\partial v_j}\right|_{\bar{y}},$$

– im Kostenminimum ist die Grenzproduktivität der Geldausgaben für alle variablen Faktorarten gleich

$$\frac{\partial y}{\partial v_i} / p_i = \lambda, \qquad \lambda - \text{LAGRANGEscher Multiplikator.}$$

Da diese Formulierungen jenen des 2. GOSSENschen Gesetzes weitgehend analog sind, sollen sie nicht näher erläutert werden.

Herleitung der Kostenfunktion

Mit Hilfe der Minimalkostenkombination kann für jede Endproduktmenge die Höhe der variablen Kosten festgestellt werden. Jeder Endproduktmenge ordnet die Minimalkostenkombination eine genau bestimmte Menge jedes variablen Produktionsfaktors zu. Die Summe der mit ihren Preisen multiplizierten, kostenminimalen Faktoreinsatzmengen gibt dann die Höhe der variablen Kosten an, die die vorgegebene Endproduktmenge verursacht. Auf diese Weise läßt sich eine Kostenfunktion, die den Zusammenhang zwischen Endproduktmenge und Gesamtkosten angibt, in folgenden Schritten herleiten:

– Jeder Endproduktmenge wird durch die Minimalkostenkombination die Menge der variablen Produktionsfaktoren zugeordnet.
– Zusammen mit den Faktorpreisen bestimmen diese kostenminimalen Mengen die variablen Kosten.
– Werden zu diesen Kosten die fixen Kosten addiert, erhält man die Gesamtkosten.

Dieses Vorgehen soll beispielhaft für zwei variable Produktionsfaktoren dargestellt werden. Mit Hilfe der Minimalkostenkombination läßt sich bei gegebenen Faktorpreisen für jede Endproduktmenge der zugehörige Faktoreinsatz bestimmen; vgl. *Abb. K-25*.

Diese Abbildung knüpft an *Abb. K-24* an. Die durch die Minimalkostenkombination bestimmten Tangentialpunkte Q_1, Q_2, . . . legen in ihrer Gesamtheit den Expansionspfad fest. Dieser gibt für jede Endproduktmenge die zugehörigen kostenminimalen Einsatzmengen der variablen Faktoren an. Unter Berücksichtigung der Faktorpreise p_i erhält man mit Hilfe des Expansionspfades die Bestimmungsgleichung der variablen Kosten K_v:

$$K_v = \sum_{i=1}^{2} p_i \; v_i(y) = K_v(y).$$

Addiert man hierzu die fixen Kosten K_f, so erhält man die gesamten Kosten K in Abhängigkeit von der Endproduktmenge:

$$K = K_v(y) + K_f = K(y).$$

Die Eigenschaften der Kostenfunktion K(y) hängen in ganz entscheidender Weise von den Eigenschaften der Produktionsfunktion y(·) ab. Ist die Produktionsfunktion homogen vom Grade ε kleiner/gleich/größer Eins, muß die Kostenkurve konvex/linear/konkav sein. Weist die Produktionsfunktion jedoch zunächst zunehmende ($\varepsilon > 1$) und dann abnehmende ($\varepsilon < 1$) Skalenerträge auf, muß die Kostenfunktion einen (umgekehrt) s-förmigen Verlauf haben.

Da eine homothetische Produktionsfunktion (Shephard, 1970) eine Skalenelastizität von zunächst größer und dann kleiner Eins aufweisen kann, soll der Zusammenhang zwischen Produktionsfunktion und Kostenfunktion beispielhaft für eine solche Pro-

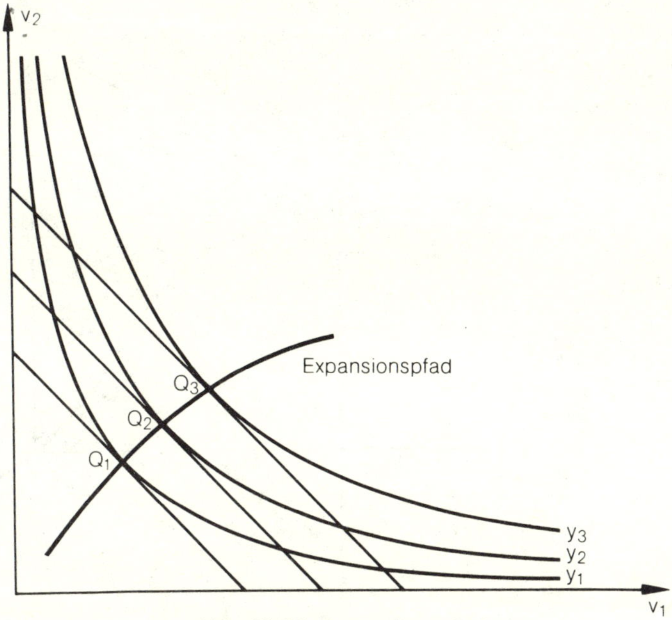

Abb. K-25: Expansionspfad

duktionsfunktion abgeleitet werden. Formal kann eine homothetische Produktionsfunktion für zwei Produktionsfaktoren wiedergegeben werden durch (HESSE/LINDE, 1976):

$$y = y(g(v_1, v_2)),\ y' > 0,$$

$g(\cdot)$ – linear-homogene, neoklassische Produktionsfunktion.

Diese homothetische Produktionsfunktion ist also dadurch gekennzeichnet, daß
- die Funktion $g(\cdot)$ linear-homogen ist und
- die Funktion $y(\cdot)$ monoton zunimmt.

Insbesondere kann dann $y(\cdot)$ anfangs schnell ($\triangleq$ steigende Skalenerträge, $y'' > 0$) und anschließend langsam ($\triangleq$ fallende Skalenerträge, $y'' < 0$) zunehmen. Dieser Zusammenhang beider Funktionen läßt sich graphisch veranschaulichen, wenn man für ein beliebig vorgegebenes Faktorbündel x_1^0, x_2^0 das Niveau μ der Produktion variiert *(Abb. K-26)*.

Auf der Abszisse des 1. Quadranten dieser Abbildung ist das Niveau der Produktion μ abgetragen. Da die Funktion $g(\cdot)$ linear-homogen ist, muß demzufolge der Graph dieser Funktion eine Gerade sein. Der 2. Quadrant enthält die Funktion $y(\cdot)$, die zuerst immer schneller und dann immer langsamer zunimmt. Auf dem linken Teil der Abszisse kann man demnach für jedes Niveau der Produktion die zugehörige Endproduktmenge ablesen. Durch Spiegelung der y-Werte an der 45°-Achse im 3.

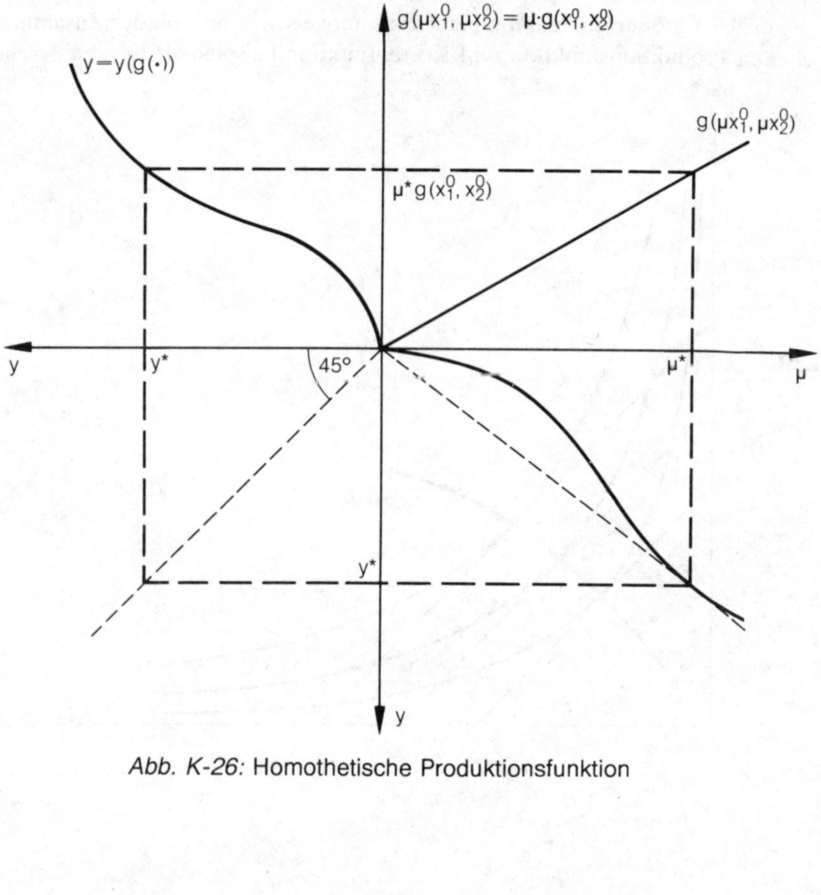

Abb. K-26: Homothetische Produktionsfunktion

Quadranten erhält man dann im 4. Quadranten den funktionalen Zusammenhang zwischen Produktionsniveau und Endproduktmenge.

Wie man sich leicht klar macht, ist die Skalenelastizität dieser Produktionsfunktion an der Stelle μ^* gleich Eins, denn dort gilt $dy/d\mu = y/\mu$ oder $(dy/d\mu) \cdot (\mu/y) = \varepsilon = 1$. Für $\mu \lesseqgtr \mu^*$ ist $\varepsilon \gtreqless 1$, d. h. diese Produktionsfunktion weist zunächst zunehmende und dann abnehmende Skalenerträge auf. Die Isoquanten dieser Produktionsfunktion sind in *Abb. K-27* eingezeichnet.

Auf der Grundlage dieser Isoquantenschar nehmen die Gesamtkosten in Abhängigkeit von der Endproduktmenge zunächst langsam und anschließend immer schneller zu, so daß sich das in *Abb. K-28* gezeigte Bild der Gesamtkostenkurve ergibt.

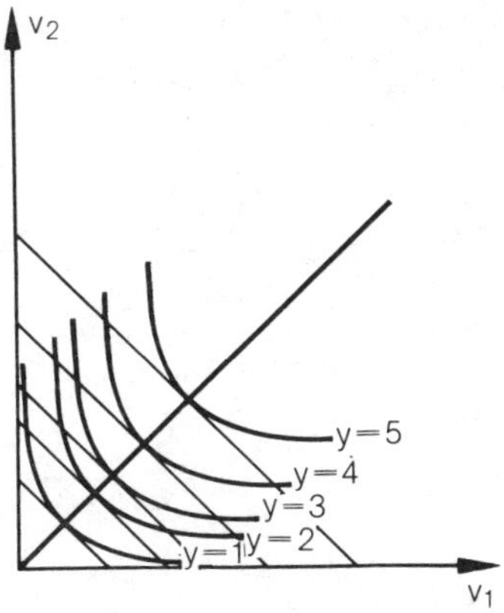

Abb. K-27: Isoquantenschar einer homothetischen Produktionsfunktion

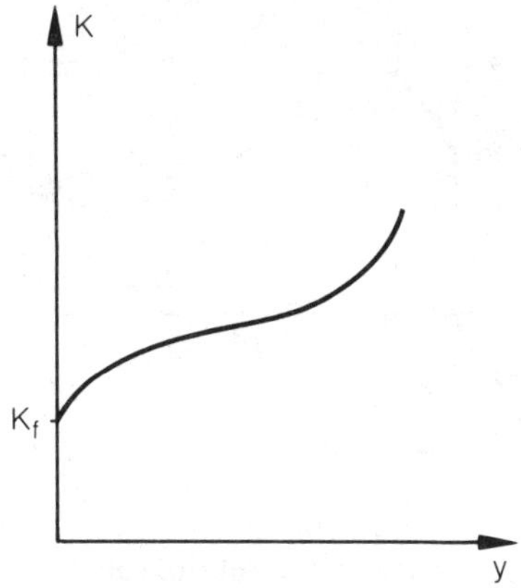

Abb. K-28: Gesamtkostenkurve

Für die folgenden Überlegungen ist es notwendig, drei weitere Kostenbegriffe einzuführen:

- Grenzkosten
- gesamte Durchschnittskosten
- variable Durchschnittskosten.

Die Grenzkosten zeigen an, um wieviel die Gesamtkosten pro zusätzlicher Einheit des Endprodukts steigen, wenn das Endprodukt um eine kleine (infinitesimale) Einheit vergrößert wird. Sie stellen die Ableitung K′ der Kostenfunktion dar. Bis zum Wendepunkt Q in *Abb. K-29* nehmen die Grenzkosten ab, erreichen dort ihr Minimum und steigen anschließend wieder an.

Die gesamten und variablen Durchschnittskosten GDK und VDK sind definiert als

$$\text{GDK} := K/y, \ \text{VDK} := K_v/y.$$

Die entsprechenden Kurven müssen den in *Abb. K-29* eingezeichneten Verlauf haben, wobei festzuhalten ist, daß das Minimum beider Kurven auf der Grenzkostenkurve liegen muß.

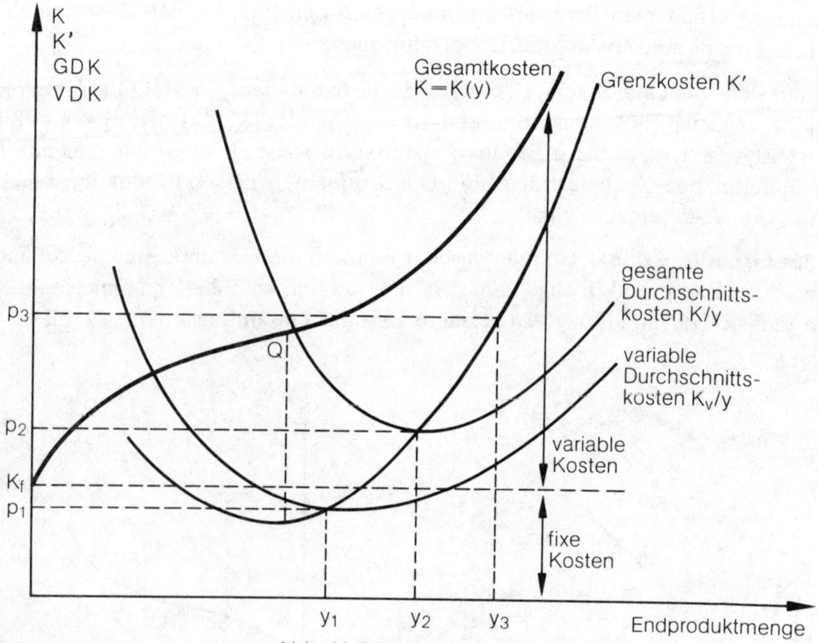

Abb. K-29: Kostenkurven

3.2. Optimaler Produktionsplan

Das Verhalten einer Unternehmung auf den Güter- und Faktormärkten wird unter Vernachlässigung von Unsicherheit und Risiko im wesentlichen bestimmt durch

- das Unternehmensziel
- die Produktionstechnologie
- die Marktformen der Güter- und Faktormärkte.

Die Unternehmensleitung legt die Zielsetzung des Unternehmens fest. Solange dieses Ziel die wirtschaftliche Existenz der Unternehmung ermöglicht, kann es autonom formuliert werden. Denkbar sind z. B. die Ziele Absatzmaximierung bei vorgegebenem Mindestgewinn, Maximierung der Lohnzahlungen bei vorgegebener Mindestverzinsung des eingesetzten Kapitals, usw. Hier wird der Einfachheit halber im folgenden unterstellt, daß das Unternehmensziel in der Maximierung des Gewinns besteht.

Um dieses Ziel zu verwirklichen, muß die Unternehmung solche Endproduktmengen herstellen und auf dem Gütermarkt verkaufen, also einen solchen Erlös erzielen, daß nach Abzug der Kosten der Gewinn ein Maximum annimmt. Die Herstellung der Endproduktmenge geschieht auf der Grundlage einer gegebenen Technologie, die unter Berücksichtigung der Faktorpreise die Kosten festlegt. Im folgenden sei angenommen, daß die Unternehmung wieder nur ein Endprodukt herstellt und daß die Technologie durch eine homothetische Produktionsfunktion für die m variablen Faktoren wiedergegeben wird. Auf diese Weise kann die Kostenfunktion der Unternehmung bei konstanten Faktorpreisen durch *Abb. K-29* dargestellt werden.

Schließlich wird angenommen, daß auf dem Gütermarkt und den Faktormärkten vollkommene Konkurrenz herrscht. Damit sind für die Unternehmung der Preis des Endprodukts und die Preise der Produktionsfaktoren vorgegeben und konstant; die Unternehmung verhält sich auf allen Märkten als Mengenanpasser (ERICH SCHNEIDER, 1948).

Nachdem Unternehmensziel, Produktionstechnologie und Marktformen festgelegt wurden, ist es möglich, für die Unternehmung einen optimalen Produktionsplan zu erstellen, der zu einem maximalen Gewinn führt. Dieser Produktionsplan hat die durch die Produktion bewirkte Interdependenz von Güter- und Faktormärkten zu berücksichtigen, denn jede Änderung der Faktoreinsatzmenge bewirkt eine Änderung der Produktionsmenge und umgekehrt. Formal kann ein solcher Produktionsplan aus einem Optimierungsproblem abgeleitet werden, in dem in der Zielfunktion der Gewinn maximiert werden soll unter der Nebenbedingung einer effizienten Produktion:

Zielfunktion: $$Q := py - \sum_{i=1}^{m} p_i v_i - K_f = \underset{y,\, v_i}{\max!}$$

Nebenbedingung: $$y - y(v_1, \ldots, v_m) = 0$$

Für dieses Optimierungsproblem liefert wieder die LAGRANGE-Methode die Bedingungen 1. Ordnung des Maximums; sie lauten:

$$p_i = \lambda \frac{\partial y}{\partial v_i}, \; i = 1, \ldots, m, \; \lambda - \text{LAGRANGEscher Multiplikator}$$
$$p = \lambda$$
$$y = y(v_1, \ldots, v_m).$$

Dieses Gleichungssystem besteht aus m + 2 Gleichungen. Sind die Preise p und p_i gegeben, so kann dieses Gleichungssystem die Bestimmung der m + 2 unbekannten, endogenen Variablen v_i, λ und y ermöglichen; wir nehmen die Existenz einer solchen Lösung an. Dann läßt sich das Ergebnis auch so formulieren. Bei gegebenen Güter- und Faktorpreisen, p und p_i, gibt es optimale Endprodukt- und Faktoreinsatzmengen, die zu einem maximalen Gewinn führen.

Aus diesem Gleichungssystem lassen sich Bedingungen für die Faktor- und Gütermärkte ableiten, die ökonomisch interpretierbar sind. Aus den beiden ersten Gleichungen folgt:

$$p_i = p \cdot \frac{\partial y}{\partial v_i}, \; i = 1, \ldots, m.$$

Diese Gleichung besagt, daß bei gegebenen Preisen p und p_i soviel von einem Produktionsfaktor eingesetzt werden muß, daß seine Wertgrenzproduktivität (= Endproduktpreis · Grenzproduktivität) gleich seinem Preis ist. Durch Division zweier dieser Bedingungen erhält man:

$$p_i / p_j = (\partial y/\partial v_i) / (\partial y/\partial v_j);$$

dies ist die Bedingung der Minimalkostenkombination (K-3.1.2.). Der optimale Produktionsplan erfordert also für den Faktoreinsatz die Beachtung der Minimalkostenkombination.

Aus der vorletzten Gleichung läßt sich eine weitere Bedingung ableiten, die das Güterangebot der Unternehmung festlegt. Aus dieser Gleichung folgt nämlich nach Erweiterung mit dv_i:

$$\sum_{i=1}^{m} p_i \, dv_i = p \cdot \sum_{i=1}^{m} \frac{\partial y}{\partial v_i} dv_i.$$

Der Summenausdruck auf der rechten Seite ist gleich dem totalen Differential der Produktionsfunktion:

$$dy = \sum_{i=1}^{m} \frac{\partial y}{\partial v_i} dv_i.$$

Nach Substitution und anschließender Division durch dy erhält man somit:

$$\sum_{i=1}^{m} p_i \cdot \frac{dv_i}{dy} = p.$$

Die linke Seite gibt die Summe aller zusätzlichen variablen Kosten pro zusätzlicher (kleiner) Endprodukteinheit an, denn p_i ist der Preis des i-ten Faktors und dv_i / dy stellt die zusätzliche Menge dieses Faktors pro zusätzlicher (kleiner) Endprodukteinheit dar. Damit gibt die linke Seite die Grenzkosten der Produktion an, die nach der letzten Gleichung mit dem Endproduktpreis übereinstimmen müssen.

Diese Bedingung läßt sich leicht verallgemeinern. Aus der Kosten- und Erlösfunktion, $K(y) = K_v(y) + K_f$ und $E(y) = py$, erhält man die Gewinnfunktion:

$$Q = E(y) - K(y) = py - K_v(y) - K_f.$$

Die Bedingung erster Ordnung für das Gewinnmaximum lautet somit:

$$E'(y) = K'(y).$$

Wenn der Grenzerlös so groß ist wie die Grenzkosten, fällt kein zusätzlicher Gewinn mehr an, d. h. dann ist der Grenzgewinn Null, und es wird die gewinnmaximierende Menge angeboten; vgl. *Abb. K-30*.

Im hier vorliegenden Fall der vollkommenen Konkurrenz besteht der Grenzerlös aus dem Verkaufspreis p des Endprodukts, denn für jede zusätzlich verkaufte Einheit des Endprodukts erzielt man einen zusätzlichen Erlös in Höhe von p. In diesem Fall lautet die Bedingung für das Gewinnmaximum:

$$p = K'(y),$$

und in der *Abb. K-30* wird die Erlöskurve zur Erlösgeraden mit dem Anstieg p.

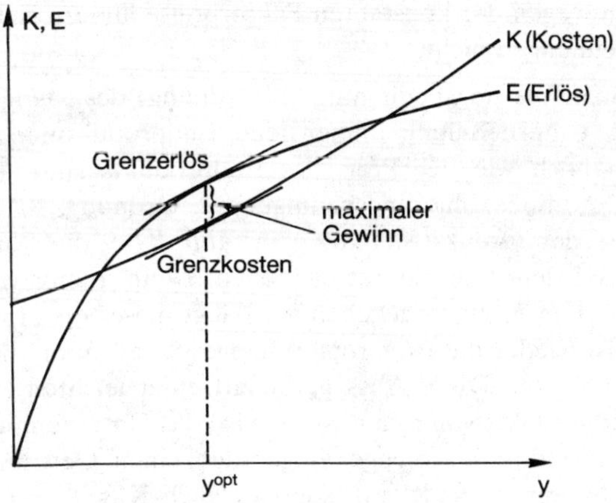

Abb. K-30: Bestimmung des maximalen Gewinns

Wir können abschließend feststellen, daß der optimale Produktionsplan einer Unternehmung die gewinnmaximierenden Endprodukt- und Faktoreinsatzmengen festlegt und zwar unter der Voraussetzung, daß die Faktor- und Endproduktpreise gegeben sind. Dann ist es natürlich auch möglich, die Abhängigkeit dieser optimalen Produkt- und Faktormengen von den vorgegebenen Preisen zu untersuchen. Dieser Zusammenhang wird deutlich, wenn man das obige Gleichungssystem so hinschreibt, daß die Mengen die abhängigen und die Preise die unabhängigen Variablen werden:

$$v_i = v_i(p, p_1, \ldots, p_m), \; i = 1, \ldots, m$$
$$y = y(p, p_1, \ldots, p_m).$$

Hieraus wird deutlich, daß folgende Abhängigkeiten untersucht werden können:
- die Faktoreinsatzmenge des i-ten Faktors v_i hängt ceteris paribus ab
  - vom Preis des Endprodukts p
  - vom eigenen Preis p_i
  - vom Preis eines anderen Faktors j, $j \neq i$
- die Endproduktmenge y hängt ceteris paribus ab
  - vom eigenen Preis p
  - vom Preis eines Produktionsfaktors i, p_i.

Von diesen möglichen Fällen untersuchen wir hier jene, die man typischerweise als „Angebotsfunktion“ und „Nachfragefunktion“ bezeichnen kann, nämlich den Zusammenhang zwischen y und p sowie zwischen v_i und p_i.

3.3. Güterangebot

Bei Preisänderungen des Endprodukts wird die Unternehmung mit ihrem Angebot so reagieren, daß sie jeweils ihren Gewinn maximiert, wobei annahmegemäß die Preise der Produktionsfaktoren konstant bleiben. Aus dieser Annahme folgt, daß die Kostenfunktion der Unternehmung bei Preisänderungen des Endprodukts unverändert bleibt, denn wegen der konstanten Faktorpreise ändern sich die kostenminimalen Faktoreinsatzmengen nicht.

Da die Gewinnmaximierungsbedingung (1. Ordnung) des Mengenanpassers $p = K'$ lautet, muß die Unternehmung immer jene Endproduktmenge herstellen, deren Grenzkosten so hoch wie der Preis des Endprodukts sind. Beachtet man noch zusätzlich die Gewinnmaximierungsbedingung 2. Ordnung, $K'' > 0$, dann muß der aufsteigende Ast der Grenzkostenkurve in *Abb. K-29* die Angebotsfunktion der Unternehmung auf dem Gütermarkt darstellen. Denn immer wenn ein bestimmter Preis, z. B. p_3 in *Abb. K-29* vorgegeben wird, legt dieser die Höhe der Grenzkosten fest, und damit ist wieder die Endproduktmenge y_3 bestimmt, die das Unternehmen auf dem Markt anbietet. Diese Aussage bedarf einer leichten Modifizierung. Sinkt der Preis des Endprodukts von p_3 auf p_2, so wird das Unternehmen zum Preis p_2 und der angebotenen Endproduktmenge y_2 gerade keinen Gewinn machen, denn im Punkt y_2 ist nicht nur $p_2 = K'(y_2)$, sondern auch $K'(y_2) = GDK(y_2)$, also auch $p_2 = GDK(y_2)$, d. h. der Preis p_2 ist so groß wie die gesamten Durchschnittskosten. Dann muß aber der Erlös ($= p_2 \cdot y_2$) genauso groß wie die gesamten Kosten ($= GDK(y_2) \cdot y_2$) sein, d. h. der Gewinn ist Null. Das Unternehmen macht also nur für Preise $p > p_2$ einen Gewinn.

Trotzdem kann es kurzfristig sinnvoll sein, noch zu einem Preis $p < p_2$ anzubieten. Ist nämlich $p_1 < p < p_2$, liegt also der Marktpreis des Endprodukts zwar unter den gesamten Durchschnittskosten, aber noch über den variablen Durchschnittskosten, so ist der Erlös größer als die variablen Kosten, und man kann mit der Differenz zwischen Erlös und variablen Kosten noch einen Teil der fixen Kosten decken. Erst wenn der Preis unter p_1 fällt, also unter das Minimum der variablen Durchschnittskosten, lohnt eine Produktion überhaupt nicht mehr, denn für $p = p_1$ gilt nach den gleichen Überlegungen wie oben $p_1 = VDK$. Hier ist also der Erlös gerade noch so groß wie die variablen Kosten. Für noch geringere Preise werden nicht einmal mehr die variablen Kosten der Produktion durch den Erlös gedeckt, und man steht sich in diesem Fall besser, nicht zu produzieren. Die Angebotskurve einer Unternehmung besteht also aus dem aufsteigenden Ast der Grenzkostenkurve und zwar

- werden für jenen Teil der Grenzkostenkurve, der oberhalb des Minimums der gesamten Durchschnittskostenkurve liegt, Gewinne erzielt,
- werden für den Teil der Grenzkostenkurve, der zwischen den Minima von variablen und gesamten Durchschnittskosten liegt, keine Gewinne erzielt, es können aber mit den Erlösen ein Teil der fixen Kosten gedeckt werden.

Die Stellen, an denen die variablen bzw. gesamten Durchschnittskosten ihr Minimum erreichen, werden Betriebsminimum bzw. Betriebsoptimum genannt.

Wir können zu diesem Abschnitt abschließend feststellen, daß hier die Angebotsfunktion einer Unternehmung auf der Grundlage einer vorgegebenen Technologie und eines Optimierungsansatzes, nämlich der Gewinnmaximierung, abgeleitet wurde.

3.4. Faktornachfrage

Die Nachfrage einer Unternehmung nach Produktionsfaktoren in Abhängigkeit vom Preis dieser Faktoren läßt sich ebenfalls aus dem optimalen Produktionsplan ableiten.

Nur ist jetzt, im Gegensatz zur Herleitung der Angebotsfunktion des letzten Abschnittes, die Interdependenz von Güterangebot und Faktornachfrage zu berücksichtigen. Die Änderung eines Faktorpreises führt nämlich über die Minimalkostenkombination zu einer Änderung der Kosten- und Grenzkostenfunktion und damit auch zu einer Änderung des Güterangebots. Daraus resultiert ebenfalls eine Veränderung der Faktoreinsatzmengen, die neben jene tritt, die durch die Preisänderung unmittelbar ausgelöst wird.

Die Zusammenhänge können an Hand des Gleichungssystems des optimalen Produktionsplans

$$v_i = v_i(p, p_1, \ldots, p_m), \; i = 1, \ldots, m$$
$$y = y(p, p_1, \ldots, p_m)$$

aufgezeigt werden. Der Einfachheit halber sei zunächst angenommen, daß die Endproduktmenge konstant bleibe. Für zwei Produktionsfaktoren i und j kann dann die Nachfrageänderung nach dem Faktor i in Abhängigkeit von seinem Preis p_i graphisch hergeleitet werden; vgl. *Abb. K-31.*

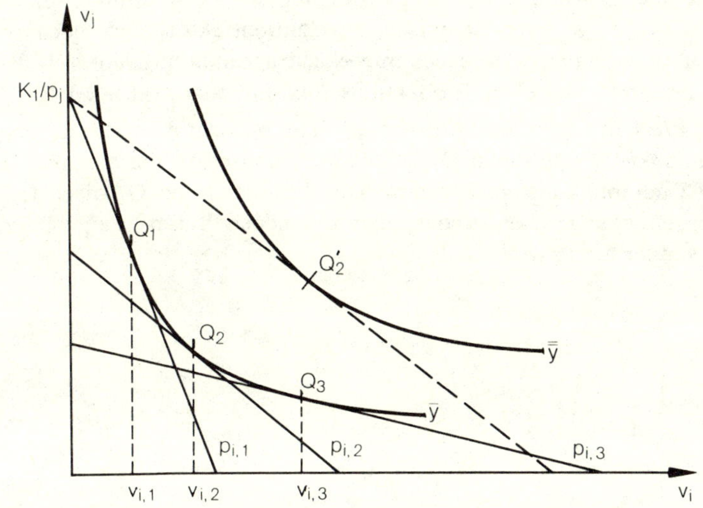

Abb. K-31: Nachfrage nach dem Faktor i in Abhängigkeit vom Preis p_i

Wenn der Preis p_i bei konstantem Preis p_j und bei konstanter Endproduktmenge $\bar{y}$ sinkt, wandert die kostenminimale Gerade in *Abb. K-31* entlang der Isoquante in „süd-östliche“ Richtung. Die jeweiligen Tangentialpunkte Q_1, Q_2, Q_3, . . . legen die kostenminimalen Faktoreinsatzmengen $v_{i,1}$, $v_{i,2}$, $v_{i,3}$, . . . fest. Wie man dieser Abbildung entnimmt, führt ein fallender Preis p_i zu wachsenden Faktoreinsatzmengen v_i und damit zu einer wachsenden Nachfrage nach diesem Faktor durch die Unternehmung. Diese Nachfrageänderung ist dem Substitutionseffekt der Haushaltstheorie *(Abb. K-8)* vergleichbar.

Tatsächlich bleibt aber die Endproduktmenge, die die Unternehmung anbietet, bei der hier diskutierten Preisänderung nicht konstant. Sinkt z. B. der Preis des i-ten Faktors von $p_{i,1}$ auf $p_{i,2}$, so gehen für jede Endproduktmenge die Produktionskosten zurück. Diese Kostenänderung kann an Hand der *Abb. K-31* erläutert werden. Der Tangentialpunkt Q_1 kann mit den Kosten K_1 realisiert werden. Sinkt der Preis von $p_{i,1}$ auf $p_{i,2}$, so könnte bei gleichen Kosten K_1 die Endproduktmenge $\overline{\overline{y}}$ im Tangentialpunkt Q_2' hergestellt werden, mit $\overline{\overline{y}} > \overline{y}$. Tatsächlich wird aber nur die Endproduktmenge $\overline{y}$ im Punkt Q_2 produziert. Die hierzugehörige Kostengerade liegt vollständig unterhalb der zu Q_2' gehörigen, und sie muß deswegen niedrigere Kosten darstellten. Da diese Überlegung für jede Endproduktmenge gilt, muß bei einer Preissenkung des i-ten Faktors die gesamte neue aus der Produktionsfunktion ableitbare Gesamtkostenfunktion unterhalb der alten liegen, mit Ausnahme des Ordinatenabschnittes.

Hieraus folgt, daß zumindest anfänglich die Grenzkosten beim Preis $p_{i,2}$ kleiner sind als beim Preis $p_{i,1}$. Wir nehmen der Einfachheit halber an, daß für alle Endproduktmengen die neuen Grenzkosten kleiner sind als die alten.

Dann muß der niedrigere Faktorpreis $p_{i,2}$ zur Folge haben, daß die Unternehmung ihre Produktion und ihr Angebot ausdehnt. Denn da der Marktpreis p des Endprodukts konstant bleibt, die Grenzkosten aber sinken, kann nur eine größere Produktionsmenge die Gewinnmaximierungsbedingung $K' = p$ erfüllen. Infolgedessen nimmt die Nachfrage nach dem i-ten Produktionsfaktor auch noch wegen der Produktionsausdehnung zu. Die gesamte Nachfrageänderung läßt sich demnach in einen Substitutions- und einen Produktionseffekt aufteilen; vgl. *Abb. K-32*.

Sinkt der Preis des i-ten Faktors von $p_{i,1}$ auf $p_{i,2}$, so stellt der Übergang vom Tangentialpunkt Q_1 zum Punkt Q_1' den Substitutionseffekt dar, denn in diesem Fall bleibt die Endproduktmenge konstant. Der Übergang von Q_1' nach Q_2 kann als Produktionseffekt angesehen werden, denn zum neuen Preis $p_{i,2}$ steigt die Produktion wegen sinkender Grenzkosten auf $\overline{\overline{y}}$.

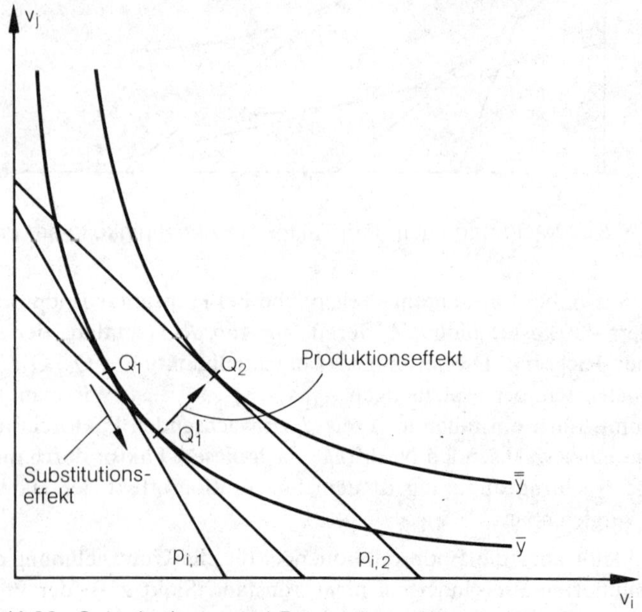

Abb. K-32: Substitutions- und Produktionseffekt der Faktornachfrage

In dem hier dargestellten Fall wirken beide Effekte so, daß die Nachfrage nach einem Produktionsfaktor bei sinkendem Faktorpreis zunimmt, d. h. die Nachfragekurve weist den typischen fallenden Verlauf in einem v_i-p_i-Koordinatensystem auf.

4. Mechanismen und Probleme der Koordination

4.1. Markt

Die Theorie des Haushalts und der Unternehmung beschäftigt sich mit dem ,,inneren Aufbau" dieser wirtschaftlichen Einheiten, wie sie in der Nutzen- und Produktionsfunktion zum Ausdruck kommt, sowie mit ihren Beziehungen zur Umwelt. Diese Beziehungen werden durch die Angebots- und Nachfragefunktionen ausgedrückt. So konnte für die Haushalte aus Optimierungsansätzen die Nachfragefunktion nach Konsumgütern und die Angebotsfunktion von Arbeit abgeleitet werden. Ebenso erhielt man für die Unternehmung eine Nachfragefunktion nach Produktionsfaktoren, worin die Nachfrage nach Arbeit eingeschlossen ist, und eine Angebotsfunktion des Endprodukts; beiden Funktionen lag ebenfalls ein Optimierungsansatz zugrunde. Was bei diesen Überlegungen unberücksichtigt blieb, war die Koordination dieses unterschiedlich motivierten Angebots- und Nachfrageverhaltens. Diese Koordination kann beispielsweise durch den Markt wahrgenommen werden. Je nach Marktform werden Angebot und Nachfrage des Unternehmens- und Haushaltssektors unterschiedlich aufeinander abgestimmt. Dieser Abstimmungsprozeß und sein Ergebnis werden im Rahmen der ,,Preistheorie" (Beitrag L) behandelt.

4.2. Transaktions- und Informationskosten

Bei den bisherigen Überlegungen war stets mehr oder weniger explizit unterstellt worden, daß alle Käufe und Verkäufe von Gütern und Dienstleistungen ohne Transaktions- und Informationskosten erfolgen können und daß die beteiligten Wirtschaftssubjekte vollkommene Information über das gesamte Marktgeschehen haben. Aus diesen Gründen war es möglich, eine praktisch institutionenfreie Ökonomie vorauszusetzen. Wenn nämlich alle Wirtschaftssubjekte alle ökonomisch relevanten Tatbestände kennen und sie stets ohne Einschränkungen ihren vertraglichen Verpflichtungen nachkommen, die sich ihrerseits in den Tauschbeziehungen konkretisieren, dann sind zahlreiche institutionelle Arrangements obsolet: Bereits die bloße Existenz von Unternehmen kann dann nicht erklärt, sondern muß vielmehr postuliert werden.

Vordergründig bezieht sich der Begriff der Transaktion auf den Tausch von Gütern und Dienstleistungen. Stillschweigend wird hierbei zunächst immer unterstellt, daß der jeweilige Eigentümer die ausschließlichen Nutzungs- und Verfügungsrechte an dem betreffenden Gut besitzt. Tatsächlich gibt es in der Realität sehr unterschiedliche Rechte eines Eigentümers, zu denen auch Verpflichtungen gehören. So kann beispielsweise der Eigentümer eines Grundstücks verpflichtet sein. Einwirkungen eines

Nachbargrundstücks auf sein Grundstück dulden zu müssen. Die Gesamtheit aller Rechte, Verpflichtungen, Haftungsregelungen, Schadensersatzansprüche etc. faßt man unter dem Oberbegriff Verfügungsrechte (property rights) zusammen (COMMONS, 1931; FURUBOTN/PEJOVICH, 1972). Transaktionen sind demnach die Übertragung von Nutzungs- und Verfügungsrechten und die mit deren Bestimmung, Übertragung und Durchsetzung entstehenden Kosten werden Transaktionskosten genannt.

Mit Hilfe von Transaktionskosten läßt sich die Existenz von Unternehmen erklären. Zunächst müßte man nämlich davon ausgehen, daß alle Transaktionen über den Markt laufen, da auf diese Weise eine effiziente Allokation der Ressourcen erreicht wird. In dieser Sichtweise dürfte es Unternehmen nicht geben, da jeder Eigentümer einer Ressource, sei es Arbeitskraft, Kapital oder eine natürliche Ressource, diese auf dem Markt anbietet. An dieser Stelle werden aber die Transaktions- und Informationskosten wichtig. Der Markt- und Preismechanismus selbst verursacht Kosten: Kosten des Preisvergleichs, der Verhandlungen, des Vertragsabschlusses, der Vertragsdurchsetzung, der Überwachung, etc. führen dazu, daß für bestimmte Tauschbeziehungen andere Allokations- und Organisationsformen effizienter sind als der Markt. Ein Teil der ökonomischen Tauschbeziehungen läuft deswegen nicht über den Markt, weil die hierarchische Organisation einer Unternehmung mit ihren Über- und Unterordnungen dieser Tauschbeziehungen effizienter koordinieren kann (COASE, 1937, 1988). In dieser Betrachtungsweise sind Unternehmen effiziente Allokationsmechanismen für solche Nutzungs- und Verfügungsrechte, die über den Markt nur mit höheren Transaktionskosten zu alloziieren wären.

Der Transaktionskostenansatz zur Erklärung der Existenz von Unternehmen ist dem Gebiet der Neuen Institutionen Ökonomie zuzurechnen. Er wurde insbesondere von der betriebswirtschaftlichen Organisationstheorie aufgegriffen (PICOT, 1982; MICHAELIS, 1985; PICOT/DIETL, 1990). Hier hat er sich als fruchtbarer Denkansatz für das Problem erwiesen, wie Aufgaben in einer Unternehmung formuliert und organisiert werden sollen, damit die entstehenden Transaktionskosten minimal werden.

4.3. Prinzipal-Agent-Problem

Ein besonderes Problem stellt die Koordination der Entscheidungen zweier Wirtschaftssubjekte dar, die in einer „Prinzipal-Agent-Beziehung“ zueinander stehen und die über unterschiedliche Informationen verfügen. Ein Beispiel mag diese Beziehungen verdeutlichen. Die Aktionäre eines Unternehmens können in ihrer Gesamtheit als Prinzipal angesehen werden und das Management des Unternehmens als Agent. Die Führung des Unternehmens obliegt dem Management, das somit auch für die Höhe des erwirtschafteten Gewinns verantwortlich ist. Dieser Gewinn wird aber an die Aktionäre ausgeschüttet. Welche Möglichkeiten haben nun die Aktionäre, das Management zu veranlassen, so die Geschäfte zu führen, daß am Ende des Geschäftsjahres ein möglichst hoher Gewinn an die Aktionäre ausgeschüttet werden kann? Die Informationen sind ungleichmäßig verteilt: Das Management weiß besser Bescheid über die Möglichkeiten der Geschäftsführung als die Aktionäre. Welche vertraglichen Regelungen sollten deshalb von den Aktionären für die Entlohnung des Managements gewählt werden, damit diese den Vorstellungen der Aktionäre entsprechen? In Frage käme beispielsweise eine Beteiligung der Manager am Gewinn.

Diese Beziehung zwischen Prinzipal und Agent läßt sich in der folgenden Weise verallgemeinern. Der Agent entscheidet über die Auswahl einer Handlungsalternative, die in der Regel zu einer Auszahlung an den Prinzipal führt. Bevor nun der Agent entscheidet, legt der Prinzipal eine Regel fest, nach der der Agent in Abhängigkeit von seiner Entscheidung entlohnt wird. Diese Entscheidungsstruktur ist insbesondere immer dann problematisch, wenn die Informationen über die relevanten Umstände ungleichmäßig auf den Prinzipal und den Agenten verteilt sind.

Nach Kenneth J. Arrow (1985) unterscheidet man zwei Arten von Prinzipal-Agenten-Probleme: (1) versteckte Aktionen, die zum moral-hazard-Problem führen und (2) versteckte Informationen, die das adverse-selection-Problem beinhalten.

Im Falle der versteckten Aktion wählt der Agent eine Handlungsalternative aus, und der Prinzipal kann nicht beobachten, welche. So kann beispielsweise der Abschluß einer Feuerversicherung zu nachlässigem Umgang mit brennbaren Stoffen oder sogar zu einem ,,Warmabbruch“ führen. Hier liegt der Fall des *moral hazard* vor: Der Versicherungnehmer versucht nicht, den Schaden zu vermeiden, sondern ist nachlässig in der Schadensverhütung oder führt den Schaden sogar selbst herbei.

Versteckte Informationen liegen dann vor, wenn der Prinzipal zwar die Handlungen des Agenten beobachten kann, dieser jedoch einen Informationsvorteil besitzt, der nur unter hohen Kosten oder auch gar nicht abgebaut werden kann. Ein Beispiel hierfür ist die Patienten-Arzt-Beziehung, in der der Patient den Arzt beauftragt und entlohnt, sich aber mangels Fachkenntnissen kein Urteil über die Notwendigkeit der Maßnahmen des Arztes bilden kann. Es ist daher denkbar, daß der Arzt nicht aus Gründen der medizinischen Indikation, sondern aus Erwerbsstreben eine bestimmte, kostspielige Behandlung durchführt.

Versteckte Informationen können auch zu einer Negativauslese auf einem Markt führen, dem sogenannten *adverse-selection*-Problem. Dieses sei am Beispiel einer Krankenversicherung erläutert. Die Versicherungsnehmer kennen ihren eigenen Gesundheitszustand besser als der Versicherer. Kalkuliert nun der Versicherer eine Prämie auf der Grundlage des durchschnittlichen Gesundheitszustandes der zu Versichernden, dann ist diese Prämie für Personen mit einem relativ schlechten Gesundheitszustand günstig und für die relativ Gesunden ungünstig. Da die jeweiligen Personen ihren eigenen Gesundheitzustand kennen, werden tendenziell mehr Personen mit einem schlechten als mit einem guten Gesundheitszustand diese Versicherung abschließen: Es kommt zu einer negativen Auslese der Versicherten.

Die systematische Einführung und Analyse des Prinzipal-Agent-Problems in die ökonomische Analyse ermöglicht die Erklärung des Zustandekommens und der komplizierten Struktur vieler vertraglicher Regelungen. Hier ist die agency-Theorie, wie sie auch genannt wird, der neoklassischen Mikroökonomik überlegen, denn da diese vollkommene Information voraussetzt und von Transaktionskosten abstrahiert, beschränken sich bei ihr die vertraglichen Regelungen auf den Kauf und Verkauf von Gütern und Dienstleistungen.

Kommentierte Literaturhinweise

Empfehlenswerte und einführende Lehrbücher in die Theorie des Haushalts sind MONIKA STREISSLER (1974) und HELGA LUCKENBACH (1975).

Der von ERICH STREISSLER; MONIKA STREISSLER (1966) herausgegebene Sammelband enthält wichtige Originalaufsätze der Haushalts- und Nachfragetheorie.

Eine ausführliche Darstellung der Theorie des Haushalts und der Unternehmung sowie der Koordinierungsfunktion des Marktes findet sich in JOCHEN SCHUMANN (1971); HELMUT SCHNEIDER (1972); ERNST HELMSTÄDTER (1974); ULRICH FEHL; PETER OBERENDER (1976); EDWIN VON BÖVENTER (1980); ALFRED STOBBE (1983).

Eine umfassende und formal anspruchsvolle Analyse mikroökonomischer Probleme bieten JAMES M. HENDERSON; RICHARD E. QUANDT (1958), HAL R. VARIAN (1978) und DAVID M. KREPS (1990).

WILHELM KRELLE (1969) und HELMUT HESSE; ROBERT LINDE (1976) haben anspruchsvolle Lehrbücher zur Produktionstheorie verfaßt; die letztgenannten Autoren behandeln auch homothetische Produktionsfunktionen.

L. Preistheorie

Jürgen Siebke

Gliederung

1. Gegenstand und Grundlagen

Im Beitrag K werden die ökonomischen Entscheidungen der Haushalte und Unternehmen getrennt voneinander behandelt. Das geschieht unter der Voraussetzung, daß die Preise der von ihnen nachgefragten und angebotenen Güter und Produktionsfaktoren gegeben sind. Die Preistheorie analysiert, wie das einzelwirtschaftliche (mikroökonomische) Verhalten der Nachfrager und Anbieter über die Preisbildung koordiniert wird. Sie bedient sich der Gleichgewichtsanalyse und erklärt jene Preise, Gleichgewichtspreise genannt, die Nachfrage und Angebot zum Ausgleich bringen.

1.1. Partial- und Totalmodelle

Preise bilden sich auf Märkten. Die Preistheorie ist deshalb eine Analyse von Märkten und in diesem Sinne Markttheorie. Zwei modelltheoretische Ansatzpunkte müssen unterschieden werden:

- In der Partialanalyse wird die Preisbildung auf einem einzelnen Markt betrachtet. Auswirkungen auf und Rückwirkungen durch das Geschehen auf den übrigen Märkten der Volkswirtschaft bleiben unberücksichtigt. Der Markt für ein Gut wird gleichsam aus dem gesamtwirtschaftlichen Geflecht der Marktbeziehungen herausgelöst und der Marktpreis dieses Gutes unter der ceteris paribus Annahme analysiert, daß die Einflußgrößen auf den übrigen Märkten – insbesondere die Preise aller anderen Güter – gegeben sind und unverändert bleiben. Im Vordergrund der partialtheoretischen Analyse steht das Interesse an dem Gleichgewicht eines einzelnen Marktes, bei dem in Abhängigkeit von jeweils unterschiedlichen Marktbedingungen die Kaufwünsche der Nachfrager und die Absatzvorstellungen der Anbieter übereinstimmen.

  Der zu erklärende Marktpreis ist ein absoluter Preis, der das Tauschverhältnis des betrachteten Gutes in Geldeinheiten ausdrückt. Diese Tauschrelation von Ware gegen Geld ist primärer Erklärungsgegenstand, weil in der heutigen arbeitsteiligen Geldwirtschaft vorherrschend Güter gegen Geld gehandelt werden. Eine Ausnahme ist der Naturaltausch, für den ein relativer Preis, nämlich das reale Austauschverhältnis zwischen zwei Gütern, zu erklären wäre.

- In der Totalanalyse werden simultan die gegenseitig abhängigen Preisbildungen auf den Märkten für alle Güter betrachtet. Bei dieser Sichtweise interessieren nicht so sehr Höhe des Preises und Umfang der gehandelten Mengen der einzelnen Güter, sondern die Funktionsweise einer Volkswirtschaft, die auf dezentraler Planung beruht.

  In einem Totalmodell sind lediglich die Relationen der Güterpreise zueinander und damit die relativen Preise eindeutig bestimmt. Die absoluten Preise und mithin das Preisniveau als Index aller Güterpreise lassen sich nur unter Integration der Geldversorgung der Volkswirtschaft ermitteln. Dieser monetäre gesamtwirtschaftliche Aspekt und die Bestimmung des Preisniveaus sind nicht Gegenstand der Preistheorie, sondern der Geldtheorie und Inflationstheorie (Beiträge D und F).

Die Preistheorie erlangt ihre Bedeutung dadurch, daß in einer dezentral geplanten Volkswirtschaft die Allokation und Verteilung der Güter über die Marktpreise erfolgt (s. Beitrag A-3.2.1). In der Erklärung der Preisbildung hat sich die einzelwirtschaftliche Analyse des volkswirtschaftlichen Gesamtzusammenhanges unter der Bezeichnung Allgemeine Gleichgewichtstheorie (General Equilibrium Theory) als eigenständige Teildisziplin herausgebildet. Kernstück der Preistheorie im engeren Sinne ist die Analyse der Preisbildung auf einzelnen, aber unterschiedlich gestalteten Märkten. Kennzeichnung und Abgrenzung der verschiedenen Marktformen bildet deshalb den Ausgangspunkt der preistheoretischen Analyse (Überblick bei OTT, 1978).

1.2. Marktformen

Der Markt ist der ökonomische Ort des Tausches. Ein Markt konstituiert sich durch das Zusammentreffen von Nachfrage und Angebot, ohne daß eine räumliche Konzentration der Marktteilnehmer erforderlich ist. Der Gebrauchtwagenhandel im Ruhrgebiet mit seiner räumlichen Verstreutheit von Nachfragern und Anbietern bildet ebenso einen Markt wie der Wochenmarkt eines Ortes. Auf jedem dieser Märkte werden ähnliche, aber unterschiedliche Güter gehandelt: verschiedene Automobiltypen bzw. verschiedene Nahrungsmittel. Je enger die Güterart definiert wird, desto stärker nähert man sich der gedanklichen Konstruktion des vollkommenen oder homogenen Marktes, der in der Preistheorie als Referenzsystem für die Analyse der in der Wirklichkeit am häufigsten vorkommenden Struktur der unvollkommenen oder heterogenen Märkte dient.

Der vollkommene Markt

Der Begriff des vollkommenen Marktes geht auf den englischen Nationalökonomen WILLIAM STANLEY JEVONS (1835–1882) zurück. Dieser Markt ist dadurch charakterisiert, daß auf ihm zu einem bestimmten Zeitpunkt ein einheitlicher Preis besteht, zu dem alle Umsätze getätigt werden. Das ist das Gesetz der Unterschiedslosigkeit der Preise oder das JEVONSsche Indifferenzgesetz (law of indifference).

Ein solches Marktergebnis kann sich nur für ein einheitliches, homogenes Gut einstellen. Schon bei unmittelbar miteinander vergleichbaren Gütern einer Warenkategorie – z. B. dem Gebrauchsgut: Kühlschrank – existieren Preisunterschiede, hervorgerufen etwa durch ein technisches Qualitätsgefälle. Deshalb lautet die erste Voraussetzung für die Geltung des Prinzips der Preisgleichheit:

1. Die Güter sind sachlich gleichartig (homogen). Die Homogenität erfordert, daß sich die Güter im Urteil der Nachfrager weder durch Qualität noch durch Aufmachung und Verpackung voneinander unterscheiden.

Die Gleichartigkeit ist zwar entscheidend, reicht aber nicht aus, eine einheitliche Preisbildung zu gewährleisten: Stammkunden werden Preisnachlässe gewährt und Standortvorteile gegenüber Konkurrenten zu Preiserhöhungen genutzt. Folgende weitere vier Voraussetzungen müssen erfüllt sein, damit das Gesetz der Preisunterschiedslosigkeit gilt:

2. Es bestehen keine persönlichen Präferenzen zwischen den Marktteilnehmern. Das Fehlen persönlicher Präferenzen erfordert, daß ein Käufer ein Geschäft nicht wegen der besonders aufmerksamen Bedienung oder des Rufes der Firma aufsucht und ein Anbieter nicht bestimmte Kunden (z. B. gesellschaftliche Randgruppen) von der Belieferung ausschließt.

3. Es bestehen keine räumlichen Differenzierungen zwischen den Marktteilnehmern. Das Fehlen örtlicher Präferenzen erfordert, daß die Nachfrager keine unterschiedlichen Transportkosten oder Zeitaufwendungen zu tragen haben, um das Gut erwerben zu können. Anderenfalls kann es billiger sein, bei einem benachbarten Anbieter zu kaufen, auch wenn dieser einen höheren Preis als ein entfernterer Lieferant fordert.

4. Es bestehen keine zeitlichen Differenzierungen zwischen den Marktteilnehmern. Das erfordert gleiche Lieferzeiten, also keine Bevorzugung in der Abfertigung und Bedienung.

5. Es besteht vollständige Markttransparenz. Die umfassende Marktübersicht erfordert, daß die Nachfrager über alle Marktbedingungen – also die Qualität der Güter, die Lieferfristen und vor allem die Preise – vollständig informiert sind.

Die Stringenz der fünf Voraussetzungen läßt ohne weitere Begründung erkennen, daß der vollkommene Markt selten in der Wirklichkeit vorzufinden ist. Die Produktenbörsen entsprechen diesem Marktmodell am ehesten. Aber auch für die dort stattfindenden Preisbildungen muß man beispielsweise die Getreidebörse weiter unterteilen in den Roggenmarkt, den Weizenmarkt usw., um Märkte zu erhalten, auf denen JEVONS Indifferenzgesetz gilt.

Unvollkommene Märkte

Die ersten vier Voraussetzungen von JEVONS Indifferenzgesetz werden Homogenitätsbedingungen genannt, weil sie ein einheitliches Gut definieren. Selbst wenn sie erfüllt sind, können Preisunterschiede auf dem Markt dieses Produktes bestehen: und zwar dann, wenn zwischenzeitlich keine vollständige Markttransparenz herrscht. Damit muß in der Realität immer gerechnet werden, weil die Verbreitung von Informationen Zeit benötigt. Man spricht deshalb von einem *temporär* unvollkommenen Markt *(Übersicht L-1):* Die Preisunterschiede sind vorübergehend, da im Laufe der Zeit die Unterrichtung der Marktteilnehmer über die homogenen Marktbedingungen umfassender wird. Diese gedankliche Konstruktion der nahezu vollkommenen Marktkonstellation macht deutlich, daß der zu einem Zeitpunkt bestehende Preis nicht spontanes Marktergebnis, sondern Resultat eines zeitbeanspruchenden Prozesses der Informationsverbreitung ist. Das gilt für jede Marktform. Gleichwohl werden in den nachfolgenden Abschnitten vor allem statische Modelle formuliert, in denen sich Anpassungsprozesse nicht explizit nachvollziehen lassen.

Ist mindestens eine der Homogenitätsbedingungen verletzt, wird der Markt als unvollkommen bezeichnet *(Übersicht L-1)*. Die meisten Märkte sind unvollkommene Märkte. Die auf ihnen gehandelten Güter differieren ökonomisch gesehen voneinander, so daß die einzelnen Marktteilnehmer einen preispolitischen Spielraum besitzen und damit unterschiedliche Preise möglich werden.

Übersicht L-1:
Voraussetzungen des JEVONSschen Indifferenzgesetzes und Marktformen

Bedingung 5: Markttransparenz / Homogenitätsbedingungen 1–4	vollständig	unvollständig
erfüllt	Vollkommener Markt	Temporär unvollkommener Markt
nicht erfüllt	Unvollkommener Markt	

Morphologie des Marktes

Neben dem Grad der Marktvollkommenheit hängt die Preisbildung auch von quantitativen Strukturen des Angebotes und der Nachfrage ab. HEINRICH VON STACKELBERG (1905–1946) griff auf die Anzahl der Marktteilnehmer sowie deren relative Größe zurück und begründete mit diesen Kriterien die morphologische Klassifikation der Märkte (VON STACKELBERG, 1934).

Er kategorisierte die Zahl der Teilnehmer auf jeder Marktseite nach der Begriffsreihe: viele – wenige – einer. Die relative Größe der Anbieter und Nachfrager wollte er durch deren Anteil am Gesamtangebot bzw. an der Gesamtnachfrage erfassen und durch die Begriffe: klein – mittel – groß charakterisieren. Zahlreiche wechselseitige Zuordnungen dieser beiden Begriffsskalen können vorgenommen werden; wenn auch bestimmte Kombinationen, z. B. „viele große" Marktteilnehmer, ausscheiden. Zur Eingrenzung der Zahl der Marktformen sei davon ausgegangen, daß die Marktanteile der einzelnen Wirtschaftseinheiten auf der jeweiligen Seite eines betrachteten Marktes gleich groß sind. Dann existieren für jede der beiden Marktseiten lediglich drei morphologische Klassifikationskriterien: ein großer, wenige mittlere und viele kleine Nachfrager bzw. Anbieter. Diese Konstellationen führen zu dem Marktformenschema von *Übersicht L-2* mit den zentralen Begriffen: Polypol, Oligopol und Monopol. Diese drei Marktformen sind nach der Anzahl der Anbieter unter der Annahme benannt, daß im Regelfall viele kleine Wirtschaftseinheiten auf einem Markt nachfragen:

Übersicht L-2: Morphologisches Marktformenschema

Nachfrager / Anbieter	viele kleine	wenige mittlere	ein großer
viele kleine	Polypol	Oligopson	Monopson
wenige mittlere	Oligopol	Bilaterales Oligopol	Beschränktes Monopson
ein großer	Monopol	Beschränktes Monopol	Bilaterales Monopol

- Im Polypol produzieren sehr viele Firmen, von denen jede einen unerheblichen Bruchteil des Gesamtangebotes auf den Markt bringt. Die Anbieter heißen Polypolisten. Mit dem Begriff der vollständigen Konkurrenz wird das Polypol auf dem vollkommenen Markt bezeichnet. Sind die nachgefragten und angebotenen Güter nicht homogen, liegt die Marktform des unvollkommenen Polypols vor, in Anlehnung an Edward H. Chamberlin (1933) auch monopolistische Konkurrenz (monopolistic competition) genannt.
- Im Oligopol konkurrieren einige wenige Anbieter um den Absatz. Jeder von ihnen hat einen nicht unerheblichen Anteil am Gesamtangebot. Die Anbieter heißen hier Oligopolisten. Nach der Homogenität der Güter lassen sich das vollkommene (oder homogene) Oligopol und das unvollkommene (oder heterogene) Oligopol unterscheiden. Letztere Marktform kommt in der Wirklichkeit häufig vor: Wenige Unternehmen stellen zwar nicht ökonomisch identische, aber doch eng substituierbare Güter her, die sie einem weiten Kundenkreis anbieten. Bekannte Oligopole dieser Art sind: Automobilbranche, Waschmittelangebot, Kaffeemarken, Maschinenbau usw.
- Eine Firma besitzt ein Monopol, wenn keine Konkurrenten um den Absatz des von ihr angebotenen Gutes auf den Markt treten. Der Monopolist hat die Möglichkeit zur Preisdifferenzierung, wenn die Güter aus natürlichen Gründen oder infolge absatzstrategischer Maßnahmen im Urteil der Nachfrager nicht homogen sind. Besitzt beispielsweise eine Unternehmung ein weltweites Monopol für ihr Produkt, spalten die Transport- und Zollkosten den Markt räumlich in den Inlandsmarkt und den Auslandsmarkt.

Die morphologische Klassifikation von *Übersicht L-2* weist neun Marktformen für den vollkommenen Markt auf. Der unvollkommene Markt kann nur acht Konfigurationen annehmen, da im bilateralen Monopol mit einem Anbieter und einem Nachfrager keinerlei Produktdifferenzierung realisierbar ist. Läßt man Größenunterschiede auf einer Marktseite zu, sind weitere Marktformen konstruierbar. So spricht man von einem Teilmonopol, wenn neben einem großen Anbieter mehrere kleinere Firmen den Markt mitversorgen. Entsprechend liegt ein Teiloligopol vor, wenn sich einige oder mehrere kleine Anbieter neben den mittelgroßen Oligopolisten behaupten. Walter Eucken (1891–1950) hat aus dieser differenzierten Klassifikation insgesamt 25 Marktkonstellationen hergeleitet (Eucken, 1940).

Beweglichkeit der Nachfrage

Die Schwäche der Marktmorphologie liegt darin, daß sie nicht immer eindeutige Marktabgrenzungen liefert. Der Wechsel von einer Marktform zu einer anderen bleibt im Einzelfall vage. Bei welcher Anzahl der Anbieter erfolgt der Umschlag vom Oligopol zum Polypol, also von den wenigen mittelgroßen Anbietern zu den vielen kleinen Produzenten?

Aufgrund dieser Schwierigkeiten ist nach anderen Abgrenzungskriterien gesucht worden. Grundgedanke war, sich auf die Konkurrenzbeziehungen der Anbieter untereinander zu konzentrieren und diese durch die Reaktionen der mengenmäßigen Nachfrage x zu erfassen, die aufgrund einer relativen Preisänderung p des Anbieters j bei seinen Konkurrenten i ausgelöst werden. Man klassifizierte mithin die Marktformen mit Hilfe einer speziellen Kreuzpreiselastizität:

$$\varepsilon_p = \frac{dx_i}{dp_j}\frac{p_j}{x_i}.$$

Dieser Ansatz wurde vor allem von ROBERT TRIFFIN (1940) ausgebaut. So besitzt der Anbieter j eine Monopolstellung, wenn der obige Elastizitätsausdruck Null ist. Ist er unendlich, besteht in der Formulierung von TRIFFIN homogene Konkurrenz. Sie entspricht dem Polypol. Oligopolistische Beziehungen liegen nach TRIFFIN vor, wenn die Elastizität beträchtlich von Null differiert und die hervorgerufene Nachfrageverschiebung auf das Preisverhalten der Firma j zurückwirkt, so daß auch die Kreuzmengenelastizität

$$\varepsilon_x = \frac{dp_j}{dx_i}\frac{x_i}{p_j}$$

signifikant von Null verschieden ist. Damit hat TRIFFIN das Angebotsverhalten bei der Bestimmung des Oligopols berücksichtigt.

Dieses neue Element der Marktabgrenzung wurde insbesondere von WILHELM KRELLE (1961, 1. A., S. 8 ff.) zum Begriff der Beweglichkeit der Nachfrage weiterentwickelt:

$$\beta_{ij} = \frac{dx_{ij}}{dp_i}\frac{p_i}{x_i}.$$

Dieser Elastizitätsausdruck erfaßt jene Nachfragemenge dx_{ij}, die aufgrund der Preisänderung dp_i des Anbieters i von diesem zu dessen Konkurrenten j übergeht (oder umgekehrt); x_i und p_i sind die Absatzmenge und der Preis der Firma i vor Änderung ihrer Preissetzung. In dieser Definition gibt die Beweglichkeit der Nachfrage zwischen den Firmen i und j an, welchen Prozentsatz des Absatzes die Firma i aufgrund einer einprozentigen Änderung ihrer Preise an den Konkurrenten verliert oder von diesem abzieht. Anstelle der relativen Preisänderung dp_i/p_i kann auch eine relative Preisänderung dp_j/p_j des Konkurrenten j gesetzt werden, so daß man die Beweglichkeit der Nachfrage für die Firma i aufgrund einer Preisänderung des Anbieters j erhält. Die Beweglichkeit der Nachfrage wird fühlbar genannt, wenn sie einen bestimmten Schwellenwert überschreitet, so daß die Nachfragebewegung von der Firma überhaupt registriert wird.

Mit Hilfe des Begriffes der Beweglichkeit der Nachfrage lassen sich die Hauptmarktformen nunmehr wie folgt abgrenzen (KRELLE, 1961, 1. A., S. 38 ff.; 2. A., S. 20):

- Ein Polypol besteht, wenn die Nachfrage aufgrund der preispolitischen Maßnahme einer Firma nur für diese, nicht aber für die Konkurrenten fühlbar beweglich ist. Im Sinne der Marktmorphologie müssen die einzelnen Firmen so zahlreich und klein sein, daß die Preisänderung einer Firma den Absatz der Konkurrenten nicht spürbar beeinflußt. Eine preiserhöhende Firma erleidet einen erheblichen oder sogar totalen Absatzverlust, die abwandernden Kunden verteilen sich aber auf so viele andere Anbieter, daß jeder von ihnen keinen merklichen Umsatzzuwachs erzielt. Verliert die preiserhöhende Firma alle Kunden, ist die Beweglichkeit der Nachfrage unendlich, und es liegt ein Polypol auf dem vollkommenen Markt mit einem einheitlichen Preis vor. Bei einer unvollständigen Beweglichkeit büßt die Firma nur einen Teil ihres Absatzes ein, so daß ein Polypol auf dem unvollkommenen Markt existiert. Da der Einfluß eines jeden Anbieters auf den Markt verschwindend gering ist, braucht eine Firma nicht das strategische Verhalten der einzelnen Konkurrenten zu beobachten und in das eigene Kalkül einzubeziehen. Was zählt, ist das Marktgeschehen insgesamt und damit die Gesamtheit aller Konkurrenten.

- Ein Oligopol besteht, wenn die Nachfrage zwischen einer Firma und jedem ihrer Konkurrenten für beide Seiten spürbar beweglich ist. Durch eine Preissenkung erzielt eine Firma möglicherweise zunächst eine Umsatzerhöhung zu Lasten der Konkurrenten. Diese spüren den Nachfragerückgang und reagieren mit eigenen Preissenkungen, die den Vorteil des agierenden Oligopolisten wieder zunichte machen können. Ein Oligopolist hat deshalb in seiner Marktstrategie die Reaktion seiner Abnehmer sowie das Verhalten seiner Konkurrenten zu berücksichtigen.
- Ein Monopol besteht, wenn die Nachfrage zwischen dem Monopolisten und allen anderen Anbietern nicht fühlbar beweglich ist: Der Monopolist hat keinen Konkurrenten. Zwar konkurriert der Alleinanbieter eines Gutes mit jedem Produzenten um die Ausgabenbudgets aller Nachfrager. Diese Konkurrenz ist aber nach KRELLE so lange irrelevant, wie sie für die Einzelfirma unter der Grenze der Fühlbarkeit bleibt.

1.3. Marktnachfrage

Auf den drei Hauptmärkten stehen den Anbietern bzw. dem Alleinanbieter jeweils viele Nachfrager gegenüber. Diese Nachfrageseite des Marktes wird durch eine Gesamtnachfragefunktion beschrieben. Sie setzt den jeweiligen Preis des Gutes in

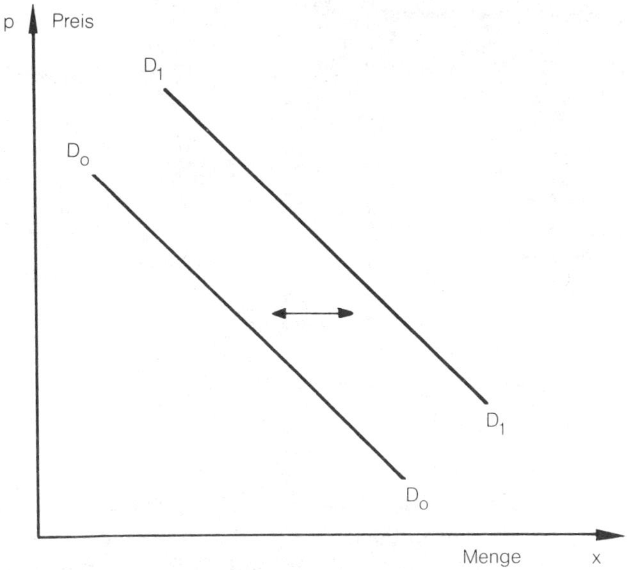

Abb. L–1: Gesamtnachfragekurven

Beziehung zu der Menge, die alle Haushalte zu diesem Preis in der betrachteten Periode nachfragen. Ihre Herleitung geschieht in der Weise, daß die bei jedem Preis von den einzelnen Haushalten nachgefragten Gütermengen addiert werden (Beitrag K-2.3.1). Als Regelfall wird unterstellt, daß mit sinkendem Preis die Nachfrage steigt. Die zugehörige individuelle Nachfragekurve zeigt *Abb. K–7*. Einen gleichen Verlauf hat dann auch die Gesamtnachfragekurve DD *(Abb. L–1)*.

Die Aggregation der einzelwirtschaftlichen Nachfragefunktion erfolgt unter der ceteris paribus Annahme, daß alle anderen Marktdaten, insbesondere die Preise der übrigen Güter und die individuellen Einkommen der Haushalte, gegeben sind. Bewirken steigende Einkommen oder ein höherer Preis für ein anderes Gut eine Mehrnachfrage bei allen Haushalten, verlagert sich die aggregierte Kurve in *Abb. L–1* nach D_1D_1. Gleiches gilt, wenn die Haushalte einen erheblich ansteigenden Preis erwarten und deshalb für spätere Perioden geplante Käufe zeitlich vorziehen.

2. Vollständige Konkurrenz

Bei vollständiger Konkurrenz, also im Polypol auf dem vollkommenen Markt, muß der einzelne Anbieter den einheitlichen Marktpreis als unbeeinflußbares Datum hinnehmen. Bei dem Streben nach einem maximalen Gewinn kann das Unternehmen nur bestimmen, welche Gütermengen es produziert und auf den Markt bringt: Die Firma verhält sich als Mengenanpasser. Jedem Preis können mithin die Angebotsmengen der einzelnen Polypolisten zugeordnet werden. Damit existieren individuelle Angebotsfunktionen, die sich ähnlich wie bei der Gesamtnachfrage zu einer Gesamtangebotsfunktion zusammenfassen lassen.

2.1. Kurzfristiges Marktgleichgewicht

Der gewinnmaximierende Polypolist dehnt seine Produktion so weit aus, bis die Grenzkosten dem Preis entsprechen. In Beitrag K–3.3 (und *Abb. K–30*) wurde

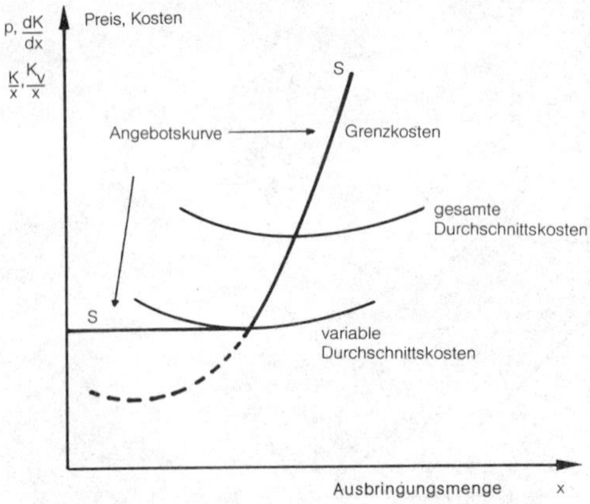

Abb. L–2.1: Einzelwirtschaftliche Angebotskurve

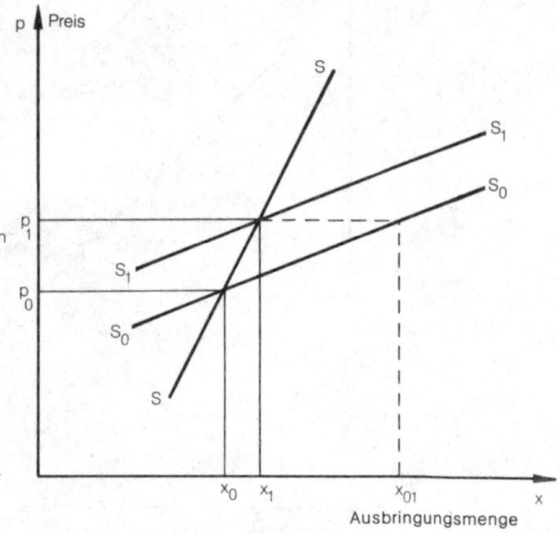

Abb. L–2.2: Gesamtangebotskurve

bereits gezeigt, daß unter dieser Prämisse und bei gegebener Betriebsgröße jener aufsteigende Ast der Grenzkostenkurve dK/dx, der oberhalb des Minimums der durchschnittlichen variablen Kosten K_v/x liegt, die Angebotskurve SS der Unternehmung repräsentiert *(Abb. L–2.1)*. Bei einem Marktpreis in Höhe bis zum Minimum der gesamten Durchschnittskosten K/x wird noch ein Teil der Fixkosten gedeckt; ein darüber hinaus zu erzielender Preis erbringt einen Gewinn, der zusätzlich zu der Verzinsung des eingesetzten Kapitals und zum Unternehmerlohn anfällt, weil beide „normale Gewinnanteile" in den Fixkosten enthalten sind. In langfristiger Betrachtung ist allerdings die Anpassung der Betriebsgröße und der Kapazität einzubeziehen, so daß sich die Grenzkostenkurve verschiebt und möglicherweise eine andere Angebotskurve entsteht.

Gesamtangebotskurve

Da der Marktpreis im Polypol für alle Anbieter derselbe ist, ließe sich in Anlehnung an *Abb. L–2.1* die Gesamtangebotsfunktion geometrisch herleiten, indem man die einzelwirtschaftlichen Angebotskurven horizontal addiert. Das zugehörige Aggregat sei die Kurve S_0S_0 in *Abb. L–2.2*. Bei dieser Aggregation ist jedoch zu bedenken, daß die einzelwirtschaftlichen Kostenverläufe unter der Voraussetzung hergeleitet sind, daß auch auf den Märkten der Produktionsfaktoren vollständige Konkurrenz vorherrscht und damit das einzelne Unternehmen die Faktorpreise als gegeben akzeptieren muß. Es ist dagegen fraglich, ob sich diese ceteris paribus Annahme unveränderlicher Faktorpreise in der Analyse aller Polypolisten beibehalten läßt. Steigern beispielsweise alle Anbieter ihre Ausbringungsmenge, kann die gemeinsame zusätzliche Nachfrage nach Produktionsfaktoren so spürbar sein, daß die Faktorpreise anziehen. Infolge derartiger Rückwirkungen verschiebt sich jede individuelle Angebotskurve nach oben.

Diese Kurvenverlagerung gilt dann auch für das Angebotsaggregat. Die Ausgangslage S_0S_0 gelte deshalb unter der Annahme, daß zu dem Güterpreis p_0 die Ausbringungsmenge x_0 aller Polypolisten auf den Markt kommt. Diese Preis-Mengen-Kombination ist zugleich ein Punkt auf der tatsächlichen Marktangebotskurve SS. Nunmehr steige der Preis auf p_1. Blieben die Faktorpreise konstant, würden die Anbieter die Menge x_{01} absetzen. Tatsächlich ist für sie nur die Ausbringungsmenge x_1 optimal, da sich infolge der Kostensteigerung die aggregierte Grenzkostenkurve nach S_1S_1 verschiebt. Die tatsächliche Gesamtangebotskurve SS verläuft mithin steiler, ist also weniger preiselastisch, als sich aus der einfachen Aggregation der einzelwirtschaftlichen Grenzkostenverläufe ergeben würde. Wird der Effekt auf die Faktorpreise vernachlässigt, würde man mit einer zu großen mengenmäßigen Angebotsreaktion des Wirtschaftszweiges rechnen.

Gleichgewicht und Anpassung

Der Gleichgewichtspreis p_E ist in *Abb. L–2.3* durch den Schnittpunkt von Nachfrage- und Angebotskurve bestimmt. Nur bei diesem Preis ist die nachgefragte Gütermenge gleich der angebotenen Menge. Kein Marktteilnehmer hat Veranlassung, sein Verhalten zu ändern.

Wenn immer der Preis von p_E abweicht, ist der Markt im Ungleichgewicht. Liegt der Preis über dem Gleichgewichtsniveau (p_1 in *Abb. L–2.3*), fällt das Gesamtangebot größer als die Menge aus, die die Nachfrager zu diesem Preis erwerben. Das Ergebnis ist ein Angebotsüberschuß. Das Überangebot drückt auf den Preis. Da die Firmen zuviel produziert und auf den Markt gebracht haben, werden sie bereit sein, den Preis zu senken. Ein einzelner Anbieter könnte zwar nicht isoliert den Preis herabsetzen, da er durch eine solche Strategie im vollkommenen Polypol die Gesamtnachfrage auf sich ziehen würde; da jedoch viele Unternehmen ihre Absatzpläne nicht realisiert sehen, kommt es zu einem Preisunterbietungsprozeß der Anbieter. Der sinkende Preis führt wiederum zum Ausgleich von Angebot und Nachfrage:

- Das Angebot verringert sich, weil alle Firmen ihre Produktion einschränken und möglicherweise sogar Anbieter aus dem Markt ausscheiden, weil für sie der Preis unter die variablen Durchschnittskosten gesunken ist.
- Die Gesamtnachfrage wächst, weil alle bisherigen Haushalte mehr nachfragen und möglicherweise neue Käufer in der Lage sind, das Gut zu erwerben.

Ist der Preis niedriger als sein Gleichgewichtsniveau, besteht ein Nachfrageüberhang. Ein Teil der Nachfrage bleibt unbefriedigt; sei es, daß ein Käufer nicht in vollem Umfang die Menge erwerben kann, die er zu diesem Preis kaufen möchte; sei es, daß ein Käufer überhaupt nicht beliefert wird. Die Nachfrager werden mithin bereit sein, ihre Preisgebote zu erhöhen. Infolge dieses Preisüberbietungsprozesses dehnen die Firmen ihre Produktion aus und schränken die Haushalte ihre Nachfrage ein.

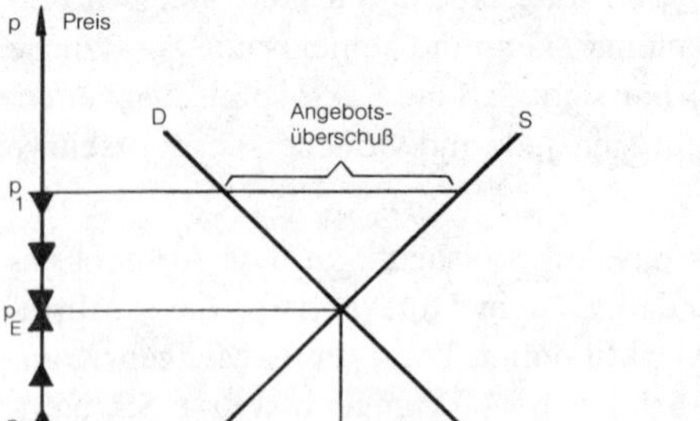

Abb. L–2.3: Marktgleichgewicht und Anpassungsprozeß

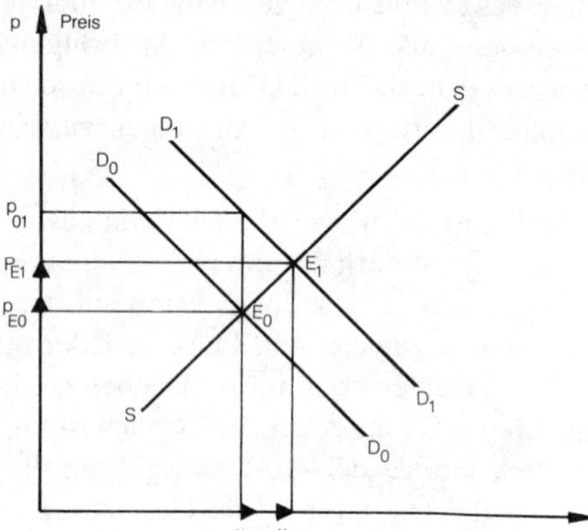

Abb. L–2.4: Kurzfristiges Marktgleichgewicht und Nachfrageausdehnung

Führt also ein Angebotsüberschuß zu einer Preissenkung und ein Nachfrageüberschuß zu einer Preiserhöhung, tendiert ein Markt bei vollständiger Konkurrenz zum Gleichgewicht. Man sagt, der Markt und sein Gleichgewicht sind stabil. Der hier skizzierte Anpassungsprozeß heißt WALRASsche Stabilitätsbedingung. Er beschreibt nicht die Preisentwicklung im Zeitverlauf. Dazu bedarf es eines dynamischen Modells. Dargelegt werden lediglich Marktkräfte – gekennzeichnet durch die Richtungspfeile in *Abb. L–2.3* –, die das Marktgleichgewicht herbeiführen (zur Stabilität des Marktgleichgewichts siehe u. a. HENDERSON/QUANDT, 1958; HELMSTÄDTER, 1974).

Gleichwohl muß bedacht werden, daß das Erreichen des kurzfristigen Gleichgewichts durch die Produktionsperiode bestimmt ist: Die Anpassung der laufenden Ausbringung an veränderte Marktdaten erfordert Zeit. So steige die Nachfrage in *Abb. L–2.4* abrupt von D_0D_0 nach D_1D_1. In der sehr kurzen Frist, dem Moment der Nachfrageerhöhung, ist die zum Verkauf verfügbare Angebotsmenge fix, so daß der Preis auf p_{01} steigen müßte, um Nachfrage und Angebot zum Ausgleich zu bringen. Erst nachdem die Anbieter ihre Produktionspläne revidiert haben, stellt sich das neue kurzfristige Gleichgewicht E_1 mit dem gegenüber p_{01} niedrigeren Preis, aber der höheren Marktversorgung ein.

2.2. Langfristige Marktanpassungen

Alle Firmen, die im kurzfristigen Gleichgewicht zu dem Preis p_E anbieten, produzieren zu denselben Grenzkosten. Ihre Gewinne können jedoch, je nachdem in welchem Bereich der individuellen Angebotskurve sie produzieren, unterschiedlich hoch ausfallen, oder es treten sogar Verluste ein. Einige Argumente sprechen dafür, daß diese individuellen Dispositionsgleichgewichte nicht von Dauer sind:

- Wenn die Unternehmen erwarten, daß sich der Preis p_E langfristig hält, scheiden jene Anbieter aus dem Markt aus, die im Grenzkostenbereich zwischen den variablen und den gesamten Durchschnittskosten produzieren. Für sie lohnt es sich nicht, die Produktion aufrechtzuerhalten, da auf Dauer die Fixkosten nicht zu decken sind.
- Wenn ein Unternehmen beim Preis p_E Gewinne macht, können diese möglicherweise durch einen Ausbau der Kapazität noch gesteigert werden. Während in der kurzfristigen Analyse die Betriebsgröße gegeben ist, muß sie langfristig als variabel behandelt werden.
- Ein Markt mit vielen kleinen Anbietern dürfte zugleich ein offener Markt mit freiem Zugang für neue Produzenten sein. Diese werden angelockt, wenn die bereits Anbietenden Gewinne erwirtschaften. Ihr Eintritt in den Markt drückt auf den Preis und die Gewinne. Während in der kurzfristigen Analyse die Zahl der Anbieter gegeben ist, ist sie in langfristiger Betrachtung veränderlich.

Individuelle Kostenkurven

Bei Kapazitätserweiterungen und Eröffnungen neuer Betriebsstätten werden die Produktionsfaktoren, die kurzfristig konstant sind (Grundstücke, Gebäude, Maschinen), zusätzlich eingesetzt. Langfristig sind deshalb alle Faktoren und Kosten variabel. Ist über die Betriebsgröße entschieden, fallen allerdings Fixkosten an. Für jede dieser Betriebsgrößen existieren eine Produktionsfunktion und Kostenfunktion, wie sie in Beitrag K–3.1 hergeleitet sind. Die Fixkosten steigen mit der Größe des Produktionsapparates. Variationen der Betriebsgröße lassen sich deshalb graphisch als eine Verschiebung der kurzfristigen Gesamtkostenkurve K in den Bereich höherer Ausbringungsmengen bei Zunahme der Fixkosten K_f darstellen *(Abb. L–2.5)*. Die langfristige Kostenkurve LK erfaßt die jeweils minimalen Kosten für vorgegebene

Produktionsmengen. Sie läßt sich als die „Umhüllende" der kurzfristigen Kostenverläufe konstruieren. Kann der Produktionsapparat kontinuierlich variiert werden, ist die langfristige Kostenkurve für jede Ausbringungsmenge x Tangente zu der kurzfristigen Kostenkurve jener Betriebsgröße, die für dieses als dauerhaft erwartete Produktionsvolumen x optimal ist.

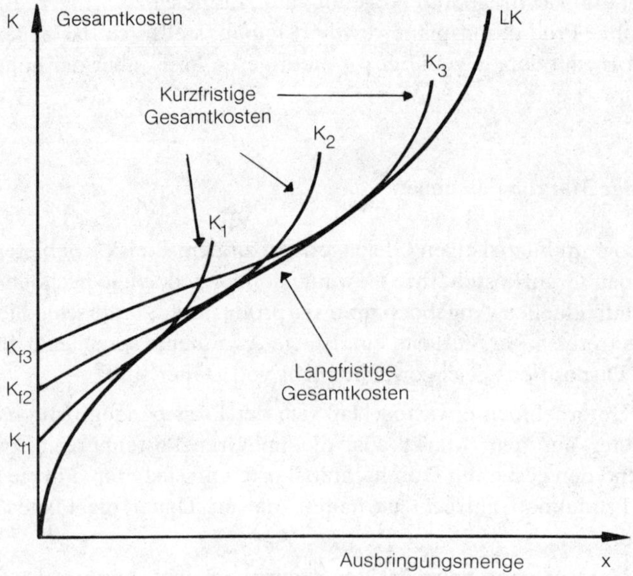

Abb. L–2.5: Kurz- und langfristige Gesamtkostenkurven einer Unternehmung

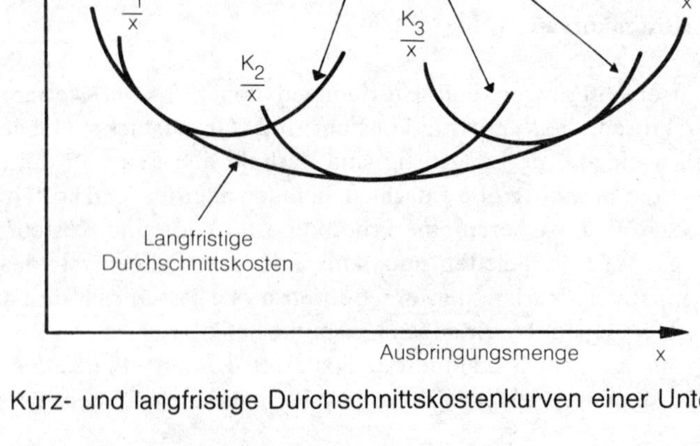

Abb. L–2.6: Kurz- und langfristige Durchschnittskostenkurven einer Unternehmung

In *Abb. L–2.6* sind die zugehörigen Kurven der durchschnittlichen Gesamtkosten gezeichnet. Jetzt ist nicht zwischen langfristigen und variablen Kosten zu unterscheiden, weil keine Kosten fix sind. Die langfristige Durchschnittskostenkurve LK/x ist wiederum Umhüllende zu den kurzfristigen Kurven.

In den Abbildungen haben die kurz- und langfristigen Kostenkurven denselben typischen Verlauf: Die Gesamtkosten wachsen zunächst mit abnehmender, dann mit zunehmender Steigung; die Durchschnittskosten verlaufen u-förmig. Die Begründungen für die kurzfristige und langfristige Analyse sind nicht identisch.

– In der kurzen Periode werden die Kurvenformen aus der Relation zwischen fixen und variablen Kosten erklärt. Bei Vermehrung aller variablen Produktionsfaktoren, also bei einer Bewegung entlang des Expansionspfades einer Firma *(Abb. K–27* und *28),* lassen sich zunächst zunehmend günstiger die fixen Faktoren, die die gegebene Betriebsgröße festlegen, nutzen (Kostendegression); später werden diese Faktoren zu Engpässen, so daß die Kostenveränderung bei wachsender Auslastung der Kapazität steigt. Dieser Zusammenhang wird manchmal auch so gedeutet, daß in dem kurzfristigen Kostenverlauf letztlich das klassische Ertragsgesetz *(Abb. K–21)* zur Geltung kommt, weil der Einsatz von Produktionsfaktoren bei Konstanz anderer Faktoren variiert wird.

– Langfristig sind alle Produktionsfaktoren variabel. Für die zunächst sinkenden Durchschnittskosten wird angeführt, daß größere Betriebseinheiten u. a. die Einführung günstigerer technischer Verfahren sowie eine größere Spezialisierung und umfassendere Arbeitsteilung erlauben. Von einer gewissen Unternehmensgröße an beanspruchen dagegen das Sammeln, Speichern und Verarbeiten von Informationen und damit die Koordinierungen von Entscheidungen derart steigende Ressourcen, daß der technische Vorteil der Betriebsgröße mehr als kompensiert wird. Allerdings nähert man sich mit dieser Begründung der Argumentation anhand konstanter Produktionsfaktoren: Das Management wird zum betriebsinternen Engpaßfaktor.

Bei welcher Größenordnung des Produktionsapparates die Durchschnittskosten aus betriebsinternen Gründen zu steigen beginnen, läßt sich nicht genau bestimmen (ausführliche Diskussion bei Gutenberg, 1951, 23. A. 1979, 14. Kapitel). Wenn sich

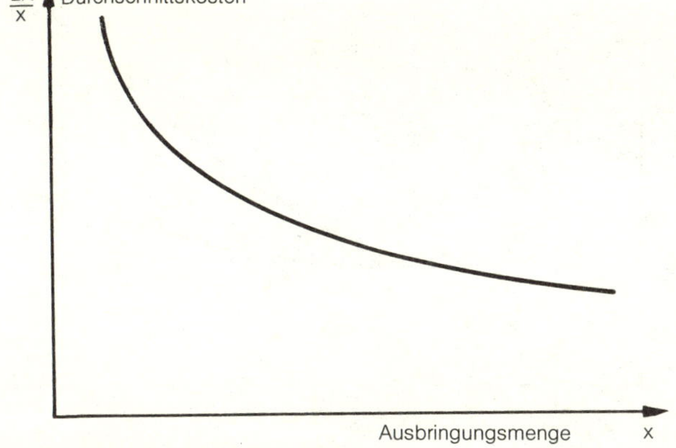

Abb. L–2.7: Langfristige Durchschnittskostenkurve im natürlichen Monopol

der sinkende Kostenverlauf bis in die Größenordnung solcher Ausbringungsmengen erstreckt, daß die Gesamtnachfrage des Marktes versorgt werden kann, bietet dieser Markt keine Gewinnchancen für viele Anbieter: Eine einzelne Firma kann stets kostengünstiger produzieren als die Gesamtheit vieler Unternehmen, auf die das Marktangebot verteilt wird. Man spricht von der Subaddivität von Kostenfunktionen. Dieses Konzept besagt, daß die Kosten für die Produktion von Teilmengen eines Gutes in getrennten Produktionsstätten auch bei identischer Technologie höher sind als durch die Produktion der Gesamtmenge in einem einzelnen Unternehmen (FRITSCH u. a., 1993). Solche Produktionsbedingungen begründen ein „natürliches Monopol" (*Abb. L-2.7*). Derartige Produktionsbedingungen werden vor allem durch die technische Unteilbarkeit von Kapazitäten bestimmt (Kraftwerke, Straßen, Schienen). Natürliche Monopole treten deshalb vornehmlich in leitungsgebundenen Versorgungen auf.

Einzelwirtschaftliches Gleichgewicht

In Analogie zur kurzfristigen Gewinnmaximierung erreicht eine Firma ihren langfristig optimalen Produktionsplan und damit ihre optimale Betriebsgröße, wenn die langfristigen Grenzkosten dLK/dx dem Marktpreis im steigenden Ast der Grenzkostenkurve entsprechen. Hier ist der Preis zudem gleich den kurzfristigen Grenzkosten, z. B. dK_0/dx für p_0 in *Abb. L–2.8.* Dieses Optimum diene als Ausgangspunkt für die nachfolgende Betrachtung, in der der Preis auf p_1 steige. Der Anbieter erhöht zunächst unter Ausnutzung des bestehenden Produktionsapparates seine Ausbringungsmenge auf x_{01}. Auf den hier zu erzielenden Gewinn und die gegebene Betriebsgröße muß das Unternehmen sich nicht beschränken, wenn es auch langfristig mit

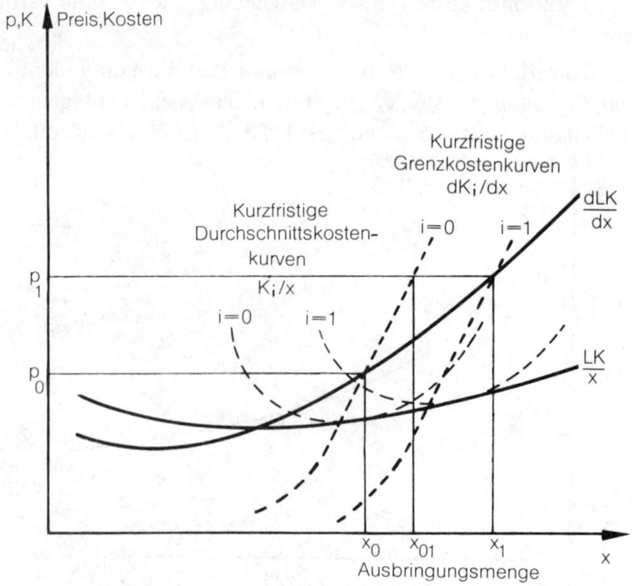

Abb. L–2.8: Langfristige Anpassung der Betriebsgröße

dem Preis p_1 kalkulieren kann. Der Produktionsapparat wird dann bis zu einer Größe ausgebaut, die durch die Kurven der kurzfristigen Durchschnitts- und Grenzkosten K_1/x und dK_1/dx beschrieben wird.

Ebenfalls in Anlehnung an das kurzfristige Unternehmensgleichgewicht wird die langfristige Grenzkostenkurve in ihrem Teil oberhalb des Minimums der Durchschnittskosten häufig als langfristige Angebotskurve eines Anbieters interpretiert. Sie ist preiselastischer als die zugehörigen kurzfristigen Angebotskurven. Kann jeder Punkt auf dieser langfristigen Angebotskurve als ein Unternehmensgleichgewicht gelten, das tatsächlich im Polypol langfristig bestehen bleibt? Das wäre nur dann der Fall, wenn die Konkurrenz unter den Anbietern den Preis unberührt ließe. Bei einem Preis oberhalb des Minimums der langfristigen Durchschnittskosten würden die Anbieter dauerhaft Gewinne machen. Diese Gewinnchancen veranlassen in einem offenen Markt andere Unternehmen, als neue Anbieter in den Markt einzutreten. Das Gesamtangebot steigt, und der Preis des Gutes fällt. Jene Anbieter werden verdrängt, für die der Marktpreis unter ihre langfristigen Durchschnittskosten sinkt. Solange jene Firmen, die sich am Markt behaupten, Gewinne machen, treten neue Anbieter hinzu. Die mengenmäßige Marktversorgung wird immer größer, doch entfällt auf den einzelnen Anbieter eine Ausbringungsmenge, die laufend kleiner wird. Dieser Anpassungsprozeß vollzieht sich so lange, bis für alle am Markt verbleibenden Firmen der gleichgewichtige Preis p_E den niedrigsten Wert ihrer jeweiligen langfristigen Durchschnittskosten erreicht hat. Da hier der Preis p_E außerdem den langfristigen Grenzkosten entspricht, repräsentiert das Minimum der langfristigen Durchschnittskosten das langfristige Gleichgewicht eines Unternehmens, das nach der Zielsetzung der Gewinnmaximierung handelt *(Abb. L–2.9).*

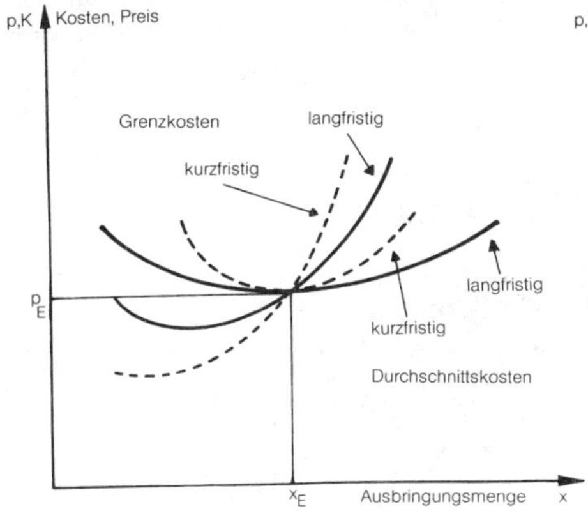

Abb. L–2.9: Langfristiges Unternehmensgleichgewicht

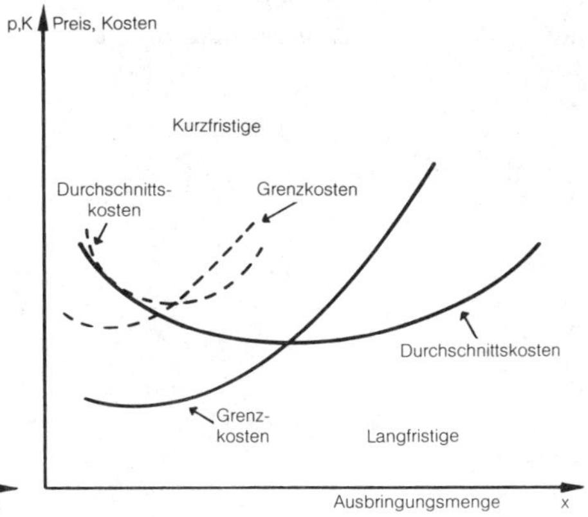

Abb. L–2.10: Kurzfristiges Unternehmensgleichgewicht bei sinkenden langfristigen Durchschnittskosten

Da der Preis p_E in *Abb. L–2.9* für alle Polypolisten gilt, produzieren langfristig alle Firmen mit denselben Durchschnittskosten; und kein Anbieter erzielt einen Gewinn,, der über den Unternehmerlohn und die marktübliche Kapitalverzinsung (s. Abschnitt 2.1) hinausgeht. Diese Gleichgewichtssituation ist der gedankliche Endpunkt eines

Anpassungsprozesses. Solange der gleichgewichtige Preis p_E noch nicht erreicht ist oder sich noch nicht alle Anbieter diesem mit ihrer Betriebsgröße angepaßt haben, verteilen sich die Anbieter in ihrer Produktionskapazität entlang der langfristigen Durchschnittskostenkurve. Sie befinden sich keineswegs, wie der Begriff der langfristigen Angebotskurve nahe legen könnte, nur im aufsteigenden Teil der Durchschnittskostenkurve. Auch im abfallenden Kurventeil kann ein Anbieter kurzfristig Gewinne erzielen, wenn seine kurzfristigen Durchschnittskosten niedriger als der Marktpreis sind *(Abb. L–2.10)*.

Gegen den Erklärungswert dieses Modells wird eingewendet, daß sich in der Wirklichkeit keineswegs beobachten ließe, daß langfristig die Anbieter in einem (annähernd) vollkommenen Polypol mit denselben Durchschnittskosten produzieren und die Firmen durchaus von Periode zu Periode unterschiedliche positive Profite erzielen. In dieser Argumentation wird häufig der Begriff der Kosten nicht richtig abgegrenzt. Firmen, von denen gesagt wird, daß sie mit relativ niedrigen Kosten produzieren, verfügen möglicherweise über besonders gute Produktionsfaktoren (z. B. Rohstoffe hoher Qualität) oder werden von einem überdurchschnittlich effizienten Management geführt. Die Kosten dieser Faktoren und die Entlohnung des Managements sind zu messen an den Preisen und Einkommen, die in alternativen, aber ertragreicheren Wirtschaftszweigen zu erzielen sind (MANSFIELD, 1970, 5. A., S. 247). Firmen mit niedrigeren pekuniären Kosten haben dann im Sinne des Begriffes der Opportunitätskosten im langfristigen Optimum keineswegs niedrigere Kosten und höhere Gewinne.

Langfristige Marktgleichgewichte

Aus der bisherigen Analyse des Gleichgewichts eines Unternehmens folgt, daß die langfristige Gesamtangebotskurve LS vollkommen preiselastisch beim Preis p_E sein

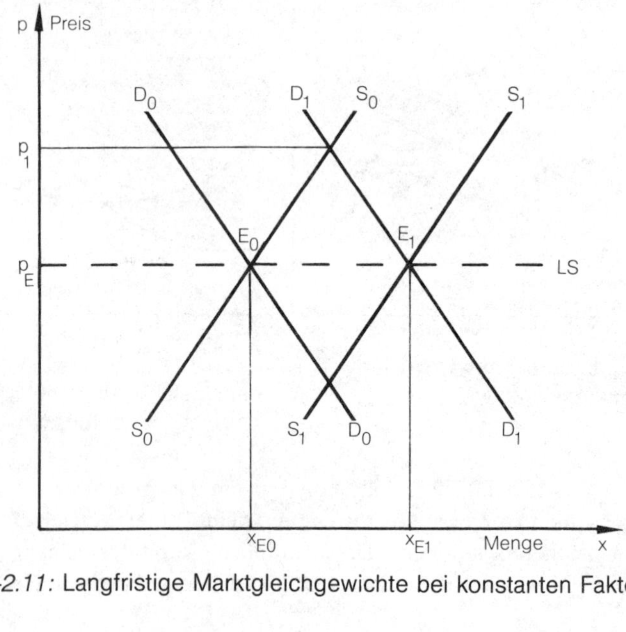

Abb. L–2.11: Langfristige Marktgleichgewichte bei konstanten Faktorpreisen

muß. In *Abb. L–2.11* sei E_0 ein langfristiges Ausgangsgleichgewicht zwischen der Nachfrage D_0D_0 und der über alle Polypolisten aggregierten kurzfristigen Angebotskurve S_0S_0, die zu den optimalen Betriebsgrößen der Anbieter gehört. Nunmehr wachse die Nachfrage auf D_1D_1. Kurzfristig steigt der Preis auf p_1 und alle Polypolisten erzielen einen Gewinn. Die neu hinzutretenden Anbieter bewirken eine Verschiebung der aggregierten kurzfristigen Angebotskurve nach rechts, bis bei S_1S_1 für keinen der alten und neuen Polypolisten ein Profit mehr anfällt. Da sich am Niveau der minimalen Durchschnittskosten nichts geändert hat, spielt sich in dem neuen Marktgleichgewicht E_1 der alte Gleichgewichtspreis p_E wieder ein.

Allerdings ist bei der Marktausweitung von x_{E0} nach x_{E1} stillschweigend angenommen, daß die Faktorpreise konstant bleiben. Diese ceteris paribus Annahme ist aufzuheben, wenn die zusätzliche Nachfrage nach Produktionsfaktoren deren Preise anhebt: Dadurch verschieben sich die langfristigen Kostenkurven des einzelnen Unternehmens nach oben und der langfristige Gleichgewichtspreis steigt (von p_{E0} nach p_{E1} in *Abb. L–2.12*). Ebenso verschieben sich die individuellen kurzfristigen Grenzkostenkurven nach oben *(Abb. L–2.12)*. Das gilt aber nicht für deren Aggregat: Durch das Hinzutreten neuer Anbieter, angelockt durch die vorübergehend zu erzielenden Gewinne, wird die gemeinsame kurzfristige Angebotskurve per Saldo nach rechts verlagert (nach S_1S_1 in *Abb. L–2.13*). Die Gesamtangebotskurve LS ist damit positiv geneigt und preiselastischer als die kurzfristigen Angebotskurven.

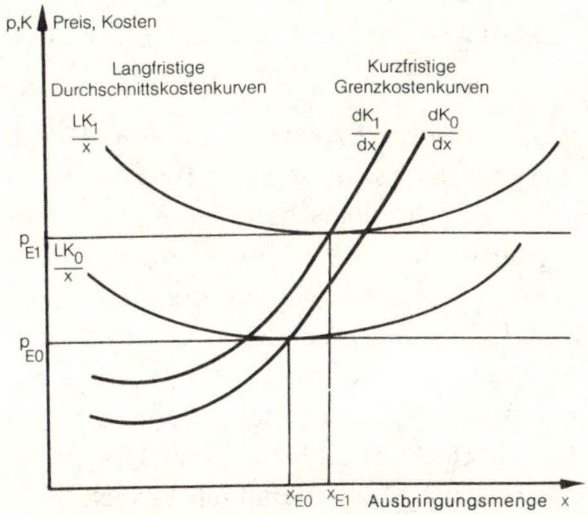

Abb. L–2.12: Individuelle Kostenkurven bei steigenden Faktorpreisen

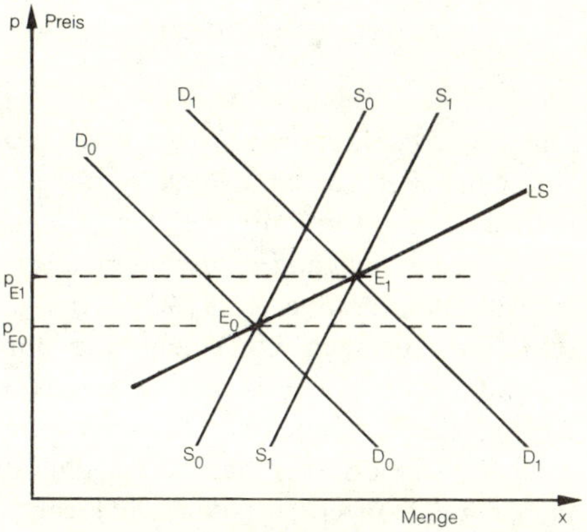

Abb. L–2.13: Langfristige Marktgleichgewichte bei steigenden Faktorpreisen

Externe Effekte

Schließlich kann die langfristige Angebotskurve auch fallen. Diese Situation ist dann gegeben, wenn mit der Expansion eines Wirtschaftszweiges die Kosten der einzelnen Firma sinken *(Abb. L–2.14)* und durch das Auftreten neuer Anbieter die kurzfristig aggregierte Angebotskurve zusätzlich nach rechts verschoben wird *(Abb. L–2.15)*. Eine Kostenminderung bei einem Unternehmen ohne Variation der eigenen Ausbringungsmenge ist beispielsweise denkbar, wenn mit der Produktionsausweitung in der gesamten Branche die Transportmöglichkeiten verbessert und verbilligt oder der Ausbildungsstand und die Produktivität der Beschäftigten erhöht werden. Diese Abhängigkeiten einer Firma von den Produktionsniveaus anderer Unternehmen heißen externe Produktionseffekte. Anders als die aus betriebsinternen Gründen fallenden langfristigen Durchschnittskosten sind die externen Kostenminderungen mit dem Modell der vollständigen Konkurrenz vereinbar.

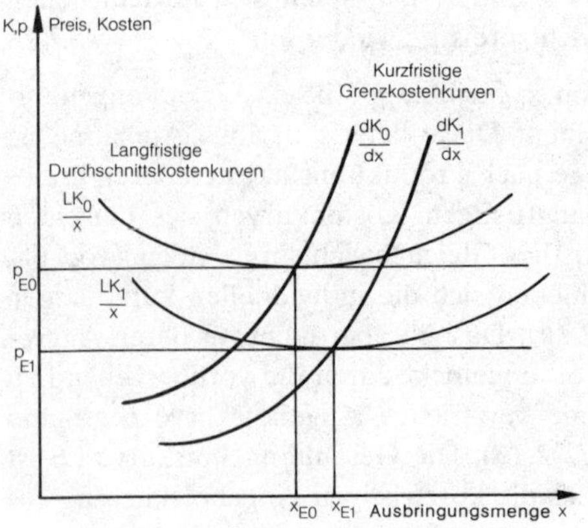

Abb. L–2.14: Individuelle Kostenkurve bei sinkenden Faktorpreisen

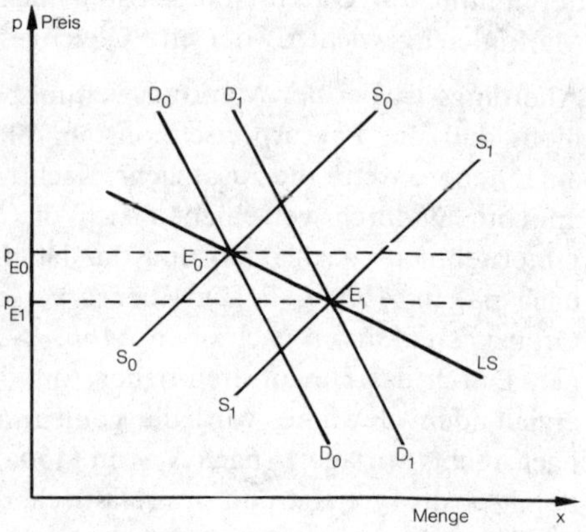

Abb. L–2.15: Langfristige Marktgleichgewichte bei sinkenden Faktorpreisen

Man unterscheidet pekuniäre und technologische externe Effekte (Scitovsky, 1954). Pekuniäre Effekte entstehen, wenn eine veränderte Nachfrage der Branche nach Produktionsfaktoren die Faktorpreise beeinflußt. Technologische Effekte treten auf, wenn Zusammenhänge zwischen den Produktionsbedingungen der Unternehmen wie im Falle der veränderten Transportmöglichkeiten bestehen. Werden die Gesamtkosten der einzelnen Unternehmung durch die Produktion anderer Unternehmen erhöht, spricht man von externen Kosten (external diseconomies). Werden die Kosten gesenkt, spricht man von externen Ersparnissen (external economies). Bei externen Ersparnissen hat die einzelne Firma durch die Existenz anderer Unternehmen einen Vorteil, für den die Firma finanziell nicht aufzukommen braucht; bei externen Kosten entsteht ein Nachteil, dessen Ausgleich finanzielle Aufwendungen erfordert, die nicht von den Verursachern der externen Kosten getragen werden (Überblick bei Schumann, 1971).

Infolge externer Kosten wird die Gesamtangebotskurve preisunelastischer *(Abb. L–2.2* und vgl. *Abb. L–2.13* mit *2.11*). Externe Ersparnisse bewirken, daß die Gesamtangebotskurve preiselastischer wird. Es ist denkbar, daß die externen Ersparnisse interne und externe Kostenerhöhungen überkompensieren, so daß die Gesamtkostenkurve der Branche negativ geneigt ist *(Abb. L–2.15)*. Sinkende Preise bei steigender Nachfrage werden vor allem dann herbeigeführt, wenn mit der Marktausdehnung kostensenkende technische Verbesserungen der Produktionsgesetzmäßigkeiten (technischer Fortschritt) einhergehen. Gerade das ist auf vielen Märkten für Gebrauchsgüter zu beobachten.

2.3. Weitere Marktprobleme

Handel ist von Vorteil für beide Marktseiten. Über die vollständige Konkurrenz wird gesagt, daß sie unter allen Marktformen den Tausch am effizientesten organisiert. Für diese Aussage benötigt man einen oder mehrere Vergleichsmaßstäbe. Zu ihnen zählen die Konsumentenrente und die Produzentenrente.

Konsumenten- und Produzentenrente

Alle Nachfrager, die bei dem herrschenden Marktpreis bereit wären, einen höheren Preis zu zahlen, werden bei ihrem Kauf durch die „Einsparung" eines bestimmten Ausgabenbetrages begünstigt. Das sind in *Abb. L–2.16* alle Käufer, die die Gesamtnachfrage links von dem Gleichgewichtspunkt E entfaltet haben. Die Nachfrager der „ersten" Gütereinheit hätten den Preis OA (Nachfragepreis) akzeptiert. Die Differenz zu dem tatsächlich gezahlten Preis p_E ist die Konsumentenrente auf diese Gütereinheit. Wendet man diese Betrachtung auf die insgesamt gekaufte Gütermenge x_E an, repräsentiert die Fläche p_EAE die gesamte Konsumentenrente bei dem Polypolpreis p_E.

Alle Produzenten, die bereit wären, ihre Ausbringungsmenge auch zu einem geringeren Preis anzubieten, erzielen gemessen an dem Marktpreis einen Zusatzerlös. Die Produzenten der „ersten" Angebotseinheit hätten in *Abb. L–2.16* den Preis OB (Angebotspreis) akzeptiert. Die Differenz zu dem tatsächlichen Preis ist der Produzentenvorteil und damit die Fläche p_EBE die gesamte Produzentenrente bei dem Polypolpreis p_E.

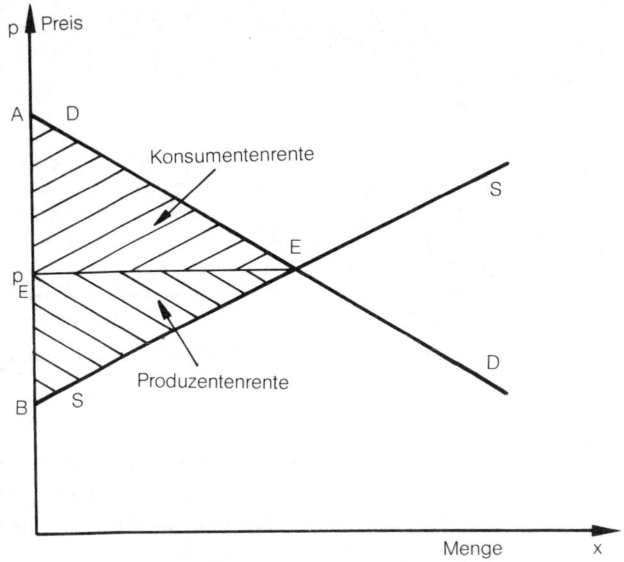

Abb. L–2.16: Konsumenten- und Produzentenrente

Es läßt sich nachweisen, daß beim Gleichgewichtspreis p_E die Summe aus Konsumenten- und Produzentenrente maximal ist und staatliche Eingriffe in die Preisbildung somit wohlfahrtsmindernd wirken. Der Staat greift oft und in vielfältiger Weise direkt in die Marktpreisbildung ein. Interventionsinstrumente sind beispielsweise Mindestpreise und Höchstpreise. Einen Mindestpreis p_M zu garantieren hat nur Sinn, wenn er über dem Gleichgewichtspreis p_E fixiert wird *(Abb. L–2.17)*. Aufgrund der verringerten Nachfrage setzen die Anbieter gegenüber dem Marktgleichgewicht nur die kleinere Menge x ab. Gleichzeitig findet jedoch zu ihren Gunsten ein Transfer von Konsumentenrente im Ausmaß der Fläche p_MABp_E zu den Produzenten statt. Allerdings muß im Ausmaß der gestrichelten Dreiecksfläche ein gemeinsamer Verlust an Konsumenten- und Produzentenrente hingenommen werden. Dies ist ein Nettoverlust (soziale Kosten) infolge der reduzierten Marktversorgung. Er markiert die geringere Effizienz der Ressourcenallokation gegenüber der Polypolpreisbildung. Dasselbe Ergebnis stellt sich ein, wenn der Staat einen Höchstpreis p_H unterhalb des Gleichgewichtspreises festlegt, so daß die Produzenten freiwillig nur die Menge x auf den Markt bringen. Daneben erfolgt hier im Gegensatz zur Mindestpreisfixierung der Transfer eines Teiles der Produzentenrente, nämlich die Fläche p_EBCp_H, zugunsten der Nachfrager.

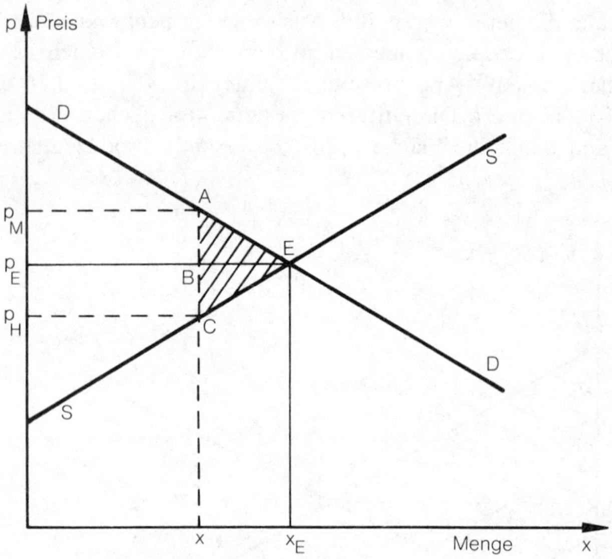

Abb. L–2.17: Wirkungen von Mindest- und Höchstpreisen auf Konsumenten- und Produzentenrente

Der Effizienzverlust eines Markteingriffes ist nicht allein daran zu messen, welcher direkter Handelsvorteil für die unmittelbar beteiligten Marktteilnehmer in Form der Konsumenten- und Produzentenrente vernichtet wird. Die Analyse ist zu ergänzen um jene Effekte, die aus den kurz- und langfristigen Angebotsvariationen der Produzenten bei staatlichen Markteingriffen resultieren.

Mindestpreise

Mindestpreise (Überblick bei KLEPS, 1980) werden damit gerechtfertigt, den Anbietern ein ausreichendes Einkommen zu sichern, wobei „ausreichend" beinhaltet, daß das Einkommen höher sein soll, als der freie Markt hergibt. Ein Beispiel sind die Mindestlohngesetzgebungen einiger Länder. Noch häufiger wird die staatliche Mindestpreispolitik zugunsten der Landwirtschaft praktiziert. Ein Musterbeispiel bietet die Agrarpolitik der Europäischen Gemeinschaft.

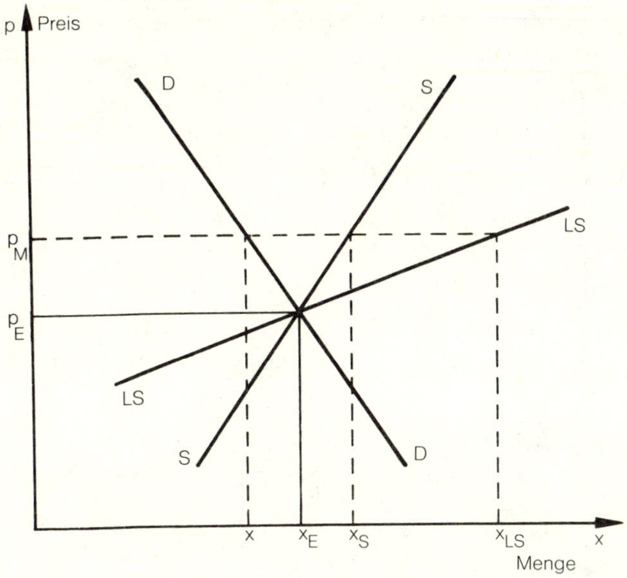

Abb. L–2.18: Mindestpreis und Produktionsüberschüsse

Die Produktionswirkungen einer solchen Politik sind dargestellt in *Abb. L–2.18*, in der ein garantierter Preis p_M auf einem bestimmten Agrarmarkt (Milch, Getreide) durch Politiker-Beschluß mit sofortiger Wirkung festgelegt wird. Die Nachfrage fällt auf x und das Angebot reagiert kurzfristig mit einer Ausdehnung auf x_s. Was geschieht mit der Überschußproduktion $(x_s - x)$, die am Markt nicht absetzbar ist? Der Staat muß sie aufkaufen, lagern und gegebenenfalls vernichten. Der öffentlichen Hand entstehen direkte Interventionsausgaben in Höhe von $(x_s - x)p_M$ und Lagerkosten. Beides tragen die Wirtschaftseinheiten durch ihre Steuern. Da die Nachfrage nach landwirtschaftlichen Produkten häufig relativ preisunelastisch reagiert (relativ steile DD-Kurve) und dieses auch für das kurzfristige Angebot gilt (relativ steile SS-Kurve), mögen die Kosten dieser Politik zunächst unerheblich erscheinen: die Fläche $(x_s - x)p_M$ ist klein. Langfristig kann jedoch auch die Landwirtschaft durch Anbau- und Produktionsumstellungen die Erzeugung erheblich steigern: Die langfristige Angebotskurve LS verläuft relativ flach. Allein die Interventionsausgaben wachsen dann auf den Betrag $(x_{LS} - x)p_M$ an. Der hohe Preis mag auch den technischen Fortschritt anregen (Mechanisierung der Landwirtschaft) und dazu beitragen, daß die LS-Kurve noch flacher verläuft. Die Kosten der Mindestpreispolitik steigen derart, daß sie nicht mehr finanzierbar werden und der Staat seine Interventionspolitik einschränken oder sogar einstellen muß.

Höchstpreise

Höchstpreise werden damit gerechtfertigt, die Nachfrager vor zu hohen Ausgaben für bestimmte Güter des lebensnotwendigen Bedarfs zu schützen und als zu hoch eingeschätzte Gewinne bei den Anbietern zu verhindern. Beispiele dieser verbreiteten Politik sind die Mietpreisbindung und der zeitweilige Preisstop einzelner Güter bei inflationären Prozessen.

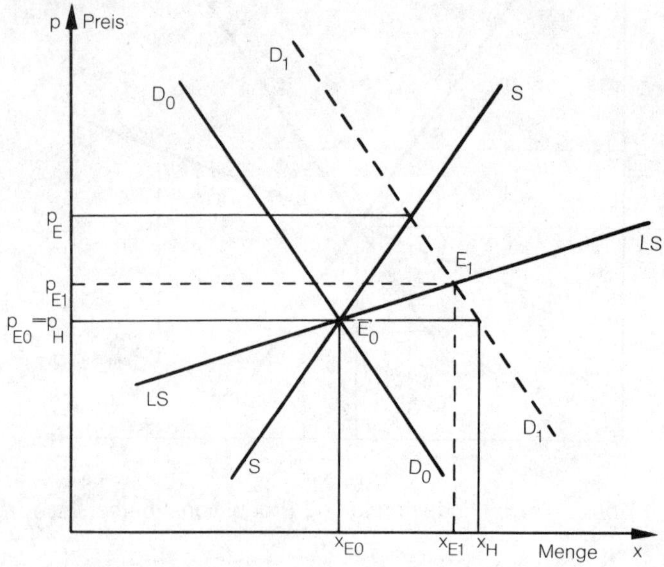

Abb. L–2.19: Höchstpreis und Nachfrageüberhang

In *Abb. L–2.19* wird der Preis auf seinem gleichgewichtigen Ausgangsniveau p_{E0} als Höchstpreis p_H festgehalten, um eine Preissteigerung zu verhindern, die anderenfalls infolge eines Nachfrageschubs von D_0D_0 nach D_1D_1 eintreten würde. Die Politik mag insofern als erfolgreich angesehen werden, als sie das Emporschnellen des Preises auf p_E stoppt und schnell erzielte Zusatzgewinne der Anbieter ausschließt. Die verhinderten Marktergebnisse wären aber nur kurzfristig aufgrund des relativ preisunelastischen kurzfristigen Angebots SS entstanden. Sie hätten zur langfristigen Steigerung der Produktion angereizt, durch die auch der Preis wieder gesunken wäre. Die Höchstpreispolitik ist mithin kurzsichtig, weil sie diese langfristige Erhöhung der Marktversorgung auf x_{E1} um der kurzfristigen Erfolge wegen zerstört. So hat eine Mietpreisbindung stets eine Erlahmung der Neubautätigkeit für Mietobjekte nach sich gezogen.

Die Folge ist ein dauerhafter Versorgungsmangel in Höhe des Nachfrageüberhanges $(x_H - x_{E0})$. Vor allem die Anbieter reagieren mit Ausweichstrategien. Die Qualität der Produkte nimmt ab; so wird die Renovierung der Mietwohnungen eingeschränkt oder sogar unterlassen. Gerade am Wohnungsmarkt kann verdeutlicht werden, daß neben dem (Mindest-)Preis zusätzliche nicht-pekuniäre Forderungen gestellt werden: Vermietung an bestimmte Personenkreise (Ehepaare ohne Kinder), Übernahme von Hausmeisterfunktionen. Außerdem entstehen schwarze Märkte. Um solche Ausweichreaktionen zu unterbinden, flüchtet sich die öffentliche Hand oft in die Einführung einer Rationierung (Lebensmittelkarten), ohne aber die geschilderten Folgeerscheinungen wirklich verhindern zu können.

3. Das Monopol

Anders als für eine Firma im Polypol ist der Marktpreis für den Monopolisten kein vorgegebenes Datum, dem er sich anpassen muß. Da der Monopolist keine direkten Konkurrenten hat, kann er den Preis, zu dem er anbieten will, setzen. Die Nachfrager entscheiden über seinen Absatz. In diesem Fall handelt der Monopolist als Preisfixierer; der Preis ist sein Aktionsparameter und die Absatzmenge seine Erwartungsgröße (Schneider, 1948). Umgekehrt kann er als Mengenfixierer die Produktions- und Absatzmenge (Aktionsparameter) bestimmen und die Preishöhe (Erwartungsgröße) der Marktgegenseite überlassen.

Entscheidend für die Analyse des Monopolmarktes ist nicht die Auswahl einer dieser beiden strategischen Variablen selbst, sondern deren Beziehung zu der Reaktion der Nachfrager. An dieser Beziehung muß und wird der Monopolist seine Produktionsplanung und Marktpolitik ausrichten. Allerdings vermag er diese Preis-Mengen-Beziehung lediglich aufgrund von Markterfahrungen und anhand von Marktforschungen abzuschätzen. Man sagt, der Monopolist sieht sich einer „konjekturalen Preis-Absatz-Funktion“ gegenüber. In der nachfolgenden Monopolanalyse wird jedoch – der Einfachheit halber – davon ausgegangen, daß der Monopolist die Nachfragereaktion richtig einschätzt.

Ursachen der Monopolbildung

Es mag schwierig sein, ein Monopol in seiner theoretisch reinen Ausgestaltung in der Realität zu benennen. Das gilt insbesondere für den privaten Wirtschaftsbereich; eher wird bei der öffentlichen Hand an Monopolstellungen gedacht: Fernsprechdienste, Briefbeförderung, Elektrizitätsversorgung. Dennoch gibt es weitere Märkte, auf denen die Nachfrage so wenig beweglich ist, daß die Monopoltheorie Marktbeobachtungen erklären kann. Als Gründe für die Existenz eines Monopols lassen sich anführen:

- Ein Unternehmen kontrolliert die gesamte Förderung bzw. das Gesamtangebot eines bestimmten Rohstoffes. Durch eigene Weiterverarbeitung und -verwendung des Produktionsfaktors nimmt dasselbe Unternehmen eine Monopolstellung auf den Märkten für jene Produkte ein, für deren Herstellung dieser Rohstoff unerläßlich ist. Ein schon klassisches Beispiel ist die Monopolstellung der Aluminium Company of America (Alcoa) auf dem Aluminiummarkt in den USA bis zum

Zweiten Weltkrieg aufgrund der Kontrolle des Bauxitangebots (vgl. MANSFIELD, 1970, 5. A., S. 277).

- Das Patentrecht ermöglicht einem Erfinder, sein Produkt oder seine Produktionstechnik für einen bestimmten Zeitraum allein zu nutzen. Ein Patent ist mithin eine Art von staatlicher Marktzutrittsbeschränkung, die den Wettbewerb verhindern kann. Allerdings ist zu beachten, daß potentielle Konkurrenten, angelockt durch Gewinnchancen, oftmals in der Lage sind, bereits vor Ablauf der Patentfrist ähnliche und damit substitutive Güter herzustellen oder Produktionstechniken zu entwickeln. Sobald diese auf den Markt kommen, ist das Monopol durchbrochen. Ein Monopolist muß deshalb seine Absatzpolitik auch daran ausrichten, potentielle Konkurrenten am Markteintritt zu hindern. Eine solche Politik kann darin bestehen, die Monopolstellung nicht voll auszuschöpfen, um auf diese Weise anderen Anbietern den Anreiz zum Markteintritt zu nehmen.
- Beständig sinkende Durchschnittskosten können zum „natürlichen Monopol" führen. Jeder der im Markt verbliebenen Anbieter hat ein Interesse daran, seine Ausbringung zu erhöhen, weil seine Durchschnittskosten sinken. Handeln alle Produzenten in gleicher Weise, fällt der Preis schneller als die individuellen Durchschnittskosten. Die „ruinöse" Konkurrenz (cutthroat competition) dauert an, bis ein Anbieter sich gegenüber allen anderen behauptet hat. Die „natürlichen", markt-immanenten Tendenzen zum Monopol dienen oft als Argument für die Forderung, die Marktversorgung öffentlichen Unternehmen zu übertragen oder für private Unternehmen eine staatliche Preisregulierung einzuführen. Oft ist die Begründung für ein staatliches Monopol verkürzt: Da im Betriebsoptimum des natürlichen Monopols hohe Fixkosten anfallen, wird aus hohen Fixkosten abgeleitet, daß die Produktion dieses Gutes unter „öffentlicher Regie" stehen müßte. Diese Schlußfolgerung ist nicht zwingend. Hohe Fixkosten sind damit vereinbar, daß die langfristigen Durchschnittskosten steigen, bevor die Marktsättigung erreicht ist (s. Abschnitt 2.2).

3.1. Das COURNOTsche Marktgleichgewicht

Der Monopolist strebe danach, seinen Gewinn zu maximieren. Der Gewinn Q ist maximal, wenn der Grenzerlös dR/dx gleich den Grenzkosten dK/dx ist (Beitrag K-3.2). Anders als für den Polypolisten auf dem vollkommenen Markt ist der Grenzerlös für den Monopolisten nicht gleich dem Preis und konstant, sondern variiert mit der Produktions- und Absatzmenge. Daher muß zunächst die Erlösseite gesondert betrachtet werden.

Gesamterlös und Grenzerlös

Um eine übersichtliche graphische Darstellung des Marktgleichgewichts zu ermöglichen, wird unterstellt, daß eine lineare Preis-Absatz-Funktion (Nachfragekurve DD) existiert *(Abb. L-3.1):*

(3.1) $p = a - bx.$

Daraus folgt die quadratische Erlösfunktion:

(3.2) $R = p \cdot x = ax - bx^2.$

Die zugehörige Gesamterlöskurve hat die Gestalt einer Parabel. Die Grenzerlöskurve ist wie die Nachfragefunktion (3.1) eine negativ geneigte Gerade; allerdings mit einer Neigung, die – absolut genommen – doppelt so groß ist:

(3.3) $\frac{dR}{dx} = a - 2bx.$

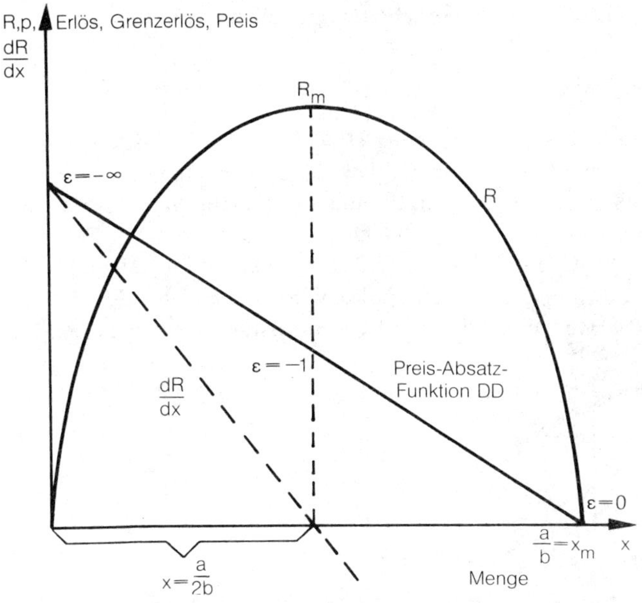

Abb. L-3.1: Erlös- und Grenzerlöskurven

Der Grenzerlös spiegelt die Steigung der Gesamterlöskurve wider. Deshalb wächst der Erlös mit zunehmendem Absatz so lange, wie der Grenzerlös positiv ist; und er fällt bei Ausdehnung der Produktion, wenn der Grenzerlös negativ ist. Das Umsatzmaximum R_m wird mithin dann erreicht, wenn der Grenzerlös Null ist. Hier entspricht der zu erzielende mengenmäßige Absatz genau der Hälfte der Sättigungsmenge x_m, die zum Nulltarif $p = 0$ nachgefragt werden würde.

Der Grenzerlös läßt sich auch in Verbindung setzen zu der direkten Preiselastizität ε der Nachfrage (Beitrag K-2.3.2):

(3.4) $\varepsilon = \frac{dx}{dp} \frac{p}{x} < 0.$

Durch Differentiation der allgemeinen Erlösfunktion $R = p(x) \cdot x$ gewinnt man für den Grenzerlös:

$$\frac{dR}{dx} = p + \frac{dp}{dx} x. \tag{3.5}$$

Durch Umformung wird daraus:

$$\frac{dR}{dx} = p\left(1 + \frac{1}{\frac{dx}{dp}\frac{p}{x}}\right) = p\left(1 + \frac{1}{\varepsilon}\right). \tag{3.6}$$

Diese Beziehung heißt AMOROSO-ROBINSON-Relation. Danach fällt der Grenzerlös positiv aus, so lange die Preiselastizität (absolut genommen) größer Eins ist. Die Erlösfunktion erreicht ihr Maximum, wo diese Elastizität der Nachfrage − 1 ist. Im Falle einer linearen Nachfragefunktion sinkt der absolute Wert der Preiselastizität mit steigender Nachfrage kontinuierlich von unendlich nach Null *(Abb. L-3.1)*.

COURNOTscher Punkt

Aus der Theorie der Unternehmung (Beitrag K-3.1.2) wird als typische Kostengesetzmäßigkeit erneut angenommen, daß die Grenzkosten dK/dx von einer bestimmten Ausbringungsmenge an steigen und die Durchschnittskostenkurve K/x einen u-förmigen Verlauf hat *(Abb. L-3.2)*. Die Situation maximalen Gewinns ist durch den Schnittpunkt von Grenzerlös- und Grenzkostenkurve im steigenden Ast der Grenzkostenkurve bestimmt. Der Monopolist wird deshalb in *Abb. L-3.2* den Preis p_C setzen und die Menge x_C, deren Absatz er erwartet, produzieren. Der zugehörige

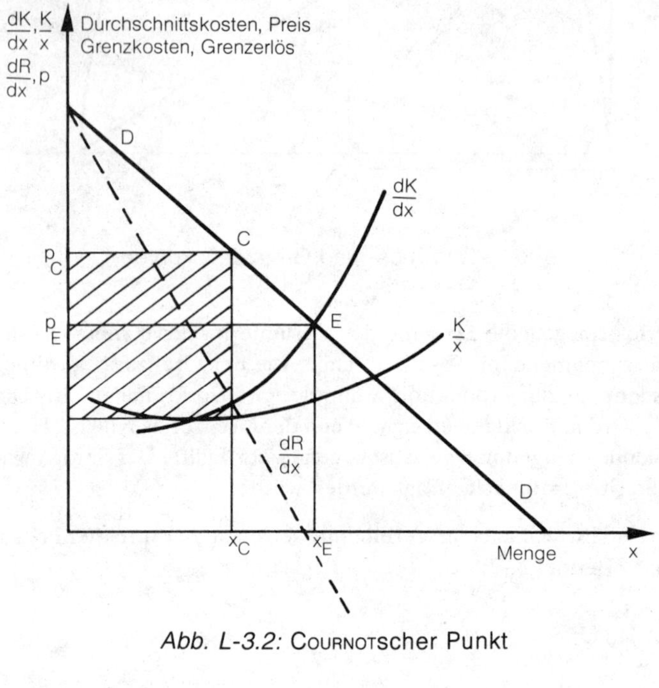

Abb. L-3.2: COURNOTscher Punkt

Punkt C auf der Preis-Absatz-Funktion heißt COURNOTscher Punkt. Der französische Mathematiker und Nationalökonom AUGUSTIN COURNOT (1801–1877) hat diese Lösung des Monopolproblems als erster formuliert (1838).

Der Stückgewinn ist gleich der Differenz zwischen dem Preis p_C und den sich bei der optimalen Ausbringungsmenge x_C einstellenden Durchschnittskosten. Mithin wird der Gesamtgewinn durch die schraffierte Fläche in *Abb. L-3.2* repräsentiert. Die gewinnmaximierende Absatzmenge fällt kleiner als jene Produktion aus, die zum höchsten Umsatz R_m führen würde, weil im Gewinnmaximum der Grenzerlös positiv ist. Der Monopolpreis p_C ist höher als die Grenzkosten. Das ist der entscheidende Unterschied zum Polypol auf dem vollkommenen Markt. Er ergibt sich auch aus der AMOROSO-ROBINSON-Relation, wenn man anstelle des Grenzerlöses die Grenzkosten dK/dx setzt und bedenkt, daß die Preiselastizität ε negativ ist.

Um das Marktgleichgewicht bei vollständiger Konkurrenz mit dem im Monopol zu vergleichen, sei angenommen, daß für alle Polypolisten dieselben Kostenverhältnisse gelten. Dann kann in *Abb. L-3.2* die Kurve dK/dx als die Zusammenfassung aller individuellen Angebotskurven und damit als Gesamtangebotskurve dieses Marktes interpretiert werden (Abschnitt 2.1). In diesem Polypol spielt sich der Marktpreis p_E und die Ausbringungsmenge x_E ein. Schließen sich die Polypolisten zum Zwecke der gemeinsamen Gewinnmaximierung zu einem Kollektivmonopol (Kartell) zusammen, realisieren sie den COURNOTschen Punkt C. Folglich würde vollständige Konkurrenz einen niedrigeren Preis und eine höhere Produktion herbeiführen.

LERNERscher Monopolgrad

Der amerikanische Nationalökonom ABBA P. LERNER (1933) hat aus dem Abstand des Monopolpreises von den Grenzkosten auf die Marktmacht des Monopolisten geschlossen. Je größer diese Abweichung, desto stärker die Monopolmacht. Er definierte als Monopolgrad μ die auf den Preis bezogene Differenz zwischen Preis und Grenzkosten (LERNER, 1933):

$$(3.7) \qquad \mu = \frac{p - \frac{dK}{dx}}{p}.$$

Nun dürfen aber in dem obigen Ausdruck für den COURNOTschen Punkt die Grenzkosten durch die AMOROSO-ROBINSON-Relation (3.6) ersetzt werden. Durch Umformung erhält man:

$$(3.8) \qquad \mu = -\frac{1}{\varepsilon} = \frac{1}{|\varepsilon|}.$$

Der LERNERsche Monopolgrad ist also gleich dem absoluten reziproken Wert der Preiselastizität. Je preisunelastischer die Nachfrage ist, desto größer ist der Monopolgrad. Bei vollständiger Konkurrenz geht für den einzelnen Anbieter $|\varepsilon|$ gegen unendlich und der Monopolgrad wird Null.

Effizienzbetrachtung

Die Schlechterstellung der Nachfrager in Form einer geringeren Mengenversorgung bei höherem Preis reicht nicht aus zu begründen, daß das Monopol anders als das vollkommene Polypol kein sozialökonomisches Optimum darstellt. Der Nachteil der Nachfrager ist mit dem Vorteil des Anbieters in gesamtwirtschaftlicher Sicht abzuwägen. Dazu eignet sich das Instrumentarium der Konsumenten- und Produzentenrente (vgl. Abschnitt 2.3).

Aufgrund der höheren Monopolpreise verlieren die Nachfrager in *Abb. L-3.3* auf die gekaufte Gütermenge x_C die Konsumentenrente $p_E p_C CG$. In gleicher Höhe erhält der Monopolist eine zusätzliche Produzentenrente. Beide Veränderungen kompensieren sich bei einer zusammenfassenden Betrachtung beider Marktseiten. Darüber hinaus sind die Nachfrager um den Betrag CGE schlechter gestellt, da sie bei vollständiger Konkurrenz die zusätzliche Menge $(x_E - x_C)$ zum Preis p_E gekauft hätten. Gleichzeitig tritt auch ein Verlust auf der Angebotsseite ein, nämlich das Dreieck GEF. Der Monopolist hat jedoch noch immer einen Nettozuwachs, während bei den Nachfragern insgesamt die Konsumentenrente $p_E p_C CE$ nicht realisiert wird. Gesamtwirtschaftlich gesehen geht infolge der Einschränkung des Handels im Monopol die Rente CGFE verloren.

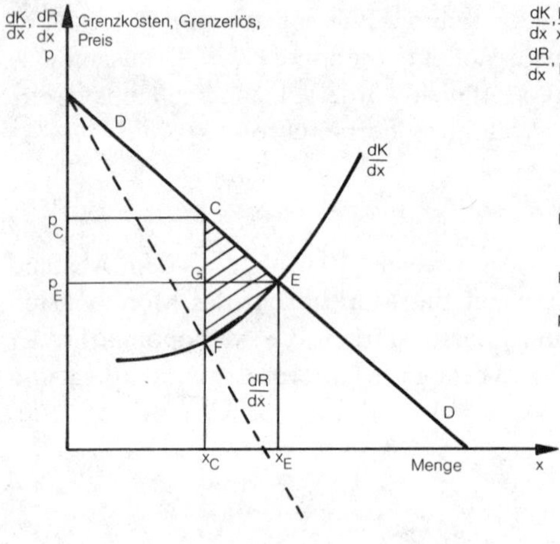

Abb. L-3.3: Effizienzvergleich von Monopol und Polypol

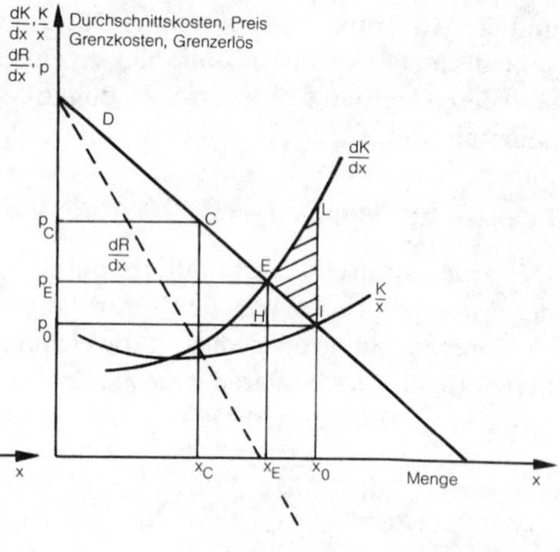

Abb. L-3.4: Monopol als Nicht-Profit-Unternehmen

Ein interessantes Beispiel bildet ein Monopol, das als Nicht-Profit-Unternehmen geführt wird (vgl. HIRSHLEIFER, 1976, 5. A., Abschnitt 8.4). So fordern manche Politiker, daß die Elektrizitätswirtschaft keine Gewinne erzielen dürfe. Deshalb müßten diese Monopole jeden Preis fordern, zu dem die Durchschnittskostenkurve K/x die Nachfragekurve schneidet (*Abb. L-3.4*). Im Umfang der Fläche $p_0 p_E EH$ heben sich im Vergleich zur Polypollösung wiederum ein Zuwachs der Konsumentenrente und ein Verlust der Produzentenrente gegenseitig auf. Die im Vergleich zum Polypol überhöhte Produktion bringt jedoch einen Nettoverlust in Höhe EIL mit sich, und zwar in Form einer negativen Produzentenrente. Der Monopolist büßt zwar ebenso das Dreieck EHI ein; es stellt jedoch zugleich einen Zuwachs an Konsumentenrente dar.

3.2. Preisdifferenzierung

Bislang wurde das Monopol auf einem homogenen Markt betrachtet, auf dem der Monopolist einen einheitlichen Preis von allen Nachfragern verlangt. Manchmal ist es dagegen für den alleinigen Anbieter gewinnsteigernd, seine Kunden unterschiedlich zu behandeln, indem er von einer Nachfragergruppe einen höheren Preis als von einem anderen Kundenkreis fordert. Man spricht von Preisdifferenzierung oder auch schärfer von Preisdiskriminierung.

Der Monopolist ist in der Lage, seine Preise zu differenzieren, wenn er auf zwei oder mehreren voneinander getrennten Märkten anbietet. Diese Märkte sind durch gesonderte Preis-Absatz-Funktionen charakterisiert. Die Nachfragefunktionen wiederum unterscheiden sich in ihren Preiselastizitäten. Die Marktspaltung muß wirksam sein, damit nicht die Nachfrager, die das Gut zu dem niedrigen Preis erwerben können, dieses auf dem Markt mit dem höheren Preis mit eigenem Gewinn wiederverkaufen. Damit wäre die Preisdifferenzierung unterlaufen, und sie würde zusammenbrechen. In der Praxis braucht die Marktsegmentierung nicht vollkommen zu sein. Auch bei Hinnahme einiger „Schlupflöcher" kann es noch immer für den Alleinanbieter gewinnsteigernd sein, unterschiedliche Preise zu verlangen.

Worin besteht die Chance der Gewinnsteigerung, und wo liegen die Marktgleichgewichte? Es wird davon ausgegangen, daß auch bei Aufspaltung des Monopolmarktes in Teilmärkte die Produktion der insgesamt abgesetzten Menge in einem einheitlichen Prozeß, etwa in einer einzigen Produktionsstätte, erfolgt. Die Kosten seien jedenfalls unabhängig davon, für welchen Markt der Alleinanbieter produziert. Dann ist folgendes Produktions- und Absatzkalkül gültig: Betreibt der Monopolist eine Absatzpolitik derart, daß sich auf den Teilmärkten unterschiedliche Grenzerlöse einspielen, entgehen ihm Gewinne; er realisiert diese dagegen, wenn er eine Absatzumschichtung vornimmt und mehr auf einem Markt mit höherem Grenzerlös und weniger auf einem Markt mit niedrigerem Grenzerlös verkauft. Eine Bedingung für die maximale Gewinnerzielung ist mithin, daß die Grenzerlöse auf allen Märkten übereinstimmen; bei zwei Märkten 1 und 2 also gilt:

$$(3.9) \qquad \frac{dR_1}{dx_1} = \frac{dR_2}{dx_2}.$$

Weiterhin dehnt der Monopolist seine Gesamtproduktion (x_1 plus x_2) so weit aus, bis deren Grenzkosten den Grenzerlösen entsprechen. Damit hat man als Optimumbedingung für die Preisdifferenzierung:

$$(3.10) \qquad \frac{dK}{d(x_1 + x_2)} = \frac{dR_1}{dx_1} = \frac{dR_2}{dx_2}.$$

Für die Gleichheit der Grenzerlöse (3.9) kann man mit Hilfe der AMOROSO-ROBINSON-Relation (3.6) auch schreiben:

$$(3.11) \qquad p_1\left(1 + \frac{1}{\varepsilon_1}\right) = p_2\left(1 + \frac{1}{\varepsilon_2}\right).$$

Hierbei sind ε_1 und ε_2 die Nachfrageelastizitäten auf den beiden Teilmärkten. Der Ausdruck (3.11) besagt, daß auf dem Markt mit der niedrigeren Elastizität $|\varepsilon|$ ein höherer Preis verlangt wird. Beide Preise sind nur gleich, wenn die Preiselastizitäten gleich sind.

Die Zurückführung der Preisunterschiede auf unterschiedliche Preiselastizitäten in den Nachfragen ermöglicht es, einige Beobachtungen zu erklären:

- Nicht selten verlangt ein Produzent im Inland einen höheren Preis als auf dem Auslandsmarkt. Die Preisdifferenzierung wird durchsetzbar, wenn beide Märkte durch die natürliche Marktschranke der Transportkosten, oft ergänzt durch Zölle, voneinander getrennt sind. Ein höherer Inlandspreis kann deshalb gefordert werden, weil der heimische Markt in der Regel klein ist im Vergleich zum Weltmarkt. Diese morphologischen Marktunterschiede implizieren, daß die Nachfrage auf dem Binnenmarkt starrer als die relativ elastische Nachfrage im Ausland reagiert.
- Auch nicht-pekuniäre Wegekosten können eine Preisdifferenzierung auslösen. Jeder hat die Erfahrung gemacht, daß während der Sommermonate das Speiseeis am Strandkiosk teurer angeboten (und auch gekauft) wird als das gleiche Eis beim Kaufmann am Ort. Leicht lassen sich ähnliche Beispiele finden.
- Preisdifferenzierungen werden immer dann genutzt, wenn der Monopolist in der Lage ist, die Nachfrager mit geringem Aufwand in Kundengruppen aufzuspalten. Eines der vielen und zudem praktischen Segmentierungskriterien ist das Alter der Nachfrager. Die Bundesbahn kann ohne größere zusätzliche Personal- und Sachkosten verhindern, daß die Jugendlichen und Senioren ihre billigeren Fahrkarten an nicht-berechtigte Personen übertragen. Warum aber werden diesen Personengruppen überhaupt niedrigere Beförderungstarife angeboten? Die Gesamtkosten des Reisens bestehen aus den direkten Fahrtkosten und der Zeit, die man zum Reisen benötigt. Die Zeit ist für die angesprochenen Personen ökonomisch gesehen relativ wenig wert, weil diese über viel freie Zeit verfügen, aber auch gemessen an den Opportunitätskosten des möglicherweise zu erzielenden Einkommens. Der Fahrpreis macht deshalb für Jugendliche und Senioren einen hohen Anteil an den Gesamtkosten aus. Die Folge ist, daß die Preiselastizität ihrer Nachfrage relativ hoch ist. Ähnliches gilt für den Bereich von Kino, Theater und Museum.
- Eine Preisdifferenzierung wird erleichtert, wenn Güter nicht übertragbar sind, beispielsweise bei Dienstleistungen. Offenbar haben die Ärzte ein derart ausnutzbares Monopol für Gesundheitsdienstleistungen. Sie unterscheiden ihre (freiwillig versicherten) Patienten nach deren Einkommenssituationen, weil diese leicht abschätzbar sind. Die Arztrechnung fällt um so höher aus, je größer das Einkommen des Patienten ist; und zwar weil mit steigendem Einkommen der Gesundheit zunehmende Priorität eingeräumt wird (und eingeräumt werden kann), so daß die Preiselastizität der Nachfrage nach Gesundheitsdiensten abnimmt.

In der Wirklichkeit gibt es kaum Monopolmärkte oder monopolähnliche Situationen ohne eine mehr oder minder stark praktizierte Preisdifferenzierung. Unterschiedliche räumliche Entfernungen und persönliche Präferenzen führen sehr schnell zu einem unvollkommenen Markt.

4. Monopolistische Konkurrenz

Die vollständige Konkurrenz ist in der Realität eine seltene Marktform, weil jeder Anbieter bestrebt ist, nicht ein homogenes Gut, sondern ein gegenüber den anderen Angeboten differenziertes Produkt auf den Markt zu bringen. Gleichwohl sind die heterogenen Güter einander ähnlich und stehen in enger Substitutionsbeziehung zueinander. So zeichnet sich der Automobilmarkt nicht durch ein homogenes Gut, genannt Personenkraftwagen aus; vielmehr kann der Nachfrager zwischen Wagen wählen, die sich in Größe und in technischer wie stilistischer Ausstattung unterscheiden. Qualitätsmäßig sehr ähnlich sind dagegen etwa die Waren auf dem Waschpulver- oder Zigarettenmarkt; die Güter unterscheiden sich aber zumindest in der Verpakkung und im Markennamen. Auf jedem der Märkte dieser Art sind die angebotenen Produkte im Urteil der Nachfrager nicht identisch, so daß sich unterschiedliche, von dem Preis des Gutes unabhängige Nachfragepräferenzen herausbilden. Besondere Präferenzen können auf objektiv feststellbaren Gütereigenschaften oder auch nur auf subjektiven Einschätzungen beruhen (zur empirischen Identifikation s. BARTLING, 1980).

Für jedes Gut einer Produktgruppe ließe sich ein eigener Markt definieren, auf dem der Anbieter des speziellen Gutes ein Monopol besitzen würde. Aufgrund der engen Substitutionskonkurrenz zwischen den Gütern ist es jedoch angebracht, von der Produktgruppe selbst auszugehen und einen umfassenden Markt zu analysieren, auf dem eine Produktdifferenzierung vorliegt. Jeder der vielen Anbieter versucht, mittels absatzpolitischer Instrumente (Qualität, Aufmachung, Werbung) sein Produkt von den Konkurrenzangeboten abzugrenzen. Da jeder Anbieter nur einen verschwindend kleinen Marktanteil gewinnen kann, werden seine absatzpolitischen Aktionen einschließlich seiner Preispolitik für die Konkurrenten nicht spürbar. Damit wird jeder Anbieter die Parameter der anderen als gegeben ansehen und auf deren Veränderungen nicht reagieren. Da nun die Produkte nicht völlig identisch sind und unterschiedliche Nachfragepräferenzen bestehen, ist die Nachfrage für den einzelnen Produzenten nicht vollständig beweglich (Polypol auf dem unvollkommenen Markt), und für jeden Anbieter verbleibt anders als bei der vollständigen Konkurrenz ein absatzpolitischer Spielraum.

Dieser Wettbewerb zwischen vielen Anbietern mit differenzierten Produkten ist typisch für die Marktform der monopolistischen Konkurrenz. Sie wurde erstmals Anfang der 30er Jahre von zwei Nationalökonomen unabhängig voneinander untersucht: dem Amerikaner CHAMBERLIN (1933), der den Begriff „monopolistic competition" prägte, und der Engländerin JOAN ROBINSON (1933), die von „imperfect competition" sprach. Diese Konkurrenzbeziehung galt in jener Zeit als für die Erklärung der Wirklichkeit wichtigste Marktform zwischen den beiden idealtypischen Märkten des vollkommenen Wettbewerbs und des Monopols. Heute ist außerdem das Oligopol eine empirisch bedeutsame Zwischenform.

4.1. Tangentenlösung

CHAMBERLIN's „Tangentenlösung" ist bis heute ein beachtenswerter Beitrag geblieben, weil seine Analyse die monopolistische Konkurrenz in besonderem Maße als langfristige Marktentwicklung versteht. Seine Darstellung ist auf der anderen Seite insofern ebenfalls idealtypisch, als er eine repräsentative Firma konstruiert: Für alle Anbieter sind die Nachfrage- und Kostensituationen jeweils gleich.

Zwei Nachfragekurven

Der mengenmäßige Absatz des repräsentativen Anbieters hängt von der eigenen Preispolitik und von etwaigen gleichgerichteten Preisänderungen aller Konkurrenten ab. In *Abb. L–4.1* ist die d_0d_0-Kurve eine relativ elastische Preis-Absatz-Beziehung, wenn der Anbieter bei seinem Ausgangspreis p_0 die eigene Preisforderung variiert und die übrigen Produzenten in ihrer Preispolitik stillhalten. Bei einer isolierten Preissenkung auf p_1 kann die repräsentative Firma den Absatz x_{01} erzielen, weil sie Nachfrager von den Konkurrenten abzieht und Kunden gewinnt, die bislang Güter dieser Produktgruppe noch nicht nachgefragt haben.

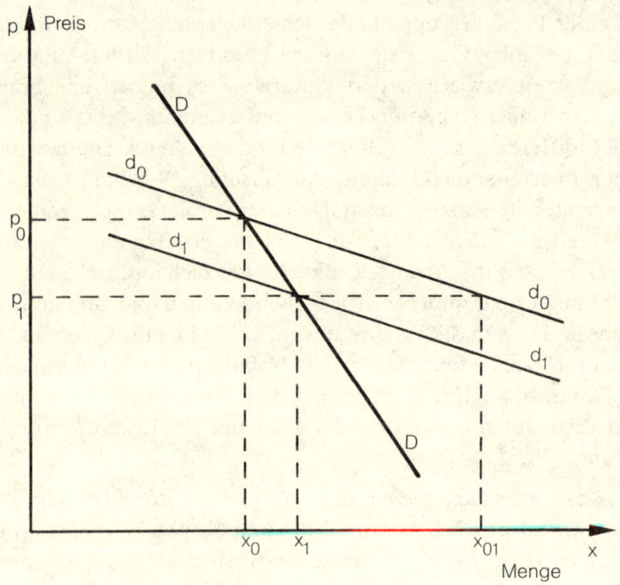

Abb. L– 4.1: Zwei Nachfragekurven

Senken alle Anbieter in gleichem Ausmaß ihren Preis, vermag der in *Abb. L–4.1* betrachtete Produzent lediglich den Absatz x_1 zu realisieren, weil es ihm in dieser Situation der allgemeinen Preisherabsetzung nicht mehr gelingt, Kunden von seinen Konkurrenten zu sich herüberzuziehen. Die zugehörige Preis-Absatz-Beziehung ist die DD-Kurve. Nimmt die repräsentative Firma bei dem Preis p_1 alleinige Preisveränderungen vor, gilt die Nachfragekurve d_1d_1. Die isolierten Preis-Absatz-Beziehungen überlagern in dieser Weise die Nachfragekurve für gemeinsame Preisvariationen aller Anbieter.

Kurzfristiges Marktgleichgewicht

Die monopolistische Preispolitik (s. Abschnitt 3.1) der in einer Periode im Markt befindlichen Unternehmen bestimmt das kurzfristige Marktgleichgewicht. In *Abb. L–4.2* sei der Preis p_1 die Ausgangskonstellation für die repräsentative Firma. Wenn diese damit rechnet, daß eigene Preisvariationen von den Konkurrenten nicht mitvollzogen werden, orientiert sie sich an der Nachfragekurve dd: Der Schnittpunkt der zugehörigen Grenzerlöskurve dR/dx mit der Grenzkostenkurve dK/dx bestimmt den Cournotschen Punkt C_2 und damit die optimale Preisstrategie p_2. Da aber aufgrund gleicher individueller Nachfrage- und Kostenverhältnisse alle Anbieter in derselben Situation sind, kann die repräsentative Firma die Absatzchancen entlang der dd-Kurve nicht realisieren. Alle Anbieter senken ihre Preise und die individuelle dd-Kurve verschiebt sich nach unten. Ein kurzfristiges Unternehmens- und Marktgleichgewicht ist erreicht (*Abb. L–4.3*), wenn der Cournotsche Punkt C der repräsentativen Firma mit dem Schnittpunkt der beiden Nachfragekurven zusammenfällt. In dieser Absatzkonstellation gibt es keinen Anlaß, den Preis zu verändern.

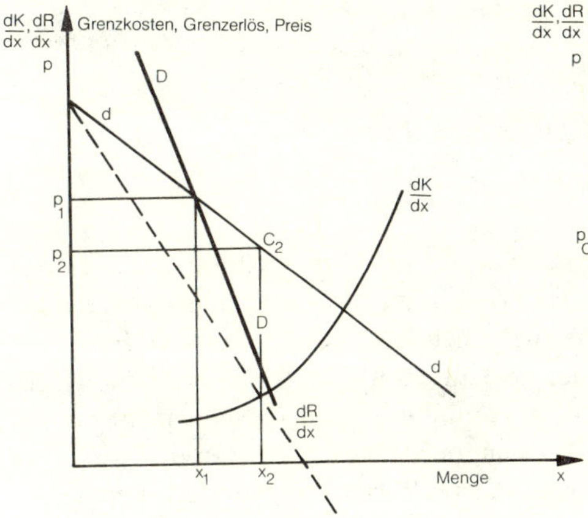

Abb. L–4.2: Kurzfristiges Angebotsverhalten

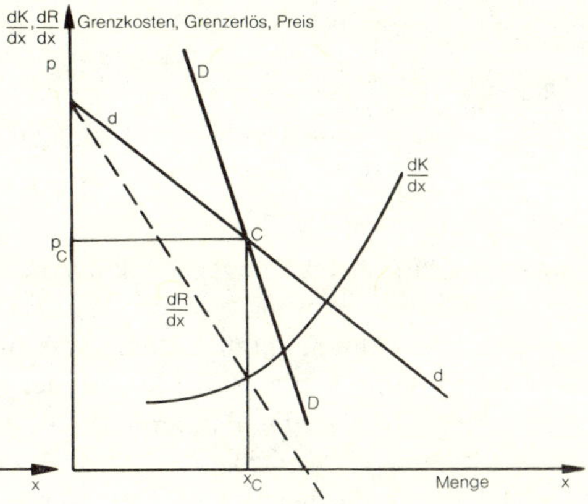

Abb. L–4.3: Kurzfristiges Gleichgewicht

Langfristiges Marktgleichgewicht

Im kurzfristigen Unternehmensgleichgewicht macht die repräsentative Firma einen Gewinn, wenn der Monopolpreis über den gesamten Durchschnittskosten liegt. Fallen erhebliche Gewinne an, wird der langfristige Konkurrenzmechanismus auf einem offenen Markt mit freiem Zugang für neue Produzenten wirksam (s. Abschnitt 2.2). Zunächst dehnt die repräsentative Firma selbst die Betriebsgröße aus, so daß im folgenden bei der Betrachtung einer Einzelunternehmung in Form der *Abb. L–4.3* langfristige Kostengesetzmäßigkeiten zu unterstellen sind. Vor allem aber regen bestehende Gewinnchancen Nachahmer an, ähnliche und leicht modifizierte Produkte auf den Markt zu bringen. Das hat analog zur vollständigen Konkurrenz Rückwirkungen auf das Marktgleichgewicht.

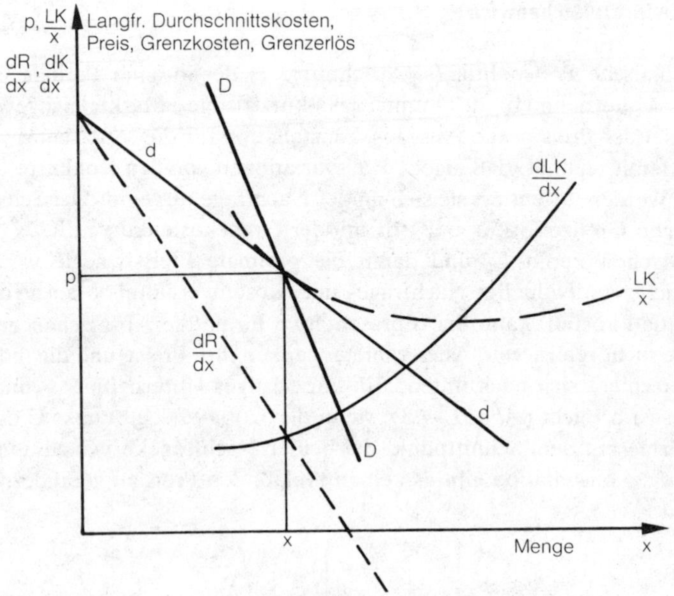

Abb. L–4.4: Langfristiges Gleichgewicht

Durch das Hinzutreten neuer Konkurrenten verteilt sich die Gesamtmarktnachfrage auf eine größere Anzahl von Produzenten, so daß auf den einzelnen Anbieter ein kleinerer Marktanteil entfällt. Damit verschiebt sich für die repräsentative Firma die DD-Kurve zusammen mit dem System der dd-Kurven nach links. Die Linksverlagerung erfolgt solange, bis der repräsentative Anbieter keinen Gewinn mehr macht. Diese Situation ist erreicht *(Abb. L–4.4)*, wenn im Schnittpunkt einer dd-Kurve mit der DD-Kurve die langfristige Durchschnittskostenkurve LK/x die dd-Kurve tangiert. Bei dem zugehörigen Absatz stimmen Grenzerlös dR/dx und langfristige Grenzkosten dLK/dx überein.

Ein langfristiges Gleichgewicht ist erreicht, weil der Zustrom neuer Anbieter aufhört. Die im Markt verbleibenden Produzenten erzielen keinen Gewinn mehr, der über die normalen Gewinnanteile (marktübliche Kapitalverzinsung, Unternehmerlohn) hinausgeht. Insofern stellt sich das gleiche langfristige Marktergebnis wie bei vollständiger Konkurrenz ein. Dennoch besteht ein Unterschied: Im vollkommenen Polypol produziert der einzelne Anbieter im Minimum der langfristigen Durchschnittskosten (s. *Abb. L–2.9*); bei monopolistischer Konkurrenz wird links von diesem Betriebsoptimum produziert. Von daher gesehen sind die langfristig aufgebauten Kapazitäten suboptimal genutzt. Da eine Produktionsausweitung die Produktionsstätte kostengünstiger auslastet, wird gefolgert, daß die monopolistische Konkurrenz Überkapazitäten zur Folge hat. Dem steht als Vorteil gegenüber, daß die Nachfrager nicht mit einem völlig einheitlichen Produkt versorgt werden. Vielmehr eröffnen sich ihnen vielfältige Wahlmöglichkeiten, die den Verbraucherpräferenzen entsprechen, so daß der einzelne Nachfrager seine individuellen Bedürfnisse besser befriedigen kann.

4.2. Doppelt geknickte Preis-Absatz-Kurve

Nach Erich Gutenberg (1955, 17. A. 1984, 7. Kapitel) kann der einzelne Anbieter nur innerhalb eines bestimmten Preisintervalls autonome preispolitische Aktionen vornehmen. Außerhalb des Intervalls kommt das Unternehmen in die Nähe der Situation der vollständigen Konkurrenz mit einem sehr preiselastischen Absatz: Überschreitet der Anbieter einen oberen Grenzpreis p_o, verliert er in starkem Maße Kunden an die Konkurrenz; senkt er den Preis unter eine Preisgrenze p_u, zieht er soviel Nachfrage auf sich, daß dies für seine Konkurrenten fühlbar wird. Zwischen den Preisgrenzen sieht sich der Produzent wie ein Monopolist einer relativ preisunelastischen Preis-Absatz-Beziehung gegenüber. Auf diese Weise entsteht das Bild einer doppelt geknickten Nachfragekurve DD in *Abb. L–4.5.*

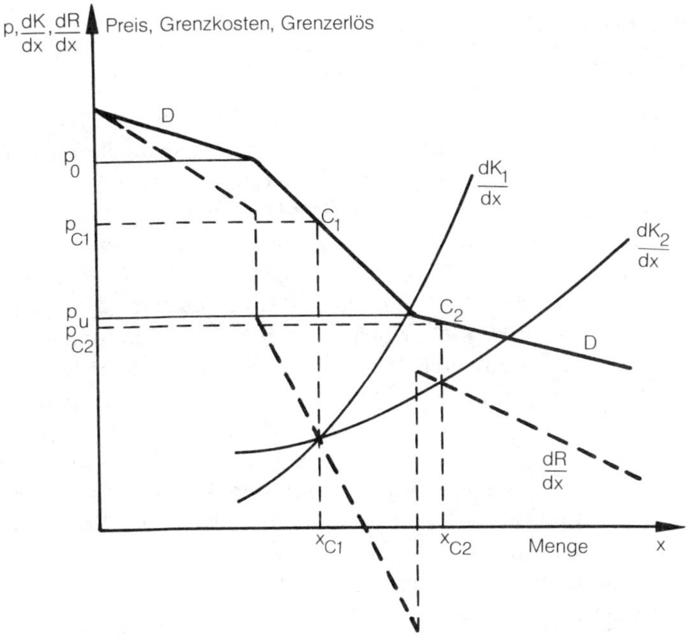

Abb. L– 4.5: Doppelt geknickte Nachfragekurve

Der monopolistische Bereich spiegelt das erfolgreiche Bemühen des Produzenten wider, für sein Produkt Nichtpreispräferenzen geschaffen und damit ein differenziertes Gut auf den Markt gebracht zu haben. Gutenberg spricht davon, daß der Anbieter mittels seines absatzpolitischen Instrumentariums ein „akquisitorisches Potential" für sein Produkt aufgebaut hat. Die Lage des autonomen Handlungsbereiches hängt daneben von dem durchschnittlichen Preis aller Güter der Produktgruppe ab. Sinkt der Durchschnittspreis, würde sich der monopolistische Spielraum nach unten verlagern.

Das Gewinnmaximum ergibt sich wiederum aus der Übereinstimmung von Grenzerlös dR/dx und Grenzkosten. Bei dem Grenzkostenverlauf dK_1/dx existiert wie im Monopol ein Cournotscher Punkt C_1. Allerdings können auch zwei gewinnmaximale

Absatzmengen vorliegen; so bei dem Grenzkostenverlauf dK_2/dx zusätzlich die Ausbringungsmenge x_{C2}. Durch den Vergleich der zugehörigen Gewinne ist das absolute Maximum auszuwählen. In der Regel ist dieses im monopolistischen Absatzbereich realisierbar. Aber selbst wenn die absolut gewinnmaximale Situation in dem Punkt C_2 liegt, ist damit zu rechnen, daß der Anbieter die zweitbeste Preisstrategie p_{C1} wählt, da er vor einem so großen Preissprung noch unter die Preisschwelle p_u zurückscheuen dürfte. Eine kontinuierliche Preissenkung, um sich an das absolute Gewinnmaximum heranzutasten, käme nämlich nicht in Frage, da unterhalb von P_{C1} die Gewinne zunächst sinken und deshalb zwischen den COURNOTschen Punkten C_1 und C_2 ein Gewinnminimum liegt.

5. Oligopolmärkte

Auf einem Oligopolmarkt sind die Anbieter in ihrer Absatzpolitik voneinander abhängig. Das für einen Oligopolisten optimale Angebotsverhalten hängt von den Aktionen der übrigen Oligopolisten ab, die wiederum bei ihren Entscheidungen die Optionen der Konkurrenten einkalkulieren: Die Oligopolisten befinden sich in einer strategischen Situation. Anders als bei den übrigen Marktformen existiert deshalb nicht nur eine Strategie, um aus der gegebenen Marktlage das Beste zu machen. Die Optionen reichen von friedlichem Verhalten, das die Existenz der Konkurrenten akzeptiert, über die Zielsetzung, die Konkurrenten zu einem bestimmten Verhalten zu zwingen oder sogar sie auszuschalten, bis hin zu stillschweigenden Absprachen oder vertraglichen Vereinbarungen über eine gemeinsame Absatzpolitik (Beitrag O-3). Aussagen über die Preisbildung im Oligopol lassen sich somit erst herleiten, wenn man Annahmen über die Strategien und vor allem Reaktionen der Oligopolisten getroffen hat. Da vielfältige Verhaltensmuster denkbar sind, mag es nicht überraschen, daß zahlreiche Erklärungsansätze bestehen. Die Beschäftigung mit einzelnen Theorien dient dazu, die dennoch bestehende gemeinsame Struktur der oligopolistischen Preisbildungsvorgänge zu erkennen. Dabei wird zum Zwecke der graphischen Darstellung in der Regel angenommen, daß zwei Anbieter miteinander konkurrieren. Dieser Oligopolmarkt heißt nach der Anzahl der Firmen: Dyopol.

5.1. Homogenes Oligopol

Ein Oligopolmarkt, auf dem ein homogenes Gut angeboten und nachgefragt wird, dürfte in der Wirklichkeit eine Ausnahme bilden. Der Analyse dieser Marktform kommt in erster Linie ideengeschichtliches Interesse zu. Mit ihr beginnt die Oligopoltheorie. Dieser Anfang ist wie der der Monopoltheorie mit dem Namen COURNOT verbunden. COURNOT (1838) illustrierte das Problem der zu erklärenden Preisbildung mit dem Beispiel zweier Mineralwasserquellen, die sich im Besitz jeweils eines Oligopolisten befinden. Die beiden Besitzer der Quellen bieten offensichtlich ein identisches Gut „Mineralwasser“ an, so daß COURNOT ein homogenes Dyopol analysierte.

Diese Marktform heißt auch Mengendyopol, weil nur die Angebotsmengen als Aktionsparameter einsetzbar sind, da sich ein einheitlicher Preis p aus dem Gesamtangebot x_A und x_B der beiden Dyopolisten A und B herausbildet. Deren gemeinschaftliche Preis-Absatz-Funktion, die beiden Dyopolisten bekannt sei, soll wiederum linear sein:

(5.1) $p = a - b(x_A + x_B)$.

In Anlehnung an die Dyopollösung von COURNOT sei zudem angenommen, daß mit der Entnahme des Mineralwassers aus den freisprudelnden Quellen und mit dem Verkauf vernachlässigbar geringe variable Kosten anfallen: Die Gesamtkosten sind bei beiden Anbietern Null.

5.1.1. COURNOTscher Dyopolpunkt

COURNOT's Verhaltenshypothese lautet: Jeder Dyopolist nimmt an, daß seine eigene Strategie keine Reaktionen bei dem Konkurrenten hervorruft. Das bedeutet: Jeder der beiden Anbieter glaubt, was immer er unternimmt, der andere werde seinen Absatzparameter nicht verändern. Unter dieser Annahme des Stillhaltens des Konkurrenten bringt jeder Dyopolist die Ausbringungsmenge auf den Markt, die seinen Gewinn maximiert.

Für den Erlös R_A des Dyopolisten A gilt zusammen mit der Marktnachfragefunktion (5.1):

(5.2) $R_A = p \cdot x_A = [a - b(x_A + x_B)]x_A$.

Sind die Grenzkosten – wie unterstellt – vernachlässigbar, fällt das Maximum der Erlösfunktion mit dem maximalen Gewinn zusammen. Da der Anbieter A die Absatzmenge x_B seines Konkurrenten als gegeben ansieht, lautet die Bedingung für das optimale Angebotsverhalten des A: $dR_A/dx_A = 0$. Durch entsprechende Differentiation der Erlösfunktion (5.2) und anschließende Umformung ergibt sich als Angebotsstrategie des A:

(5.3) $x_A = \frac{1}{2}\frac{a}{b} - \frac{1}{2}x_B$.

Die lineare Beziehung (5.3) heißt auch Reaktionsfunktion des Dyopolisten A. In gleicher Weise reagiert der Dyopolist B auf das Angebot des A, so daß dessen Reaktionsfunktion lautet:

(5.4) $x_B = \frac{1}{2}\frac{a}{b} - \frac{1}{2}x_A$.

In *Abb. L–5.1* sind beide Reaktionsfunktionen dargestellt. Wie man sieht, existiert nur eine Mengenkombination von x_A und x_B, bei denen die Strategien der Dyopolisten miteinander vereinbar sind. Das ist der Schnittpunkt C der beiden Reaktionsgeraden. Er repräsentiert das Marktgleichgewicht für das COURNOTsche Dyopol. Aus den beiden Reaktionsfunktionen errechnen sich als optimale Angebotsstrategie: $x_{CA} = x_{CB} = a/3b$. Beide Dyopolisten bieten also die gleiche Menge an. Der zugehörige Gleichgewichtspreis beträgt $p = a/3$.

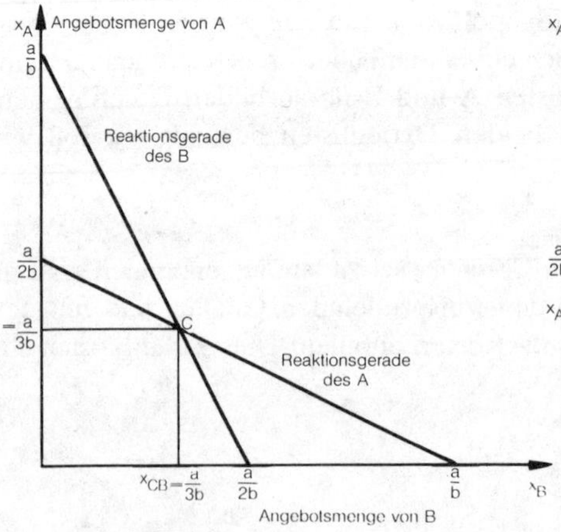

Abb. L–5.1: Dyopol-Lösung von COURNOT

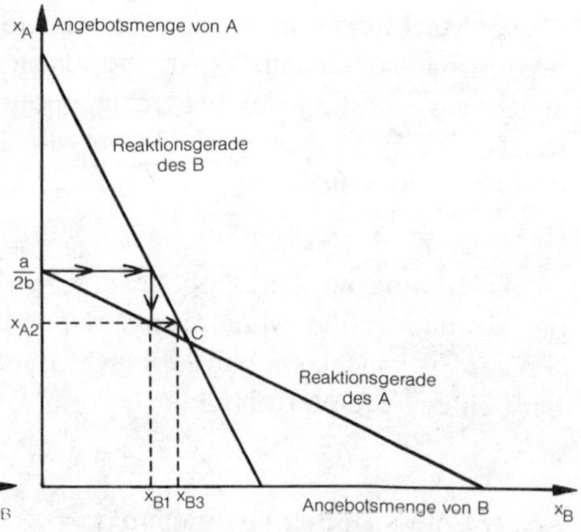

Abb. L-5.2: Anpassungspfad im COURNOT-Dyopol

Ein mögliches Einpendeln des COURNOTschen Marktgleichgewichts ist in *Abb. L–5.2* durch Plausibilitätsüberlegungen skizziert. Der Anbieter A nehme zunächst – etwa bei Eröffnung des Marktes – an, daß er keinen Konkurrenten hat. Da er mit $x_B = 0$ rechnet, bietet er die Menge $x_{A0} = a/2b$ an. Der Dyopolist B setzt diese Marktbeobachtung in sein Kalkül ein und wählt gemäß seiner Reaktionsgeraden in *Abb. L–5.2* die Strategie x_{B1}. Bei diesem Angebot revidiert A seine Pläne und versucht, erneut seine Reaktionslinie zu erreichen: Er reduziert sein Angebot auf x_{A2}. Daraufhin weitet B sein Angebot auf x_{B3} aus. Über solche schrittweisen Planrevisionen wird der COURNOTsche Dyopolpunkt C erreicht.

Der Anpassungsmechanismus führt allerdings nur zum Marktgleichgewicht, wenn die Dyopolisten sich laufend irren und aus ihren Erfahrungen nicht lernen. Obwohl jeder von ihnen von einer Stillhaltestrategie des anderen ausgeht, muß jeder der beiden beobachten, daß auf seine eigene Aktion der Konkurrent doch reagiert, und zwar in der Weise, daß er selbst in einer folgenden Anpassungsrunde zu einer Revision seines Angebotes gezwungen ist. Irgendwann werden die Dyopolisten deshalb erkennen, daß ihre Annahmen über das Verhalten des Konkurrenten falsch sind. Die Verhaltenshypothese von COURNOT schließt dagegen Lerneffekte aus.

5.1.2. STACKELBERGS Unabhängigkeitspositionen

V. STACKELBERGS Verhaltenshypothese lautet (VON STACKELBERG, 1934): Einer der Dyopolisten erkennt die COURNOTsche Strategie des Konkurrenten und bezieht die erwarteten Reaktionen des anderen in seine Planüberlegungen ein. Ist Dyopolist A derjenige, der den Angebotsparameter seines Konkurrenten nicht mehr als gegeben und konstant ansieht, dann wird A davon ausgehen, daß B stets eine solche Angebotspolitik verfolgt, daß dieser auf seiner Reaktionskurve bleibt. Anbieter A macht sich dieses Verhalten zunutze und versucht, jenen Punkt auf der Reaktionslinie des B herbeizuführen, der für ihn am günstigsten ist. Nach V. STACKELBERG nimmt

Dyopolist A die Unabhängigkeitsposition ein, und Dyopolist B befindet sich in der Abhängigkeitsposition.

Der aus der Unabhängigkeitsposition heraus agierende Dyopolist A substituiert die Reaktionsfunktion (5.4) des B in die gemeinsame Nachfragefunktion (5.1) und erhält die für ihn gültige Preis-Absatz-Beziehung:

$$(5.5) \qquad p = \frac{1}{2}(a - b\,x_A).$$

Der Anbieter A wird nun analog zum Verhalten eines Monopolisten jene Menge produzieren und anbieten, die ihm für diese Absatzfunktion den COURNOTschen Monopolpunkt garantiert. Da die Grenzkosten Null sind, ist das Gewinnmaximum durch das Angebot $x_A = a/2b$ realisiert. Der Dyopolist B nimmt dieses Angebot als gegeben hin und monopolisiert durch seine Reaktionsfunktion den Rest des Marktes: $x_B = a/4b$. Der Punkt U_A bezeichnet in *Abb. L–5.3* die für den Dyopolisten A günstige Unabhängigkeitsposition, in der er sich besser als im COURNOT-Dyopol steht und ein doppelt so hohes Marktergebnis als sein Konkurrent erzielt. Gleiches gilt für die Unabhängigkeitsposition U_B des Dyopolisten B.

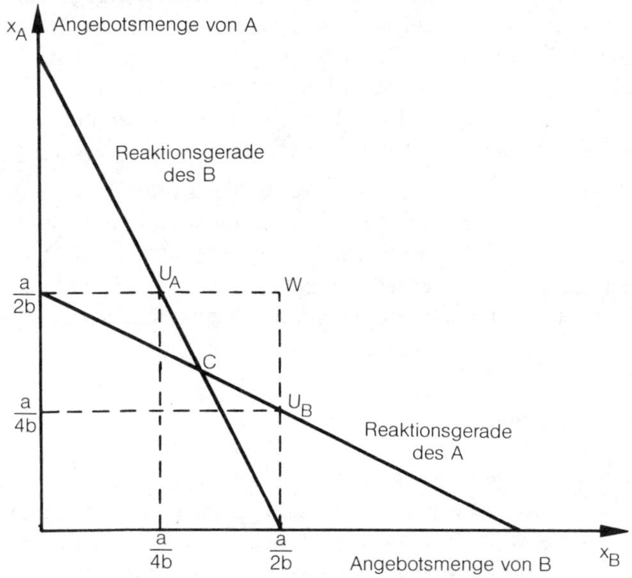

Abb. L–5.3: Unabhängigkeitspositionen im Mengendyopol

Eine STACKELBERGsche Marktlage kann allerdings dann nicht mehr bestehen, wenn derjenige, der sich in der Abhängigkeitsposition befindet, ebenfalls die Strategie seines Konkurrenten durchschaut. In der Situation U_A der *Abb. L–5.3* kann der Dyopolist B durch eine Angebotserhöhung auf $x_B = a/3b$ den COURNOT-Punkt C erzwingen. Damit eine Unabhängigkeitsposition stabil bleibt, müssen die Anbieter wirtschaftlich verschieden stark sein. Einer von ihnen muß etwa aufgrund eines höheren Liquiditätspolsters glaubhaft machen können, daß er in der Lage ist, bei seiner Mengenstrategie a/2b zu bleiben, was immer auch der andere unternimmt.

Nehmen beide Anbieter – beispielsweise bei Eröffnung eines neuen Marktes – die Unabhängigkeitsposition ein, kommt in *Abb. L–5.3* die Marktlage W zustande; diese wird nach dem Engländer ARTHUR L. BOWLEY (1924) auch BOWLEYscher Dyopolpunkt genannt. Hier stehen sich beide Anbieter schlechter als in allen anderen bislang besprochenen Situationen: Zusammen bringen sie die Sättigungsmenge a/b auf den Markt, so daß der Preis und damit ihre Gewinne auf Null fallen. Das kann – jedenfalls bei friedlichem Verhalten – kein Gleichgewichtspunkt sein.

5.1.3. Gemeinsame Gewinnmaximierung

V. STACKELBERG vermutete, daß das BOWLEYsche Ungleichgewicht am häufigsten eintreten würde und zum wirtschaftlichen Machtkampf führt. Ebenso kann aber auch bei den Anbietern die Einsicht wachsen, daß sich kämpferische Zielsetzungen zum Vorteil beider verhindern lassen, indem man verabredet, den gemeinsamen Gewinn zu maximieren und untereinander aufzuteilen. Zu einer solchen Vereinbarung mag es auch im Zuge des Anpassungsprozesses im COURNOT-Dyopol kommen *(Abb. L–5.2)*, wenn beide Dyopolisten realisieren, daß sie sich zunehmend gegenseitig schlechter stellen. Sie schließen sich dann gleichsam zu einem Monopol oder Kartell zusammen und realisieren den COURNOTschen Monopolpunkt für die gemeinsame Ausbringungsmenge $x = x_A + x_B$. Da die Grenzkosten Null sind, ist er durch die Bedingung $dR/dx = 0$ für den gemeinsamen Erlös $R = (a-b \cdot x)x$ bestimmt: Die Dyopolisten bringen zusammen die Menge a/2b auf den Markt.

Es bleibt die Frage der Gewinnaufteilung bzw. der Festlegung, welchen Mengenanteil am Gesamtangebot jeder der beiden Anbieter produziert. Sind beide Firmen gleich stark, werden sie sich möglicherweise den Gewinn zur Hälfte teilen. Das aber läßt sich nicht a priori sagen. Die Analyse der oligopolistischen Interdependenz wird hier auf die Ebene der Gewinnverteilung oder Quotenfestlegung verlagert.

5.2. Heterogenes Oligopol

Auf den heterogenen Oligopolmärkten spielen sich unterschiedliche Preise ein, weil die angebotenen Produkte nicht identisch sind. Analog zum Monopol können die Anbieter entweder den Preis oder die Menge als Aktionsparameter einsetzen. Vorherrschend ist die Preisstrategie: Die Anbieter bestimmen die Preise, und die Nachfrager entscheiden über die Menge. Welche Preise bilden sich heraus? Die Ansichten über die Preisbildung im heterogenen Oligopol sind geprägt von der Vorstellung einer relativen Preisstarrheit: Auf einem Oligopolmarkt bleiben alle Preise während eines gewissen Zeitraumes konstant, um sich dann abrupt und relativ gleichzeitig in dieselbe Richtung zu bewegen.

Als empirischer Beleg für die oligopolistische Preisstarrheit werden gerne die Erfahrungen mit den großen Automobilherstellern angeführt, die ihre Preise über längere Zeiträume beibehalten und diese dann in offenbarer Eintracht zum nahezu gleichen Termin anheben oder gelegentlich auch senken. Ähnliche Eindrücke kann man beispielsweise über den Stahlmarkt und die Märkte der Gebrauchsgüter gewinnen.

Derartige Befunde bleiben allerdings oberflächlich, wenn sie aus Listenpreisen, die für Oligopolmärkte typisch sind, hergeleitet werden. Ökonomisch relevant sind die Nettopreise, die durch ausgehandelte Preisnachlässe erheblich und vor allem zeitlich schnell reagierend von den Preisen abweichen können, welche die Produzenten in ihren Preislisten empfehlen. Fraglich bleibt zudem, ob allein empirische Beobachtungen dazu beigetragen haben, die Vermutung einer oligopolistischen Preisstarrheit zu verfestigen. Festzuhalten ist nämlich, daß am Beginn dieser Sichtweise die Oligopoltheorie der geknickten Nachfragekurve steht. Sie impliziert, daß die einmal erreichten Gleichgewichtspreise nicht auf jede Datenänderung reagieren, sondern unbeweglich bleiben können. Diese Hypothese galt bald nach ihrer Veröffentlichung und für längere Zeit als allgemein gültige Oligopoltheorie. In Wechselwirkung mit den erwähnten Beobachtungen wurde daraus die vermeintliche Gesetzmäßigkeit von der oligopolistischen Preisstarrheit, obwohl einige empirische Analysen auch gegenteilige Befunde erbrachten (STIGLER, 1947; SIMON, 1969; STIGLER/KINDAHL, 1970).

5.2.1. Geknickte Preis-Absatz-Kurve

Die Theorie der geknickten Nachfragekurve ist nahezu gleichzeitig von ROBERT L. HALL und CHARLES J. H. HITCH (1939) sowie PAUL M. SWEEZY (1939) vorgelegt worden. Nach deren Konzeption hat die Nachfragekurve, der sich der einzelne Oligopolist gegenüber sieht, im Bereich des verwirklichten Gleichgewichtspreises p_C eine Unstetigkeitsstelle *(Abb. L–5.4)*. Sie läßt sich aus den unterstellten speziellen Vorstellungen des Oligopolisten über die Reaktionen seiner Konkurrenten herleiten:

- Bei Senkung des eigenen Preises rechnet der Oligopolist damit, daß seine Konkurrenten mit Preisreduzierungen antworten, um keine Kunden zu verlieren.
- Bei Heraufsetzung seiner eigenen Preisforderung geht der Oligopolist davon aus, daß seine Konkurrenten nicht reagieren, weil sie durch seine Aktion einen Umsatz- und Gewinnvorteil erhoffen.

Aufgrund der erwarteten asymmetrischen Reaktionen der Konkurrenten ist die direkte Preiselastizität der Nachfrage nach dem Gut des agierenden Oligopolisten bei Preiserhöhungen größer als bei Preissenkungen. Die konjekturale Preis-Absatz-Kurve in *Abb. L–5.4* besteht deshalb aus zwei Teilstücken: Oberhalb des gleichgewichtigen COURNOTschen Ausgangspunktes C (s. Abschnitt 3.1) weist die Kurve eine flachere Steigung als unterhalb von C auf. Infolge dieses Knicks hat die Grenzerlöskurve dR/dx bei der Menge x_C eine Sprungstelle und im Ausmaß des vertikalen Abstandes zwischen den beiden Teilgrenzerlöskurven einen Unbestimmtheitsbereich. In *Abb. L–5.4* verläuft die Grenzkostenkurve dK/dx durch den Unbestimmtheitsbereich. Für diese Konstellation läßt sich nun nicht mehr formulieren, daß die Grenzkosten gleich dem Grenzerlös sind und mithin die analytische Bedingung für ein Gewinnmaximum erfüllt ist. Gleichwohl ist die Menge x_C, die zum Preis p_C führt, das gewinnmaximierende Angebot. Diese Aussage läßt sich anhand der Theorie des Monopols *(Abb. L–3.2)* herleiten: Sowohl bei einer Verringerung wie bei einer Ausdehnung der Angebotsmenge vergrößert sich die Differenz zwischen Grenzerlös und Grenzkosten, und damit muß der Gewinn sinken.

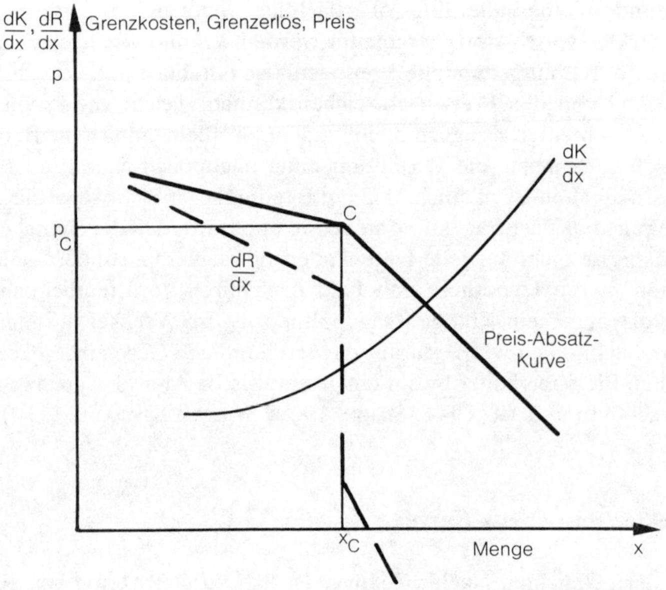

Abb. L–5.4: Geknickte Preis-Absatz-Kurve

Solange die Grenzkostenkurve durch die Unstetigkeitsstelle verläuft, hat der Oligopolist keine Veranlassung, von seinem Preis p_C abzugehen. Änderungen der Grenzkosten müssen deshalb nicht in jedem Fall Preisvariationen zur Folge haben. Das gilt erst, wenn die neue Grenzkostenkurve sich so weit verlagert, daß sie eine der beiden Teilgrenzerlöskurven schneidet. Aus gleichen Gründen reagieren die Oligopolisten nicht auf alle Nachfrageänderungen. Infolge einer Einkommenserhöhung verschiebe sich die Preis-Absatz-Kurve und damit die Unstetigkeitsstelle der Grenzerlöskurve parallel zur Abszisse nach rechts: Solange weiterhin die Grenzkostenkurve durch den Unbestimmtheitsbereich verläuft, behält der Oligopolist seinen Preis bei; sein Absatz allerdings wächst.

So interessant die Implikationen der Hypothese von der geknickten Nachfragekurve auch sind, so weist die Theorie dennoch eine bestimmte Unvollkommenheit auf. Sie vermag nicht zu erklären, wie die optimale Preis-Mengen-Kombination (Punkt C von *Abb. L–5.4)*, an der die Hypothese ansetzt, zustande kommt. Damit entfallen Aussagen über das Ausmaß des Unbestimmtheitsbereiches im Grenzerlösverlauf. Aber erst dieser Unstetigkeitsbereich determiniert den Grad der Preisstarrheit.

5.2.2. KRELLES Gleichgewichtsbereich

Betrachtet wird ein Dyopol. Beide Dyopolisten betreiben Preisstrategie. Jeder von ihnen kennt die Nachfrage- und Kostenbedingungen des Konkurrenten. Es wird eine neoklassische Produktionsfunktion angenommen (Beitrag K–3.1).

Isogewinnlinien

WILHELM KRELLE (1961) bedient sich bei der graphischen Veranschaulichung seiner Dyopollösung der von v. STACKELBERG (1934) entwickelten Isogewinnlinien:

- Ausgangspunkt der Konstruktion der *Abb. L-5.5* ist die Durchschnittskostenkurve K_A/x_A des Dyopolisten A. Sie ist zugleich der geometrische Ort aller Preis-Mengen-Konstellationen, die zu einem Gewinn von Null führen würden (Nullgewinnkurve Q_A^0): Wenn der Dyopolist für jede Ausbringungsmenge einen Preis verlangt, der jeweils den Durchschnittskosten entspricht, macht er keinen Gewinn. Die Kurve konstanten Gewinns Q_A^c (Isogewinnlinie) mit dem Gewinniveau c läßt sich aus der Nullgewinnkurve herleiten, indem für jede Ausbringungsmenge der Betrag c/x_A graphisch zu den Durchschnittskosten K_A/x_A addiert wird. Auf diese Weise entsteht die Schar von Isogewinnkurven Q_A^c.

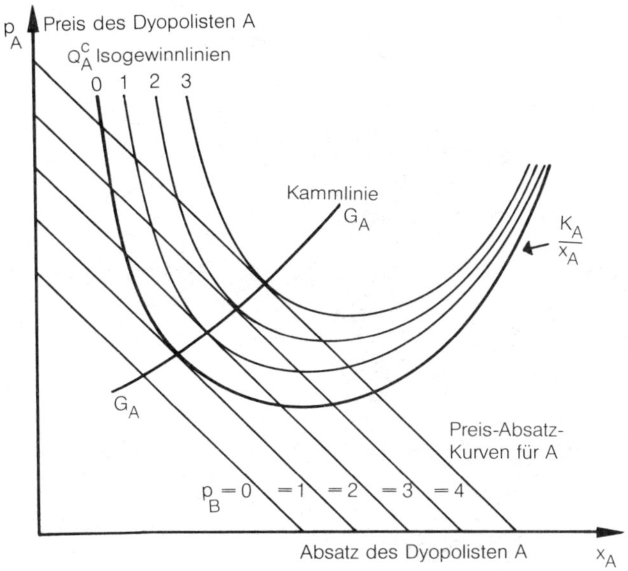

Abb. L–5.5: Isogewinnlinien des Dyopolisten A

- Der tatsächliche Absatz des Dyopolisten A hängt von seinem eigenen Preis p_A und dem durch den Konkurrenten am Markt geforderten Preis p_B ab. Die möglichen Preis-Absatz-Konstellationen sind in *Abb. L–5.5* durch eine Schar von Nachfragegeraden, der sich A gegenüber sieht, erfaßt. Jede Nachfragekurve gilt für einen gegebenen Preis p_B. Je höher die Preisforderung des B ausfällt, desto mehr kann der Dyopolist A zu jedem von ihm verlangten Preis absetzen. Mit steigendem p_B verlagert sich die zugehörige Preis-Absatz-Funktion des A nach rechts.
- Ist der Preis des Dyopolisten B gegeben, repräsentiert der Berührungspunkt der zugehörigen Nachfragegeraden mit einer Isogewinnkurve des A die gewinnmaximale Preisforderung und Absatzmenge für den Anbieter A. Jede andere Kombination auf der für A gültigen Preis-Absatz-Funktion liegt auf einer Kurve niedrigeren Gewinns. Die Verbindungslinie G_A der Tangentialpunkte der Nachfragekurven mit

den Isogewinnlinien heißt Kammlinie des Dyopolisten A. Sie hat eine positive Neigung: Mit steigendem Konkurrenzpreis erhöhen sich für A dessen gewinnmaximaler Preis und Absatz.

In *Abb. L–5.6* sind die Isogewinnkurven in ein p_A, p_B-Diagramm der beiden Dyopolpreise übertragen. Der Verlauf, den eine Isogewinnlinie in dem neuen Diagramm nimmt, läßt sich verdeutlichen, wenn man den Kurvenverlauf der zugehörigen Isogewinnlinie in der *Abb. L–5.5* verfolgt: Beginnt man oben links, fallen zunächst beide Preise p_A und p_B – und zwar bis zum Erreichen der Kammlinie; zwischen diesem Tangentialpunkt und dem Minimum der Isogewinnkurve sinkt p_A, aber steigt bereits p_B; von da an steigen beide Preise.

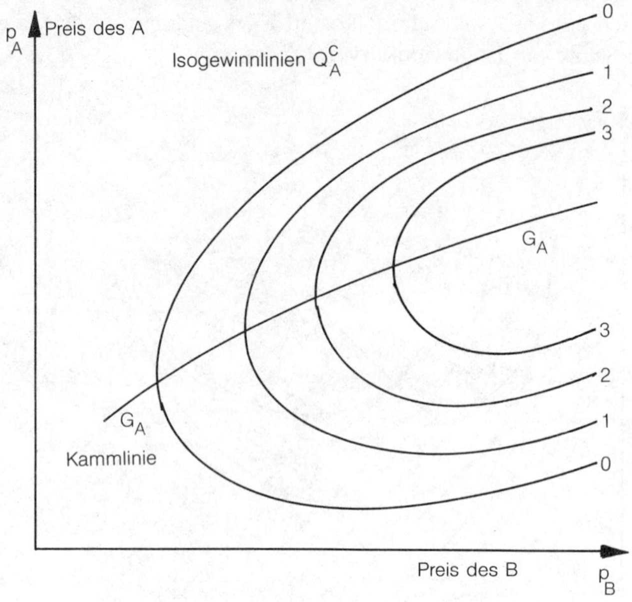

Abb. L–5.6: Isogewinnlinien des Dyopolisten A

In analoger Weise lassen sich die Isogewinnkurven und die Kammlinie des Dyopolisten B herleiten. In *Abb. L–5.7* sind die Isogewinnscharen beider Anbieter zusammengeführt. Für jede Preiskonstellation können unmittelbar die Gewinne für jeden Dyopolisten abgelesen werden. Die Berührungspunkte der Gewinnkurven bilden die Maximallinie MM: Sie ist der geometrische Ort der Punkte, bei denen der Gesamtgewinn beider Konkurrenten zusammengenommen maximal ist. Welche Preiskombination und welche Gewinnlagen sich einspielen, hängt von den Strategien der Dyopolisten ab.

Normalverhalten

Krelle hält ein Reaktionsverhalten für plausibel, mit dem der einzelne Oligopolist die Aktion eines Konkurrenten damit beantwortet, seine gegebene Gewinnlage so

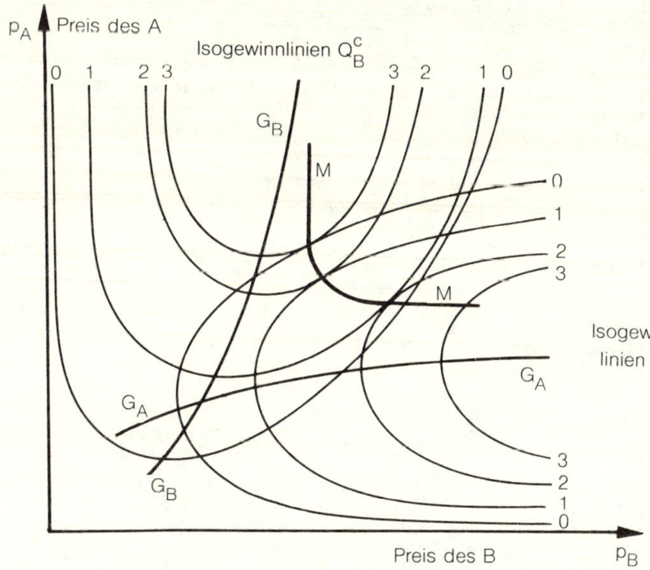

Abb. L–5.7: Isogewinnlinien beider Dyopolisten

weit wie möglich zu verteidigen (1961, 1. A., S. 86). Ein solches Verhalten nennt Krelle normale Reaktion. Von Vergeltung ließe sich dagegen sprechen, wenn der Dyopolist die Aktion eines Mitanbieters zum Anlaß nimmt, nicht nur den status quo zu verteidigen, sondern versucht, seine Gewinnposition zu verbessern. Die normale Reaktion impliziert nach Krelle (1961, 1. A., S. 277) folgende Verhaltensweise:

- „Falls eine Preisveränderung einer Firma der anderen zum Vorteil gereicht oder ihr zumindest nicht schadet, so reagiert sie überhaupt nicht;
- falls sie dadurch geschädigt wird, so sucht sie ihre alte Gewinnposition wiederherzustellen; falls das nicht möglich ist, so sucht sie ihr doch so nahe wie möglich zu kommen".

Ein Marktgleichgewicht liegt vor, wenn keiner der Konkurrenten ein Interesse an Preiserhöhungen und Preissenkungen hat. Mit Krelle sei zunächst davon ausgegangen, daß der agierende Dyopolist nur solche (kleine) Preisveränderungen in Betracht zieht, die den Konkurrenten nicht schlechter stellen; dieser also durch eine entsprechende Reaktion zumindest seine alte Gewinnlage wiederherstellen kann. Im folgenden tritt der Anbieter A als zuerst handelnder Dyopolist auf (detaillierte Darstellung bei Krelle, 1961; Ott, 1968).

Unterhalb seiner Kammlinie G_A verbessern Preiserhöhungen durch A dessen Gewinnlage. Er vermag sie am Markt durchzusetzen (Punkt L_1 in *Abb. L–5.8*), da sein Konkurrent nicht reagiert und seinen eigenen Preis p_B beibehält, weil er von der Preiserhöhung des A ebenfalls profitiert: Der „Gewinnpfeil" zeigt in das Innere des Gewinnfeldes von A. Oberhalb der Kammlinie G_A wird A von sich aus keine Preiserhöhungen vornehmen, weil diese seine Gewinne schmälern (Ausgangslage L_2). Das gilt auch dann, wenn er dadurch die Gewinne des B gefährdet, so daß der Konkurrent ebenfalls zu Preiserhöhungen gezwungen wäre (Ausgangslage L_3).

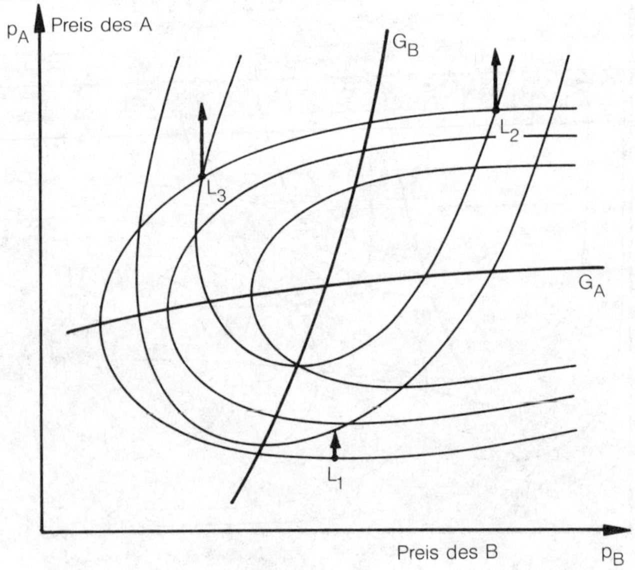

Abb. L–5.8: Preiserhöhungen durch den Dyopolisten A

Eine Preiskonstellation unterhalb der Kammlinie G_A kann also kein Marktgleichgewicht bedeuten, da A dazu neigt, seinen Preis anzuheben. Die Folge von Preissenkungen braucht deshalb nur noch im Bereich oberhalb der Linie G_A betrachtet zu werden. Preissenkungen sind hier offenbar von Vorteil für A, weil er auf eine Linie höheren Gewinnes gelangt *(Abb. L–5.9)*. In der Lage L_1 von *Abb. L–5.9* reagiert sein Konkurrent zwar ebenfalls mit einer Preissenkung, um sein altes Gewinniveau zu halten; dennoch sieht sich A nach gemeinsamen Preisherabsetzungen besser als in der Ausgangslage gestellt. Ähnliches gilt für die übrigen Situationen, in denen der Konkurrent nicht reagiert (L_2) bzw. sogar mit einer Preisanhebung antwortet (L_3). Anders stellt sich die Ausgangslage in L_4 dar: Die alleinige Senkung des Preises p_A führt zwar auf eine Linie höheren konstanten Gewinnes für A, jedoch setzt B – um seine bisherigen Gewinne zu sichern – seinen Preis so kräftig herab, daß der ursprünglich agierende Dyopolist A bei der neuen Preiskonstellation geringere Gewinne realisiert. Hat sich die Marktlage L_4 eingespielt, wird Dyopolist A nicht zu Preissenkungen greifen, aber, wie vorher gezeigt wurde, seinen Preis auch nicht anheben. Der Punkt L_4 ist mithin für A eine Gleichgewichtssituation.

Diese aus der Sicht von A gleichgewichtige Marktlage gilt für alle Punkte in dem Preisbereich zwischen den beiden Kammlinien und der Maximallinie M.

Gleichgewichtsgebiete

Ermittelt man durch analoges Vorgehen die Gleichgewichte aus der Sicht des Dyopolisten B, gelangt man ebenfalls zu dem Gebiet zwischen den Kammlinien der Dyopolisten und ihrer gemeinsamen Maximallinie. Keiner der Anbieter wird hier seinen Preis ändern, und damit herrscht dort ein Gleichgewicht zwischen den Kon-

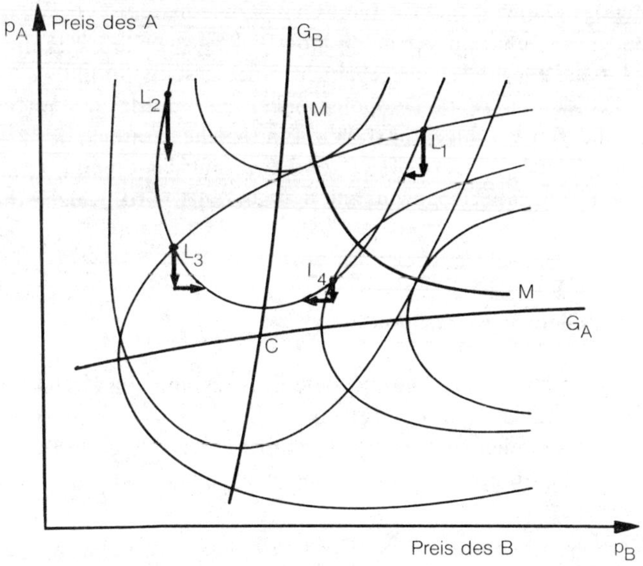

Abb. L–5.9: Preissenkungen durch den Dyopolisten A

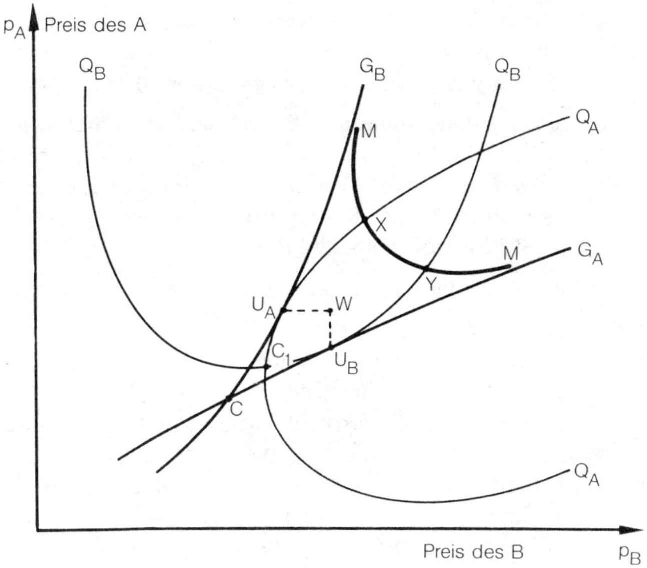

Abb. L–5.10: Gleichgewichtsbereiche

kurrenten. Das ist die KRELLE-Lösung. Wie man sieht, impliziert auch sie eine gewisse Preisstarrheit: Veränderungen der Kosten und der Nachfrage verschieben zwar das Gleichgewichtsgebiet; gleichwohl kann die realisierte Preiskonstellation auch in dem neuen Unbestimmtheitsbereich liegen, so daß keiner der Dyopolisten auf die neue Absatzlage mit Preisänderungen reagiert. Diese Preisstarrheit ist jedoch bei KRELLE vollständiger erklärt, als das mit Hilfe der Theorie der geknickten Nachfragekurve möglich ist.

Die Ausdehnung des Gleichgewichtsgebietes hängt, wie man erwarten kann, von den Annahmen über das Reaktionsverhalten ab. Bislang wurde von einem äußerst friedfertigen Wirtschaftsverhalten ausgegangen. KRELLE selbst modifiziert seine Analyse u. a. dahin, daß der agierende Dyopolist auch Preisveränderungen vornimmt, die den Konkurrenten definitiv schlechter stellen. Eine solche Strategie der Herausforderung reduziert den Gleichgewichtsbereich, und zwar auf das Gebiet, $C_1U_AXYU_B$ in *Abb. L–5.10,* das durch jene Isogewinnlinien abgegrenzt wird, welche die Kammlinien tangieren.

5.2.3. Traditionelle Gleichgewichtspunkte

Die für das homogene Dyopol nachgezeichnete Entwicklung von Erklärungsansätzen läßt sich auf das heterogene Dyopol übertragen. Sie führt jedoch auch hier nicht zu einem Gleichgewichtsbereich, sondern zu genau ausgezeichneten Dyopolpunkten *(Abb. L-5.10),* so daß diese Ansätze weniger geeignet sind, die vermeintliche Preisstarrheit zu erklären.

- Nach der Verhaltenshypothese von COURNOT glaubt jeder Anbieter, daß der Konkurrent an seinem Preis festhält. Das Beste, was der einzelne Dyopolist tun kann, ist, eine Preispolitik zu verfolgen, die ihn auf seiner Kammlinie beläßt. Diese wird zu seiner Reaktionskurve. Bei Aufrechterhaltung ihres Irrtums gelangen beide Anbieter schrittweise zum Schnittpunkt C ihrer Kammlinien, auch LAUNHARDT-HOTTELLING-Punkt genannt (Literatur bei KRELLE, 1961, 1. A., S. 286).
- Nimmt der Dyopolist A in Anlehnung an V. STACKELBERG die Unabhängigkeitsposition ein, versucht er, den für ihn gewinnmaximalen Punkt auf der Kammlinie G_B seines Konkurrenten herbeizuführen. Das ist der Berührungspunkt U_A einer seiner Kurven konstanten Gewinns mit der Kammlinie von B. Analog erhält man in U_B die Unabhängigkeitsposition des Anbieters B.
- Verlangen beide Dyopolisten ihren Unabhängigkeitspreis, ergibt sich der BOWLEYsche-Dyopolpunkt W als Lösung.

Grundsätzlich sind gegenüber diesen Erklärungen der Preisbildung die gleichen Bedenken wie für die Lösung des Mengendyopols anzuführen. Im heterogenen Dyopol wird die Realisierung der Preiskombination C sogar noch unwahrscheinlicher: Zu dem stetigen Irrtum, aus dem nicht gelernt wird, kommt noch hinzu, daß sich beide Dyopolisten hier definitiv schlechter stellen, als wenn beide ihre Unabhängigkeitsposition in W einnehmen. Im homogenen Dyopol ist die BOWLEYsche Lösung die ungünstigste Gewinnsituation für beide. V. STACKELBERG schloß daraus, daß die Mengendyopolisten zur Maximierung des gemeinsamen Gewinns tendieren. Da der BOWLEYsche Punkt im heterogenen Oligopol nicht in gleicherweise eine ungünstige Preiskonstellation ist, fehlt hier der Drang zu Absprachen. Er kann allerdings auch nicht ausgeschlossen werden. In diesem Falle realisieren die Dyopolisten einen Punkt auf der Maximallinie MM.

6. Ressourcenmärkte

Die Nutzung natürlicher Ressourcen wie Erdöl, Erze und Fische durch den Menschen kann zur Erschöpfung dieser Ressourcen führen. Gerade die Thc des CLUB OF ROME (MEADOWS, 1972) von der dramatischen Rohstoffverknappung hat das wirtschaftspolitische Interesse an den natürlichen Ressourcen geweckt. Nach dieser These sind die verbliebenen Rohstoffvorräte bei unveränderten Verhaltensweisen der Menschen nicht mehr ausreichend, dic Ernährung und Versorgung der Bevölkerung langfristig zu sichern (Beitrag G-3.5). Die beiden Ölpreisschocks von 1973 und 1978 haben das Interesse an den Mechanismen, die die Ressourcennutzung steuern, noch verstärkt. Die Frage stellt sich, ob und gegebenenfalls in welcher Weise der Gleichgewichtspreis auf einem Rohstoffmarkt anders als für die bisher betrachteten Gütermärkte zu erklären ist.

Hinsichtlich der Erschöpfbarkeit sind die nicht-erneuerbaren von den erneuerbaren Ressourcen zu unterscheiden:

- Nicht-erneuerbare Ressourcen (Mineralien, Metalle, alle fossilen Brennstoffe) sind aufgrund der Endlichkeit ihrer Bestände erschöpfbar. Nicht alle Lagervorkommen müssen heute bereits bekannt sein. Für das Gesamtvorkommen eines Rohstoffes gilt die zeitliche Restriktionsallokation, daß die heutige Verwendung eine Nutzung durch zukünftige Generationen ausschließt, denn der Bestand einer nicht-erneuerbaren Ressource sinkt infolge der Entnahme einer Rohstoffeinheit genau um diese entnommene Einheit.

  Eine Wiederaufbereitung und -gewinnung einmal verwendeter Ressourcen, das Recycling – wenn Recycling überhaupt möglich ist (u. a. Metalle, aber nicht fossile Brennstoffe) –, ändert nichts an dem Prinzip der Endlichkeit und Erschöpfbarkeit. Eine restlose Wiedergewinnung bleibt ausgeschlossen; stets muß bei jedem Recycling ein Schwund hingenommen werden.

- Erneuerbare Ressourcen (Fischbestände, Wälder) unterliegen natürlichen Wachstumsprozessen. Sie sind deshalb grundsätzlich regenerationsfähig und erst durch eine Übernutzung erschöpfbar. Eine Übernutzung tritt ein, wenn die Ausbeutungsraten ständig über den Regenerationsraten des Bestandes liegen und diesen damit langfristig auf Null reduzieren oder unter ein möglicherweise existierendes Bestandsminimum drücken, bei dem die Ressource sich nicht mehr regenerieren kann. Die intertemporale Verflechtung liegt darin, daß die Ausbeutung, die heute vorgenommen wird, den vorhandenen Bestand, folglich den Wachstumsprozeß und damit wiederum die Bestände der Zukunft beeinflußt. Anders als bei nicht-erneuerbaren Ressourcen ist eine dauerhafte Nutzung der regenerierbaren Ressourcen möglich; nämlich dann, wenn die Ausbeutungsrate der natürlichen Ressourcen der Zuwachsrate des Ressourcenbestandes entspricht.

  Die erneuerbaren Ressourcen weisen mithin eine ökonomisch relevante Regenerierungsrate auf. Auch nicht-erneuerbare Ressourcen können sich möglicherweise regenerieren (Manganknollen auf dem Meeresboden). Sie wachsen jedoch so langsam nach, daß ihre Regeneration wirtschaftlich unbedeutend bleibt.

Das ökonomische Charakteristikum natürlicher Ressourcen liegt also darin, daß die Nutzung eines Rohstoffes heute dessen Verwendungsmöglichkeiten in der Zukunft beeinträchtigt oder dessen Verwendung sogar ausschließt. Anders ausgedrückt: Es besteht eine intertemporale Verflechtung. Bei der Güterpreisbildung, deren Analyse in den vorangehenden Abschnitten statisch ausgerichtet ist, kann der zeitliche Aspekt weitgehend vernachlässigt werden. Dieser Unterschied zwingt dazu, die Preisbildung natürlicher Ressourcen gesondert zu behandeln. Die nachfolgende Einführung beschränkt sich auf die endlichen Ressourcenbestände.

HOTELLING-Regel

Betrachtet wird eine nicht-erneuerbare Ressource mit bekanntem Lagervorkommen. Von der Unsicherheit noch entdeckbarer Vorkommen sei abgesehen. Der Rohstoffmarkt unterliege zudem der vollständigen Konkurrenz (s. Abschnitt 1.2). Die Eigentümer der Ressourcenbestände sind mithin Preisnehmer und Mengenanpasser auf dem Markt, auf dem der abgebaute Rohstoff gehandelt wird. Zur weiteren Vereinfachung sei angenommen, daß die gesamten Rohstoffvorkommen in zwei Perioden ausgebeutet werden sollen, also in beiden Perioden der Rohstoff auch angeboten wird. Zudem sollen die Abbau- und Verkaufskosten pro Rohstoffmengeneinheit so gering sein, daß sie vernachlässigt werden können.

Der in der ersten Periode zu erzielende Preis der Ressource sei vorgegeben. Er wird von jedem Anbieter als Datum betrachtet. Das einzelne Unternehmen vergleicht bei der Planung seines Angebotes für beide Perioden diesen in der Ausgangslage gegebenen Preis mit dem Gegenwartswert des für die nächste Periode erwarteten Rohstoffpreises. Wäre der heutige Preis niedriger als der Gegenwartswert des Zukunftspreises, würde der Ressourcenbesitzer seinen gesamten Ressourcenbestand in der Zukunftsperiode auf den Rohstoffmarkt bringen und nichts in der heutigen Periode anbieten. Mit dieser Verhaltensweise erreicht er bei der gegebenen Preiskonstellation seinen höchsten Gewinn. Analog würde das gesamte Vorkommen in der ersten Periode abgebaut und angeboten, wenn der Preis in der Ausgangslage über dem Gegenwartswert des Zukunftspreises liegt. Stimmen beide überein, ist das Unternehmen indifferent, ob es heute oder morgen eine Mengeneinheit anbieten soll. Nur diese Indifferenz stellt sicher, daß in jeder der beiden Perioden der Rohstoff angeboten wird, also die eingangs genannte Bedingung erfüllt ist, und sich die Abbaumenge der Nachfrage anpaßt.

Die Übereinstimmung zwischen dem Preis p_t von heute und dem Gegenwartswert des Preises p_{t+1} von morgen ist unter der Annahme der intertemporalen Gewinnmaximierung eine Voraussetzung für ein Stromgleichgewicht in jeder Periode. Bezeichnet i den Zinssatz, mit dem die Zukunftserträge auf die Gegenwart abdiskontiert werden, ist $p_{t+1}/(1 + i)$ der Gegenwartswert des Zukunftspreises. Damit lautet die Gleichgewichtsbedingung der Preisbildung:

$$(6.1) \qquad p_t = \frac{p_{t+1}}{1 + i}.$$

Durch Umformulierung erhält man:

(6.2) $$\frac{p_{t+1} - p_t}{p_t} = i.$$

Demnach steigt bei vollständiger Konkurrenz und unter Vernachlässigung der Abbaukosten der Marktpreis eines Rohstoffes in der Zeit mit einer Rate, die dem repräsentativen Zinssatz der Volkswirtschaft entspricht. Das ist die HOTELLING-Regel. Sie ist benannt nach HAROLD HOTELLING, der bereits im Jahre 1931 das Grundproblem der Ökonomik und Preisbildung erschöpfbarer Ressourcen formuliert und gelöst hat. Auf diesen Ansatz von dogmenhistorischem Rang hat SOLOW (1974) in einem weiteren grundlegenden Aufsatz aufmerksam gemacht.

Nach SOLOW läßt sich diese Regel auch aus dem Bestandsgleichgewicht an den Vermögensmärkten herleiten. Die Ressourcenbestände stellen für die Eigentümer ein Kapitalvermögen dar. Die Eigentümer werden deshalb die mit diesem Vermögen erzielbare Rendite mit den Erträgen alternativer Vermögensanlagen vergleichen. Die Rohstoffe erbringen nun jedoch keinen pekuniären Ertrag, solange sie in der Erde verbleiben und nicht ausgebeutet werden. Die Rendite auf die Ressourcenbestände muß deshalb die Form einer Wertsteigerung annehmen. Bei vollständiger Konkurrenz und Vernachlässigung von Abbaukosten ist diese Wertsteigerung identisch mit der Preissteigerung der geförderten und auf den Rohstoffmärkten abgesetzten Ressourcen. Die Vermögensmärkte befinden sich in einem simultanen Gleichgewicht, wenn alle Vermögensmärkte dieselbe Ertragsrate aufweisen. Also muß die laufende Ausbeutung der Ressourcen in dem Ausmaße stattfinden, daß der Preis des gehandelten Rohstoffs exponentiell mit einer Rate in Höhe des repräsentativen Zinssatzes der alternativen Vermögensanlage wächst.

Marktgleichgewicht

Mit der HOTELLING-Regel ist noch nicht das Niveau des Rohstoffpreises bestimmt. Das intertemporale Gleichgewicht erfordert eine solche Höhe des Ausgangspreises, daß im Verlauf seines Anstieges die mengenmäßige Rohstoffnachfrage derart auf Null abfällt, daß die zuletzt nachgefragte Rohstoffeinheit auch der letzten vorhandenen Rohstoffeinheit entspricht, also zum Zeitpunkt der preisbedingten Verdrängung der Nachfrage der Ressourcenbestand erschöpft ist. Liegt das Niveau des Preises unter dem gleichgewichtigen Preispfad, ist die Ressource zu einem Zeitpunkt erschöpft, in dem noch Nachfrage nach dem Rohstoff besteht.

Wie wird der gleichgewichtige Preispfad gefunden? Zur Erklärung der Preisbildung kann man auf den WALRASianischen Auktionator zurückgreifen (SIEBERT, 1983, 1 Kapitel 4.2), der in einem Tâtonnement-Prozeß (s. Abschnitt 7) die Marktgleichgewichte ermittelt. Der fiktive Auktionator nennt den Marktteilnehmern für jede der Zukunftsperioden einen Preis und nimmt die zugehörigen Mengenplanungen der Anbieter und Nachfrager entgegen. Stellt der Auktionator fest, daß für eine Periode kein Angebot erfolgt, dagegen für eine andere Periode zuviel angeboten wird, muß er im ersten Fall den Preis heraufsetzen und für die andere Periode den Preis senken.

Der Auktionator setzt seine Preisrevidierungen solange fort, bis die Anbieter indifferent sind, in welcher Periode sie anbieten sollen. Stellt der Auktionator nunmehr noch fest, daß in einer der Zukunftsperioden eine Rohstoffnachfrage entfaltet wird, obwohl die Ressource erschöpft ist, muß er die Preise für alle Perioden heraufsetzen. Ist dagegen die Nachfrage auf Null gesunken, obwohl in dieser Zukunftsperiode noch Rohstoffvorkommen vorhanden sind, wird der Auktionator alle Preise senken. Der gesamte Tâtonnement-Prozeß ist abgeschlossen, wenn auf diese Weise die Marktgleichgewichte gefunden sind. Existieren perfekte Rohstoffterminmärkte, auf denen heute die Preise für Kontrakte vereinbart werden, die erst in den zukünftigen Perioden abgewickelt werden, erfüllen diese perfekten Zukunftsmärkte die Funktion des Auktionators. Durch eine Arbitrage zwischen den Märkten bleiben dann keine Preisunterschiede bestehen, die über die HOTELLING-Regel hinausgehen.

Abbaukosten

In der Regel sind die Kosten des Abbaus der Ressourcenbestände nicht vernachlässigbar. Dann erfordert die Gleichgewichtsbedingung für den Rohstoffmarkt bei vollständiger Konkurrenz, daß die heute aus dem Abbau einer Rohstoffeinheit zu erzielende Knappheitsrente, der Grenzgewinn des einzelnen Anbieters, dem Gegenwartswert der morgen zu realisierenden Knappheitsrente entspricht. Die Knappheitsrente ist die Differenz zwischen dem von dem Anbieter als Datum betrachteten Marktpreis p_t und den in derselben Periode bestehenden (marginalen) Abbaukosten k_t pro Rohstoffeinheit. Damit lautet die Gleichgewichtsbedingung:

$$(6.3) \qquad p_t - k_t = \frac{p_{t+1} - k_{t+1}}{1 + i} .$$

Durch eine analytische Umformulierung erhält man daraus die zu (6.2) analoge HOTELLING-Regel, daß jetzt die Knappheitsrente $(p_t - k_t)$ des Rohstoffs mit einer Rate in Höhe des Zinssatzes i in der Zeit steigt.

Von diesem HOTELLING-Pfad kann der zeitliche Entwicklungstrend des Marktpreises, den der Käufer des Rohstoffs zu zahlen hat, abweichen. Durch Umwandlung der Gleichgewichtsbedingung (6.3) erhält man als Bestimmungsgleichung für die zeitliche Entwicklung des Marktpreises:

$$(6.4) \qquad \frac{p_{t+1} - p_t}{p_t} = \frac{k_{t+1} - k_t}{k_t} \cdot \frac{k_t}{p_t} + i \cdot \left(\frac{p_t - k_t}{p_t}\right) .$$

Bleiben die Förderungskosten konstant, gilt also $k_{t+1} = k_t = k$, steigt der Marktpreis des Rohstoffs nach Ausdruck (6.4) mit einer Rate $i(1 - k/p_t) < i$. Mit fortschreitender Ressourcenausbeutung gleicht sich allerdings die Preissteigerungsrate der Zinshöhe an, da k/p_t in der Zeit fällt.

Bedeutsamer ist die Konstellation, bei der der Marktpreis auch über einen längeren Zeitraum fallen kann; eine Entwicklung, die für viele Rohstoffe in der Vergangenheit zu beobachten war. Diese Entwicklung tritt ein, wenn die marginalen Förderungskosten sinken, also die Wachstumsrate $(k_{t+1} - k_t)/k_t$ in (6.4) negativ ist, und zudem der Anteil der Knappheitsrente $(p_t - k_t)$ am Marktpreis p_t nicht zu hoch ausfällt. Mit ständig steigender Knappheitsrente wächst allerdings dieser Anteil und dominiert von einer bestimmten Größenordnung an als Bestimmungsgrund des Marktpreises die rechte Seite der Gleichung (6.4). Jetzt beginnt auch der Marktpreis zu steigen, so daß der langfristige Preispfad des Rohstoffs einen u-förmigen Verlauf aufweist. Das Minimum des Marktpreises wird früher erreicht, wenn mit dem fortschreitenden Ressourcenabbau die Förderung steigende Abbaukosten k_t je Rohstoffeinheit verursacht.

Monopol

Ein einziger Eigentümer besitze das gesamte Vorkommen eines Rohstoffs, so daß er auf dem entsprechenden Weltrohstoffmarkt als Monopolist agieren kann. Zur Festlegung seiner Abbau- und Verkaufspolitik vergleicht dieser alleinige Anbieter den gegenwärtigen Grenzgewinn, also die Differenz zwischen Grenzerlös und marginalen Abbaukosten, mit dem abdiskontierten zukünftigen Grenzgewinn. Er betrachtet den Marktpreis aber nicht als Datum, sondern geht davon aus, daß der Preis bei Erhöhung seiner Angebotsmenge fällt und umgekehrt (s. Abschnitt 3.1). Nach der AMOROSO-ROBINSON-Relation (3.6) hängt deshalb der Grenzerlös von der Preiselastizität der Rohstoffnachfrage ab. Im folgenden sei unterstellt, daß diese Preiselastizität konstant ist, und zwar weder mit der Angebotsmenge noch im Zeitverlauf variiert. Dann ist nach der Relation (3.6) der Grenzerlös gleich einem konstanten Bruchteil des Marktpreises.

Ausgangspunkt der Betrachtung sei wiederum die Vernachlässigung der marginalen Abbaukosten. Nach der HOTELLING-Regel verfolgt der Monopolist eine solche Abbau- und Angebotspolitik, daß sein Grenzerlös mit der Rate des Zinssatzes im Zeitverlauf steigt. Da per Annahme der Grenzerlös im Zeitverlauf proportional dem Marktpreis ist, steigt auch der Rohstoffpreis mit der Rate des Zinssatzes. Damit stimmen die beiden Marktgleichgewichte bei vollständiger Konkurrenz und im Monopol überein. Ausmaß und Tempo, in denen das Rohstoffverkommen genutzt würde, sind unter diesen Bedingungen unabhängig von der Marktform.

Die marginalen Abbaukosten heben diese Übereinstimmung auf (STIGLER, 1976). Bezeichnet dR/dx den Grenzerlös und k die marginalen Ausbeutungskosten, die konstant sein sollen, lautet jetzt die intertemporale Gleichgewichtsbedingung:

$$(6.5) \qquad \left(\frac{dR}{dx}\right)_t - k = \frac{\left(\frac{dR}{dx}\right)_{t+1} - k}{1+i}.$$

Welche Folgerungen ergeben sich daraus für die Abbaupolitik im Monopol gegenüber der Marktform der vollständigen Konkurrenz? Es werde angenommen, daß die Gleichgewichtsbedingung (6.3) für die vollständige Konkurrenz erfüllt ist, wobei die marginalen Abbaukosten in den beiden Perioden t und t+1 übereinstimmen sollen. Da nun der Grenzerlös in Ausdruck (6.5) einen konstanten Bruchteil des jeweiligen Marktpreises ausmacht ($dR/dx = \lambda p$ mit $0 < \lambda < 1$ in t und t+1), ist unter diesen Bedingungen der abdiskontierte zukünftige Grenzgewinn größer als der Grenzgewinn der laufenden Periode, also in dem Ausdruck (6.5) die rechte Seite größer als die linke Seite. Bei dieser Preiskonstellation wäre es für den Monopolisten gewinnbringend, die heutige Förderung zu drosseln und dafür den Abbau und die Angebotsmenge in der Zukunft zu erhöhen. Der Monopolist baut demnach das Rohstoffvorkommen langsamer ab, als dies bei vollständiger Konkurrenz erfolgen würde. Die Ressource würde länger genutzt werden können. Auch dieses Ergebnis darf allerdings nicht verallgemeinert werden, da es nur unter den gemachten spezifischen Annahmen gültig ist.

Intertemporaler Interessenausgleich

Die Nutzung eines endlichen Ressourcenbestandes durch die heutige Generation geht zu Lasten der Nutzungsmöglichkeiten für die Nachfolgegenerationen. Analog zur Realkapitalbildung, die über einen heutigen Konsumverzicht erfolgt, bedeutet auch die Konservierung einer natürlichen Ressource durch einen heutigen Verwendungsverzicht den Transfer eines wirtschaftlichen Dispositionsspielraums in die Zukunft. Gesamtgesellschaftlich gesehen sind mithin die Gegenwartsinteressen mit den Interessen der zukünftigen Generationen abzuwägen. Anders formuliert: Wie ist die gesellschaftlich-optimale intertemporale Allokation einer natürlichen Ressource bei Berücksichtigung der Zukunftsinteressen zu gestalten?

Grundlage des Entscheidungsproblems sei eine gesamtwirtschaftliche Nutzenfunktion (Beitrag G-3.3.4), nach der die soziale Wohlfahrt in jeder Periode positiv von der in der jeweiligen Periode verwendeten Rohstoffmenge abhängt. In der Wahl der sozialen Diskontrate, mit der gegebenenfalls die Wohlfahrt der Zukunftsperioden auf die Gegenwart abdiskontiert wird, kommt die Gewichtung der Interessen zukünftiger Generationen zum Ausdruck; sie determiniert die Wohlfahrtsverteilung zwischen den Generationen. Der optimale Zeitpfad der Ressourcenverwendung und damit der Rohstoffpreisentwicklung ergibt sich aus der Entscheidungsregel, den Gegenwartswert der Ressourcennutzung aller Perioden unter der Nebenbedingung zu maximieren, daß der gesamte Ressourcenabbau dem Rohstoffvorkommen entspricht. Das analytische Problem ist mit Hilfe der Kontrolltheorie zu lösen (HOLZHEU, 1977; SIEBERT, 1983, 1 Anhang 4.A.).

Der kontrolltheoretische Ansatz bestätigt insofern die HOTELLING-Regel, als der Rohstoffpreis im Zeitablauf steigen soll, und zwar in Höhe der sozialen Diskontrate. Mit der Wahl einer niedrigen Diskontrate wird der Nutzen zukünftiger Generationen nur in geringfügigem Ausmaß auf die Gegenwart abdiskontiert, also die Wohlfahrt künftiger Generationen kaum geringer als das Interesse der gegenwärtig lebenden Menschen gewichtet. Das vorhandene Rohstoffvorkommen wird relativ langsam abgebaut. Eine hohe Diskontrate legt dagegen ein größeres Gewicht auf die Wohlfahrt der heutigen Generationen. Der Abbau des Rohstoffvorkommens erfolgt relativ schnell. Repräsentiert das durchschnittliche Zinsniveau die gesellschaftliche (Diskont-)Rate der Minderschätzung zukünftiger Bedürfnisse, stimmt der sozial-optimale Nutzungspfad der Ressource mit der HOTELLING-Regel überein.

7. Totales mikroökonomisches Gleichgewicht

Bislang wurden die Preisbildung und das Preisgleichgewicht auf jeweils einem einzelnen Markt analysiert. Ist es möglich, daß zur gleichen Zeit auf allen Märkten ein Gleichgewicht und damit ein totales mikroökonomisches Gleichgewicht besteht? Gibt es also ein System von Preisen, bei dem auf jedem Markt das Angebot gleich der Nachfrage ist? Diese Frage versucht die Allgemeine Gleichgewichtstheorie (s. Abschnitt 1.1) unter der Annahme zu beantworten, daß auf allen Märkten vollständige Konkurrenz herrscht. Begründer der allgemeinen Gleichgewichtsanalyse ist Léon Walras (1874).

Ein Walrasianisches Gleichgewichtssystem

Es gebe in der Wirtschaft n verschiedene Güter x_k ($k=1, \ldots, n$). Die Güter sind in Endprodukte und Produktionsfaktoren unterteilt; von dem Vorkommen natürlicher Ressourcen wird abgesehen. Die Endprodukte werden von den Firmen angeboten und von den Haushalten als Konsumgüter nachgefragt. Die Produktionsfaktoren befinden sich im Eigentum der Haushalte; sie werden von diesen zum Zwecke des Einkommenserwerbs angeboten und von den Unternehmen zum Zwecke der Transformation in Endprodukte nachgefragt.

Wenn auf jedem Markt vollständige Konkurrenz herrscht, sehen die Wirtschaftssubjekte die Preise als gegebene Parameter an und gehen davon aus, sämtliche auf der Basis dieser Preise ermittelten Tauschpläne realisieren zu können. Bei den gegebenen Preisen beziehen die privaten Haushalte aus dem Verkauf der Produktionsfaktoren ein bestimmtes Einkommen. Mit diesem Einkommen erwerben sie bei den gegebenen Konsumgüterpreisen ein solches Güterbündel, daß sie in bezug auf ihre Präferenzstruktur ihren Nutzen maximieren. Die Nachfrage der Haushalte für ein einzelnes Konsumgut ist damit eine Funktion der Preise der Konsumgüter und Produktionsfaktoren. Das gleiche gilt für deren Angebot an Faktorleistungen. Die Unternehmen transformieren die Produktionsfaktoren in Endprodukte unter der Verhaltensannahme der Gewinnmaximierung bei für sie wiederum gegebenen Preisen der Produktionsfaktoren und Endprodukte. Unter dem Postulat der vollständigen Konkurrenz fällt kein Gewinn an. Das Angebot an Endprodukten und die Nachfrage nach Faktorleistungen sind mithin ebenfalls eine Funktion allein der Preise.

Unter den hier gemachten Annahmen bestimmen auf jedem der Märkte $k = 1, \ldots, n$ allein die absoluten Preise p_k die mengenmäßige Nachfrage x_k^d und das mengenmäßige Angebot x_k^s. Mithin ist die Volkswirtschaft durch folgende Nachfrage- und Angebotsfunktionen beschrieben:

$$\text{(7.1)} \quad \left.\begin{aligned} x_k^d &= x_k^d\,(p_1, \ldots, p_n) \\ x_k^s &= x_k^s\,(p_1, \ldots, p_n) \end{aligned}\right\} \quad \text{für } k = 1, \ldots, n.$$

Die funktionalen Marktbeziehungen sind dadurch ausgezeichnet, daß die Nachfrage nach einem Gut mit Erhöhung des Preises desselben Gutes fällt und mit Erhöhung des Preises der anderen Güter steigt; die entgegengesetzten Preisabhängigkeiten gelten für das mengenmäßige Angebot. Hinzu kommt die Annahme, daß bei gleichzeitiger proportionaler Veränderung aller Güter- und Faktorpreise die Haushalte und Unternehmen ihre mengenmäßigen Nachfragen und Angebote nicht ändern. Das folgt aus den Eigenschaften der individuellen Haushalts- und Unternehmensgleichgewichte (Beitrag K). In diesem Falle, in dem die Wirtschaftseinheiten ohne Geldillusion handeln, sind die Verhaltensgleichungen (7.1) homogen vom Grad Null in allen absoluten Preisen:

$$\begin{aligned} x_k^d &= x_k^d(\lambda p_1, \ldots, \lambda p_n) \\ x_k^s &= x_k^s(\lambda p_1, \ldots, \lambda p_n) \end{aligned} \qquad \begin{aligned} &\text{für } k = 1, \ldots, n \\ &\text{mit } \lambda > 0 \end{aligned} \tag{7.2}$$

Wird $\lambda = 1/p_n$ gewählt und schreibt man für die Preisrelationen $p_k/p_n = \pi_k$ für $k = 1, \ldots, n - 1$, gehen die Nachfrage- und Angebotsfunktionen über in:

$$\begin{aligned} x_k^d &= f_k^d(\pi_1, \ldots, \pi_{n-1}) \\ x_k^s &= f_k^s(\pi_1, \ldots, \pi_{n-1}) \end{aligned} \qquad \text{für } k = 1, \ldots, n \tag{7.3}$$

Nachfrage und Angebot hängen also nur von den relativen Preisen ab. Die Preisrelationen, die insgesamt zwischen allen Gütern ermittelt werden können, lassen sich auf einen bestimmten Güterpreis normieren. Als Bezugsgröße wurde hier das Gut x_n gewählt. Es übernimmt in der Sprache von Walras die Rolle des numéraire. Für den Preis des numéraire gilt selbstverständlich $\pi_n = 1$. Deshalb erscheinen lediglich $(n-1)$ verschiedene relative Preise als Argumente in den Verhaltensfunktionen (7.3). Das gilt dann auch für die Uberschußnachfragen x_k^e, die für jeden Markt als Differenz $(x_k^d - x_k^s)$ zwischen Nachfrage und Angebot definiert sind:

$$x_k^e = f_k^e(\pi_1, \ldots, \pi_{n-1}) \qquad \text{für } k = 1, \ldots, n. \tag{7.4}$$

Gleichgewichtsbedingungen

Die allgemeine Gleichgewichtstheorie will die Existenz von Gleichgewichtspreisen, bei denen auf jedem Markt Angebot und Nachfrage zum Ausgleich gebracht werden, erklären. Die Existenz des Gleichgewichtes wird deshalb auch durch die Bedingungen erfüllt, daß auf jedem Markt die Überschußnachfrage Null ist:

$$f_k^e(\pi_1, \ldots, \pi_{n-1}) = 0 \qquad \text{für } k = 1, \ldots, n. \tag{7.5}$$

Diese Gleichgewichtsbedingungen zeigen, daß das hier formulierte Walrasianische Totalmodell lediglich geeignet ist, die gleichgewichtigen relativen Preise, aber nicht die absoluten Gleichgewichtspreise zu erklären. Allerdings bildet Ausdruck (7.5) noch ein System von n-Gleichungen für $n-1$ unbekannte Preisverhältnisse. Dieses System ist aber nicht überbestimmt, da eine der Gleichungen von den übrigen linear abhängt.

WALRAS-Gesetz

Die Abhängigkeit folgt aus dem WALRAS-Gesetz. Das „Gesetz" beinhaltet: Auf allen Märkten zusammen muß das wertmäßige Angebot notwendigerweise gleich der wertmäßigen Nachfrage sein. Mithin ist die gesamtwirtschaftliche wertmäßige Überschußnachfrage aller in das Modell integrierten Märkte stets identisch Null:

$$(7.6) \qquad \sum_{k=1}^{n} p_k f_k^e (\pi_1, \ldots, \pi_{n-1}) = 0.$$

Durch Umformung erhält man:

$$(7.7) \qquad - f_n^e (\pi_1, \ldots, \pi_{n-1}) = \sum_{k=1}^{n-1} \pi_k f_k^e (\pi_1, \ldots, \pi_{n-1}).$$

Eine der Gleichungen, hier für den n-ten Markt, läßt sich als Linearkombination der übrigen Überschußnachfragefunktionen darstellen, wobei die Gewichte gleich den relativen Preisen π_k sind. Damit hat man ein System von $n-1$ unabhängigen Gleichungen zur Bestimmung der $n-1$ Tauschrelationen oder relativen Preise. Befinden sich die $n-1$ Märkte im Gleichgewicht, dann ist auch der n-te Markt im Gleichgewicht. Es gibt mithin nur ein einziges System relativer Preise, bei dem ein Gleichgewicht auf allen Märkten herrscht. Mit diesem System ist aber eine unendliche Zahl absoluter Einzelpreisniveaus vereinbar, die die Gleichgewichtsbedingungen (7.5) erfüllen: Das sind alle (positive) Vielfache des absoluten Preises des numéraire. Die Preistheorie der partiellen Marktgleichgewichte wird bei dem Versuch, sie zu einer allgemeinen Theorie auszubauen, zu einer Theorie der relativen Preise.

Tâtonnement-Prozeß

Es muß sichergestellt sein, daß das Gesamtsystem stabil ist, sich also aus einer Ungleichgewichtssituation heraus an die Gleichgewichtslage anpaßt. WALRAS hat diese Stabilität durch die Postulierung eines Tâtonnement-Prozesses sicherstellen wollen. Es existiere ein kostenlos arbeitender fiktiver Auktionator, der für jeden Markt einen Preis nennt und die Mengenangebote der Nachfrager und Anbieter entgegennimmt. Es sollte Zufall sein, wenn es sich um Gleichgewichtspreise handelt. Man betrachte nun einen einzelnen Markt: Der Auktionator setzt den Preis so, daß Gleichgewicht auf diesem Markt herrscht. Bei einem Überschußangebot wird der Preis gesenkt, bei einer Überschußnachfrage heraufgesetzt. Diese Preisänderung wirkt auf alle anderen Märkte weiter. Nunmehr setze der Auktionator einen Gleichgewichtspreis für den zweiten, den dritten Markt usw. bis zum letzten Markt fortschreitend. Am Ende dieser Runde der Preisfestsetzungen ist der letzte Markt im Gleichgewicht, aber für die übrigen muß dies aufgrund der Rückwirkungen der Preisanpassungen nicht zutreffen. Jedoch argumentiert WALRAS, daß die Angebots- und Nachfragefunktionen für ein Gut stärker auf Änderungen des Preises eben dieses Gutes als auf Preisänderungen der übrigen Güter reagieren. Deshalb dürften sich die Märkte am Ende der ersten Runde der Preisfestsetzungen näher an ihrem jeweiligen Gleichgewicht im Vergleich zu ihrer Ausgangssituation befinden. Setzt der Auktionator deshalb seine Preisrevidierungen fort, nähert sich das System von Runde zu

Runde den allgemeinen Gleichgewichtspreisen. Erst wenn diese Preise erreicht sind, werden die Mengentransaktionen selbst durchgeführt. Der Koordinierungsprozeß wird auf diese Weise in zwei nacheinander ablaufende Prozesse zerlegt, die die Tauschbeziehungen zentral koordinieren: in die Preisbildungsphase und in die Transaktionsphase.

Weiterentwicklungen

Die Übereinstimmung der Zahl der unabhängigen Gleichungen mit der Anzahl der endogenen Variablen sowie die Skizzierung des Preis-Tâtonnement sind noch kein Existenzbeweis für ein Gleichgewicht des WALRASianischen Systems. Die mathematischen Existenztheoreme sind zuerst von KENNETH J. ARROW und GERARD DEBREU formuliert worden (ARROW und DEBREU, 1954; DEBREU, 1959; ARROW und HAHN, 1971). Aber auch im ARROW-DEBREU-Modell fehlt ein explizit formulierter Tauschprozeß. Die Wirtschaftssubjekte realisieren ihre Transaktionen kostenlos zu Gleichgewichtspreisen. Eine Bezahlung der Transaktionen im eigentlichen Sinne findet nicht statt. In diesen mikroökonomischen Totalmodellen gibt es keine Rolle für irgendeine Form von Geld. Eine wesentliche Weiterentwicklung der allgemeinen Gleichgewichtstheorie geht dahin, den dezentralen Tausch zu beschreiben und auf diesem Wege zugleich das Geld in seiner Funktion als Tauschmittel zu integrieren (Überblick bei PETHIG, 1975).

Kommentierte Literaturhinweise

Eine Reihe von deutschsprachigen Lehrbüchern zur Preistheorie und Mikroökonomik behandeln die Preisbildung auf den einzelnen Märkten: ULRICH FEHL; PETER OBERENDER (1976, 6. A. 1994), ALFRED E. OTT (1968, 3. A. 1989), JOCHEN SCHUMANN (1971, 6. A. 1992), sowie die deutschen Übersetzungen von JAMES M. HENDERSON; RICHARD E. QUANDT (1958, 5. A. 1983) und HAL R. VARIAN (1978, 3. A. 1994). Noch immer lehrreich ist das Buch von HEINRICH v. STACKELBERG (1943, 2. A. 1951). Wichtige Aufsätze aus der Literatur zur Preistheorie sind in dem Sammelband von ALFRED E. OTT (1965) zusammengefaßt.

Das umfassendste Lehrbuch der Preistheorie ist die Monographie von WILHELM KRELLE (1961, 2. A. 1976). Zur Einführung ist vor allem die erste Auflage zu empfehlen. Wer an einer mathematischen Analyse interessiert ist, sollte zu der zweiten Auflage greifen.

Eine Anwendung der Preistheorie auf Einzelfragen der Gegenwart und Praxis findet man bei PETER WEISE u. a. (1979, 2. A. 1991) und HELMUT HESSE (1980).

Von den englischsprachigen Lehrbüchern sind aufgrund der Verbindung der Preistheorie mit Anwendungsbeispielen zu nennen CHARLES E. FERGUSON (1966, 4. A. 1975), EDWIN MANSFIELD (1970, 5. A. 1985), JACK HIRSHLEIFER/AMIHAI GLAZER (1992).

Die in diesem Beitrag nicht behandelte Preisbildung bei Unsicherheit analysiert JOHN D. HEY (1979).

Eine umfassende Einführung in die Ökonomik natürlicher Ressourcen, einschließlich der mathematischen Lösungsmethoden, findet man in dem Lehrbuch von HORST SIEBERT, 1983, 1).

Eine leicht verständliche Einführung in die allgemeine Gleichgewichtstheorie bieten BENT HANSEN (1970) und HELMUT SCHNEIDER (1972, 4. A. 1986). Die axiomatische Gleichgewichtstheorie wird entwickelt bei EDMOND MALINVAUD (1972) und WERNER HILDENBRAND; ALAN P. KIRMAN (1976).

M. Umweltökonomie

Karl-Hans Hartwig

Gliederung

1. Gegenstand und Grundlagen

Gegenstand der Volkswirtschaftslehre ist das Verhalten von Menschen bei der Bewältigung von Knappheitsproblemen, d. h. beim Einsatz knapper Mittel zur Befriedigung von Bedürfnissen. Die Bedürfnisbefriedigung kann vollkommen autark vorgenommen werden. Bei Arbeitsteilung erfolgt sie über Märkte und kollektive Verteilungsmechanismen. Dementsprechend gehört die Umwelt aus mehreren Gründen zum Gegenstandsbereich der Wirtschaftswissenschaft: Erstens leistet sie Dienste verschiedener Art für den Menschen. Zweitens unterliegt sie dem universellen Phänomen der Knappheit. Drittens verursacht ihre Nutzung Effizienzprobleme. Viertens schließlich können diese Effizienzprobleme, sofern marktliche Lösungen nicht zustandekommen, staatliche Maßnahmen erfordern, die wiederum selbst dem Effizienzproblem unterliegen. Die Umweltökonomie als wirtschaftswissenschaftliche Disziplin beschäftigt sich mit diesen Aspekten.

Unter Umwelt wird dabei der natürliche Lebensraum des Menschen verstanden. Neben dem Zustand der Umweltmedien Wasser, Luft, Boden sowie Tier- und Pflanzenwelt rechnen dazu auch Landschaft und Bodenschätze. Der Umweltbegriff der Umweltökonomie ist damit enger als derjenige, den die Systemtheorie verwendet und der zusätzlich zum räumlichen, physikalischen und biologischen Umfeld auch das soziale und psychische Umfeld umfaßt. Er ist andererseits weiter als der Umweltbegriff der praktischen Umweltpolitik, der sich allein auf den Zustand der Umweltmedien konzentriert (Der Rat der Sachverständigen für Umweltfragen, 1987; Wicke, 1982, 4. A. 1993).

Indem Umweltökonomie die Interdependenzen zwischen menschlichem Handeln und der Natur in ihrer Eigenschaft als räumlich-physikalisch-technische Umwelt analysiert, ist sie Ressourcenökonomie im weiteren Sinne. Sie ist also Ökonomie der Umweltnutzung und Umweltbelastung sowie Ökonomie der erneuerbaren und nicht erneuerbaren Ressourcen. Die Knappheit der Umwelt führt dabei aus ökonomischer Sicht zu zwei generellen Problemen; dem Problem, wie die vorhandenen natürlichen Ressourcen zum gegebenen Zeitpunkt ohne schädliche Beeinträchtigungen eingesetzt und aufgeteilt werden, und dem Problem, wie der vorhandene Bestand an erschöpfbaren Ressourcen in seiner Nutzung möglichst effizient über die Zeit hinweg zu verteilen ist. Das Problem der optimalen intertemporalen Allokation, das dadurch auftritt, daß gegenwärtige Nutzungen erschöpfbarer Ressourcen zukünftige Verwendungsmöglichkeiten ausschließen, ist Gegenstand der traditionellen Ressourcenökonomie und wird im allgemeinen aus der Umweltökonomie ausgeklammert. (Beitrag L-6).

2. Dimensionen des Umweltproblems

Die natürliche Umwelt war für die Menschen lange Zeit nur insofern ein Problem, als es galt, sie für die Befriedigung ihrer persönlichen Bedürfnisse nutzbar zu machen. Wasser, Luft, Boden, Tiere und Pflanzen wie auch die Rohstoffe waren reichlich vorhanden. Entnahmen aus der Umwelt führten zu keinen spürbaren Bestandsverminderungen, die Einleitung von Substanzen in sowie Abgaben an die Umwelt zu keinen Beeinträchtigungen der Lebensqualität. Dementsprechend hatten Umwelt und Umweltprobleme in der wirtschafts- und gesellschaftspolitischen Diskussion keinen Stellenwert. In der Ökonomie waren Umweltgüter ein Paradebeispiel für freie Güter, Güter also, deren Bereitstellung keine Aufwendungen verursacht und die dementsprechend im Kalkül der wirtschaftlichen Entscheidungsträger keine Rolle spielen. Ausgenommen davon war allenfalls der Boden. Er gilt bei ARISTOTELES (384–322 v. C.) und Physiokraten wie FRANCOIS QUESNAY (1694–1774) zunächst noch als alleinige Quelle des Wohlstands. Bereits die Vertreter der klassischen Nationalökonomie wie etwa JOHN LOCKE (1632–1704), ADAM SMITH (1723–1790) oder DAVID RICARDO (1772–1823) schränken seine Bedeutung jedoch stark ein, da für sie nur die Arbeit wertschöpfende Eigenschaften besitzt. Unter den natürlichen Ressourcen gestehen sie dem Boden aber insofern eine eigenständige Rolle als Produktionsfaktor zu, weil für ihn private Eigentumsrechte existieren. Etwa zeitgleich mit RICARDO hebt zwar ROBERT MALTHUS (1766–1834) den Boden als zentralen Engpaßfaktor für die Entwicklung der Menschheit hervor: aufgrund der begrenzten Verfügbarkeit fruchtbaren Landes trifft eine in arithmetischer Reihe wachsende Nahrungsmittelproduktion auf eine in geometrischer Reihe wachsende Bevölkerung mit der Folge von Hungerkrisen, sinkender Lebenserwartung und rückläufigen Geburtenraten (MALTHUS, 1977). Auf die Wirtschaftswissenschaften hat dies jedoch keinen nachhaltigen Einfluß. Das gilt zunächst auch für ARTHUR CECIL PIGOUS (1877–1959) bahnbrechende Analyse von Wohlfahrtsverlusten, die dadurch entstehen, daß wirtschaftliche Handlungen Schädigungen (Kosten) bei unbeteiligten Dritten erzeugen, für die der Verursacher keine Kompensation leistet. Obwohl PIGOU diese Wohlfahrtsverluste gerade am Beispiel der Umweltverschmutzung durch industrielle Emissionen illustriert, dauert es noch bis in die 60er Jahre dieses Jahrhunderts, bis die Ökonomie sich systematisch mit Umweltproblemen auseinandersetzt.

Auch in der gesellschaftspolitischen Diskussion nehmen Umweltprobleme erst seit den 60er Jahren einen zunehmenden Stellenwert ein. Zwar haben die Menschen bereits in früheren Zeiten Umweltprobleme registriert. So beauftragt König EDWARD I. (1272–1307) eine königliche Kommission damit, die Ursachen für die hohe Luftverschmutzung in London zu analysieren und Instrumente zur Beseitigung der Schäden zu entwickeln. Ähnlich lösen die Industrialisierung Englands und die rasante wirtschaftliche Erschließung der Vereinigten Staaten von Amerika lebhafte Diskussionen über die damit verbundene Schädigung und Zerstörung der Natur aus (OSTERKAMP/SCHNEIDER, 1982). Die Umweltprobleme scheinen jedoch noch überschaubar, und sie sind lokal begrenzt. Noch existieren ökologische Freiräume, die durch Inbesitznahme erschlossen werden können. Zudem sind die Menschen mit genügend Problemen des materiellen Lebens und Überlebens konfrontiert. Dies ändert sich Mitte des 20. Jahrhunderts radikal. Die starke Beanspruchung von Rohstoffen und der Umweltmedien Wasser, Luft und Boden bewirken eine zunehmende Internationalisierung und Globalisierungen der Umweltprobleme: Belastete Flüsse lassen sich an den Grenzen ebensowenig abweisen wie Kohlendioxid oder Klimaveränderungen.

Als Reaktion auf immer stärkere Beeinträchtigungen der Umwelt durch den Menschen und Rückwirkungen auf seinen natürlichen Lebensraum kommt es Ende der 60er Jahre zu einer Vielzahl von privaten und staatlichen Aktivitäten:

- Auf nationaler und internationaler Ebene entstehen private Vereinigungen, die sich aktiv mit Umweltproblemen und ihrer Beseitigung beschäftigen (Greenpeace, Club of Rome, Arbeitsgemeinschaft für Umweltfragen). Im Auftrag des Club of Rome werden erste globale Simulationsmodelle entwickelt, deren bekanntestes (Meadows, 1972) die Diskussion über eine zukünftige ökologische Krise auf internationaler Ebene anregt. Auf Basis der erwarteten Entwicklung von Weltbevölkerung, Nahrungsmittel- und Industrieproduktion sowie der damit verbundenen Belastung von Rohstoffvorräten und Umwelt wird vor allem für die Phase von 2000–2050 eine dramatische ökologische Krise prognostiziert, wenn nicht umweltpolitisch reagiert wird.
- Viele Länder, so etwa die Bundesrepublik Deutschland (1971), verabschieden Umweltprogramme, in denen sie der Umweltpolitik einen hohen Stellenwert zuweisen und als eigenständige öffentliche Aufgabe mit eigenem politischen Ressort etablieren. Gleichzeitig finden erste internationale Umweltkonferenzen statt, auf denen weltweite Kontrollen der Umweltverschmutzung vereinbart und erste Abkommen gegen die Verschmutzung der Weltmeere unterzeichnet werden (1972).
- Umweltstatistiken werden auf nationaler Ebene ausgearbeitet und international vereinheitlicht, um die Regierungen und interessierten Gruppen über Stand und Entwicklung des Umweltzustandes zu informieren und Grundlagen zu schaffen für die Harmonisierung der Umweltpolitik. Gleichzeitig setzt eine intensive Diskussion darüber ein, wie Umweltschäden erfaßt, bewertet (monetarisiert) und schließlich in die Volkswirtschaftliche Gesamtrechnung einbezogen werden können (Beitrag B-4; Frey, 1972, 3. A. 1992; zur neueren Entwicklung: Rademacher/Stahmer, 1995).

Tab. M-1: Internationale Umweltdaten

	CO_2 Emission (Mio. t)			CO_2 Emission aus mobilen Quellen (Mio. t)			Wasserverbrauch/ Einwohner (m^3/Kopf)[a]			Städtischer Abfall/ Einwohner (kg/Kopf)		
	1971	1980	1989	1971	1980	1989	1970	1980	1990	1975	1985	1989
D	291	305	282	28,4	37,8	44,8	486	686	728	335	318	318
GB	189	169	164	22,4	27,0	36,4	319[b]	276	253	323	341	357
F	130	144	111	18,0	27,0	33,1	463	698[e]	782[k]	228[d]	272	303
USA	1240	1410	1480	290,0	335,0	392,5	2146	2305	1952[g]	648	744[f]	864[h]
J	226	272	288	28,5	43,0	56,3	786[c]	755	731[i]	341	344	394[k]

[a] BR-Deutschland: ohne Wasserverbrauch der Landwirtschaft außer Bewässerung; Daten in 1979, 1983, 1987. [b] in 1971, nur England und Wales. [c] in 1975. [d] in 1976. [e] in 1981. [f] in 1983. [g] in 1985. [h] in 1986. [i] in 1987. [k] in 1988.

Quelle: OECD (1991), Environmental Indicators.

Die internationalen Daten zeigen, daß gestiegenes Umweltbewußtsein und umweltpolitische Maßnahmen seit den 70er Jahren verschiedentlich zu einer Verbesserung der Umweltqualität in den westlichen Ländern geführt haben. In weiten Bereichen sind jedoch noch erhebliche Beeinträchtigungen vorhanden, zum Teil sind sie sogar gestiegen (*Tab. M-1*). Besonders schwere Umweltbelastungen zeichnen sich in den ehemaligen sozialistischen Staaten ab. Dort wurde zwar bis in die jüngere Vergangenheit die Überlegenheit des Sozialismus auch und gerade im Bereich Umwelt und Umweltschutz propagiert und damit begründet, daß Umweltprobleme letztlich ihre Ursache in der profitorientierten kapitalistischen Produktionsweise haben und Umweltkrisen nichts anderes sind als eine Ausdrucksform der allgemeinen Krise des Kapitalismus (Kuczynski, 1973; Fjodorow, 1978; Bauer, 1982). Seit längerem konnte jedoch belegt werden, daß sozialistische Wirtschaftssysteme aufgrund ihrer spezifischen Koordinations- und Motivationsstruktur (Beitrag A) erhebliche Umweltbelastungen und -zerstörungen verursachen. In letzter Zeit zugänglich gemachte Daten sowie die Ergebnisse neuerer ideologisch und politisch unbeeinflußter Erhebungen haben diese Befürchtungen weit übertroffen. So sind Ende der 80er Jahre in der DDR fast die Hälfte der Wasserläufe und ein Viertel der stehenden Gewässer aufgrund ihrer Verseuchung nicht mehr nutzbar. Die landwirtschaftlich genutzten Flächen gehören zu den Regionen mit der intensivsten Belastung der Welt durch Gülleverwendung und den Einsatz von Mineraldünger und Pflanzenschutzmitteln. Im Vergleich zu den alten Bundesländern sind die Schwefeldioxid- und Staubemissionen pro Quadratkilometer etwa zehnmal, die Waldschäden doppelt so hoch. Hinzu kommen hohe Boden- und Grundwasserkontaminationen mit toxischen Stoffen, Bodenerosionen sowie ein Energieverbrauch, der pro Kopf fast so hoch liegt wie in Kanada und den USA. In den anderen ehemaligen sozialistischen Staaten ist die Situation nicht besser (Bundesminister für Umwelt, Naturschutz und Reaktorsicherheit, 1991; Welfens, 1993).

3. Ökonomische Analyse der Umweltprobleme

Aus ökonomischer Sicht entstehen Umweltprobleme, wenn das ehemals freie Gut Umwelt knapp wird. Die Ursache für die Knappheit an Umweltdiensten ist im wesentlichen entwicklungsgeschichtlich bedingt. Umweltprobleme resultieren daraus, daß Umweltgüter trotz ihrer Knappheit nicht so eingesetzt werden, daß sie ihren größtmöglichen Nutzen stiften.

3.1. Angebot an Umweltdiensten

Die Umwelt ist eine natürliche Ressource, die als Bestandsgut verschiedene Nutzungen abgibt (Siebert, 1978, 1991):

- Sie versorgt die Menschen mit lebenswichtigen Konsumgütern (Luft, Wasser) und ermöglicht ihnen Erholungs- und Freizeitaktivitäten.

- Sie liefert Rohstoffe, die als Inputs in den Produktionsprozeß eingehen (Wasser, Sauerstoff, Energieträger, Bodenschätze, pflanzliche und tierische Organismen), und sie stellt Boden als Produktionsstandort sowie für Wohn- und Konsumzwecke und für die Landwirtschaft zur Verfügung.
- Sie nimmt Rückstandsprodukte (Emissionen) auf, die in Produktion und Konsum in Form von stofflichen und energetischen Abfällen anfallen und von ihr akkumuliert, abgebaut, an andere Orte transportiert oder in ihrer Struktur verändert werden (Abwasser, Schwefeldioxid, Strahlung, Schwermetalle, Abwärme, Lärm).

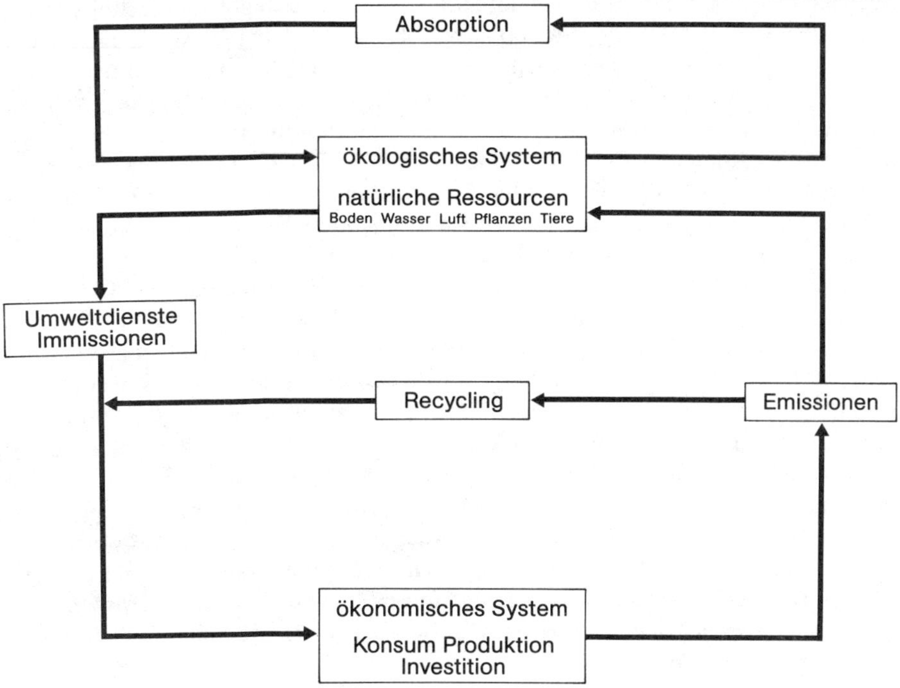

Abb. M-1: Umwelt und Wirtschaft

Die räumliche Ausbreitung und Verfügbarkeit der einzelnen Umweltgüter differiert. Sie kann engen regionalen Grenzen unterliegen, aber auch staatliche, überstaatliche oder sogar weltweite Dimensionen annehmen. Die Fähigkeit der Umwelt-, Konsum- und Produktionsinputs zu liefern und Rückstandsprodukte aufzunehmen, ist begrenzt. Bei den nicht-erneuerbaren Ressourcen nimmt der Bestand (Angebot) bereits durch jede materielle Entnahme ab. Selbst Wiedergewinnung und Wiederaufbereitung (Recycling) können allenfalls die Reichweite verlängern, da Recyclingprozesse keine restlose Wiedergewinnung ermöglichen. Zudem erfordern sie häufig den Einsatz anderer nicht-rezyklierbarer Ressourcen. Der Regenerierbare Teil der Umweltgüter unterliegt natürlichen Wachstumsprozessen (Wald-, Fisch-, Tierbestände) und kann Immissionen nur in beschränktem Umfang ohne Beeinträchtigungen absorbieren, d. h. akkumulieren sowie assimilieren (abbauen und transformieren). Werden die

Akkumulations- und Assimilationskapazitäten dauerhaft überschritten (Übernutzung), nimmt das Angebot an Umweltdiensten in Qualität und Quantität ab. Zwar läßt sich die Absorptionsfähigkeit von Umweltmedien durch künstliche Effekte steigern, z. B. durch die Anreicherung eutrophierter Gewässer mit Sauerstoff oder die Kalkung übersäuerter Böden. Für die meisten von ihnen kann die Akkumulations- und Assimilationskapazität aber nicht erhöht werden. Die Wechselwirkungen zwischen Umwelt und Wirtschaft sind in *Abb. M-1* dargestellt.

Der Zusammenhang zwischen Emissionen und Umweltbeeinträchtigungen ist kompliziert und vielfach noch nicht genau in seiner räumlichen und zeitlichen Wirkung erforscht (Heller, 1989). Generell unterscheiden lassen sich abbaubare Stoffe (Phosphate, Stickstoffe, Kohlendioxid) und nicht-abbaubare Stoffe (Schwermetalle, Chlorfluorkohlenstoffe, chlorierte Kohlenwasserstoffe). Beide Arten von Stoffen können von einzelnen Umweltmedien in bestimmten Konzentrationen absorbiert werden, ohne deren Qualität zu verändern. Nicht jede Emission führt daher zu einem Schaden. Bis zu bestimmten Konzentrationen kann sie sogar erwünscht sein (Phosphat und Stickstoff zur Förderung des Pflanzenwachstums). Bei Überschreiten eines bestimmten Konzentrationsmaßes werden Emissionen jedoch zu Schadstoffen (Immissionen). Zwischen der Emission eines Stoffes aus einer Quelle und seiner Immission, die das Umweltmedium tatsächlich erreicht, laufen Transformations- und Diffusionsprozesse ab. Je nach der physikalischen Eigenschaft des Umweltmediums werden Emissionen abgebaut und in ihren physikalischen, chemischen und biologischen Eigenschaften verändert. Durch Diffusionsprozesse werden sie in den Umweltmedien verteilt, gelöst oder verdünnt. Diese Prozesse hängen nicht nur von der Emissionsmenge ab, sondern auch vom Zusammenwirken verschiedener Stoffe (Synergismen), von räumlichen Gegebenheiten, Wind, Wetter oder Temperaturen. So sinkt der für die Schadstoffassimilation von Gewässern entscheidende Sauerstoffgehalt mit höheren Temperaturen, so daß die Wasserbeeinträchtigung identischer Schadstoffemissionen im Sommer größer ist als im Winter. Hinzu kommen räumliche und zeitliche Konzentrationen sowie zeitliche Verzögerungen. Letztere können bewirken, daß Emissionen erst viele Jahre nach ihrer Freisetzung zu schädigenden Stoffen in den Umweltmedien werden.

Die Immissionen werden von lebenden Organismen durch Stoffwechselprozesse direkt aus den Umweltmedien oder indirekt über produzierte Güter aufgenommen. Ein Teil dieser Immissionen wird auf dem Wege des natürlichen Stoffabbaus assimiliert. Der nicht-assimilierte Teil führt zu Belastungen und Schädigungen. Möglicherweise lassen sich Immissionen durch spezielle Behandlungsmethoden bei Produktion und Konsum reduzieren (Filtern von Wasser). Dies ist jedoch mit Aufwendungen verbunden und nur in Grenzen durchführbar. Die Qualität der Umweltdienste wird in jedem Falle durch Immissionen beeinflußt.

3.2. Entwicklungsbedingte Nachfrageimpulse

Der Übergang vom freien zum knappen Gut setzt im wesentlichen im 19. Jahrhundert ein: mit dem starken Wachstum der Weltbevölkerung, dem damit verbundenen Wirtschaftswachstum sowie der zunehmenden Einführung und Verbreitung umweltbelastender Produktionstechniken und Konsumgewohnheiten (Wicke, 1982, 4. A. 1993).

Die Bevölkerungsentwicklung ist durch ein beschleunigtes exponentielles Wachstum gekennzeichnet. Von der Zeitwende benötigte die Weltbevölkerung aufgrund von Epidemien, Naturkatastrophen und geringer Lebenserwartung etwa 1650 Jahre, um sich von 250 Mio. auf 500 Mio. zu verdoppeln. Bis zur nächsten Verdoppelung betrug die Zeitspanne nur noch 200 Jahre (1850: 1 Mrd.), und bis 1980 hatte sich die Weltbevölkerung auf 4 Mrd. erhöht. Setzt sich dieser Trend fort, wird sie im Jahre 2000 auf ca. 6,5 Mrd. angewachsen sein und Ende des 21. Jahrhunderts ca. 30 Mrd. betragen (Global 2000, 1980). Mit dem Bevölkerungswachstum verbunden ist nicht nur eine Einschränkung des natürlichen Lebensraumes für jeden einzelnen. Die steigenden Produktionsaktivitäten bedeuten gleichzeitig eine starke Beanspruchung der Umweltgüter: intensivere Bodenbearbeitung und Ausdehnung der Anbauflächen, verbunden mit Brandrodung, extensiver Verwendung von Dünger und Pflanzenschutzmitteln; vermehrter Energieeinsatz mit zunehmender Beanspruchung fossiler Brennstoffe und vermehrtem Kohlendioxid-Ausstoß; zunehmende Produktion von Abfällen, Lärm, Abwärme und Strahlungen. Da die Bevölkerung regional nicht gleichmäßig wächst, entstehen zudem Ballungszentren, die besonders stark von Umweltbelastungen betroffen sind.

Das weltweite Wirtschaftswachstum war möglich durch einen technologischen Wandel, der zusätzliche Umweltbelastungen hervorrief. Zunehmend wurden künstliche Stoffe entwickelt und anstelle natürlicher Stoffe verwendet sowie natürliche Mineralien durch chemische Produkte ersetzt, die durch biologische Prozesse in den Umweltmedien nicht abgebaut oder in andere mit natürlichen Stoffen kompatible Komponenten umgebaut werden können. Erst in neuerer Zeit ist zumindest in den westlichen Industrieländern eine Hinwendung zu umweltfreundlichen Technologien zu konstatieren.

Gegenwärtig hat etwa ein Viertel der Menschheit jenes industrielle Entwicklungsstadium erreicht, das durch eine besonders massive Beanspruchung der Umweltgüter gekennzeichnet ist. Eine Anhebung der Entwicklungsländer auf dieses Industrialisierungsniveau würde bereits jetzt zu einer Gefährdung elementarer Lebensgrundlagen und der Erschöpfung der Ressourcen führen. Da es nicht Ziel sein kann, die Entwicklung der Dritte-Welt-Länder zu verhindern, ist die Bewältigung der Umweltprobleme aus ökonomischer Sicht nur möglich, wenn die knappen Umweltgüter sparsam eingesetzt und in jene Verwendungsrichtungen gelenkt werden, in denen sie die größtmöglichen Nutzenwirkungen entfalten. Diese Effizienz ist bei der Allokation von Umweltgütern bislang nicht gegeben.

3.3. Ineffizienzen der Umweltnutzung

In Marktwirtschaften erfolgt die Allokation der knappen Güter über Märkte mit Hilfe des Preismechanismus. Die Preise repräsentieren die relativen Knappheiten der Güter und informieren damit deren Nutzer über den Verzicht, den sie der Gesellschaft dadurch aufbürden, daß das von ihnen nachgefragte Gute für andere Verwendungsrichtungen nicht mehr zur Verfügung steht. In der kodierten Form der Preise kommt so die gesellschaftliche Wertschätzung für ein Gut zum Ausdruck (Bonus, 1976). Über den Preis werden dem Nutzer eines knappen Gutes die wirtschaftlichen Folgen seiner Handlungen vor Augen geführt. Er wird zu einer sorgfältigen Abwägung seiner eigenen Bedürfnisbefriedigung veranlaßt. Sofern sämtliche Konsequenzen im Umgang mit knappen Gütern in deren Preisen erfaßt werden, verwirklicht der Markt eine effiziente Allokation. Die betreffenden Güter fließen in jene Verwendungsrichtungen, in denen sie den größten Nutzen stiften. Durch eine Reallokation kann kein Individuum besser gestellt werden, ohne daß ein anderes schlechter gestellt wird (Beitrag N).

3.3.1. Öffentliche Güter und Gefangenendilemma

Für viele Umweltgüter existieren trotz ihrer Knappheit keine Märkte und keine Preise. Sie weisen wesentliche Elemente von öffentlichen Gütern (Kollektivgütern) auf. Das sind Güter, die sich von privaten Gütern durch die Merkmale: Nichtrivalität im Konsum und Versagen des Marktausschlußprinzips unterscheiden (Samuelson, 1954; Beitrag J-2.1.). Die Existenz von Kollektivgütern kann technisch-organisatorisch oder politisch-normativ sein.

Güter, auf die beide Kollektivguteigenschaften in vollem Umfang zutreffen („prototypische Kollektivgüter"), lassen sich in der Realität nur selten finden. Vielfach wirken Nichtrivalität und Nichtausschließbarkeit nur in bestimmten Grenzen. Häufig sind beide Merkmale nicht gleichzeitig verwirklicht. Die entsprechenden Güter besitzen sowohl Kollektivguteigenschaften als auch die Kennzeichen privater Güter und unterscheiden sich daher durch ihren Öffentlichkeitsgrad. Zu solchen „Quasikollektivgütern" bzw. „Mischgütern" (Bonus, 1980) rechnen Umweltgüter. Als knappe Güter unterliegen sie nicht dem Ausschlußprinzip, während Rivalität im Konsum besteht: Ihre Nutzung durch ein Individuum beeinträchtigt die Nutzungsmöglichkeiten anderer in der Weise, daß sie vom Gebrauch des Gutes völlig ausgeschlossen werden oder beim Gebrauch Nutzeneinbußen und Kostenaufwendungen hinnehmen müssen (Verdrängungs- und Überfüllungsprobleme). Wird etwa ein Wasserreservoir als Aufnahmemedium von Schadstoffen benutzt, muß entweder auf den Konsum von Trinkwasser vollständig verzichtet werden, entstehen für Trinkwasserkonsumenten als Folge der Qualitätsminderung Nutzeneinbußen oder sind Aufbereitungskosten aufzuwenden.

Das Fehlen des Marktausschlußprinzips führt die Wirtschaftssubjekte bei einzelwirtschaftlicher Rationalität in eine Dilemmasituation. Sie begehen Handlungen, die ihnen zwar zunächst unmittelbare Vorteile versprechen, jedoch der Gesamtheit und damit letztlich ihnen selbst schaden:

- Die Möglichkeit zur kostenlosen Inanspruchnahme des knappen Kollektivgutes eröffnet den Individuen eine „Trittbrettfahreroption". Sie verschleiern ihre wahren Präferenzen in der Hoffnung, daß andere für die Bereitstellung des Gutes aufkommen, von dem sie dann, möglichst zum Nulltarif, profitieren können. Verhalten sich die anderen ebenso – und das ist zu erwarten –, kommt keine den tatsächlichen Wertschätzungen entsprechende Marktnachfrage zustande (strategisches Nachfrageverhalten). Für potentielle Anbieter von Kollektivgütern lassen sich unter solchen Bedingungen kaum kostendeckende Preise erzielen. Ein privatwirtschaftliches Angebot wird sich daher häufig erst gar nicht bzw. nicht in gewünschtem Umfang einstellen.

– Da die Nutzer überhaupt nicht oder nicht in vollem Umfang mit den tatsächlichen Kosten ihrer Handlungen konfrontiert werden, besteht bei vorhandenen öffentlichen Gütern das Problem der Überbeanspruchung. Die Güter sind zu billig. Für den einzelnen Nachfrager ist es lohnend, sie in möglichst großem Umfang und möglichst intensiv einzusetzen. Einzelwirtschaftlich nicht rational sind demgegenüber Anstrengungen, schonend mit dem Kollektivgut umzugehen oder sogar etwas zu seiner Bereitstellung und Sicherung beizutragen. Beide Aktivitäten verursachen nämlich für das betreffende Individuum Kosten, die in keiner Relation zu seinem daraus resultierenden Ertrag stehen.

Der Dilemmasituation können die Individuen nur entrinnen, wenn alle zugleich ihren unmittelbaren Vorteil zurückstellen und sich im Interesse der Gesamtheit verhalten. Da aber jeder dem anderen zu Recht mißtraut, kann dies nicht gelingen. Die Spieltheorie bezeichnet eine solche Situation als Gefangenendilemma. Es geht auf ein Beispiel von Luce und Raiffa (1957) zurück, in dem zwei Untersuchungsgefangene einer gemeinsam begangenen schweren Straftat bezichtigt werden, die man ihnen aber nicht nachweisen kann, sowie einer kleineren Straftat, die sich leicht nachweisen läßt. Um sie zu einem Geständnis zu bewegen, werden sie in separaten Zellen untergebracht, ohne die Möglichkeit, verbindliche Absprachen treffen zu können. Dann unterbreitet der Staatsanwalt jedem von ihnen eine Kronzeugenregelung: gesteht er als einziger die gemeinsame Tat, wird er sofort als Kronzeuge freigelassen, während der andere für 10 Jahre hinter Gitter muß. Gestehen beide, erhalten beide wegen guter Kooperation acht Jahre Gefängnis. Leugnen beide, können sie wegen der großen Straftat nicht belangt werden, aber erhalten für das kleinere – auch ohne Geständnis nachweisbare – Delikt eine Strafe von einem Jahr. Die Gefangenen A und B stehen somit vor der Entscheidung, zwischen zwei möglichen Strategien wählen zu müssen: zu gestehen (g) oder zu leugnen (l). Die Entscheidungssituation läßt sich durch eine Auszahlungsmatrix darstellen, in welcher die Zahlen die Gefängnisstrafen für die beiden Gefangenen wiedergeben (*Übersicht M-1a*).

Unter den genannten Bedingungen ist die jeweilige Strategie für jeden Gefangenen (Spieler) einfach: beide gestehen. Aufgrund der Anreizstruktur ist das Geständnis für A die beste Lösung. Leugnet B, wird A auf Kosten seines Komplizen als Kronzeuge freigesprochen, während er sonst zu einem Jahr Haft verurteilt würde. Gesteht B, erhält A die ermäßigte Strafe von 8 Jahren anstelle des vollen Strafmaßes. Für A ist Gestehen immer die beste Antwort, unabhängig davon, was B tut. Die Spieltheorie spricht hier von einer dominanten Strategie, die auch für B gilt (Selten, 1982). Im Endeffekt entsteht ein Nash-Gleichgewicht von optimalen Entscheidungen (Nash, 1953), in dem beide gestehen, obwohl es für sie letztlich zu einem schlechten Ergebnis führt.

Der Bezug zum Umweltproblem wird deutlich, wenn anstelle der Gefangenen zwei Unternehmen darüber zu entscheiden haben, ob sie durch die Finanzierung einer Kläranlage das von ihnen täglich genutzte Wasser säubern wollen. Angenommen, die Kosten der Anlage betragen 10 Geldeinheiten, und der für jedes Unternehmen aus dem sauberen Wasser erzielte Gewinn sei 6 Geldeinheiten. Beteiligen sich beide Unternehmen an den Aufwendungen und wird die Kläranlage gebaut, verbleibt ihnen ein Nettogewinn von jeweils 1. Kommt nur einer für die Finanzierung auf, entsteht, ihm ein Verlust in Höhe von 4 (6–10), dem anderen ein Gewinn von 6. Lehnen beide eine

Übersicht M-1: Gefangenendilemma

(a)

		B	
		g	l
A	g	8/8	0/10
	l	10/0	1/1

(b)

		B	
		z	v
A	z	1/1	−4/6
	v	6/−4	0/0

Zahlung ab, wird die Kläranlage nicht gebaut. Die Entscheidungssituation, mit der die beiden konfrontiert sind, läßt sich durch *Übersicht M-1b* darstellen. Müssen die Unternehmen ihre Entscheidung ohne bindende Regeln treffen, ist für beide die Verweigerung die dominante Strategie (v). Gleichgültig, ob Unternehmen A sich an den Kosten der Kläranlage beteiligt (z) oder nicht (v), in beiden Fällen ist für Unternehmen B die Strategie (v) die beste Lösung. Da für A die gleiche Überlegung gilt, unterbleibt der Bau des Klärwerkes.

Nun werden in der Realität beide Unternehmen nicht unkoordiniert nebeneinander agieren, sondern miteinander in Verhandlung treten. Durch eine vertraglich geregelte anteilige Übernahme der Kosten können sie dem Dilemma entgehen. Das Klärwerk wird gebaut, und beide realisieren daraus einen Gewinn. Nimmt allerdings die Zahl der Beteiligten zu und entstehen hohe Verhandlungskosten (Transaktionskosten), sind solche Verhandlungswege weitgehend versperrt. Das Zwei-Personen-Gefangenendilemma wird zum komplexen sozialen Dilemma, in dem sich etwa jeder Autofahrer befindet, der darüber zu entscheiden hat, ob er sein Fahrzeug zur Rush-hour benutzt (WEIMANN, 1990, 2. A. 1991). Er trägt zur Verstopfung der Straße, zu Lärm- und Luftbelastung bei und verliert jede Menge an Zeit und Nerven. Durch den Verzicht auf sein Fahrzeug würde er andere und sich von Kosten entlasten. Gleichzeitig entstünden ihm jedoch Nutzeneinbußen durch den Verlust an Bequemlichkeit, Beweglichkeit usw. Verzichtet er allein auf sein Auto und benutzt etwa sein Fahrrad oder öffentliche Verkehrsmittel, wird sich die Umweltsituation kaum spürbar verbessern, während die Nutzeneinbußen für ihn sofort in vollem Umfang anfallen. Das beste für ihn wäre, wenn alle anderen auf ihr Fahrzeug verzichten, nur er selbst nicht. Er käme dann in den Genuß einer sauberen Umwelt und könnte sich ohne Stau- und Parkplatzsorgen ungestört mit seinem Auto bewegen. Da alle vor der gleichen Überlegung stehen, treffen sie sich allmorgendlich im Stau wieder.

3.3.2. Externe Effekte

Bei knappen öffentlichen Gütern versagt das Ausschlußprinzip. Ihre Nutzer verwenden sie, ohne für alle oder zumindest für einen Teil der damit verbundenen Kosten aufzukommen. Die Kosten müssen andere in Form von Verzichten (Nutzeneinbußen, Aufwendungen) übernehmen. In Anlehnung an PIGOU (1920) werden solche Beeinträchtigungen Dritter als negative externe Effekte bzw. als soziale Zusatzkosten bezeichnet. Sie resultieren aus der Differenz zwischen den insgesamt anfallenden ,,sozialen" Kosten und den von den eigentlichen Verursachern (Verwendern) getragenen ,,privaten" Kosten. Analog dazu liegen positive externe Effekte vor, wenn durch ökonomische Handlungen bei Dritten positive Nutzenwirkungen entstehen, für die der Urheber der Handlung selbst auf Wunsch keine entsprechende Kompensation erhält. Externe Effekte entstehen dadurch, daß der Markt im Preis eines Gutes nur dessen private Kosten- und Nutzenelemente verrechnet. Sie treten auf, wenn die wirtschaftlichen Aktivitäten eines Individuums die Nutzen-, Produktions-, Gewinn- oder Kostenfunktionen Dritter beeinflussen, ohne daß zwischen den Beteiligten eine marktliche Übereinkunft im Preis getroffen wurde. Der Initiator wird durch den Markt nicht belastet oder kompensiert. Der externe Effekt entfaltet seine Wirkung am Preismechanismus vorbei; er beruht auf einem ,,Organisationsfehler des Marktes".

Externe Effekte können von Konsum- und Produktionsaktivitäten ausgelöst werden und auf sie zurückwirken. Konsumexternalitäten liegen vor, wenn die Konsumaktivität eines Individuums direkt den Nutzen anderer Konsumenten oder die Produktionsbedingungen von Unternehmen beeinflußt. Dazu gehören etwa unmittelbare Beeinträchtigungen durch Tabakkonsum sowie die Belastung der Beitragszahler durch übermäßige Beanspruchung der Krankenkassen seitens der Raucher, Lärmbelästigungen und Luftverunreinigungen durch privaten Autoverkehr, materielle und immaterielle Schäden durch die Beschaffungskriminalität von Drogenkonsumenten, das Hinterlassen von Abfällen in der Natur, die Verschmutzung von Gewässern durch private Motorboote (negative Konsumexternalitäten), aber auch die Freuden Dritter an der Blumenpracht privater Gärten, am attraktiven Äußeren ihrer Mitmenschen (positive Konsumexternalitäten).

Produktionsexternalitäten entstehen, wenn die Aktivitäten eines Produzenten die Produktionsfunktionen anderer Unternehmen oder die Nutzenfunktionen von Konsumenten beeinflussen. Die Abwässer einer Fabrik können sowohl einen flußabwärts gelegenen Fischzüchter beeinträchtigen als auch jene privaten Haushalte, die aus dem Fluß ihren Wasserbedarf decken; die Bodenverschmutzung mit Industrieabfällen verursacht Nutzeneinbußen, wenn nicht sogar Gesundheitsschäden bei Anwohnern und Ertragseinbußen für Landwirte; Lärmemissionen von einer Produktionsanlage beeinträchtigen nicht nur das gesundheitliche Wohlbefinden der in der Nachbarschaft wohnenden Menschen, sondern können über sinkende Grundstückspreise oder aufwendige Lärmschutzvorkehrungen auch Vermögensverluste bewirken; Waldabholzung, die Freisetzung radioaktiver Stoffe haben schädliche Folgen für Menschen, Tiere und Pflanzen. Den negativen externen Effekte stehen positive Produktionsexternalitäten gegenüber, wenn etwa durch den Bau eines Dammes ein künstlicher See entsteht, der für Freizeitaktivitäten genutzt wird, das Betreiben einer Bienenzucht den Ertrag einer benachbarten Obstplantage steigert oder die Sanierung eines alten Gebäudes durch ein Unternehmen das Stadtbild verschönert. Verschiedentlich erzeugen wirtschaftliche Aktivitäten positive und negative externe Effekte gleichzeitig, wie etwa Open-air-Konzerte.

Für die Umweltökonomie von Bedeutung sind in erster Linie negative externe Effekte. Sie führen zu einem Allokationsversagen des Marktes in der Weise, daß

Umweltgüter in stärkerem Maße eingesetzt werden, als es ihren tatsächlichen Kosten-Nutzen-Relationen entspricht. Der Markt bewirkt eine Überversorgung der Gesamtheit mit umweltbelastenden Aktivitäten. Da hierbei in der Regel nicht nur Umweltgüter, sondern ebenso andere Produktionsfaktoren eingesetzt werden, kommt es auch bei ihnen zu einer Fehlallokation. Angenommen, die Produktion eines beliebigen Gutes x erzeugt negativ externe Effekte in Form von Umweltbelastungen. Handeln die Produzenten unter Wettbewerbsbedingungen, wird ihr Markangebot durch den Verlauf ihrer privaten Grenzkosten bestimmt. In *Abb. M-2* ist dies durch die Angebotsfunktion SS wiedergegeben. Die private Nachfrage DD hängt vom Preis p ab und bringt die Nutzenvorstellungen der Konsumenten zum Ausdruck. Entsprechend ihrem einzelwirtschaftlichen Rationalkalkül produzieren die Unternehmen bei dieser Angebots-Nachfrage-Konstellation die Gütermenge x_0 zum Preis p_0. Allerdings werden nicht alle mit der Produktion des Gutes vorhandenen Kosten verrechnet. Es entstehen negative externe Effekte, die zusätzliche Kosten verursachen. Ihre Addition zu den privaten Grenzkosten ergibt die vollständigen volkswirtschaftlichen (sozialen) Grenzkosten, die durch den Verlauf der SSG-Kurve dargestellt werden. Bei einer Produktionsmenge von x_0 fallen somit für die letzte produzierte Gütereinheit zusätzliche Kosten in Höhe von AB an, die im Preis nicht erfaßt, sondern von der Gesellschaft getragen werden. Die gesamten zusätzlichen Kosten (negativ externer Effekt) entsprechen der Fläche p_0BA.

Da bei Berücksichtigung der tatsächlichen Kosten der Preis des Gutes höher und damit die Nachfrage geringer wäre, ist die effiziente Lösung im Schnittpunkt C der sozialen Grenzkostenkurve mit der Nachfragekurve gegeben. Die volkswirtschaftlich optimale Güterproduktion liegt somit bei x_1, während bei x_0 Überversorgung besteht und dementsprechend Produktionsfaktoren einer falschen Verwendung zugeführt werden. Ebenso wie eine Ausdehnung der Produktion über x_1 hinaus wäre eine Pro-

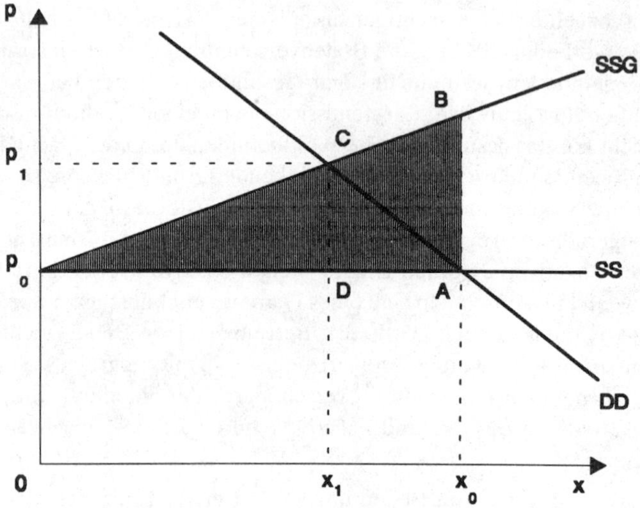

Abb. M-2: Negative externe Effekte

duktionseinschränkung unter dieses Niveau ineffizient. Die Nutzeneinbuße, die den Nachfragern durch die Minderverwendung von x entstünde, würde die damit verbundene Kostenersparnis überschreiten. Der „soziale Überschuß" als Summe aus Konsumenten- und Produzentenrente läge unter seinem Maximum (Beitrag L-2.3).

3.3.3. Optimale Umweltqualität

Aus ökonomischer Sicht bedeutet eine wohlfahrtsmaximale (effiziente) Lösung des Umweltproblems nicht, daß alle Umweltschäden beseitigt werden. Zwar verringern sich durch den Produktionsrückgang von x_0 auf x_1 die externen Kosten der Umweltbelastungen um DCBA. Es bleiben aber Schädigungen im Wert von p_0CD. Damit sie vollständig verschwinden, müßte die Produktion ganz eingestellt werden, was volkswirtschaftlich zu Nachteilen führen würde. Das ökonomische Effizienzkriterium setzt somit an die Stelle der maximalen die optimale Beseitigung der Umweltschäden. Den generellen Zusammenhang zwischen Umweltbelastungen (UB) und den Kosten und Nutzen ihrer Beseitigung veranschaulicht *Abb. M-3* (FREEMAN/HAVEMAN/KNEESE, 1973). Erreichen die Umweltbelastungen ihr Maximum (E), sind die externen Kosten SK am höchsten (H). Bei maximaler Umweltqualität (O) fallen keine externen Kosten an. Dafür muß aber entweder auf die umweltbelastende Aktivität (Güterproduktion) verzichtet werden, oder es sind spezielle Umweltschutzmaßnahmen zu treffen. Beide Varianten verursachen Kosten: Die Stillegung der Produktion bewirkt Nutzeneinbußen bei den bisherigen Verwendern, Umweltschutzmaßnahmen erfordern entsprechende Investitionsaufwendungen. Diese Schadensvermeidungskosten VK erreichen ihr Maximum (G), wenn keine Umweltschäden vorliegen. Werden umweltschonende Maßnahmen eingeschränkt, sinken die Schadensvermeidungskosten, die Umweltbelastung und die damit verbundenen Belastungskosten nehmen zu. Der Verlauf der beiden Kostenkurven ist dadurch bedingt, daß mit steigenden Umweltschäden die dadurch verursachten Beeinträchtigungen überproportional wachsen und eine zunehmende Schadensbeseitigung technisch immer aufwendigere Beseitigungsverfahren verursacht.

Die optimale Umweltqualität ist erreicht, wenn die Gesamtkosten der Umweltbelastung als Summe der externen Kosten der Umweltschäden und der Kosten der Schadensbeseitigung ihr Minimum erreichen (M). Die Menge an Belastungen liegt bei D, die Menge an beseitigten Schäden entspricht der Strecke DE. Eine Verringerung der Schäden unter das Niveau von D ist ineffizient. Sie bewirkt zwar einen Rückgang an Schädigungskosten. Dieser „zusätzliche Ertrag" der Schadensbeseitigung ist jedoch geringer als die Kosten, die mit einer weiteren Verbesserung der Umwelt anfallen. Gleichermaßen führt eine Zunahme der Umweltschäden über D hinaus zu Wohlfahrtseinbußen. Die Nachteile durch eine weitere Beeinträchtigung der Umwelt steigen stärker als die Kosten ihrer Beseitigung. *Abb. M-3b* verdeutlicht diesen Zusammenhang zwischen den Grenzkosten der Schadensvermeidung (GVK) und den Grenzkosten der Umweltschäden (GSK).

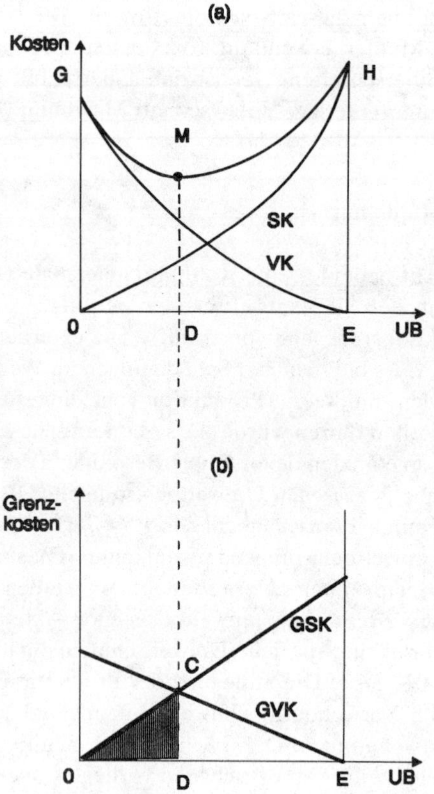

Abb. M-3: Optimale Umweltbelastungen

4. Strategien und Hauptinstrumente der Umweltpolitik

Die Kollektivguteigenschaften von Umweltgütern verhindern ihre effiziennte Allokation über Märkte. Sie werden übernutzt, gleichzeitig kommt es zu einer Überproduktion umweltschädigender Güter, die in Relation zu umweltschonend hergestellten Produkten zu billig sind und zu viele Produktionsfaktoren binden. Versagt der Markt, ist zu prüfen, ob staatliche Maßnahmen zu besseren Resultaten führen. Aus ökonomischer Sicht wäre das Beste, was der Staat erreichen kann, daß die knappen Umweltressourcen in jene Verwendungsrichtungen fließen, in denen sie die größten Nutzenwirkungen entfalten. Dazu muß der Staat die Verwender der Umweltgüter mit den tatsächlichen Kosten ihrer Handlungen konfrontieren. Gelingt es, den Verursachern neben ihren privaten Kosten auch die externen Kosten zuzurechnen (Internalisierung), werden sie gezwungen, alle Folgen ihrer Aktivitäten in ihren individuellen Entscheidungskalkülen zu berücksichtigen.

4.1. Internalisierung externer Effekte

Ziel aller Internalisierungsstrategien ist es, die Lücke zwischen privaten und sozialen Grenzkosten beim Verursacher zu schließen. Die Belastung der Verursacher negativer externer Effekte mit allen Kosten ihrer Handlungen löst dann entsprechende Anpassungsreaktionen aus, in deren Folge ein wohlfahrtsoptimales Niveau erreicht wird, wie es in *Abb. M-2* durch Punkt C wiedergegeben ist. In der ökonomischen Theorie existieren zwei Lösungsansätze zur Internalisierung externer Effekte: Die PIGOU-Steuer und die Verhandlungslösung im Sinne von COASE.

4.1.1. PIGOU-Steuer

Zur Berücksichtigung externer Effekte schlägt PIGOU eine Steuer vor, die den Verursacher in Höhe der Differenz zwischen den privaten und sozialen Grenzkosten belastet. Eine so ausgestaltete Steuer signalisiert dem Verursacher den durch seine Aktivitäten entstandenen Umweltschaden und veranlaßt ihn auf diese Weise, die Knappheit der Umweltgüter in sein privatwirtschaftliches Kalkül einzubeziehen. Umweltgüter werden nur noch insoweit in Anspruch genommen, wie keine höherwertigeren anderen Verwendungsmöglichkeiten vorhanden sind. Gleichzeitig besteht ein Anreiz dazu, Umweltgüter sparsamer zu verwenden, d. h. weniger umweltintensiv produzierte Güter einzusetzen. Die Verzerrung der relativen Preise zugunsten umweltschädigender Produkte und Herstellungsverfahren, die als künstlicher Produktionsvorteil für den umweltschädigend produzierenden Sektor interpretiert werden kann, wird beseitigt. Umweltbelastende Produktions- und Konsumaktivitäten gehen auf ihr optimales Niveau zurück. Daher ist eine Überwälzung der Steuer auf den Produktpreis durchaus erwünscht. Der Endverbraucher ist das letzte Glied in der Verursacherkette. Er wird auf die steuerbedingte Preissteigerung für umweltbelastende Güter mit einer Nachfrageverringerung und einer Substitution zugunsten umweltfreundlicherer Produkte reagieren (ENDRES, 1985).

Um die effiziente Lösung zu erreichen, ist der Steuersatz so zu bemessen, daß er genau den externen Zusatzkosten entspricht, die als Differenz zwischen den sozialen und den privaten Grenzkosten bei optimaler Güterversorgung entstehen. In den *Abb. M-2* und *M-3b* wäre das ein Betrag pro Output-Einheit des schadensverursachenden Gutes bzw. pro Schadenseinheit in Höhe von CD. Die Gesamtheit der Umweltbelastungen erreicht ihr Optimum, Grenzvermeidungskosten und Grenzkosten der Umweltschäden stimmen überein. Bei einem geringeren Steuersatz würde demgegenüber zu viel, bei einem höheren Steuersatz zu wenig von dem umweltbelastenden Gut produziert.

Die PIGOU-Steuer ist ein Ersatz für den Marktpreis der Umweltnutzung und simuliert jenen Fall, der eintritt, wenn die Märkte alle Kosten über den Preismechanismus verrechnen. Aus Effizienzgründen ist eine Kompensation der Geschädigten aus dem Steueraufkommen nicht vorgesehen (BAUMOL, 1972; BURROWS, 1979). Zum einen könnte eine Entschädigung den Anreiz zur Suche nach Schadensausweichstrategien seitens der Geschädigten mindern. Außerdem ist mit strategischem Verhalten der Geschädigten zu rechnen, die ihre Schädigungen übertreiben, um möglichst hohe

Kompensationszahlungen zu erhalten. Damit wird bereits das Kernproblem der PIGOU-Lösung deutlich: die Ermittlung und monetäre Bewertung der Umweltschäden. Nur wenn die marginalen Zusatzkosten einer umweltschädigenden Aktivität bekannt sind, läßt sich der optimale Steuersatz ermitteln. Dazu reicht die Kenntnis der bewerteten Schäden in einer unkorrigierten Ausgangslage nicht aus. Um die externen Grenzkosten im Optimum zu bestimmen, werden vielmehr Informationen über den gesamten Verlauf der privaten und sozialen Grenzkosten sowie der Nachfrage nach umweltschädigenden Gütern benötigt. Es ist unwahrscheinlich, daß die Betroffenen diese Informationen liefern können und wollen. Die Schädiger werden an einem niedrigen, die Geschädigten an einem möglichst hohen Steuersatz interessiert sein. Schließlich ist bei steigenden sozialen Grenzkosten für jede Gutseinheit bis zur Optimalmenge ein differenzierter Steuersatz zu erheben. Diese Notwendigkeit bedeutet für die PIGOU-Lösung ein weiteres Erschwernis. Wird etwa mit dem Steuersatz CD die gesamte Menge x_1 belastet *(Abb. M-2)*, ist die Steuerbelastung insgesamt um die Fläche p_0p_1C zu hoch. Nur bei konstanten sozialen Grenzkosten (vollkommen elastische SSG-Kurve) wäre CD der angemessene Steuersatz für den gesamten Output.

4.1.2. Verhandlungslösung

Fast zeitgleich mit PIGOU schlägt FRANK H. KNIGHT (1924) eine andere Lösung zur Internalisierung negativer externer Effekte vor. Anstelle eines staatlichen Eingriffs in Form einer Steuer empfiehlt er die Schaffung von exklusiven Eigentumsrechten an jenen Gütern, die stärker genutzt werden, als es ihren gesellschaftlichen Knappheitsrelationen entspricht. RONALD H. COASE greift diesen Gedanken später wieder auf und entwickelt daraus ein Internalisierungsmodell, das allein auf einer freiwilligen Vereinbarung beruht (COASE, 1960; zur formalen Darstellung vgl. u. a. GIFFORD/STONE, 1972; SCHUMANN, 1971, 6. A. 1992). Entscheidend für eine effiziente Verhandlungslösung ist die Existenz eindeutiger Eigentumsrechte (exklusive Property rights). Dabei ist es unerheblich, ob die Eigentumsrechte dem Absender eines externen Effektes oder seinem Empfänger zugestanden werden. In beiden Fällen wird der Effekt in den wirtschaftlichen Überlegungen der Betroffenen gleichermaßen Berücksichtigung finden, so daß ein identisches effizientes Verhandlungsergebnis zustande kommt.

Angenommen, durch die Produktion eines Gutes x leitet ein Unternehmen A Schadstoffe in einen Fluß, dessen verschmutztes Wasser die Produktion eines anderen Unternehmens B beeinträchtigt. A scheint somit als Verursacher eines externen Effektes dem B einen Schaden zuzufügen, mit der Konsequenz, daß er entweder die umweltbeeinträchtigende Produktion einstellen, Umweltschutzinvestitionen durchführen oder dem B einen Schadensersatz leisten muß. Ist A dazu rechtlich verpflichtet (Schädigerhaftung), wird er die für ihn günstigste Variante wählen. Sie besteht darin, dem B das Recht auf Schadstoffemission abzukaufen, solange der dafür pro Schadenseinheit zu leistende Kompensationsbetrag geringer ist als die zusätzlichen Kosten, die ihm durch eine Produktionseinschränkung oder zusätzliche Umweltschutzmaßnahmen entstünden. In *Abb. M-4* ist die marginale Zahlungsbereitschaft des A durch den Verlauf der Kurve AE dargestellt. Sie entspricht der Grenzvermeidungskostenkurve (GVK) in *Abb. M-3b.* Der Unternehmer B hingegen ist so lange bereit, eine Kompensationszahlung für Schadstoffbelastungen zu akzeptieren, wie der pro Schadenseinheit gezahlte Betrag seine dadurch verursachten Einbußen zumindest deckt. Diese Einbußen wiederum sind nichts anderes als die Grenzkosten der Umweltschäden (GSK) in *Abb. M-3b.* Sie werden in *Abb. M-4* durch die Kurve OK wiedergegeben. Das für beide optimale Verhandlungsergebnis ist ein Kompensationsbetrag pro Schadenseinheit in Höhe von Z. Die insgesamt an B gezahlte Entschädigung beträgt OZCD. Dafür darf Unternehmen A Schadstoffe im Umfang von D in den Fluß einleiten. Eine zusätzliche Menge an Schadstoffen würde B bei diesem Entschädigungssatz nicht akzeptieren, weil die Kostenbelastungen für ihn größer wären. Auch A wäre dazu nicht bereit, da eine Schadensvermeidung ihn billiger käme.

Externe Effekte sind stets wechselseitiger (reziproker) Natur (Coase). Alle Beteiligten beanspruchen das betreffende Gut (Umwelt) jeweils für sich und tragen somit zu dessen Knappheit und dem Entstehen des externen Effektes bei. Unter diesem Blickwinkel ist die terminologische Unterscheidung in ,,Schädiger“ und ,,Geschädigter“ eigentlich nicht aufrechtzuerhalten. Verursacher sind alle Beteiligten. Aus didakti-

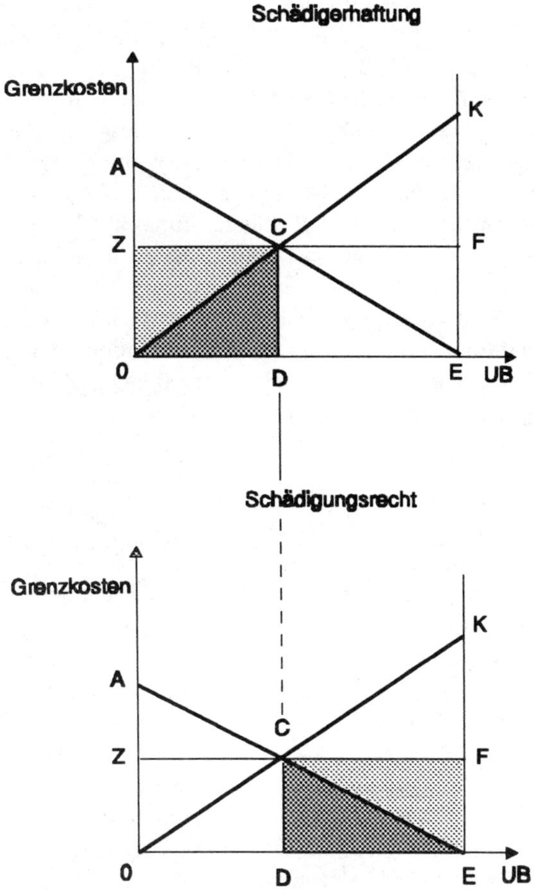

Abb. M-4: Internalisierung durch Verhandlung

schen Gründen soll sie im folgenden trotzdem weiter beibehalten werden. Aufgrund der Reziprozität wäre es allerdings zulässig, das Nutzungsrecht am sauberen Flußwasser nicht B, sondern A zuzuweisen (Schädigungsrecht). Als Schadstoffemittent würde ihm damit de facto ein Verschmutzungsrecht gewährt, das bei Inanspruchnahme zu Kosten bei B führt. Um diese Kosten zu verringern, wird B dem A eine Kompensationszahlung dafür anbieten, daß dieser seine schädigenden Aktivitäten einschränkt, indem er entweder die Produktion von x verringert oder Umweltschutzmaßnahmen durchführt. A wird dazu bereit sein, solange die Zahlung, die er pro abgebauter Schadstoffeinheit erhält, seine damit verbundenen Beseitigungskosten übersteigt. Mit zunehmender Schadstoffreduktion muß dieser Betrag höher werden, weil die Grenzkosten der Schadensbeseitigung anwachsen. B wird eine Kompensationszahlung pro reduzierter Schadstoffeinheit bis zur Höhe der externen Grenzkosten anbieten, die ihm durch die Umweltverschmutzung des A entstehen. In einer Verhandlung werden sich beide auf den Satz Z einigen. Die vereinbarte Schadstoffreduktion beträgt ED, die dafür an A gezahlte Kompensation DCFE.

Unabhängig von der Zuordnung der Eigentumsrechte ergibt die Verhandlungslösung den jeweils gleichen Umfang an optimalen Schadstoffemissionen. Die Art der Verteilung der Rechte ist allokationsneutral. Allerdings beeinflußt die jeweilige Rechtsordnung die Wohlfahrtsverteilung. Besitzt A das Recht zur Verschmutzung (Schädigungsrecht), wird er von B durch eine Kompensationszahlung zur Verringerung des Schadstoffausstoßes auf D veranlaßt. Gegenüber der Ausgangssituation mit maximaler Verschmutzung entsteht ein gesellschaftlicher Wohlfahrtsgewinn in Höhe von CKE, weil bis zur optimalen Schadstoffmenge jede zusätzliche Verringerung des Schadstoffausstoßes größere Kostenentlastungen für B als Kostenbelastungen für A bedeutet. A erhält eine Kompensationszahlung, die nicht nur seine Beseitigungskosten deckt (DCE), sondern ihm darüber hinaus einen Gewinn in Höhe von CFE bringt. Für B bleibt ein Gewinn von CFK. Besitzt B das Recht auf unverseuchte Natur (Schädigerhaftung), erfolgt in der Ausgangssituation keine Produktion von x und es entstehen keine Schäden (O). Indem A den B gegen Zahlung einer Kompensation zur Duldung von Schäden im Umfang von D bewegt, entsteht ein Wohlfahrtsgewinn von OAC. Bis D bewirkt jede Ausdehnung der Schadstoffmenge größere Kosteneinsparungen bei A als zusätzliche Kostenbelastungen bei B. Dieser erhält als Entschädigung die Summe OZCD, wovon ihm nach Abzug der Kosten ein Gewinn von OZC verbleibt. Der Gewinn von A beträgt ZAC.

Bei eindeutig zugeordneten Eigentumsrechten gelingt die Internalisierung externer Effekte auf freiwilliger Basis. Staatliche Interventionen sind überflüssig. Der Staat hat lediglich für die Etablierung und Sicherung eines funktionsfähigen Rechtssystems zu sorgen. Dauerhafte negative Externalitäten sind dann das Resultat ungenügend definierter Eigentumsrechte und daher weniger ein Kennzeichen von Marktversagen als von Staatsversagen (Demsetz, 1967). Diese Folgerung wird allerdings dadurch relativiert, daß eine Verhandlung an sehr restriktive Bedingungen geknüpft ist (Coase, 1960; Calabresi, 1968; Daly, 1974; Wegehenkel, 1980; Weimann, 1990, 2. A. 1991). Neben den Annahmen, daß die tatsächlichen externen Kosten zumindest den Betroffenen bekannt und den einzelnen Absendern und Empfängern genau zurechenbar sein müssen, betrifft dies vor allem:

- Transaktionskosten: Die Verhandlungslösung vernachlässigt alle Kosten, die im Zusammenhang mit der Anbahnung, Aushandlung, Durchführung und Kontrolle von Vereinbarungen entstehen. Sobald diese Transaktionskosten die mit einer Verhandlungslösung erwarteten Nutzengewinne überschreiten, wird die Internalisierung externer Effekte scheitern. Das Transaktionskostenproblem wird um so gewichtiger, je mehr Individuen von den Externalitäten betroffen sind. Zu den üblichen vertragsbedingten Transaktionskosten kommen noch Kosten der Kontaktaufnahme, Organisationskosten sowie die Kosten einer gemeinsamen Entscheidungsfindung innerhalb der einzelnen Gruppen hinzu.
- Trittbrettfahrermentalität: Mit der Zunahme der Zahl der betroffenen Individuen steigt deren Anreiz zum Trittbrettfahren. Die mangelnde Ausschlußmöglichkeit beim Umgang mit Umweltgütern veranlaßt die einzelnen Beteiligten innerhalb der jeweiligen Gruppen, ihre wahren Kosten- und Nutzenpositionen in den Verhandlungen nicht zu offenbaren. Bei Schädigerhaftung werden die Geschädigten ihre individuellen Belastungen übertreiben, um einen möglichst großen Anteil an den Kompensationszahlungen des Schädigers zu erhalten. Besteht Schädigungsrecht, untertreiben die Geschädigten ihre individuellen Belastungen, um Kompensationszahlungen für Schadensverringerung auf andere Mitglieder ihrer Gruppe zu überwälzen. Ähnliche Überlegungen gelten für die Schädiger, so daß trotz gemeinsamer Interessen an einer Verhandlungslösung durch Eigennutz und mangelndes Vertrauen in das Verhalten der anderen solche Verhandlungen scheitern werden.
- Strategisches Verhalten: Für die jeweiligen Inhaber der Rechtstitel besteht der Anreiz zu strategischem Verhalten. Besitzen die Schädiger das Eigentumsrecht, werden sie versuchen, möglichst neue und hohe Schäden zu verursachen, um damit neue Verhandlungstatbestände zu schaffen und günstige Verhandlungspositionen gegenüber den Geschädigten zu erreichen. Können die Geschädigten mit Ausweichstrategien reagieren, scheitern zwar die Verhandlungen. Die Schädiger stehen sich dadurch jedoch nicht schlechter als vorher. Besitzen die Geschädigten das Eigentumsrecht an den Umweltgütern, besteht für sie der Anreiz zur Schadensübertreibung. Durch eine Verhandlungslösung wird dann der optimale Schadensumfang unterschritten und von den umweltbelastenden Gütern eine zu geringe Menge produziert. Generell besteht schließlich der Anreiz für alle Betroffenen, Monopolsituationen zu erreichen, um ihre Verhandlungspositionen zu verbessern. Bei Monopolisierung kommt jedoch eine optimale Verhandlungslösung nicht zustande (Beitrag L-3).

Die Schwierigkeiten bei der praktischen Anwendung sprechen nicht grundsätzlich gegen eine Verhandlungslösung und für staatliche Interventionen. Da auch staatliche Eingriffe Kosten verursachen, ist eine Verhandlungslösung immer dann vorzuziehen, wenn sie geringere Nachteile mit sich bringt. In beiden Fällen kommt es zu keiner effizienten Internalisierung externer Effekte, aber die Kostenersparnisse überwiegen. Befürworter einer Verhandlungslösung werden zudem argumentieren, daß eine mangelnde Internalisierung externer Effekte aufgrund hoher Transaktionskosten lediglich ein Zeichen von rationalen Entscheidungen seitens der Betroffenen ist. Eine Berücksichtigung der Externalitäten wird nicht gewünscht, weil die Nutzengewinne einer Internalisierung geringer sind als die damit verbundenen Transaktionskosten. Staatliche Eingriffe hätten unter diesen Bedingungen Effizienzeinbußen zur Folge, es sei denn, sie führen ausschließlich zu einem Kostenabbau. Allerdings ist die Abwesenheit von Transaktionskosten nur eine Bedingung für effiziente Verhandlungslösungen. Wie Ergebnisse der Spieltheorie zeigen, müssen daneben zumindest die Voraussetzungen gegeben sein, daß die Individuen frei kommunizieren können und über vollständige Informationen verfügen. Unterschiedliche Informationen werden demgegenüber strategisch genutzt, so daß mit effizienten Ergebnissen nicht gerechnet werden kann (Farrel, 1987; Rob, 1989; Weimann, 1990, 2. A. 1991). Unter Berücksichtigung der anderen genannten Anwendungsprobleme ist eine Internalisierung durch Verhandlungen damit als wenig realistischer Spezialfall zu betrachten.

4.2. Umweltpolitische Praxis

Eine optimale Umweltnutzung durch Pigou-Steuern oder freiwillige Verhandlungen ist aus praktischen Gründen kaum möglich. Daneben bestehen grundsätzliche Bedenken gegen solche Lösungen, weil bei einer Ausrichtung der Umweltnutzung allein an den Präferenzen der Individuen die Gefahr besteht, daß die Absorptionsfähigkeit der Umwelt überschritten und damit das „ökologische Gleichgewicht" verletzt wird (Bonus, 1972; Endres, 1976; Wegehenkel, 1995). Die Individuen neigen dazu, ihrer räumlich näheren Umwelt eine höhere Wertschätzung entgegenzubringen und daher globale Umweltprobleme zu vernachlässigen. Außerdem besitzen sie einen kurzen Zeithorizont („defekte teleskopische Kapazität": Pigou, 1920), so daß künftige Beeinträchtigungen durch Umweltschäden in ihren Gegenwartspräferenzen nur ungenügend zum Ausdruck kommen. Schließlich beeinflußt die regionale Einkommensverteilung die Bereitschaft für regionale Umweltschutzmaßnahmen. Gebiete mit geringen Durchschnittseinkommen weisen bei Anwendung des Schädigungsrechts ein zur Sicherung des ökologischen Gleichgewichts zu hohes Maß an Umweltbelastungen auf.

4.2.1. Ökologischer Rahmen

Entspricht das Ausmaß an optimaler Umweltnutzung nicht den Bedingungen des ökologischen Gleichgewichts, so ist ein ökologischer Rahmen festzulegen. Er bestimmt das Niveau an Umweltqualität, das nicht unterschritten werden darf. Die Festlegung des ökologischen Rahmens und die Sicherung durch entsprechende Maßnahmen ist Gegenstand der praktischen Umweltpolitik. Die Bundesregierung versteht darunter „... die Gesamtheit aller Maßnahmen ... die notwendig sind, um dem Menschen eine Umwelt zu sichern, wie er sie für seine Gesundheit und für ein menschenwürdiges Dasein braucht, um Boden, Luft, Wasser, Pflanzen und Tierwelt vor nachteiligen Wirkungen menschlicher Eingriffe zu schützen und um Schäden und Nachteile aus menschlichen Eingriffen zu beseitigen" (Bundesministerium des Inneren, 1971, S. 6).

Für die Operationalisierung der Umweltziele sind Qualitätsstandards in Form von Immissionsnormen festzulegen. Sie geben die Schadstoffkonzentrationen in den verschiedenen Umweltmedien an, die an einem Ort für einen Zeitpunkt oder Zeitraum nicht überschritten werden dürfen. Die Raum- und Zeitbezogenheit sowie die Stoff-

und Medienbezogenheit rationaler Immissionsstandards ist durch verschiedene Faktoren begründet (BAUMOL/OATES, 1975; DER RAT VON SACHVERSTÄNDIGEN FÜR UMWELTFRAGEN, 1987; KEMPER, 1989): Es ist nicht möglich, einen einheitlichen Qualitätsindikator für einzelne Umweltmedien oder gar für die Umweltgesamtheit zu ermitteln. Für die einzelnen Umweltmedien bestehen regionale und zeitlich unterschiedliche Nutzungsarten und Nutzungsintensitäten, die eine räumliche und zeitliche Differenzierung von Immissionsnormen erfordern. Regionen, die als Erholungs- oder Wohngebiete genutzt werden, Gewässer, die ganzjährig der Trinkwasserversorgung vorbehalten sein sollen, und räumliche Ballungszentren benötigen schärfere Immissionsstandards als etwa reine Industriegebiete, ein See, auf dem nur temporär Wassersport betrieben wird, oder wenig besiedelte Landstriche. Erst die genaue Kenntnis der kurz- und langfristigen Wirkungen einzelner Immissionen auf Menschen, Organismen und Materialien unterschiedlicher Konstitution und Beschaffenheit erlaubt die Festlegung sinnvoller Immissionsgrenzwerte.

Der jeweils angestrebte Immissionsstandard läßt sich nur durch die Beeinflussung der Emissionen und ihrer Quellen erreichen. Dazu müssen die jeweiligen Emissionsmengen für einzelne in die Umweltmedien eingeleitete Schadstoffe (Emissionsnormen) unter Berücksichtigung ihrer Transformations- und Diffusionsfunktionen aus den Immissionsnormen abgeleitet werden. Da eine an ihrem Entstehungsort abgegebene Emissionseinheit eines Schadstoffes in den Umweltmedien zu sehr unterschiedlichen Immissionsmengen führt, ergibt sich auch hier die Notwendigkeit zu räumlicher und zeitlicher Differenzierung. Einheitliche Immissionsstandards bewirken somit unterschiedliche Emissionsnormen. Im Gegensatz zu Schadstoffen, die sich gleichmäßig in den Umweltmedien ausbreiten (globale Schadstoffe), spielt etwa der Ort der Emissionsentstehung für regional begrenzt wirkende Emissionen (regionale Schadstoffe) eine zentrale Rolle. Während bei globalen Schadstoffen eine Begrenzung der Gesamtemissionsmenge ausreicht, sind bei regionalen Schadstoffen lokale Differenzierungen sowohl nach Mengen als auch nach Emissionsquellen vorzunehmen, da sonst die Gefahr regionaler Schadstoffkonzentrationen (hot spots) auftreten kann. Weitere Einflußfaktoren für eine räumliche Differenzierung sind regionale Unterschiede in der Qualität der Umweltmedien, in Umfang und Art ihrer Nutzung sowie bereits bestehende Belastungen. Eine zeitliche Differenzierung der Emissionsnormen bei gleichbleibenden Immissionsstandard ist bei jährlich, aber auch bei tageszeitlich bedingten Schwankungen der Assimilationskapazität der Umweltmedien oder bei zeitlich unterschiedlichen Nutzungsintensitäten erforderlich.

Zur Sicherung des ökologischen Rahmens werden von der Umweltpolitik im wesentlichen folgende Instrumente eingesetzt: Auflagen, Abgaben und Zertifikate. Sie werden ergänzt durch Subventionen, staatliche Aufklärung, Branchenkooperationen, staatliche Kompensationszahlungen sowie Haftungsregeln in Form der Verschuldens- bzw. Gefährdungshaftung (WICKE, 1982, 4. A. 1993).

4.2.2. Auflagen

Auflagen sind Verhaltensvorschriften für die einzelnen Verursacher von Umweltbelastungen. Als ordnungsrechtliche Instrumente haben sie die Form von Geboten und Verboten und setzen direkt bei den einzelnen Emissionsquellen an. Gebote schreiben absolute Höchstgrenzen für schädigendes Verhalten vor und zwingen so die Verursacher, die geltenden Regeln zu befolgen oder ihre umweltbelastenden Aktivitäten ganz einzustellen. Verbote untersagen umweltbelastende Aktivitäten vollständig. In der praktischen Umweltpolitik setzen sie an verschiedenen Punkten an: an den Emissionen, an der Produktion oder an den Produktionsprozessen (GAWEL/HANSMEYER, 1995). Emissionsauflagen legen die zulässige Höchstmenge an emittierten Schadstoffen (Grenzwerte) in absoluten Größen oder in Relation zu Basiseinheiten fest (z. B. Schadstoffeinheit pro Kubikmeter Wasser/Luft). In ihrer durchgreifendsten Variante verbieten sie das Betreiben der Emissionsquelle. Bei Produktionsauflagen kann die Produktion umweltschädigender Güter limitiert oder vollständig untersagt werden. Prozeßauflagen stellen bestimmte qualitative Anforderungen an die Produktionsanlagen. Sie schreiben vor, welche Roh- und Betriebsstoffe und welche Technologie verwendet werden darf. Die verschiedenen Auflagen lassen sich miteinander kombinieren, wie etwa die Festlegung von Emissionsgrenzwerten nach dem Stand der Technik, der durch das bereits mit Erfolg erprobte fortschrittliche Produktionsverfahren bestimmt wird. Auch sind unterschiedliche Differenzierungs-, Ausrichtungs- und Verbindlichkeitsgrade möglich.

In der Bundesrepublik Deutschland wie in vielen anderen Ländern sind Auflagen das vorherrschende Instrument der Umweltpolitik. Beispiel ist die Luftreinhaltepolitik nach dem Bundesimmissionsschutzgesetz, das durch entsprechende Rechtsverordnungen wie die „Technische Anleitung zur Reinhaltung der Luft“ (TA-LUFT) oder die „Großfeuerungsanlagen-Verordnung“ sowie die EG-Richtlinien zur Emissionsbegrenzung des Schwefelgehalts in Heizöl und Diesel geregelt wird. Die Großfeuerungsanlagen-Verordnung bestimmt für Feuerungsanlagen ab einer bestimmten Feuerungswärmeleistung je nach Größe der Anlage den Schwefeldioxid- und Stickoxidgehalt pro Kubikmeter Abluft. Die TA-LUFT schreibt Immissionsgrenzen, Emissionsgrenzen sowie technische und administrative Verfahren mit dem Ziel vor, nur solche Produktionsanlagen zu genehmigen, deren Errichtung und Betrieb dem Stand der Technik entsprechen.

4.2.3. Abgaben

Umweltabgaben sind Geldzahlungen, die in Form von Steuern, Gebühren, Beiträgen sowie Sonderabgaben fur umweltbelastende Aktivitäten an ein öffentliches Gemeinwesen zu entrichten sind. Im Gegensatz zu den direkt wirkenden Auflagen werden die schädigenden Handlungen nicht unmittelbar begrenzt, sondern für ihre Verursacher verteuert. Aufgrund ihrer Anreizfunktion unterscheiden Umweltabgaben sich von rein fiskalischen Abgaben, die zur Finanzierung staatlicher Umweltschutzmaßnahmen erhoben werden und nicht zwangsläufig an umweltbelastenden Aktivitäten anknüpfen (EWRINGMANN, 1995). In der praktischen Umweltpolitik spielen Abgaben nur eine untergeordnete Rolle. Elemente finden sich etwa im Wasserabgabengesetz, das für Wasserverschmutzer bestimmte Abgaben für jede von ihnen verursachte Schadenseinheit vorsieht. Da der Reaktionsspielraum der Betroffenen jedoch gleichzeitig durch Auflagen nach dem Wasserhaushaltsgesetz sehr stark beschnitten ist, gilt im Bereich des Gewässerschutzes eher ein kombiniertes Auflagen-Abgaben-System mit einer dominierenden Auflagenregelung (HANSMEYER, 1981).

Bemessungsgrundlage

Die Abgabenlösung entspricht in ihrer Konzeption der PIGOU-Steuer. Sie soll den Individuen die Kosten ihrer umweltschädigenden Aktivitäten bewußt machen und sie zur Schadensverringerung veranlassen. Aus pragmatischen Gründen wird allerdings keine optimale Internalisierung externer Effekte angestrebt, sondern ein Immissionsstandard von der Politik vorgegeben. Der wird allenfalls rein zufällig mit der ökonomisch optimalen Menge an Umweltschäden übereinstimmen. Die Schadensvermeidung kann auf verschiedenen Wegen erfolgen: Produktionseinschränkung, Anwendung umweltschonender Produktionsverfahren, Substitution schadstoffintensiver Produktionsinputs, Verringerung oder Einstellung des Konsums umweltbelastender Güter.

Die jeweilige Anpassungsreaktion wird wesentlich durch die Bemessungsgrundlage der Abgabe bestimmt. Dazu dient entweder die emittierte Menge eines Schadstoffes (Emissionsabgabe) oder die Menge des Endproduktes und des Produktionsinputs (Produktabgabe). Bei der Emissionsabgabe wird die Menge der an die Umwelt abgegebenen Schadstoffe mit Abgaben belaset. Sie kommt der PIGOU-Steuer am nächsten, weil sie direkt an den externen Kosten ansetzt. Demgegenüber bleiben bei Produktabgaben die eigentlichen Emissionen unberücksichtigt, vielmehr wird jeweils nur ein Teilbereich der gewünschten Vermeidungsaktivitäten erfaßt. Inputabgaben zielen allein auf die Substitution durch umweltfreundliche Einsatzstoffe, Endproduktabgaben sollen Produktions- und Nachfrageumschichtungen zugunsten umweltfreundlicher Produkte bewirken. Beide Abgabenarten vernachlässigen die spezifischen Produktionstechnologien, so daß unterschiedliche Unternehmen bei identischen Inputmengen (Outputmengen) unterschiedliche Schadstoffmengen emittieren.

Abgabesatz

Ziel der Abgabenregelung ist es, die Emissionen eines Schadstoffes in einer bestimmten Region auf das vorgegebene Emissionsniveau zu reduzieren und damit die regionalen Immissionsnormen zu erreichen. Dazu muß ein Abgabesatz gewählt werden, der die einzelnen Emittenten zu einer Reduktion ihrer jeweiligen Emissionen genau bis zum festgelegten Emissionszielwert veranlaßt. Eine Überschreitung der einzelnen Emissionsnormen wäre ökologisch, eine Unterschreitung ökonomisch unerwünscht.

Wie die Diskussion der PIGOU-Steuer gezeigt hat, ist es wenig wahrscheinlich, daß die jeweilige Behörde in der Lage ist, sofort den angemessenen Abgabesatz festzulegen. BAUMOL und OATES (1971) schlagen daher mit ihrem „Preis-Standard-Ansatz" ein Verfahren vor, in dem durch Versuch und Irrtum sukzessive der korrekte Abgabesatz pro Schadstoffeinheit ermittelt wird. Nachdem der Umweltstandard von den verantwortlichen Instanzen festgelegt worden ist, fixiert die Behörde zunächst mehr oder weniger willkürlich einen Abgabesatz. Nach einiger Zeit wird die daraus resultierende Gesamtemission festgestellt und der Satz korrigiert, wenn sie nicht dem vorgegebenen Standard entspricht. Liegen die festgestellten Werte unter dem Standard, ist der Abgabesatz zu senken, bei Überschreiten ist er zu erhöhen. Der Anpassungsprozeß wird beendet, wenn der vorgegebene Standard erreicht ist. Sind schärfere Emissionsstandards vorgesehen, muß die Behörde neue Emissionsgrenzwerte ermitteln und den Abgabesatz entsprechend erhöhen.

4.2.4. Zertifikate

Ein Instrument, das seit längerem in der Wirtschaft, mittlerweile aber auch zunehmend in der Umweltpolitik eine starke Beachtung findet, sind Umweltzertifikate (zur umfangreichen Literatur vgl. u. a. BONUS, 1972, 1990; CANSIER, 1981; BINSWANGER, 1981; KABELITZ, 1984; TIETENBERG, 1990; HEISTER/MICHAELIS, 1991). Die Zertifikatlösung geht auf CROCKER (1966) und DALES (1968, 1968a) zurück und besteht darin, Märkte für die Inanspruchnahme von Umweltgütern zu schaffen. Da funktionsfähige Märkte die Existenz von Eigentumsrechten voraussetzen, Eigentumsrechte für Umweltgüter aufgrund ihrer Kollektivguteigenschaften jedoch nicht institutionalisiert werden können, beziehen die Rechte sich auf eine spezifische Nutzungsform. Ihren Besitzern wird das Recht auf eine genau festgelegte Inanspruchnahme der Umweltgüter als Aufnahmemedien von Rückstandsproduktion (Emissionen) garantiert.

Im Unterschied zur COASE-Lösung wird bei Zertifikaten die Höchstmenge an Emissionen nicht über den Markt, sondern durch einen politischen Entscheidungsträger bestimmt. Gegenüber dem Preis-Standard-Ansatz regeln Preis und Markt die Aufteilung der Emissionen auf die einzelnen Verursacher. Ausgangspunkt ist die ökologische Kapazität der Umwelt als Aufnahmemedium von Schadstoffen. Aus ihr wird die tolerable Menge an maximal zulässigen Schadstoffemissionen abgeleitet und in regional differenzierte Emissionsgrenzen für einzelne Schadstoffe in einem bestimmten Raum umgesetzt. Die schadstoffbezogenen regionalen Emissionskontingente werden dann in kleine Teilmengen gestückelt und in Emissionszertifikaten verbrieft. Nur die Besitzer von Zertifikaten sind legitimiert, Schadstoffe maximal in Höhe der verbrieften Mengen zu emittieren. Die Kontrolle erfolgt durch den Staat.

Innerhalb der jeweiligen Region sind die Zertifikate frei handelbar. Wirtschaftssubjekte, die zusätzlich Schadstoffe emittieren wollen (Produktionsausdehnung, Betriebsneugründung, Produktionsverfahrensänderung), müssen sich zusätzliche Zertifikate beschaffen. Besitzer, die nicht alle ihnen zur Verfügung stehenden Schädigungsrechte benötigen (Betriebsstillegung, Produktionseinschränkung, Einführung von Schadstoffvermeidungstechniken), können ihre überschüssigen Zertifikate veräußern. Dadurch entstehen Märkte, auf denen sich Zertifikatpreise bilden. Die Emittenten vergleichen ihre Grenzvermeidungskosten mit den jeweiligen Preisen für Schädigungsrechte. Übersteigen die Grenzvermeidungskosten den Zertifikatpreis, werden Zertifikate gehalten und im Bedarfsfalle (Schadstoffausweitung) weitere hinzugekauft. Liegen die jeweiligen Grenzvermeidungskosten unter dem Preis für Zertifikate, lohnt sich eine Schadstoffverminderung. Die Besitzer können dadurch freiwerdende Zertifikate gewinnbringend verkaufen, Neu-Emittenten können Kosten sparen, die ihnen durch den sonst erforderlichen Erwerb von Emissionsrechten entstünden. Insofern entspricht die individuelle Grenzvermeidungskostenkurve der individuellen Nachfrage und die aggregierte Grenzvermeidungskostenkurve der Marktnachfrage nach Emissionsrechten.

Letztlich befinden sich die Zertifikate im Besitz der Unternehmen mit den höchsten Schadensvermeidungskosten. Umgekehrt werden dort Schadensvermeidungsaktivitäten durchgeführt, wo die geringsten Kosten anfallen. Die Zertifikatlösung bewirkt somit eine effiziente Allokation der Umweltgüter. Ihre Nutzung entspricht den jeweiligen Knappheitsrelationen. Die Knappheiten werden durch die Zertifikatpreise wiedergegeben, die sich laufend an Veränderungen der Nachfragebedingungen anpassen. Eine vermehrte Nachfrage nach Emissionsrechten (steigende Produktion umweltbelastender Güter) signalisiert über steigende Emissionspreise eine zusätzliche Verknappung an Umweltgütern. Zu höheren Preisen werden einige Nachfrager nicht mehr bereit sein, Emissionsrechte zu erwerben, weil Emissionsvermeidungsaktivitäten günstiger sind. Ebenso werden bisherige Besitzer sich von ihren Zertifikaten trennen und die Aktivitäten zur Verbesserung von Umwelttechnologien verstärkt. Die relativen Preise verändern sich zugunsten umweltschonend hergestellter Güter, so daß auf längere Sicht eine Verschiebung der volkswirtschaftlichen Produktionsstruktur zu Lasten umweltschädigender Industrien eintritt.

Ausgabemodalitäten

Bevor die Erstausgabe der Zertifikate erfolgt, ist der Kreis der Nutzungsberechtigten festzulegen. Prinzipiell kommen auch Nicht-Emittenten (private Interessenten, Umweltschutzinitiativen) in Frage. Sie können durch den Erwerb von Schädigungsrechten den Umweltstandard in ihrem Sinne über das staatlich festgesetzte Niveau hinaus verbessern. Die Gesamtzahl an Emissionen würde damit letztlich den gesellschaftlichen Präferenzen entsprechen (Dales, 1968a). Dem steht allerdings entgegen, daß Emissionsrechte ihren Besitzer zwar exklusiv zur Emission einer genau definierten Menge an Schadstoffen berechtigen, von den Vorteilen einer Emissionsminderung jedoch niemand ausgeschlossen werden kann. Während sie somit für Emittenten private Gütereigenschaften besitzen, eröffnen Emissionsrechte für Nicht-Emittenten als öffentliche Güter eine Trittbrettfahreroption. Wird diese wahrgenommen, gibt die Zertifikatnachfrage der Nicht-Emittenten nicht deren tatsächliche Präferenzen wieder. Wie neuere Untersuchungen zeigen, ist diese Gefahr jedoch gering. Die ermittelte Zahlungsbereitschaft der Bürger für Umweltqualität überschreitet im allgemeinen die Kosten des Umweltschutzes deutlich (Endres/Klemmer/Zimmermann, 1991).

Die Erstausgabe von Emissionsrechten läßt sich prinzipiell durch Versteigerung oder Gratisvergabe regeln (Lyon, 1986; Kabelitz, 1984). Bei der Versteigerung werden die Zertifikate nach Festlegung der zulässigen Gesamtemissionsmenge meistbietend vom Staat verkauft. Auf diese Weise ergibt sich ein Marktkurs mit den oben beschriebenen Anreizwirkungen. Mögliche Nachteile bestehen darin, daß bisherige Emittenten mit zusätzlichen Belastungen konfrontiert werden. Neben den Kosten des Lizenzerwerbs und den Kosten der Vermeidungsaktivitäten entstehen Investitions- und Produktionsrisiken, weil keine Sicherheit besteht, die ausreichende Menge an Zertifikaten zu einem erschwinglichen Preis ersteigern zu können. Vor allem finanzkräftige Großunternehmen mit breitem Gütersortiment können daher bei der Erstversteigerung verstärkt Schädigungsrechte erwerben, um sie den anderen Betrieben danach zu überhöhten Preisen abzugeben bzw. ganz vorzuenthalten. Außer schädlichen Auswirkungen für den Wettbewerb entstünde zudem die Gefahr örtlich konzentrierter Emissionsballungen (hot spots). Schließlich kommt eine Versteigerung einer Aufhebung aller bisherigen Betriebsgenehmigungen gleich. Unternehmen, die eine Genehmigung zur Emission besaßen, müßten dieses Recht durch den Kauf von Zertifikaten erst wieder neu erwerben. Damit würde gegen ein bedeutsames Prinzip der Rechtsordnung – den Bestands- bzw. Vertrauensschutz – verstoßen, was staatliche Entschädigungszahlungen erforderlich macht.

Um das Besitzstandsprinzip nicht zu verletzen, wird die Gratisvergabe als Erstausgabeverfahren immer stärker bevorzugt. Dabei werden transferierbare und für den Besitzer disponible Schädigungsrechte kostenlos an die Alt-Emittenten abgegeben (Grandfathering). Faktisch erhalten sie das Recht auf ihre bereits verursachten Emissionen verbrieft. An der bestehenden Umweltbelastung ändert sich somit zunächst nichts. Zusätzliche Emissionen sind allerdings nicht mehr möglich. Potentielle Schadstoffverursacher werden daher ebenso wie Zertifikatbesitzer nach effizienten Vermeidungstechnologien suchen: erstere, um Zertifikatkosten zu sparen, letztere, um Gewinne auf dem Markt für Schädigungsrechte zu erzielen.

Den Einführungsvorteilen einer Gratisvergabe stehen verschiedene Nachteile gegenüber. Sie begünstigt nicht nur die Alt-Emittenten, sondern belohnt unter ihnen vor allem diejenigen, die in der Vergangenheit übermäßig Schadstoffe emittiert und besonders wenig in Vermeidungstechnologien investiert haben. Zudem schafft sie Anreize, bei Einführung des Emissionsrechtssystems möglichst große Schadstoffmengen zu emittieren. Dem Vorwurf der Diskriminierung von Neu-Emittenten wird entgegengehalten, daß die herkömmliche Auflagenpraxis durch Einräumung großzügiger Anpassungsfristen für Alt-Emittenten und das vollständige Untersagen der Errichtung neuer Emissionsquellen bei Erreichen der regionalen Emissionsgrenzwerte Neu-Emittenten wesentlich stärker diskriminiert, Diskriminierung also kein Spezifikum der Zertifikatlösung mit Gratisvergabe ist (Endres, 1986). Der „negative Ankündigungseffekt" ließe sich abschwächen, wenn bei der Zertifikatabgabe die Emissionen früherer Jahre zugrunde gelegt werden oder eine einmalige Abgabe erhoben wird. Letzteres kollidiert allerdings mit dem Bestandsschutzprinzip.

Ökologischer Rahmen

Die Verbesserung des ökologischen Rahmens durch verminderte Emissionsgrenzen macht eine Verringerung des Zertifikatvolumens erforderlich. Der Staat kann dazu die Gültigkeitsdauer von Zertifikaten limitieren, unbegrenzt geltende Emissionsrechte abwerten oder sie zurückkaufen.

Zeitlich befristete Zertifikate berechtigen ihren Inhaber nur, für die Dauer der festgelegten Periode eine verbriefte Menge an Schadstoffen zu emittieren. Danach fallen die Schädigungsrechte an den Staat zurück, der bei der Neuausgabe dann einen Teil der Lizenzen einbehalten und damit das Schadstoffkontingent verringern kann. Verfahrenstechnisch ist die zeitliche Befristung nur in Verbindung mit einer Versteigerung sinnvoll, denn eine periodische Gratisvergabe mit ständig verringerten Kontingenten ist gleichbedeutend mit einer Abwertungslösung. Damit gelten die Vorbehalte gegen die Versteigerung von Zertifikaten auch für deren zeitliche Befristung. Vor allem wird die Planungsunsicherheit der Emittenten durch das nun periodisch wiederkehrende Risiko verstärkt, die für die Produktion benötigten Schädigungsrechte auch tatsächlich erwerben zu können. Zur Risikobegrenzung bieten sich eine rechtzeitige Bekanntgabe von Zeitpunkt und Umfang der vorgesehenen Reduktion an, die Möglichkeit, für zukünftige Perioden vorgesehene Emissionsberechtigungen vorzeitig erwerben zu können (datierte Emissionsscheine) oder eine generelle Bindung der Laufzeit von Schädigungsrechten etwa an die Abschreibungsdauer der emittierenden Anlage (BINSWANGER/BONUS/TIMMERMANN, 1981; HEISTER/MICHAELIS, 1991). Letzteres setzt allerdings voraus, daß die Emissionsrechte auf bestimmte Anlagen bezogen werden, womit ihre Handelbarkeit erheblich eingeschränkt wird. Die Besitzer können ihre Zertifikate zwar vor Ende der Laufzeit verkaufen. Der erzielbare Preis und der Anreiz zum Handeln nehmen jedoch mit der Restlaufzeit ab.

Eine unbefristete Gratisvergabe von Zertifikaten sichert nur in Verbindung mit einem periodischen Abwertungsverfahren eine langfristige Verbesserung der Umweltqualität. Bei einer Abwertung dürfen die Inhaber die in ihren Schädigungsrechten ausgewiesenen Emissionsmengen ab einem Zeitpunkt nur noch zu einem von Periode zu Periode rückläufigen Prozentsatz nutzen. Eine Verringerung der Emissionsgrenze ist damit ohne hohen Verwaltungsaufwand möglich. Aus Gründen der Planungssicherheit sind die Abwertungsstufen rechtzeitig bekanntzugeben oder die Zertifikate bereits bei ihrer Ausgabe mit den entsprechenden Abwertungsperioden und -sätzen zu versehen. Dies ist bei einem staatlichen Rückkauf von Emissionszertifikaten nicht erforderlich. Eine solche ,,Offenmarktpolitik" hätte zudem den Vorteil, daß eine Verschärfung das Umweltstandards sich ohne nennenswerte Widerstände durchführen ließe. Sie bietet sich vor allem dann an, wenn die Schädigungsrechte anfänglich versteigert wurden. Der Staat kann die Mittel zum Rückkauf aus den bei der Versteigerung erzielten Einnahmen bestreiten, ohne die Lasten der Umweltverbesserung der Allgemeinheit aufbürden zu müssen. Die bei den Verkäufern der Schädigungsrechte entstehenden Einnahmen tragen dazu bei, deren finanzielle Belastungen aus der Ersteigerung und den Kosten, die ihnen aus der Verschärfung des Umweltstandards erwachsen, zu mindern (SCHATZ, 1983).

Kontrollierter Emissionshandel

Das Konzept handelbarer Umweltzertifikate hat bisher erst in Ansätzen eine Anwendung gefunden. So werden im amerikanischen „Emissions-Trading-Program" seit einiger Zeit Instrumente zur Luftreinhaltung eingesetzt, die Elemente der Zertifikatlösung enthalten und mit einer Auflagenpolitik verbinden (Überblick bei REHBINDER/SPRENGER, 1983; PRUCKNER, 1994). Im Zentrum stehen bundesweite Immissionsstandards, die für wenige Schadstoffe (u. a. Schwefeldioxid, Kohlenmonoxid, Stickoxide, Ozon, Blei) zulässige Grenzwerte festlegen. Die einzelnen Bundesstaaten haben für deren Einhaltung zu sorgen und für jede Emissionsquelle Höchstgrenzwerte als bindende Auflagen zumindest für Belastungsgebiete vorzuschreiben. Das sind

Regionen, in denen die Emissionshöchstwerte überschritten werden. Unternehmen, die ihre Emissionen über die staatliche Auflage hinaus reduzieren, erhalten dafür Emissionsgutschriften, die dazu verwendet werden können, innerhalb räumlicher Grenzen an eigenen oder fremden Anlagen zeitlich wählbar hinter den behördlichen Auflagen zurückzubleiben. Damit wird das Recht zur Emission von der direkten Emissionsquelle gelöst und disponibel gemacht. Um lokale Schadstoffkonzentrationen (hot spots) zu vermeiden, ist die Übertragung von Emissionsgutschriften genehmigungspflichtig. Die Übertragung selbst kann nach verschiedenen Regeln erfolgen:

- Emissionsverbund (bubbles): Benachbarte Altanlagen, die den gleichen Schadstoff ausstoßen, werden unter einer imaginären Glocke (Blase) zu einer Gesamtquelle zusammengefaßt, für die eine gemeinschaftliche Emissionsbegrenzung gilt (Glokkenlösung). Die Gesamtemission entspricht der Summe der ursprünglich vorgegebenen Emissionshöchstgrenzen der einzelnen Anlagen und ist einzuhalten. Über die Verteilung der Emissionen auf die einzelnen Quellen innerhalb der Glocke befinden die schadstoffemittierenden Unternehmen selbst. Sie können Schadensvermeidungsaktivitäten dort vornehmen, wo die Grenzvermeidungskosten am geringsten sind, so daß eine gegebene Umweltqualität kostenminimal erreicht wird. Existiert nur ein regionaler Schadstoffemittent, wird er die für ihn kostengünstigste Verteilung der Gesamtemission auf seine Anlagen vornehmen. Bei mehreren Emittenten kann das Unternehmen mit den geringeren Schadensvermeidungskosten frei werdende Emissionsrechte an ein Unternehmen mit höheren Kosten gegen eine Kompensationszahlung übertragen. Das Errichten der Glocke und die Verteilung der Emissionsmenge sind genehmigungspflichtig.
- Saldostrategie (netting): Um aufwendige Genehmigungsverfahren für neue Anlagen oder beim Ausbau und der Veränderung schadstoffemittierender Altanlagen zu vermeiden, können Altemittenten zusätzliche Emissionen aus neuen und modifizierten Quellen mit Emissionsminderungen bei anderen Quellen saldieren. Die Kontrolle der Emissionsgrenzwerte erfolgt nicht für jede Quelle einzeln, sondern für den gesamten Betrieb. Der Emissionsausgleich ist nur innerhalb einer Betriebsstätte erlaubt. Insignifikante Emissionserhöhungen sind möglich, so daß es zu einem Anstieg der Gesamtemission kommen kann. Dem stehen Ersparnisse bei den Verwaltungs-, Kontroll- und Genehmigungskosten für die Anlagenbetreiber gegenüber. Die netting-policy ist die am häufigsten angewendete Variante des Emissionshandels.
- Ausgleichsstrategie (offsets); Während die Umweltpolitik bis 1977 die Neuansiedlung „signifikanter Emittenten" in Belastungsgebieten grundsätzlich verbot, kann seither die Errichtung genehmigt werden, wenn die damit verursachte Emissionserhöhung durch die gleichzeitige Verminderung einer größeren Emissionsmenge bei einer Altanlage überkompensiert wird. Die Neuanlage muß zudem dem „neuesten Stand der Technik" entsprechen. Ziel dieser Strategie ist die Wachstumsförderung in Belastungsregionen bei gleichzeitiger Verbesserung der Umweltqualität. Ausgleichsoperationen sind sowohl innerhalb eines Unternehmens (internal offset) als auch über Unternehmensgrenzen hinweg (external offset) möglich. Faktisch muß dazu der Neu-Emittent Emissionsrechte einer bereits ansässigen Unternehmung erwerben oder aber die Emission an einer anderen Stelle seines Betriebes reduzie-

ren. Das Ausmaß der Reduktion wird überwacht. Mittlerweile wird der lebhafte Zertifikathandel in einigen Regionen von Maklerunternehmen abgewickelt.

- Umweltbanken und Zertifikatsverleih (banking & leasing): Im Gegensatz zur früheren Praxis müssen Emissionsgutschriften aus Schadstoffvermeidungsaktivitäten nicht mehr zeitgleich mit ihrem Erhalt verwendet werden. Es besteht vielmehr die Möglichkeit, nicht oder nicht in vollem Umfang benötigte Gutschriften bei speziellen regionalen Umweltbanken zu deponieren oder zu verleihen, um sie bei Bedarf wieder zurückzuverlangen. Damit soll vor allem das geringste Interesse an Emissionsverminderungen beseitigt werden, das bei der alten Regelung immer dann bestand, wenn Gutschriften nicht unmittelbar betriebsintern benötigt wurden oder kein Abnehmer existierte, an den die Gutschrift zu attraktiven Konditionen unmittelbar verkauft werden konnte. Mit Hilfe der Umweltbanken verbessert sich die Luftqualität im Umfang der deponierten Gutschriften über das vorgegebene Niveau hinaus. Gleichzeitig erlaubt das banking eine wesentlich flexiblere und leichtere Handhabung der verschiedenen Verfahren des Emissionshandels.

Nach bisherigen Schätzungen hat das Emissions-Trading-Program vor allem im Bereich der Kosteneinsparung zu einigen beachtenswerten Erfolgen geführt. So wird der durch alle Programmvarianten erzielte Kostendämpfungseffekt mittlerweile auf mehr als 10 Mrd. US-Dollar veranschlagt (HAHN/HEISTER, 1989; TIETENBERG, 1990). Als echte Alternative zur traditionell dominierenden Auflagenpolitik konnte es sich allerdings noch nicht durchsetzen. Eine Vielzahl kleiner und häufig widersprechender Regelungen hat bei potentiellen Interessenten erhebliche Unsicherheiten und entsprechende Zurückhaltung ausgelöst. Jeder Transfer von Emissionsgutschriften ist bislang genehmigungspflichtig, so daß Verhandlungen nicht nur zwischen den Emittenten, sondern auch mit Behörden geführt werden müssen. Zahlreiche Staaten haben die Einrichtung von Umweltbanken verboten oder mit so erheblichen Restriktionen belegt, daß eine Hinterlegung von Gutschriften unattraktiv ist. Verhandlungen werden in der Regel bilateral durchgeführt und bieten somit eine Fülle von Möglichkeiten für strategisches Verhalten.

5. Umweltpolitische Effizienz

Die praktische Umweltpolitik kann und will ökonomische Effizienz im Sinne eines Allokationsoptimums für Umweltgüter nicht erreichen. Um eine Bewertung ihrer einzelnen Instrumente zu ermöglichen, sind daher andere Effizienzkriterien heranzuziehen. Sie betreffen die Fähigkeit der Instrumente,

- den vorgegebenen ökologischen Rahmen zu erreichen und zu sichern (ökologische Effizienz),
- den vorgegebenen ökologischen Rahmen mit den geringstmöglichen Kosten zu erreichen (Kosteneffizienz),
- umwelttechnischen Fortschritt zu induzieren (Innovationseffizienz).

Zur Vereinfachung der Analyse wird dabei unterstellt, daß die staatliche Anordnungen und Vorgaben von den Betroffenen auch tatsächlich eingehalten werden.

5.1. Ökologische Effizienz

Um den vorgegebenen Emissionsstandard für eine Region sicherzustellen, sind Gebote und Verbote grundsätzlich geeignet. Vor allem in Krisensituationen (Smog-Alarm) oder zur Vermeidung hochgiftiger Stoffe erweisen sich Auflagen aufgrund ihrer schnellen und genau dosierbaren Wirksamkeit gegenüber anderen Instrumenten als überlegen. Die ökologische Wirksamkeit nimmt allerdings ab, wenn die Auflagen nicht in Form von absoluten Emissionshöchstgrenzen formuliert sind, sondern die Schadstoffintensität von Basiseinheiten begrenzen (mg SO_2/m^3-Abluft; mg Blei/ltr. Benzin). Durch intensivere Nutzung der emittierenden Anlage können dann die Emittenten die Schadstoffmenge ausdehnen, ohne die Auflage zu verletzen. In der umweltpolitischen Praxis wird die Wirksamkeit von Auflagen zudem durch behördliche Vollzugsdefizite begrenzt. Häufig genehmigen die Behörden Überschreitungen der gesetzlichen Normen und Standards, oder sie reduzieren die Anforderungen an den Stand der Technik. Gerechtfertigt wird dies mit Informationslücken und Personalengpässen bei den Vollzugsbehörden sowie mit wirtschaftlichen und technischen Schwierigkeiten, die den Unternehmen bei der Umsetzung der Auflagen entstehen (DER RAT VON SACHVERSTÄNDIGEN FÜR UMWELTFRAGEN, 1978; WICKE, 1982, 4. A. 1993). Damit verliert das Argument von der schnellen Wirksamkeit der Auflagenpolitik erheblich an Gewicht.

Die „ökologische Treffsicherheit" (ENDRES) von Abgaben hängt davon ab, inwieweit es gelingt, die richtige Abgabenhöhe zu bestimmen. Nur sie veranlaßt die Verursacher dazu, ihre Emissionen an das vorgegebene regionale Emissionsniveau anzupassen. Insofern muß die Behörde bei Festsetzung der Abgabe das Anpassungsverhalten der einzelnen Emittenten kennen. Handeln sie als Gewinnmaximierer, setzt das die Kenntnis der einzelnen Grenzvermeidungskostenkurven voraus. Faktisch sind diese Informationen nicht zu erlangen. Wären sie verfügbar, brauchte die Behörde zudem keinen Abgabesatz mehr festzulegen, sondern könnte das angestrebte Ziel durch individuelle Auflagen erreichen. Wird der angemessene Abgabesatz im Trial-and-error-Verfahren ermittelt, entstehen Zeitverzögerungen bei der Zielerreichung, die auf mindestens 3–5 Jahre veranschlagt werden (ROBERTS, 1976). Erschwerend kommt hinzu, daß staatlich festgesetzte Preise als politische Variablen in der Praxis nur sehr schwer veränderbar sind und Änderungen der wirtschaftlichen Bedingungen (Zunahme an Verursachern, Produktionsausdehnung, Inflation, Änderung der Produktionstechnik) permanente Anpassungen des Abgabesatzes erforderlich machen. Ein solches Verfahren scheint nur wenig praktikabel, eine ständige Variation der Abgabesätze ist zudem unzumutbar für die Emittenten.

Mit Zertifikaten läßt sich der gewünschte Umweltstandard ohne technische Probleme erreichen, weil die Summe der Zertifikate genau dem regionalen Emissionsgrenzwert entspricht. In ihrer ökologischen Effizienz sind sie insofern mit dem Prototyp der Auflagenregelung vergleichbar und der Abgabenregelung überlegen. Im Gegensatz zur Abgabe müssen weder die Grenzvermeidungskosten der einzelnen Emittenten bekannt sein, noch erfordern Änderungen der technischen und wirtschaftlichen Bedingungen umweltpolitische Initiativen der Behörden. Eine übermäßige Schadstoffemission erfolgt allenfalls, wenn die Erstausgabe der Zertifikate sich nach den bislang erlaubten Emissionen richtet, diese aber faktisch nicht erreicht wurden. Dann verfügen die Altemittenten über nicht beanspruchte Emissionsrechte, die sie an Neubenutzer verkaufen. Bedeutender als dieses Problem dürfte die mögliche „Konservierung natürlicher Emissionsrückgänge" durch Zertifikate sein (ENDRES, 1985). Während bei Abgaben und Auflagen die Gesamtmenge an Emissionen bei einer Stillegung von Anlagen automatisch unter den vorgegebenen Standard sinkt, bleibt bei der Zertifikatlösung das alte Emissionsniveau erhalten. Der Rückgang des Zertifikatpreises mindert zudem den Anreiz für Schadensvermeidungsaktivitäten. Allerdings lassen sich diese Effekte durch Rückkauf oder Abwertung von Zertifikaten lösen.

Der komplexe Zusammenhang zwischen Immissionen und Emissionen erfordert in vielen Fällen eine räumliche und zeitliche Differenzierung der Umweltqualitätsstandards und der Emissionsanforderungen (KOLSTADT, 1987; SIEBERT, 1987; KEMPER, 1989). Lokale und regionale hot spots, die bei ungleichmäßiger Ausbreitung von Schadstoffen auftreten können, sind ebenso zu vermeiden wie zeitliche Schadstoffkonzentrationen als Folge zeitlich schwankender Assimilationskapazitäten und Emissionsmengen. Auch hier sind Abgaben aufgrund des nur schwer zu praktizierenden Trial-and-error-Verfahrens sowie praktischer Hemmnisse und der Planungsunsicherheiten der Emittenten einer Auflagen- oder Zertifikatlösung unterlegen. Allerdings ergeben sich zumindest im Bereich der Luftreinhaltung erhebliche Anwendungsprobleme für alle Instrumente, da eine effiziente Kontrolle sich ungleichmäßig ausbreitender Schadstoffe nur schwer möglich ist. Beim Gewässerschutz ließen sich aufgrund günstigerer Implementierungsbedingungen demgegenüber differenzierte Zertifikate auflegen, die den zeitlichen und räumlich unterschiedlichen Emissionswirkungen Rechnung tragen, ohne die generelle ökologische Effizienz einer Zertifikatlösung zu beeinträchtigen (EHEART u. a., 1987).

5.2. Kosteneffizienz

Zur Einhaltung der ökologischen Standards müssen knappe Ressourcen anderen Verwendungsrichtungen vorenthalten werden. Ein übermäßiger Einsatz führt zu Wohlfahrtseinbußen, weshalb Kosteneffizienz ein zentrales Beurteilungskriterium für umweltpolitische Instrumente darstellt. Generell bewirken alle Instrumente, die direkt an den Emissionen ansetzen (Emissionsabgaben, Emissionsauflagen, Zertifikate) bei den einzelnen Verursachern einen Anreiz zur Suche nach den günstigsten Methoden zur Schadstoffminderung. Für die volkswirtschaftlichen Kosten ergibt sich ein differenzierteres Bild. Da die Schadensvermeidungskosten normalerweise zwischen den einzelnen Unternehmen und von Anlage zu Anlage differieren, erfordert volkswirtschaftliche Kosteneffizienz eine kostenminimale Aufteilung des vorgegebenen regionalen Emissionszielwertes auf alle Verursacher. Umweltschutzmaßnahmen sind dort vorzunehmen, wo die geringsten Kosten anfallen.

Mit einer pauschalen Auflagenpolitik läßt sich Kosteneffizienz nicht erreichen, weil sie den unterschiedlichen Vermeidungskosten der Emittenten nicht Rechnung trägt. Angenommen, in einer Region existieren zwei Unternehmen mit identischen Schadstoffemissionen (UB), aber unterschiedlichen Grenzvermeidungskosten (GVK_1, GVK_2: *Abb. M-5*). Um die Emissionsbelastung in der Region zu halbieren, schreibt ihnen nun der umweltpolitische Entscheidungsträger vor, ihre jeweilige Emission um die Hälfte abzubauen. Zusammen entstehen den Emittenten dadurch Schadensvermeidungskosten in Höhe von ABD + ACD. Die Kosten ließen sich bei gleichem Emissionsstandard verringern, wenn die zu reduzierenden Emissionen zwischen den Unternehmen umgeschichtet würden. Schränkt das Unternehmen mit den niedrigeren Grenzvermeidungskosten (GVK_2) seine Schadstoffemissionen um eine weitere Einheit ein, während das Unternehmen mit den höheren Grenzvermeidungskosten (GVK_1) um genau diese Einheit unter der ihm vorgegebenen Verringerung bleibt, kommt es zu einer Senkung der zur Sicherung des regionalen Emissionszieles insgesamt aufzuwendenden Kosten. Das gesamtwirtschaftliche Kostenminimum ist erreicht, wenn die Grenzvermeidungskosten beider Emittenten identisch sind. Gegenüber der pauschalen 50 v. H.-Lösung reduziert das kostengünstigere Unternehmen seine Emissionen um 75 v. H., das Unternehmen mit den höheren Grenzvermeidungskosten um 25 v. H. Die Kostenersparnis (Wohlfahrtsgewinn) beträgt DBFE – HGCD = IBF + GIC.

Kosteneffizienz ließe sich mit einer Auflagenpolitik nur erreichen, wenn die Auflagen den individuellen Kostensituationen entsprechend differenziert würden. Dazu müßten die verantwortlichen Instanzen jedoch die Grenzvermeidungskosten der einzelnen Emittenten kennen, was selbst unter Aufwendung hoher Informationskosten nicht zu erwarten ist. Eine pauschale Abgabenpolitik und Zertifikate vermeiden dieses Problem, ohne an ökonomischer Effizienz einzubüßen. Jeder einzelne Verursacher entscheidet nach seinem ökonomischen Kalkül darüber, in welchem Umfang er an welcher Anlage auf welcher Stufe im Produktionsprozeß seine Emissionen verringert und welche Mengen er gegen Entrichtung der Abgabe oder den Erwerb von Zertifikaten beibehält. Dazu wird jeder Emittent den Steuersatz bzw. Zertifikatpreis mit seinen individuellen Grenzvermeidungskosten vergleichen. Solange die Grenzkosten niedriger sind, werden Schadensvermeidungsaktivitäten vorgenommen, liegen sie höher, werden Abgaben entrichtet oder Zertifikate gehalten. Der für die Einhaltung des ökologischen Standards erforderliche Abgabensatz (T in *Abb. M-5*) ist von der Behörde zu ermitteln und vorzugeben. Der Zertifikatpreis (p in *Abb. M-5*) bildet sich auf Basis der vorgegebenen Menge an Emissionsrechten auf dem Markt. Bei beiden Instrumenten sind die Grenzvermeidungskosten der Unternehmen ausgeglichen. Es kommt zu kostenminimalen Aufteilungen der vorgegebenen Schadstoffreduktion nach Maßgabe der jeweiligen Vermeidungsaufwendung.

Zusätzlich zu den direkten Kosten, die den Emittenten für ihre Schadensvermeidungsaktivitäten bzw. in Form von Abgaben und Zertifikaten entstehen, verursachen umweltpolitische Maßnahmen bei Emittenten wie Behörden Informations-, Verwaltungs-, Verhandlungs-, Implementierungs- und Überwachungskosten. Gerade sie werden häufig zum Anlaß genommen, um einzelne Instrumente wie etwa die Zertifikatlösung abzulehnen (Bundesminister des Inneren, 1984; Hauff, 1984). Genauere Analysen zeigen jedoch eher eindeutige Kostennachteile bei den Abgaben. Das mit einer ökologisch effizienten Abgabenlösung erforderliche Trial-and-error-Verfahren und die Notwendigkeit zur ständigen Anpassung des Abgabensatzes stellen Behörden

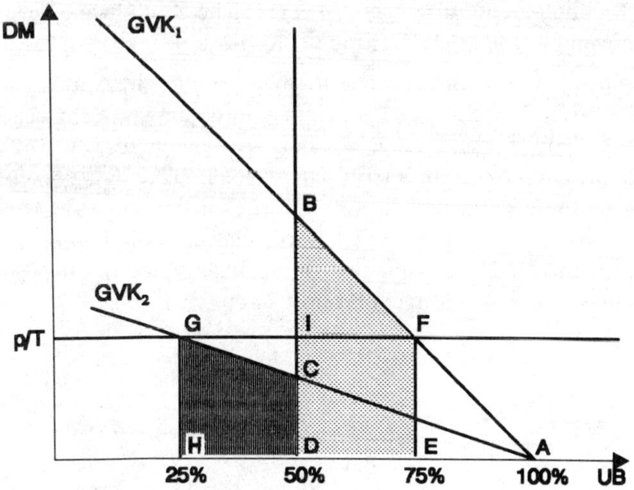

Abb. M-5: Kosteneffizienz der Umweltpolitik

und Emittenten vor erhebliche Belastungen. Die von der Ordnungspolitik geforderte Stabilität und Verläßlichkeit der Politik ist gerade bei Abgaben nicht gewährleistet. Da Auflagen keine gesamtwirtschaftliche Kosteneffizienz aufweisen, Abgaben diese Eigenschaft zwar besitzen, aber hinsichtlich ihrer administrativen Aufwendungen und ordnungspolitischen Defizite wieder etwas zurückfallen, sind Zertifikate das umweltpolitische Instrument mit der größten ökonomischen Treffsicherheit. Zumindest gegenüber einer pauschalen Auflagenpolitik wird diese Überlegenheit durch eine Vielzahl von theoretischen und empirischen Analysen bestätigt (WEITZMAN, 1974; ATKINSON/TIETENBERG, 1982; LYON, 1986; TIETENBERG, 1990).

5.3. Innovationseffizienz

Gelingt es, ein gegebenes (größeres) Produktions- und Konsumniveau unter geringerem (gleichem) Einsatz an Umweltgütern zu erreichen, wird Knappheit wirksam gemindert. Für die Beurteilung der umweltpolitischen Instrumente spielt daher neben ihrer Kosteneffizienz und ökologischen Treffsicherheit ihre Fähigkeit zur Förderung des umwelttechnischen Fortschritts eine zentrale Rolle. Am wenigsten dazu geeignet sind Auflagen. Sie veranlassen zwar den einzelnen Emittenten zur Suche nach Verfahren, mit denen sich die Kosten zur Einhaltung der gegebenen Emissionsauflagen verringern lassen. Sie bieten aber nicht nur keinen Anreiz, durch technische Neuerungen die Umweltbelastungen über den vorgegebenen Umfang hinaus zu verringern. Sind die Auflagen an den jeweiligen Stand der Technik gekoppelt, werden sie darüber hinaus den umwelttechnischen Fortschritt sogar noch verzögern, weil die zukünftigen Auflagen umso restriktiver ausfallen, je weiter entwickelt die technischen Verfahren sind. Letztlich bleibt es den Behörden überlassen, den umwelttechnischen Fortschritt voranzutreiben. Wie die Erfahrungen mit projektbezogener Forschungs- und Technologiepolitik zeigen, ist eine solche Umkehrung der Aufgabenverteilung jedoch wenig erfolgreich (Beitrag Q; KLODT, 1987).

Bei Emissionsabgaben und Emissionszertifikaten besteht ein Anreiz zu umweltschonenden Innovationen. Je weiter die Emissionen durch umwelttechnischen Fortschritt verringert werden, desto mehr Abgaben oder Ausgaben für Zertifikate spart der einzelne Emittent. Dieser Anreiz betrifft Altanlagen und Neuanlagen gleichermaßen, womit zusätzliche Impulse für die Umweltindustrie entstehen. *Abb. M-6* verdeutlicht diese Zusammenhänge, wobei unterstellt wird, daß die individuelle Innovationsbereitschaft wesentlich von den Gewinnaussichten abhängt, die mit der Einführung des ökologisch-technischen Fortschritts verknüpft sind.

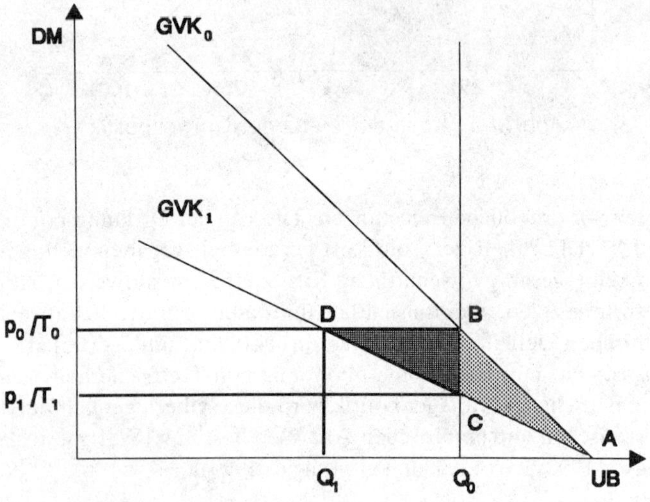

Abb. M-6: Innovationseffizienz der Umweltpolitik

Im Ausgangszustand ist ein Emissionsstandard Q_0 vorgegeben, der alternativ durch Auflagen, eine Emissionssteuer T_0 oder Emissionsrechte mit dem Zertifikatpreis p_0 gesichert wird. Der Übergang zur neuen Technologie führt zu einem Rückgang der individuellen Grenzvermeidungskosten von GVK_0 auf GVK_1. Bei der Auflagenpolitik entsteht für die betreffende Unternehmung eine Ersparnis an Vermeidungskosten in Höhe von ABC. Ein Anreiz zu einer Emissionsverringerung über Q_0 hinaus besteht nicht. Solange die neuen Grenzvermeidungskosten unter dem Abgabesatz T_0 liegen, ergeben sich für die Emittenten zusätzliche Ersparnisse aus einer Emissionsverringerung. Bei Q_1 erreichen die Ersparnisse ihr Maximum (DBC). Sie entsprechen der Differenz zwischen den zusätzlichen Schadensvermeidungskosten (Q_1DCQ_0) und den gesparten Abgaben (Q_1DBQ_0). Die dynamische Anreizwirkung von Zertifikaten verläuft ähnlich. Beii gegebenen Emissionspreis von p_0 lohnt sich eine Schadstoffverringerung über Q_0 hinaus bis Q_1. Den zusätzlichen Reduktionskosten in Höhe von Q_1DCQ_0 stehen hier Erlöse aus dem Verkauf freiwerdender Zertifikate von Q_1DBQ_0 gegenüber. Die gesamte Kostenersparnis aus der umwelttechnologischen Innovation beträgt wie bei der Abgabenlösung ADB. Der Anreiz für umwelttechnische Innovationen ist somit bei Emissionssteuern und Emissionsrechten größer als bei einer entsprechenden Auflage.

Sieht man von dem wenig realistischen Fall ab, daß die Umweltbehörde nicht an einer Verbesserung der Umweltqualität von Q_0 nach Q_1 interessiert ist und daher auf den umwelttechnischen Fortschritt mit einer entsprechenden Verringerung des Abgabesatzes reagiert (T_1), bleibt die dynamische Anreizwirkung der Abgabenlösung auf Dauer erhalten. Demgegenüber kann sie bei Emissionsrechten mit der Zeit abnehmen, wenn mit der Einführung schadstoffsparender Technologien die Nachfrage nach Schädigungsrechten sinkt und gleichzeitig freiwerdende Zertifikate auf den Markt drängen. Der Zertifikatpreis geht zurück (p_1), weitere umweltschonende Aktivitäten verlieren an Attraktivität. Es bleibt letztlich nur eine Ersparnis wie im Falle der Auflagenpolitik (ABC). Entscheidend für diesen Abschwächungseffekt ist die Marktstellung des innovativen Emittenten. Hat er nur einen geringen Einfluß auf das gesamte Emissionsvolumen und handelt er unter Wettbewerbsbedingungen, bleibt der Zertifikatpreis nahezu unverändert und die Anreizwirkung somit erhalten. Selbst wenn es langfristig zu einem Preisverfall kommt, kann der Innovator seine Zertifikate bereits rechtzeitig zum alten Preis verkaufen. Treten demgegenüber am Zertifikatmarkt nur wenige Anbieter auf, kommt es zu einem Preisverfall oder erheblichen time lags bei dem Versuch, freigewordene Zertifikate unterzubringen.

Die dynamische Anreizwirkung von Zertifikaten bleibt auch unter wenig kompetitiven Bedingungen erhalten, wenn die Nachfrage am Zertifikatmarkt durch Wirtschaftswachstum stabilisiert wird. Ebenso kann der Staat mit jeder umwelttechnischen Innovation Emissionsrechte zurückkaufen, abwerten oder zeitlich befristete Zertifikate nur vermindert erneuern. Allerdings gerät eine solche umweltpolitische Strategie sehr schnell ins Fahrwasser einer Politik, die sich am Stand der Technik orientiert. Die Behörde steht vor dem Dilemma, daß sie einerseits die Verschärfung des umwelttechnischen Standards nicht an einzelnen Innovationserfolgen ausrichten darf, um die Bemühungen um solche Erfolge nicht zu mindern. Andererseits muß sie sich am Stand der Technik orientieren, will sie die Unternehmen umwelttechnisch nicht über- oder unterfordern. Zur Erhaltung der dynamischen Anreizwirkung von Zertifikaten wird der Umweltpolitik daher eine innovationsunabhängige periodische Veränderung des ökologischen Rahmens vorgeschlagen (Endres, 1985; Kemper, 1989). Zertifikate bleiben dann in jedem Fall einer Auflagenlösung überlegen. Den Abgaben sind sie immer dann vorzuziehen, wenn kompetitive Zertifikatmärkte bestehen, da Zertifikate eine größere ökologische Treffsicherheit und eine mindestens ebenso große Kosteneffizienz aufweisen, Abgaben aber erhebliche verwaltungstechnische Probleme verursachen.

6. Politische Akzeptanz

Entscheidend für die Durchsetzbarkeit des umweltpolitischen Instrumentariums ist neben seiner Praktikabilität die Akzeptanz bei den Betroffenen. Sie bewerten die einzelnen Instrumente danach, welchen Beitrag sie zur Verfolgung ihrer individuellen

Interessen leisten. Im wesentlichen sind folgende Interessengruppen zu unterscheiden: Politiker, Unternehmer, Arbeitnehmervertreter, Administration, Bevölkerung und Umweltschützer. Auch wenn innerhalb einzelner Gruppen wiederum divergierende umweltpolitische Interessenlagen existieren können, lassen sich mit Hilfe der Ökonomischen Theorie der Politik (Neue Politische Ökonomie) allgemeine Akzeptanzprinzipien identifizieren (Kabelitz, 1984; Zohlnhöfer, 1984; Weck-Hannemann, 1994; zur Neuen Politischen Ökonomie vgl. Buchanan/Tullock, 1962; Olson, 1965; Kirsch, 1974; Frey, 1978, 2).

Die größte politische Akzeptanz bei Bürgern und Umweltschützern finden bislang Auflagen. Ihre Wirkungen sind einsichtig und verlangen keinen ökonomischen Sachverstand. Intuitiv erscheinen sie als wirksamste Reaktion auf beobachtbare Mißstände, zumal sie offensichtlich vornehmlich jene treffen, die primär für die Umweltschäden verantwortlich gemacht werden: die Unternehmen. Obwohl Auflagen aufgrund ihrer Kostenintensität gegenüber anderen Instrumenten insgesamt zu einer stärkeren Belastung der Gesellschaft führen, finden ökonomische Aspekte kaum Beachtung. Sie sind wenig bekannt und lassen sich in ihren Wirkungszusammenhängen nur schwer durchschauen. Dementsprechend werden Emissionsabgaben und vor allem Zertifikate eher skeptisch beurteilt. Vermeintlichen Umweltsündern die Möglichkeit zu belassen, Emissionen zu reduzieren oder statt dessen Steuern zu zahlen bzw. Zertifikate zu erwerben, gilt gemeinhin als kontraproduktiv und die Überantwortung der Umweltressourcen an den Markt als der Sache nicht angemessen. Intuitiv wird mit der Zertifikatlösung eine Kommerzialisierung der Umwelt, wenn nicht sogar ihr Ausverkauf assoziiert.

Auch für Politiker sind Auflagenlösungen attraktiv. In ihrem Streben nach Stimmenmaximierung präferieren sie Instrumente, die sich den politisch Verantwortlichen direkt zurechnen lassen und eine breite Anerkennung der Wähler finden. Abgaben und Zertifikate sind dazu weniger geeignet. Einmal implementiert, arbeiten Zertifikate weitgehend selbständig und eröffnen somit den Politikern den geringsten Spielraum für wählerwirksame Aktionen. Zudem verlangt die Zertifikatlösung für den ökologischen Rahmen exakte Zielvorgaben, woran Politiker wenig interessiert sind, weil sich damit mögliche Mißerfolge ihrer Handlungen wesentlich schwieriger verschleiern und uminterpretieren lassen als bei ungenauen Zielvorgaben.

Als Budgetmaximierer und Konfliktmeider sind die Vertreter der öffentlichen Verwaltung an personalintensiven Instrumenten mit politisch und rechtlich überschaubaren Konsequenzen und hohem Ermessensspielraum (Kompetenzwirkung) interessiert. Je komplizierter und undurchschaubarer dabei die Instrumente konzipiert sind, um so eher lassen sich Kontrollen von außen vermeiden, bürokratische Handlungsspielräume ausdehnen und Positionen schaffen, die von Dritten als unentbehrlich angesehen werden. Ein komplexes System von Auflagen bietet dazu vielfältige Möglichkeiten. Abgaben und Zertifikate führen demgegenüber zu Kompetenzverlusten: Abgaberegelungen eröffnen Wahlmöglichkeiten für die Betroffenen, Zertifikate verlagern einen Großteil der Aufgaben von den Behörden auf den Lizenzmarkt. Die Administration würde Ermessensspielräume einbüßen und müßte sogar mit Budget- und Personalkürzungen rechnen. Hinzu kommen Imageverluste, weil eine direkte Zurechenbarkeit umweltpolitischer Erfolge auf einzelne Behörden nicht mehr gegeben ist, ihre Selbstdarstellungsmöglichkeiten gegenüber Aufsichtsorganen und Dritten also abnehmen.

Eine eindeutig positive Einstellung zu Umweltzertifikaten wird für die Unternehmen der Umweltschutzindustrie sowie ihre Verbände und Arbeitnehmer vermutet. Sichern die institutionellen Regelungen die dynamische Anreizwirkung von Emissionsrechten und entstehen wachstumsbedingte Nachfrageimpulse am Zertifikatmarkt (M-5. 3), werden steigende Zertifikatpreise die Nachfrage nach umweltschonenden Technologien stimulieren und ihren Anbietern entsprechende Absatz- und Gewinnchancen eröffnen. Demgegenüber präferieren die Emittenten eine Auflagenlösung. Zwar tragen Zertifikate und Abgaben ihrer individuellen Kostensituation am ehesten Rechnung. Außerdem eröffnet ihnen die Zertifikatlösung die größten Dispositionsspielräume über Ort, Dauer, Art und Umfang der Umweltnutzung. Von wenigen Spezialfällen abgesehen, sind Abgaben jedoch in jedem Falle und Zertifikate zumindest bei einer anfänglichen Versteigerung der Schädigungsrechte für die einzelnen Emittenten teurer als Auflagen. Während eine Politik der Ge- und Verbote nämlich kostenfreie Emissionen bis zur zulässigen Grenze gestattet, verursachen bei einer Abgabenlösung und einem Versteigerungsverfahren für Zertifikate auch diese „Restemissionen" Kostenbelastungen. Sie fallen zusätzlich zu den Schadensvermeidungskosten an, so daß allenfalls Emittenten mit außerordentlich hohen Grenzvermeidungskosten sich bei einer Abgaben- oder Zertifikatlösung besser stehen. *Abb. M-5* verdeutlicht diese Zusammenhänge: Wird durch eine Auflagenlösung von jedem Emittenten eine Emissionsreduktion von 50 v. H. verlangt, entstehen Schadensvermeidungskosten in Höhe von ABD bzw. ACD. Die Restemissionen sind kostenfrei. Eine Abgaben- oder Zertifikatlösung würde zu einem Abgabesatz von T bzw. einem Zertifikatpreis von p führen. Damit werden die jeweils emittierten Schadstoffmengen belastet, so daß für den Emittenten mit den geringeren Grenzvermeidungskosten (GVK_2) neben seinen Schadensvermeidungskosten von AGH zusätzliche Belastungen in Höhe von Op/TGH anfallen. Der Emittent mit den höheren Grenzvermeidungskosten (GVK_1) spart zwar gegenüber der Auflagenlösung Vermeidungskosten in Höhe von FBI. Ihm entstehen aber zusätzliche Aufwendungen in Form von Abgaben bzw. durch den Erwerb von Zertifikaten in Höhe von Op/TFE. Nur wenn die Kostenersparnis die zusätzlichen Aufwendungen übertrifft, erzielt er gegenüber der Auflagenlösung einen finanziellen Vorteil.

Gegenüber Zertifikaten und Abgaben besitzen Auflagen den Vorteil der Verhandlungsfähigkeit. Einmal eingeführt, bieten Schädigungsrechte und einheitliche Abgabesätze wenig Manipulationsmöglichkeiten. Demgegenüber lassen sich nach den bisherigen Erfahrungen Auflagen durch Verhandlungen mit den Behörden oft spürbar verringern. Vor allem große Unternehmen können diese Möglichkeit mit dem Hinweis auf die Gefährdung von Arbeitsplätzen nutzen und sich so gegenüber kleineren Unternehmen und potentiellen Konkurrenten Wettbewerbsvorteile verschaffen. Für Neuemittenten wird die Marktzutrittsschwelle unüberwindbar, wenn Auflagen für sog. Belastungsgebiete verhängt werden. Ist die regionale Belastungsgrenze mit Schadstoffen erreicht, wird ein Neuzugang für Unternehmen nahezu unmöglich. Der damit verbundene Vorteil für Altemittenten kann deren Kosten für die Einhaltung der Auflagen dann sogar übersteigen (BUCHANAN/TULLOCK, 1975).

Die Effizienznachteile des Ordnungsrechts haben seit einiger Zeit die Forderung nach ökonomischen Anreizinstrumenten in der Umweltpolitik verstärkt. Vor allem für atmosphärische und klimatische Probleme, die durch Globalschadstoffe (Kohlendioxid, teilweise Stickoxide) entstehen, finden Zertifikatlösungen zunehmend Aufmerksamkeit. In anderen Bereichen, wie etwa bei der Reduktion des umweltbelastenden Transitverkehrs im Alpenraum, wird der Einsatz von Emissionsrechten geprüft. Abgaben („Ökosteuern") gewinnen – nicht zuletzt ihrer erhofften fiskalischen Wirkung wegen – in den Vorschlägen von Politikern, aber auch bei Umweltschützern, ein größeres Gewicht. Da der isolierte Einsatz einzelner umweltpolitischer Instrumente auf technische wie politisch-administrative Hindernisse stößt, sind pragmatische Versionen und geeignete Kombinationen aus verschiedenen Instrumententypen denkbar (Zimmermann, 1983; Gawel, 1991; Heister/Michaelis, 1991). Ein nationaler Alleingang ist dabei zwar prinzipiell möglich. Er kann jedoch die internationale Wettbewerbsfähigkeit der heimischen Wirtschaft beeinträchtigen und bei Globalschadstoffen dem Ausland Trittbrettfahreroptionen dadurch eröffnen, daß es von den inländischen Bemühungen zur Verbesserung der Umweltqualität kostenlos profitiert. Eine internationale, wenn nicht sogar weltweite Kooperation in der Umweltpolitik ist daher gleichermaßen schwierig wie erforderlich.

Kommentierte Literaturhinweise

Eine ausführliche Darstellung der Umweltökonomie für einen breiten Leserkreis bieten Wicke (1982, 4. A. 1993) sowie das Handbuch von Junkernheinrich/Klemmer/Wagner (1995). Theoretische Grundlagen mit Lehrbuchcharakter vermitteln die Texte von Baumol/Oates (1975, 2. A. 1988), Frey (1972, 3. A. 1992), Siebert (1978, 1987) und Endres (1985). Einen neueren Überblick bieten Cropper/Oates (1992) sowie Bartel/Hackl (1994). Spieltheoretisch orientiert ist Weimann (1990, 2. A. 1991).

Die Theorie der öffentlichen Güter und der externen Effekte ist Gegenstand der Theorie der Wirtschaftspolitik und der Finanzwissenschaft (Literaturhinweise: Beitrag J. und Beitrag N.).

Systematisch analysiert werden einzelne Umweltinstrumente von Siebert (1976), Tietenberg (1984), Kemper (1989) sowie bei Wegehenkel (1981). Eine Darstellung des US-amerikanischen Emissionshandels findet sich bei Rehbinder/Sprenger (1983) sowie Pruckner (1994).

Akzeptanzprobleme der Umweltpolitik aus der Sicht der Neuen Politischen Ökonomie werden behandelt bei Buchanan/Tullock (1975), Zohlnhöfer (1984), Kabelitz (1984) sowie Weck-Hannemann (1994). Mit der internationalen Dimension der Umweltproblematik beschäftigen sich die Beiträge in dem Band von Siebert (1991).

N. Theorie der Wirtschaftspolitik

Hartmut Berg, Dieter Cassel

Gliederung

1. Gegenstand der Theorie der Wirtschaftspolitik

Erkenntnisobjekt der Theorie der Wirtschaftspolitik ist die „praktische" Wirtschaftspolitik, das Handeln also, durch das eine Vielzahl von Akteuren – Regierung, Notenbank, Parlament, internationale Organisationen, Kommunen, Interessenverbände – Einfluß auf das Wirtschaftsgeschehen zu nehmen versucht. Ziel dieser Aktivitäten ist es, eine als unbefriedigend erachtete Ist-Situation einer angestrebten Soll-Situation bestmöglich anzupassen.

Die Aufgabe der Theorie der Wirtschaftspolitik kann zum einen darin bestehen, das Handeln der wirtschaftspolitischen Akteure zu beschreiben und in seinen Motiven, Erscheinungsformen und Konsequenzen zu systematisieren und zu erklären. Das Erkenntnisinteresse gilt etwa der Frage, wie wirtschaftspolitische Ziele formuliert, Befugnisse zugewiesen, Entscheidungen getroffen, Konflikte ausgetragen oder Koordinierungsprobleme gelöst werden: Wodurch wird wirtschaftspolitisches Handeln veranlaßt? Worauf zielt es ab? Wie wird es vollzogen? Was kann es bewirken? Hier Antworten zu finden, ist das Ziel einer wissenschaftlichen Betrachtungsweise, die Erkenntnisfortschritte anstrebt, ohne damit die Frage nach unmittelbarer Verwertbarkeit und praktischem Nutzen zu verbinden.

Die Theorie der Wirtschaftspolitik erhebt zum anderen den Anspruch wissenschaftlicher Politikberatung. Sie versucht dann, die von ihr gewonnenen Einsichten anzuwenden, um Fortschritte in der praktischen Wirtschaftspolitik zu erreichen. Theorie der Wirtschaftspolitik in diesem Sinne ist folglich „Kunstlehre", die den Wirtschaftspolitiker darüber aufklären will, was getan werden kann, um die von ihm verfolgten Ziele zu verwirklichen.

Als Kunstlehre verstanden und betrieben, hat sich die Theorie der Wirtschaftspolitik auch mit den Zielen der praktischen Wirtschaftspolitik zu beschäftigen – um mögliche Zielkonflikte aufzuzeigen, um Interdependenzen deutlich zu machen und um an der Lösung der Aufgabe mitzuwirken, zunächst nur vage formulierte Ziele zu operationalisieren, damit der jeweils erreichte Grad der Zielrealisierung bestimmbar und damit eine Erfolgskontrolle der praktischen Wirtschaftspolitik möglich wird.

2. Rahmenbedingungen der Wirtschaftspolitik

2.1. Organisationsformen gesellschaftlichen Handelns

Wirtschaftspolitik ist ein Teilbereich der allgemeinen Politik. Diesem Sachverhalt hat die Theorie der Wirtschaftspolitik Rechnung zu tragen. Wirtschaftspolitisches Handeln läßt sich nur verstehen und erklären, wenn die Bedingungen, unter denen es stattfindet, genügend umfassend – also nicht nur in ihren ökonomischen Aspekten und Bezügen – in die Analyse einbezogen werden. Wissenschaftlicher Rat ist für den Wirtschaftspolitiker nur dann von Nutzen, wenn berücksichtigt wird, daß Wirtschaftspolitik „Kunst des Möglichen" ist.

Der Handlungsspielraum des Wirtschaftspolitikers ist begrenzt: Das ihm an die Hand gegebene Instrumentarium ist vielfach unzulänglich. Es besteht Ungewißheit darüber, wann und wie die von ihm ergriffenen Maßnahmen wirksam werden. Die Knappheit der finanziellen Mittel zwingt zur Beschränkung. Es müssen Wahltermine beachtet, Mehrheiten gewonnen, Kompromisse geschlossen werden. Der Einfluß organisierter Interessen kann nicht unberücksichtigt bleiben. Eine intensive weltwirtschaftliche Verflechtung schafft Interdependenzen, die die wirtschaftspolitische Autonomie der nationalen Regierungen und Notenbanken vermindern. Vor allem aber sieht sich der Wirtschaftspolitiker in seinem Handeln durch die „Spielregeln" und „Besonderheiten" der Verfahren gebunden, mit denen in der jeweiligen Gesellschaft wirtschaftliche Entscheidungen getroffen werden. Zwar sind Wahl und Gestaltung dieser gesellschaftlichen Entscheidungsverfahren in langfristiger und grundsätzlicher Perspektive Problem und damit wirtschaftspolitische Aufgabe; auch bedarf es immer wiederkehrender Anstrengungen, um die Funktionsfähigkeit dieser Verfahren zu sichern; auf kurze Sicht aber sind die Institutionen und Regeln, die sich die Gesellschaft zur Willensbildung und Entscheidungsfindung geschaffen hat, für den Wirtschaftspolitiker ein unveränderliches Datum. Von ihnen hängt es wesentlich ab, über welche Kompetenzen er verfügt, wie er von ihnen Gebrauch machen und auf welche Wirkungszusammenhänge er dabei bauen kann.

In entwickelten Volkswirtschaften besteht eine Vielzahl von gesellschaftlichen Entscheidungsverfahren (Dahl/Lindblom, 1953; Boulding, 1968; Frey, 1981). Von ihnen sind diejenigen darzustellen, die für die Volkswirtschaft und das politische System der Bundesrepublik Deutschland von konstituierender Bedeutung sind. Es sind dies

- das Marktsystem
- die Demokratie
- die Bürokratie
- das Verhandlungssystem.

2.1.1. Marktsystem

Das Marktsystem beruht auf dem Grundsatz dezentraler Planung und Entscheidung. Nicht eine zentrale Instanz bestimmt, was, wie und für wen produziert werden soll. Jedes Unternehmen und jeder Haushalt handelt vielmehr als ein autonomer Planträger, der seine Dispositionen in eigener Verantwortung trifft und seine Ziele auf eigenes Risiko zu verwirklichen sucht. Um zu gewährleisten, daß die Summe der individuellen Entscheidungen zu einem möglichst störungsfreien Wirtschaftsprozeß und zu einer möglichst guten Versorgung der Bevölkerung führt, müssen die einzelwirtschaftlichen Aktivitäten aufeinander abgestimmt werden. Diese Koordination erfolgt auf Märkten: durch freie Preisbildung und die dadurch bewirkten Reaktionen von Anbietern und Nachfragern, also durch Probieren und Korrigieren im Sinne eines Sich-Herantastens an die richtigen Mengen, Preise und Qualitäten. Das marktwirtschaftliche Verfahren der Planabstimmung wird daher als Ex-post-Koordination bezeichnet; denn erst am Markt entscheidet sich, wie weit die einzelnen Anbieter und Nachfrager ihre Ziele verwirklichen können; erst im Nachhinein stellt sich heraus, wo Plankorrekturen erforderlich waren und wie die Gleichgewichtslösungen beschaffen sind (Beitrag A-3).

Ein System von Marktpreisen liefert die für eine in sich widerspruchsfreie Angebots- und Nachfrageplanung erforderlichen Informationen. Die sich frei bildenden Preise der einzelnen Güter und Faktorleistungen zeigen deren relative Knappheit an und signalisieren Veränderungen der Knappheitsrelationen im Zeitablauf; und nur wenn die Kosten alternativer Produktionsverfahren und die Preise alternativer Konsumgüter bekannt sind, kann sinnvoll zwischen ihnen gewählt werden. Das Preissystem gestattet die Bewertung von Alternativen gemäß den Konsumentenpräferenzen. Ein wirksamer Wettbewerb gewährleistet, daß ein marktgerechtes Angebot kostengünstig produziert und preisgünstig bereitgestellt wird und daß Einkommen keinen Bestand haben, die nicht durch Leistung entstanden sind. Auf Wettbewerbsmärkten eröffnen sich Gewinnchancen und drohen Verluste, die zu innovatorischer Aktivität anhalten und für die in einer nicht-stationären Wirtschaft erforderliche Anpassungsflexibilität sorgen (Beitrag O-1).

Das Entscheidungsverfahren „Markt" bedarf einer Vielzahl von Voraussetzungen, um befriedigend zu funktionieren: Die Rechtsordnung muß bestimmte wirtschaftliche Freiheiten (z. B. Gewerbe- und Vertragsfreiheit) gewährleisten und den Wettbewerb vor Beschränkungen schützen. Es darf nicht an der Bereitschaft fehlen, unternehmerisch tätig zu werden. Die Chance zum Markteintritt muß gegeben sein. Die Preise müssen sich frei von staatlichen Eingriffen bilden. Kein Marktteilnehmer darf so viel Marktmacht besitzen, daß er auf die Preisbildung dauerhaft zu seinen Gunsten Einfluß nehmen kann. Die Nachfrager müssen genügend informiert sein, um zu erkennen, wer das für sie attraktivste Angebot offeriert. Auch darf es ihnen nicht an der Bereitschaft mangeln, auf Leistungsschwächen mit Kaufkraftentzug und auf eine überlegene Leistung mit Zuwendung von Kaufkraft zu reagieren, also in diesem Sinne leistungsbezogene Mobilität zu zeigen (ARROW, 1970; STREISSLER, 1973; Beiträge A-3 und O-1).

Das Marktsystem stellt hohe Anforderungen an die Bereitschaft zur Mobilität und zur Hinnahme von Unsicherheit und Risiko. Dadurch erweist es sich in seiner Funktionsfähigkeit permanent bedroht: durch Strategien der Wettbewerbsbeschränkung und durch die an den Staat gerichtete Forderung, er möge dort Subventionen gewähren und Protektion zubilligen, wo der status quo angestammter Marktanteile und überkommener Arbeitsplätze durch das Auftreten neuer Konkurrenten oder durch sich wandelnde Konsumentenpräferenzen gefährdet ist.

Das Marktsystem gewährleistet nicht durchweg eine befriedigende Lösung der Aufgaben, die aus dem Ziel einer möglichst guten Versorgung der Bevölkerung mit Gütern und Diensten resultieren. Marktergebnisse können als „ungerecht" oder als „moralisch bedenklich" angesehen werden. Bei der Bereitstellung öffentlicher Güter kann das marktwirtschaftliche Anreizsystem nicht wirksam werden, weil das Marktausschlußprinzip nicht greift (Beitrag J-2.1.2). Im Bereich der privatwirtschaftlich erzeugten Güter kann das Bestehen externer Effekte dazu führen, daß weniger oder mehr nachgefragt wird, als es dem gesellschaftlichen Interesse entspricht, oder daß Produktionsverfahren Anwendung finden, die zwar die privaten, nicht aber zugleich auch die gesellschaftlichen Kosten der Produktion minimieren (Beitrag M-3.3.3).

Überall dort, wo die Voraussetzungen oder Ergebnisse des Marktsystems als korrekturbedürftig angesehen werden, ergibt sich ein Bedarf an wirtschaftspolitischem Handeln – als Notwendigkeit der Bereitstellung öffentlicher Güter, als Politik gegen

Wettbewerbsbeschränkungen, als staatliche Verteilungspolitik, als Maßnahmen zum Schutz der Umwelt oder zur angemessenen Berücksichtigung außerökonomischer Ziele.

2.1.2. Demokratie

Kennzeichen des Entscheidungsverfahrens „Demokratie" sind allgemeine, freie, gleiche und geheime Wahlen, das aktive und passive Wahlrecht, die Anwendung des Mehrheitsprinzips sowie die begrenzte Amtsdauer der Gewählten und die damit bestehende Möglichkeit ihrer Abwahl.

Willensbildung und Entscheidungskompetenz sind hier in ähnlicher Weise dezentralisiert wie beim Marktsystem. Übereinstimmung zwischen den Systemen besteht auch in dem Sinne, daß sich beide des Anreiz-, Lenkungs- und Kontrollverfahrens „Wettbewerb" bedienen: Die von den Produzenten im ökonomischen System verfolgte Zielsetzung der Gewinnmaximierung findet ihr Gegenstück im politischen System in dem Ziel der Stimmenmaximierung, das die Parteien verfolgen, um die Regierungsgewalt zu erlangen oder zu behaupten; und so, wie auf den Gütermärkten ein Wettbewerb um die Kaufkraft der Konsumenten stattfindet, besteht auf dem „Markt für Wählerstimmen" ein Konkurrenzkampf zwischen den Parteien, die hier ihre um Wähler werbenden Programme anbieten. Die privaten Haushalte schließlich streben als Wähler in ähnlicher Weise danach, ihren Nutzen aus der Regierungstätigkeit zu maximieren, wie sie als Konsumenten auf den Gütermärkten den größtmöglichen Nutzen aus der Verwendung ihres Einkommens zu ziehen wünschen (SCHUMPETER, 1942; KIRSCH, 1974, 2. A. 1983).

Auch in den Funktionsvoraussetzungen besteht zwischen dem ökonomischen Marktmodell und dem politischen Demokratiemodell ein hohes Maß an Übereinstimmung. So erfordert das Entscheidungsverfahren „Demokratie" ein ausreichendes Maß an gesellschaftlicher Pluralität und politischer Aktivität. Nur dann bestehen genügend Alternativen, zwischen denen gewählt werden kann, sind wechselnde Mehrheiten zu erwarten und fehlt es nicht an der Bereitschaft der Wähler, von ihren Rechten Gebrauch zu machen. Hinzukommen muß die Freiheit der Wahl sowie Meinungs- und Informationsfreiheit. Auch müssen die jeweils überstimmten Minderheiten gewillt sein, die Entscheidungen der Mehrheit zu respektieren. Wie das Marktmodell, so stellt schließlich auch das Demokratiemodell hohe Anforderungen an alle, die hier am Prozeß der Willensbildung und Entscheidung beteiligt sind: Die Gewählten müssen sich mit dem Risiko abfinden, überstimmt oder abgewählt zu werden; vom Wähler wird verlangt, daß er genügend aufgeklärt ist, um die ihm gemachten Offerten sachkundig würdigen zu können.

Die Entscheidung für das Verfahren „Demokratie" beruft sich auf dessen Eigenschaft, allen Bürgern die Möglichkeit zu gewähren, an bedeutsamen Beschlüssen mitzuwirken. Als Vorzug dieses Systems gilt zudem die Möglichkeit, die Gewählten durch Abwahl zu kontrollieren und sie dadurch zu zwingen, den Willen der Mehrheit zu beachten. Ungeachtet dieser Vorzüge ist auch das Entscheidungssystem „Demokratie" nicht frei von Schwächen. So läßt sich zeigen, daß Abstimmungen nach dem einfachen Mehrheitsprinzip selbst dann zu widersprüchlichen Ergebnissen führen können, wenn alle Beteiligten über konsistente individuelle Präferenzordnungen verfügen. Aus in sich widerspruchsfreien individuellen Präferenzen kann auf demokratische Weise also nicht in jedem Falle eine konsistente gesellschaftliche Präferenzordnung abgeleitet werden (ARROW-Paradoxon; s. Abschnitt 4.2.1).

Auch ist es denkbar, daß keine „regierungsfähige" Mehrheit zustande kommt oder daß die Interessen von Minderheiten dauerhaft unberücksichtigt bleiben. Bei Bestehen längerer Zeiträume zwischen den Wahlen eröffnet sich den Gewählten die Möglichkeit, gegen den Willen ihrer Wähler zu verstoßen, ohne dafür durch Abwahl gestraft werden zu können. Wahltaktisches Verhalten kann dazu führen, daß nicht einlösbare Versprechen gemacht, Probleme „ausgeklammert" oder ökonomisch nicht sachgerecht gelöst werden.

Zu ökonomisch fragwürdigen Entscheidungen kann es dort kommen, wo von den Gewählten Stimmentausch (log-rolling) praktiziert wird: Die an der Beschlußfassung Beteiligten einigen sich darauf, der Reihe nach allen Anträgen zuzustimmen. Jeder befürwortet die Projekte der anderen, um dafür deren Stimme zu erhalten, wenn sein eigener Antrag zur Abstimmung steht. Der dabei betriebene „politische Kuhhandel" befähigt Minderheiten, ihren partikularen Interessen durch das Eingehen von Koalitionen in einem Maße Geltung zu verschaffen, das von ihrem tatsächlichen Gewicht her nicht gerechtfertigt ist und Privilegien schafft, deren Kosten der Allgemeinheit auferlegt werden (BUCHANAN/TULLOCK, 1962).

Auch ist zu bedenken, daß nicht alle individuellen Interessen gleich gut organisierbar sind (OLSON, 1965). Kleine Gruppen haben geringere Schwierigkeiten, ihre Wünsche gemeinsam zu vertreten, als große Gruppen. Auch verfügen Anbieter von Gütern und Faktorleistungen (Arbeit) in der Regel über eine wirksamere Lobby als Konsumenten. Nicht alle sozialen Gruppen haben somit die gleiche Chance, auf den Prozeß der Willensbildung in Parlament und Verwaltung Einfluß zu nehmen und ihren Forderungen bei der Regierung Gehör zu verschaffen. Je stärker es einer Interessengruppe gelingt, ihre Ansprüche durchzusetzen, desto mehr Konzessionen muß die Regierung möglicherweise beim Versuch zugestehen, den „Wählerauftrag" durchzusetzen.

2.1.3. Bürokratie

Demokratisch gefaßte Beschlüsse müssen ausgeführt werden. Dazu bedarf es der Bürokratie. Sie läßt sich kennzeichnen als eine Organisation von pyramidenförmigem Aufbau, in der Untergebene von Vorgesetzten angewiesen und kontrolliert werden. Die Aufgaben und Kompetenzen, die den einzelnen Mitgliedern und Stufen dieser Hierarchie übertragen sind, werden durch Gesetz oder Verordnung, durch Stellenbeschreibung, Geschäftsordnung, Geschäftsverteilungs- und Organisationspläne im einzelnen verbindlich festgelegt. Der jeweils zugestandene Ermessensspielraum nimmt von oben nach unten ab, die bestehenden Befehlsketten sind formalisiert: Der Dienstweg ist einzuhalten. Typisch für Bürokratien ist schließlich, daß ihre Mitglieder an den Ressourcen, über die sie verfügen, kein Eigentum besitzen (TULLOCK, 1965; DOWNS, 1967; NISKANEN, 1971; BLANKART, 1975).

Bürokratien repräsentieren ein Verfahren, auf das vor allem bei der Bereitstellung öffentlicher Güter nicht verzichtet werden kann. Wie bei allen anderen Entscheidungsverfahren ist auch hier höchstmögliche Effizienz geboten. Leistungsfähige Bürokratien erfordern eine zu ihrer Führung befähigte und bereite Elite (Manager, Funktionäre, hohe Beamte, „Technokraten“), geeignete Organisationsstrukturen, wirksame Anreiz-, Kontroll- und Sanktionsverfahren, Teams sachkundiger Experten sowie Loyalität der Untergebenen gegenüber ihren Vorgesetzten. Auch darf es nicht an der grundsätzlichen Bereitschaft der jeweils Betroffenen fehlen, die Entscheidungen der Bürokratie zu akzeptieren.

Das Entscheidungsverfahren Bürokratie ermöglicht es, die Aktivitäten großer Gruppen (z. B. eine Armee) durch relativ kleine Gruppen (z. B. einen Generalstab) zu koordinieren und zu lenken und für erforderlich gehaltene Maßnahmen vergleichsweise rasch durch verbindliche Anweisung durchzusetzen. Zudem können komplexe Aufgaben dadurch gelöst werden, daß man sie in Teilprobleme aufspaltet und diese im Rahmen organisierter Arbeitsteilung an Teams von sachkundigen Experten delegiert. Gelingt es, leistungsfähige bürokratische Organisationsstrukturen zu schaffen, kann die Internalisierung von Aktivitäten, die zuvor dezentral geplant und über Märkte koordiniert wurden, zu Ersparnissen führen: zu kostengünstigerer Produktion und zu reduziertem Aufwand für die Beschaffung und Auswertung von Informationen.

Die bekannten Effizienzmängel bürokratisch organisierter Systeme mahnen jedoch zur Vorsicht. Sie lassen vermuten, daß der Verzicht auf Dezentralisierung und Marktpreisbildung Produktivitätseinbußen zur Folge hat, die sich in statischer Sicht als Faktorverschwendung darstellen und im Zeitablauf vor allem in einer abnehmenden Innovationsdynamik und Anpassungsflexibilität zum Ausdruck kommen. Die mangelnde Befähigung, Kreativität zu stimulieren, zur Initiative anzuregen und zu rascher Anpassung zu motivieren, gilt denn auch als schwerwiegendster Mangel von Bürokratien. Es ist anzunehmen, daß diese Unzulänglichkeiten um so stärker ausgeprägt sind, je größer die Bürokratie ist, je komplexer ihre Aufgaben und je vielschichtiger ihre Hierarchien sind und je weniger es gelingt, leistungsfähige Organisationsstrukturen zu entwickeln und durchzusetzen.

Da es Bürokratien an wirksamen Anreiz-, Lenkungs- und Kontrollverfahren mangelt, wächst die Wahrscheinlichkeit dafür, daß sachfremde Aktivitäten entfaltet werden, die lediglich dem Eigeninteresse der Bürokraten dienen, daß ein unzureichend ausgeprägtes „Kostenbewußtsein“ zur Vergeudung knapper Ressourcen führt und daß der Tendenz zur Aufblähung des Apparates nicht entgegengewirkt wird (Parkinson's Gesetz; Parkinson, 1957). Häufig fehlt auch die Möglichkeit, bei der Wahl zwischen Alternativen ein Entscheidungskalkül anzuwenden, das gleichermaßen Kosten und Nutzen einer Maßnahme in Geldeinheiten bewertet. In der Regel lassen sich hier nur die Kosten quantifizieren, so daß Bemühungen zur Steigerung der Effizienz einseitig auf Kostenersparnis abzielen und dazu führen, die Alternative mit dem höchsten Nettonutzen nicht zu erkennen oder als vermeintlich „zu teuer“ zu verwerfen.

Die Neigung, nach zu starren und zu groben Schemata zu entscheiden und die individuellen Präferenzen der Betroffenen nur unzureichend zu berücksichtigen, besteht vor allem bei staatlichen Bürokratien. Sie sind dem marktwirtschaftlichen

– und weitgehend auch dem politischen – Sanktionssystem entzogen. Anders als Unternehmen, die sich bei wachsender Größe zunehmend auch des Entscheidungsverfahrens „Bürokratie“ bedienen, sind sie in ihrem Bestand auch dann nicht bedroht, wenn die Wünsche der Abnehmer der von ihnen erbrachten Leistungen weitgehend und dauerhaft unbeachtet bleiben.

2.1.4. Verhandlungssystem

Beim Verhandlungssystem (Bargaining) treffen Repräsentanten (Delegierte) sozialer Gruppen Entscheidungen durch Aushandeln. Verhandelt wird nach dem Grundsatz des „do ut des“: Zugeständnisse werden gemacht, um den Verhandlungspartner zu veranlassen, seinerseits Entgegenkommen zu zeigen. Erforderlich ist somit ein von allen akzeptierter Kompromiß, der jedem Konzessionen abverlangt und der Leistung und Gegenleistung so ausbalanciert, daß er für alle Verhandlungspartner annehmbar ist. Das Verhandlungssystem ähnelt dem Marktsystem, in dem auch nur eine Einigung zustande kommt, wenn die Tauschpartner der Überzeugung sind, Leistung und Gegenleistung seien gleichwertig. Im Rahmen des Marktsystems sind es Individuen, die miteinander verhandeln; beim Bargaining werden die einzelnen Wirtschaftssubjekte dagegen durch Delegierte repräsentiert, die durch Wahl von ihnen bestellt wurden.

Einigung setzt voraus, daß die Interessengegensätze zwischen den Gruppen nicht in allen Punkten, über die verhandelt wird, von gleicher Schärfe sind. Auch dürfen sie innerhalb der Gruppe oder zwischen ihren Repräsentanten nicht größer sein als zwischen den Verhandlungspartnern. Weitere Funktionsvoraussetzungen für das Bargaining sind Kompromißbereitschaft und die Gewißheit der Verhandlungsführer, daß die Gruppenmitglieder die ausgehandelten Ergebnisse akzeptieren. Schließlich darf nicht bei einer Gruppe der Eindruck entstehen, stets der „Verlierer“ zu sein.

Als Vorzug des Bargaining gilt seine Eigenschaft, Lernprozesse in Gang zu setzen: Beim Verhandeln werden Informationen ausgetauscht, die zur Verhaltensabstimmung beitragen und einem besseren wechselseitigen Verständnis der einzelnen Gruppen und ihrer Repräsentanten förderlich sind. Auf diese Weise nimmt die Wahrscheinlichkeit zu, daß Konflikte auf friedliche Weise beigelegt werden und Lösungen zustande kommen, die alle relevanten Interessen beachten und ihrem jeweiligen Gewicht Rechnung tragen.

Die Anwendung des Verhandlungssystems ist dadurch begrenzt, daß nicht alle Interessen gleichermaßen organisierbar sind. Gruppen, denen es nicht gelingt, sich zur Wahrnehmung ihrer Anliegen zusammenzufinden, bleiben ohne Einfluß und laufen damit Gefahr, kaum Beachtung zu finden. Eine Schwäche des Bargaining resultiert aus der Möglichkeit, daß die Repräsentanten der Gruppe zumindest auf kurze Sicht eine Politik betreiben, die zwar ihrem Eigeninteresse förderlich ist, nicht jedoch dem Willen derer entspricht, die vertreten werden. Auch ist nicht auszuschließen, daß sich einflußreiche Gruppen zu Lasten Dritter einigen, die dann die Kosten der beschlossenen Lösungen zu tragen haben. In Verbindung mit dem Wahlsystem ermöglicht das Bargaining die Bildung von wechselnden Koalitionen, deren Partner die Taktik des log-rolling anwenden können. Dadurch erscheint zwar die Gefahr verringert, daß sich Minderheiten fortwährend überstimmt sehen; durch Koalieren und Stimmentausch können jedoch kleine Gruppen ihre Ziele weitgehend durchsetzen und der Mehrheit die Kosten aufbürden.

2.2. Interdependenzen

Im Rahmen der Sozialen Marktwirtschaft ist das „Marktsystem" das dominierende Prinzip im privatwirtschaftlich organisierten Sektor. Im politischen System soll vor allem das Entscheidungsverfahren „Demokratie" angewendet werden. Der administrative Bereich bedient sich vornehmlich des Verfahrens „Bürokratie". „Bargaining" wird z. B. betrieben, um Tariflöhne oder die Vergütungen von ärztlichen Leistungen durch Krankenkassen festzulegen; außerdem kennzeichnet es den Versuch organisierter Interessen, auf die Entscheidungen von Legislative und Exekutive einzuwirken. Die genannten Verfahren sind aber auch innerhalb der privaten Haushalte und vor allem in Unternehmungen von Bedeutung. Dies wird deutlich, wenn z. B. die moderne Groß-Unternehmung betrachtet wird, in der Eigentümer- und Unternehmerfunktion von unterschiedlichen Gruppen (Aktionäre und Manager) wahrgenommen werden, in der den Arbeitnehmern Mitbestimmungsrechte eingeräumt wurden und in der zahlreiche Aktivitäten nicht mehr marktwirtschaftlich, sondern im Rahmen einer unternehmensinternen Bürokratie organisiert sind. Die einzelnen Organe (Aufsichtsrat, Vorstand, Betriebsrat) werden durch Wahl bestellt. Sie treffen ihre Entscheidungen in der Regel durch Abstimmung nach dem Mehrheitsprinzip. Dabei sind die Interessen der jeweils Betroffenen zu berücksichtigen. Bei divergierenden Interessen erforderliche Kompromisse werden in Bargaining-Prozessen formuliert. Zu beachten sind zudem die durch den Markt gesetzten Daten, so daß alle skizzierten gesellschaftlichen Entscheidungsverfahren zum Tragen kommen.

Ähnlich verhält es sich bei den anderen in *Übersicht N-1* aufgeführten Handlungsträgern: Auch bei Parteien, Fraktionen, Regierungen, bei Verbänden und staatlichen Behörden ist Kenntnis der internen Strukturen erforderlich, um das Verhalten dieser Organisationen befriedigend erklären und voraussagen zu können. Dabei zeigt sich auch hier, daß nicht nur die Beziehungen zwischen diesen Institutionen, sondern auch das Innenverhältnis ihrer Mitglieder Regelungen aufweist, die sich als Zusammenwirken mehrerer oder gar aller der zuvor genannten Entscheidungsverfahren darstellen lassen. Die praktische Wirtschaftspolitik muß die damit gegebene Pluralität der Ziele, Mittel und Träger in ihr Kalkül einbeziehen, um zu erkennen, was machbar ist und wo die Möglichkeit zu einem autonomen Handeln jeweils ihre Grenze findet. Die Theorie der Wirtschaftspolitik kann aufzeigen, wie die einzelnen Entscheidungsverfahren funktionieren, was sie leisten, an welche Voraussetzungen sie gebunden und in welcher Kombination sie am besten miteinander vereinbar sind und somit maximale Effizienz in Aussicht stellen. Sie versucht auch eine Antwort auf die Frage zu geben, welche Beweggründe einzelne Gesellschaften in verschiedenen historischen Epochen dazu veranlaßt haben, bestimmte Entscheidungsverfahren zu bevorzugen und andere zu verwerfen; sie kann schließlich die Bedingungen und Besonderheiten deutlich machen, unter denen im Rahmen der jeweils gegebenen Entscheidungsverfahren

Übersicht N-1: Beispiele gesellschaftlicher Entscheidungsverfahren in einer marktwirtschaftlich organisierten parlamentarischen Demokratie

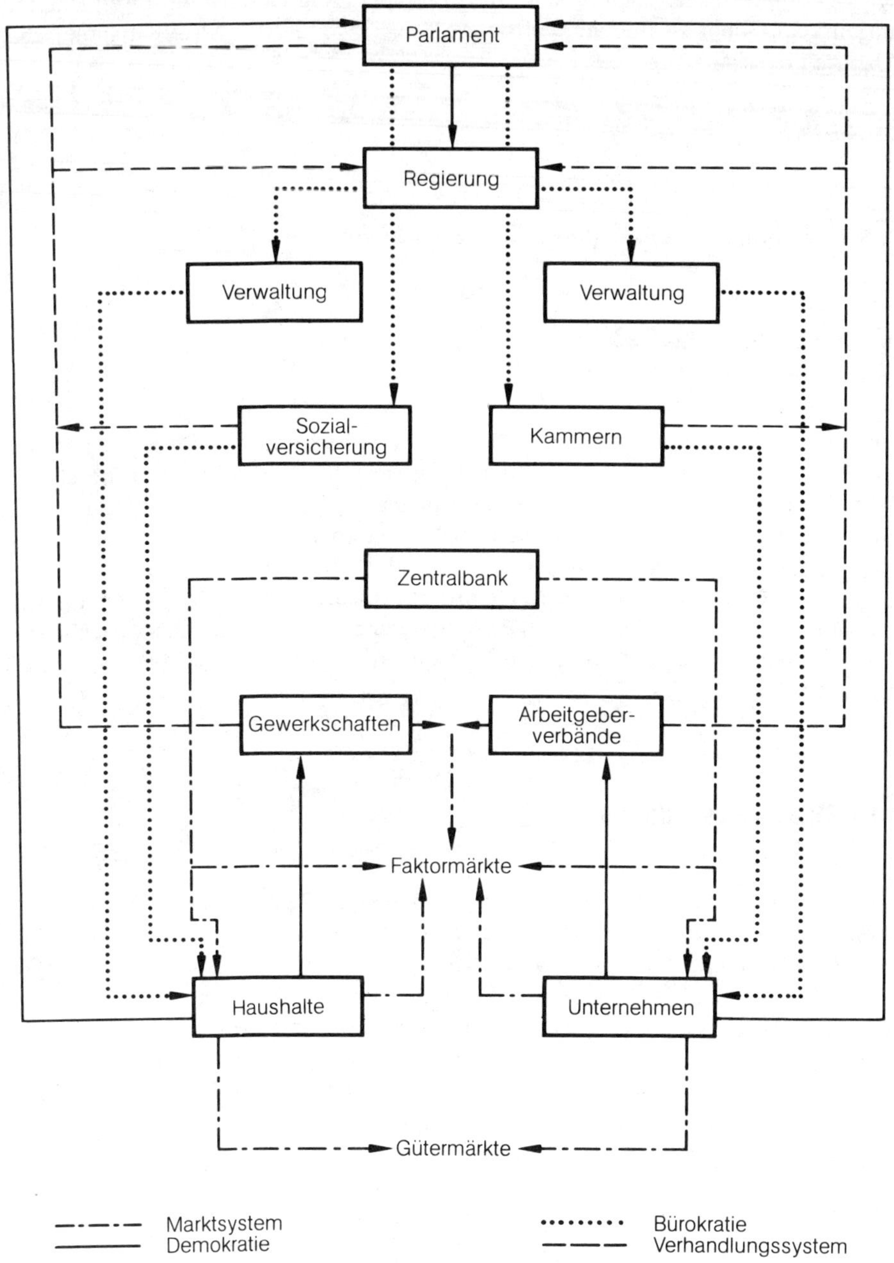

wirtschaftspolitisches Handeln stattfindet. Solche Einsichten spielen eine erhebliche Rolle bei der wissenschaftlichen Beratung der praktischen Wirtschaftspolitik. Werden sie nämlich nicht beachtet, läuft die Politikberatung Gefahr, mit ihren Empfehlungen kein Gehör zu finden, weil sie die Möglichkeiten der wirtschaftspolitischen Akteure überschätzt.

3. Rationalität wirtschaftspolitischer Entscheidungen

3.1. Rationalitätskriterien

Die praktische Wirtschaftspolitik will Ziele verwirklichen und muß dazu Mittel einsetzen. Dabei ist sie bestrebt, „rational" zu handeln. Herbert Giersch bezeichnet Wirtschaftspolitik als rational, wenn „sie planmäßig auf die Verwirklichung eines umfassenden, wohldurchdachten und in sich ausgewogenen Zielsystems gerichtet ist und dabei den höchsten Erfolgsgrad erreicht, der unter den jeweiligen Umständen möglich ist" (Giersch, 1961, S. 22). Gefordert wird also „Zweckrationalität" („Sachgerechtigkeit") im Sinne höchstmöglicher Effizienz. Effizienz ist dabei gleichbedeutend mit der Eigenschaft, bestimmte gesamtwirtschaftliche Ziele bestmöglich zu erreichen.

3.1.1. Ökonomische Effizienz

Begreift man also rationale Wirtschaftspolitik als das Bestimmen und Durchsetzen optimaler Ziel-Mittel-Kombinationen, dann erfordert die damit formulierte Aufgabe (s. Abschnitt 5):

- ein Zielsystem, das den angestrebten Soll-Zustand präzise beschreibt, also über die verfolgten Ziele erschöpfend Auskunft gibt, diese operational definiert und nach Möglichkeit quantifiziert sowie darlegt, welche Kompromisse zwischen konkurrierenden Zielen als optimal angesehen werden;
- eine Diagnose als Analyse des jeweiligen Ist-Zustandes, die die Ursachen jener Fehlentwicklungen aufzeigt, die zu wirtschaftspolitischem Handeln Anlaß geben;
- eine Prognose, die darlegt, wie sich der Ist-Zustand vermutlich entwickeln wird, wenn die Wirtschaftspolitik passiv bleibt (Status-quo-Prognose), und die darüber informiert, wie die bei Bestehen eines wirtschaftspolitischen Handlungsbedarfs erwogenen Maßnahmen wirken werden (Wirkungsprognose); sowie
- ein Programm, das die zu ergreifenden und durchzusetzenden Maßnahmen enthält und die situationsbezogen optimale Strategie repräsentiert.

Synoptisches Ideal

Als „synoptisches Ideal" (Jochimsen, 1967) ist die aus diesen Überlegungen abgeleitete Vorstellung bezeichnet worden, „optimum policy" (Tinbergen, 1956; Theil, 1964) bzw. eine „Wirtschaftspolitik aus einem Guß" (Schiller, 1964) sei möglich und anzustreben.

In der Realität erweist sich diese Überzeugung jedoch als Illusion, da sie sowohl den beratenden Wissenschaftler als auch den handelnden Politiker überfordert. Das synoptische Ideal ist auch nicht annähernd realisierbar, weil es im Einzelfall schwierig oder gar unmöglich ist,
- ein konsistentes System operationaler bzw. quantifizierter Ziele zu formulieren,
- korrekte Diagnosen und verläßliche Prognosen zu geben,
- die Vielzahl möglicher Ziel-Mittel-Beziehungen vollständig zu erfassen; und
- weil die Theorie der Wirtschaftspolitik für fundierte Empfehlungen häufig in einem Maße Informationskosten und Zeit beansprucht, das mit dem Bedarf der praktischen Wirtschaftspolitik an rascher Aufklärung und der Notwendigkeit rechtzeitigen Handelns nicht vereinbar ist.

Der Politiker stößt bei dem Versuch, gemäß der synoptischen Maxime zu handeln, auf Widerstand,
- weil es in einer pluralistischen Gesellschaft unmöglich erscheint, ein Zielbündel zu formulieren, das allgemeine Zustimmung findet, es sei denn, seine vagen Formulierungen lassen vielerlei Deutungen zu und weisen damit den Charakter von Leerformeln auf; und
- weil Wirtschaftspolitik in der pluralistischen Gesellschaft typischerweise dezentralisiert, also durch eine Vielzahl von Akteuren betrieben wird. Das begrenzt die jeweils verfügbaren Handlungsspielräume; das zwingt zur Konsultation und Abstimmung; das nötigt zum Eingehen von Kompromissen und kann dazu führen, daß sich geplante Maßnahmen als nicht durchsetzbar erweisen oder erst mit erheblicher zeitlicher Verzögerung wirksam werden (s. Abschnitt 5.2.2).

Das synoptische Ideal impliziert nicht nur einen Anspruch an die Leistungsfähigkeit angewandter Sozialwissenschaft, dem diese nicht zu genügen vermag; es macht auch anfällig für die Forderung nach einem starken, straff zentralistisch organisierten Staat, in dem einem Diktator oder einem Kollektiv das Recht und die Macht zuerkannt sind, die gesellschaftlichen Ziele festzulegen und das für erforderlich Gehaltene gegen alle Widerstände durchzusetzen.

Pragmatisches Vorgehen

Das pragmatische Vorgehen beruft sich auf die Einsicht, daß wirtschaftspolitische Entscheidungen stets unter Unsicherheit getroffen werden müssen, sich also als falsch erweisen können: Die wirtschaftspolitischen Instanzen sind immer nur unvollkommen informiert. Ihre Diagnosen können unzutreffend sein. Prognosen können sich als falsch erweisen. Die Forderung, stets alle relevanten Ziele zu beachten, ist utopisch. Zielkonflikte werden verkannt, Nebenwirkungen übersehen, Mittel in Art, Intensität und Zeitbedarf ihres Wirksamwerdens falsch eingeschätzt. Der Politiker stößt auf

Widerstände, mit denen er nicht gerechnet hat; er sieht sich zu Konzessionen und Abstrichen gezwungen, die seine ursprüngliche Strategie erheblich verändern können.

Die pragmatische Regel rät aus allen diesen Gründen zum behutsamen Vorgehen, zu einer „Politik der kleinen Schritte" („gradualism"; LINDBLOM, 1965). Sie fordert „piecemeal engineering" (POPPER, 1957), also ein Vorgehen, das unkalkulierbare Risiken zu vermeiden sucht und auch den begrenzten Erfolg nicht gering schätzt.

Der Anspruch, der hier an eine rationale Politik gestellt wird, ist zwar bescheidener als das vom synoptischen Ideal Geforderte; er hat diesem gegenüber jedoch den Vorzug, erfüllbar zu sein. So läßt es die pragmatische Maxime etwa zu, daß Entscheidungen getroffen werden, ohne zuvor alle grundsätzlich beschaffbaren Informationen herangezogen und ausgewertet zu haben. Es reicht vielmehr aus, daß der Handelnde nach verständigem Abwägen des Für und Wider zur Auffassung gelangt ist, der Nutzen zusätzlicher Informationen sei vermutlich geringer als die Kosten ihrer Bereitstellung oder der Vorzug raschen Handelns würde den Nachteil begrenzter Faktenkenntnis mehr als kompensieren.

Das pragmatische Handeln sieht sich leicht diskreditiert, weil es den „grand design" vermissen läßt, zu kurzfristig-improvisierendem Taktieren neigt und dort Krisen-Management betreibt, wo vorbeugendes Handeln geboten wäre (POPPER, 1957; MOLITOR, 1976, 1). Es besteht zwar die Gefahr, daß die Strategie eines behutsam betriebenen „step by step" zur Praxis des „Durchwurstelns" („muddling through") verkommt, der Rationalität auch im Sinne der pragmatischen Maxime nicht mehr zuerkannt werden kann; doch schließen der Wille, anspruchsvolle Ziele im Rahmen wohldurchdachter, umfassend konzipierter und langfristig angelegter Strategien durchzusetzen, und die Entscheidung, sich dazu der Technik des piecemeal engineering zu bedienen, einander keineswegs aus. Gefordert wird in diesem Falle allerdings die wohl seltene Verbindung von staatsmännischer Weitsicht mit der Einsicht, daß Politik stets „Kunst des Möglichen" darstellt.

In diesem Sinne betrieben, weist das durch die pragmatische Maxime angeratene behutsame Vorgehen den Vorzug auf, den Schaden falscher Entscheidungen zu begrenzen. Irrtümer können rasch korrigiert werden. Es besteht nicht die Gefahr, durch den ehrgeizigen Versuch, die Gesellschaft abrupt und „als Ganzes" zu verändern, Prozesse in Gang zu setzen, die sich schließlich der Steuerung entziehen und zu Ergebnissen führen, die mit dem ursprünglich Gewollten nichts gemein haben.

3.1.2. Politische Effizienz

Das synoptische und das pragmatische Kriterium rationalen Handelns sind durch die Annahme gekennzeichnet, daß die Träger der Wirtschaftspolitik gesellschaftliche Ziele zu verwirklichen suchen und bei der Wahl zwischen strategischen Alternativen grundsätzlich jenen Maßnahmen den Vorzug geben, die den höchsten Realisierungsgrad dieser Ziele erwarten lassen.

Von der ökonomischen Theorie der Politik (Neue Politische Ökonomie) wird diese Annahme als wirklichkeitsfremd kritisiert. Die Vorstellung, das Handeln der Politiker sei ausschließlich darauf gerichtet, die gesellschaftliche Wohlfahrt zu maximieren, wird in der Neuen Politischen Ökonomie durch die Annahme ersetzt, daß Politiker mit ihrem politischen Handeln primär ihre eigenen (individuellen) Ziele verfolgen, das Eigennutzaxiom also grundsätzlich auch für sie gilt (Downs, 1957; Böhret, 1970; Herder-Dorneich/Groser, 1977; Frey, 1981).

Die Ausübung der Regierungsgewalt sichert Einkommen, Ansehen und Einfluß – Nutzen, die man zu bewahren sucht. Ziel der Regierenden ist somit die Wiederwahl, während die Opposition die Regierung ablösen will. Beide streben folglich nach Stimmenmaximierung bzw. nach jener Anzahl von Wählerstimmen, die ausreicht, um (als Regierung) die Macht zu behalten oder um sie (als Opposition) zu erlangen.

Auch für die anderen Akteure, die am wirtschaftspolitischen Entscheidungsprozeß teilnehmen, ist zu vermuten, daß sie nicht nur einer gesellschaftlichen Aufgabe nachkommen, sondern dabei auch ein Eigeninteresse verfolgen: Die Zentralbank ist nicht nur „Hüterin der Währung"; die hier Verantwortlichen verfolgen vielmehr auch das Ziel, ihre Kompetenzen zu mehren, ihre Unabhängigkeit zu bewahren und als Autorität respektiert zu werden. Verbandsfunktionäre versuchen nicht nur, die Interessen ihrer Mitglieder durchzusetzen; sie wollen vielmehr auch ihren eigenen Einfluß vergrößern, ihre Position sichern und ihr Einkommen steigern. Bürokraten streben nicht nur nach größtmöglicher Verwaltungseffizienz; ihr Interesse gilt vielmehr auch der eigenen Karriere, der Bewahrung zugestandener Kompetenzen, dem Wachstum und Fortbestand der von ihnen geleiteten Behörden.

Im ökonomischen Modell der vollkommenen Konkurrenz sind die Unternehmer gezwungen, ihren gesellschaftlichen Auftrag optimal zu erfüllen, wenn sie ihre individuelle Zielsetzung eines maximalen Gewinns erreichen wollen; denn nur das Angebot findet Absatz, das den Konsumentenpräferenzen entspricht, mit den kostengünstigsten Verfahren erstellt und zu einem gerade kostendeckenden Preis angeboten wurde. Ein dazu analog konstruiertes politisches Modell der vollständigen Parteienkonkurrenz führt zum grundsätzlich gleichen Ergebnis: Nur die Regierung wird wiedergewählt werden, die ihre soziale Funktion einer optimalen Versorgung der Bevölkerung mit Kollektivgütern für die Mehrheit der Wähler überzeugend wahrnimmt.

In der Realität ist die Kontrolle der Regierung durch die Wähler weniger streng als unter den zuvor angesprochenen Modellannahmen. Wähler sind stets nur unvollkommen informiert; der Einfluß, den jeder einzelne auf die Regierungstätigkeit nehmen kann, ist nicht bei allen gleich groß. Derartige „Unvollkommenheiten" eröffnen dem Politiker Handlungsspielräume und ermöglichen Entscheidungen, die zwar nicht ökonomisch, wohl aber politisch rational sein können. Ökonomische Rationalität steht dabei für Effizienz im Sinne einer bestmöglichen Annäherung an ein Bündel gesellschaftlicher Ziele. Politische Rationalität bezeichnet dagegen das Kalkül, das dem Eigeninteresse der Handelnden dient. Erfolgskriterium ist hier der Nutzen für den Politiker, für die Partei, der er angehört, oder für die von ihr gestellte Regierung.

Konflikte zwischen dem gesellschaftlichen Interesse an ökonomisch sachgerechten Lösungen und dem Eigeninteresse der wirtschaftspolitischen Akteure entstehen, wenn ökonomisch zweckmäßige Maßnahmen auf den Widerstand von Gruppen stoßen, auf deren Unterstützung die Entscheidungsträger angewiesen sind. Werden hier Kompromisse zugestanden, von denen alle Beteiligten wissen, daß sie gegen die ökonomische Rationalität verstoßen, so kann dieses Verfahren dennoch (politisch) rational sein, wenn es dem „Überleben des Entscheidungsträgers im Amt" (BÖHRET, 1970, S. 43) dient und dieses das stärker gewichtete Ziel war. Die Möglichkeit und Wahrscheinlichkeit einer Entscheidung gegen das sachlich Gebotene und für das politisch Nützliche sind um so größer, je weniger gut die Funktionsbedingungen des Entscheidungsverfahrens „Demokratie" erfüllt sind: je mehr der Wettbewerb zwischen den Parteien beschränkt ist, je kräftiger sich partikulare Interessen Geltung verschaffen können und je mehr desinteressierte und unaufgeklärte Wähler vorhanden sind.

Diskrepanzen zwischen ökonomischer und politischer Rationalität, zwischen Sachnotwendigkeit und Opportunität mag man beklagen. Nur wäre das im Rahmen der Theorie der Wirtschaftspolitik wenig hilfreich: Methodisch gesehen verhindert nämlich die Annahme „egoistischer" Politiker jenen gedanklichen Bruch, der sich ergeben würde, wenn den privaten Wirtschaftssubjekten Eigennutz, Politikern dagegen Altruismus, also das ausschließliche Streben nach Steigerung der gesellschaftlichen Wohlfahrt, unterstellt wird. Die Annahme eines „homo politicus" erklärt auch, warum Empfehlungen wissenschaftlicher Berater so häufig unbefolgt bleiben, auch wenn sie mit überzeugenden Argumenten sachlich optimale Lösungen verheißen (DOWNS, 1957).

3.2. Politikberatung als Entscheidungshilfe

Rationales wirtschaftspolitisches Handeln erfordert Wissen über die sozio-ökonomische Realität und ihre Gestaltungsmöglichkeiten. Solches Wissen zu gewinnen, ist Sache der Wirtschaftswissenschaft und ihrer sozialwissenschaftlichen Nachbardisziplinen. Hieraus ergibt sich die Notwendigkeit des Zusammenwirkens von Wissenschaftlern und Politikern in der praktischen Wirtschaftspolitik. Die Auffassungen über die Art der Zusammenarbeit unterscheiden sich im wesentlichen darin, wie scharf die Trennungslinie zwischen wissenschaftlicher Erkenntnis und politischer Entscheidung gezogen wird. Das Kernproblem besteht dabei in der Einstellung der Wirtschaftswissenschaftler zu dem von MAX WEBER aufgestellten „Wertfreiheitspostulat", d. h. zur Frage, ob und inwieweit wertende (normative) Aussagen beim Gewinnen und Anwenden von Erkenntnissen vermeidbar sind und vermieden werden sollten.

3.2.1. Werturteile in Wissenschaft und Politik

Unter Werturteilen versteht man Aussagen, die bestimmte Sachverhalte als gerechtfertigt, erwünscht, gut oder schlecht deklarieren (Überblick bei ALBERT, 1956; 1963, 1; KROMPHARDT/CLEVER/KLIPPERT, 1979):

- Die in der Bundesrepublik Deutschland bestehende Einkommens- und Vermögensverteilung ist „ungerecht".
- Es wäre „wünschenswert", daß das Bundeskartellamt die Preispolitik der Mineralölkonzerne genauer überprüft.
- Die Aussperrung „sollte" bzw. „muß" generell verboten werden.

- Fünf Prozent Inflation sind „besser" als fünf Prozent Arbeitslosigkeit.
- Arbeitszeitverkürzungen „dürfen" nicht zu Lohneinbußen führen.

Wer solche Aussagen mit den darin enthaltenen Wertausdrücken formuliert, nimmt zu einem Sachverhalt positiv oder negativ Stellung. Er gibt zugleich zu erkennen, daß er eine derartige Stellungnahme prinzipiell für gerechtfertigt hält, und fordert andere auf, in gleicher Weise zu urteilen.

Werturteile sind ein wesentlicher und notwendiger Bestandteil des alltäglichen – insbesondere des politischen – Sprachgebrauchs; denn sie sind das adäquate sprachliche Mittel, um politische Forderungen und Programme zu formulieren und zu propagieren sowie Entscheidungen und Handlungen zu rechtfertigen. Die Frage ist nur, ob auch der Ökonom als Wissenschaftler Werturteile abgeben darf oder – etwa im Rahmen der Politikberatung – sogar abgeben muß. Sie ist heute kaum weniger umstritten als im Jahr 1909, als sich auf der Wiener Tagung des VEREINS FÜR SOCIALPOLITIK Sozialwissenschaftler wie MAX WEBER und WERNER SOMBART gegen die „Kathederwertungen" der älteren Generation um GUSTAV SCHMOLLER wandten und für eine werturteilsfreie Wissenschaft eintraten.

Obwohl sich mittlerweile die Mehrheit der Ökonomen aus westlichen Ländern zum Wertfreiheitspostulat MAX WEBERS bekennt, gibt es auch Richtungen, die die sachliche Notwendigkeit, erkenntnistheoretische Möglichkeit und gesellschaftliche Legitimität „wissenschaftlichen" Wertens und Entscheidens anerkennen (Überblick bei ALBERT/TOPITSCH, 1971; MEYER, 1975). Die in der Werturteilsdebatte vertretenen Auffassungen können zu drei Hauptpositionen zusammengefaßt werden. Es sind dies der Rationalismus, der (Neo-)Normativismus und die dialektische Position der marxistischen Theorie.

In *Übersicht N-2* werden diese drei unterschiedlichen Auffassungen durch die von ihnen gegebenen Antworten auf zentrale wissenschaftstheoretische Fragestellungen charakterisiert. Dabei werden zunächst die logischen (Spalten 1–2) und methodologischen Aspekte des Werturteilsproblems (Spalten 3–7) dargestellt; anschließend wird auch auf ethische Aspekte eingegangen.

Logische Aspekte

Die Vertreter der rationalistischen und normativistischen Position stimmen darin überein, daß es grundsätzlich möglich ist, normative, also wertende und kognitive, nicht wertende Aussagen zu unterscheiden. Da normative Aussagen lediglich Bewertungen und Bekenntnisse des Urteilenden ausdrücken, sind sie intersubjektiv nicht überprüfbar, können also nicht als empirisch wahr oder falsch befunden werden. Bezeichnet z. B. jemand die bestehende Vermögensverteilung als „ungerecht", gibt er zwar seine Werthaltung zu erkennen, informiert aber nicht auf eine für Dritte nachprüfbare Weise über die Beschaffenheit der Realität. Werturteile sind somit nicht wahrheitsfähig; und da alle Erkenntnis an die Idee der Wahrheit gebunden ist, können Werturteile auch keine Erkenntnis beinhalten. Sie stehen damit im Gegensatz zu den „Tatsachenurteilen" (kognitiven, explikativen Aussagen), mit denen man intersubjektiv überprüfbare Behauptungen darüber aufstellt, was tatsächlich ist, war oder sein wird.

Übersicht N–2: Grundauffassungen zur Werturteilsfrage

Wissenschaftstheoretische Hauptpositionen und ihre wichtigsten Vertreter	Logische Grammatik und wissenschaftliche Begründung von Werturteilen		Zulässigkeit von Werturteilen im Basisbereich, Objektbereich und Inhaltsbereich der Sozialwissenschaften			Generelle Einstellung zur Werturteilsfrage in den Sozialwissenschaften	
	Lassen sich Werturteile von kognitiven Aussagen unterscheiden? (1)	Lassen sich Werturteile aus Tatsachen ableiten oder kognitiv begründen? (2)	Sind Werturteile im Basisbereich zulässig bzw. notwendig? (3)	Sind Werturteile im Objektbereich zulässig? (4)	Sind Werturteile im Inhaltsbereich zulässig bzw. notwendig? (5)	Ist werturteilsfreie Erkenntnisgewinnung möglich? (6)	Ist werturteilsfreie wissenschaftliche Politikberatung möglich? (7)
Rationalistische Position (Positivismus, kritischer Rationalismus) Hans Albert (1956, 1968) Karl R. Popper (1961) Max Weber (1904, 1917)	ja	nein	ja	ja	nein (unter keinen Umständen: „Wertfreiheitspostulat")	ja (bis auf Werturteile im Basisbereich)	ja (von Werturteilen im Basisbereich abgesehen, sind hierfür nur teleologische Werturteile erforderlich)
Normativistische Position (Neonormativismus) Silvio Borner (1975) Gunnar Myrdal (1932) Gerhard Weisser (1951)					ja (sie sollten aber erkennbar sein und „bekenntnishaft" eingeführt werden)	nein (sofern Wissenschaft im Dienst der pragmatischen Gestaltung sozialen Lebens stehen soll)	nein („wert-freie" Wissenschaft ist politisch „wert-lose" Wissenschaft)
Dialektische Position (kritische, marxistische Theorie) Theodor W. Adorno (1969) Jürgen Habermas (1968) Herbert Marcuse (1964)	nein (Sein, Bewußtsein und Erkenntnis sind untrennbar miteinander verbunden)	ja (durch Intuition bzw. Bezugnahme auf „gesellschaftliche Wahrheiten")			ja (sofern es sich um „wissenschaftliche" Werturteile handelt)	nein (Wissenschaftler sind Teil der Gesellschaft, die sie verändern, indem sie sie erforschen)	nein (Wissenschaft dient der Überwindung der „bestehenden" und der Schaffung der „wahren" Gesellschaft)

Übereinstimmung zwischen der rationalistischen und der normativistischen Position besteht auch darin, daß Werturteile nicht aus Tatsachenurteilen ableitbar sind. Aus der beobachtbaren Vermögensverteilung folgt z. B. nicht, daß sie „gerecht" oder „ungerecht" ist; denn Tatsachen implizieren logisch nicht auch ihre Bewertung. Um Fakten bewerten zu können, bedarf es stets eines davon unabhängigen ethischen Prinzips, einer Norm, aus der hervorgeht, wie die Wirklichkeit nach Meinung des Urteilenden beschaffen sein sollte. Dieses Sollen aus dem Sein ableiten zu wollen, hieße einem „naturalistischen Fehlschluß" zu unterliegen. Wissenschaftliche Werturteile, wie sie nach der dialektischen Position möglich und nötig sind, kann es hiernach nicht geben.

Die dialektische Sicht des Werturteilsproblems geht vor allem von der kritisch-marxistischen Theorie der FRANKFURTER SCHULE (ADORNO; HABERMAS) – in sozialistischen Ländern auch vom orthodoxen Marxismus – aus. Ihre Vertreter lehnen den analytischen Dualismus von objektiver Erkenntnis und subjektiver Wertung ab und weisen dem Wertfreiheitspostulat eine verschleiernde (ideologische) Funktion innerhalb der „bürgerlichen" Sozialwissenschaften zu: Der Sozialwissenschaftler sei selbst Teil der Gesellschaft und könne an sie gar nicht „objektiv" erkennend wie ein Außenstehender herantreten. Seine Erkenntnisse gäben zudem den Anstoß für soziale Prozesse, die die zuvor aufgestellten Theorien wenn nicht außer Geltung, so doch außer Anwendung setzten. Im Zuge der Überwindung solcher „historischer" Gesetzmäßigkeiten entstünden jeweils neue gesellschaftliche Verhältnisse, für die der Sozialwissenschaftler als ihr eigentlicher Initiator die Verantwortung trüge. Hieraus leiten sich nach dialektischer Auffassung Recht und Möglichkeit ab, als Wissenschaftler Richtung und Tempo des sozialen Wandels zu bestimmen.

Die Vertreter der dialektischen Position wähnen sich im Besitz sicherer Erkenntnis über das „Wesen" gesellschaftlicher Prozesse, während sie anderen nur das Erfassen der „Erscheinungen" zutrauen. Sie machen folglich geltend, auch den „notwendigen" Endzustand der Wirtschafts- und Gesellschaftsordnung zu kennen, den sie als das Ideal einer „wahren" Gesellschaft der bestehenden sozialen Wirklichkeit kritisch gegenüberstellen und mit Hilfe der Wissenschaft zu realisieren suchen. Die dialektische Position begnügt sich deshalb nicht damit, empirische Sachverhalte vom Erkenntnisinteresse her als gegeben zu betrachten – wie es z. B. die Vertreter des kritischen Rationalismus (POPPER; ALBERT) tun –, sondern geht von den Fakten („Tatsachenwahrheiten") unvermittelt über zu ihrer Bewertung und Veränderung („gesellschaftliche Wahrheiten"). Innerhalb eines solchen Wissenschaftsprogramms ist die Trennung von Werturteilen und Tatsachenurteilen weder möglich noch erwünscht; denn die Idee der wissenschaftlichen Wahrheit läßt sich darin nicht abspalten von der einer wahren Gesellschaft. Auch bedürfen die erkenntnisnotwendigen „wissenschaftlichen" Werturteile keiner kognitiven Begründung, sofern sie sich intuitiv aus dem Idealbild der Gesellschaft ergeben und auf die realen Verhältnisse der sozialen Gruppen zutreffen.

Methodologische Aspekte

Hält man Werturteile für nicht wahrheitsfähige Aussagen, stellt sich die Frage, wozu sie Eingang in die Wissenschaft finden sollten. Es ist zweckmäßig, diese Frage getrennt nach folgenden Bereichen des Erkenntnisprozesses zu diskutieren:

- Der ,,Objektbereich" umfaßt die Ebene derjenigen Sachverhalte, die Gegenstand wissenschaftlicher Analyse und Erkenntnis sein können (Beispiel: die in der Bundesrepublik Deutschland bestehende Vermögensverteilung).
- Der „Inhaltsbereich" bezeichnet Aussagen, die Wissen über die Erkenntnisgegenstände vermitteln (Beispiel: „In der Bundesrepublik betrug die Lohnquote 1993 72,5 v. H.").
- Der ,,Basisbereich" betrifft die Wahl des jeweiligen Forschungsgegenstandes, das Festlegen des Erkenntniszieles, die Wahl der anzuwendenden Forschungsmethoden sowie die Art der Darstellung und Vermittlung der Forschungsergebnisse (Beispiel: die Entscheidung, sich mit der Vermögensverteilung empirisch zu befassen sowie die Wahl der definitorischen Abgrenzungen und methodischen Verfahren).

Wie *Übersicht N-2* zeigt, herrscht Übereinstimmung darüber, daß normative Aussagen sowohl im Objekt- als auch im Basisbereich zulässig sind. Im Objektbereich spielen sie die Rolle eines Erkenntnisgegenstandes. Wirtschaftspolitische Programme und Entscheidungen können also Objekte wirtschaftswissenschaftlicher Erkenntnis sein (Weber, 1917; Myrdal, 1933; Meyer, 1975; s. Abschnitt 4.2):

- Die in der Politik verfolgten Einzelziele lassen sich auf übergeordnete Wertvorstellungen (oberste Ziele) zurückführen, so daß der Mittel-Charakter der nachgeordneten Ziele und der Ziel-Charakter der Mittel deutlich werden.
- Die in den politischen Programmen vorgesehene Rangfolge von Zielen kann auf ihre Widerspruchsfreiheit und Kompatibilität mit den obersten Zielen geprüft werden.
- Durch wissenschaftliche Analysen lassen sich die Adäquanz konkreter Zielsetzungen und die Realisierbarkeit bestimmter Zielbündel aufzeigen.
- Man kann den impliziten Eigenwert von Maßnahmen sowie die Wertbedeutung bestimmter Entscheidungen erkennbar machen.
- Schließlich lassen sich auch Ideologien – wissenschaftlich verbrämte, dem Rechtfertigen oder Verschleiern von Tatsachen dienende Aussagensysteme – kritisch analysieren.

Die Wahl von Werten und Werturteilen als Erkenntnisobjekt bedeutet jedoch nicht, daß normative Aussagen auch in den Inhaltsbereich eingehen, d. h. Werturteile über Werturteile abgegeben werden müßten.

Unbestritten ist auch, daß der Basisbereich der Wissenschaft nicht wertfrei sein kann. Jeder Wissenschaftler ist wegen der Begrenztheit seiner geistigen, zeitlichen und materiellen Ressourcen gezwungen, Erkenntnisziele, Problemstellungen, Methoden, Materialien und Vermittlungsformen auszuwählen. Dabei spielt sein subjektives Erkenntnisinteresse eine bedeutende Rolle: Er kann Erkenntnisse um ihrer selbst willen anstreben, ohne ihre praktischen Auswirkungen zu bedenken (kontemplative Forschung; l'art pour l'art); sein Erkenntnisstreben kann aber auch von vornherein auf die Lösung solcher Praxisprobleme gerichtet sein, die er seiner politischen, ethischen oder religiösen Überzeugung nach für dringend lösungsbedürftig hält (pragmatische Forschung). Auch steht ihm frei zu entscheiden, ob er sein Wissen ausschließlich durch akademische Lehre oder durch Übernahme von Beratungsaufträgen weitergeben möchte. Keine dieser Entscheidungen ist ohne Wertung denkbar; aus keinem der möglichen Motive und Überzeugungen folgt jedoch, daß der Wissenschaftler seine Wertungen auch in die Forschungsergebnisse einbeziehen müßte. Dies gilt unabhängig davon, daß im Erkenntnisprozeß tatsächlich Wertungen in die Theoriebildung einfließen können und häufig nur sehr schwer als solche auszumachen sind.

Der Basisbereich umfaßt auch die Auswahl und Aufstellung der methodologischen Regeln, nach denen im Wissenschaftsprozeß z. B. über die Zulässigkeit von Methoden, die Relevanz von Prüfungsverfahren oder die Anerkennung von Theorien entschieden wird. Eine solche Regel ist auch das Wertfreiheitspostulat: In der gleichen Weise, wie etwa das ,,Falsifikationspostulat" das Verfahren zur Annahme oder Ablehnung von Theorien durch Konfrontation mit der Wirklichkeit normiert (empirische Prüfung, empirischer Test; Popper, 1935, 6. A. 1976; Meyer, 1973), soll das „Wertfreiheitspostulat" regeln, welcher Gebrauch von normativen Aussagen im Inhaltsbereich gemacht werden soll.

Die Vertreter der normativistischen Position halten Werturteile im Inhaltsbereich für notwendig und fordern ausdrücklich eine ,,normative Sozialwissenschaft" (Weisser, 1963). Sie begründen dies mit dem Erfordernis, sozialwissenschaftliche Erkenntnisse zur Gestaltung von Wirtschaft und Gesellschaft anzuwenden: Da jede politische Entscheidung mit Wertungen verbunden sei und Normen setze, müßten wissenschaftliche Aussagensysteme entsprechende Wertprämissen enthalten, wenn sie in der jeweiligen Entscheidungssituation hilfreich sein sollten. Um nicht pragmatisch ,,wertlos" zu sein, dürften die Sozialwissenschaften nicht ,,wertfrei" sein wollen; sie seien vielmehr bewußt als ein ,,System von Empfehlungen und Warnungen" auszubauen. Als notwendige Grundlage dafür werden offen ausgewiesene Werturteile angesehen, die bereits bei der Erkenntnisgewinnung ,,bekenntnishaft" einzuführen sind.

Dagegen argumentieren die Vertreter der rationalistischen Position, daß für die praktische Anwendung sozialwissenschaftlicher Erkenntnisse ein Rückgriff auf Werturteile weder möglich noch nötig ist: Er sei nicht möglich, weil von der wissenschaftlichen Politikberatung Informationen über Sachzusammenhänge erwartet würden, die normative Aussagen nicht geben könnten; er sei aber auch nicht nötig, weil sich aus jeder empirisch gehaltvollen Theorie realisierbare Handlungsmöglichkeiten ableiten ließen, ohne Werturteile in den Ableitungszusammenhang einbeziehen zu müssen (Albert, 1962; s. Abschnitt 5.2.1). Diese von Max Weber als ,,teleologische" Werturteile bezeichneten Ziel-Mittel-Aussagen enthalten weder eine Verpflichtung zur Wahl einer bestimmten Handlungsalternative noch eine moralische Bewertung der Ziele und der zu ihrer Verwirklichung geeigneten Maßnahmen. Eine werturteilsfreie Wissenschaft kann dem Politiker die Bewertungen und Entscheidungen nicht abnehmen, zu denen er als Mandatsträger allein legitimiert und verpflichtet ist; sie kann ihm aber die Sachinformationen liefern, die erforderlich sind, um die vorhandenen Handlungsalternativen zu erkennen. Aus rationalistischer Sicht kann und muß also eine anwendungsbezogene Wissenschaft wie die Ökonomik solange werturteilsfrei sein, wie sie sich auf die Beschaffung von Informationen über gegebene Sachzusammenhänge beschränkt.

Ethische Aspekte

Wer im Erkenntnisstreben die einzige Maxime der Wissenschaft erblickt, müßte sich zum Wertfreiheitspostulat bekennen, weil Werturteile keine wahrheitsfähigen Aussagen sind, nichts zur Erkenntnisgewinnung beitragen und den Erkenntnisfortschritt durch Erschweren der intersubjektiven Kritik hemmen (ALBERT, 1964,1). Eine andere Frage ist, ob sich jeder Wissenschaftler in seinen wissenschaftlichen Äußerungen frei von Werturteilen halten kann. Tatsächlich wird die Objektivität der Wissenschaft kaum durch die Selbstkontrolle des einzelnen Wissenschaftlers gewährleistet werden können, wohl aber durch die intersubjektive Kritik der Aussagen im Wissenschaftsprozeß, sofern das Wertfreiheitspostulat als verbindlich anerkannt wird.

Sieht man es dagegen als Aufgabe der Wissenschaft an, nicht bloß die Erkenntnis zu erweitern, sondern die Entwicklung von Wirtschaft und Gesellschaft zu beeinflussen, dann wird man auch im Inhaltsbereich nicht auf Wertungen als einem wirksamen Mittel der Manipulation und Stimulation verzichten wollen. Liegen derartige Meinungsverschiedenheiten über das Wissenschaftsprogramm vor, ist kaum vorstellbar, wie sich die Gegner und Befürworter der Werturteilsfreiheit einigen könnten, wenn sie sich – trotz Einsicht in die logisch-methodologische Problembeschaffenheit und ihre wissenschaftssoziologischen Konsequenzen – nicht einigen wollen.

Das Werturteilsproblem weist also nicht nur kognitive, sondern auch ethische Aspekte auf, die letztlich einer generellen Lösung entgegenstehen. Es hängt nämlich vom Ethos des Wissenschaftlers ab, welchem Wissenschaftsprogramm er folgt und welchen außerwissenschaftlichen Werten er damit zur Realisierung verhilft (HENSEL, 1954; JÖHR, 1974). So kann er nach wahrer Erkenntnis oder ideologischer Rechtfertigung bestehender Verhältnisse streben, konservative Ziele unterstützen oder revolutionäre Prozesse fördern, selbst in die Politik gehen oder sich auf die Politikberatung beschränken. In jedem Fall ist aber zu fordern, daß der Ökonom als Wissenschaftler seine erkenntnisleitenden Interessen, persönlichen Wertvorstellungen, praktischen Prinzipien und moralischen Überzeugungen offenlegt, um dadurch seine Aussagen und Handlungen der Kritik besser zugänglich zu machen.

3.2.2. Maximen wissenschaftlicher Politikberatung

Die vom Wissenschaftler bezogene wissenschaftstheoretische Position prägt auch seine Einstellung zu den Möglichkeiten seiner Mitwirkung am politischen Entscheidungsprozeß. Unter nichtmarxistischen Ökonomen herrscht weitgehend Übereinstimmung darin, daß Wissenschaftler und Politiker grundsätzlich unterschiedliche

Aufgaben haben, die durch die Dichotomie von Erkenntnis und Entscheidung gekennzeichnet sind. Unterschiedliche Auffassungen bestehen jedoch in der Frage, wie scharf die Trennungslinie im Einzelfall zu ziehen ist. Das Meinungsspektrum reicht von der Auffassung, der Wissenschaftler habe selbst Zielsetzungen zu entwickeln und zu verfechten, bis zu der Vorstellung, es sei nicht Aufgabe des Politikberaters, Rat zu geben, sondern brauchbare Theorien zu entwickeln.

Beratungsmodelle

Jürgen Habermas (1964) folgend, ist es üblich geworden, drei „Modelle" der wissenschaftlichen Politikberatung zu unterscheiden:
– das technokratische Modell,
– das dezisionistische Modell und
– das pragmatistische Modell.

Hiermit ist beabsichtigt, unterschiedliche Maximen der wissenschaftlichen Politikberatung idealtypisch gegenüberzustellen (Überblick bei Lompe, 1966, 2. A. 1972, S. 28 ff.; Widmaier, 1976, S. 114 ff.).

Das technokratische Modell der Politikberatung geht auf Helmut Schelsky (1961) zurück. Es entspricht der Vision einer total verwissenschaftlichten Politik in der modernen „wissenschaftlich-technischen Zivilisation": Die intensivierte wissenschaftliche Forschung und technische Entwicklung bringt immer mehr Sachgesetzlichkeiten hervor, die Problemlösungen im Sinne des „best one way" determinieren. Je weiter sich Wissenschaft und Technik entwickeln, um so enger wird der Spielraum für politische Entscheidungen. Die wissenschaftlichen Sachgesetzlichkeiten verdrängen somit die Politik, die zunehmend „weggeregelt" wird. Schließlich tritt an die Stelle der Herrschaft von Menschen (Politikern) über Menschen (Bürger) die Herrschaft des Sachzwangs. Der Politiker wird zum „Lückenbüßer", der lediglich dann zu entscheiden hat, wenn die Sozialtechnologie versagt. Im technokratischen Modell löst sich das Beratungsproblem quasi von selbst: Politiker und Politikberater werden in dem Maße entbehrlich, wie politische Entscheidungen durch den wissenschaftlichen Fortschritt überflüssig werden.

Das technokratische Modell fängt zwar gewisse in der Realität bestehende Tendenzen ein – wie z. B. die Verselbständigung der Experten gegenüber den politischen Entscheidungsträgern und die Reduktion eminent politischer Probleme auf sozio-technische Fragestellungen und Lösungen; es geht aber mit seiner visionären Fortschritts- und Technologiegläubigkeit sowie mit seinen antidemokratischen Implikationen an der derzeitigen Beratungspraxis vorbei.

Im dezisionistischen Modell findet eine strikte Trennung zwischen den Aufgaben des Politikers und denen des Politikberaters statt: Der Politiker fällt die Entscheidungen; der Wissenschaftler stellt die dazu notwendigen Informationen bereit. In diesem Modell lehnen es die Politikberater als irrational ab, kritisch zu den vorgegebenen Ziel-, Wert- und Bedürfnisvorstellungen der Politiker Stellung zu nehmen; andererseits glauben sie, die zur Zielrealisierung geeigneten Mittel rein zweckrational bzw. werturteilsfrei bestimmen zu können. Nach Habermas liegt hierin ein Widerspruch, da jedes Mittel auch als Ziel zur Erreichung übergeordneter Ziele betrachtet werden könne und folglich nicht wertneutral sei.

Obwohl das dezisionistische Modell vielfach mit der rationalistischen Position identifiziert wird, hat es mit dieser allenfalls das Bekenntnis zur Werturteilsfreiheit gemein. Für den Rationalisten können normative Aussagen – also auch wirtschaftspolitische Ziele – unbestritten Gegenstand kritischer Analyse sein; man kann ihm deshalb als Politikberater schlecht ein unreflektiertes Rollenspiel und unkritisches Ziel-Mittel-Denken unterstellen.

Im pragmatistischen Modell wird die Rollentrennung in entscheidungsfällende Politiker und informationsbeschaffende Politikberater aufgegeben. An ihre Stelle tritt ein kritisches Wechselverhältnis zwischen Politik (Wertorientierung) und Wissenschaft (Erkenntnisorientierung): Die pragmatische Politikberatung soll in Form eines institutionalisierten Regelkreises ablaufen, in dem Politiker, Wissenschaftler und Öffentlichkeit in eine permanente Diskussion über die Probleme der Ziel- und Mittelwahl eintreten, sich gegenseitig über praktische Bedürfnisse, politische Absichten und bestehende Handlungsmöglichkeiten informieren, um dadurch einen dialektischen Lernprozeß mit dem Ziel in Gang zu setzen, über politisches Können und Wollen aufzuklären. Hierdurch soll die Umsetzung von praktischen Fragen in wissenschaftliche Probleme und umgekehrt von theoretischen Lösungen in praktisch befriedigende Antworten erreicht werden. Dabei ist der Politikberater gänzlich in den politischen Entscheidungsprozeß eingebunden (Lompe, 1966, 2. A. 1972, S. 134 ff.):

– Er wird vom Politiker auf bestimmte praktische Probleme angesetzt; er klärt, interpretiert und selektiert die damit verfolgten politischen Ziele und entwickelt ein operationales, widerspruchsfreies Zielsystem;
– er unterstützt die Zielvorstellungen der Politiker bzw. der Öffentlichkeit oder er versucht, sie in Richtung auf seine eigenen Wertungen zu beeinflussen;
– er diagnostiziert, prognostiziert und leitet geeignete Maßnahmen ab, er diskutiert bestehende Handlungsmöglichkeiten, propagiert gegebenenfalls Zielrevisionen und regt Forschungsprojekte an, wo Informationslücken bestehen;
– er unterbreitet dem Politiker die von ihm präferierte Problemlösung, stellt diese öffentlich zur Diskussion und versucht, sie gegen Widerstände durchzusetzen.

Dieser Aufgabenkatalog macht deutlich, daß der pragmatistische Politikberater seine Tätigkeit entsprechend der normativistischen und dialektischen Position nicht ohne politisches Engagement und wertende Stellungnahme ausüben kann: Er hat nicht nur das Recht, sondern auch die „Pflicht zur Wertung" (Jöhr/Singer, 1957, 3. A. 1969, S. 87), und darf nicht davor zurückschrecken, „gemäß seiner professionellen Verantwortung Wertpropaganda zu betreiben" (Borner, 1975, S. 168).

Beratungspraxis

Die wissenschaftliche Beratung der praktischen Wirtschaftspolitik ist durch vielfältige Beratungsformen und -funktionen gekennzeichnet, in denen sich die genannten Modelle nur teilweise widerspiegeln (Überblick bei Beckerath/Giersch, 1963,

S. 325 ff.). Allgemein geht man von einem wachsenden Beratungsbedarf aus. Er kann auf Initiative der Ratsuchenden in unterschiedlicher Weise gedeckt werden: zum einen im Wege der institutionalisierten Beratung durch Sachverständigenräte, wissenschaftliche Beiräte, Ad-hoc-Ausschüsse, Enquête-Kommissionen, regierungsabhängige Forschungsinstitute und hauptamtliche Planungsstäbe; zum anderen durch Einzelberatungen, Hearings, Vergabe von Forschungsaufträgen und Gutachten sowie durch Kooperation mit unabhängigen Forschungsinstituten. Die Bestellung von Beratergremien und die Vergabe von Beratungsaufträgen können durch Regierungs- oder Parlamentsbeschluß sowie durch Gesetz, Erlasse oder Verwaltungsabkommen erfolgen. Dabei sind insbesondere die Auswahl der Berater, der Beratungsauftrag, der Grad der Unabhängigkeit und die Verwertung der Beratungsergebnisse festzulegen.

Wie unterschiedlich die praktische Politikberatung in der Bundesrepublik Deutschland geregelt ist, zeigt die Organisation und Arbeitsweise der wissenschaftlichen Beiräte bei verschiedenen Bundesministerien (Überblick bei Lompe, 1969) und des Sachverständigenrats zur Begutachtung der gesamtwirtschaftlichen Entwicklung (SVR; Überblick bei Sievert, 1968; Gäfgen, 1973; Meissner, 1980; Holzheu, 1989):

- Die in den Jahren 1949 bis 1950 durch Ministererlaß geschaffenen wissenschaftlichen Beiräte bei den mit der Wirtschaftspolitik befaßten Bundesministerien sind ehrenamtliche Professorengremien, die ihre Mitglieder kooptieren. Sie sind autonom in der Wahl ihrer Aufgabenstellung und deren Bearbeitung. Der Adressat der Beratungsergebnisse ist der jeweilige Minister; er braucht sie aber weder zu beachten noch zu ihnen Stellung zu nehmen.

- Der SVR wird aufgrund eines Gesetzes aus dem Jahr 1963 tätig. Er besteht aus fünf unabhängigen Mitgliedern, die über besondere wirtschaftswissenschaftliche Kenntnisse und volkswirtschaftliche Erfahrungen verfügen müssen und vom Bundespräsidenten auf Vorschlag der Bundesregierung auf fünf Jahre ernannt werden. Der Gutachterauftrag besteht darin, die jeweilige gesamtwirtschaftliche Lage und deren absehbare Entwicklung bei unterschiedlichen Annahmen darzustellen sowie Fehlentwicklungen und Möglichkeiten zu deren Vermeidung oder Beseitigung aufzuzeigen. Empfehlungen für bestimmte Maßnahmen darf er jedoch nicht geben. Seine Jahresgutachten hat der SVR der Bundesregierung bis zum 15. November zuzuleiten und gleichzeitig zu veröffentlichen. Die Bundesregierung muß spätestens nach acht Wochen dazu Stellung nehmen und ihre wirtschaftspolitischen Schlußfolgerungen in einem „Jahreswirtschaftsbericht" darlegen. Der SVR soll nach dem Willen des Gesetzgebers vor allem die Öffentlichkeit ansprechen und deren ökonomische Urteilsbildung erleichtern.

Ob und inwieweit die wirtschaftswissenschaftliche Politikberatung insgesamt oder zumindest in Teilbereichen erfolgreich war und zu sachgerechten Entscheidungen geführt hat, läßt sich – von Einzelfällen abgesehen – kaum klären. Untersuchungen der Beratungspraxis in der Bundesrepublik Deutschland lassen vermuten, daß der Einfluß der wirtschaftswissenschaftlichen Politikberater auf die aktive Gestaltung der Wirtschaftspolitik relativ gering und die Gefahr ihrer wissenschaftlich-technokratischen Beherrschung kaum gegeben ist. Dagegen gewinnt die Politikberatung im politisch-administrativen Raum selbst eine politische Funktion, die im wesentlichen von den Zielen und Interessen der Ministerialbürokratie bestimmt wird (Friedrich, 1970).

Nach traditioneller Vorstellung vollzieht sich die Politikberatung in folgenden Schritten: Der Politiker stößt auf theoretische oder empirische Informationslücken, er vergibt daraufhin Beratungsaufträge an kompetente Wissenschaftler und entscheidet aufgrund der eingegangenen Informationen, ob und gegebenenfalls wie gehandelt werden soll. In diesem dezisionistisch geprägten Beratungsablauf bliebe die sachliche und institutionelle Trennung von Erkenntnis und Entscheidung gewahrt und die Politikberatung auf ihre Informationsfunktion beschränkt. Die praktischen Erfahrungen deuten jedoch auf die Möglichkeit der umgekehrten Schrittfolge hin: Der Politiker entscheidet sich von vornherein für bestimmte Strategien und Maßnahmen, stellt daraufhin Informationslücken bei der Rechtfertigung und Durchsetzung seines Kurses fest und beauftragt Wissenschaftler mit dem Beschaffen von Informationen, die der Legitimierung der zuvor getroffenen Entscheidungen dienlich sind. In diesem Fall hat die Politikberatung praktisch nur noch Legitimationsfunktion.

Probleme der Professionalisierung

Jede Professionalisierung der Politikberatung birgt somit die Gefahr, daß die beratenden Wissenschaftler korrumpiert werden und ihre geistige Unabhängigkeit verlieren. Ein Effizienzverlust der Beratungspraxis wäre die unausweichliche Folge. Um dieser Gefahr zu begegnen, bedarf es gewisser Maximen, die als Wertbasis der Politikberatung von den beratenden Ökonomen anerkannt und beachtet werden sollten. Aufgrund der Erfahrungen mit der Tätigkeit vor allem des amerikanischen Council of Economic Advisers (CEA) zählt Silvio Borner (1975, S. 172 ff.) dazu folgende Verhaltens- und Qualitätsstandards:

- „Professionelle Qualifikation“: Da die jeweils berufenen Politikberater eine Art (temporäres) Monopol für die politische Anwendung fachlichen Wissens und Könnens haben, sind bei der Auswahl strenge Maßstäbe an ihre wissenschaftliche Fachkompetenz, ihre wirtschaftliche und politische Unabhängigkeit sowie ihre persönliche Integrität anzulegen.
- „Temporäre Beraterfunktion“: Der Beraterwechsel beugt der Abnützung der wissenschaftlichen Leistungsfähigkeit, der schöpferischen Phantasie und der kritischen Urteilsfähigkeit vor und bewahrt den Berater vor übermäßiger Identifikation mit der Politik.
- „Professionelle Kritik“: Sie besteht in der offenen Diskussion der Beratungsergebnisse durch Fachkollegen. Dadurch soll die intellektuelle Integrität der Berater, die analytische Präzision ihrer Diagnosen und Prognosen sowie die Widerspruchsfreiheit ihrer Empfehlungen gewährleistet werden.
- ,,Professionelle Ethik“: Der Berater sollte dem Versuch widerstehen, ,,Gefälligkeitsgutachten“ abzugeben, Erkenntnislücken zu verschleiern und Beratungsergebnisse gegen Kritik zu immunisieren, um sich und die Profession nicht ständigem Dogmatismus- und Ideologieverdacht auszusetzen.

Das Befolgen dieser Beratungsmaximen würde die notwendige kritische Distanz zwischen Wirtschaftswissenschaft und Wirtschaftspolitik zum Vorteil beider erhalten und die ökonomische Politikberatung gleichermaßen vor der „Anmaßung von Wissen“ (HAYEK, 1975) wie vor der „Anmaßung der Entscheidung“ bewahren.

4. Elemente des wirtschaftspolitischen Entscheidungsprozesses

4.1. Konzeptionen der Wirtschaftspolitik

Welche Ziele werden angestrebt? Mit welchen Mitteln sollen sie erreicht werden? Von welchen Grundsätzen soll sich das erforderliche Handeln leiten lassen? Wer soll Träger dieses Handelns sein und welche Kompetenzen sollen den einzelnen Akteuren zuerkannt werden? Um eine Antwort auf diese Fragen zu erhalten, bedarf es einer wirtschaftspolitischen Konzeption (GIERSCH, 1961; SCHACHTSCHABEL, 1967, 3. A. 1976; PÜTZ, 1971, 4. A. 1979). Fehlt ein solches Leitbild zur Gestaltung von Wirtschaft und Gesellschaft, läuft die Wirtschaftspolitik Gefahr, sich in „punktuellem Interventionismus“ zu erschöpfen: Zielkonflikte werden nicht beachtet, Interdependenzen ignoriert, Nebenwirkungen bleiben unberücksichtigt. Man neigt zum Kurieren am Symptom, wo Ursachentherapie geboten wäre. Es dominiert ein kurzfristig improvisierendes Reagieren, dem Widerspruchsfreiheit ebenso wenig bescheinigt werden kann wie Planmäßigkeit des Handelns und die gebotene Sorgfalt im Abwägen von Nutzen und Kosten eines Eingreifens in den Wirtschaftsablauf.

Um einer rationalen Wirtschaftspolitik dienlich zu sein, müssen wirtschaftspolitische Konzeptionen selbst dem Rationalitätskriterium genügen: Der durch sie normierte Zielkatalog muß hinreichend umfassend und genügend klar definiert sein, um mögliche Zielkonflikte deutlich zu machen. Die Methoden, die zur Realisierung dieser Ziele Anwendung finden sollen, müssen wirksam und systemgerecht sein. Aus der Leitbildfunktion wirtschaftspolitischer Konzeptionen folgt dabei, daß sie nicht im Detail vorschreiben sollen, was in jedem Augenblick zu tun ist. Ihr Zweck besteht vielmehr darin, Klarheit über die finalen Ziele, die wesentlichen Mittel und die grundsätzlichen Handlungsregeln zu verschaffen. Sie sollen eine Wirtschaftspolitik ermöglichen, die langfristig konzipiert und kontinuierlich betrieben wird und stets den Gesamtzusammenhang bedenkt, sich also nicht lediglich im Tagesgeschäft erschöpft. Sie sollen der Gefahr vorbeugen, sich in vordergründigem Taktieren zu erschöpfen, wo komplexe Ziel-Mittel-Beziehungen zu beachten sind und wo folglich ein Referenzsystem benötigt wird, das den Wirtschaftspolitiker darüber informiert, welchen Zielen er dient und welchen Prinzipien er verpflichtet ist.

Dieses Referenzsystem orientiert sich entweder grundsätzlich am Individualprinzip oder es folgt dominierend dem Kollektivprinzip:

- Das Individualprinzip steht für die Überzeugung, daß die Wohlfahrt einer Gesellschaft allein bestimmt wird durch die Wohlfahrt jedes einzelnen ihrer Mitglieder und daß nur das jeweils betroffene Individuum darüber zu befinden vermag, was seiner Wohlfahrt förderlich und was ihr abträglich ist. Als Aufgabe staatlicher Wirtschaftspolitik wird es folglich angesehen, dem einzelnen die größtmögliche

Chance zu eröffnen, frei zu entscheiden und sich als Persönlichkeit zu verwirklichen.

- Dem Kollektivprinzip liegt dagegen die Auffassung zugrunde, staatliche Wirtschaftspolitik solle primär einem gesellschaftlichen Gesamtinteresse dienen, das den individuellen Interessen übergeordnet sei, mit diesem auch nicht notwendigerweise übereinzustimmen brauche und im Konfliktfall gegen dieses Einzelinteresse durchgesetzt werden müsse.

Gesellschaftspolitisch ist das Bejahen des Individualprinzips gleichbedeutend mit einem Votum für eine Konzeption des Liberalismus. Die Anerkennung des Kollektivprinzips ist dagegen eine Entscheidung für den Sozialismus. Ihre wirtschaftspolitische Entsprechung finden die liberale und die sozialistische Gesellschaftsordnung in der Marktwirtschaft und in der Zentralverwaltungswirtschaft (Thieme/Steinbring, 1984; Gutmann/Klein, 1984; Beitrag A-2). Mit der Wahl eines dieser Wirtschaftssysteme ist das dominierende Koordinationsverfahren festgelegt. Demzufolge sollen die Instrumente, derer sich die Wirtschaftspolitik bedient, und die Grundsätze, von denen sie sich beim Einsatz ihrer Mittel leiten läßt, das gewählte Koordinationsprinzip in seiner Funktionsfähigkeit fördern oder doch zumindest nicht beeinträchtigen. Dieser Grundsatz der Systemkonformität (oder Systemneutralität) bezieht sich auch auf die angestrebten Ziele. Sie dürfen nicht so festgelegt, interpretiert oder gewichtet werden, daß sie mit den Erfordernissen des dominanten Koordinationsverfahrens unvereinbar sind.

So ist es etwa der Wirtschaftspolitik in einer Marktwirtschaft versagt, das Ziel einer gerechten Verteilung in der Weise zu definieren, daß der Grundsatz der Leistungsgerechtigkeit außer Kraft gesetzt wird; auch darf das Beschäftigungsziel nicht als staatlich gewährte Arbeitsplatzgarantie konkretisiert werden; denn in beiden Fällen würde gegen wesentliche Funktionserfordernisse einer marktwirtschaftlichen Ordnung massiv verstoßen.

Wirtschaftspolitische Konzeptionen erfahren Einbußen an Eindeutigkeit und Präzision, weil sie nicht auf die Idealtypen einer „reinen“ Marktwirtschaft oder einer „reinen“ Zentralverwaltungswirtschaft abzielen, sondern stets nur Dominanz eines der durch sie repräsentierten Ordnungsprinzipien fordern. Um für die praktische Wirtschaftspolitik Relevanz zu erhalten, müssen sie zudem politisch durchsetzbar und damit in einer Demokratie grundsätzlich mehrheitsfähig sein (Streit, 1979, 4. A. 1991). Das erfordert Abstriche, zwingt zu Kompromissen und macht unvermeidbar, daß Ziele eher vage formuliert werden und auch die Verpflichtung auf bestimmte Verfahren und Handlungsmaximen nicht so hart gefaßt wird, daß Ausnahmen von diesen Regeln nicht legitimiert werden könnten. Einer rationalen Wirtschaftspolitik muß diese Relativierung nicht zwangsläufig abträglich sein. Sie kann der Gefahr dogmatischer Erstarrung entgegenwirken. Leitbilder müssen jedoch gehaltvoll und für das wirtschaftspolitische Handeln verbindlich sein; denn je vager sie in ihren Aussagen sind, desto größer wird auch die Möglichkeit, sie als Ideologie zu mißbrauchen: als Mittel, um unerwünschte Entwicklungen mit dem Argument abzulehnen, sie seien nicht systemkonform; als Versuch, partikulare Interessen als Gemeinwohl auszugeben; und als wahrheitswidrige Behauptung, das Gewollte sei bereits weitgehend Realität.

4.2. Ziele der Wirtschaftspolitik

4.2.1. Wohlstandsmaximierung

Will die Theorie der Wirtschaftspolitik als „Kunstlehre" auch hohen Ansprüchen voll genügen, muß sie die Bedingungen aufzeigen können, unter denen ein Maximum an gesellschaftlicher Wohlfahrt erreicht ist. Im Rahmen der neoklassischen Wohlfahrtstheorie ist der Versuch unternommen worden, diese Aufgabe zu lösen (LITTLE, 1950, 2. A. 1957; PIGOU, 1951; Überblick bei KÜLP, 1976; KÜLP/KNAPPE, 1984). Das dabei gewählte Vorgehen läßt sich anhand der *Abb. N-1* wie folgt skizzieren:

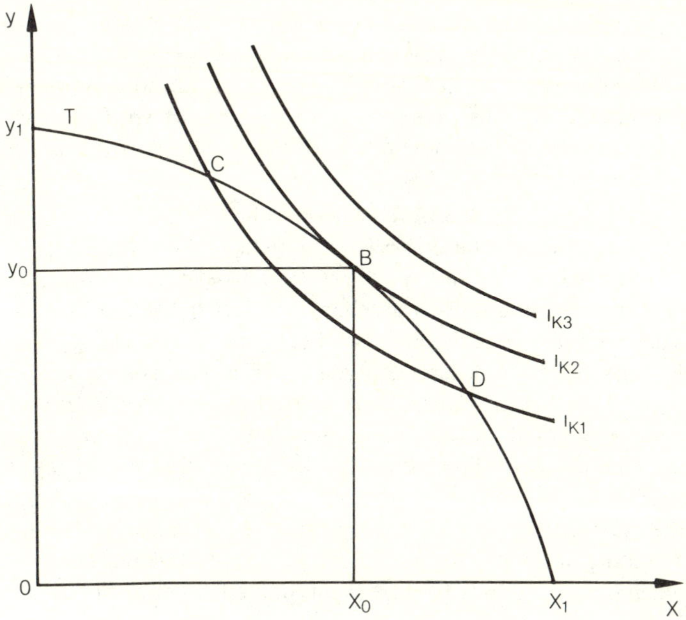

Abb. N-1: Gesamtwirtschaftliche Transformations-Kurve und gesellschaftliches Präferenzsystem

Die Produktionsmöglichkeiten der betrachteten Volkswirtschaft werden für einen Zwei-Güter-Fall durch die Transformationskurve (T) beschrieben. Werden alle verfügbaren Ressourcen vollständig in Anspruch genommen und kostenminimal eingesetzt, läßt sich bei vollständiger Spezialisierung maximal entweder die Menge x_1 des Gutes X oder die Menge y_1 des Gutes Y ausbringen. Die Transformationskurve ist der geometrische Ort dieser und aller übrigen Mengenkombinationen der Güter X und Y, die sich bei Wahrung der genannten Optimalitätsbedingungen realisieren lassen. Alle Mengen unterhalb der Transformationskurve sind suboptimal, da sie Verzicht auf mögliche Mehrproduktion bedeuten. Alle Mengen, die außerhalb der Fläche y_1Ox_1 liegen, sind im betrachteten Zeitpunkt nicht erreichbar. Sie lassen sich möglicherweise in künftigen Perioden herstellen, wenn es gelingt, die Transformationskurve durch Zunahme des Faktorbestandes (Nettoinvestitionen, ermöglicht durch Konsumverzicht in der Gegenwart) oder durch gesteigerte Produktionseffizienz (technischer und organisatorischer Fortschritt) vom Ursprung aus gesehen nach rechts zu verschieben.

Die Entscheidung, welcher Produktionspunkt auf T realisiert werden soll, setzt die Vorgabe einer gesellschaftlichen Wohlfahrtsfunktion $U = U(x_1, y_1)$ voraus, die unter der durch T dargestellten Nebenbedingung zu maximieren ist. Die Wohlfahrtsfunktion läßt sich durch eine Schar gesellschaftlicher Indifferenzkurven darstellen, von denen die *Abb. N-1* eine durch I_{K1}, I_{K2} und I_{K3} repräsentierte Auswahl enthält. Alle Kombinationen der Güter X und Y, die auf einer Indifferenzkurve liegen, stiften der Gesellschaft die gleiche Wohlfahrt. Jeweils höher gelegenen Indifferenzkurven sind höhere (ordinale) Nutzenindizes ($U_1<U_2<U_3$) zugeordnet. In *Abb. N-1* markiert folglich Punkt B das höchstmögliche Wohlfahrtsniveau; denn das Versorgungsniveau der Indifferenzkurve I_{K3} läßt sich mit den vorhandenen Produktionsmöglichkeiten nicht erreichen. Die Versorgungslagen, die sich in den Punkten C und D ergeben, sind gegenüber der Situation des Punktes B suboptimal, da sie Verzicht auf einen möglichen Wohlfahrtszuwachs bedeuten. Durch Punkt B wird zugleich auch das Produktionsoptimum bestimmt, in dem von beiden angebotenen Gütern die Mengen x_o und y_o bereitgestellt werden.

Eine Schar gesellschaftlicher Indifferenzkurven läßt sich graphisch aus den Indifferenzkurvensystemen zweier Haushalte (Beitrag K-2.1) ableiten, indem man für ein gegebenes Güterbündel x_o und y_o eine EDGEWORTH-BOWLEY-BOX konstruiert (*Abb. N-2*): Vom Ursprung O_1 aus gesehen wird das Indifferenzkurvensystem des ersten Haushalts mit den Indifferenzkurven I_{11}, I_{12} usw., von O_2 aus gesehen das des zweiten Haushalts mit den Indifferenzkurven I_{21}, I_{22} usw. abgetragen, so daß sich die Indifferenzkurven der beiden Haushalte jeweils schneiden, aber auch tangieren können. Jeder Punkt innerhalb des Boxdiagramms stellt eine bestimmte Verteilung des Güterbündels x_o und y_o auf die beiden Haushalte dar, aber nur in den Tangentialpunkten stiftet die Verteilung einen maximalen gesellschaftlichen Nutzen: Befinden sich die beiden Haushalte in der Verteilungsposition F, ließe sich z. B. durch Umverteilung in Richtung auf den Tangentialpunkt E für den zweiten Haushalt ein noch höheres Nutzenniveau (I_{23} statt I_{22}) erreichen, ohne daß der erste Haushalt Nutzen-

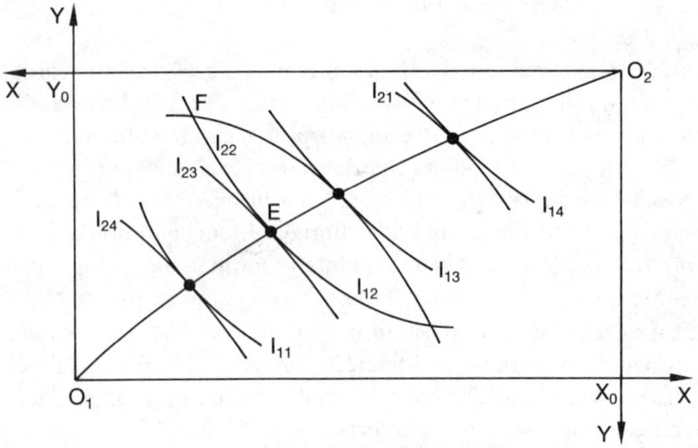

Abb. N-2: EDGEWORTH-BOWLEY-BOX

einbußen hinnehmen muß (I_{12}). In E ist ein Tauschoptimum erreicht, weil nun keiner der beiden Haushalte durch Umverteilung bessergestellt werden kann, ohne den jeweils anderen schlechterzustellen (PARETO-Kriterium). Die Verbindungslinie O_1O_2 aller Tangentialpunkte nennt man Tausch- oder Kontraktkurve; sie ist der geometrische Ort aller Verteilungen von x_o und y_o auf die beiden Haushalte, die i. S. des PARETO-Kriteriums ein gesellschaftliches Wohlfahrtsmaximum darstellen.

Die gesellschaftliche Indifferenzkurve IK_2 (*Abb. N-1*) läßt sich aus dem Boxdiagramm ableiten, wenn man von einer paretooptimalen Verteilung E des Güterbündels x_o und y_o mit O_2 bzw. B als dem oberen Eckpunkt ausgeht (*Abb. N-3.1*). In E hat der erste Haushalt das der Indifferenzkurve I_{12} entsprechende Nutzenniveau erreicht, während sich der zweite Haushalt auf seiner Indifferenzkurve I_{23} befindet. Hält man nun den unteren Eckpunkt O_1 – und damit I_{12} – fest und verschiebt man den oberen Eckpunkt O_2 so, daß die dazugehörige Indifferenzkurve I_{23} entlang der fixierten Indifferenzkurve I_{12} gleitet, ist mit O'_2 ein weiterer Punkt der gesellschaftlichen Indifferenzkurve I_{K2} gefunden: Das Güterbündel x'_o und y'_o ist in E′ paretooptimal verteilt und stiftet das gleiche gesellschaftliche Wohlfahrtsniveau wie x_o und y_o, weil sich beide Haushalte in E′ auf denselben Indifferenzkurven I_{12} und I_{23} befinden wie im Ausgangszustand E. Die gesuchte gesellschaftliche Indifferenzkurve I_{K2} ist somit der geometrische Ort aller möglichen Güterbündel, die von einer paretooptimalen Verteilung ausgehend den beiden Haushalten die gleichen individuellen Nutzen bzw. das gleiche gesellschaftliche Wohlfahrtsniveau stiften.

Soll mit I_{K3} (*Abb. N-1*) ein höheres gesellschaftliches Wohlfahrtsniveau erreicht werden, muß mindestens ein Haushalt ein höheres Nutzenniveau realisieren. Dies ist nur möglich, wenn die zu verteilenden Güterbündel größer werden. Im Ausgangszustand sei wiederum mit dem in E paretooptimal verteilten Güterbündel x_o und y_o der Punkt O_2 auf der gesellschaftlichen Indifferenzkurve I_{K2} fixiert (*Abb. N-3.2*). Wird nun der untere Eckpunkt O_1 des Boxdiagramms mit der Indifferenzkurvenschar des ersten Haushalts erneut festgehalten, der obere Eckpunkt O_2 aber nach außen auf O''_2 verschoben, so daß die Indifferenzkurve I_{23} des zweiten Haushalts in E″ statt I_{12} die höhere Indifferenzkurve I_{13} des ersten Haushalts tangiert, hat der erste Haushalt ein

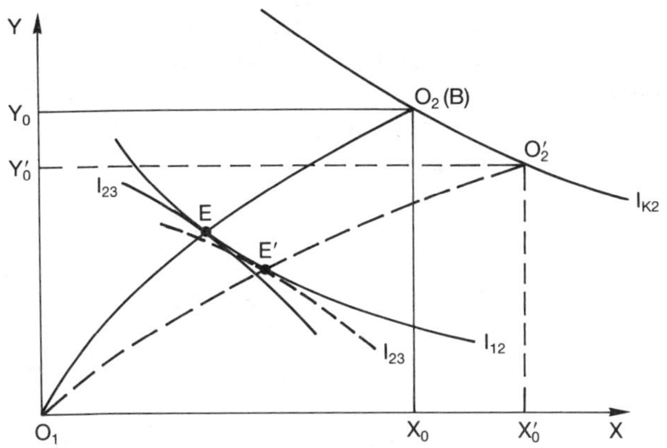

Abb. N-3.1: Ableitung gesellschaftlicher Indifferenzkurven

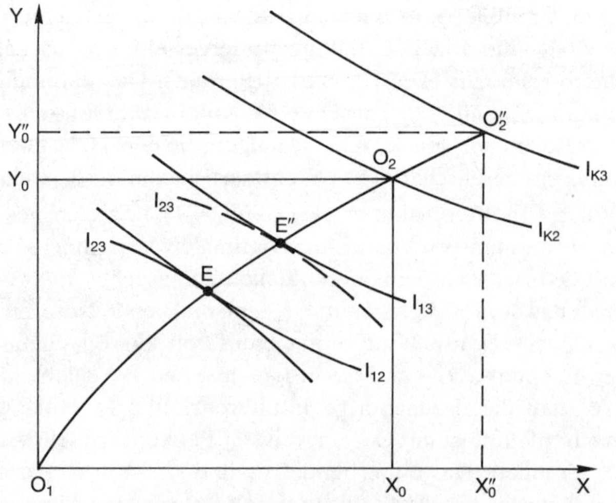

Abb. N-3.2: Ableitung gesellschaftlicher Indifferenzkurven

höheres Nutzenniveau erreicht, während der zweite sein altes Nutzenniveau beibehält. In gleicher Weise wie zuvor (*Abb. N-3.1*) können nun weitere Güterbündel gefunden werden, die das gleiche gesellschaftliche Wohlfahrtsniveau aufweisen wie x''_0 und y''_0 und folglich die gesuchte gesellschaftliche Indifferenzkurve I_{K3} definieren.

Die formale Eleganz der Ableitung einer Schar von gesellschaftlichen Indifferenzkurven und der Bestimmung eines gleichzeitigen Tausch- und Produktionsoptimums (Optimum optimorum) mit Hilfe der Transformationskurve in B (*Abb. N-1*) täuscht jedoch darüber hinweg, daß damit für die praktische Wirtschaftspolitik keine brauchbaren Entscheidungskriterien entwickelt werden konnten. Das analytische Instrument der Transformationskurve erweist sich als nicht mehr operabel, wenn es technische Fortschritte in Form von Produktinnovationen zu berücksichtigen gilt. Eine gegebene Schar von gesellschaftlichen Indifferenzkurven impliziert eine bestimmte paretooptimale Verteilung, von der bei der Ableitung ausgegangen wird; entlang der Kontraktkurve gibt es jedoch beliebig viele paretooptimale Verteilungen, aus denen ebenso viele Scharen von gesellschaftlichen Indifferenzkurven ableitbar sind, deren Wohlfahrtsgehalt aber nicht miteinander vergleichbar ist. Je nach der gewählten Verteilungsposition können somit verschiedene Punkte der Transformationskurve ein Optimum optimorum sein – eine widersprüchliche Lösung, die sich nur dann vermeiden läßt, wenn man für alle Haushalte identische Nutzenfunktionen unterstellt. Wird diese Annahme als unrealistisch aufgegeben, ergibt sich die Notwendigkeit, unterschiedliche individuelle Präferenzen zu einer gesellschaftlichen Nutzenfunktion zu aggregieren. Diese Aufgabe kann sich selbst dann als unlösbar erweisen, wenn angenommen wird, daß alle Haushalte über ein in sich widerspruchsfreies System von Indifferenzkurven verfügen und den Versuch unternehmen, auf deren Grundlage durch Abstimmung nach dem Mehrheitsprinzip eine gesellschaftliche Rangskala zu bestimmen. Der Nachweis, daß dabei inkonsistente Ergebnisse gewonnen werden können, wird als ARROW-Paradoxon bezeichnet (ARROW, 1951, 2. A. 1963; Überblick bei GAERTNER, 1978). Angenommen, an der Abstimmung beteiligen sich die Wirtschaftssubjekte I, II und III, die über die Alternativen A, B und C zu befinden haben, die jeder für sich in einer eindeutigen Rangfolge zu bewerten vermag. Für den Wähler I gilt die Konstellation A > B > C; Wähler II entscheidet sich für die Reihenfolge C > A > B; Wähler III favorisiert die Lösung B > C > A. Für alle ist die Forderung nach Transitivität ihrer Präferenzordnung erfüllt: Wird eine Alternative A einer Alternative B und diese wiederum einer Alternative C vorgezogen, dann läßt sich folgern, daß die Möglichkeit C auch geringer geschätzt wird als die Alternative A.

Unter den obigen Annahmen läßt sich nun zeigen, daß sich je nach der Reihenfolge, in der die möglichen Entscheidungsalternativen zur Abstimmung gestellt werden, unterschiedliche Ergebnisse einstellen: Wird zunächst zwischen A und B gewählt, wird B offensichtlich mit dem Stimmenverhältnis 2:1 verworfen. Eine weitere Abstimmung über die Alternative A:C ergibt eine 2:1 Mehrheit für C. Votiert wurde somit für die gesellschaftlichen Präferenzrelationen A>B und C>A. Soll die Transitivitätsbedingung nicht verletzt werden, muß folglich auch C>B gelten. Wird diese Alternative jedoch zur Abstimmung gestellt, ergibt sich eine 2:1-Mehrheit für B>C. Die Formulierung einer widerspruchsfreien gesellschaftlichen Wohlfahrtsfunktion auf der Grundlage individueller Präferenzen oder demokratischer Abstimmung erweist sich als unmöglich. Die tatsächlich gewonnene Präferenzfunktion wird vielmehr durch das wahltaktische Geschick einzelner und durch die mangelnde Transparenz des Abstimmungsmechanismus für andere bestimmt. Setzt z. B. Wähler II durch, daß zunächst nur über die Alternative A:B entschieden wird, macht er seine individuelle Präferenzordnung zur gesellschaftlich relevanten Rangskala, obwohl ein anderes Vorgehen andere Voten erbracht hätte.

4.2.2. Gesellschaftliche Grundwerte

Die Wohlfahrtsökonomik vermag der praktischen Wirtschaftspolitik keine brauchbare Auskunft darüber zu geben, wie ihr höchstes Ziel „Maximierung der gesellschaftlichen Wohlfahrt" inhaltlich zu bestimmen ist und wie sich Fortschritte im Sinne einer Annäherung an dieses Ziel exakt feststellen lassen. Ein methodisch weniger anspruchsvoller Versuch der Zielfindung geht davon aus, daß jede Gesellschaft Grundwerte kennt, die für sie den Charakter „letzter" Ziele besitzen und die als Basis eines friedlichen Zusammenlebens ein hohes Maß an Zustimmung aufweisen. Für die westlichen Industrieländer der Gegenwart können etwa Freiheit, Gerechtigkeit, Sicherheit und Fortschritt als solche obersten Werte angesehen werden (Streit, 1979, 4. A. 1991; ähnlich Giersch, 1961; Gäfgen, 1968).

Ihre verbindliche Ableitung aus „naturgegebenen" oder „kulturspezifischen" Wertordnungen, also etwa ihr Zurückführen auf Axiome des Naturrechts oder auf die Traditionen der „europäisch-abendländischen Kultur" ist ohne Willkür nicht möglich; lehrt doch die geschichtliche Erfahrung, daß sich kaum jemals derartige allgemein akzeptierte (und zugleich auch inhaltlich gehaltvolle) Standards herausgebildet haben (Dahl/Lindblom, 1953). Gesellschaftliche Grundwerte müssen folglich dadurch gewonnen werden, daß Parteiprogramme Alternativen zur Wahl stellen, von denen diejenige Verbindlichkeit erlangt, der die Mehrheit der Gesellschaft in freier Entscheidung zustimmt. Der „Leerformelcharakter" letzter Werte bleibt allerdings auch dann bestehen, wenn sie durch freiwilliges und rationales Übereinkommen formuliert wurden. Auf wie vielfältige und unterschiedliche Weise läßt sich beispielsweise der Inhalt des wohl allgemein akzeptierten Postulats „Gerechtigkeit" deuten! Aber auch alle anderen gesellschaftlichen Normen sind zunächst einmal vage und bedürfen der Präzisierung, wenn sie für (wirtschafts-)politisches Handeln verbindlich sein sollen.

Sofern gesellschaftliche Basiswerte unmittelbar ökonomische Bezüge aufweisen, sind sie zugleich auch als oberste Ziele (Finalziele; Primärziele; ultimate goals) der Wirtschaftspolitik anzusehen. Auf solche Basisnormen bezogen, stellen die bekannten wirtschaftspolitischen Ziele – wie freier Leistungswettbewerb, Preisniveaustabilität oder außenwirtschaftliches Gleichgewicht – Zwischenziele (Sekundärziele; intermediate goals; targets) dar, die insofern Mittelcharakter besitzen. Die Theorie der Wirtschaftspolitik kann an diesem Prozeß der Zielbestimmung auf zweifache Weise mitwirken: Sie kann die ökonomischen Implikationen unterschiedlicher Deutungen einzelner Grundwerte aufzeigen, und sie kann wirtschaftspolitische Ziele auf ihre Vereinbarkeit mit den vorgegebenen Grundwerten überprüfen.

Die gesellschaftlichen Grundwerte Freiheit, Gerechtigkeit, Sicherheit und Fortschritt erhalten ihren ökonomischen Bezug dadurch, daß sich aus der Art ihrer Konkretisierung Konsequenzen für die Wirtschaftsordnung ergeben.

Freiheit

Interpretiert man beispielsweise Freiheit als das Recht des einzelnen, seine Ziele selbst zu setzen und nach seinen eigenen Vorstellungen zu verfolgen, dann ergibt sich aus dieser Deutung die Notwendigkeit einer Wirtschaftsordnung, die dem einzelnen größtmögliche Entscheidungsspielräume eröffnet. Die Freiheit des einzelnen findet dort ihre Begrenzung, wo sie die Freiheit anderer ungebührlich einzuschränken droht. Ein Wirtschaftssystem, das dem Grundsatz der individuellen Freiheit weitestmöglich Geltung verschaffen will, muß also Vorkehrungen enthalten, die es gestatten, wirtschaftliche Macht wirksam zu begrenzen. Ein System, das das Prinzip dezentraler Planung mit freier Preisbildung und einem unbeschränkten Leistungswettbewerb verbindet, genügt dieser Forderung. Ein Wirtschaftssystem, das dem einzelnen seine Entscheidungskompetenz weitgehend aberkennt und sein Verhalten durch eine Vielzahl von detaillierten Vorschriften zu reglementieren und zu kontrollieren versucht, widerspricht dagegen dem Postulat der freien Entfaltung des einzelnen, das – ernst genommen – immer auch im wirtschaftlichen Bereich gelten muß (HAYEK, 1960; 1977).

Gerechtigkeit

Der ökonomische Bezug des Zieles Gerechtigkeit ist evident; denn ein wesentlicher Aspekt dieser Norm ist der der Verteilungsgerechtigkeit. Sie erfordert eine befriedigende Lösung der Aufgabe, das Produktionsergebnis auf die einzelnen Mitglieder der Gesellschaft zu verteilen. Wiederum haben die hier bevorzugten Kriterien weitgehende und verbindliche Konsequenzen für die Wahl des Wirtschaftssystems. So ist etwa ein Verteilungsschlüssel, der sich am Marktwert der erbrachten Leistungen orientiert, nur im Rahmen einer marktwirtschaftlichen Ordnung anwendbar, da nur hier Märkte bestehen, auf dem sich derartige Tauschwerte ohne staatlichen Einfluß bilden können. Ein Verteilungskriterium, gemäß dem Einkommen grundsätzlich unabhängig von der erbrachten Leistung zuerkannt wird, ist dagegen als dominierendes Verteilungsprinzip mit den Grundsätzen der Marktwirtschaft nicht vereinbar. Da es die am Markt höher bewertete Leistung unbelohnt läßt, steht es im Widerspruch zum freien Leistungswettbewerb, der als marktwirtschaftliches Sanktionsverfahren gerade hier ansetzt (Watrin, 1979; Koslowski, 1982; Beiträge A-3.3 und O-1).

Sicherheit

Sicherheit fordert als gesellschaftliches Ziel nicht nur die Erhaltung des Friedens nach innen und außen; für den einzelnen beinhaltet diese Norm auch die Zusage, daß das ihm auferlegte Existenzrisiko zumutbar bleibt. Bei Krankheit oder unverschuldetem Verlust seines Arbeitsplatzes muß er auf eine angemessene Unterstützung durch die Gesellschaft vertrauen können. Auch dürfen seine Dispositionen zur Daseinsfürsorge und -vorsorge nicht durch Inflation oder Massenarbeitslosigkeit vereitelt werden.

Mit den Prinzipien einer marktwirtschaftlichen Ordnung kollidiert das Ziel „Sicherheit", wenn es als totale Sicherheit aufgefaßt wird; denn dann ist es gleichbedeutend mit der Garantie, Arbeitsplätze, Marktanteile, Einkommen oder andere „Besitzstände" zeitlich unbefristet zu erhalten. Eine Anpassung der Produktionsstruktur an den Wandel der Konsumentenpräferenzen könnte nicht mehr stattfinden; technischer Fortschritt dürfte nicht mehr zugelassen, die Risiken eines freien Leistungswettbewerbs müßten verhindert werden (Beitrag R-3). Totale Sicherheit bedingt somit den Verzicht auf die Innovationsdynamik und Anpassungsflexibilität einer freiheitlichen Wirtschaftsordnung und auf ihre Eigenschaft, zeitlich befristet erworbene Vorteile immer wieder in Frage zu stellen und damit auch immer wieder neue Chancen zu eröffnen (Issing, 1979, 2; Koslowski/Kreuzer/Löw, 1983; Beiträge A-3.3 und O-1).

Fortschritt

Interpretiert man Fortschritt als „Annäherung an Ziele im Zeitablauf" (Streit, 1979, 4 A. 1991, S. 225), dann verliert diese Norm dadurch ihren Eigenwert, daß sie nur in Verbindung mit den Zielen sinnvoll wird, an die jeweils Annäherungen gewünscht werden. Seinen ökonomischen Bezug erhält dieses Postulat dadurch, daß wirtschaftliches Wachstum im Sinne eines steigenden Realeinkommens die Voraussetzung dafür ist, die Ziele der individuellen Freiheit, der Sicherheit und der Gerechtigkeit besser als zuvor zu verwirklichen:

– Die Möglichkeit, zwischen Alternativen wählen zu können, ist in der Regel bei hohem Einkommen eher gegeben als bei geringem. Das Existenzrisiko wird sich verringern und das subjektive Gefühl der Sicherheit zunehmen, wenn das Einkommen gesteigert und für die Zukunft weiteres Einkommenswachstum erwartet werden kann; auch verbessern sich in diesem Fall die Möglichkeiten der Zukunftsvorsorge.

– Schließlich vergrößert wirtschaftliches Wachstum auch die Chance, Fortschritte bei der Verwirklichung des Verteilungsziels zu erreichen: Umverteilungsmaßnahmen lassen sich bei wachsendem Durchschnittseinkommen leichter durchsetzen als in einer stagnierenden Volkswirtschaft, denn bei fehlendem Wachstum müssen einigen absolute Einbußen auferlegt werden, um die Einkommen anderer zu steigern. Der Verteilungskampf nimmt an Härte zu.

4.2.3. Systematik der Einzelziele

Gesellschaftliche Grundwerte beinhalten durchweg auch ökonomische Aspekte. Unterschiedliche Inhalte dieser Ziele sind von erheblicher Bedeutung für die Wirtschaftsordnung. Trotz dieser engen und vielfachen ökonomischen Bezüge ist es jedoch kaum möglich, aus gesellschaftlichen Grundwerten logisch zwingend verbindliche wirtschaftspolitische (Zwischen-)Ziele abzuleiten. Zwischen wichtigen wirtschaftspolitischen Zielen und den Grundwerten der Gesellschaft bestehen jedoch Zweck-Mittel-Beziehungen: Die wirtschaftspolitischen Ziele lassen sich dabei als Mittel interpretieren, derer man sich bedient, um sich übergeordneten gesellschaftlichen Zielen anzunähern.

- Bei hohem Beschäftigungsstand werden die Produktionsmöglichkeiten einer Volkswirtschaft intensiver genutzt als bei hoher Arbeitslosenquote. Damit wird ein höheres Einkommen realisiert, das jene Freiheitsspielräume erweitert, die nur bei Verfügbarkeit von Kaufkraft offenstehen. Ein hoher Beschäftigungsstand fördert für den Arbeitnehmer die Chance, ein Arbeitsangebot zu finden, das seinen Neigungen und seiner Qualifikation entspricht. Damit eröffnen sich dem Arbeitnehmer bei hohem Beschäftigungsstand mehr Wahlmöglichkeiten als bei hoher Arbeitslosigkeit. Ein hoher Beschäftigungsstand reduziert zudem das Risiko, den Arbeitsplatz als Folge konjunkturell oder strukturell bedingter Anpassung einzubüßen. Kommt es dennoch zu einem derartigen Verlust von Arbeitsplätzen, bestehen vergleichsweise gute Chancen, woanders eine gleichwertige Beschäftigung zu finden. Dadurch schafft Vollbeschäftigung ein Gefühl der Sicherheit, das bei steigender Arbeitslosenquote zunehmend verloren geht. Schließlich trifft Arbeitslosigkeit nicht alle gleich; sie kann vielmehr sachlich nicht gerechtfertigt diskriminieren – Jugendliche, ältere Arbeitnehmer, Ungelernte, Teilzeitbeschäftigte und andere „Problemgruppen" des Arbeitsmarktes – und beinhaltet somit Verstöße gegen das Gerechtigkeitspostulat (Beitrag R-4).

- Inflation als anhaltender und gravierender Verstoß gegen das Ziel Preisniveaustabilität kann unerwünschte Verteilungseffekte und folglich Verstöße gegen das Ziel der Gerechtigkeit zur Folge haben. Auch vermindern Inflationsprozesse die Allokationseffizienz. Dadurch wird die Möglichkeit reduziert, durch ein wachsendes Realeinkommen ein Mehr an Freiheitsspielräumen zu schaffen. Inflationsraten, die sich im Zeitablauf stark ändern, bewirken zudem Risiken, die der gesellschaftlichen Grundnorm „Sicherheit" abträglich sind (Beitrag F-3).

Die angeführten Ziele haben die gemeinsame Eigenschaft, der Förderung des wirtschaftlichen Wohlstands zu dienen. Sie besitzen gegenüber diesem obersten wirtschaftspolitischen Ziel in grundsätzlich gleicher Weise Mittelcharakter, wie das Wohlstandsziel seinerseits als Mittel zur Verwirklichung der ihm übergeordneten gesellschaftlichen Grundwerte interpretiert werden kann (MYRDAL, 1933). Durch derartige Verknüpfungen entstehen Zielhierarchien, die zwar den Vorzug aufweisen, die unterschiedlichen Wertigkeiten einzelner Zielkategorien deutlich zu machen, dabei aber mehr logische Stringenz und Aussagegehalt suggerieren, als ihnen tatsächlich zukommt (*Übersicht N-3;* s. Abschitt 3.3.2).

Übersicht N-3: Beispiele gesellschaftlicher Grundwerte und wirtschaftspolitischer Ziele

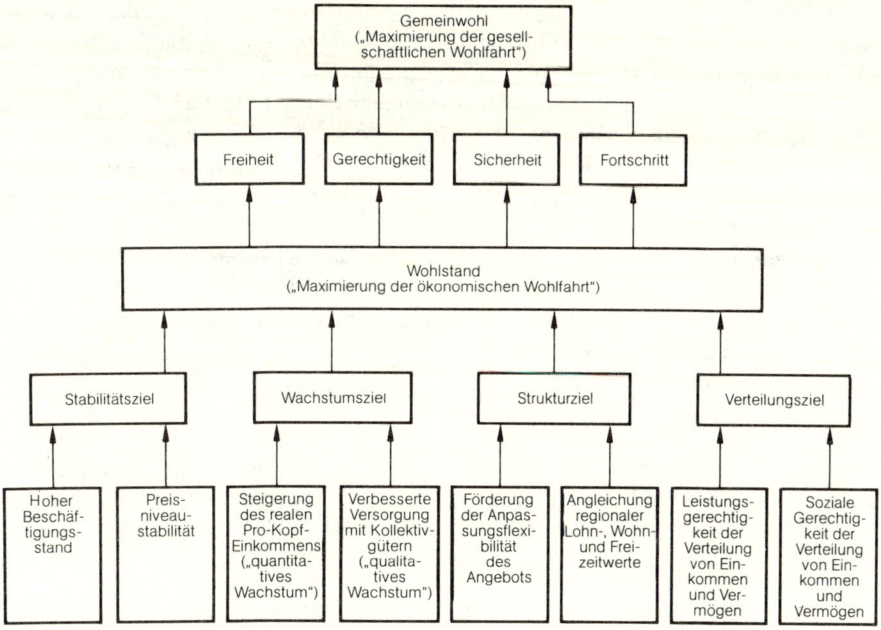

4.2.4. Zielbeziehungen

Die praktische Wirtschaftspolitik soll eine Vielzahl von Zielen verwirklichen. Auch wenn sich wirtschaftspolitisches Handeln primär und unmittelbar nur auf eines dieser Ziele richtet – etwa weil es im betrachteten Zeitpunkt stärker als andere verletzt ist oder weil es aus wahltaktischen Gründen eine besonders starke Gewichtung erfährt – müssen die Nebenwirkungen bedacht werden, die mit diesem Handeln verbunden sind. Fördern diese die Annäherung an ein anderes Ziel, so besteht zwischen diesem und dem direkt anvisierten Ziel eine Beziehung der Zielharmonie oder Zielkomplementarität (Jöhr/Singer, 1957, 3. A. 1969; Giersch, 1961; Tuchtfeldt, 1971, 2; Streit, 1979, 4. A. 1991; Külp u. a. 1980; s. Abschnitt 5.2.1). Die Ziele, die dabei zueinander in Bezug gesetzt werden, müssen in etwa gleichrangig sein; andernfalls ist die vermeintliche Ziel-Ziel-Beziehung tatsächlich ein Ziel-Mittel-Zusammenhang. Die behauptete Zielharmonie besagt dann nichts anderes, als daß ein als (Unter-)Ziel deklariertes Mittel geeignet ist, ein ihm übergeordnetes (Ober-)Ziel zu verwirklichen. So kann etwa wirtschaftliche Integration das Wachstum fördern. Von Zielharmonie läßt sich in diesem Falle jedoch nur sprechen, wenn der Integrationsprozeß nicht als Mittel angesehen, sondern ihm ein Eigenwert beigemessen wird, der ihn in den Rang eines der Wachstumssteigerung gleichwertigen Zieles erhebt.

Häufiger als Zielharmonien sind Zielkonflikte. Sie sind dadurch gekennzeichnet, daß Fortschritte bei der Annäherung an ein Ziel dazu zwingen, gegen ein anderes Ziel zu verstoßen. Der zwischen (zwei) wirtschaftspolitischen Zielen bestehende Konflikt ist um so stärker, je größer das Ausmaß der Zielverletzung ist, das hingenommen werden muß, um beim jeweils anderen Ziel die gewünschte Verbesserung des Zielrealisierungsgrades zu erreichen. Zielkonflikte machen ein Abwägen erforderlich, das als Trade-off-Problem bezeichnet wird. So beschreibt z. B. die PHILLIPS-Kurve einen Zielkonflikt zwischen Vollbeschäftigung und Preisniveaustabilität (Beiträge F-3.1 und P-3): Keines der beiden Ziele könne vollständig realisiert werden, ohne das jeweils andere Ziel zu gefährden. Folglich habe der Politiker gemäß seinen Präferenzen zwischen unterschiedlichen Kombinationen von Zielrealisierungsgraden zu wählen; er habe also etwa die Freiheit, sich für eine bestimmte Arbeitslosenquote zu entscheiden, wenn er nur bereit sei, die dazugehörige Inflationsrate in Kauf zu nehmen. Tatsächlich dürfte ein so hohes Maß an Wahlfreiheit langfristig kaum gegeben sein. Die Entscheidungsspielräume, die dem Wirtschaftspolitiker offenstehen, wenn er sich mit Zielkonflikten konfrontiert sieht, bemessen sich vor allem danach, worin die Ursachen dieser Konflikte bestehen und wie weitgehend er auf sie Einfluß zu nehmen vermag.

Zielkonflikte können aus Nebenbedingungen resultieren, die einer möglichen Zielharmonie entgegenstehen:

- So droht etwa Freihandel nur dann mit dem Beschäftigungsziel zu kollidieren, wenn die Faktormobilität nicht ausreicht, um den Anpassungserfordernissen einer offenen Volkswirtschaft ohne größere Reibungsverluste zu genügen (Beiträge S-1.2.1 und Q-3.3.2).
- Die Gefahr von Zielkonflikten wird zunehmen, wenn die Absichten der Wirtschaftspolitik darauf abzielen, Erfolge möglichst rasch zustande zu bringen. Soll etwa eine als zu hoch angesehene Inflationsrate binnen kurzem kräftig reduziert werden, muß dazu abrupt „gebremst" werden. Das Beschäftigungsrisiko einer derartigen Politik ist sehr viel höher als das eines behutsamen Vorgehens, das sich damit begnügt, deutliche Stabilisierungsfortschritte erst auf mittlere Sicht anzustreben (Beitrag P-5).

Zielkonflikte können auch darin ihre Ursache haben, daß sie Implikationen beinhalten, die mit hinlänglich gesicherter Erkenntnis der Wirtschaftstheorie nicht vereinbar sind: So ergab sich ein Teil der Konfliktträchtigkeit des „magischen Vierecks der Wirtschaftspolitik" für die Bundesrepublik Deutschland lange Jahre hindurch aus einem Festhalten an festen Paritäten. Diese Wechselkurspolitik machte es unmöglich, gleichzeitig außenwirtschaftliches Gleichgewicht und Preisniveaustabilität zu erreichen – eine Problemsituation, deren Zwangsläufigkeit von der Bundesregierung zunächst bestritten wurde (Beiträge E-3.5 und P-5).

Der Begriff „Zielkonflikt" impliziert insofern eine grundsätzlich negative Bewertung des bezeichneten Sachverhaltes, als er – vor allem in Verbindung mit seinem logischen Pendant „Zielharmonie" – suggeriert, Konflikte seien grundsätzlich unerwünscht. Mit dieser Einschätzung verbindet sich leicht der Wunsch nach weitgehender Konfliktfreiheit – eine Vorstellung, die verkennt, daß ein Wirtschaftssystem, welches auf Offenheit, Dynamik und Wandel nicht verzichten will, die Existenz von Konflikten zu akzeptieren hat. Auch für die Wirtschaftspolitik gilt, daß es hier nicht darum gehen kann, Konflikte nach Möglichkeit zu verhindern oder deren Existenz schlechtweg zu leugnen. Die Forderung muß vielmehr lauten, unvermeidbare Zielkonflikte grundsätzlich zu akzeptieren und sie in ihren Ursachen deutlich zu machen, damit die Vor- und Nachteile alternativer Lösungen abgeschätzt und gegeneinander abgewogen werden können.

4.2.5. Operationalisierung

Wirtschaftspolitische Ziele sind möglichst präzise zu formulieren. Die Handelnden müssen wissen, auf welche Programmsituation sich ihr Tun zu richten hat, damit ihnen und anderen eine Erfolgskontrolle möglich ist und damit Lernprozesse stattfinden können, die die Befähigung zu erfolgreicher Aktion im Zeitablauf steigern. Bereits die Operationalisierung ablaufspolitischer (und damit noch am ehesten quantifizierbarer) Ziele pflegt mit erheblichen methodisch-statistischen, aber auch mit politischen Problemen verbunden zu sein:

- So gibt die Arbeitslosenquote über den Beschäftigungsstand einer Volkswirtschaft nur unzureichend Auskunft, da sie die Anzahl der geleisteten Arbeitsstunden (Kurzarbeit, Überstunden, Schwarzarbeit) unberücksichtigt läßt und zwischen verschiedenen Formen der Arbeitslosigkeit (konjunkturelle, saisonale, strukturelle Arbeitslosigkeit, Sucharbeitslosigkeit) nicht unterscheidet. Außerdem informiert sie weder darüber, wie hoch das Erwerbspersonenpotential ist, noch gibt sie an, wie gut es vom verfügbaren Arbeitsplatzpotential her genutzt werden könnte und tatsächlich genutzt wird. Alternative Meßziffern, die methodisch anspruchsvoller sind und einen höheren Aussagegehalt versprechen, werfen dagegen vielfach unüberwindbare Probleme der statistischen Erfassung auf (Beitrag P-3.1).
- Preisindizes, die zur Ermittlung der Inflationsrate herangezogen werden, laufen Gefahr, in den ihnen zugrunde gelegten „repräsentativen Warenkörben" (Wägungsschemata; Indexgewichten) im Zeitablauf zunehmend zu veralten und Qualitätsänderungen unzureichend zu berücksichtigen (Beitrag F-1.2).
- Die Zuwachsrate des realen Bruttosozialprodukts, die zumeist als Meßziffer für die Höhe des Wirtschaftswachstums herangezogen wird, muß sich kritisch entgegenhalten lassen, daß sie nichts über die „Qualität" des erreichten Wachstums aussagt und auch keine Angaben darüber macht, wie die verfügbare Mehrproduktion verteilt wurde und welcher Faktoreinsatz zu ihrer Bereitstellung erforderlich war (Beitrag B-4).

Nicht nur die Wahl der für die einzelnen Zielvariablen geeigneten Meßgrößen, auch die Bestimmung jener numerischen Werte, die den Zustand vollständiger Zielrealisierung bezeichnen sollen, kann Schwierigkeiten bereiten: Die Handelnden sehen sich zum einen mit der Notwendigkeit konfrontiert, die Ziele anspruchsvoll genug zu formulieren, um an der Ernsthaftigkeit des wirtschaftspolitischen Wollens keinen Zweifel aufkommen zu lassen; zum anderen kann den Akteuren jedoch nicht daran gelegen sein, die Zielwerte so ehrgeizig zu formulieren, daß die Chance, sie zu erreichen, von Anfang an gering ist. So stellt sich etwa einer Regierung, die nach Wiederwahl strebt, ein doppeltes Prognoseproblem: Sie muß abschätzen, welche Zielwerte vom Wähler als das Minimum dessen angesehen werden, was seiner Meinung nach erreichbar ist und deshalb mindestens auch erreicht werden sollte; und es muß möglichst zuverlässig das erkundet werden, was für die Regierung unter den gegebenen Umständen tatsächlich „machbar" ist.

Das mit derartigen Schätzungen erfahrungsgemäß verbundene Irrtumsrisiko sowie theoretische Erwägungen (Beitrag P-3.1) legen es nahe, auf eine allzu strenge Fixierung der Ziele zu verzichten: Zweckmäßigerweise werden Bandbreiten (Zielkorridore) angegeben, innerhalb derer jeder zustande kommende Wert als Zielerfüllung angesehen wird – Beispiel: Das von der Bundesbank für 1984 angestrebte Geldmengenziel sollte als erreicht gelten, wenn die Zentralbankgeldmenge gegenüber dem Vorjahr um nicht weniger als 4 v. H. und nicht mehr als 6 v. H. ansteigt. Auch kann das Erreichen des normierten Zielwertes von vornherein an die Bedingung geknüpft werden, daß die Tarifpartner das dazu erforderliche Verhalten zeigen oder die Weltkonjunktur die angenommene Entwicklung nimmt. Damit sind zugleich auch jene „Störfaktoren" genannt, die man im Falle eines Scheiterns der eigenen Bemühungen als die Schuldigen anzuführen gedenkt. Schließlich besteht die Möglichkeit, auf eine Quantifizierung der Ziele völlig zu verzichten, es also bei der Versicherung zu belassen, man werde alle erfolgversprechenden Anstrengungen unternehmen, um Fehlentwicklungen entgegenzuwirken oder ihnen vorzubeugen.

Noch schwieriger als im Rahmen der Stabilitätspolitik ist die Auswahl geeigneter Zielvariablen und Meßgrößen in anderen Bereichen wirtschaftspolitischen Handelns. So soll etwa Wettbewerbspolitik einen „freien und unverfälschten Leistungswettbewerb" fördern, Sozialpolitik dem „sozialen Fortschritt" dienen, Regionalpolitik in den einzelnen Teilräumen der Bundesrepublik „gesunde wirtschaftliche Bedingungen" schaffen, Agrarpolitik eine „Nahrungsmittelversorgung zu angemessenen Preisen" gewährleisten. Alle diese Ziele sind vage. Sie bedürfen somit der Präzisierung. Diese kann auf sehr unterschiedliche Weise erfolgen und damit auch entsprechend unterschiedliche Politiken erforderlich machen oder rechtfertigen. Den Trägern der Wirtschaftspolitik kommen diese Schwierigkeiten nicht unbedingt ungelegen. Je leichter es ihnen fällt, auf eine Quantifizierung der Ziele zu verzichten, desto schwerer wird es, eine wirksame Erfolgskontrolle vorzunehmen. „Punktgenau" und sehr anspruchsvoll fixierte Ziele beinhalten dagegen die Gefahr, die Möglichkeiten der Handelnden zu überschätzen. Das führt zu einem Zwang, fortwährend in den Wirtschaftsablauf einzugreifen, der dem Erreichen der angestrebten Ziele erfahrungsgemäß eher abträglich als förderlich ist (Beitrag P-3.2.2).

4.3. Mittel der Wirtschaftspolitik

4.3.1. Ziele und Instrumente

Besteht Einigkeit über die anzustrebenden Ziele, dann stellt sich grundsätzlich die Frage, mit welchen Mitteln das Gewollte verwirklicht werden kann. Wirtschaftspolitische Maßnahmen bezeichnen den Einsatz bestimmter Instrumente. Ihre Wirksamkeit läßt sich stets nur mit Bezug auf die damit angestrebten Ziele beurteilen. Dabei ist die Entscheidung darüber, wie diese Ziele gewichtet und welche numerischen Werte der entsprechenden Zielvariablen zugeordnet werden sollen, nicht unabhängig von der Einschätzung dessen, was das verfügbare Instrumentarium jeweils zu leisten vermag. Zweifel an der Effizienz dieser Mittel können dazu führen, an der Zahl der verfolgten Ziele Abstriche vorzunehmen, ihre Gewichtung zu korrigieren oder das gewählte

Anspruchsniveau herabzusetzen: Ziele und Mittel sind also in diesem Sinne nicht unabhängig voneinander.

Mittel haben zudem durchweg Neben- und Folgewirkungen, d. h. ein Instrument wirkt in der Regel zugleich auf mehr als nur ein Ziel ein. Ziele werden somit auch über die Instrumente, die man zu ihrer Verwirklichung einsetzt, zueinander in Beziehung gesetzt. Die mit dem Einsatz eines Instruments verbundenen indirekten Effekte können erwünscht oder unerwünscht sein, je nachdem, ob die Annäherung an ein Ziel auch die Erfüllung anderer Ziele begünstigt oder Abstriche erzwingt. In beiden Fällen macht es das Postulat rationalen Handelns notwendig, alle eingesetzten Instrumente und alle angestrebten Ziele zusammen zu betrachten und möglichst viele der hier bestehenden Beziehungen sichtbar zu machen. Die isolierte Würdigung (nur) eines Instruments im Hinblick auf das mit diesem direkt und primär angestrebte Ziel ist mit den Erfordernissen rationaler Wirtschaftspolitik nicht vereinbar. Der hier erreichte positive Effekt kann durch negative Wirkungen auf andere Ziele reduziert oder gar aufgehoben werden, die sich nur im Rahmen einer umfassenden Ziel-Mittel-Analyse erkennen lassen (s. Abschnitt 5.2.1).

Die Beachtung komplexer Ziel-Mittel-Systeme ist auch deshalb geboten, weil Ziele und Mittel sich nicht streng voneinander trennen lassen. Ziele besitzen instrumentalen Charakter, wenn sie als Vorziele auf übergeordnete Zielsetzungen und Werte bezogen werden können (HOMANN, 1980). Andererseits weisen Mittel vielfach einen Eigenwert auf, der ihnen einen eigenständigen Zielcharakter verleiht. So sind Freihandel und Wettbewerb in einer Marktwirtschaft zum einen Mittel, die dem höheren Zweck der Wohlstandssteigerung dienen. Durch die Freiheitsspielräume, die sie eröffnen, repräsentieren sie jedoch zugleich auch einen „Wert an sich" (Beiträge O-2.4 und S-1.2.1). Dieser Eigenwert ist zu beachten, wenn Mittel zur Wahl stehen, die die gleiche Effizienz versprechen, aber von unterschiedlicher Wertigkeit sind. Eine enge Beziehung zwischen Zielen und Mitteln wird schließlich dadurch hergestellt, daß wirtschaftspolitische Maßnahmen häufig erst nach Durchmessen einer langen und komplexen Wirkungskette – und dadurch vielfach auch mit erheblicher zeitlicher Verzögerung – auf die angesteuerte Zielvariable einwirken. Für den Wirtschaftspolitiker ergibt sich daraus ein Moment der Unsicherheit, das die Gefahr heraufbeschwört, die falschen Maßnahmen zu ergreifen, sich in der Dosierung des Mitteleinsatzes zu irren oder für diesen den falschen Zeitpunkt zu wählen. Diesen Risiken gilt es entgegenzuwirken. Eine Möglichkeit dazu bietet die Formulierung von Zwischenzielen (targets), also von Größen, die zum eigentlich angestrebten Ziel (goal) eine enge kausale Beziehung aufweisen, ihm gegenüber jedoch den Vorzug besitzen, relativ schnell und zuverlässig auf die eingesetzten Instrumente „anzusprechen". Änderungen der als Zwischenziel gewählten Größe lassen dann die Vermutung zu, daß sich auch die anvisierte Zielvariable nach einiger Zeit in der angestrebten Weise verändern wird (Beitrag P-3.1).

Primärziele, Zwischenziele und Instrumente bilden ein vielstufiges und komplexes Gefüge, dessen Wirkungszusammenhänge möglichst umfassend und möglichst gründlich analysiert werden müssen, um die jeweils optimale Ziel-Mittel-Kombination bestimmen zu können. Ein Beispiel aus dem Bereich der Wettbewerbspolitik bietet *Übersicht N-4.*

Übersicht N-4: Primärziele, Zwischenziele und Instrumente

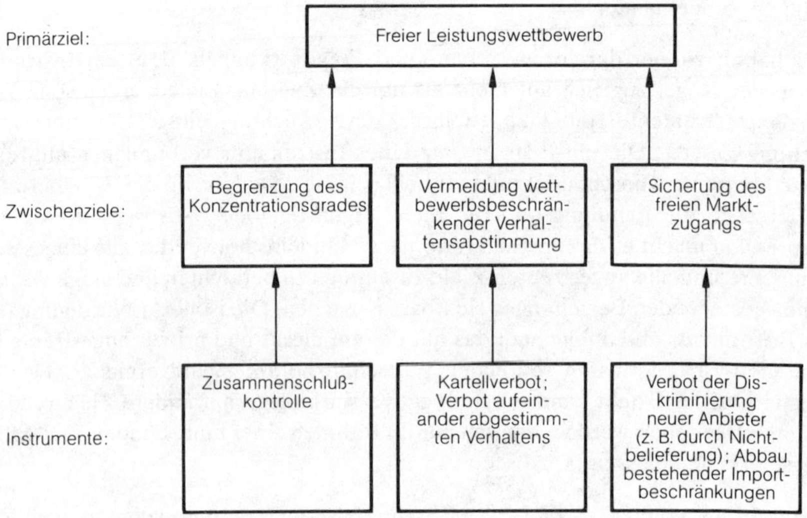

4.3.2. Bereiche wirtschaftspolitischen Handelns

In den westlichen Industrieländern mit marktwirtschaftlicher Ordnung sind es vor allem vier Ziele, denen durchweg ein hohes Maß an Relevanz zuerkannt wird. Es sind dies das Stabilitätsziel, das Wachstumsziel, das Strukturziel und das Verteilungsziel. Diesen Zielen lassen sich vier Politikbereiche zuordnen, die als Stabilitäts-, Wachstums-, Struktur- und Verteilungspolitik geläufig sind.

Das Stabilitätsziel bezeichnet die Aufgabe, gesamtwirtschaftliche Ungleichgewichte entweder von vornherein zu vermeiden oder, falls dies nicht gelingt, in Ausmaß und Dauer möglichst zu begrenzen. Die Relevanz dieser Zielsetzung ergibt sich aus der Erfahrung, daß makroökonomische Instabilitäten mit einer Verletzung der Ziele „hoher Beschäftigungsstand" und „Preisniveaustabilität" verbunden sind. Stabilitätspolitik steht folglich zum einen für das Bemühen, die Fähigkeit des Marktsystems zu steigern, auf konjunkturelle Störungen mit Anpassungsprozessen zu reagieren, die zu einem neuen Gleichgewicht hinführen. Zum anderen bezeichnet Stabilitätspolitik die Ausgestaltung und den Einsatz des Instrumentariums, mit dem vor allem Bundesregierung und Bundesbank in Ergänzung der „Selbstheilungskräfte" des Marktes auf eine „Glättung" des Konjunkturzyklus abzielen (Beitrag P-3).

Das Recht der Regierung, im Rahmen einer marktwirtschaftlichen Ordnung explizit Wachstumspolitik zu betreiben, wird nicht in gleicher Weise allgemein anerkannt wie die Verpflichtung, auf Vollbeschäftigung und Preisniveaustabilität hinzuwirken. Vor allem wenn das Wachstumsziel als eine bestimmte Zuwachsrate des realen Bruttosozialprodukts quantifiziert und als verbindliche Norm gezielt angesteuert wird, drohen Konflikte mit dem marktwirtschaftlichen Grundsatz, nach dem sich die Höhe dieser Wachstumsrate spontan aus den individuellen Spar- und Investitionsentscheidungen und der Innovationsdynamik eines freien Leistungswettbewerbs erst ex post, also im nachhinein ergeben soll. Ungeachtet dieser Bedenken läßt es der Staat jedoch in allen Industrieländern, die sich zu den Prinzipien einer marktwirtschaftlichen Ordnung bekennen, an wachstumspolitischem Engagement nicht fehlen: Er fördert die Ersparnisbildung; er unterstützt die Neugründung von Unternehmen; er konkurriert mit anderen Staaten um die Gunst ausländischer Investoren; er finanziert einen erheblichen Teil der beruflichen Aus- und Fortbildung; und er entfaltet eine Vielzahl von Aktivitäten, um zu Forschung und Entwicklung anzuhalten und die Innovationsaktivität zu steigern (Beitrag Q-3.1).

Das Strukturziel beinhaltet mehrere, zum Teil miteinander konfligierende Aspekte: Zum einen soll die Anpassung der Produktionsstruktur an den sich bei wachsenden Einkommen vollziehenden Wandel der Konsumentenpräferenzen gefördert werden. Wird dabei das Kriterium der Allokationseffizienz in den Vordergrund gerückt, zielt staatliche Strukturpolitik darauf ab, den marktwirtschaftlichen Anpassungsprozeß dadurch zu beschleunigen, daß Anpassungshemmnisse reduziert werden (Umschulungs- und Umzugshilfen, Prämien für die Stillegung dauerhaft unrentabler Betriebe). Dominiert dagegen das soziale Moment, ist die Intention der Strukturpolitik vornehmlich darauf gerichtet, marktwirtschaftliche Anpassungsprozesse zu verzögern oder sogar zu verhindern, um die damit verbundenen sozialen Härten abzumildern oder gänzlich zu vermeiden. Das Ziel der Allokationseffizienz und die Absicht, ein Höchstmaß an sozialer Sicherheit zu gewährleisten, sind offensichtlich nicht gleichzeitig zu verwirklichen. Hier besteht ein Zielkonflikt, der in der Realität Kompromißlösungen zur Folge hat (Beitrag Q-3).

Ein anders gelagerter, aber nicht weniger fundamentaler Dissens kann sich ergeben, wenn der Staat ein Mitbestimmungsrecht bei der Gestaltung der Produktionsstruktur in Anspruch nimmt, also glaubt, die in der Zukunft „richtige“ und damit „gesellschaftlich erwünschte“ Zusammensetzung des gesamtwirtschaftlichen Angebots bereits in der Gegenwart erkennen oder bestimmen zu können und folglich versucht, diese Struktur durch den Einsatz geeigneter Instrumente (Investitionslenkung) herbeizuführen. Das Konfliktmoment dieses Anspruchs ergibt sich dabei aus seinem Gegensatz zur marktwirtschaftlichen Regel, die es wiederum grundsätzlich den privaten Haushalten und Unternehmen überläßt, durch ihre Verbrauchs- und Investitionsentscheidungen sowie durch die Innovationen, zu denen das „Such- und Entdekkungsverfahren Wettbewerb“ die Produzenten anhält, Ausmaß und Richtung des Strukturwandels zu bestimmen (Beitrag Q-3.1).

Das Verteilungsziel schließlich steht für die Absicht, das marktwirtschaftliche Verteilungsergebnis in dem Maße zu korrigieren, wie es für notwendig erachtet wird, um „Verteilungsgerechtigkeit“ zu schaffen. Auch hier bestehen unterschiedliche Absichten, die miteinander oder auch mit den Prinzipien einer marktwirtschaftlichen Ordnung nicht kompatibel sind. So soll zwar die „Soziale Marktwirtschaft“ Effizienz und Dynamik und die sich im Rahmen eines unbeschränkten Leistungswettbewerbs eröffnenden Freiheitsspielräume mit einer sozial gerechten Verteilung von Einkommen und Vermögen verbinden; je ungleicher jedoch die Verteilung ist, zu der die Marktprozesse führen, und je stärker gleichzeitig soziale Gerechtigkeit als weitgehende Gleichverteilung interpretiert wird, desto mehr wird deutlich, daß sich Bedarfs- und Leistungsgerechtigkeit nur begrenzt miteinander vereinbaren lassen (Okun, 1975).

Wettbewerbspolitik und eine auf Freiheit des internationalen Waren-, Geld- und Kapitalverkehrs abzielende Außenwirtschaftspolitik schaffen in einer marktwirtschaftlichen Ordnung wesentliche Voraussetzungen dafür, daß das Stabilitäts-, das Wachstums-, das Struktur- und das Verteilungsziel auf „ordnungskonforme“ Weise verwirklicht werden können. Die Wettbewerbspolitik kann die Ziele von Stabilitäts-, Wachstums-, Struktur- und Verteilungspolitik um so nachhaltiger fördern, je mehr es ihr gelingt, den Wettbewerb vor Beschränkungen zu schützen und ihm immer wieder neue Anstöße und Impulse zu geben.

Wettbewerb fördert die Absichten der Stabilitätspolitik auf mehrfache Weise: Die mit ihm verbundene Investitions- und Innovationsdynamik stimuliert das wirtschaftliche Wachstum und steigert die internationale Wettbewerbsfähigkeit. Beides erleichtert das Erreichen und Bewahren eines hohen Beschäftigungsstandes. Wirksamer Wettbewerb reduziert die Möglichkeit, Preiserhöhungen durchzusetzen und Preissenkungen auch bei kräftigem Produktivitätszuwachs zu unterlassen. Die Chance, Preisniveaustabilität zu gewährleisten, wird dadurch wesentlich verbessert. Wettbewerb zwingt die Unternehmen, stabilitätswidrigen Lohnforderungen Widerstand entgegenzusetzen, der bei fehlendem Wettbewerb unterbleiben würde, da Marktmacht dann ausreichende Überwälzungsspielräume sichert. Vor allem aber steigert Wettbewerb die Anpassungsflexibilität; er erhöht damit die Wahrscheinlichkeit dafür, daß exogene Schocks vom System durch Veränderungen der relativen Preise und der dadurch bewirkten Reaktionen der privaten Wirtschaftssubjekte „aus eigener Kraft“ zügig absorbiert werden. Schließlich steigert Wettbewerb die Sensibilität, mit der die jeweiligen Adressaten staatlicher Stabilisierungsmaßnahmen auf die ihnen neu gesetzten Daten reagieren müssen. Ein unter Wettbewerbsdruck stehendes Unternehmen muß geplante Investitionen nach einer Zinserhöhung eher als nicht mehr rentabel unterlassen als ein Marktbeherrscher, der höhere Zinskosten als Preisaufschlag an seine Abnehmer weitergeben kann oder auf Grund hoher Gewinne auf Fremdfinanzierung nicht angewiesen ist (Beitrag P-4.5).

Die enge Beziehung, die zwischen einem wirksamen Wettbewerb einerseits und den Zielen der Wachstums- und Strukturpolitik andererseits besteht, ist evident: Wettbewerb zwingt zu innovatorischer Aktivität, die zu Produktivitätsfortschritten führt und neue Märkte erschließt. Beides wirkt wachstumsfördernd. Auch zwingt Wettbewerb dazu, auf den Wandel der Konsumentenpräferenzen rasch zu reagieren. Der Gefahr einer dauerhaften Abweichung von Angebots- und Verbrauchsstruktur („Strukturkrise“) wird dadurch vorgebeugt; entsprechende Aktivitäten der Strukturpolitik erübrigen sich (Beitrag Q-3.1).

Zur Lösung verteilungspolitischer Probleme kann ein wirksamer Wettbewerb schließlich dadurch beitragen, daß er jene Verteilungsungerechtigkeiten verhindert, die unvermeidbar sind, wenn marktstarke Anbieter auf den Güter- oder Faktormärkten Preise (Löhne) durchsetzen können, die nicht leistungsgerecht sind. Wettbewerb gewährleistet somit eine Primärverteilung, die die Notwendigkeit staatlicher Verteilungskorrekturen reduziert und die der staatlichen Verteilungspolitik zugleich eine verläßliche, weil eindeutig leistungsbezogene Ausgangslage schafft (Beitrag H-3.2).

Außenwirtschaftspolitik, die das Freihandelspostulat möglichst weitgehend durchzusetzen versucht, steigert durch die dabei erzielten Erfolge die Intensität des Wettbewerbs. Sie fördert damit indirekt, aber dennoch sehr wirksam und gleichermaßen die

Absichten von Stabilitäts-, Wachstums-, Struktur- und Verteilungspolitik. Dort, wo die Außenwirtschaftspolitik Protektionismus zuläßt, drohen dagegen Zielkonflikte. Es kommt zu Wachstumseinbußen; Einkommen erhalten Rentencharakter: Ihr Leistungsbezug geht verloren. Der Zwang zur Anpassung wird vermindert. Nur wenn die Strukturpolitik im Widerspruch zu den Prinzipien einer marktwirtschaftlichen Ordnung vor allem auf die Erhaltung überkommener Sortimente und das Bewahren traditioneller Standorte abzielt, also das Ziel „soziale Sicherheit“ statisch interpretiert und sehr stark gewichtet, erfährt sie durch eine Außenwirtschaftspolitik Unterstützung, die im Widerspruch zum Freihandelsprinzip überlegene Auslandskonkurrenz im Inland nicht zum Zuge kommen läßt (Beiträge S-1.2.1 und J-4).

4.3.3. Systematik der Instrumente und Einsatzkriterien

Das Instrumentarium der Wirtschaftspolitik ist umfangreich und vielfältig. Um es überschaubar zu machen, bedarf es der Systematisierung. Dazu sind mannigfache und unterschiedliche Kriterien vorgeschlagen worden (Tuchtfeldt, 1957; Pütz, 1971; Streit, 1979, 4. A. 1991). So lassen sich etwa den zuvor unterschiedenen Bereichen der Stabilitäts-, Wachstums-, Struktur- und Verteilungspolitik sowie denen der Wettbewerbs- und Außenwirtschaftspolitik jene Instrumente zuordnen, die hier typischerweise eingesetzt werden. Dabei sind ordnungs- und ablaufspolitische Maßnahmen zu unterscheiden.

Ordnungspolitik wird betrieben, wenn Institutionen eingeführt, Träger bestimmt, Kompetenzen zugewiesen und Instrumente geschaffen werden. Ablaufspolitik bezeichnet den Gebrauch der damit verfügbaren Möglichkeiten. Ordnungspolitik sollte grundsätzlich langfristig angelegt sein. Für sie gilt in besonderem Maße die Eucken'sche Forderung nach „Konstanz der Wirtschaftspolitik“ (Eucken, 1952). Wird dieser Grundsatz mißachtet, kann das Vertrauen in den dauerhaften Bestand der Wirtschaftsordnung Schaden nehmen. Die Wirtschaftssubjekte sehen sich in der Sicherheit ihrer Planungsgrundlage beeinträchtigt. Das kann zu Wachstumseinbußen führen, weil Sparer und Investoren langfristige Engagements scheuen, die sie andernfalls eingegangen wären.

Stetigkeit und Vorhersehbarkeit sind auch für die Ablaufspolitik zu fordern. Wird diesem Postulat nicht genügt, läuft sie Gefahr, ihre Ziele zu verfehlen. Anstatt gesamtwirtschaftliche sowie sektorale und regionale Ungleichgewichte zu vermeiden und damit zu einem möglichst störungsfreien Ablauf des Wirtschaftsprozesses beizutragen, droht sie selbst zum Störfaktor zu werden. Will beispielsweise die Stabilitätspolitik ihre Adressaten nicht durch abrupte Datenänderungen verunsichern und dadurch destabilisierende Effekte bewirken, so ist sie zu verstetigen; auch darf der ordnungspolitische Aspekt des Stabilitätsproblems nicht unberücksichtigt bleiben.

Die Unterteilung des wirtschaftspolitischen Instrumentariums in Mittel der Ordnungs- und solche der Ablaufspolitik kann nicht immer mit der erwünschten Eindeutigkeit vorgenommen werden. Sie ist zudem noch recht grob. Eine weitergehende Systematik erscheint deshalb geboten. Sie kann als Kriterium der Differenzierung an der Frage anknüpfen, ob die Instrumente Makro- oder Mikrogrößen beeinflussen sollen, ob der gewünschte Effekt auf direkte oder indirekte Weise angestrebt wird und ob die Adressaten einer Maßnahme das erwünschte Verhalten verweigern können oder dieses erzwungen wird.

Soll etwa in einer Boom-Situation die Zuwachsrate der gesamtwirtschaftlichen Investitionsgüternachfrage als einer in diesem Zusammenhang relevanten Makrogröße reduziert werden, und werden den privaten Investoren dazu beispielsweise höhere Zinssätze, Zuschläge bei der Einkommen- und Körperschaftsteuer und ungünstigere Abschreibungsbedingungen vorgegeben, dann können sie diese Datenänderungen zum Anlaß nehmen, zuvor geplante Investitionen zu unterlassen; sie sind jedoch nicht gezwungen, so zu verfahren. Die ökonomische Notwendigkeit, die gewünschte Verhaltensänderung vorzunehmen, wird jedoch um so größer, je stärker das eingesetzte Instrumentarium dosiert wird; denn wer etwa im Falle einer massiv restriktiv wirkenden Geld- und Fiskalpolitik darauf bestehen würde, seine ursprünglichen Investitionspläne ohne Abstriche zu vollziehen, müßte möglicherweise mit so hohen Verlusten rechnen, daß die ihm formal verbliebene Entscheidungsfreiheit tatsächlich bereits aufgehoben, Freiwilligkeit zu Zwang geworden ist.

Ein direkter „Durchgriff" auf Mikrorelationen, der das erwünschte Verhalten auch rechtlich bindend erzwingt, erfolgt dagegen dann, wenn etwa im Rahmen der Wettbewerbspolitik Kartellmitgliedern eine Preisabsprache untersagt wird. Die indirekte und generelle Wirkung ist hier eher subsidiär, wenn auch möglicherweise durchaus bedeutsam oder sogar als der wichtigere Effekt vor allem angestrebt: Es ist dies die Abschreckung, die sich aus einem erfolgreichen Kartellverfahren für die Beteiligten an gleich gelagerten Fällen und für die ergeben mag, die sich mit ähnlichen Absichten trugen, diese nun aber aus Furcht vor Strafe nicht ausführen.

Eine Systematik der Vielfalt jener Mittel, über die die Träger der Wirtschaftspolitik in der Bundesrepublik verfügen, kann zwar zur besseren Überschaubarkeit dieses Instrumentariums von Nutzen sein; Hinweise darauf, wie von den vorhandenen Möglichkeiten jeweils Gebrauch zu machen ist, lassen sich einer derartigen Zusammenstellung jedoch kaum entnehmen. Zur Bestimmung der einzusetzenden Mittel und zur Entscheidung darüber, in welcher Dosierung und zu welchem Zeitpunkt dieser Einsatz stattfinden soll, müssen weitere Kriterien herangezogen werden, so etwa die der Ziel- und Systemkonformität. Zielkonformität bezeichnet die Eignung eines Instruments, das mit seinem Einsatz Gewollte auch tatsächlich zu bewirken. Systemkonform ist eine wirtschaftspolitische Maßnahme, wenn sie mit den Grundsätzen der gewählten Wirtschaftsordnung vereinbar ist, also nicht gegen deren Funktionsprinzipien verstößt und dadurch die Funktionsfähigkeit des Systems beeinträchtigt.

Eindeutige Aussagen darüber, ob eine wirtschaftspolitische Maßnahme den genannten Kriterien genügt, sind häufig nicht möglich. Die Frage nach der Zielkonformität des wirtschaftspolitischen Handelns sucht ja nicht lediglich zu klären, ob ein Instrument grundsätzlich geeignet ist, zur Erreichung eines Zieles beizutragen. Gewünscht wird vielmehr Klarheit über den Grad der Zielkonformität alternativer Mittel; denn zu bestimmen ist das Instrument, dessen Einsatz den höchstmöglichen Grad der Zielrealisierung gewährleistet. Die Wirtschaftstheorie, die hier Auskunft zu geben hätte, kann das von ihr Geforderte nur unzureichend leisten. Gesicherte Aussagen darüber, wie ein bestimmtes Instrument unter den Bedingungen, unter denen es eingesetzt wird, und in der Art, wie dieses geschieht, auf ein bestimmtes Ziel einwirkt, sind vielfach nicht möglich. Auf die Richtung und Stärke dieses Effekts nimmt eine Vielzahl von Faktoren Einfluß, deren Relevanz sich in der Regel nur grob abschätzen läßt. Je nachdem, in welcher Situation, in welcher Dosierung und in welchem Verbund mit anderen Maßnahmen ein Instrument eingesetzt wird, kann seine Effizienz hoch oder gering sein. Zu berücksichtigen ist auch die Wirkung, die von dem Einsatz eines Mittels auf jene Ziele ausgeht, auf die eine direkte Einflußnahme zwar nicht angestrebt wurde, für die das Entstehen erwünschter oder unerwünschter Nebenwirkungen jedoch nicht ausgeschlossen werden kann. Zu unterscheiden ist ferner zwischen den Nah- und Fernwirkungen einer wirtschaftspolitischen Maßnahme. Sind die einen positiv, die anderen dagegen negativ, wird ein Abwägen erforderlich, dessen Ergebnis wesentlich auch durch die Zeitpräferenz der Akteure bestimmt wird. Um die Zielkonformität alternativer Maßnahmen zu bestimmen, sind schließlich ihre Kosten ebenso in die Betrachtung einzubeziehen wie ihr mutmaßlicher Nutzen, also ihr Beitrag zur Verwirklichung des jeweils angestrebten Ziels und ihre positiven Nebenwirkungen auf andere, nicht direkt anvisierte Ziele. Allen diesen Überlegungen ist dabei ein erhebliches Moment des Spekulativen zu eigen; denn gefordert werden Prognosen – bedingte Aussagen über künftiges Geschehen –, die sich als falsch erweisen können, wenn auch nur eine einzige der ihnen zugrunde gelegten Prämissen unerfüllt bleibt (s. Abschnitte 5.1.2 und 5.2.1).

Schwierigkeiten ergeben sich auch, wenn eine geplante wirtschaftspolitische Maßnahme auf ihre Systemkonformität (Ordnungskonformität) überprüft werden soll; denn eine derartige Notwendigkeit wird zumeist dadurch begründet, daß die von dieser Maßnahme Betroffenen ordnungspolitische Bedenken geltend machen. Sind diese Einwände ernst zu nehmen, so zeigt ihre kritische Analyse sehr bald, daß das geltende wirtschaftspolitische Leitbild, welches hier als Referenzsystem heranzuziehen ist, in seinen Ge- und Verboten zu wenig präzise und detailliert gefaßt wurde, um im konkreten Einzelfall stets ein gesichertes Urteil zuzulassen.

Diese Erfahrung gilt in besonderem Maße für die Soziale Marktwirtschaft. Sie ist dadurch gekennzeichnet, daß neben einem privatwirtschaftlich organisierten Sektor ein umfangreicher staatlicher Bereich besteht. In beiden Teilsystemen werden unterschiedliche gesellschaftliche Anreiz-, Lenkungs- und Kontrollverfahren angewendet. Zudem repräsentiert die „Soziale Marktwirtschaft“ ein wirtschaftspolitisches Programm, das die Effizienz und Dynamik eines freien Leistungswettbewerbs mit den Prinzipien der sozialen Gerechtigkeit und des sozialen Fortschritts zu verbinden sucht. Systemkonformität kann hier folglich nicht – wie im Idealtypus einer „reinen“ Marktwirtschaft – mit Marktkonformität gleichgesetzt werden – ein Begriff, der im übrigen ebenfalls an Präzision einbüßt, wenn das ihm zugrunde liegende Referenzsystem vollständiger Konkurrenz relativiert wird. Wie das Kriterium der Systemkonformität genügend leistungsfähig gemacht werden kann, ist eine Frage, die somit offen bleibt, solange unsere Einsichten in die Funktionsweise und damit auch in die Funktionserfordernisse von Wirtschaftssystemen noch unvollkommen sind (STREISSLER/WATRIN, 1980; CASSEL, 1984, 3; Beitrag A).

4.4. Träger der Wirtschaftspolitik

4.4.1. Systematik der Träger

Entscheidungsträger der Wirtschaftspolitik sind jene Institutionen und Personen, denen die Gesellschaft die Befugnis zuerkannt hat, wirtschaftspolitische Entscheidungen zu treffen (Kompetenz), und die über das Monopol der legalen und legitimen Zwangsgewalt zur verbindlichen Durchsetzung ihrer Entscheidungen verfügen (Macht). Wer lediglich über Möglichkeiten wirtschaftspolitischer Einflußnahme verfügt (Macht ohne Kompetenz), ist als Einflußträger der Wirtschaftspolitik anzusehen.

Die Bundesrepublik Deutschland ist ein föderalistisch aufgebauter Staat. Sie ist Mitglied der Europäischen Gemeinschaft und zahlreicher anderer internationaler Organisationen. Ihr Wirtschaftssystem basiert auf dem Prinzip der dezentralen Planung. Die Deutsche Bundesbank besitzt ein hohes Maß an Unabhängigkeit. Auf dem Arbeitsmarkt besteht Tarifautonomie. Jeder hat das Recht, sich zur gemeinsamen Vertretung seiner Interessen mit Gleichgesinnten in Verbänden zusammenzufinden. Im übrigen gilt die klassische Regel der Gewaltenteilung. Die gesetzgebende Gewalt (Legislative) soll die ausführende Gewalt (Exekutive) im Grundsätzlichen anweisen und sie wirksam kontrollieren; die Rechtsprechung (Judikative) als eine von beiden grundsätzlich unabhängige dritte Gewalt ist nur den Prinzipien des Rechtsstaates verpflichtet; sie soll in diesem Zusammenhang den einzelnen vor rechtswidrigem Handeln der Exekutive schützen und Kontrollinstanz des Parlaments sein.

Konsequenz der damit skizzierten Pluralität von Institutionen und Regelungen ist eine Vielzahl von Trägern der Wirtschaftspolitik *(Übersicht N-5)*. Die Legislative wird in der Bundesrepublik Deutschland nicht nur durch den Deutschen Bundestag, den Bundesrat, die Länderparlamente und die entsprechenden Einrichtungen auf kommunaler Ebene (Kreistage, Stadträte) repräsentiert; sie hat auch in begrenztem Umfange Rechte an internationale Organisationen abgegeben, so etwa an den Rat der Europäischen Gemeinschaft. Auch die Exekutive ist mehrstufig gegliedert. Ihr wurden im Zuge des fortschreitenden Integrationsprozesses ebenfalls Kompetenzen entzogen, die vor allem der Kommission als dem Exekutivorgan der Europäischen Gemeinschaft zugewiesen wurden. Eine grundsätzlich gleiche Entwicklung läßt sich für die nationalen Gerichte feststellen, die einen Teil ihrer Zuständigkeiten an den Europäischen Gerichtshof abgegeben haben. Eine Delegation von Befugnissen ist von den staatlichen Trägern der Wirtschaftspolitik auch dadurch vorgenommen worden, daß eine Vielzahl von Körperschaften des öffentlichen Rechts (Industrie- und Handelskammern; Handwerkskammern) als Selbstverwaltungsorgane der Wirtschaft im Rahmen der ihnen übertragenen Kompetenzen und unter staatlicher Aufsicht sowohl Funktionen der Legislative (Ausbildungsverordnungen) als auch solche der Exekutive (Abnahme von Prüfungen; Kontrolle der Beachtung gesetzlicher Bestimmungen) und der Rechtsprechung (Ehrengerichtsbarkeit) wahrnimmt.

Stärker als in anderen Ländern ist in der Bundesrepublik Deutschland die Position, die die Zentralbank einnimmt. Bundesregierung und Bundestag sind nicht befugt, ihr Weisungen zu erteilen. Das „Gesetz über die Deutsche Bundesbank" fordert diese lediglich auf, die Wirtschaftspolitik der Regierung zu unterstützen (Beitrag P-4.2).

Übersicht N-5: Träger der Wirtschaftspolitik

Sektor	Träger
Internationaler Sektor	**Träger supranationaler Wirtschaftspolitik**
	Vereinte Nationen (UNO); Europäische Gemeinschaft (EG); Internationaler Währungsfonds (IWF); Weltbank; Welthandelsorganisation (WTO).
Staatlicher Sektor	**Träger staatlicher Wirtschaftspolitik**
	Legislative: Bundestag, Landtage, Kommunalparlamente. Exekutive: Bundesregierung, Landesregierungen, Kommunalbehörden. Judikative: Oberste Gerichte, u.a. Bundesverfassungsgericht, Arbeits- und Sozialgerichte.
Intermediärer Sektor	**Autonome Träger der Wirtschaftspolitik mit öffentlich-rechtlichen Entscheidungsfunktionen**
	Bundesbank; Bundesversicherungsanstalten; Deutscher Industrie- und Handelstag; Industrie- und Handelskammern; Handwerkskammern; Landwirtschaftskammern.
	Weisungsgebundene Träger der Wirtschaftspolitik mit öffentlich-rechtlichen Entscheidungsfunktionen
	Bundeskartellamt; Bundesanstalt für Arbeit; Bundesamt für Umwelt.
	Träger der Wirtschaftspolitik mit öffentlich-rechtlichen Informationsfunktionen
	Sachverständigenrat; Monopolkommission; Wissenschaftliche Beiräte.
Privater Sektor	**Träger der Wirtschaftspolitik mit privatrechtlichen Entscheidungs- und Informationsfunktionen**
	Gewerkschaften; Unternehmensverbände.

Wirtschaftspolitische Kompetenzen von hoher Relevanz sind in der Bundesrepublik auch den Tarifvertragsparteien (Arbeitgeberverbände und Gewerkschaften) zuerkannt worden, da die ihnen zugebilligte Tarifautonomie sie zu Entscheidungen berechtigt, die auf Beschäftigungsstand, Wachstumsdynamik, Inflationsrate, Zahlungsbilanzsituation und Einkommensverteilung erheblichen Einfluß nehmen. Arbeitgeberverbände und Gewerkschaften sind damit zum einen – gleichsam „private"-wirtschaftspolitische Entscheidungsträger; zum anderen repräsentieren sie jedoch Organisationen, die mit dem Ziel gebildet wurden, die partiellen Interessen ihrer Mitglieder durch kollektives Handeln mit gesteigerter Wirksamkeit geltend zu machen. Die Tarifvertragsparteien unterscheiden sich in diesem Sinne somit nicht von anderen Interessenverbänden; nur sind sie im Gegensatz zu diesen nicht nur Einflußträger, sondern auch Entscheidungsträger, also Organisationen, die selbst wirtschaftspolitische Entscheidungen treffen können und sich nicht mit dem Versuch begnügen müssen, auf das Handeln der Entscheidungsträger einzuwirken. Einflußträger sind nicht allein die Verbände. Auch Repräsentanten großer Unternehmen, Publizisten, Wissenschaftler, Forschungsinstitute oder Vertreter der Kirche können in dem Sinne Macht besitzen, daß sie sich Gehör zu verschaffen wissen und dadurch am Prozeß der Willensbildung und mittelbar folglich auch an dem der wirtschaftspolitischen Entscheidung teilhaben. Dies gilt auch für internationale Organisationen, insbesondere die Unterorganisationen der Vereinten Nationen (Weltbank, Weltwährungsfonds, Welternährungsorganisation, Internationales Arbeitsamt usw.), die mit ihren Entscheidungen und Empfehlungen auf die nationale Wirtschaftspolitik einwirken können.

4.4.2. Legitimationsbasis

Die Befugnis, wirtschaftspolitische Entscheidungen zu treffen, und die Möglichkeit, auf diese Entscheidungen Einfluß zu nehmen, begründen Macht, die der Legitimation und Kontrolle bedarf. Parlament und Regierung erlangen diese Legitimation dadurch, daß sie in freier und allgemeiner Wahl die Mehrheit der Stimmen erhalten. Eine Begrenzung und Kontrolle der damit gewonnenen Handlungsmacht findet auf vielfältige Weise statt: durch Anwendung des Prinzips der Gewaltenteilung; durch jene Dezentralisierung der Kompetenzen, die einen föderalistisch geordneten Staat kennzeichnet; durch die Drohung, bei gravierenden Verstößen gegen den Wählerwillen abgewählt zu werden; und durch den Einfluß, den die Interessenverbände auf Parlament, Regierung und Administration zu nehmen vermögen. Wenn der Wählerwille dazu nicht ausdrücklich bevollmächtigt, findet die Entscheidungsbefugnis von Parlament und Regierung eine Grenze in der Verpflichtung, die Grundsätze der bestehenden Wirtschaftsordnung zu beachten. Wurde die Regierung vom Wähler unter der Annahme in ihr Amt berufen, sie werde den Fortbestand dieser Wirtschaftsordnung gewährleisten, dann erwächst für sie aus dieser Erwartung zumindest die moralische Verpflichtung, bewußte, offensichtliche und massive Verstöße gegen den Grundsatz der Ordnungskonformität zu vermeiden.

Die weitgehende Autonomie, die der Gesetzgeber der Deutschen Bundesbank zugestanden hat, wird üblicherweise mit Zweckmäßigkeitserwägungen begründet: Die Erfahrung aus zwei Inflationen lehre, so lautet das Argument, daß der Regierung der Zugriff auf die Steuerung der Geldversorgung genommen werden müsse, wenn die Währung dauerhaft gesichert sein solle. Eine Regierung, die sich fortwährend um die Gunst des Wählers zu bemühen habe, sei nicht genügend zuverlässig gegen die

Versuchung gefeit, sich zur Finanzierung von Wahlgeschenken der „Notenpresse" zu bedienen; es sei ihr hier die Kompetenz folglich zu verweigern und statt dessen einem Gremium zu übertragen, dessen hoher Sachverstand und dessen weitgehende Unabhängigkeit eine Geldpolitik gewährleiste, die sich allein am gesetzlichen Auftrag orientiere, also streng dem Ziel der Geldwertstabilität verpflichtet sei. Das damit skizzierte Argument ist nicht unproblematisch, da es die Notwendigkeit eines „trade off" zwischen einem Mehr an Sachgerechtigkeit und einem solchen an demokratischer Legitimation des wirtschaftspolitischen Handelns suggeriert. Auch könnte die Gefahr gegeben sein, daß sich eine weitgehend autonome Zentralbank als „Nebenregierung" begreift und Fehler begeht, für die die Regierung möglicherweise verantwortlich gemacht wird (Beitrag P-4.2).

Zweifel an einer ausreichenden demokratischen Legitimation und am Bestehen einer wirksamen Machtkontrolle sind auch gegenüber den Organen der Europäischen Gemeinschaft geltend gemacht worden. So besitzt der Rat der EG weitgehende Entscheidungsbefugnisse. Vom Europäischen Parlament wird dieses Gremium jedoch nicht wirksam kontrolliert und auch die Kontrollmöglichkeiten der nationalen Parlamente über die im Rat getroffenen Entscheidungen sind begrenzt. Die ihn konstituierenden Mitglieder der Regierungen der Mitgliedstaaten fassen ihre Beschlüsse stets in nicht öffentlicher Sitzung und vornehmlich „in gegenseitigem Einvernehmen", also einstimmig. Sitzungsprotokolle werden nicht publiziert. Der Opposition eines nationalen Parlaments wird dadurch die Möglichkeit außerordentlich erschwert, einen Minister für einen Ratsbeschluß zur Verantwortung zu ziehen, an dessen Zustandekommen er auf nicht nachprüfbare Weise mitgewirkt hat (Berg, 1972; Gröner/Schüller, 1984).

Auch die Berechtigung von Arbeitgeberverbänden und Gewerkschaften, durch das Aushandeln der Tariflöhne gleichsam „private" Wirtschaftspolitik zu betreiben, kann bezweifelt werden. Das Recht zur kollektiven Interessenvertretung wird für die Arbeitnehmer üblicherweise mit der Vermutung begründet, daß sie sich als isolierter Anbieter auf dem Arbeitsmarkt gegenüber den Nachfragern nach Arbeitsleistung grundsätzlich und in der Regel in der schwächeren Position befinden würden und somit Gefahr liefen, „ausgebeutet" zu werden. Ihr Zusammenschluß zu Gewerkschaften wird als geeignetes und zulässiges Mittel angesehen, um das auf dem Arbeitsmarkt vermutete Machtungleichgewicht zu beseitigen. Für das 19. Jahrhundert ist diese Behauptung nicht kontrovers; für die Gegenwart mag das nicht mehr der Fall sein. Originäre Macht kann durch Gegenmacht (countervailing power) nicht nur kompensiert und damit neutralisiert werden; denkbar ist auch, daß neue Machtungleichgewichte entstehen oder daß im bargaining-Prozeß zwischen Arbeitgeberverbänden und Gewerkschaften eine Einigung stattfindet, die beiden Gruppen nützt, der Gesellschaft insgesamt jedoch schadet (invisible handshake; Teichmann, 1981).

Das grundsätzliche Recht des einzelnen, seine Interessen durch Verbände geltend zu machen, wird kaum bestritten. Das tatsächliche Bestehen einer Vielzahl derartiger „pressure groups" und ihre vielfältigen Versuche, auf das wirtschaftspolitische Handeln Einfluß zu nehmen, stößt dagegen immer wieder auf Kritik und Bedenken. Da erfahrungsgemäß nicht alle Interessen gleich gut organisierbar sind, besteht die Gefahr, daß sich bestimmte Wünsche sehr weitgehend Gehör verschaffen, während andere trotz grundsätzlich gleicher Wertigkeit unbeachtet bleiben. Bei der Ausarbeitung ihrer Gesetzesvorlagen ist die staatliche Administration auf die Sachkenntnis und Unterstützung der betroffenen Verbände angewiesen. Konsumenten sind in der Regel weniger gut organisiert als Produzenten. Das kann eine Verzerrung der Gewichte zur Folge haben, mit der diese Interessen bei der Formulierung, Verabschiedung und Anwendung von Gesetzen berücksichtigt werden. Die Wahrscheinlichkeit dafür, daß Parlament und Regierung sich stärker den partikularen Interessen einflußreicher sozialer Gruppen verpflichtet fühlen als den Erfordernissen des Gemeinwohls, nimmt zu, wenn Parteien von Verbänden, Unternehmen oder Einzelpersonen finanzielle Zuweisungen erhalten, die die Unabhängigkeit ihrer Repräsentanten in Legislative und Exekutive gefährden.

5. Phasen des wirtschaftspolitischen Entscheidungsprozesses

Der wirtschaftspolitische Entscheidungsprozeß besteht in der zeitlichen Abfolge aller Entscheidungen und Handlungen, die vom Erkennen eines wirtschaftspolitischen Problems bis zu seiner Lösung erforderlich sind. Er läßt sich in verschiedene Phasen (Stadien, Stufen) einteilen: Die meisten Autoren unterscheiden im Anschluß an JAN TINBERGEN (1956) die Stadien der Information, Planung, Entscheidung, Durchführung und Kontrolle (TUCHTFELDT, 1967,1; PÜTZ, 1971); andere zerlegen den Entscheidungsprozeß in die Stadien der Ermittlung, Analyse, Planung der Maßnahmen, parlamentarische Beratung und Durchführung der Maßnahmen (KIRSCHEN u. a., 1964). Im folgenden wird eine Phaseneinteilung zugrunde gelegt, die sich an den jeweils zentralen Aufgaben der wirtschaftspolitischen Entscheidungsträger orientiert (*Übersicht N-6*):

- „Lageanalyse“; in dieser Phase werden die bestehenden oder zu erwartenden Zielabweichungen ermittelt und erklärt sowie der Handlungsbedarf festgestellt.
- „Maßnahmenplanung“; in dieser Phase sind die Handlungsmöglichkeiten aufzuzeigen, auf ihre voraussichtlichen Wirkungen hin zu untersuchen, zu bewerten und zu einem Programm zusammenzustellen.
- „Realisierung und Kontrolle“; diese Phase beinhaltet die Ausgestaltung und Anwendung der Einzelmaßnahmen sowie die Ergebniskontrolle der Programmdurchführung.

Die schematische Einteilung sollte nicht darüber hinwegtäuschen, daß die einzelnen Phasen in einem interdependenten Zusammenhang stehen. Vor allem bei Entscheidungen, die im Entscheidungszeitraum revidierbar sind (sequentielle Entscheidungen), können die Entscheidungsträger angesichts neuer Informationen über den tatsächlichen Wirtschaftsablauf immer wieder in eine der zuvor durchlaufenen Phasen eintreten.

5.1. Lageanalyse

Die Lageanalyse besteht aus der Diagnose des jeweiligen wirtschaftspolitischen Problems und aus der Prognose seiner künftigen Entwicklung bei Verzicht auf wirtschaftspolitisches Handeln; sie endet mit der Entscheidung darüber, ob wirtschaftspolitische Eingriffe zu erwägen sind oder nicht.

Übersicht N-6: Phasen des wirtschaftspolitischen Entscheidungsprozesses

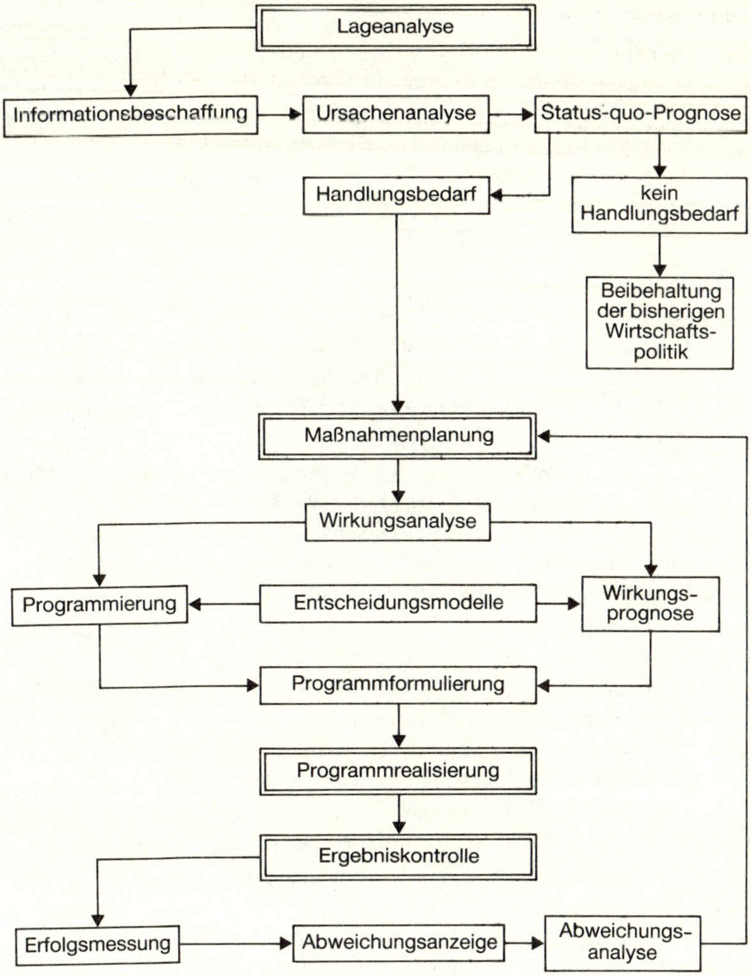

5.1.1. Diagnose

Problementstehung und Informationsbeschaffung

Die Maximen rationaler wirtschaftspolitischer Entscheidungen setzen voraus, daß die Regierung über ein wohldefiniertes und konsistentes Zielsystem verfügt. Tatsächlich werden die Ziele meist nur vage formuliert und inhaltlich unbestimmt gehalten, um bei möglichst vielen Wählern Zustimmung zu finden. Erst wenn sich im Laufe der Legislaturperiode Unzufriedenheit mit der wirtschaftlichen Entwicklung ausbreitet, werden auf dem betreffenden Gebiet die Ziele präzisiert sowie im Falle von Zielkonflikten mit Prioritäten versehen. Dies gilt selbst für die gesetzlich normierten Ziele des § 1 StabG, die hinsichtlich der Interpretation, Quantifizierung und Rangfolge immer noch einen relativ großen Entscheidungsspielraum lassen (s. Abschnitt 4.2; Beitrag P-3.2.1). Das diagnostisch relevante ,,Zielsystem" der praktischen Wirtschaftspolitik ist ein Katalog wählerwirksam formulierter Absichtserklärungen, die sich in Abhängigkeit von der wirtschaftlichen und politischen Lage, dem theoretischen und ordnungspolitischen Hintergrund, der Kenntnis der Entscheidungsalternativen, den Schwankungen der Regierungspopularität, der Dauer der Regierungstätigkeit, der Bildung von Regierungskoalitionen usw. laufend ändern können. Die verbreitete Vorstellung, die wirtschaftspolitische Diagnose beginne mit der Suche nach Abweichungen des wirtschaftlichen Ist-Zustandes von einem eindeutig und für längere Zeit verbindlich definierten Soll-Zustand, dürfte deshalb kaum der Wirklichkeit entsprechen.

Der genaue Beginn eines Entscheidungsprozesses läßt sich mit Ausnahme von plötzlich auftretenden Ereignissen – wie z. B. der ersten „Energiekrise" im Herbst 1973 – nur schwer feststellen. Die meisten wirtschaftspolitischen Probleme haben je nach Art, Umfang, Reichweite und theoretischer Durchdringung eine unterschiedlich lange Vorgeschichte. Häufig werden Fehlentwicklungen schon relativ früh von einzelnen Ökonomen, Forschungsinstituten, Verbänden, Verwaltungen und Beratergremien beobachtet und der Regierung, den Parteien oder der Öffentlichkeit mitgeteilt. Aber erst dann, wenn eine Fühlbarkeits-(Sensibilisierungs-)Schwelle überschritten ist, die unbefriedigende Situation einer breiteren Öffentlichkeit bewußt zu werden beginnt, eine allgemeine Unzufriedenheit entsteht, soziale Gruppen und Parteien mobilisiert sind und die Befürworter wirtschaftspolitischer Aktivitäten wachsende Gefolgschaft aufweisen, werden derartige Fehlentwicklungen zum Problem der praktischen Wirtschaftspolitik. Der politischen Maxime des Regierungsverhaltens entsprechend sind nur solche Gegebenheiten von Interesse, durch deren wirtschaftspolitische Beeinflussung bisher gewonnene Wählerstimmen gesichert oder neue hinzugewonnen werden können. Wie die Entstehungsgeschichte vieler wirtschaftspolitischer Aktivitäten zeigt, haben sich die Interessengruppen in der Bundesrepublik auf dieses Reaktionsmuster eingestellt und versuchen, ihre Forderungen durch intensives „politisches Marketing" zu einem Anliegen der Regierung zu machen. Beispiele sind die aus der Umweltschutzdebatte erwachsene Anti-Kernkraftbewegung und Gründung der Partei der „Grünen", die nach den Arbeitskämpfen in der Metallindustrie von 1978 und 1984 wiederbelebte Kampagne des Deutschen Gewerkschaftsbundes (DGB) gegen das „Aussperrungsrecht" der Arbeitgeber oder die politische Wiederentdeckung der mittelständischen Unternehmen als Träger von Innovationsprozessen als Antwort auf die ,,Wachstumsschwäche" der deutschen Wirtschaft Anfang der achtziger Jahre.

Sobald eine allgemein oder von Teilen der Bevölkerung als unbefriedigend empfundene Situation in das Problembewußtsein der wirtschaftspolitischen Entscheidungsträger eingegangen ist, werden Informationen gesammelt und ausgewertet, um ein möglichst genaues Bild von der Lage zu erhalten. Unter Information versteht man dabei das zweckorientierte Wissen eines Entscheidungsträgers in einer bestimmten Entscheidungssituation. Zur Informationsgewinnung können die Wirtschaftspolitiker häufig auf die Ergebnisse fortlaufender systematischer Wirtschaftsbeobachtungen zurückgreifen. So verfügen die meisten Länder über eine ausgebaute Wirtschafts- und Sozialstatistik, deren Kern die Volkswirtschaftliche Gesamtrechnung bildet (Beitrag

B-2.6). Neben der amtlichen Statistik sind auch halbamtliche Statistiken sowie regelmäßige Lageberichte der Ministerien, der Notenbank, der Sozialversicherungsträger, Arbeitsämter und Kammern, der internationalen Institutionen, der öffentlichen und privaten Forschungsinstitute, wissenschaftlichen Beiräte und Sachverständigenräte sowie der privaten Unternehmen und Verbände häufig genutzte Informationsquellen. Nicht selten müssen jedoch ad hoc Daten gewonnen werden. Dazu dienen Enquêten, Kommissionsberichte, Memoranden und Gutachten, mit denen die Regierung amtliche Stellen, unabhängige Experten und teilweise auch die Interessenten selbst beauftragt.

Ursachenanalyse

Der Bestandsaufnahme eines wirtschaftspolitischen Problems folgt die Ursachenanalyse. Sie hat die Frage zu beantworten, warum die unerwünschte Lage entstanden, d. h. wie sie zu erklären ist. Erklärungen sind aus zwei Gründen unerläßlich: zum einen für die Abschätzung der künftigen Problementwicklung, weil die Ursachen sich zwischenzeitlich verstärkt oder abgeschwächt haben oder gänzlich entfallen sein können; zum anderen für die Suche nach geeigneten wirtschaftspolitischen Maßnahmen, weil es gilt, die Ursachen eines Phänomens und nicht bloß seine Symptome zu beseitigen.

Es ist ein Gebot politischer Rationalität, die im Interesse der Machterhaltung von der Regierung aufgegriffenen ökonomischen Probleme effizient zu lösen. Die Regierung ist deshalb darauf angewiesen, sich ein hinreichend zuverlässiges Bild über deren Ursache zu machen. Sie teilt dieses Interesse mit der Opposition, den Verbänden usw., die das Regierungsverhalten kritisieren, unterstützen oder mit Alternativen konfrontieren wollen.

Wissenschaftliche Erklärungen

Wissenschaftliche Erklärungen wirtschaftspolitischer Probleme erfordern die Anwendung von ökonomischer Theorie. Ihr sind die allgemeinen Aussagen bzw. Hypothesen zu entnehmen, die für den jeweiligen Sachverhalt mögliche Ursachen benennen. Als wissenschaftlich erklärt gilt der Sachverhalt dann, wenn sich seine Beschreibung aus einer Hypothese und ihren jeweils gegebenen konkreten Anwendungsbedingungen logisch ableiten läßt. Stehen mehrere, einander widersprechende Hypothesen zur Verfügung, ist diejenige auszuwählen, die auf Grund von Erfahrungen als am besten bewährt angesehen werden kann. Selbst empirisch gut bewährte Hypothesen sind zur Ursachenanalyse aber nur dann tauglich, wenn die Anwendungsbedingungen, unter denen sie Gültigkeit haben, im konkreten Fall erfüllt sind.

Diagnoseprobleme

Die Diagnose birgt eine Anzahl von Fehlerquellen, die den Erfolg der Wirtschaftspolitik in Frage stellen können. Schon die Entstehung eines wirtschaftspolitischen Problems wirft wegen des wählerorientierten Verhaltens der Politiker und ihrer festgelegten wirtschaftspolitischen Konzeption Fragen auf (Überblick bei Kirsch, 1974; Frey, 1978, 2; Herder-Dorneich, 1982):

- Wessen Interessen werden von den Wirtschaftspolitikern mit welcher Priorität behandelt? Es ist wahrscheinlich, daß vorrangig die Interessen derjenigen zählen, die zahlenmäßig ins Gewicht fallen, sich organisieren und konfliktfähig sind.
- Werden die Wirtschaftspolitiker im Wettbewerb um die Wählerstimmen lediglich auf entstandene Probleme reagieren oder auch antizipativ agieren? Eine nur reagierende Wirtschaftspolitik birgt die Gefahr, daß Fehlentwicklungen zu spät problematisiert und folglich nicht rechtzeitig verhindert werden.

Die Informationsbeschaffung und -verarbeitung im Rahmen der Bestandsaufnahme sind ebenfalls problembeladen (Überblick bei Gäfgen, 1963; Müller, 1975; Hujer/Cremer, 1978):

- Die verfügbaren Daten können fehlerhaft sein. So hat z. B. die Volkszählung von 1987 eine um knapp 1,2 Mio. höhere Zahl der Erwerbstätigen in der Bundesrepublik Deutschland ergeben als bis dahin angenommen wurde.
- Auswahl und Objektivität der Informationen sind vom Interesse des jeweiligen Informanten abhängig. Ist dieses auf bewußte Politikbeeinflussung gerichtet, können die Daten entsprechend manipuliert werden. Auch die Entscheidungsträger selbst scheuen sich mitunter nicht, Daten zu verschleiern oder zu verfälschen.
- Das Beschaffen und Verarbeiten von Informationen beansprucht Geld und Zeit. Der Umfang dieser Aktivitäten kann deshalb bei rationaler Entscheidungsfindung nicht beliebig ausgedehnt werden. Der Informationsstand der Entscheidungsträger ist also stets unvollkommen; die auf seiner Grundlage gebildeten Erwartungen sind zwangsläufig unsicher. Wirtschaftspolitische Entscheidungen müssen folglich unter den Bedingungen unvollkommener Gegenwartskenntnis und unvollständiger Voraussicht getroffen werden.
- Unsicherheit besteht auch über die Aussagefähigkeit einzelner Indikatoren des Informationssystems. Wie die Kritik z. B. an der Preisindex- und Sozialproduktberechnung sowie an der Statistik der Arbeitslosen und offenen Stellen zeigt, kann man keineswegs sicher sein, daß die Indikatoren stets genau das messen, was sie zu messen vorgeben oder was zu messen erforderlich wäre.

Schließlich ist auch die Ursachenanalyse mit Unzulänglichkeiten behaftet, die auf methodologische Sachverhalte zurückzuführen sind (Überblick bei Albert, 1963, 2; Hartwig, 1977):

- Die Ökonomik besteht in einigen Bereichen – z. B. in der Wettbewerbs-, Wachstums- und Wohlfahrtstheorie – statt aus empirisch gehaltvollen Theorien nicht selten aus definitorischen Aussagensystemen oder normativen und metaphysischen Pseudo-Theorien. Solche Aussagensysteme informieren nicht über die empirischen Gegebenheiten, da sie auf verschiedene Weise gegen die Erfahrung immunisiert sind.
- In anderen Bereichen sind zwar empirisch gehaltvolle, nicht aber auch schon bewährte Theorien verfügbar. Die Verwendung von Hypothesen, deren Wahrheitsgehalt unbestimmt ist, macht die Entscheidungsgrundlage der Wirtschaftspolitiker noch unsicherer als sie es wegen der Unmöglichkeit, allgemeine Aussagen definitiv als wahr zu erweisen, ohnehin schon ist.
- Probleme entstehen schließlich auch dadurch, daß in vielen Anwendungsgebieten mehrere Hypothesensysteme miteinander konkurrieren – wie das z. B. in der

Inflations- und Konjunkturtheorie der Fall ist. Wissenschaftstheoretisch sind rivalisierende Theorien zwar eine notwendige Bedingung des Erkenntnisfortschritts; den Wirtschaftspolitikern und ihren wissenschaftlichen Beratern geben sie jedoch die Möglichkeit, je nach Interessenlage unterschiedliche Ansätze zu präferieren und daraus divergierende Konsequenzen abzuleiten.

Durch Verbesserung der ökonomischen Theorien und der empirischen Meßkonzepte könnten die diagnostischen Entscheidungsgrundlagen sicherer gemacht werden. Auf diese Weise könnte die Wirtschaftswissenschaft wesentlich dazu beitragen, den Rationalitätsgrad der Wirtschaftspolitik zu steigern.

5.1.2. Prognose

Die Diagnose eines wirtschaftspolitischen Problems kann noch so schnell, umfassend und zutreffend sein – letztlich liefert sie nur Informationen über die Vergangenheit. Da die Problemlösung notwendigerweise in der Zukunft liegt, benötigt der Wirtschaftspolitiker auch Informationen über die zu erwartende Entwicklung. Dieses entscheidungsnotwendige Zukunftswissen liefert die Wirtschaftsprognose (JÖHR/KNESCHAUREK, 1962; ROTHSCHILD, 1969; HENSCHEL, 1979). Prognosen können vereinfachend als Fortschreibung der Diagnose in die Zukunft angesehen werden. Dabei sind zwei Fragestellungen zu unterscheiden:

- Was wird geschehen, wenn keinerlei Maßnahmen ergriffen werden? Antwort auf diese Frage gibt die „Status-quo-Prognose", mit deren Hilfe über die Notwendigkeit wirtschaftspolitischer Eingriffe entschieden wird.
- Was wird geschehen, wenn eine bestimmte Maßnahme ergriffen wird? Diese Frage beantwortet die „Wirkungsprognose". Mit ihr werden die zu erwartenden Wirkungen wirtschaftspolitischer Eingriffe abgeschätzt (s. Abschnitt 5.2.1).

Die Status-quo-Prognose soll Aufschluß darüber geben, wie sich ein Problem ohne Zutun der Wirtschaftspolitik in absehbarer Zeit weiterentwickeln wird. Dabei sind die Auswirkungen bereits ergriffener Maßnahmen einzubeziehen. So kann eine Status-quo-Prognose z. B. zeigen, daß sich ein aktuelles Problem schon in naher Zukunft von selbst lösen wird, ein wirtschaftspolitischer Handlungsbedarf also nicht mehr besteht.

Wissenschaftliche Prognosen und Prophezeiungen

Erfolgversprechende Wirtschaftspolitik setzt zuverlässige Wirtschaftsprognosen voraus. Während jedoch die Wirtschaftstheorie sicheres Zukunftswissen durch die Annahme „vollkommener Voraussicht" fingieren kann, sieht sich die Wirtschaftspolitik mit der Tatsache der Unsicherheit des qualitativen, quantitativen und zeitlichen Eintretens künftiger Ereignisse konfrontiert. Es erscheint allenfalls möglich, den Unsicherheitsgrad durch geeignete Prognoseverfahren in Grenzen zu halten. Man unterscheidet zwischen wissenschaftlichen (rationalen) Prognosen und Prophezeiungen. Zwar kann jede Art von Vorhersage zufällig eintreffen, wissenschaftliche Prognosen sind jedoch rational begründet und haben daher einen relativ geringeren

Unsicherheitsgrad; sie sind deshalb auch von größerem Nutzen für die praktische Wirtschaftspolitik als unreflektierte Prophezeiungen. Wissenschaftstheoretisch basieren sie nämlich wie die wissenschaftlichen Erklärungen auf Theorien bzw. Hypothesen, die das generelle Gelten eines Sachverhalts behaupten und nach Möglichkeit empirisch gut bewährt sein sollten (Albert, 1957).

Prognosen (Vorhersagen, Voraussagen) sind raum-zeit-bezogene Aussagen, die das Eintreten eines künftigen Ereignisses behaupten. Sie werden aus allgemeinen Aussagen (Hypothesen) und ihren raum-zeit-bezogenen Anwendungsbedingungen (Randbedingungen) deduktiv abgeleitet. Ergebnis der Prognosededuktion sind „bedingte" („konditionale") Vorhersagen. Darunter versteht man Aussagen, die das Eintreten eines künftigen Ereignisses ausdrücklich nur unter der Voraussetzung behaupten, daß die verwendeten Hypothesen gelten und die Randbedingungen tatsächlich realisiert sind. Da aber die Randbedingungen Sachverhalte beschreiben, die gleichzeitig oder vor dem prognostizierten Ereignis vorliegen müssen, sind sie ebenfalls zukunftsbezogen und ihrerseits zu prognostizieren. Der sich daraus ergebende Prognoseregreß ist nur durch die „Annahme" („Setzung") bestimmter Randbedingungen zu durchbrechen. Hierin liegt jedoch ein unvermeidbares spekulatives Moment. Selbst wenn es nachweislich wahre Theorien gäbe und die Deduktion fehlerfrei wäre, blieben deshalb auch wissenschaftliche Prognosen stets mit Unsicherheit behaftet (Tietzel, 1981; 1985, 1).

Obwohl es prognostische Sicherheit nicht geben kann, sind wissenschaftliche Prognosen für die Wirtschaftspolitik unentbehrlich: Sie können zwar nicht definitiv angeben, wie sich die Wirtschaft entwickeln wird, wohl aber, wie sie sich unter bestimmten, gegebenenfalls alternativ angenommenen Randbedingungen entwickeln kann. Derartige Alternativprognosen (technologische Prognosen) sind rationale Kalküle, mit deren Hilfe die Zukunft zwar nicht offenbart, aber doch erhellt und überschaubarer gemacht wird. Dies läßt sich von Prophezeiungen nicht sagen. Prophezeiungen (Spekulationen, Weissagungen) sind nämlich unwissenschaftliche Vorhersagen, die ohne rationale Begründung, insbesondere ohne Rückgriff auf gesetzmäßige Zusammenhänge oder empirische Regelmäßigkeiten gemacht werden. Beispiele sind die Spekulation auf einen dritten Weltkrieg, die Weissagung der bevorstehenden Erschöpfung lebenswichtiger Ressourcen oder die naive Fortschreibung des Trends der weltweiten Bevölkerungsexplosion einerseits und des Bevölkerungsrückgangs in der Bundesrepublik bis zum Aussterben des letzten Deutschen andererseits. Da Prophezeiungen unkontrollierbare Spekulationen darstellen, sind sie als Entscheidungsgrundlage einer rationalen Wirtschaftspolitik ungeeignet.

Prognoseprobleme

Wissenschaftliche Prognosen basieren auf diagnostischen Befunden. Insofern schlagen sich die bereits erwähnten Diagnosefehler auch in den Prognoseergebnissen nieder. Darüber hinaus droht die Rationalität der Wirtschaftspolitik durch eine Anzahl prognosespezifischer Sachverhalte beeinträchtigt zu werden (Giersch/Borchardt, 1962; Ott, 1972):

- Der Mangel an bewährten Theorien – vor allem im Bereich der qualitativen Wirtschaftspolitik – erschwert die erforderlichen Alternativprognosen und schafft

Raum für ideologisch motivierte Spekulationen, auf die sich dann der Wirtschaftspolitiker in seinem Streben nach verläßlichem Zukunftswissen möglicherweise stützen zu können glaubt.

- Konkurrierende Theorien führen in der Regel zu unterschiedlichen Prognoseergebnissen. Dadurch erhöht sich die Zahl der denkbaren Alternativprognosen und folglich auch die Unbestimmtheit der Entscheidungsgrundlagen. Letztlich wird der Wirtschaftspolitiker seinen Entscheidungen jene Prognose zugrunde legen, die für ihn die größte subjektive Eintrittswahrscheinlichkeit besitzt oder am besten in sein Konzept paßt.
- Nach der „Theorie der komplexen Phänomene" (Hayek, 1972) wirken auf soziale Sachverhalte so viele systematische und stochastische Einflüsse ein, daß die Randbedingungen niemals vollständig spezifiziert werden können, und alle Erklärungen und Prognosen folglich implizit einer unspezifizierten Ceteris-paribus-Klausel unterliegen. „Detail-Prognosen" – insbesondere im Bereich komplexer ordnungspolitischer Zusammenhänge – sind deshalb besonders unsicher und sollten nach Hayek durch „Muster-Vorhersagen" („pattern-predictions") über allgemeine Verhaltensweisen und Entwicklungstendenzen ersetzt werden.
- Da bei der Wahl der Randbedingungen ein relativ großer Ermessensspielraum besteht, können wissenschaftliche Prognosen optimistisch oder pessimistisch „getrimmt" sein. Diese Gefahr läßt sich am besten durch Wettbewerb unter den Prognoseanbietern – wie er z. B. unter den führenden Konjunkturforschungsinstituten begrenzt besteht – vermeiden.
- Sorgfältig erarbeitete Prognosen sind kostspielig und zeitaufwendig. Darf die Zeitspanne zwischen dem Auftreten eines Problems und dem Beginn der Maßnahmeplanung – der sogenannte Erkennungslag – wegen der politischen Dringlichkeit der Problemlösung nicht zu groß werden, muß man auf wissenschaftliche Prognosen verzichten und sich statt dessen mit plausiblen Spekulationen behelfen.

Eine besondere Problematik sozialwissenschaftlicher Prognosen ergibt sich durch die Phänomene der Selbsterfüllung und Selbstzerstörung veröffentlichter Vorhersagen (Jöhr/Kneschaurek, 1962): In Kenntnis der Prognose ihres Verhaltens können sich die Wirtschaftssubjekte entweder davon abweichend oder wie vorausgesagt verhalten, obwohl sie sich ohne das Prognosewissen jeweils anders verhalten hätten. Im ersten Fall hebt die Veröffentlichung der Prognose deren Anwendungsbedingungen auf, im zweiten stellt sie sie überhaupt erst her. Es erscheint deshalb notwendig, auch die prognoseinduzierten Veränderungen der Anwendungsbedingungen von Anfang an in die Prognose einzubeziehen. Hierauf bezieht sich u. a. auch die neuere Diskussion um die Konsequenzen des rationalen Erwartungsbildungs- und Antizipationsverhaltens der Wirtschaftssubjekte für die Prognostizierbarkeit der künftigen Wirtschaftsentwicklung und die Wirksamkeit wirtschaftspolitischer Maßnahmen (Beiträge F-2.2.4 und P-2.1).

Pragmatisch gesehen sind diese Einwände und Schwierigkeiten nicht als „Prognoseverbot" zu werten, sondern als Warnung an die Wirtschaftspolitiker, Prognosen etwas abzuverlangen, was diese logisch und sachlich nicht leisten können: die Vermittlung sicheren Zukunftswissens.

Feststellung des Handlungsbedarfs

Haben sich die wirtschaftspolitischen Entscheidungsträger für die aus ihrer Sicht wahrscheinlichste oder genehmste Status-quo-Prognose entschieden, ist zu klären, ob überhaupt ein Handlungsbedarf besteht. Um das Prognoseergebnis politisch zu bewerten, brauchen es die Entscheidungsträger nicht notwendig mit bereits festumrissenen Zielsetzungen zu konfrontieren. Vielmehr genügen in diesem Stadium grob strukturierte Zielvorstellungen; denn weit mehr als die künftig zu erwartende Zielabweichung selbst, zählt für den Wirtschaftspolitiker ihre vermutliche Beurteilung durch die potentiellen Wähler und die sie beeinflussenden Verbände, Medien usw. Die Prognose von zwei Millionen Arbeitslosen – eine deutliche Verletzung des Beschäftigungszieles – hätte noch Anfang der siebziger Jahre in der Bundesrepublik Deutschland umfangreiche wirtschaftspolitische Aktivitäten ausgelöst; heute gilt ein solcher Zielwert als vorläufig unerreichbar, und man scheint sich an Arbeitslosigkeit dieser Größenordnung weitgehend gewöhnt oder sich mit ihr abgefunden zu haben. In der Praxis gibt es erfahrungsgemäß keine ein für allemal fixierten kritischen Werte für Zielabweichungen, die eine Regierung unabhängig von der jeweiligen politischen Gesamtsituation zum Eingreifen veranlassen (Kirschen u. a., 1964, S. 307).

5.2. Maßnahmenplanung

Falls die Regierung einen aktuellen oder potentiellen Handlungsbedarf feststellt, wird sie in die Phase der Maßnahmenplanung eintreten. In dieser Phase geht es zunächst um die Analyse alternativer Ziel-Mittel-Kombinationen, die zur Problemlösung geeignet erscheinen, und daran anschließend um die Erstellung, politische Durchsetzung und Vollzugsplanung eines problemadäquaten Handlungsprogramms.

5.2.1. Wirkungsanalyse

Durch die Lageanalyse hat der Wirtschaftspolitiker eine Vorstellung von der gegenwärtigen Lage und ihren Ursachen sowie von der unter Status-quo-Bedingungen künftig zu erwartenden Entwicklung gewonnen. Angesichts der negativen Prognosen sieht er sich im Interesse der Erhaltung der Wählergunst zum Handeln gezwungen. Was aber soll er tun? Ist Gefahr im Verzug, so wird er improvisieren und die am schnellsten greifende Maßnahme realisieren. Ist dagegen die Problemlösung weniger drängend, hat er die Möglichkeit, systematisch vorzugehen und sich erst nach ausreichender Kenntnis und Bewertung der bestehenden Handlungsalternativen für ein bestimmtes Maßnahmenprogramm zu entscheiden. Welche Aktionsmöglichkeiten ihm offenstehen, ergibt sich aus einer erneuten Anwendung der ökonomischen Theorie. Dabei kann auf unterschiedliche Weise vorgegangen werden:

- Der Entscheidungsträger gibt die gewünschten Ziele oder Zielwerte vor und fragt nach den zu ihrer Realisierung erforderlichen Maßnahmen. Logisch bedeutet dies die Deduktion der bekannten, in der Zukunft zu realisierenden Zielsetzung aus ebenfalls bekannten allgemeinen Aussagen (Hypothesen) und teilweise gesuchten Randbedingungen („Programmierung“).

- Der Entscheidungsträger gibt bestimmte Maßnahmen vor und fragt nach deren voraussichtlichen Wirkungen. In diesem Fall ist das unbekannte künftige Ereignis aus bekannten allgemeinen Aussagen und den gegebenen, teilweise wirtschaftspolitisch gestalteten Randbedingungen zu deduzieren („Wirkungsprognose").

Anwendung von Entscheidungsmodellen

In der quantitativen Wirtschaftspolitik (TINBERGEN, 1952; THEIL, 1964; FOX/SENGUPTA/THORBECKE, 1966) versucht man häufig, die möglichen Ziel-Mittel-Kombinationen anhand ökonometrischer Modelle zu analysieren. Modelle für die Bundesrepublik Deutschland sind das KRELLE-, das RWI- und das BUNDESBANK-Modell (Beitrag G-2.3.4). Wird ein ökonometrisches Modell als ,,Entscheidungsmodell" zur Programmierung verwendet, muß der Wirtschaftspolitiker die Zielvariablen quantitativ exakt und seiner Präferenzstruktur entsprechend bestimmen. Das hierdurch spezifizierte ,,Programmierungsmodell" gibt dann die Art, den Einsatzzeitpunkt und die Dosierung jener Instrumentvariablen an, die eine optimale Zielverwirklichung gewährleisten. Im Falle der Wirkungsprognose ist dagegen durch Vorgabe quantifizierter Instrumentvariablen ein ,,Prognosemodell" zu spezifizieren, das deren quantitative Effekte auf bestimmte Zielvariablen abzuleiten gestattet.

Der Einsatz von Programmierungs- und Prognosemodellen erscheint vielen als ein quantitativ exaktes und höchst informatives Verfahren, um in einer konkreten Situation eine Vielzahl alternativer Ziel-Mittel-Kombinationen aufzuzeigen und hinsichtlich ihrer Konsistenz und Realisierbarkeit zu prüfen (PINDYCK, 1973; GALLER, 1976; KUHBIER, 1981). Der Wirtschaftspolitiker erfährt hiernach, was er unter den gegebenen Umständen mit welchen Mitteln und in welcher Frist quantitativ erreichen kann; er erkennt aber auch, was nach Lage der Dinge nicht realisierbar ist. Die Ableitung alternativer Handlungsmöglichkeiten und sachlicher Handlungsbeschränkungen wird als eine notwendige Grundlage rationaler wirtschaftspolitischer Entscheidungen angesehen, ohne diese „technologisch" zu präjudizieren, wie bisweilen kritisch eingewandt wird. Tatsächlich aber wird der praktische Wert von Entscheidungsmodellen vor allem durch folgende Tatsachen wesentlich eingeschränkt (TICHY, 1976, S. 195 ff.):

- Ökonometrische Modelle sind nur auf quantitative Probleme anwendbar, nicht aber auch im Bereich der qualitativen Wirtschaftspolitik – insbesondere nicht auf die langfristig so bedeutsamen ordnungspolitischen Reformvorhaben.
- Die Verwendung eines ökonometrischen Modells als Programmierungs- oder Prognosemodell erfordert die Vorgabe wohldefinierter quantitativer Zielfunktionen bzw. Mittelkombinationen, die von den Entscheidungsträgern bei demokratisch-pluralistischer Willensbildung kaum erhältlich sind.
- Für umfangreiche und komplexe Entscheidungsprobleme – wie sie in der wirtschaftspolitischen Praxis häufig vorkommen – sind geschlossene und exakte Modell-Lösungen in der Regel nicht realisierbar.
- Schließlich liefern Entscheidungsmodelle aufgrund falscher Spezifikationen, fehlerhafter Parameterschätzungen, konstanter Modellstrukturen, vereinfachender Linearisierungen usw. nur bedingt brauchbare Ergebnisse.

Die Rationalität der Wirtschaftspolitik ist also nicht schon deshalb gewährleistet, weil Handlungsalternativen mit Hilfe von ökonometrischen Modellen erarbeitet und ausgewählt werden. Es ist auch ein verbreitetes Mißverständnis, daß ohne Entscheidungsmodelle keine rationale Wirtschaftspolitik möglich sei. Die meisten ökonomischen Theorien lassen sich für partielle, qualitative wie quantitative Programmierungen und Wirkungsprognosen verwenden. Selbst wenn durch das partialanalytische Vorgehen die Komplexität des wirtschaftlichen Geschehens reduziert und zahlreiche Interdependenzen vernachlässigt werden, bieten die so gewonnenen Programmierungs- und Prognoseergebnisse immerhin noch Anhaltspunkte für die Ziel- und Mittelwahl. Dabei stehen die Fragen nach den zeitlichen Wirkungsverzögerungen und den möglichen Nebenwirkungen der zu ergreifenden Maßnahmen im Vordergrund des Interesses.

Time lags der Wirtschaftspolitik

Für den gewünschten politischen Erfolg genügt es nicht, zu wissen, von welchen Maßnahmen man im konkreten Anwendungsfall welche zielkonformen Wirkungen erwarten kann; der Wirtschaftspolitiker muß auch erfahren, wann eine Maßnahme mit welcher Dosierung einzusetzen ist, damit die Wirkung rechtzeitig eintritt. Denn einer Regierung dürfte es weniger darauf ankommen, daß z. B. Arbeitslosigkeit und Inflation bekämpft werden, als vielmehr darauf, daß dies rechtzeitig vor den nächsten Wahlen geschieht. Timing und Dosierung wirtschaftspolitischer Maßnahmen setzen die Kenntnis des voraussichtlichen Zeitbedarfs ihrer Wirkungen voraus. Solche Wirkungsverzögerungen werden als Wirkungslag (outside lag) der Wirtschaftspolitik bezeichnet. Zu beachten ist auch, daß der zuvor abgelaufene Entscheidungsprozeß ebenfalls Zeit erfordert. So können vom Zeitpunkt der Problemerkennung bis zum Augenblick der Programmrealisierung Jahre vergehen, wie das beim Erlaß neuer Gesetze (z. B. GWB, StabG, Umweltschutzgesetz) die Regel ist. Diese Handlungsverzögerung wird als Handlungslag (inside lag) der Wirtschaftspolitik bezeichnet.

Die insgesamt zu berücksichtigende Lag-Struktur wird durch *Übersicht N-7* veranschaulicht und ist in Ursache, Dauer und Variabilität der einzelnen Komponenten Gegenstand eingehender Forschungen (Überblick bei Dürr, 1970, 1; Badura, 1975). Es liegt bei der Wirtschaftspolitik selbst, den inside lag durch geeignete Vorkehrungen – wie fortlaufende systematische Beobachtungen und Kausalanalysen, Regelbindungen, Eingriffsermächtigungen oder formalisierte Entscheidungsverfahren – zu verkürzen. Dies ist deshalb von Bedeutung, weil sich das wirtschaftspolitische Problem während – und auch in Folge – des Entscheidungsprozesses so verändert haben kann, daß die schließlich ergriffenen Maßnahmen nach Art, Timing und Dosierung nicht mehr zielkonform sind und die Gefahr der Unwirksamkeit oder Verstärkerwirkung in sich tragen. Jede Verkürzung des inside lags vermindert den Grad der Unsicherheit der gesamten prognostischen Entscheidungsgrundlage, da sie die notwendige Reichweite der Status-quo-Prognose reduziert.

Während der Wirtschaftspolitiker den inside lag durch Beschleunigungen oder Verzögerungen des Entscheidungsprozesses selbst beeinflussen kann, ist der outside lag

Übersicht N-7: Time lags in der Wirtschaftspolitik

Zeitverzögerungen der Wirtschaftspolitik (total policy lag)						
Innenverzögerung (inside lag)					**Außenverzögerung** (outside lag)	
Handlungsverzögerung (policy preparation lag)				**Durchführungsverzögerung** (administrative, instrumental, intermediate lag)	**Wirkungsverzögerung** (policy effect lag)	
Erkennungsverzögerung (recognition lag)		**Aktionsverzögerung** (action lag)			**Reaktionsverzögerung** bei den Adressaten (reaction lag)	**Durchsetzungsverzögerung** bei den Adressaten (operational lag)
Diagnoseverzögerung (diagnostic lag)	Prognoseverzögerung (prognostic lag)	Planungsverzögerung (planning lag)	Entscheidungsverzögerung (decision lag)			
Wahrnehmung unerwünschter Zustände und Entwicklungen. Beschaffung von Informationen über die Problemaspekte sowie erklärungsrelevante Theorien und Anwendungsbedingungen. Erklärung der problematischen Sachverhalte (Ursachenanalyse).	Vorhersage der künftigen Entwicklung des Problems bei Verzicht auf wirtschaftspolitisches Handeln (Status-quo-Prognose). Entscheidung für ein bestimmtes Prognoseergebnis und Vergleich mit den politischen Zielsetzungen. Feststellung des Handlungsbedarfs.	Ermittlung alternativer Ziel-Mittel-Kombinationen (Wirkungsanalyse). Ableitung geeigneter Maßnahmen zur Erreichung vorgegebener Ziele (Programmierung). Prognose des sachlichen und zeitlichen Wirkungsablaufs vorgesehener Maßnahmen (Wirkungsprognose).	Entscheidung zwischen den von der Wirkungsanalyse aufgezeigten Handlungsalternativen. Definitive Festlegung bestimmter Zielwerte und Maßnahmen. Innerparteiliche, parlamentarische usw. Durchsetzung des Programms.	Rechtsverbindliche Ausgestaltung und praktische Durchführung der Maßnahmen. Beteiligung nachgeordneter Körperschaften, Ressorts, Behörden usw. sowie autonomer sozialer Gruppen (Tarifparteien, Berufsverbände), nationaler Entscheidungsträger (Bundesbank) und internationaler Institutionen (EG-Kommission, IWF, BIZ). Überwindung rechtlicher (Normenkontrollverfahren, Verfügungen) und tatsächlicher Widerstände (Boykott, Proteste).	Wahrnehmung geplanter oder ergriffener Maßnahmen und Beschaffung von Informationen. Feststellung der Betroffenheit durch die Maßnahmen. Prognose der sich durch die Maßnahmen möglicherweise ergebenden Vor- und Nachteile. Feststellung des Handlungsbedarfs und Entscheidung über zu ergreifende Maßnahmen. Vorbereitung des Maßnahmevollzugs (Antragstellung, Vertragsabschlüsse oder -kündigungen, Auftragserteilung).	Anweisung ausführender Betriebe, Abteilungen usw. durch die Unternehmensleitung. Arbeitsvorbereitung, Projektplanung, Koordination, Einkommens-, Vermögens- und Konsumdispositionen. Überwindung unternehmensinterner Widerstände, z. B. bei geplanten Entlassungen, Neueinstellungen, Überstunden, Rationalisierungsvorhaben. Überwindung unternehmensexterner Widerstände, z. B. bei Betriebsstillegungen und -erweiterungen, Neubauvorhaben, Umweltbelastungen.

Zeit ⟶

für ihn eine nur sehr bedingt und kaum gezielt beeinflußbare Größe. Um die Wirkungsverzögerungen alternativer Maßnahmen kennenzulernen, sind Wirkungsprognosen erforderlich, die Antworten auf folgende Fragen geben sollen:

- Wie groß sind die Wirkungsverzögerungen vom Einsatz der Maßnahmen bis zur vollständigen oder teilweisen Entfaltung der Wirkungen, d. h. bis eine 100-, 75- oder 50-prozentige Wirkungsintensität – verstanden als Anteil der eingetretenen Wirkung am zu erwartenden Gesamteffekt – erreicht ist?
- Wie variieren die entsprechenden Wirkungsverzögerungen, wenn die Maßnahmen zum wiederholten Male oder sequentiell, d. h. als eine Folge von Teilmaßnahmen, eingesetzt werden?
- Welches zeitliche Verlaufsmuster haben die verschiedenen Wirkungen einer Maßnahme und welcher Grad der Zielrealisierung wird bei Eintritt verschiedener Wirkungsintensitäten erreicht?

Es gibt Fälle, in denen sich die Wirkung einer Maßnahme sofort und in voller Stärke einstellt – wie z. B. die Treibstoffersparnis bei einem Sonntagsfahrverbot. Normalerweise setzen die Wirkungen erst nach Ablauf einer Zeitspanne ein, in der die Wirtschaftssubjekte auf die Maßnahme reagieren und ihre Dispositionen treffen („Totzeit"), und verteilen sich dann über den restlichen outside lag. Die zeitliche Verteilung der Wirkungen wird in *Abb. N-4.1.* durch die Verlaufsmuster der Wirkungsintensität von zwei Maßnahmen mit annahmegemäß gleichem outside lag veranschaulicht. Im Fall A beginnt die Maßnahme nach einer relativ kurzen Totzeit zu wirken und erreicht am Wahltermin knapp 100 v. H. ihres Gesamteffektes; im Fall B setzen die Wirkungen später ein und erreichen zum Zeitpunkt der Wahl erst eine fünfzigprozentige Wirkungsintensität. Ein Beispiel für derartige Wirkungsverteilungen ist der seit 1979 auf Antrag gewährte Heizölkostenzuschuß an Bezieher geringerer Einkommen: Von den 1980 insgesamt zur Verfügung stehenden 233 Mio. DM waren bis August 1980 erst 55 Mio. DM abgeflossen; ein anderes Zuteilungsverfahren hätte möglicherweise eine höhere Wirkungsintensität erreicht.

Schon aus wahltaktischen Gründen kann es dem Wirtschaftspolitiker nicht gleichgültig sein, wann Maßnahmen zu wirken beginnen und bis zu welchem Zeitpunkt sie eine annehmbare Intensität erreicht haben werden. Die hierüber informierende Wirkungsprognose stößt außer bei ordnungspolitischen (qualitativen) Eingriffen auch bei solchen Maßnahmen auf besondere Schwierigkeiten, die zum wiederholten Male oder sequentiell eingesetzt werden sollen. Diese Schwierigkeiten ergeben sich daraus, daß die Wirtschaftssubjekte aus vorangegangenen wirtschaftspolitischen Aktivitäten lernen und ihre Verhaltensweisen anpassen können. Hierdurch kann sich das zeitliche Verlaufsmuster der Wirkungen wiederholter und sequentieller Maßnahmen von Mal zu Mal den jeweiligen Umständen entsprechend ändern und der Wirkungslag relativ stark streuen. So ist z. B. denkbar, daß die erneute Gewährung von Heizölkostenzuschüssen in künftigen Heizperioden aufgrund verbesserter Informationen und Erfahrungen der Antragsteller zu einem rascheren Abfluß der bereitgestellten Mittel führt. Umgekehrt könnten sich die Wirkungsverzögerungen noch vergrößern, wenn der gewährte Heizölkostenzuschlag inflationsbedingt entwertet wird und die Mühe der Antragstellung nicht mehr lohnt.

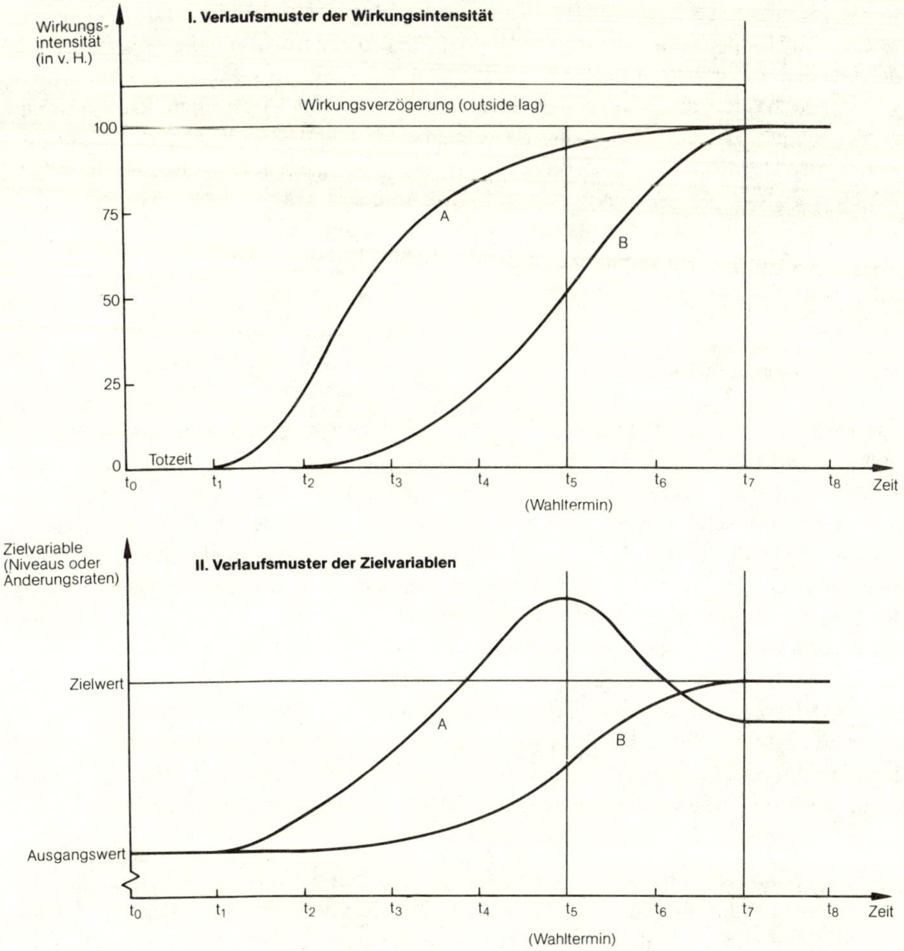

Abb. N-4: Fiktive Wirkungsverläufe alternativer Maßnahmen

Die Information über die voraussichtliche Struktur der Wirkungsverzögerungen von Maßnahmen umfaßt auch eine Prognose des zeitlichen Verlaufsmusters der verschiedenen Wirkungen und die zu verschiedenen Zeitpunkten zu erwartenden Grade der Zielerreichung. Die meisten Maßnahmen haben einerseits teils erwünschte, teils unerwünschte Neben- und Folgewirkungen, deren zeitlicher Ablauf ebenfalls abzuschätzen ist; andererseits bewirken sie, daß sich die Zielvariable dem Zielwert auf einem bestimmten, für die jeweilige Maßnahme typischen Zeitpfad nähert.

In *Abb. N-4.II.* werden die Verlaufsmuster einer Zielvariablen von zwei alternativen Maßnahmen mit annahmegemäß gleichem outside lag veranschaulicht. Im Fall A nähert sich die Zielvariable dem gewünschten Zielwert zyklisch, ohne ihn nach Eintritt der vollen Wirkung ganz zu erreichen; im Fall B wird der Zielwert durch asymptotische Anpassung der Zielvariablen voll erreicht. Für das politisch rationale Handeln ist jedoch weniger bedeutsam, ob das Ziel letztlich erreicht wird; vielmehr ist entscheidend, mit welcher Maßnahme zum Zeitpunkt der Wahl die besten Ergebnisse erzielt werden können. So könnte z. B. der private Mietwohnungsbau durch Freigabe der Mieten und Begrenzung des Mieterschutzes gefördert werden, so daß sich die Zahl der jährlichen Neubaueinheiten dem Zeitpfad B gemäß entwickelt. Im Wahljahr (t_5) wäre jedoch erst die Hälfte des Anpassungsweges bis zur vollen Zielerreichung zurückgelegt. Würde man dagegen dasselbe Ziel mit einer zeitlich gestaffelten Baupreissubvention verfolgen, verliefe die Anpassung vielleicht entlang des Pfades A: Obwohl der Zielwert mit dieser Maßnahme auf Dauer nicht erreicht werden könnte, wäre das Ziel am Wahltermin zum Vorteil der Regierung „übererfüllt", weil die Entwicklung vorübergehend über den Zielwert hinausschießt.

Neben- und Folgewirkungen

Ein Problem stellt auch die zuverlässige Abschätzung von Neben- und Folgewirkungen geplanter Maßnahmen dar. Seine Lösung ist gleichfalls eine Aufgabe der Wirkungsanalyse (Jöhr/Singer, 1957; Tuchtfeldt, 1970, 1). In der Regel beeinflußt jede wirtschaftspolitische Aktivität wegen der generellen Interdependenz ökonomischer Größen nicht nur die Zielvariable (Hauptwirkung), sondern auch andere Variablen (Nebenwirkungen). Solche Nebenwirkungen können erwünscht, unerwünscht oder irrelevant sein. Erwünscht sind sie immer dann, wenn sie die Erreichung anderer Ziele fördern. So stellt z. B. die Freigabe der Wechselkurse nicht nur den geldpolitischen Handlungsspielraum der Notenbank eines Landes mit unterbewerteter Währung wieder her, sondern verbilligt auch durch die nun einsetzende Aufwertung die Importe und erhöht den Konkurrenzdruck auf die Exporteure. Abgesehen vom Problem der Über- oder Unterdosierung der Maßnahmen, ergeben sich in solchen Fällen – wie auch bei irrelevanten Variablenänderungen – keine besonderen Schwierigkeiten.

Anders verhält es sich mit den unerwünschten Nebenwirkungen. Sie sind praktisch mit jeder wirtschaftspolitischen Aktivität verbunden und hängen außer von der Art der Maßnahmen vor allem von deren Dosierung ab. Sie treten insbesondere bei ordnungspolitischen Reformen und prozeßpolitischen Interventionen in den Marktmechanismus auf, sind dabei aber häufig erst spät erkennbar und nur schwer einer bestimmten Maßnahme zuzurechnen (Wissenschaftlicher Beirat beim Bundesministerium für Wirtschaft, 1979, Beitrag Q-3). Vielfach stellen unerwünschte Nebenwirkungen in diesen Bereichen der Wirtschaftspolitik auch „Summationseffekte" dar. Sie entstehen dadurch, daß jede neue Maßnahme und jede Maßnahmevariation auf das Gesamtergebnis und die fortdauernden Wirkungen aller früheren wirtschaftspolitischen Aktivitäten treffen. Ein Beispiel ist der deutliche Rückgang des freifinanzierten Mietwohnungsbaus Ende der siebziger Jahre als Nebenwirkung der sozialpolitisch motivierten Mietpreisbindung und Erhöhung des Mieterschutzes sowie des stabilitätspolitisch bedingten Anstiegs des Zinsniveaus. Ein besonderes Problem stellen schließlich solche unerwünschten Nebenwirkungen dar, die zwar nur vorübergehend, aber mit zeitlichem Vorlauf vor den Hauptwirkungen auftreten, wie z. B. ein temporärer Anstieg der Arbeitslosigkeit bei rein monetärer Inflationsbekämpfung (Beitrag F-2.3 und P-5). Alle diese negativen Nebenwirkungen können als indirekte (gesellschaftliche) Kosten einer Maßnahme interpretiert werden und sind – wie die direkten

Kosten des Maßnahmevollzugs – möglichst exakt zu bewerten und dem zu erwartenden Nutzen gegenüberzustellen.

Folgewirkungen einer Maßnahme sind Effekte, die der Hauptwirkung zeitlich nachgelagert sind. Wieder sind nur die unerwünschten Wirkungen problematisch. Beispiele sind der häufig nicht erwünschte Kapazitätseffekt zusätzlicher Nettoinvestitionen, die um ihres kurzfristigen Einkommenseffektes willen wirtschaftspolitisch induziert wurden und zu ihrer Auslastung eines neuerlichen Nachfrageschubes bedürfen (Beitrag G-3), sowie die sozialen Folgekosten des konjunkturpolitisch induzierten Gastarbeiterzustroms der frühen siebziger Jahre. Ein Sonderfall sind die sogenannten Rückkoppelungs- oder Bumerangeffekte. Zu ihnen kommt es, wenn eine Maßnahme auf längere Sicht negative Rückwirkungen auf das mit ihr verfolgte Ziel selbst hat. So bewahrt zwar der verstärkte Kündigungsschutz für ältere Arbeitnehmer die bereits Beschäftigten vor ungewollter Arbeitslosigkeit; er erschwert aber die Wiedereinstellung von Arbeitslosen dieser Altersgruppe. Die Schutzbedürftigen sind somit teilweise Opfer der zu ihrem Schutz ergriffenen Maßnahmen. Unkalkulierte Neben- und Folgewirkungen, vor allem aber unkalkulierte Bumerangeffekte, sind mit dem Rationalitätsanspruch der Wirtschaftspolitik unvereinbar.

5.2.2. Programmformulierung

In der Phase der Programmformulierung muß zwischen den von der Wirkungsanalyse aufgezeigten Handlungsalternativen gewählt werden: Der Wirtschaftspolitiker hat sich definitiv auf einen bestimmten Maßnahmenkatalog und – im Zusammenhang damit – auf ganz bestimmte Ziele, Zielvariablen und Zielwerte festzulegen. Außerdem muß das Programm politisch durchgesetzt und sein Vollzug vorbereitet werden.

Konzeptions- und Zielkonformität

Ein wirtschaftspolitisches Programm ist ein konkreter Handlungsplan, der für eine bestimmte Planperiode die angestrebten Ziele und die zu ihrer Erreichung vorgesehenen Maßnahmen enthält. Bei rationaler Wirtschaftspolitk stimmt das situationsbezogene Programm mit der jeweiligen wirtschaftspolitischen Konzeption des Entscheidungsträgers überein (s. Abschnitt 4.1). Ein weiteres wichtiges Kriterium der Programmformulierung ist die Zielkonformität der Maßnahmen. Die Wirkungsanalyse liefert für eine Problemsituation im Idealfall präzise definierte Handlungsalternativen, die sich nach Art, Timing, Dosierung und Wirkungsverzögerung der Maßnahmen, nach dem zu erwartenden Grad der Zielerreichung sowie nach Art, Dauer und Intensität der voraussichtlichen Neben- und Folgewirkungen unterscheiden. Es ist Aufgabe des Wirtschaftspolitikers, diese Handlungsmöglichkeiten seinen politischen Präferenzen gemäß zu bewerten und sich für eine der Alternativen zu entscheiden (Giersch, 1961, S. 319 ff.; Böhret, 1970, S. 53 f.; Streit, 1979, 4. A. 1991). Zu diesem Zweck wird er die aus seiner Sicht zu erwartenden Nutzen und Kosten jeder einzelnen Ziel-Mittel-Kombination abschätzen und schließlich jenen Vorschlag präferieren, der ihm den höchsten Netto-Nutzen verspricht. Folgt er der Maxime politischer Rationalität, wird er seine Bewertungen und Entscheidungen danach ausrichten, welches Programm geeignet erscheint, Wählerstimmen zu erhalten oder zu gewinnen.

Nutzen und Kosten des wirtschaftspolitischen Handelns bestehen jeweils aus zwei Komponenten:

- Der Nutzen einer Maßnahme resultiert zum einen aus ihrer rechtzeitigen und quantitativ bzw. qualitativ ausreichenden Hauptwirkung; zum anderen aus ihren positiv bewerteten Neben- und Folgewirkungen.
- Die Kosten setzen sich zusammen aus dem mit einer Maßnahme verbundenen direkten Ressourcenaufwand (Verwaltungskosten, Staatsausgaben, Steuerverzicht, Transferzahlungen, Belastungen privater Haushalte und Unternehmen usw.) sowie aus den Kosten der negativ bewerteten Neben- und Folgewirkungen.

Die Bewertung der einzelnen Komponenten dieser Nutzen-Kosten-Rechnung dürfte wesentlich von der jeweils herrschenden politischen Lage, insbesondere aber von der Nähe des Wahltermins und der Einschätzung der Wählerpräferenzen durch den Wirtschaftspolitiker abhängen. Da alle Bewertungselemente mit Erwartungsunsicherheit behaftet sind, wird die Entscheidung außerdem durch die subjektive Wahrscheinlichkeit geprägt, die der Entscheidungsträger der jeweiligen Wirkungsprognose beimißt. Es ist deshalb kein zwingendes Indiz für eine nicht-rationale Wirtschaftspolitik, wenn ein Programm erstellt wird, das im Vergleich zu anderen einen geringeren Grad der Zielerreichung erwarten läßt.

Realisierungswiderstände und -hemmnisse

Das wirtschaftspolitische Programm mit dem höchsten Grad an Konzeptions- und Zielkonformität wird nur selten auch realisiert. Der Grund dafür liegt in Widerständen und Hemmnissen, die sich spätestens in der Phase der Programmformulierung zeigen (Jöhr/Singer, 1957; Schmölders, 1959; Tuchtfeldt, 1970, 2):

- Mit der Programmformulierung entscheidet sich eine Regierung für Ziele und Zielprioritäten, mit denen sie bei ihrer Partei und den sie tragenden sozialen Gruppen auf heftige Kritik stoßen kann.
- Aufgrund der Maßnahmenplanung kann das Anspruchsniveau der Beteiligten und Betroffenen so gestiegen sein, daß ihnen das aufgestellte Programm nicht mehr genügt.
- Die geplanten Maßnahmen werden in der Eintrittswahrscheinlichkeit oder Bewertung ihrer Wirkungen von Parteien, Verbänden, Sachverständigen usw. angegriffen.
- In föderalistischen Systemen mit wechselnden Mehrheiten in den gesetzgebenden Organen (Bundestag, Bundesrat, Länderparlamente) droht eine Zustimmungsverweigerung auf nachgeordneten Entscheidungsebenen.
- Ausführende Verwaltungen und Behörden, Verbände und Privatwirtschaft drohen aktiven oder passiven Widerstand an, weil sie durch die Maßnahme belastet werden.

- Für die Ausführung einzelner Maßnahmen steht keine gesetzliche Grundlage oder kein geeigneter Verwaltungsapparat zur Verfügung.
- Die Regierung hält generelle oder flankierende Maßnahmen für erforderlich, die in der bestehenden Wirtschaftsverfassung nur von autonomen Entscheidungsträgern (z. B. Bundesbank, Tarifparteien) ergriffen werden können.
- Die geplanten Maßnahmen stoßen bei ausländischen Partnerländern oder internationalen Institutionen auf Ablehnung und werden mit Gegenmaßnahmen bedroht.

Diese Beispiele zeigen, daß die politische und praktische Realisierbarkeit als ein weiteres wichtiges Kriterium der Programmerstellung zu gelten hat.

Die Wirtschaftspolitik muß derartige Schwierigkeiten antizipieren und gegebenenfalls durch eine entsprechende Modifikation des Programms überwinden. Dazu gibt es verschiedene Möglichkeiten (Überblick bei TUCHTFELDT, 1971,2, S. 30 ff.):

- Das klassische Verfahren ist der Kompromiß, der Abstriche an den ursprünglichen Positionen aller Beteiligten oder eine Kompensation für das „Stillhalten" der Betroffenen erfordert (JÖHR, 1958; BUCHANAN/TULLOCK, 1962; PÜTZ, 1964).
- Falls kein Kompromiß erreichbar, das wirtschaftspolitische Problem zu komplex oder die Unsicherheit der Wirkungsprognosen zu groß ist, bietet sich eine „Politik der kleinen Schritte" (disjointed incrementalism; piecemeal social engineering) an. Sie weckt weniger Widerstand und kann als eine Art kontrolliertes soziales Experiment durchgeführt werden (POPPER, 1957; s. Abschnitt 3.1.1).
- Um die Ziele, die das vorgesehene Programm nach Auffassung seiner Kritiker gefährdet oder zu wenig fördert, dennoch zu realisieren, kann das wirtschaftspolitische Instrumentarium entsprechend erweitert werden. Nach dem „assignment approach" sind dann die einzelnen Instrumente jeweils auf diejenigen Ziele auszurichten, auf deren Zielvariablen sie erwartungsgemäß den größten Einfluß haben – z. B. Fiskalpolitik auf das Beschäftigungsziel und Geldpolitik auf das Ziel Preisniveaustabilität.
- Schließlich erscheint es in einigen Politikbereichen – insbesondere in der Geld-, Währungs-, Fiskal- und Einkommenspolitik – möglich, auf eine fallweise (diskretionäre) Politik und ihren Entscheidungsprozeß weitgehend zu verzichten. Statt dessen ließen sich Regelbindungen einführen, nach denen bestimmte Maßnahmen im Bedarfsfall automatisch getroffen oder an längerfristigen Entwicklungen orientiert werden. Die Einführung von Regelbindungen ist jedoch selbst eine schwer durchsetzbare Maßnahme, ihre Handhabung in hohem Maße konsensbedürftig (Überblick bei WISSENSCHAFTLICHER BEIRAT BEIM BUNDESMINISTERIUM FÜR WIRTSCHAFT UND FINANZEN, 1972; GIERSCH, 1977, S. 165 ff.; Beitrag P-5).

Jeder Schritt auf einem dieser Wege ist notwendigerweise mit Programmrevisionen verbunden. Darüber hinaus würden diese Verfahren zum Teil gravierende Änderungen der interventionistischen Konzeption bedeuten, die im Gefolge des „Mythos der Machbarkeit" (TUCHTFELDT, 1973/74) in der quantitativen Wirtschaftspolitik der sechziger und frühen siebziger Jahre auch heute noch in praktisch allen westlichen Industrieländern vorherrscht.

5.3. Realisierung und Kontrolle

Sobald das wirtschaftspolitische Programm gegen alle möglichen Widerstände und mit den notwendigen Abstrichen und Änderungen verabschiedet ist, beginnt der Maßnahmenvollzug. Er umfaßt die rechtsverbindliche Ausgestaltung und praktische Durchführung der vorgesehenen Maßnahmen sowie die laufende Kontrolle ihres Erfolges.

5.3.1. Programmrealisierung

Die in der theoretischen Analyse übliche Vernachlässigung des Maßnahmenvollzuges täuscht darüber hinweg, daß die Wirtschaftspolitik erst jetzt in die über Erfolg oder Mißerfolg entscheidende Phase tritt. Häufig scheitern wirtschaftspolitische Programme nämlich schon an ihrem Ankündigungseffekt: In Erwartung bestimmter Maßnahmen werden die davon voraussichtlich Betroffenen noch rasch das tun, was verhindert werden soll, oder das unterlassen, was wirtschaftspolitisch gerade erwünscht ist. Beispiele hierfür sind spekulative Kapitalbewegungen vor erwarteten Wechselkurskorrekturen und Kapitalverkehrsbeschränkungen, die Konzentrationswelle vor einem drohenden Verbot von Unternehmenszusammenschlüssen oder der Aufschub von geplanten Investitionsvorhaben in Erwartung künftiger Investitionsförderungsmaßnahmen. Sind negative Ankündigungseffekte zu befürchten, muß der Entscheidungsprozeß entweder streng geheim – was kaum denkbar ist – oder sehr rasch ablaufen – was aber nicht immer möglich erscheint. Im Einzelfall wäre auch an rückwirkende Maßnahmen zu denken, die jedoch nach rechtsstaatlichen Prinzipien nur dann erlaubt sind, wenn die Betroffenen dadurch nicht benachteiligt werden.

Andererseits gibt es auch positive Ankündigungseffekte, die den wirtschaftspolitischen Eingriff unter Umständen überflüssig machen. Beispiele hierfür sind: die mögliche Erhebung einer Berufsbildungsabgabe bei einem unzureichenden Lehrstellenangebot oder die Androhung eines Mißbrauchsverfahrens nach § 22 GWB durch das Bundeskartellamt. Es ist jedoch schwierig, positive Ankündigungseffekte systematisch als eine Art „moral suasion“ in den Dienst rationaler Wirtschaftspolitik zu stellen (Beitrag P-4.4).

Über die nur schwer vermeidbaren negativen Ankündigungseffekte hinaus treten in der Phase der Programmrealisierung weitere erfolgsgefährdende Momente auf (JÖHR/SINGER, 1957; TUCHTFELDT, 1967,1; GÄFGEN, 1976):

- Tiefgreifende Reformen und die Schaffung neuer Instrumente erfordern umfangreiche Verfassungs-, Gesetzes- und Verordnungsänderungen oder neue Rechtsnormen. Selbst wenn die parlamentarischen Hürden genommen sind, kann der Maßnahmenvollzug durch Normenkontrollverfahren gehemmt oder nach Feststellung der Verfassungswidrigkeit gänzlich abgebrochen werden.
- Bei Maßnahmen, die ein umfangreiches Antrags-, Prüfungs- und Genehmigungsverfahren erfordern, reicht häufig der Verwaltungsapparat nicht aus, um die Vorgänge zügig und sachgerecht abzuwickeln.
- Die Kosten der Programmrealisierung (z. B. Subventionen, Steuermindereinnahmen, Bau-, Einrichtungs- und Folgekosten) können weit über den Planansatz

hinausgehen und aus fiskalischen Gründen die Kürzung, zeitliche Streckung oder den Abbruch der Maßnahmen erzwingen.

- Die Maßnahmen können aus Mangel an geeigneten Projekten, wegen technischer Schwierigkeiten, Kompetenzstreitigkeiten der beteiligten Ressorts, Verwaltungen und Behörden, fehlenden Verordnungen und Ausführungsbestimmungen usw. nur verzögert anlaufen oder müssen zeitweilig ausgesetzt werden.
- Denselben Effekt haben mögliche Widerstände der Betroffenen, die durch Lobbies und pressure groups, durch Bürgerinitiativen und Unterwanderung von Institutionen, durch Steuervermeidung und -hinterziehung oder durch Gewaltanwendung geleistet werden.

Bei den aufgeführten Schwierigkeiten handelt es sich im wesentlichen um „technische" Probleme. Sie lassen sich nach Umfang und Struktur abschätzen und bei der Programmformulierung antizipieren. Dennoch auftretende Realisierungshemmnisse sind in den meisten Fällen Zeichen für eine unzureichende Vorbereitung der Durchführung von Maßnahmen und folglich Indiz für eine wenig rationale Wirtschaftspolitik.

5.3.2. Ergebniskontrolle

Mit der Programmrealisierung setzt auch die Ergebniskontrolle ein. Zweckmäßigerweise sind dazu die erforderlichen Beobachtungen und Begleituntersuchungen bereits bei der Programmformulierung einzuplanen, so daß die Maßnahmen im Idealfall als eine Art „kontrolliertes Experiment" durchgeführt werden können. Dabei fallen der Ergebniskontrolle folgende Aufgaben zu (Überblick bei Giersch, 1961, S. 234 ff.; Streit, 1979, 4. A. 1991, S. 314 ff.):

- „Erfolgsmessung"; sie besteht in der Angabe des Grades, bis zu dem die angestrebten Ziele erreicht wurden.
- „Abweichungsanzeige"; sie hat zum frühestmöglichen Zeitpunkt erfolgsgefährdende Fehlentwicklungen anzuzeigen und Programmrevisionen auszulösen.
- „Abweichungsanalyse"; durch sie sollen die Ursachen eingetretener Mißerfolge ermittelt und Lernprozesse zur Verbesserung der Wirtschaftspolitik in Gang gesetzt werden.

Erfolgsmessung und Abweichungsanzeige haben eine ökonomisch-technische und eine politische Dimension. Erstere besteht in der Konstruktion geeigneter Meßkonzepte mit aussagefähigen Erfolgs- und Abweichungsindikatoren. Es geht dabei um die Angabe der Bedingungen, bei deren Eintreten von einem Erfolg oder Mißerfolg der Wirtschaftspolitik bzw. von abgestuften Erfolgs- oder Gefährdungsgraden gesprochen werden soll. Die hiermit zusammenhängenden Probleme sind in der quantitativen Wirtschaftspolitik pragmatisch gelöst worden und haben ihren Ausdruck in den bekannten, gleichwohl immer wieder kritisierten makroökonomischen Indikatorkonzepten des Sozialprodukts, Produktionspotentials, Preisindex usw. gefunden (Ott, 1972; Starbatty, 1976; Simonis, 1980). Besonders augenfällig werden die hieraus folgenden Kontrollprobleme auch durch die sich weltweit ausdehnende, im Ergebnis nur schwer zu erfassende „Schattenwirtschaft" bzw. „Ausweichwirtschaft"

(Cassel, 1984, 1; Weck/Pommerehne/Frey, 1984). In der qualitativen Wirtschaftspolitik, insbesondere bei umfassenden Reformen, steht eine ähnlich brauchbare Lösung der Meßprobleme noch aus.

Die politische Dimension der Erfolgsmessung und Abweichungsanzeige hängt mit der Tatsache zusammen, daß Erfolge betont, Mißerfolge aber gerne verschwiegen werden. So haben Regierungen, die sich im politischen Wettbewerb behaupten müssen, eine Neigung, wirtschaftspolitische Erfolge zu übertreiben und eingetretene Fehlentwicklungen zu bagatellisieren. Dieser Neigung können sie um so eher nachgeben, je ungenauer und unverbindlicher die Erfolgs- bzw. Mißerfolgsausweise sind. Das erklärt, warum Regierungen kaum an einer systematischen, institutionalisierten und politisch unabhängigen Ergebniskontrolle interessiert sind. Dabei ließe sich aus einer strengeren Ergebniskontrolle auch für die wirtschaftspolitischen Entscheidungsträger Nutzen ziehen:

- Die Erfolgsmessung gibt Auskunft darüber, wann eine Maßnahme nicht mehr erforderlich ist oder ihr Ziel verfehlt, so daß sie rechtzeitig und ohne größere Widerstände der Begünstigten zurückgenommen werden könnte.
- Durch die Abweichungsanzeige wird erkennbar, ob und inwieweit Abweichungen vom angenommenen Wirkungsverlauf auftreten und ob und inwieweit es zu unerwarteten Neben- oder Folgewirkungen kommt, so daß Programmrevisionen rechtzeitig eingeleitet werden können.

Werden der Grad der Zielerreichung und das Ausmaß der Fehlentwicklungen nicht ständig beobachtet, so bleiben Maßnahmen möglicherweise in Kraft, obwohl sich unerwünschte Neben- und Folgewirkungen häufen, die ursprüngliche Begründung für ihren Einsatz entfällt oder das Programm an seinen Zielen gemessen ein Fehlschlag ist. Beispiele sind die EG-Agrarmarktordnung, die Mietpreisbindung, die vielen Bagatellsteuern, der Kohlepfennig und das Prämiensparen. Durch zügigere Programmänderungen und die rechtzeitige Aufhebung erfolgloser oder nicht mehr notwendiger Maßnahmen wäre es zum Vorteil der Regierung möglich, größeren Schaden abzuwenden und darüber hinaus die außerhalb des Regierungseinflusses – z. B. bei den Tarifparteien oder im Ausland – liegenden Ursachen der Mißerfolge und Hemmnisse genau zu identifizieren.

Die Ursachen einer durch die Abweichungsmessung festgestellten Fehlentwicklung können nur durch eine sorgfältige Abweichungsanalyse aufgedeckt werden. Sie besteht in einer nachträglichen, die zwischenzeitlich eingetretenen Datenänderungen berücksichtigenden Diagnose und Prognose sowie in einer Untersuchung möglicher Fehler und Hemmnisse bei der Programmformulierung und -durchführung. In der sorgfältigen Abweichungsanalyse liegen Chancen für den Wirtschaftspolitiker wie für den beratenden Ökonomen: aus den gemachten Fehlern zu lernen. Fehlentwicklungen im Vollzug der Wirtschaftspolitik können – außer durch zufallsbedingte und exogene Einflüsse – auch und gerade durch Fehler im Entscheidungsprozeß sowie durch eine falsche theoretische Basis bedingt sein. Der Wirtschaftspolitiker sollte deshalb eine strenge und unabhängige Ergebniskontrolle nicht immer nur als Gefahr für sein politisches Ansehen betrachten, sondern auch als Chance für einen Lernprozeß, dessen Ergebnis eine bessere Wirtschaftspolitik sein könnte.

6. Grenzen der Wirtschaftspolitik

In einer „pluralistischen" Gesellschaft sieht sich die praktische Wirtschaftspolitik einer Vielzahl von Zielen verpflichtet. Die Operationalisierung dieser Ziele ist schwierig. Zwischen ihnen bestehen Beziehungen, die zwar grundsätzlich zu berücksichtigen sind, über die der Wirtschaftspolitiker aber tatsächlich nur sehr unvollkommen informiert ist. Das Gewicht, das einzelnen Zielen zuerkannt wird, bleibt im Zeitablauf nicht konstant. Daraus folgt, daß die Annahme, die Wirtschaftspolitik verfüge jederzeit über eine genügend umfassend konzipierte und hinreichend präzise definierte Programmsituation, nicht zutrifft.

In der Realität gilt das unmittelbare und aktuelle Interesse der Wirtschaftspolitik immer nur einem Ausschnitt aus jenem umfassenden Zielkatalog, zu dem man sich in Parteiprogrammen oder Regierungserklärungen bekannt hat oder durch den Gesetzgeber verpflichtet wurde. Zumeist gilt die Aufmerksamkeit dabei vor allem den Zielen, die zum jeweiligen Zeitpunkt am stärksten verletzt sind. Hier droht einer Regierung, die sich im Amt behaupten und wiedergewählt werden möchte, am ehesten Ungemach. Hier werden folglich die Prioritäten gesetzt. Konsequenz eines solchen, weitgehend durch die Erfordernisse des Tages bestimmten Handelns ist eine Politik, die nicht nur in dem, was sie tut, sondern auch in dem, was sie will, mehr reagiert als agiert.

Pendant einer komplexen Zielfunktion ist ein Instrumentarium, das zwar reichhaltig erscheint und folglich ein hohes Maß an „Machbarkeit" suggeriert, dessen Einsatz den angestrebten Erfolg erfahrungsgemäß aber nicht garantiert. Die ökonomische Theorie kann häufig nur vage darüber Auskunft geben, wie ein bestimmtes Instrument in einer bestimmten Situation auf die anvisierte Zielvariable einwirkt. Zeitliche Verzögerungen, die sich nur begrenzt vermeiden und erfahrungsgemäß auch nicht zuverlässig kalkulieren lassen, beschwören die Gefahr herauf, daß Maßnahmen zu spät wirksam werden, der von ihnen erhoffte positive Effekt ausbleibt oder sich sogar in sein Gegenteil verkehrt.

Der Erfolg der Wirtschaftspolitik wird auch dadurch bedroht, daß sie gezwungen ist, auf der Grundlage von Prognosen zu handeln, die naturgemäß unsicher sind. Wirtschaftspolitisches Handeln ist stets zukunftsbezogen. Wie dieses künftige Geschehen beschaffen sein wird, läßt sich nur vermuten. Dabei reicht es aus, daß von den zahlreichen Annahmen, die einer Prognose zugrunde liegen, eine einzige durch die tatsächliche Entwicklung widerlegt wird, um die gesamte Vorhersage falsch werden zu lassen. In einer offenen Volkswirtschaft, die durch technischen Fortschritt auf der Angebots- und durch sich wandelnde Konsumentenpräferenzen auf der Nachfrageseite gekennzeichnet ist, in der Wettbewerb herrscht und in der einflußreiche Interessengruppen als „private" Träger der Wirtschaftspolitik aktiv werden, ist das Irrtumsrisiko von Prognosen besonders hoch. Bei dezentralisierter Wirtschaftspolitik ergibt sich schließlich die Notwendigkeit der Konsultation und Abstimmung. Koordinierungsmängel, die sich dabei kaum vermeiden lassen, sind ein weiterer Grund dafür, daß sich die praktische Wirtschaftspolitik immer wieder schwer tut, dem Rationalitätspostulat zu genügen.

Dies gilt vor allem auch deswegen, weil sich das Problem der Koordinierung wirtschaftspolitischer Aktivitäten nicht nur im Rahmen nationaler Wirtschaftspolitik stellt. Es ergibt sich vielmehr auch dort, wo die am Welthandel beteiligten Volkswirtschaften durch ihren Warenaustausch und durch den internationalen Geld- und Kapitalverkehr so eng miteinander verflochten sind, daß sie sich in Konjunktur, Beschäftigung und Wachstum wechselseitig beeinflussen. Wirtschaftspolitische Probleme können dadurch geschaffen oder verstärkt, im günstigen Falle aber auch abgemildert, gelöst oder gar vermieden werden.

Internationale Koordination der Wirtschaftspolitik zielt darauf ab, über das zu informieren, was die Regierungen und Zentralbanken der einzelnen Länder zu tun beabsichtigen, so daß jeder die Aktivitäten der anderen in sein Kalkül einbeziehen kann und die Gefahr unliebsamer Überraschungen vermieden wird. Internationale Koordination kann darüber hinaus der wechselseitigen Zielabstimmung dienen, damit Inkompatibilitäten ausgeschlossen und die Chancen der Zielrealisierung besser kalkulierbar werden. In ihrer anspruchsvollsten Form umfaßt sie auch den gemeinsam beschlossenen Einsatz wirtschaftspolitischer Instrumente. In jedem Falle gilt die internationale Koordination der Wirtschaftspolitik ihren Befürwortern als wirksame Vorkehrung gegenüber nationalen ,,Beggar-my-neighbour"-Praktiken, gegenüber Maßnahmen also, durch die die Wohlfahrt der heimischen Volkswirtschaft zu Lasten ihrer Welthandelspartner gesteigert werden soll. Auch wird vielfach das Argument vorgebracht, durch internationale Koordination der Wirtschaftspolitik sei ein höherer Grad der Zielrealisierung erreichbar als er sich bei Verzicht auf eine wechselseitige Abstimmung von Zielen und Maßnahmen erlangen lasse.

Nun ist die Neigung der wirtschaftspolitischen Akteure, sich in ihren Handlungsmöglichkeiten durch internationale Vereinbarungen einengen zu lassen, erfahrungsgemäß gering. Absprachen, wie sie etwa auf ,,Weltwirtschaftsgipfeln" und anderen internationalen Konferenzen getroffen werden, sind Kompromisse, deren Formulierung bewußt zumeist nicht sonderlich präzise und verbindlich ist, die folglich durchaus unterschiedliches Handeln zulassen und gegen die Verstöße nicht leicht erkannt und auch kaum jemals wirksam geahndet werden können. Das mag nicht nur bedauert werden; denn verbindliche und weitgehende internationale Koordination der Wirtschaftspolitik könnte sehr wohl auch zur Folge haben, daß Lösungen verbindlich gemacht werden, die sich im nachhinein als untauglich erweisen. Auch kann internationale Koordination dazu führen, daß auf Fehlentwicklungen erst mit erheblicher zeitlicher Verzögerung reagiert oder an nicht sachgerechten Lösungen zu lange festgehalten wird. So kann etwa eine von den wichtigsten Industrieländern abgesprochene gemeinsame Wechselkurspolitik zur Folge haben, daß ,,falsche", also nicht marktgerechte Wechselkurse länger ,,durchgehalten" werden können, als es ohne eine derartige konzertierte Aktion möglich gewesen wäre. Hinzu kommt, daß internationale Koordination nicht kostenlos ist: Je ehrgeiziger in den verfolgten Zielen, je weitergehend in Umfang und Inhalt und je strenger in der Verbindlichkeit der getroffenen Vereinbarungen das Bemühen um internationale Koordinierung ausfällt, desto größer ist vermutlich die Gefahr, daß Marktprozesse durch staatliche Regulierung ersetzt und damit Anpassungsprozesse erschwert werden.

Alle diese Einsichten und Erfahrungen sollten indes nicht etwa Anlaß sein, rigorose wirtschaftspolitische Abstinenz zu fordern, also die Prinzipien eines ,,laissez faire, laissez aller" zu proklamieren; sie begründen jedoch nachdrücklich die Empfehlung, die Wirtschaftspolitik möge ihr Anspruchsniveau nicht zu ehrgeizig fixieren und sie möge den Mut zeigen, sich dem vermeintlichen Zwang zur permanenten Aktion dadurch zu entziehen, daß sie wieder verstärkt auf die ,,Selbstheilungskräfte" des Marktes setzt: auf die innovatorische Potenz und auf die Anpassungsflexibilität des Marktsystems und damit auf dessen Fähigkeit, ,,Schocks" zu absorbieren und Ungleichgewichte in Gleichgewichte zu transformieren. Erforderlich ist folglich weniger Ablaufs- als vielmehr Ordnungspolitik: Zu schaffen und dauerhaft zu sichern ist jene Rahmenordnung, die einen freien Leistungswettbewerb möglich macht und ihn vor Beschränkungen schützt. Diese Aufgabe ist auch in der Bundesrepublik bislang nicht überzeugend erfüllt. Der mit ihr verbundene wirtschaftspolitische Auftrag bleibt bestehen.

Kommentierte Literaturhinweise

Einführungen in die Theorie der Wirtschaftspolitik bieten Peter Dobias (1980), Bernhard Külp u. a. (1980), Rainer Klump (1989, 2. A. 1992) und Hans-Rudolf Peters (1992, 2. A. 1995). Der Wisu-Text von Manfred E. Streit (1979, 4. A. 1991) ist eine umfassende, didaktisch sorgsam aufbereitete Gesamtdarstellung auf aktuellem Stand.

Bereits „klassisch" zu nennende, nach wie vor lesenswerte Darstellungen der theoretischen Wirtschaftspolitik sind die Werke von Walter Eucken (1952), Jan Tinbergen (1956) und Herbert Giersch (1961).

Heiko Körner (1977) und Ulrich Teichmann (1979, 4. A. 1993) betonen besonders die Entscheidungsprobleme wirtschaftspolitischen Handelns, Bruno S. Frey (1981, 2. A. 1994) stellt die Wirtschaftspolitik in den politischen Handlungsrahmen der parlamentarischen Demokratie. Engagierte Plädoyers für eine den Prinzipien der Marktwirtschaft verpflichtete Wirtschaftspolitik bieten Artur Woll (1984) und Bruno Molitor (1988, 1).

Stärker anwendungsorientiert mit besonderem Bezug auf die Bundesrepublik Deutschland sind die Einführungen von H. Jörg Thieme (1991, 2. A. 1994), Hans-Jürgen Ahrns; Hans-Dieter Feser (1982, 5. A. 1987) und Jörn Altmann (1985). Die beiden von Otmar Issing (1982, 2; 1982, 3) herausgegebenen Taschenbücher enthalten WiSt-Aufsätze über nahezu alle Bereiche der Wirtschaftspolitik.

Probleme der Ordnungspolitik bilden den Schwerpunkt des Buches von Helga Lukkenbach (1986) und des von Dieter Cassel; Bernd-Thomas Ramb; H. Jörg Thieme (1988) herausgegebenen Sammelbandes.

Einführungen in die moderne Politische Ökonomie bieten Peter Bernholz und Friedrich Breyer (1972 ff., 2. A. 1984), Guy Kirsch (1974, 2. A. 1983), Bruno S. Frey (1977) und Philipp Herder-Dorneich; Manfred Groser (1977). Das von Erik Boettcher; Philipp Herder-Dorneich; Karl-Ernst Schenk (1982 ff.) herausgegebene Jahrbuch informiert über die Anwendungsbereiche dieses Ansatzes.

Theoriegeschichtlich wichtige Arbeiten finden sich in den von Gerard Gäfgen (1966, 3. A. 1974) und Ulrich Teichmann (1978) herausgegebenen Sammelbänden. Die Entwicklung der Theorie der Wirtschaftspolitik läßt sich anhand der gesammelten Aufsätze von Egon Tuchtfeldt (1983, 2) nachvollziehen.

Umstrittene Grundsatzfragen der theoretischen Wirtschaftspolitik werden in den von Heinz Markmann; Diethard B. Simmert (1978), Dieter Duwendag; Horst Siebert

(1980), Otmar Issing (1981, 2) und Horst Siebert (1983, 2) veröffentlichten Sammelbänden diskutiert.

Eine systemvergleichende Darstellung der Theorie und Praxis der Wirtschaftspolitik in kapitalistischen Marktwirtschaften und sozialistischen Planwirtschaften enthalten die von Eduard S. Kirschen (1974) und Dieter Cassel (1984, 3; 1990) herausgegebenen Sammelwerke.

Als Einführungstext zur historischen Entwicklung des Kapitalismus und seiner wirtschaftspolitischen Konzeptionen greife man zu Jürgen Kromphardt (1980, 2. A. 1987).

Zum Verständnis von Entwicklung und Problemstellung der theoretischen Wirtschaftspolitik sind wirtschafts- und theoriegeschichtliche Kenntnisse nützlich, wenn nicht unabdingbar. Über die Geschichte der Weltwirtschaft im 20. Jahrhundert informiert die von Wolfram Fischer (1973 ff.) herausgegebene sechsbändige Taschenbuchreihe; speziell die Europäische Wirtschaftsgeschichte vom Mittelalter bis in die Neuzeit wird in fünf Bänden dargestellt, für die Mario M. Cipolla; Knut Borchardt (1978 ff.) als Herausgeber zeichnen; wichtige Aspekte der deutschen Wirtschaftspolitik dieses Jahrhunderts behandeln Wolfram Fischer (1961, 3. A. 1968) und Knut Borchardt (1982).

O. Wettbewerbspolitik

Hartmut Berg

Gliederung

1. Wettbewerbsfunktionen, Wettbewerbsprozeß, Wettbewerbsvoraussetzungen

Wettbewerbsfunktionen

In der Ordnungskonzeption „Soziale Marktwirtschaft" soll Wettbewerb das dominierende gesellschaftliche Verfahren zum Treffen wirtschaftlicher Entscheidungen, also zur Verteilung knapper Mittel auf miteinander konkurrierende Zwecke sein. Nur dort, wo Wettbewerb nicht besteht und auch durch Maßnahmen der Wettbewerbspolitik nicht hergestellt werden kann, und dort, wo er als Ausnahme von der marktwirtschaftlichen Regel keine brauchbaren Ergebnisse erwarten läßt, ist er durch andere Anreiz-, Lenkungs- und Kontrollmechanismen zu ersetzen.

Wettbewerb erfährt seine positive Bewertung durch die ihm zugeschriebene Eigenschaft, den am Marktgeschehen Beteiligten Freiheitsspielräume zu eröffnen (gesellschaftspolitische Funktion des Wettbewerbs) und eine gute Marktversorgung zu gewährleisten (ökonomische Funktion des Wettbewerbs).

Handlungs- und Wahlfreiheiten garantiert Wettbewerb dadurch, daß er

- Unternehmern die Möglichkeit zur eigenverantwortlichen Disposition über die ihnen verfügbaren Ressourcen eröffnet,
- Verbrauchern die Wahl zwischen alternativen Angeboten gestattet und den
- Arbeitnehmern die Chance zum Wechsel ihres Arbeitsplatzes gibt.

Eine gute Marktversorgung stellt ein freier Leistungswettbewerb dadurch in Aussicht, daß er die Unternehmer dazu anhält,

- ein Angebot bereitzustellen, das den Konsumentenpräferenzen entspricht (Steuerungsfunktion);
- Produktionsverfahren anzuwenden, die größtmögliche Effizienz des Faktoreinsatzes gewährleisten (Allokationsfunktion);
- technische Fortschritte im Sinne kostengünstigerer Produktionsmethoden und neuer, besserer Produkte zu realisieren (Innovationsfunktion) und
- auf die eine wachsende Wirtschaft kennzeichnenden Datenänderungen durch flexible Anpassung ihrer Produktionsprogramme, -verfahren und -kapazitäten rasch zu reagieren (Anpassungsfunktion).
- Auf den Faktormärkten soll Wettbewerb eine leistungsgerechte Einkommensverteilung gewährleisten (Verteilungsfunktion).
- Schließlich ist Wettbewerb ein gesellschaftliches Verfahren zur Begrenzung und Kontrolle wirtschaftlicher Macht (Kontrollfunktion).

Wettbewerbsprozeß

Marktwirtschaftlicher Wettbewerb vollzieht sich als ein Prozeß, der durch das Handeln jener Unternehmer in Gang gesetzt wird, die ihre Marktposition als unbefriedigend erachten und sie deshalb zu verändern suchen. Um den gewünschten Wettbewerbsvorteil zu erlangen, kann beispielsweise der Preis gesenkt, die Qualität verbessert, die Werbung verstärkt, die Absatzmethode verändert, der Service vervollkommnet werden. Zum „Pionier-Unternehmer" (SCHUMPETER, 1911) wird ein Anbieter, dessen Aktivität nicht lediglich eine marginal verbesserte Leistung zur Folge hat, sondern zu Innovationen führt, die erhebliche Kostenersparnisse ermöglichen (Prozeßinnovationen) oder neue Produkte hervorbringen, die dem bislang Angebotenen deutlich überlegen sind (Produktinnovationen).

Als Konsequenz eines erfolgreichen Wettbewerbsvorstoßes sehen sich die Konkurrenten des aktiven Unternehmens in ihrer Wettbewerbsposition bedroht. Je größer die Absatzeinbußen sind, die sie hinnehmen müssen, desto stärker ist der Zwang zu reagieren. Je erfolgreicher das vorstoßende Unternehmen ist, desto ausgeprägter wird bei anderen das Bestreben sein, dieses Beispiel nachzuahmen, um ebenfalls in den Genuß vermehrter Umsätze und zusätzlicher Gewinne zu kommen. Die Furcht, bei Passivität im Wettbewerb zurückzufallen, oder die Hoffnung, an den Erfolgen des Pioniers teilzuhaben, lösen somit eine Phase der Nachahmung (Imitationsphase) aus, die bei modellgerechtem Verlauf darin ihr Ende findet, daß der Wettbewerbsvorsprung, den der Herausforderer zunächst gewonnen hatte, aufgeholt wird und damit verlorengeht. Der Wettbewerbsprozeß hat zu einer verbesserten Marktversorgung geführt: Denn auch andere erbringen nun die höherwertige Leistung, die zunächst nur vom Pionier angeboten wurde; und dieser hat seine zeitlich befristete Monopolstellung und damit auch die Möglichkeit, Vorsprungsgewinne zu erzielen, eingebüßt (BERG, 1989).

Wettbewerb im skizzierten Sinne kann als „Prozeß der schöpferischen Zerstörung" (SCHUMPETER, 1942) angesehen und als „Suchprozeß und Entdeckungsverfahren" (VON HAYEK, 1968) gedeutet werden: Überkommene Verfahren, Produkte, Absatzmethoden, Finanzierungstechniken und Marketingkonzeptionen werden durch Innovationen in Frage gestellt und, sofern diesen Erfolg beschieden ist, überwunden und verdrängt. Auch die zunächst gegebene Marktstruktur wird durch den Ablauf des Wettbewerbsgeschehens verändert: Marktanteile verschieben sich. Unternehmen schließen sich zusammen. Andere scheiden aus dem Markt aus. Wieder andere werden neu gegründet oder vollziehen als „newcomer" den Eintritt in einen bis dahin von ihnen nicht bedienten Markt. Auch die unternehmerischen Verhaltensweisen bleiben im Ablauf des Wettbewerbsprozesses nicht konstant. Schließlich wandelt sich das angebotene Sortiment in Art, Umfang und Qualität.

Der Wettbewerbsprozeß läßt sich als Such- und Entdeckungsverfahren interpretieren, weil das Bestreben der Unternehmer, unerkannte Marktchancen zu erkunden und zu nutzen, sie dazu motiviert, neue Möglichkeiten der Faktorkombination zu erproben und neue Produkte zur Wahl zu stellen, – Aktivitäten, die ohne Wettbewerb unterbleiben würden. Dabei vollziehen sich auf den Märkten bei Anbietern und Nachfragern Lernprozesse: Die Verbraucher gewinnen zumeist erst dann Klarheit über ihre Bedürfnisse und Präferenzen, wenn sie jene Alternativen bewerten, die ihnen die Produzenten offerieren; und diese erlangen fortlaufend Einsichten über das, was offensichtlich gewünscht wird, da es zu kostendeckenden Preisen abgesetzt werden kann, und über das, was sich als nicht bedarfsgerecht erweist und deshalb ohne Nachfrage bleibt.

Wettbewerbsvoraussetzungen

Wettbewerb kann nur zustande kommen, wenn Bedingungen erfüllt sind, die als Wettbewerbsvoraussetzungen bezeichnet werden. Zu diesen gehört eine Rechtsordnung, die den Privaten Verfügungsrechte (property rights) über Güter und Dienste zuerkennt, die die Möglichkeit eröffnet, unternehmerisch tätig zu werden (Gewerbefreiheit), die die freie Wahl des Tauschpartners zuläßt (Vertragsfreiheit), ein funktionsfähiges Währungssystem gewährleistet und den Wettbewerb vor Beschränkungen schützt.

Unternehmen, die ein marktgerechtes Angebot bereitstellen, werden mit Gewinnen belohnt (positive Sanktion). Anbieter, die den Erfordernissen des Marktes nicht genügen, werden mit Verlusten bestraft und bei dauerhaftem Versagen zum Ausscheiden aus dem Wettbewerbsprozeß gezwungen (negative Sanktion). Als gesellschaftliches Sanktionsverfahren kann Wettbewerb nur wirksam werden, wenn die Nachfrager bereit sind, auf Leistungsschwächen mit „Widerspruch und Abwanderung" (Hirschman, 1970) zu reagieren. Ist die Nachfrage unbeweglich, bleibt eine bessere Leistung unbelohnt, eine schlechtere ungeahndet. Die Bereitschaft der Nachfrager, die Auswahl des Lieferanten gemäß dem Kriterium der gebotenen Leistung vorzunehmen, muß sich mit der Fähigkeit verbinden, bestehende Leistungsunterschiede zu erkennen. Diese Markttransparenz ist erforderlich, damit auch tatsächlich jene Unternehmen in den Genuß eines überdurchschnittlichen Nachfragezuwachses gelangen, deren Angebot den Käuferpräferenzen am besten entspricht, und damit die Konkursdrohung dort am stärksten ausfällt, wo die schlechteste Leistung erbracht wird.

Auf der Angebotsseite muß nicht nur die Möglichkeit, sondern auch die Bereitschaft vorhanden sein, unternehmerisch tätig zu werden, also Neues zu wagen und kalkulierte Risiken einzugehen. Gefordert wird somit eine „Wettbewerbsgesinnung":

- als Wille, Vorteile gegenüber seinen Konkurrenten nicht durch leistungsfremde Praktiken, sondern allein durch das Bereitstellen eines in Preis oder Qualität überlegenen Angebots zu erlangen;
- als Absage an Bestrebungen, die darauf abzielen, den Wettbewerb durch Strategien der Verhaltensabstimmung zu beschränken und
- als Hinnahme jener Existenzgefährdung, der sich bei wirksamem Wettbewerb grundsätzlich alle Anbieter ausgesetzt sehen.

Je mehr es den Unternehmen an einem derartigen „spirit of competition" mangelt, je mehr ihnen die Fähigkeit zu Innovation und Anpassung, zu Aktion und Reaktion fehlt, desto größer ist die Neigung zur Wettbewerbsbeschränkung, desto mehr ergibt sich die Notwendigkeit einer wirksamen staatlichen Wettbewerbspolitik, desto geringer sind aber vermutlich zugleich auch deren Erfolgschancen.

Damit der Wettbewerbsprozeß stets aufs neue jene Anstöße erfährt, derer er bedarf, um nicht zur „Schlafmützenkonkurrenz" (Lutz, 1956) zu denaturieren, muß es nicht nur genügend kreative Unternehmer geben, die sich bereit finden, Wettbewerbsvorstöße zu unternehmen; es muß auch für deren Konkurrenten die Möglichkeit bestehen, die bessere Leistung, die zunächst nur vom Pionier erbracht wurde, nach angemessener Zeit ebenfalls zu realisieren. Fehlt es an dieser Möglichkeit (etwa weil die Innovation des Pioniers zu lange durch Patente geschützt ist), oder kann sie nicht genutzt werden (etwa weil es an der dazu nötigen unternehmerischen Qualifikation fehlt), dann wird das zeitlich befristete Monopol eines erfolgreichen Pioniers („SCHUMPETER-Monopol") zu einem dauerhaften Monopol („COURNOT-Monopol"): Der Innovation folgt nicht die Imitation, der Aktion nicht die Reaktion. Der Wettbewerbsprozeß wäre, kaum in Gang gesetzt, schon wieder zum Stillstand gekommen.

Bei gegebener Befähigung zur Innovation ist die Wahrscheinlichkeit dafür, daß die zunächst passiven Unternehmen genügend rasch und hinreichend wirksam auf den Wettbewerbsvorstoß eines aktiv gewordenen Anbieters reagieren, vermutlich um so größer, je stärker sie sich durch die Aktionen des Herausforderers in ihren Absatzchancen beeinträchtigt sehen. Das Bestehen einer Oligopolsituation beinhaltet somit zwar einerseits die Gefahr der Wettbewerbsbeschränkung; andererseits kann es einem wirksamen Wettbewerb aber durchaus auch förderlich sein, daß zwischen den Anbietern eines Marktes eine fühlbare Reaktionsverbundenheit besteht. Das Ausmaß, in dem jeder seine Ziele realisieren kann, wird nicht nur durch sein eigenes Handeln und die Reaktion der Nachfrager, sondern auch durch die Maßnahmen der anderen Anbieter bestimmt. Jeder weiß, welche Unternehmen er vor allem als seine Konkurrenten anzusehen hat und alle sind sich des damit begründeten Moments der Rivalität wohl bewußt (HERDZINA, 1973; FEHL, 1986; KANTZENBACH/KRUSE, 1989).

Wirksamer Wettbewerb läßt sich dauerhaft nur bewahren, wenn für neue Anbieter die Möglichkeit des Markteintritts besteht. Bei blockiertem Marktzutritt besteht die Gefahr, daß der Wettbewerb immer mehr an Dynamik einbüßt, um schließlich in einen Zustand des friedlichen Oligopolverhaltens (oligopoly stalemate) einzumünden oder in einer dauerhaften Monopolisierung des Marktes zu enden. Unterbleibt der Markteintritt neuer Konkurrenten, nimmt die Zahl der im Markt verbleibenden Anbieter im Zeitablauf ab. Der Konzentrationsgrad steigt an. Es bilden sich ,,enge" Oligopole. Sie sind dadurch gekennzeichnet, daß hier nur noch wenige große Unternehmen nahezu den gesamten Umsatz einer Branche auf sich vereinen. Die hohe Reaktionsverbundenheit dieser Marktform läßt es den Unternehmen ratsam erscheinen, einander zu respektieren und das Vergeltungsrisiko aggressiver Wettbewerbshandlungen zu meiden. Bei abnehmender Anbieterzahl wächst zudem die Möglichkeit zur Wettbewerbsbeschränkung. Denn je kleiner eine Gruppe ist und je mehr sich die Interessen ihrer Mitglieder gleichen, desto leichter läßt sie sich erfahrungsgemäß organisieren. Eine Verständigung der Oligopolisten untereinander wird zudem auch dadurch gefördert, daß sie im Zeitablauf einander immer besser kennenlernen und die Erfahrung sie darüber belehrt, daß eine Verhaltensabstimmung für alle bei geringerem Risiko höhere Gewinne bereithält, als sie jeder einzelne bei freiem Leistungswettbewerb dauerhaft erwarten könnte.

Die Funktionsfähigkeit des Wettbewerbs wird schließlich beeinträchtigt durch das Bestehen von Marktaustrittsschranken (barriers to exit). Sie haben zur Folge, daß auf Märkten, die durch einen langfristigen Rückgang der Nachfrage gekennzeichnet sind, kein zügiger Abbau von überschüssigen Kapazitäten stattfindet, weil Unternehmen den Markt auch dann nicht räumen, wenn sie über einen längeren Zeitraum erhebliche Verluste hinzunehmen haben.

Die Existenz von Marktaustrittsbarrieren kann etwa durch die Erwartung erklärt werden, der Staat werde den bedrängten Unternehmen mit (Erhaltungs-)Subventionen zu Hilfe kommen. Vielfach mangelt es bei Unternehmen und Gewerkschaften zunächst an der Einsicht in die strukturelle, also dauerhafte (und nicht lediglich kurzfristig konjunkturelle) Beschaffenheit des hinzunehmenden Nachfragemangels. Auch kommt es in von Strukturkrisen betroffenen Branchen häufig zu einem wechselseitigen Abwarten auf den Marktaustritt der jeweils anderen Anbieter. Das Zögern, einen angestammten Markt selbst dann nicht zu verlassen, wenn er der Mehrzahl der hier tätigen Unternehmen keine kostendeckenden Erlöse mehr gewährt, mag noch andere Gründe haben: Es fehlt an Möglichkeiten der Umwidmung oder Veräußerung des vorhandenen Sachkapitals. Es mangelt an Kapital oder an „know how", um den Eintritt in neue, attraktivere Märkte zu vollziehen. Dort, wo kleinere Unternehmen unter Nachfragemangel zu leiden haben, wird der Zwang zum Marktaustritt erfahrungsgemäß dadurch gemildert, daß Unternehmer und mitarbeitende Familienangehörige auf branchenübliche Entgelte verzichten, fällige Ersatz-Investitionen aufschieben und kalkulatorische Kosten in den Preisforderungen nicht geltend machen.

Marktaustrittsbarrieren verhindern, daß sich das Angebot einer rückläufigen Nachfrage anpaßt. Ungleichgewichte bleiben bestehen. Ressourcen werden dort gebunden, wo sie zur Marktversorgung nicht mehr nötig sind. Wesentliche Wettbewerbsfunktionen bleiben somit unerfüllt (Fehl, 1985, 2).

2. Leitbilder der Wettbewerbspolitik

Wettbewerbsprozesse können sich nur dort vollziehen, wo die dazu erforderlichen Voraussetzungen hinreichend erfüllt sind. Hieraus ergibt sich die Aufgabe der Wettbewerbspolitik. Sie soll zum Wettbewerbsvorstoß ermuntern und befähigen und den Wettbewerb vor Beschränkungen schützen. Wettbewerbspolitik soll zielbewußt und sachgerecht sein. Dazu benötigt sie ein Leitbild. Dieses muß deutlich machen, was gewollt wird und wie das Gewollte erreicht werden soll. Die angestrebten Ziele müssen begründet, mögliche Zielkonflikte aufgezeigt werden. Auch sind die Argumente zu nennen, die für die Wahl der empfohlenen Mittel geltend gemacht werden.

2.1. Klassischer Liberalismus

In der wirtschaftspolitischen Konzeption des klassischen Liberalismus, wie sie im England des ausgehenden 18. und des frühen 19. Jahrhunderts von Adam Smith (1723–1790), John Stewart Mill (1806–1873), David Hume (1711–1776), Jeremy Bentham (1748–1832) und anderen entwickelt wird, ist ein freier Leistungswettbewerb die dominierende gesellschaftliche Anreiz-, Steuerungs- und Kontrollinstitution. Die klassische Lehre entsteht in der Auseinandersetzung mit dem Absolutismus des 18. Jahrhunderts und seiner Wirtschaftspolitik des Merkantilismus, die darauf abzielt, die Macht des Souveräns zu steigern, und die dazu im Innern die gewerbliche Produktion zu fördern sucht und im Außenhandel eine aktive Handelsbilanz anstrebt. In der Konzeption des Merkantilismus wird der Wohlstand eines Volkes gleichgesetzt mit dem Reichtum, der Macht und dem Ansehen seines Herrschers. Die Mehrung dieses Wohlstandes ist vor allem Aufgabe staatlicher Wirtschaftspolitik. Sie gibt den Untertanen zur Kenntnis, was die Obrigkeit für sinnvoll und notwendig befunden hat, und versucht, ihre Ziele durch eine Vielzahl von Anweisungen und eine Vielfalt von Anreizen zu erreichen.

Die Vertreter des klassischen Liberalismus setzen dieser autoritär-patriarchalischen Wohlfahrtsfunktion die utilitaristische Norm des „größten Glücks der größten Zahl" (Hutcheson, 1725; Bentham, 1789) entgegen: Als Maßstab des Wohlstandes einer Nation gelten das Glück und die Wohlfahrt des einzelnen. Gefordert wird der Verzicht auf die für die Wirtschaftspolitik des Merkantilismus typische Bevormundung des Individuums durch den Staat. Nicht dem Souverän obliegt es, als zentrale Planungsinstanz zu entscheiden, was, wie und für wen zu produzieren ist. Die Dispositionsbefugnis über die der Gesellschaft verfügbaren Produktionsmittel soll vielmehr grundsätzlich privaten Unternehmern zuerkannt werden, und für die privaten Haushalte wird Freiheit in der Entscheidung darüber gefordert, wie sie ihr Einkommen beschaffen und wie sie es verwenden wollen.

Die notwendige Abstimmung dieser einzelnen Dispositionen soll sich auf Märkten vollziehen: durch freie Preisbildung und die dadurch bewirkten Reaktionen von Anbietern und Nachfragern, also durch Probieren und Korrigieren im Sinne eines Sich-Herantastens an die richtigen Mengen, Preise und Qualitäten. Ein System von Marktpreisen liefert die für eine rationale, das heißt in sich widerspruchsfreie und den jeweils höchstmöglichen Zielrealisierungsgrad gewährleistende Angebots- und Verbrauchsplanung erforderlichen Informationen. Denn es wird angenommen, daß die durch das freie Spiel von Angebot und Nachfrage sich bildenden Marktpreise der einzelnen Güter und Faktorleistungen ihre relative Knappheit und deren Änderungen im Zeitablauf und damit ihren Wert anzeigen; und nur wenn alternative Produktionsverfahren in ihren Kosten und alternative Konsumgüter in ihren Preisen bekannt sind, kann sinnvoll zwischen ihnen gewählt werden. Gefordert wird von den Repräsentanten der klassischen Nationalökonomie somit, daß der Staat ein System der Freiheit schafft und rechtlich sichert, das einem unbeschränkten Leistungswettbewerb dauerhaft Geltung verschafft.

Ein freier Leistungswettbewerb gilt den Vertretern des klassischen Liberalismus als wirksames und attraktives Anreizsystem, weil er sich das Bestreben des einzelnen zunutze macht, sein Einkommen zu steigern und Einkommenseinbußen zu vermeiden, also von der Annahme ausgeht, daß der einzelne in der Regel vor allem seine eigenen Interessen verfolgt und seine eigenen Ziele zu verwirklichen sucht. Als Instrument zur Begrenzung und Kontrolle wirtschaftlicher Macht wird ein freier Leistungswettbewerb befürwortet, weil er die ihm aufgetragene Kontrollfunktion wahrnimmt, ohne daß dazu der Einsatz staatlicher Hoheitsgewalt – die ja ihrerseits wieder Macht darstellt und folglich zu kontrollieren wäre – erforderlich ist (Beitrag A–3).

2.2. Vollständige Konkurrenz

2.2.1. Marktform der vollständigen Konkurrenz

Grundlage der in der Bundesrepublik Deutschland betriebenen Wettbewerbspolitik ist das „Gesetz gegen Wettbewerbsbeschränkungen" (GWB). Als dieses Gesetz 1958 in Kraft trat, lag ihm als Leitbild die Marktform der vollständigen Konkurrenz zugrunde. Der Gesetzgeber bekannte sich damit zu einer Forderung, die in den Jahren zuvor vor allem von Vertretern des Ordoliberalismus der Freiburger Schule (Miksch, 1937; Eucken, 1952) erhoben worden war. Hiernach kommt dem Staat die

Aufgabe zu, jene Voraussetzungen zu schaffen, die ein freier Leistungswettbewerb verlangt. Um ihn vor Beschränkungen zu schützen, ist ein strenges Kartellverbot ebenso erforderlich wie die Möglichkeit, Unternehmenszusammenschlüsse zu untersagen und marktbeherrschende Unternehmen zu entflechten. Wo Monopole nicht beseitigt werden können, sind sie einer Mißbrauchskontrolle zu unterwerfen, die sie dazu anhält, sich so zu verhalten, als ob Wettbewerb gegeben sei (Als-Ob-Konzept; s. Abschnitt 5.3).

Der gewünschte Leistungswettbewerb erfordert nach Auffassung der Freiburger Schule die Marktform der vollständigen Konkurrenz. Sie ist vor allem dadurch gekennzeichnet, daß der Marktzugang frei ist und daß Anbieter und Nachfrager die sich am Markt bildenden Preise als Datum akzeptieren müssen, also durch eigenes Handeln nicht zu ihren Gunsten beeinflussen können. Ein derart strukturierter Markt biete einer Vielzahl von Unternehmern die Chance, dispositiv tätig zu werden und sich damit in eigenverantwortlichem Handeln zu üben. Den Nachfragern garantiere er die Wahl zwischen einer hinreichend großen Zahl von Alternativen. Er zwinge die Unternehmen zur kostengünstigen Produktion eines marktgerechten Angebots und gewährleiste damit gleichermaßen eine effiziente Verwendung knapper Ressourcen und eine Steuerung der Produktion gemäß den Wünschen der Nachfrager. Er garantiere eine leistungsgerechte Einkommensverteilung und fördere den technischen Fortschritt.

Ob der erhoffte Leistungswettbewerb unter den Bedingungen vollständiger Konkurrenz überhaupt zustande kommen kann, muß bezweifelt werden. Sind Mengenvariationen doch der einzige Aktionsparameter der hier anbietenden Unternehmen. Die Möglichkeit einer aktiven Preispolitik ist ihnen genommen. Ihr Anteil am Gesamtangebot des Marktes ist dafür zu gering.

Auch wenn man die Prämissen der vollständigen Konkurrenz weniger restriktiv faßt, als das im Rahmen der neoklassischen Preistheorie üblich ist, und nur auf das Kriterium der großen Zahl und auf die Freiheit des Marktzugangs abstellt, bleibt der Einwand, daß Wettbewerbsprozesse der erwünschten Art die Marktform der vollständigen Konkurrenz vermutlich rasch zerstören würden. Denn ein Pionierunternehmer, der mit einem neuen Produkt am Markt erfolgreich ist, schafft hier für sein Angebot Präferenzen. Er unterliegt damit nicht mehr dem Zwang, sich dem Diktat des Marktpreises zu unterwerfen. Er gewinnt die Möglichkeit, eine aktive Preispolitik zu betreiben. Das Postulat der Homogenität des Angebots wird durch seine Innovation durchbrochen.

Unternehmen, die den Markteintritt als newcomer erfolgreich vollziehen wollen, müssen Werbung betreiben, damit ihre Angebote als dem des Pioniers gleichwertig angesehen werden. Je höher der dazu erforderliche Werbeaufwand ist, desto höher sind auch die für neue Anbieter bestehenden Markteintrittsschranken (barriers to entry), desto mehr ist folglich der Marktzugang behindert. Kann der Wettbewerbsvorsprung eines Pioniers nicht von allen seinen Konkurrenten gleich rasch und gleich erfolgreich aufgeholt werden, dann wird auch die Annahme ähnlicher Unternehmensgrößen und damit weitgehend gleich gestreuter Marktanteile nicht mehr erfüllt, die der Marktform der vollständigen Konkurrenz zugrundeliegt. Der Pionier und jene Anbieter, die durch rasches „Nachziehen" an seinen Vorsprungsgewinnen teilhaben, wachsen schneller als die Unternehmen, die auf einen Wettbewerbsvorstoß zu spät reagieren oder passiv bleiben. Diese büßen Marktanteile ein oder müssen sogar aus dem Wettbewerbsprozeß ausscheiden. Das Polypol der Ausgangslage wandelt sich zum (Teil-)Oligopol: Aus einer großen Zahl von kleinen ist eine geringe Zahl von großen Unternehmen geworden.

Die Marktform der vollständigen Konkurrenz ist somit als Leitbild der Wettbewerbspolitik nicht geeignet: Es ist weder möglich noch sinnvoll, die hier geforderten Bedingungen durch wettbewerbspolitisches Handeln herzustellen.

2.2.2. Modell der vollständigen Konkurrenz

Im Rahmen der neoklassischen Preistheorie, wie sie von Leon Walras (1837–1910) und Alfred Marshall (1842–1924) begründet wird, erfährt die Lehre der Klassiker eine Interpretation und Fortentwicklung, die wesentliche Anliegen und Aspekte der ursprünglichen Konzeption verlorengehen und unbeachtet läßt. Im Modell der vollständigen Konkurrenz, dem Kernstück der neoklassischen Doktrin, findet Wettbewerb als dynamischer Prozeß nicht mehr statt. Für Unternehmer, die neue Verfahren ersinnen und anwenden und mit neuen Produkten bis dahin unbekannte Märkte erschließen, ist in der Statik dieses Modells kein Platz. Das Interesse der „reinen" Theorie des allgemeinen Gleichgewichts gilt nicht mehr dem Zustandekommen und dem Verlauf von Wettbewerbsprozessen und den durch sie eröffneten Freiheitsspielräumen. Die Aufmerksamkeit richtet sich vielmehr mit zunehmender Ausschließlichkeit auf die Bedingungen, denen die Marktstruktur genügen muß, damit es zu einem Gleichgewicht und damit ex definitione auch zu einer optimalen Faktorallokation kommt (s. Beitrag L–2).

Bei vollständiger Konkurrenz führt der Wettbewerb zu einem Gleichgewicht, in dem alle Anbieter auf der Grundlage identischer Produktionsfunktionen im Minimum ihrer durchschnittlichen totalen Kosten produzieren. Sie realisieren einen Stückerlös (den Marktpreis), der diese Kosten gerade deckt. Ein vorübergehend höherer Preis, der den etablierten Anbietern zusätzliche Gewinne beschert, induziert Markteintritte. Das zusätzliche Angebot der newcomer läßt den Preis rasch wieder auf sein Gleichgewichtsniveau absinken. Es fehlt also weitgehend an der Möglichkeit, sich als Pionier zu profilieren und bei Erfolg mit Vorsprungsgewinnen belohnen zu lassen. Auch mangelt es vermutlich an den zur Finanzierung entsprechender Innovationen erforderlichen Gewinnen. Die Vielzahl von Anbietern, die die Marktform der vollständigen Konkurrenz kennzeichnet, bedingt Unternehmen von geringer absoluter Größe. Kostenersparnisse der Massenproduktion (economies of scale) können somit kaum genutzt werden (Beitrag L–2.2).

2.3. Funktionsfähiger Wettbewerb

2.3.1. Workable Competition

Die Einsicht in die Diskrepanz zwischen dem Modell der vollständigen Konkurrenz (perfect competition) und der Realität oligopolistisch strukturierter Märkte führte in den dreißiger Jahren zu einer Fortentwicklung der Preistheorie (Robinson, 1933;

Übersicht O–1: Funktionsfähiger Wettbewerb: Determinanten und Bewertungsmaßstäbe

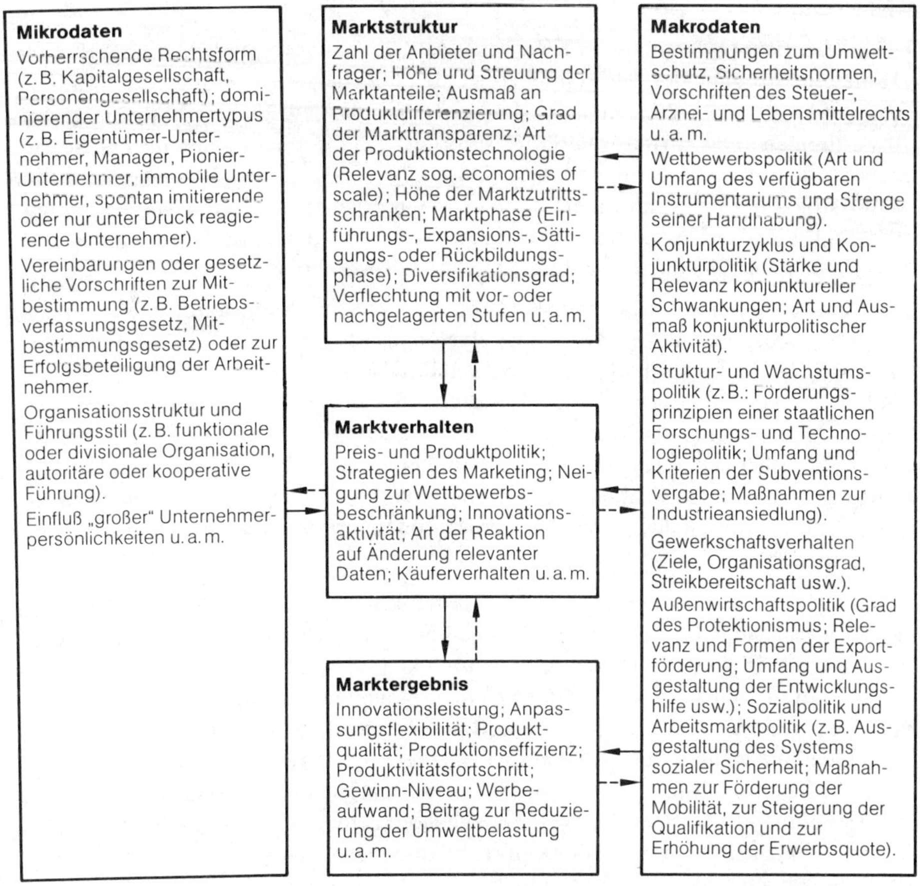

Chamberlin, 1933), die auch der Wettbewerbstheorie neue Impulse gab (Clark, 1940, 1961). Die Suche nach brauchbaren Lösungen eines „second-best" löste vor allem in den USA eine umfangreiche Diskussion aus (Kantzenbach/Kallfass, 1981). Ihr Ergebnis sind Konzepte des funktionsfähigen Wettbewerbs (workable competiton), mit denen versucht wird,

– jene Merkmale der Marktstruktur (market structure) zu bestimmen, die ein wettbewerbliches Verhalten begünstigen;
– jene Verhaltensweisen (market conduct; market behavior) zu spezifizieren, die als kompetitiv gelten können; und
– jene Kriterien zu formulieren, die zur Bewertung des Marktergebnisses (market performance) geeignet sind.

Eine Zusammenstellung häufig genannter Struktur-, Verhaltens- und Ergebnis-Merkmale enthält *Übersicht O–1.*

Eine Darstellung der Marktstruktur hat nach Möglichkeit alle Größen zu erfassen, die das Marktverhalten der Anbieter bestimmen, die den Unternehmen als Datum vorgegeben sind, also von der einzelnen Firma nicht fühlbar beeinflußt werden können, und für die sich geltend machen läßt, daß sie zumindest auf kurze und mittlere Sicht weitgehend konstant sind.

Die in *Übersicht O–1* genannten Kriterien „Zahl der Anbieter und Nachfrager" sowie „Höhe und Streuung der Marktanteile" werden üblicherweise herangezogen, um das Ausmaß horizontaler Unternehmenskonzentration des jeweils betrachteten Marktes zu bestimmen. Das Strukturmerkmal „Verflechtung mit vor- oder nachgelagerten Stufen" dient der Erfassung vertikaler Unternehmenskonzentration. Das Kriterium „Diversifikationsgrad" informiert darüber, ob auf dem analysierten Markt Anbieter tätig sind, die als „Konglomerate" mehrere Märkte bedienen, auf denen möglicherweise sehr unterschiedliche Sortimente gehandelt werden.

Über Ursachen der Unternehmenskonzentration können die Strukturdaten „Art der Produktionstechnologie (Relevanz sog. economies of scale)" und „Höhe der Marktzutrittsschranken" Aufschluß geben. So kann etwa die für einen Markt zu beobachtende Dominanz einer geringen Zahl sehr großer Unternehmen dadurch zu erklären sein, daß hier sogenannte Massenproduktionsvorteile (economies of scale; Skaleneffekte) von erheblicher Relevanz sind: Kostenersparnisse, die bei wachsender Ausbringungsmenge durch vermehrte Chancen produktivitätssteigernder Spezialisierung, durch Lernprozesse oder durch Kapazitätsgrößenvorteile entstehen (Beispiele bei Oberender, 1984, 1989).

Economies of scale können zum einen dadurch konzentrationsfördernd wirken, daß sie bei wachsender Betriebs- oder Unternehmensgröße Kosten- und damit Wettbewerbsvorteile in Aussicht stellen und dadurch kleinere Anbieter mit der Alternative konfrontieren, sich zu größeren Unternehmenseinheiten zusammenschließen oder als nicht genügend leistungsfähig aus dem Markt ausscheiden zu müssen; economies of scale können zum anderen auch dadurch zu einem Ansteigen des Konzentrationsgrades führen, daß sie Marktzutrittsschranken schaffen, die die Bedrohung der etablierten Anbieter eines Marktes durch potentielle Konkurrenz verhindern. Unterbleibt bei hohen Marktzutrittsschranken der Markteintritt neuer Anbieter, entfällt die Möglichkeit, die Abnahme der Anbieterzahl auszugleichen, die sich als Folge von Unternehmenszusammenschlüssen und Marktaustritten ergibt.

Das Gewicht, welches economies of scale als Marktzutrittsschranke aufweisen, ist nach Joe S. Bain (1956) um so größer, je höher der Marktanteil ist, den ein „newcomer" erreichen muß, um mit gleicher Effizienz produzieren zu können wie seine alteingesessenen Konkurrenten. Ein ansehnlicher Marktanteil wird sich nur erreichen lassen, wenn erhebliche Preiskonzessionen gemacht werden. Die etablierten Anbieter werden sehr wahrscheinlich in die niedrigeren Preise des Herausforderers eintreten oder diese sogar ihrerseits unterbieten. Durch diese Aussichten wird die Attraktivität des Marktes, für den der Markteintritt erwogen wird, vermindert; die Chance, daß ein derartiger Versuch lohnend und erfolgreich gerät, ist gering. Markteintrittsversuche werden hier folglich selten sein oder ganz unterbleiben.

Markteintrittsbarrieren können nicht nur durch das Bestehen von economies of scale begründet werden; möglich ist auch, daß für das Angebot der etablierten Hersteller ausgeprägte, durch Werbung geschaffene Präferenzen bestehen oder daß neue Anbieter Kostennachteile hinzunehmen haben, etwa weil ihnen durch Patente der

Zugang zu moderner Produktionstechnologie versperrt ist oder weil sie sich Rohstoffe, qualifizierte Arbeitskräfte oder Kredite nur zu ungünstigeren Konditionen verschaffen können als die auf dem betreffenden Markt bereits seit längerem erfolgreich tätigen Hersteller.

Die Höhe der Marktzutrittsschranken wird schließlich wesentlich auch durch ein anderes Strukturmerkmal bestimmt, nämlich durch die zum betrachteten Zeitpunkt jeweils gegebene Marktphase (Heuss, 1965). Gelingt es einem Pionier-Unternehmer, durch eine erfolgreiche Produktinnovation einen neuen Markt zu kreieren, dann wird sich der sogenannten Einführungsphase dieses Marktes eine Expansionsphase anschließen, die durch überdurchschnittliche Zuwachsraten von Nachfrage und Produktion gekennzeichnet ist und die durch diese attraktiven Eigenschaften „Imitatoren" zum Markteintritt veranlaßt.

Hohe Marktzutrittsschranken, die das Ausführen dieser Absicht vereiteln könnten, sind für Märkte, die in ihre Expansionsphase eingetreten sind, eher die Ausnahme als die Regel; denn zumeist gelingt es einem Pionier nicht, seine Innovation patentrechtlich so wirksam abzusichern, daß es zu einer dauerhaften Monopolisierung des Marktes kommt.

Der Expansions- folgt die Ausreifungsphase, die wiederum ihre Fortsetzung durch das Eintreten des betrachteten Marktes in seine Stagnationsphase erfährt. Verharrt die Nachfrage nicht auf dem damit erreichten Niveau, weil nun regelmäßig in weitgehend gleichbleibendem Umfang Ersatzkäufe getätigt werden, dann folgt der Stagnationsphase (oder auch bereits unmittelbar der Ausreifungsphase) eine Rückbildungsphase, in der die Nachfrage absolut zurückgeht, etwa weil die auf dem betrachteten Markt angebotenen Produkte bei wachsendem Einkommen und den dadurch bewirkten Wandel der Konsumentenpräferenzen zunehmend als inferior befunden werden.

Die Zahl erfolgreicher Markteintritte geht erfahrungsgemäß in der Ausreifungsphase stark zurück; in der Stagnationsphase finden nur noch in Ausnahmefällen Markteintritte statt. In dieser Phase kommt es vielmehr zu Marktaustritten – ein Prozeß, der sich in der Rückbildungsphase verstärkt und auch erforderlich ist, wenn das Entstehen dauerhafter Überkapazitäten vermieden werden soll. In den späten Phasen eines Marktes kommt es nicht nur deshalb so selten zu Markteintritten, weil der Markt durch das Erlahmen seiner Wachstumsdynamik nicht mehr jene attraktiven Expansions- und Gewinnchancen zu bieten vermag, die ihn in der Expansionsphase kennzeichneten; es kommt vielmehr die Erfahrung hinzu, daß sich mit Beginn der Ausreifungsphase Marktzutrittsschranken bilden oder dort, wo sie zuvor bereits bestanden, an Gewicht gewinnen:

Neue Anbieter, die durch zu geringe Losgrößen Kostennachteile hinzunehmen haben, müssen damit rechnen, im nun drohenden Verdrängungswettbewerb rasch wieder zum Marktaustritt gezwungen zu werden. Häufig haben die etablierten Anbieter für ihr Sortiment im Zeitablauf in zunehmendem Maße Präferenzen geschaffen, so daß es neuen Konkurrenten immer schwerer wird, ihnen Nachfrage abzugewinnen. Auch das damit angesprochene Strukturmerkmal „Ausmaß an Produktdifferenzierung" variiert somit mit der jeweils durchmessenen Marktphase. Für die wettbewerbstheoretische Analyse ist dieses Strukturelement vor allem deshalb von Interesse, weil es über den Homogenitätsgrad des Angebots und damit auch über die Beweglichkeit der Nachfrage informiert. Je stärker die Präferenzen sind, die für das Angebot eines Herstellers bestehen, desto geringer ist die Nachfragebeweglichkeit seiner Abnehmer, desto geringer folglich auch das Ausmaß der für ihn bestehenden Reaktionsverbundenheit, also die Abhängigkeit seines Absatzes von den Maßnahmen der anderen Unternehmen seines Marktes (SCHMIDT/RITTALER, 1989).

Die in *Übersicht O–1* von oben nach unten weisenden Pfeile stehen für die dem Konzept des funktionsfähigen Wettbewerbs zugrunde liegende Vermutung, die Marktstruktur bestimme das Marktverhalten und dieses wiederum determiniere das Marktergebnis.

Zugleich bestehen zwischen den genannten Merkmalsgruppen jedoch auch zirkuläre Beziehungen. Die Marktstruktur beeinflußt das Marktverhalten; ein bestimmtes Marktverhalten wiederum bewirkt Veränderungen der Marktstruktur:

So kann ein aggressiver Preiswettbewerb dazu führen, daß durch Verdrängung schwächerer Konkurrenten der Konzentrationsgrad des betrachteten Marktes ansteigt, also ein typisches Strukturmerkmal betroffen wird. Ähnliche Rückkoppelungseffekte bestehen in der Beziehung zwischen Marktverhalten und Marktergebnis: So können Verhaltensweisen geändert werden, wenn sich zeigt, daß sie für alle Anbieter zu einer Gewinnmarge führen, die als unbefriedigend erachtet wird. In *Übersicht O–1* wird das Bestehen derartiger „feed backs“ durch die gestrichelt gezeichneten, von unten nach oben weisenden Pfeile angedeutet.

Der Versuch, aus der Analyse der Marktstruktur zu gesicherten Aussagen darüber zu gelangen, ob der Wettbewerb auf dem betrachteten Markt „wirksam“ oder „funktionsfähig“ ist, wird als Marktstrukturtest bezeichnet. Das damit gewählte Vorgehen ist nicht unproblematisch.

Eine bestimmte Marktstruktur läßt zwar gezielte Vermutungen über das Marktverhalten zu, die sich bei einer empirischen Überprüfung in der Regel als begründet erweisen mögen; auch zwischen Marktverhalten und Marktergebnis besteht ein enger Zusammenhang. Doch ist die Art dieser Abhängigkeiten nicht so eindeutig, die Strenge dieser Beziehungen nicht so stark, daß eine bestimmte Kombination von Strukturmerkmalen nur eine Art von Wettbewerbsverhalten zuließe und bei einem bestimmten Marktverhalten auch nur eine Art von Marktergebnis denkbar wäre. Gelockert wird der hier bestehende Zusammenhang dadurch, daß für das Wettbewerbsgeschehen auch eine Vielzahl von Faktoren von Bedeutung ist, die mit den üblichen Kriterien der Marktstruktur nur unzulänglich oder überhaupt nicht erfaßt werden, obwohl sie gleichermaßen als Mikro- und als Makrodaten von erheblicher Relevanz sein können. Beispiele enthält *Übersicht O–1.*

Eine Alternative zum Marktstrukturtest bietet der sogenannte Marktverhaltenstest, der zur Überprüfung der Funktionsfähigkeit des Wettbewerbs vor allem das Marktverhalten heranzieht und im einzelnen kritisch zu würdigen versucht. Auch dieses Verfahren weist jedoch Schwächen auf.

Sie ergeben sich vor allem aus der Einsicht, daß es nur eine relativ geringe Anzahl von Verhaltensweisen gibt, die sich eindeutig und generell entweder als wettbewerbsfördernd oder als wettbewerbshemmend klassifizieren lassen. So wird eine Preissenkung der Funktionsfähigkeit des Wettbewerbs abträglich sein, wenn mit ihr primär der Zweck verfolgt wird, einen lästigen Wettbewerber vom Markt zu verdrängen. Die gleiche Maßnahme kann die Wirksamkeit des Wettbewerbs steigern, wenn ein Pionier-Unternehmer damit anzeigt, daß er den Übergang zu einem kostengünstigeren Verfahren vollzogen hat. Intensiv betriebene Werbung wird dort wettbewerbspolitisch erwünscht sein, wo sie ein „newcomer" betreibt, der dadurch sein überlegenes Angebot genügend bekanntzumachen versucht, um es im Wettbewerb mit den traditionellen Sortimenten der etablierten Anbieter durchzusetzen. Ein Werbeaufwand gleicher Höhe kann dagegen wettbewerbspolitisch bedenklich stimmen, wenn der Einsatz dieses Aktionsparameters Preiswettbewerb, Qualitätsverbesserung und innovatorische Aktivität nicht lediglich ergänzt, sondern sehr weitgehend an deren Stelle tritt und vor allem darauf abzielt, vorhandene Präferenzen zu festigen und zu verstärken, um dadurch potentieller Konkurrenz den Markteintritt zu erschweren.

Von der Anwendung des Marktergebnistests spricht man dann, wenn der Versuch unternommen wird, durch die Bewertung des Marktergebnisses zugleich auch die Frage zu beantworten, ob dem betrachteten Markt funktionsfähiger Wettbewerb zuerkannt werden kann oder ob hier das Bestehen von in diesem Sinne „wesentlichem" Wettbewerb zu bestreiten ist.

Schwächen des Marktergebnistests ergeben sich aus der Notwendigkeit, weitgehend fehlende objektive Maßstäbe zur Beurteilung der Marktversorgung durch vielfach subjektive Wertungen zu ersetzen.

Sind die erzielten Gewinne „angemessen" oder „zu hoch"? Ist der Werbeaufwand „vertretbar" oder als „Verschwendung knapper Ressourcen" anzusehen? Wird den Verbrauchern eine „genügend große" Zahl von Alternativen geboten? Haben die Unternehmer auf relevante Datenänderungen „hinreichend rasch" und auf „richtige Weise" reagiert? Ist die Innovationsleistung „eindrucksvoll", „befriedigend" oder eher „enttäuschend"? Wurden Möglichkeiten zur Kostensenkung „hinreichend" genutzt und zeigt das Unternehmerverhalten die erwünschte „Dynamik"?

Einwände gegen die Eignung von Marktergebniskriterien als Bewertungsmaßstäbe eines Wettbewerbstests ergeben sich auch aus der Erfahrung, daß ein durch intensiven Wettbewerb gekennzeichnetes Marktverhalten nicht zwingend immer auch ein befriedigendes Marktergebnis zur Folge haben muß, wie auch umgekehrt eine gute Konsumentenversorgung durchaus noch nicht Gewißheit dafür bietet, daß sie durch Wettbewerb zustande gekommen ist. Möglich ist vielmehr, daß Wettbewerb zu Faktorverschwendung führt; möglich ist auch, daß ein Unternehmen als „guter Monopolist" ein Angebot bereitstellt, das in Vielfalt, Preis, Qualität, Innovationsgehalt und Service die Konsumenten zufriedenstellt. Beide Fälle sind zwar als Ausnahme anzusehen; aber sie sind deswegen als Möglichkeit durchaus auch nicht auszuschließen.

Die Einwände, die gegen eine isolierte Anwendung des Marktstruktur-, des Marktverhaltens- und des Marktergebnistests erhoben werden können, verlieren an Gewicht, wenn diese Verfahren miteinander kombiniert gebraucht werden. Diese Verbindung der drei unterschiedlichen Betrachtungsweisen kennzeichnet folglich auch die Praxis der Wettbewerbspolitik. Dabei dominiert der Marktstrukturtest, während der Marktergebnistest wegen seiner besonderen Problematik nur mit Zurückhaltung zur Begründung wettbewerbspolitischer Entscheidungen herangezogen wird.

2.3.2. Optimale Wettbewerbsintensität

In der Bundesrepublik Deutschland ist die Frage, welche wettbewerbspolitische Programmsituation an die Stelle der auch hier sehr bald als nicht praktikabel erkannten vollständigen Konkurrenz zu setzen sei, engagiert und mit politischer Relevanz erst diskutiert worden, als KARL SCHILLER nach seinem Amtsantritt als Bundesminister für Wirtschaft eine Novellierung des GWB vorbereiten ließ. Das dazu von Beamten seines Hauses vorgelegte „neue Leitbild der Wettbewerbspolitik“ (KARTTE, 1969) blieb nicht ohne Widerspruch. Er galt vor allem dem von ERHARD KANTZENBACH einige Jahre zuvor vorgelegten Konzept der optimalen Wettbewerbsintensität, das die Vorstellungen und Vorschläge des Ministeriums offensichtlich stark beeinflußt hatte (KANTZENBACH, 1966, 1967; HOPPMANN, 1966; KAUFER, 1966; BARTLING, 1980).

Nach KANTZENBACH wird die Intensität des Wettbewerbs durch die Geschwindigkeit bezeichnet, mit der Vorsprungsgewinne durch den Prozeß erfolgreicher Imitation „weggeschmolzen“ werden. Diese Geschwindigkeit ist vor allem abhängig von der Stärke des Zwangs zur Reaktion, dem sich die zunächst noch passiven Unternehmen ausgesetzt sehen. Die Notwendigkeit der Reaktion ist dabei um so größer, je mehr die Unternehmen bei Passivität in ihrer Existenz bedroht sind. Das Ausmaß dieser Gefährdung wächst mit dem Gewicht der dann hinzunehmenden Absatzeinbußen.

Die Absatzverluste werden dabei um so höher ausfallen, je größer die Absatzbeweglichkeit zwischen dem aktiven und den passiven Unternehmen ist. Die Absatzbeweglichkeit wiederum wird durch die zwischen den Unternehmen bestehende Reaktionsverbundenheit bestimmt; denn diese gibt an, wie stark der Absatz der einen von wettbewerbsrelevanten Aktionen der jeweils anderen Firma abhängt. Die Stärke der Reaktionsverbundenheit ist dabei nach KANTZENBACH gleichbedeutend mit jener der potentiellen Wettbewerbsintensität. Bei unbeschränktem Wettbewerb ist die potentielle gleich der effektiven Wettbewerbsintensität. Je mehr der Wettbewerb beschränkt wird, desto geringer ist das Ausmaß, in dem die potentielle Wettbewerbsintensität tatsächlich wirksam wird.

Die Reaktionsverbundenheit steigt mit der sich einem aktiven Unternehmen bietenden Chance, von passiven Unternehmen Nachfrage abzuziehen. Sie wächst darüber hinaus mit der Möglichkeit des aktiven Unternehmens, zusätzlich gewonnene Nachfrage auch zu befriedigen. Die Chance, von passiven Unternehmen Nachfrage abzuziehen, wird durch den Homogenitätsgrad des Angebots und durch das Ausmaß an Markttransparenz, also durch den Grad der Marktvollkommenheit bestimmt. Die Fähigkeit, zusätzliche Nachfrage zu befriedigen, bemißt sich durch die Höhe der Reservekapazität. Bei kurzfristiger Betrachtung, d. h. bei gegebener Gesamtkapazität und unter der Annahme eines Lagerbestandes von Null, nimmt die Reservekapazität mit sinkendem Kapazitätsauslastungsgrad zu.

Grad der Marktvollkommenheit und Zahl der Anbieter bestimmen die Marktform, so daß sich zwischen der Marktform und der Stärke der potentiellen Wettbewerbsintensität nach KANTZENBACH folgende Beziehungen ergeben:

- Die potentielle Wettbewerbsintensität steigt mit abnehmender Zahl der Konkurrenten und mit zunehmendem Grad der Marktvollkommenheit.

- Ihren Maximalwert erreicht die potentielle Wettbewerbsintensität im homogenen Dyopol; extrem gering ist sie dagegen im heterogenen Polypol.

Von Kantzenbach wird einem funktionsfähigen Wettbewerb vor allem die Aufgabe zugewiesen, eine rasche Durchsetzung des technischen Fortschritts bei Produkten und Produktionsmethoden zu bewirken und eine flexible Anpassung der Produktionsprogramme, -kapazitäten und -verfahren an die eine wachsende Wirtschaft kennzeichnenden Datenänderungen zu gewährleisten.

Die günstigsten Voraussetzungen für eine befriedigende Erfüllung dieser sog. dynamischen Wettbewerbsfunktionen scheint ihm jene Marktform zu bieten, in der Innovationsneigung und Innovationsmöglichkeit sowie Anpassungsneigung und Anpassungsmöglichkeit als die Determinanten von Innovations- und Anpassungsaktivität am stärksten ausgeprägt sind. Das ist nach Kantzenbach bei unbeschränktem Wettbewerbsverhalten im „weiten" Oligopol mit mäßiger Produktdifferenzierung der Fall:

- Im weiten Oligopol ist die Reaktionsverbundenheit noch nicht wie im engen Oligopol so hoch, daß potentielle Innovatoren durch ein zu rasches Reagieren ihrer Konkurrenten entmutigt oder zur Verminderung des hohen Existenzrisikos dieser Marktform zur wettbewerbsbeschränkenden Verhaltensabstimmung motiviert werden.
- Die Reaktionsverbundenheit ist auch nicht wie im Polypol so gering, daß passiv bleibende Unternehmen eine Bedrohung ihrer Existenz kaum zu befürchten haben; sie ist vielmehr gerade ausreichend groß, um Wettbewerbsvorstöße noch lohnend erscheinen zu lassen und um einen hinreichend starken Zwang zur Reaktion auf die Aktionen aktiver Unternehmer zu begründen.
- Auch sind die Unternehmen im weiten Oligopol nicht wie im Polypol zu klein und zu wenig gewinnstark, um Massenproduktionsvorteile zu nutzen und um Innovationen und Anpassungsmaßnahmen finanzieren zu können.
- Die Zahl der Anbieter ist aber auch noch nicht so gering wie im engen Oligopol, wo die hohe Reaktionsverbundenheit dieser Marktform zu friedlichem Oligopolverhalten mahnt und eine Abstimmung des Marktverhaltens zwischen den wenigen Anbietern leicht möglich erscheint.

Aus den vorstehend skizzierten Überlegungen leitet Kantzenbach für die Wettbewerbspolitik die Forderung ab,

- polypolistisch strukturierte Märkte durch die Förderung von Kooperationsvereinbarungen und Unternehmenszusammenschlüssen in die Marktform des weiten Oligopols zu überführen;
- im weiten Oligopol das Instrument einer Zusammenschlußkontrolle einzusetzen, um zu verhindern, daß sich hier durch ein Fortschreiten des Konzentrationsprozesses enge Oligopole herausbilden;
- im engen Oligopol die Zahl der Anbieter durch Entflechtung zu steigern und dort, wo dies nicht möglich oder nicht sinnvoll ist, eine wirksame Mißbrauchsaufsicht zu betreiben. Diese hat vor allem zu gewährleisten, daß es nicht zu Absprachen über die für die langfristige Wettbewerbsdynamik besonders wichtigen Investitions- und Innovationsvorhaben kommt.

Die wesentliche Aussage Kantzenbachs ist empirisch noch nicht hinreichend abgesichert; sie läßt sich vorerst nur durch Beispiele belegen (Jürgensen/Berg, 1968; Shaw/Sutton, 1976; Hochreiter/Arndt, 1978): Märkte, die einen „mäßigen" Konzentrationsgrad und ein „mäßiges“ Ausmaß an Produktdifferenzierung aufweisen, bieten in der Regel günstigere Voraussetzungen für das wiederholte Zustandekommen von Wettbewerb als Märkte, deren Konzentrationsgrad sehr hoch oder sehr gering und deren Angebot nahezu vollkommen homogen oder auch stark heterogen beschaffen ist. Die Art, in der dieser Befund gewonnen wird, und die Strenge, mit der er Gültigkeit beansprucht, haben dem Konzept der optimalen Wettbewerbsintensität jedoch Kritik eingetragen:

So impliziert dieses Konzept die kaum akzeptable Behauptung einer abnehmenden (potentiellen) Intensität des Wettbewerbs beim Eintritt neuer Anbieter in einen als weites Oligopol strukturierten Markt. Auch wird ungeachtet möglicher Unterschiede in der Innovationshäufigkeit für alle Märkte ein Wettbewerb gleicher Intensität angenommen, auf denen die Geschwindigkeit, mit der Vorsprungsgewinne weggeschmolzen werden, gleich groß ist. Als allzu starke Vereinfachung erscheint die These, die Intensität des Wettbewerbs sei allein abhängig von der Marktform; und auch die Behauptung, das weite Oligopol biete die günstigsten Voraussetzungen für eine hohe Innovationsrate, ist nicht unwidersprochen geblieben (Kaufer, 1966, 1970; Tabbert, 1974; Müller, 1975). Unbeantwortet bleibt die Frage, wie das weite gegenüber dem engen Oligopol und gegenüber dem Polypol abzugrenzen ist; präzisierungsbedürftig sind die Begriffe „mäßige Produktdifferenzierung“ und „unbeschränktes Wettbewerbsverhalten“. Auch dürfte die „Geschwindigkeit, mit der Vorsprungsgewinne durch den Imitationsprozeß weggeschmolzen werden“, kaum meßbar sein (Zohlnhöfer, 1991).

2.4. Neuklassisches Konzept der Wettbewerbsfreiheit

Im Konzept der optimalen Wettbewerbsintensität wird Wettbewerb als geeignetes Mittel zur Erlangung jener guten Konsumentenversorgung angesehen, die sich annahmegemäß ergibt, wenn der Wettbewerb die ihm auferlegten gesamtwirtschaftlichen Funktionen erfüllt. Diese rein ökonomisch-instrumentale Interpretation des Wettbewerbs stieß vor allem dort auf Widerspruch, wo, wie im sogenannten Konzept der Wettbewerbsfreiheit, Wettbewerb als „Wert an sich“angesehen wird, weil er den am Wettbewerbsgeschehen Beteiligten Freiheitsspielräume eröffnet und ihnen damit die Möglichkeit gibt, sich als Persönlichkeit zu verwirklichen.

Mit dem von ihm als „neuklassisch“ bezeichneten Konzept der Wettbewerbsfreiheit unternimmt Erich Hoppmann den Versuch, wesentliche Ergebnisse der Klassik in die moderne Wettbewerbstheorie einzubringen, um ihr auf diese Weise zu jenen Fortschritten zu verhelfen, zu denen seines Erachtens in der Vergangenheit weder der Ansatz der neoklassischen Gleichgewichtstheorie noch die Konzepte eines funktionsfähigen Wettbewerbs geführt haben. Wettbewerb ist – wie schon für die Klassiker – auch für Hoppmann ein dynamisches Geschehen, in dem sich wirtschaftliche Freiheit manifestiert und das fortwährend die Konsumentenversorgung verbessert (Hoppmann, 1968, 1988; Clapham, 1981; Schmidtchen, 1988).

Die Freiheit zu wettbewerblichem Handeln gilt dabei als notwendige, nicht jedoch auch schon als hinreichende Bedingung für Wettbewerb. Hinzukommen muß die Bereitschaft, die sich bei Wettbewerbsfreiheit eröffnenden Möglichkeiten auch tatsächlich zu nutzen. Erforderlich sind somit der Wille und die Befähigung zur kompetitiven Aktion und zum verständigen Abwägen zur Wahl stehender Alternativen.

Das Bestehen von Wettbewerbsfreiheit gewährleistet nach HOPPMANN dort, wo sie sich mit unternehmerischer Initiative und Dynamik verbindet, stets gute ökonomische Marktergebnisse. HOPPMANN verwirft mit dieser Annahme die von ihm als „Dilemma-These" bezeichnete Möglichkeit, zwischen den Zielen „Wettbewerbsfreiheit" und „gute ökonomische Marktergebnisse" könne ein Konflikt bestehen. Ein Mehr an Wettbewerbsfreiheit erbringt für ihn immer auch zusätzliche ökonomische Vorteile. Wird die Wettbewerbsfreiheit dagegen eingeschränkt, verschlechtert sich zwangsläufig das Marktergebnis. Es entsteht Marktmacht, die es denen, die über sie verfügen, möglich macht, ihre Freiheitsspielräume zu Lasten Dritter ungebührlich auszuweiten. Einige können in einem Ausmaß ökonomische Vorteile erlangen, das gesellschaftspolitisch nicht akzeptierbar ist. Denn der Wettbewerb soll alle Beteiligten in etwa in gleichem Maße entmachten und für alle annähernd gleich vorteilhaft sein.

Die Aufgabe der Wettbewerbspolitik besteht nach HOPPMANN somit darin, Wettbewerbshemmnisse zu beseitigen. Diese Forderung stellt sich vor allem dann, wenn Marktmacht besteht, die als unangemessen angesehen werden muß. Dies wiederum ist der Fall, wenn die Freiheit zum Wettbewerbsvorstoß und zur Reaktion auf wettbewerbsrelevante Aktionen – oder auch die Freiheit, zwischen Alternativen wählen zu können – nicht mehr hinreichend gegeben ist. Wettbewerbshemmnisse, die eine derartige Einschränkung der Handlungsspielräume zur Folge haben, sind jedoch nur dann abzubauen, wenn sie künstlicher und damit nicht natürlicher Art sind. Künstliche Wettbewerbshemmnisse sind das Ergebnis von Strategien zur Wettbewerbsbeschränkung. Ein natürliches Wettbewerbshemmnis liegt dagegen nach HOPPMANN etwa vor, wenn die Unteilbarkeit der Produktionsanlagen auf einem Markt nur ein Unternehmen von kostenoptimaler Größe zuläßt. Hier ist für ihn Wettbewerb nicht möglich. Es besteht ein Ausnahmebereich, in dem der freie Leistungswettbewerb durch andere Ordnungsprinzipien zu ersetzen ist.

Auch im Konzept der Wettbewerbsfreiheit sind zentrale Begriffe unbestimmt. Wann Marktmacht als unangemessen und die Freiheit zur wettbewerbsrelevanten Aktion als hinreichend angesehen werden kann, läßt sich ohne Ermessensentscheide kaum bestimmen. Die Annahme, daß für die Mehrzahl der Anbieter stets vom Vorhandensein eines genügend starken „spirit of competition" ausgegangen werden könne, ist problematisch. Auch mag es sein, daß die von HOPPMANN geforderte Beseitigung aller willkürlichen (künstlichen) Wettbewerbshemmnisse den dadurch in Aussicht gestellten guten ökonomischen Ergebnissen eher abträglich ist. So wird etwa bei fehlendem Patentschutz potentiellen Innovatoren die Chance genommen, Vorsprungsgewinne zu erzielen. Zeigen sie sich dadurch entmutigt, so unterbleiben Innovationen, die bei Bestehen des „willkürlichen" Wettbewerbshemmnisses Patentschutz vorgenommen worden wären.

Das Konzept der Wettbewerbsfreiheit macht es notwendig, jene Bereiche zu bestimmen, in denen so große natürliche Wettbewerbshemmnisse bestehen, daß Wettbewerb hier unmöglich und durch andere Ordnungsprinzipien zu ersetzen ist. Das erfordert wiederum jenen Marktergebnistest, dessen mangelnde Objektivität bereits aufgezeigt wurde. Widerspruch gefunden hat schließlich die Behauptung HOPPMANNS, in den sogenannten Ausnahmebereichen sei Wettbewerb nicht möglich. Auch in diesen Bereichen, so wird dem entgegengehalten, sei Wettbewerb grundsätzlich sehr wohl möglich, es sei eben nur nicht zweckmäßig, ihm Geltung zu verschaffen, da er hier (ausnahmsweise) kein gutes Marktergebnis liefern würde. Würden nun aber alle Märkte, für die diese Feststellung zutrifft, zu Ausnahmebereichen deklariert, dann werde die Behauptung, ein freier Wettbewerb führe immer auch zu einer guten Konsumentenversorgung, zur definitorischen Selbstverständlichkeit (Tolksdorf, 1969; Hoppmann, 1972/73, 1974; Schmidtchen, 1976/77).

2.5. Konzept der „Chicago School"

Als „Chicago School" wird eine Gruppe von Ökonomen und Juristen bezeichnet, die als Kritiker jener Antitrust-Politik bekannt geworden sind, die sich auf das Leitbild des funktionsfähigen Wettbewerbs gründet (Stigler, 1968; Demsetz, 1976; Posner, 1976; Bork, 1978). Die Vorschläge, die von den Repräsentanten der Chicago School zur Reform der US-Wettbewerbspolitik vorgelegt wurden, sind mittlerweile weitgehend berücksichtigt worden. Dadurch hat das Konzept der Chicago School auch in der Bundesrepublik Deutschland verstärkt Beachtung gefunden (Schmidt/Rittaler, 1986).

Das Leitbild des funktionsfähigen Wettbewerbs wird von der Chicago School zur Fundierung der Wettbewerbspolitik als untauglich verworfen. Die postulierten Ziele werden als vage und vielfach inkompatibel bezeichnet; die theoretische Basis wird für unzureichend erachtet, der empirische Befund in seiner Vielfalt als verwirrend angesehen. Das Konzept des funktionsfähigen Wettbewerbs ist, so der zentrale Vorwurf der Chicago School, nicht geeignet, den Trägern der Wettbewerbspolitik klare und sachgerechte Handlungsanweisungen zu geben.

Demgegenüber verheißt das von der Chicago School propagierte Konzept der Wettbewerbspolitik analytische Klarheit und einfache Handhabung. Das Zielbündel der Antitrustpolitik wird auf das Anliegen einer Steigerung der Konsumentenwohlfahrt reduziert; als wichtigster Wohlfahrtsindikator wird das Effizienzkriterium angesehen.

Effizienz weist dabei zwei Aspekte auf, nämlich den der produktiven und den der allokativen Effizienz. Produktive Effizienz erfordert, daß mögliche Kostenersparnisse wachsender Unternehmensgrößen konsequent genutzt werden. Allokative Effizienz ist dadurch gekennzeichnet, daß das Angebot den Konsumentenpräferenzen entspricht und die Preise dazu tendieren, sich den langfristigen Grenzkosten anzugleichen (Beitrag L–2.2).

Diese Aspekte sind auch im Konzept des funktionsfähigen Wettbewerbs relevant. Zum Gegensatz der Auffassungen kommt es folglich erst durch zusätzliche Annahmen, die die Argumentation der Chicago School kennzeichnen.

So verbindet die Repräsentanten der Chicago School die Überzeugung, daß der Wettbewerb als Prozeß des „survival of the fittest" langfristig in dem Sinne wirksam ist, daß er ein hohes Maß an produktiver und allokativer Effizienz herbeiführt und gewährleistet. Auch Oligopolisten stehen annahmegemäß unter Wettbewerbsdruck. Zeigen sie Leistungsschwächen oder versuchen sie, Preise durchzusetzen, die über den Grenzkosten liegen, dann wird durch Markteintritte potentielle Konkurrenz wirksam, die die Preise wieder auf das Niveau der Grenzkosten herabdrückt. Markteintrittsbarrieren bestehen nämlich annahmegemäß nur dort, wo sie durch staatliche Protektion geschaffen wurden. In diesem Fall sind Deregulierung oder eine liberale Außenwirtschaftspolitik zu fordern, nicht dagegen wettbewerbspolitische Interventionen. Dort, wo der Staat den Marktzugang nicht im Interesse der etablierten Hersteller behindert oder gar versperrt, werden auch große und vermeintlich marktstarke Unternehmen rasch unter Wettbewerbsdruck geraten, wenn sie Leistungsschwächen zeigen.

Zwischen Polypol und Oligopol gibt es somit keine Unterschiede, die es erforderlich machen, einer Oligopolsituation eine besondere wettbewerbspolitische Problematik zuzusprechen. Die bestehende Oligopoltheorie wird von den Repräsentanten der Chicago School folglich als ebenso überflüssig wie wettbewerbspolitisch irrelevant angesehen. Für Märkte, auf denen lediglich eine geringe Zahl sehr großer Unternehmen tätig ist, wird vermutet, daß hier ,,economies of scale" ein so bedeutsames Gewicht aufweisen, daß nur Großunternehmen die gewünschte produktive Effizienz gewährleisten.

Vor dem Hintergrund dieser Überlegungen kann es somit nicht überraschen, daß das Konzept der Chicago School zur wettbewerbspolitischen Zurückhaltung vor allem dort mahnt, wo Unternehmenszusammenschlüsse zur Diskussion stehen. Das Instrument der Zusammenschlußkontrolle sollte hier lediglich dann angewendet werden, wenn bereits ein sehr hoher Konzentrationsgrad besteht. Im übrigen ist es nicht Aufgabe der Wettbewerbspolitik, eine Einflußnahme auf die Marktstruktur anzustreben; zu vermeiden sind nur bestimmte, eindeutig wettbewerbsbeschränkende Verhaltensweisen, so etwa Marktaufteilungen oder Preisabsprachen.

Vereinfacht formuliert: Die Chicago School vertraut sehr weitgehend auf die ,,Selbstheilungskräfte des Marktes"; sie erachtet die Eingriffe der im traditionellen Sinne betriebenen Wettbewerbspolitik als vielfach ineffizient und hält somit wettbewerbspolitische Zurückhaltung für geboten, ohne allerdings für ein „laissez faire" zu plädieren.

An diesen Positionen ist massiv Kritik geübt worden. Sie läßt sich in dem Vorwurf zusammenfassen, das Konzept der Chicago School sei weder theoretisch noch empirisch hinreichend fundiert, es sei ein subjektives Bekenntnis, ein politisches Credo (SCHMIDT/RITTALER, 1986).

Die zahlreichen Einwände, die geltend gemacht werden, sind ohne Zweifel bedenkenswert und häufig wohl auch berechtigt. Doch wäre es vermutlich falsch, wenn der wachsende Einfluß, den die Lehren der Chicago School auf die US-Antitrustpolitik gewonnen haben, vordergründig lediglich mit dem Hinweis erklärt werden würde, diese ,,Wende" habe eben den Interessen und Anschauungen der konservativ-liberalen Reagan-Administration entsprochen, unter der sie eingeleitet wurde. Tatsächlich ist die Akzeptanz, die die Chicago School mittlerweile gefunden hat, wesentlich auch Konsequenz der enttäuschenden Ergebnisse jener Praxis der Antitrustpolitik, die sich auf das Leitbild des funktionsfähigen Wettbewerbs gründete.

So war etwa der Beschluß, das Antitrustverfahren gegen IBM nach mehr als zehn Jahren ununterbrochener Recherchen und Verhandlungen ergebnislos einzustellen, nicht etwa lediglich eine Entscheidung politischer Opportunität; sie war vielmehr zugleich auch Eingeständnis der Unfähigkeit der US-Wettbewerbsbehörde, eine Entscheidung zustandezubringen, die theoretisch und empirisch genügend fundiert gewesen wäre, um der kritischen Überprüfung durch die Gerichte standhalten zu können (FISHER/MCGOWAN/GREENWOOD, 1985).

Es ist indes nicht nur die mangelnde Leistungsfähigkeit des Konzepts eines funktionsfähigen Wettbewerbs, das der Gegenposition der Chicago School ihre Chance verschafft. Vermutlich wichtiger noch ist die Erfahrung, daß es in den USA auf zahlreichen Märkten zu sehr wirkungsvollen Markteintritten gekommen ist, die nach den einflußreichen Untersuchungen von JOE S. BAIN aus den fünfziger Jahren eigentlich gar nicht hätten stattfinden dürfen, weil er für diese Märkte sehr hohe oder sogar unüberwindbare Markteintrittsschranken festgestellt hatte (BAIN, 1956).

Durch Importe und durch Direktinvestitionen europäischer und japanischer Unternehmen sind den etablierten US-Produzenten dieser Märkte tatsächlich jedoch in erheblichem Maße Marktanteile abgewonnen worden. Auch vermeintlich so übermächtige ,,dominant firms" wie UNITED STEEL, BOEING, XEROX, GENERAL MOTORS, COCA-COLA, GILLETTE und schließlich IBM sind mittlerweile erheblich unter Wettbewerbsdruck geraten; hinzu kommt die Einsicht, daß es auch um die internationale Wettbewerbsfähigkeit der US-Wirtschaft in wichtigen Branchen nicht sonderlich gut bestellt ist (BERG, 1992, 2).

Mit anderen Worten: Dort, wo nach den Lehren des Konzepts eines funktionsfähigen Wettbewerbs friedliches Oligopolverhalten zu erwarten wäre, besteht tatsächlich seit einigen Jahren vielfach Wettbewerb von erheblicher Intensität. Der Markt für die Hard- und Software der Elektronischen Datenverarbeitung bietet dafür eindrucksvolle Belege. Hier haben Innovationen wie etwa die des „personal computer" und zahlreiche Markteintritte neu gegründeter Unternehmen (Beispiele etwa: APPLE COMPUTER, COMMODORE, MICROSOFT) die Marktmacht von IBM ungleich wirksamer geschmälert als es der Antitrustpolitik zuvor jemals gelungen war.

Ein Plädoyer für mehr wettbewerbspolitische Behutsamkeit erscheint vor dem Hintergrund dieser Erfahrungen und Entwicklungen nicht abwegig, auch wenn so engagierte Verfechter eines radikalen wettbewerbspolitischen Kurswechsels wie die Repräsentanten der Chicago School Gefahr laufen, sich durch die Rigorosität ihrer Forderungen berechtigter Kritik auszusetzen.

2.6. Wettbewerbstheorie und Wettbewerbspolitik

Die in ihren Positionen in den Abschnitten 2.3 und 2.4 skizzierte „HOPPMANN-KANTZENBACH-Kontroverse" kann mittlerweile als weitgehend abgeschlossen angesehen werden. Sie hat deutlich gemacht, daß die Wettbewerbspolitik gleichermaßen Sorge dafür zu tragen hat, daß der Wettbewerb als marktwirtschaftliches Anreiz-, Lenkungs- und Kontrollverfahren funktionsfähig bleibt (Institutionsschutz) und daß die individuelle Handlungs- und Entschließungsfreiheit der Marktbeteiligten nicht unangemessen eingeschränkt wird (Individualschutz).

Nicht länger kontrovers ist auch die Einsicht, daß ein funktionsfähiger Wettbewerb unter sehr unterschiedlichen Bedingungen zustandekommen und Bestand haben kann, also nicht an die Erfüllung einer bestimmten Kombination wesentlicher Strukturmerkmale gebunden ist, wie es das Konzept der optimalen Wettbewerbsintensität durch seine Präferenz für die Marktform „weiter" Oligopole mit „mäßiger" Produktdifferenzierung zu vermuten nahelegt.

Als weitgehend akzeptiert kann schließlich der auch durch diesen Ansatz gewonnene Befund gelten, daß Märkte, die durch einen hohen Konzentrationsgrad gekennzeichnet, also als „enge" Oligopole organisiert sind, für die zudem hohe Marktzutrittsschranken bestehen und die bereits in die Sättigungs- oder Rückbildungsphase eingetreten sind, ebenso wenig günstige Wettbewerbsvoraussetzungen aufweisen wie Märkte, auf denen das Angebot ausgeprägt „atomistisch" strukturiert, der Homogenitätsgrad sehr hoch und die durchschnittliche Unternehmensgröße gering ist (Zohlnhöfer, 1968; Kantzenbach/Kallfass, 1981). Die damit getroffene Feststellung, daß günstige Wettbewerbsvoraussetzungen vor allem dort zu vermuten sind, wo Märkte weder eine sehr hohe noch eine sehr geringe Wettbewerbsintensität aufweisen, ist mittlerweile auch impirisch vielfach belegt (Adams, 1950, 7. A. 1986; Oberender, 1984, 1989; de Jong, 1981, 3. A. 1993).

Sie bietet der Wettbewerbspolitik eine Grundlage, die zur groben Orientierung tauglich ist. Woran es noch mangelt, sind genügend bewährte Hypothesen, die auch im Detail hinreichend gehaltvoll sind, um für die Rechtsprechung, die stets konkrete Einzelfälle zu würdigen hat, eine wettbewerbstheoretisch fundierte Entscheidungsgrundlage zu gewährleisten.

3. Ursachen und Formen der Wettbewerbsbeschränkung

Intensiver Wettbewerb ist gleichbedeutend mit einer starken Abhängigkeit des Markterfolges jedes einzelnen Anbieters von den Maßnahmen seiner Konkurrenten. Aus dieser engen Reaktionsverbundenheit ergibt sich der Zwang, auf Aktionen seiner Wettbewerber rechtzeitig und mit geeigneten Mitteln zu reagieren, um zu vermeiden, daß die eigene Marktposition gefährdet wird. Der Erfolg dieser Reaktion ist ungewiß. Fehlentscheidungen sind möglich. Jedes Unternehmen sieht sich zudem mit einer Umwelt konfrontiert, die es nicht kontrollieren kann und die damit Unsicherheit schafft, die man vermeiden möchte (Cyert/March, 1963; Heuss, 1968).

Folglich wird immer wieder der Versuch unternommen, sich der lästigen Zwänge und Risiken eines wirksamen Wettbewerbs zu entledigen und in den Genuß der Sicherheit und der höheren Gewinne zu gelangen, die als Preis erfolgreicher Strategien der Wettbewerbsbeschränkung winken. Als marktbeherrschendes Unternehmen oder als Mitglied eines wirksam organisierten Kartells lassen sich bei geringerem Risiko höhere Gewinne erzielen, als sie bei wirksamem Wettbewerb jeder einzelne Anbieter dauerhaft erhoffen könnte. Das ist eine Einsicht, die auch dem Unternehmer geläufig ist und die schon Adam Smith zu der Vermutung veranlaßte, „Leute von demselben Gewerbe (kämen) selten auch nur zu Lustbarkeiten und Zerstreuungen zusammen, ohne daß ihre Unterhaltung mit einer Verschwörung gegen das Publikum oder einem Plane zur Erhöhung der Preise endigt“ (SMITH, 1776, 1923, Bd. I, S. 171).

Die Neigung eines Unternehmens, wettbewerbsbeschränkende Strategien anzuwenden, ist um so größer, je stärker es in seinem Erfolg oder gar in seinem Bestand durch den Wettbewerbsdruck, dem es ausgesetzt ist, bedroht wird. Die Stärke dieser Bedrohung wird dabei wesentlich bestimmt

- durch das Ausmaß an Reaktionsverbundenheit, das zwischen den Anbietern eines Marktes besteht;
- durch die Wachstumsdynamik, die dieser Markt aufweist, und
- durch die Befähigung des Unternehmens zu innovatorischer Aktivität und zu flexibler Anpassung an relevante Datenänderungen.

Sehr leistungsfähige Unternehmen, die sich durch erfolgreiche Innovationen immer wieder neue Expansionschancen zu erschließen vermögen und die auf eine Änderung der Marktdaten mit kompetitiven Mitteln, also durch Anpassung ihrer Sortimente, Preise, Standorte, Vertriebssysteme etc. wirksam zu reagieren wissen, werden kaum „Bedarf“ an wettbewerbsbeschränkenden Verhaltensweisen zeigen (SCHUMACHER, 1976; ZOHLNHÖFER/GREIFFENBERG, 1981). In einem „engen“ Oligopol, dessen Mitglieder auf einem stagnierenden oder sogar schrumpfenden Markt tätig sind und denen die zur Wettbewerbsfähigkeit erforderliche innovatorische Potenz und Anpassungsflexibilität weitgehend abhanden gekommen ist, wird funktionsfähiger Wettbewerb dagegen kaum zu erwarten und auch durch Bemühungen der Wettbewerbspolitik schwerlich herzustellen sein.

3.1. Kartellbildung und abgestimmtes Verhalten

Kartellbildung

Kartelle werden durch Vertrag mit dem Ziel begründet, den Wettbewerb zwischen den an ihnen beteiligten Unternehmen zu beschränken. Die rechtliche und organisatorische Selbständigkeit der Kartellmitglieder bleibt dabei erhalten; diese geben aber freiwillig wirtschaftliche Handlungsfreiheit auf, um eine im Ergebnis ungewisse Koordinierung ihrer Aktivitäten über den Markt durch eine kontrollierbar und kalkulierbar werdende Verhaltensabstimmung durch Vertrag zu ersetzen. *Übersicht O–2* informiert über typische Erscheinungsformen des Kartells und skizziert die jeweils gegebene wettbewerbspolitische Problematik.

Die Neigung zur Kartellbildung kann bei rechtlicher Zulässigkeit grundsätzlich für alle Märkte vermutet werden, auf denen Wettbewerb herrscht und auf denen sich folglich alle Anbieter bei unabgestimmtem Verhalten in ihrer Position bedroht sehen. Die Erfahrung lehrt jedoch, daß nicht alle Märkte gleich gute Möglichkeiten bieten, dieser Neigung mit Erfolg nachzugeben (COX, 1981).

Zur Kartellbildung ermuntern niedrige Werte der Preis- und der Einkommenselastizität. Denn ein Kartellpreis verspricht gegenüber dem niedrigeren Preis bei Wettbe-

Übersicht O–2: Kartelltypen und ihre wettbewerbspolitische Problematik

Kartelltyp	Gegenstand und Zweck des Kartells	Wettbewerbspolitische Beurteilung
Preiskartell	Verpflichtung der K.-Mitglieder zum Absatz zu einheitlichen Festpreisen (Festpreis-K.) oder Verbot des Unterbietens vereinbarter Mindestpreise (Mindestpreis-K.); zur Sicherung der Kartellpreise zumeist auch Regelungen zur Angebotsbegrenzung (Kontingent-K.; Quoten-K.).	Funktionen sich frei bildender Marktpreise und eines unbeschränkten Leistungswettbewerbs werden außer Kraft gesetzt: Ausbeutung der Marktgegenseite durch kollektive Monopolisierung; kein Ausscheiden dauerhaft leistungsschwacher Anbieter; Anreiz zur Innovation entfällt; Reduzierung der Anpassungsflexibilität. In Marktwirtschaft eindeutig ordnungswidrig.
Submissionskartell	Sonderform des Preis-K.; zielt darauf ab, das Angebotsverhalten der Mitglieder bei öffentlichen Ausschreibungen so zu organisieren, daß gegenseitiges Sich-Unterbieten vermieden wird und jedes K.-Mitglied damit rechnen kann, in vereinbarter Abfolge den Zuschlag als der dann absprachegemäß preisgünstigste Anbieter zu erhalten.	Siehe Preiskartell
Rabattkartell	Zählt zu den sogenannten Preis-K. im weiteren Sinne; regelt, aus welchem Anlaß, in welcher Form und welcher Höhe Preisnachlässe gewährt werden dürfen.	Bedenklich, da geeignet, den sogenannten Nebenleistungswettbewerb zu verhindern, der bei Verzicht auf Preiswettbewerb in weitgehend friedlichen Oligopolen ein wesentliches Moment des hier noch bestehenden „Restwettbewerbs" darstellt.
Kalkulationskartell	Verpflichtet dazu, Angebotspreise nach einheitlichen Kalkulationsverfahren zu ermitteln.	Bedenklich, soweit die erhöhte Markttransparenz auf der Angebotsseite die Möglichkeit der Verhaltensabstimmung schafft oder im Oligopol ein so rasches Reagieren auf Wettbewerbsvorstöße erlaubt, daß dadurch der Anreiz zu Preisunterbietungen entfällt.
Konditionenkartell	Verpflichtet zur Anwendung einheitlicher allgemeiner Geschäftsbedingungen und will damit Unterschiede in den gewährten Lieferungs-, Haftungs- und Zahlungsbedingungen ausschließen.	Siehe Rabattkartell
Frachtbasis-System	Schreibt vor, welche Frachtkosten in den Preisforderungen der K.-Mitglieder berücksichtigt werden dürfen. Frachtbasis ist in der Regel der Standort des Anbieters mit den höchsten Transportkosten.	Produzenten mit günstigen Standorten realisieren bei Kalkulation des Angebotspreises auf Frachtbasis eine Differentialrente; räumlich optimale Faktorallokation wird dadurch verhindert.

Kartelltyp	Gegenstand und Zweck des Kartells	Wettbewerbspolitische Beurteilung
Syndikat	Verzicht auf autonome Preis- und Mengenpolitik und Verpflichtung zum ausschließlichen Absatz über gemeinsame Verkaufsorganisation; diese hat zumeist auch die Aufgabe, das Einhalten der vereinbarten K.-Bestimmungen zu überwachen.	Siehe Preiskartell
Rationalisierungskartell; Spezialisierungskartell	Einheitliche Anwendung von Normen oder Typen (Normungs-K.; Typisierungs-K.). Gemeinsame Maßnahmen, die die Leistungsfähigkeit oder Wirtschaftlichkeit der beteiligten Unternehmen in technischer, betriebswirtschaftlicher oder organisatorischer Hinsicht steigern sollen (Rationalisierungs-K.). Spezialisierung auf bestimmte Sortimente (Spezialisierungs-K.).	Die behauptete wettbewerbspolitische Unbedenklichkeit kann mit Hinweis darauf bestritten werden, daß hier Kostenersparnisse durch kollektives Handeln und ex-ante-Koordinierung angestrebt werden, die nach marktwirtschaftlichem Prinzip durch individuelle Unternehmerinitiative und ex-post-Koordinierung der autonomen Dispositionen durch freie Preisbildung und Wettbewerb realisiert werden sollen. Spezialisierungs-K. beseitigen zudem Angebotsüberschneidungen und damit Wettbewerbsbeziehungen.
Krisenkartell	Konjunktur(krisen)-K. zielen darauf ab, bei konjunkturell bedingtem Nachfragerückgang das Ausbrechen eines aggressiven Preiswettbewerbs („ruinöse Konkurrenz") zu verhindern; Strukturkrisen-K. sollen dauerhaft drohende, da strukturell bedingte Überkapazitäten durch gemeinsame Regelungen des Kapazitätsabbaus beseitigen.	Konjunktur(krisen)-K. können negative Beschäftigungswirkungen eines Nachfragerückgangs durch Erhöhung der Preisrigidität verstärken; Strukturkrisen-K. beinhalten die Gefahr, notwendige Strukturanpassungen zu verzögern und damit die Anpassungsflexibilität des Wirtschaftssystems zu vermindern.
Export(Import-)kartell	Export-K. dienen dem Organisieren gemeinsamer Strategien, um internationale Wettbewerbsfähigkeit der K.-Mitglieder auf ausländischen Märkten zu stärken und um hier einen Wettbewerb der K.-Mitglieder untereinander zu vermeiden. Import-K. sollen ausländischen Anbietern den Zugang zum heimischen Markt der K.-Mitglieder versperren oder Gegenmarktmacht zu Export-K. ausländischer Produzenten bilden.	Export-K. provozieren Abwehrstrategien (Import-K.) und begründen dann einen Protektionismus, der dem Freihandelspostulat widerspricht. Import-K. verhindern das Wirksamwerden von Importkonkurrenz und vermindern damit die Chance bestmöglicher Versorgung.

werb einen um so höheren Gewinn, je weniger elastisch die Nachfrage auf Preiserhöhungen reagiert. Werte der Einkommenselastizität, die deutlich kleiner als eins oder sogar negativ sind, deuten darauf hin, daß der betrachtete Markt seine Expansionsphase bereits weitgehend durchmessen hat und in seine Sättigungs- oder in die dieser folgenden Rückbildungsphase eingetreten ist: die Nachfrage stagniert oder schrumpft (HEUSS, 1965). Die Behauptung, Kartelle seien „Kinder der Not", bestätigt sich auf solchen Märkten in dem Sinne, daß hier die Bereitschaft zur Kartellbildung größer ist als dort, wo eine kräftig wachsende Nachfrage allen die Möglichkeit bietet, ihren Umsatz zu steigern, das Umsatzwachstum einiger also nicht absolute Umsatzeinbußen anderer erfordert und zur Folge hat.

Die Möglichkeit der Kartellbildung wird um so günstiger sein,

- je geringer die Zahl der Anbieter ist,
- je ähnlicher ihre Kostenverläufe sind,
- je homogener ihr Produktionsprogramm ist,
- je höher die Markteintrittsbarrieren und
- je elastischer das Angebot – etwa durch die Möglichkeit des Rückgriffs auf ungenutzte Kapazitäten – ist.

Denn je kleiner eine Gruppe ist und je mehr ihre Erfahrungen und Interessen identisch sind, desto leichter läßt sie sich organisieren und desto dauerhafter ist ihr Bestand. Ein im Umfang begrenztes und wenig differenziertes Produktionsprogramm erleichtert die Aufgabe, eine gemeinsame Preispolitik zu organisieren und zu überwachen. Ein durchweg niedriger Auslastungsgrad der Kapazitäten fördert die Überzeugung, ein freier Leistungswettbewerb gereiche allen Mitgliedern der Branche zum Schaden, gemeinsames Handeln sei somit für alle gleichermaßen geboten und von Vorteil.

Je niedriger die Markteintrittsbarrieren eines kartellierten Marktes sind, desto größer ist die Wahrscheinlichkeit, daß das hohe Niveau der Kartellpreise Außenseiter anlockt, die diese unterbieten und dadurch das Zerbrechen des Kartells bewirken. Maßnahmen, die der Abwehr dieser Bedrohung dienen, werden als solche des äußeren Kartellzwanges bezeichnet.

Gemeinsam gebildete und gehaltene Reserven erhöhen die Fähigkeit der Kartellmitglieder, die Preise eines Außenseiters gezielt zu unterbieten. Kartellmitglieder, denen bei derartigen Kampfpreisen Verluste entstehen, erhalten Ausgleichszahlungen. Erleichtert wird bei gepoolten Reserven auch eine Politik regionaler Preisdifferenzierung. Der Kartellpreis wird nur in dem Teil des vom Kartell insgesamt belieferten Raumes gesenkt, in dem ein Außenseiter tätig geworden ist.

Kartelle werden nicht nur durch Außenseiter, sondern auch dadurch bedroht, daß die getroffenen Vereinbarungen von den Mitgliedern selbst mißachtet und damit ökonomisch wirkungslos werden. Der Anreiz zu derartigen Verstößen ist groß, weil diese, solange sie unentdeckt bleiben, erhebliche Vorteile in Aussicht stellen. Wird etwa der abgesprochene Kartellpreis von einem besonders kostengünstig produzierenden Mitglied durch heimlich gewährte Preiskonzessionen unterboten, dann kann dieses dadurch seinen Marktanteil bei immer noch attraktivem Gewinn-Niveau zu Lasten der übrigen Kartellteilnehmer vergrößern. Vorkehrungen, die darauf abzielen, von derartigen Verstößen abzuhalten, begründen den sogenannten inneren Kartellzwang.

Sie sind zumeist bereits im Kartellvertrag enthalten und bestehen vor allem in Sanktionen, die bei Vertragsbruch wirksam werden. Ist der Kartellvertrag rechtlich zulässig, können Verstöße gegen seine Bestimmungen mit Hilfe ordentlicher Gerichte geahndet, also etwa verhängte Konventionalstrafen eingeklagt werden. Fehlt es an dieser Möglichkeit, weil das geltende Wettbewerbsrecht Kartelle verbietet, müssen andere Formen der Sanktion Anwendung finden. Die Kartellmitglieder können versuchen, gegen Vertragsbrüchige aus ihrem Kreis einen Boykott zu organisieren oder sie durch das Unterbieten ihrer Preise vom Markt zu verdrängen. Bleiben derartige Versuche erfolglos, kommt es zum Zerfall des Kartells. Auch die übrigen Kartellmitglieder müssen dann gegen die im Kartellvertrag getroffenen Vereinbarungen verstoßen, wollen sie nicht Gefahr laufen, durch das Festhalten am überhöhten Kartellpreis fortwährend Absatz einzubüßen.

Abgestimmtes Verhalten

Aufeinander abgestimmtes Verhalten (concerted action) bezeichnet eine Form der Wettbewerbsbeschränkung, die es ermöglicht, ein Kartellverbot wirksam zu umgehen. Man begnügt sich nicht mit einem bewußten Parallelverhalten (conscious parallelism), das ebenfalls bereits einen Zustand der friedlichen Koexistenz begründen kann, wettbewerbsrechtlich jedoch nicht erfaßbar ist. Es erfolgt vielmehr eine formlose Verständigung, das eigene Verhalten mit dem seiner Konkurrenten so abzustimmen, daß jenes Moment der Unsicherheit, der Gefährdung und des Risikos, welches bei wirksamem Wettbewerb für jeden bestehen würde, für alle ausgeschaltet wird.

Die Vermutung, daß eine derartige formlose Verhaltensabstimmung – sie wird bisweilen auch als „Frühstückskartell" oder „Augenzwinkerkartell" bezeichnet – vielfach an die Stelle des Kartellvertrages früherer Jahrzehnte getreten ist, gründet sich auf die Erfahrung, daß eine Gruppe um so leichter organisierbar ist, je weniger Mitglieder sie umfaßt und je mehr deren Interessen übereinstimmen. Dort, wo ein bereits weit fortgeschrittener Prozeß der Unternehmenskonzentration zum Entstehen enger Oligopole geführt hat, sind diese Bedingungen häufig erfüllt. Die wenigen dominierenden Anbieter dieser Märkte kennen sich seit langem und haben einander zu respektieren gelernt. Sie produzieren mit ähnlichen Produktionsverfahren gleichartige Erzeugnisse; sie kaufen auf denselben Beschaffungsmärkten und verhandeln mit den gleichen Gewerkschaften. Ihr Management hat weitgehend identische Zielfunktionen; in ihnen nimmt das Streben nach Sicherheit einen hohen Stellenwert ein. Das alles kann bewirken, daß der marktstärkste Produzent als Preisführer oder „dominant firm" akzeptiert und das eigene Verhalten freiwillig, also ohne daß es dazu einer Übereinkunft bedarf, an dem des Branchenführers orientiert wird (tacit collusion).

Zum aufeinander abgestimmten Verhalten wird eine solche bewußte Parallelität im Handeln, wenn sich die Unternehmen darüber verständigen, so zu verfahren, um die Risiken autonomer Wettbewerbshandlungen zu vermeiden. Bewußtes Parallelverhalten und aufeinander abgestimmtes Verhalten unterscheiden sich somit allein dadurch, daß sich die Unternehmen im ersten Fall unabhängig voneinander, also gleichsam spontan dazu entschlossen haben, ihr Verhalten abzustimmen, während diese Koordination im zweiten Fall Konsequenz einer zuvor erfolgten Verständigung, also einer gemeinsamen Willensbildung ist. Die Erscheinungsform dieses Verhaltens und seine ökonomischen Konsequenzen sind in der Regel in beiden Fällen identisch – und das unbeschadet der Tatsache, daß das bewußte Parallelverhalten wettbewerbsrechtlich zulässig, das aufeinander abgestimmte Verhalten dagegen verboten ist (ULMER/WIEDEMANN, 1981).

Strategische Allianzen

Von (Unternehmens-)Kooperation spricht man dann, wenn Unternehmen zusammenarbeiten, um ihre Leistungsfähigkeit zu steigern. In den Bereichen, in denen sie kooperieren, stehen die Unternehmen nicht mehr miteinander im Wettbewerb. Kooperationsvereinbarungen unterliegen somit dem Wettbewerbsrecht. Sie werden zugelassen, wenn die durch sie bewirkten Wettbewerbsbeschränkungen gering wiegen gegenüber der auch gesamtwirtschaftlich wünschenswerten Stärkung der Leistungsfähigkeit der Kooperationspartner und ihrer dadurch verbesserten Befähigung zum Wettbewerbsvorstoß und zur Reaktion auf die Wettbewerbshandlungen ihrer Konkurrenten (*Übersicht O-6:* Kooperationskartell [§ 5 GWB] und *Übersicht O-10:* Art. 85, Abs. 3 EGV).

Zunächst wurde die Kooperation rechtlich selbständig bleibender Unternehmen vor allem als Möglichkeit kleiner und mittlerer Unternehmen angesehen, durch ihre Zusammenarbeit dort Nachteile auszugleichen, wo sie sich im Wettbewerb mit Unternehmen von überlegener Größe behaupten müssen. Im Zeichen eines zunehmend weltweit ausgetragenen Wettbewerbs kann sich jedoch auch für Großunternehmen die Notwendigkeit einer Zusammenarbeit ergeben. Die hier gebildeten Strategischen Allianzen sind typisch für Märkte, die durch eine hohe Innovationsrate und eine starke Wachstumsdynamik gekennzeichnet sind (Beispiele: Luft- und Raumfahrt, Mikroelektronik, Telekommunikation, Bahnsysteme). Die Entwicklung neuer Produkte und Verfahren erfordert hier vielfach den Einsatz so beträchtlicher Mittel, daß die Suche nach einem Partner ratsam erscheint, mit dem „cost-sharing“ betrieben werden kann. Auch kann durch die Zusammenarbeit mehrerer Unternehmen ihre Befähigung zum Eintritt in neue Märkte gesteigert werden. Eine besonders enge Form der Zusammenarbeit besteht, wenn im Rahmen Strategischer Allianzen Gemeinschaftsunternehmen (Joint Ventures) gegründet werden, also beispielsweise eine gemeinsame Produktion stattfindet (Fertigung eines Großraumwagens von Ford und Volkswagen in einem in Portugal neu errichteten Werk, an dem die Kooperationspartner jeweils zur Hälfte beteiligt sind).

Die wettbewerbspolitische Beurteilung von Strategischen Allianzen erfordert wiederum ein Abwägen der durch sie bewirkten Wettbewerbsbeschränkung im „Innenverhältnis“ der Partner und der durch ihre Zusammenarbeit verbesserten Wettbewerbsfähigkeit.

3.2. Marktbeherrschende Unternehmen

Eine marktwirtschaftliche Ordnung gründet sich auf die ,,Idee der breitgestreuten Freiheit“ (BÖHM, 1933). Den am Wettbewerbsgeschehen Beteiligten eröffnen sich

Freiheitsspielräume, deren Ausmaß jedoch durch die Dezentralisierung der Entscheidungsbefugnisse und durch die Datenvorgaben des Marktes begrenzt wird. Wirksamer Wettbewerb verhindert, daß ein Marktteilnehmer seine Dispositionsspielräume zu Lasten Dritter ungebührlich ausweitet. Nur bei überlegener Leistung besteht die Chance, sich der Entmachtung durch die anonyme Kontrollinstitution Wettbewerb zu entziehen. Doch ist der Machtzuwachs, den erfolgreiche Pionier-Unternehmer durch Innovationen und die dadurch begründete Monopolstellung gewinnen, nicht von Dauer. Er geht verloren, wenn konkurrierende Unternehmen ihren zeitlich befristeten Wettbewerbsnachteil wieder ausgleichen.

Die Erfahrung lehrt jedoch, daß Marktmacht auch durch leistungsfremde Praktiken gewonnen wird. Ein im Wettbewerbsprozeß gewonnener Vorsprung kann ausgebaut werden; er geht dann nicht durch das Aufholen der anderen wieder verloren. Potentiellen Imitatoren mag es an Kapitalkraft oder Management-Qualifikation fehlen.

Bestehende Patente können sie daran hindern, das zur Verfolgung des Pioniers erforderliche know how zu erwerben; möglich ist auch, daß ihnen der Zugang zu wichtigen Rohstoffmärkten versperrt ist. Der Pionier kann seinen Vorsprung somit vergrößern. Aus dem zeitlich befristeten Monopol, das durch seine Innovationsleistung gesellschaftlich gerechtfertigt war, wird eine dauerhafte marktbeherrschende Position. Das Leistungseinkommen, das ihm zunächst in Form von Pionier-Gewinnen zuteil wurde, wandelt sich zur Monopolrente.

Auch dort, wo das Instrument einer Zusammenschlußkontrolle gegeben ist und die Möglichkeit der Entflechtung besteht, läßt sich das Entstehen marktstarker oder gar marktbeherrschender Positionen erfahrungsgemäß nicht verhindern (Zohlnhöfer, 1968). Muß die Wettbewerbspolitik eine derartige „Wettbewerbsbeschränkung durch Zustand“ (Fikentscher, 1957) akzeptieren, kann sie also auf die Marktstruktur und damit auf das Ausmaß bestehender Marktmacht keinen Einfluß nehmen, dann muß sie sich mit einer korrektiven Mißbrauchsaufsicht begnügen. Sie hat zu verhindern, daß Marktmacht dazu mißbraucht wird, schwächere Marktpartner auszubeuten (Ausbeutungsmißbrauch). Sie hat nach Möglichkeit alle Versuche zu unterbinden, den verbliebenen „Restwettbewerb“ durch Behindern von aktuellen oder potentiellen Konkurrenten weiter zu reduzieren und damit bestehende Machtpositionen abzusichern (Behinderungsmißbrauch).

Ausbeutungsmißbrauch

Ausbeutungsmißbrauch betreibt ein Unternehmen, wenn es Leistungen vorgelagerter Produktionsstufen nicht „angemessen“ entgilt oder gegenüber nachgelagerten Stufen für die von ihm erbrachten Leistungen „unangemessene“ Gegenleistungen fordert. Ein marktbeherrschendes Unternehmen kann etwa seine Anbietermacht dazu benutzen, „überhöhte“ Preise durchzusetzen, oder es kann Nachfragemacht geltend machen, indem es Lieferanten Kosten übernehmen läßt, die sie nicht verursacht haben und die weniger marktstarke Unternehmen üblicherweise selbst tragen. Es ist in der Lage, die Konditionen weitgehend autonom festzusetzen und durch einseitiges Handeln zu verändern. Auch andere Aktionsparameter können mißbräuchlich eingesetzt werden: Bei unverändertem Preis werden Waren schlechterer Qualität geliefert. Eine

Belieferung wird erst bei Abnahme einer überhöhten Mindestmenge zugestanden. Kosten der Lagerhaltung und das damit verbundene Risiko werden auf Abnehmer oder Lieferanten überwälzt (Baur, 1972).

Behinderungsmißbrauch

Um seine Konkurrenten in ihren Entfaltungsmöglichkeiten zu behindern, kann ein marktstarkes Unternehmen versuchen, Ausschließlichkeitsbindungen durchzusetzen, „Squeezing" (to squeeze = zusammendrücken) zu betreiben und Sperrkäufe zu tätigen:

- Ausschließlichkeitsbindungen können Lieferanten dazu verpflichten, nur den Marktbeherrscher zu beliefern oder Abnehmern auferlegen, nur dessen Erzeugnisse zu führen.
- Maßnahmen des Squeezing setzen voraus, daß ein Unternehmen gleichermaßen auf einem Markt für Vorleistungen und auf dem für ein daraus gefertigtes Endprodukt eine starke Stellung einnimmt. Müssen Konkurrenten, die dieses Endprodukt ebenfalls anbieten, dafür vom Marktbeherrscher Vorleistungen beziehen, kann dieser ihren Gewinn dadurch zusammendrücken, daß er die Preise für die Vorleistungen herauf- und die des Endproduktes herabsetzt. Seine Konkurrenten geraten dann in Gefahr, vom Markt verdrängt zu werden.
- Sperrkäufe zielen darauf ab, potentielle Konkurrenten dadurch am Markteintritt zu hindern oder hier bereits tätige Unternehmen in ihren Expansionschancen dadurch zu beschneiden, daß von ihnen benötigte Rohstoffe oder Investitionsgüter nur deswegen vom Marktbeherrscher gekauft werden, damit andere nicht zum Zuge kommen. Auch das Patentsystem kann in den Dienst derartiger Absichten gestellt werden. Bei Sperrpatenten wird von geschützten „inventions" kein Gebrauch gemacht, Wettbewerbern werden sie jedoch vorenthalten. Im Rahmen von Patentpools vereinbart eine Gruppe von etablierten Anbietern, die von ihnen gehaltenen Patente gemeinsam zu nutzen und den übrigen Anbietern sowie einem möglichen „newcomer" Lizenzen zu verweigern.

Formen der Behinderung auf vor- und nachgelagerten Wirtschaftsstufen sind beispielsweise die Diskriminierung, die Nichtbelieferung, der Abschluß von Gegenseitigkeitsgeschäften und Koppelungsverträgen sowie die Vornahme von Vertriebsbindungen:

- Der Tatbestand der Diskriminierung ist erfüllt, wenn gleichartige Unternehmen vor- oder nachgelagerter Märkte nicht auch gleich behandelt werden. Es bestehen Unterschiede in den Preisen, in der Höhe der gewährten Rabatte oder in den sonstigen Geschäftsbedingungen, die sachlich nicht gerechtfertigt sind.
- Eine besonders krasse Form der Diskriminierung ist die der Liefer- oder Bezugsverweigerung, da sich die von einer solchen Maßnahme betroffenen Unternehmen dem Diktat des Marktbeherrschers zu unterwerfen haben, wenn sie nicht Gefahr laufen wollen, aus dem Markt ausscheiden zu müssen.
- Bei Gegenseitigkeitsgeschäften (reciprocal dealing) kaufen Unternehmen nur von Lieferanten, die auch bei ihnen kaufen. Unternehmen mit breit diversifiziertem Produktionsprogramm können dadurch Vorteile gewinnen, die einem gleich leistungsfähigen, aber stärker spezialisierten Anbieter verschlossen bleiben.

- Koppelungsgeschäfte verpflichten beim Kauf gewünschter Produkte zur Abnahme auch anderer Erzeugnisse eines marktbeherrschenden Anbieters, der dadurch die Möglichkeit erlangt, weniger bedarfsgerechten Teilen seines Sortiments zum Erfolg zu verhelfen und neue Artikel zu besonders günstigen Bedingungen in den Markt einzuführen. Die Wettbewerbsposition konkurrierender Unternehmen, die derartige Lieferkonditionen nicht durchsetzen können, wird dadurch beeinträchtigt. Zudem werden Marktzutrittsschranken begründet und Abnehmer in ihrer Handlungsfreiheit eingeschränkt.
- Auch durch Vertriebsbindungen, die marktstarke Produzenten ihren Abnehmern auferlegen, wird deren Betätigungsfreiheit eingeengt und die Möglichkeit zum Wettbewerbsvorstoß reduziert. Denn die Entscheidungsbefugnis darüber, welche Kunden sie beliefern und welche Region sie bedienen wollen, wird ihnen genommen. Auch eröffnet sich ihnen nicht mehr die Chance, bei Erbringen einer überlegenen Leistung zu Lasten konkurrierender Anbieter neue Käufer zu gewinnen und das eigene Absatzgebiet auszuweiten (Markert, 1981; Kurz; Rall, 1983).

3.3. Unternehmenszusammenschlüsse

Die Möglichkeit, daß ein Markt durch die permanent überdurchschnittliche Expansion eines seinen Konkurrenten überlegenen Anbieters, also allein durch internes Unternehmenswachstum, monopolisiert wird, ist zwar gegeben; sie ist in der Realität jedoch nur von begrenzter Relevanz: Der Fall, daß ein Unternehmen einen einmal gewonnenen Wettbewerbsvorsprung immer wieder erfolgreich gegenüber seinen Konkurrenten zu verteidigen vermag, ist erfahrungsgemäß selten. Der Zeitbedarf, den die Monopolisierung eines Marktes „aus eigener Kraft“ erfordert, dürfte zudem erheblich sein. Vorsprungsgewinne, die zu dauerhaften Monopolrenten werden, mobilisieren potentielle Konkurrenz: Newcomer können damit jenen Part des Verfolgers übernehmen, den die alteingesessenen Anbieter nicht überzeugend auszufüllen vermochten. Die Wettbewerbspolitik sieht somit keinen Anlaß, in den Prozeß einer Unternehmenskonzentration einzugreifen, dessen Ursachen allein in unterschiedlichen Raten des internen Unternehmenswachstums und im Ausscheiden dauerhaft leistungsschwacher Anbieter liegen.

Wettbewerbspolitisch bedenklicher und in seiner Häufigkeit von größerer Relevanz ist der Fall, in dem ein Ansteigen des Konzentrationsgrades durch Unternehmenszusammenschlüsse bewirkt wird (Blair, 1972; Kaufer, 1977). Werden dabei Unternehmen der gleichen Branche übernommen, spricht man von horizontaler (Unternehmens-)Konzentration. Ein Prozeß der vertikalen (Unternehmens-)Konzentration ist dadurch gekennzeichnet, daß Unternehmen vor- oder nachgelagerter Produktionsstufen erworben werden. Bei konglomeraten Unternehmenszusammenschlüssen sind die Fusionspartner weder horizontal noch vertikal miteinander verbunden. Alle drei Fälle sind Ausdruck einer Strategie, die die im Rahmen der Unternehmenspolitik verfolgten Ziele nicht allein durch internes, sondern vor allem auch durch externes Wachstum zu verwirklichen sucht.

Ursachen der Unternehmenskonzentration

Durch den Aufkauf konkurrierender Unternehmen steigert der Erwerber seinen Marktanteil. Der Wettbewerbsdruck, dem er sich ausgesetzt sieht, vermindert sich. Je mehr Marktmacht durch derartige Aquisitionen gewonnen wird und je stärker die daraus resultierende Abschreckung potentieller Konkurrenten ist, desto höher ist der erzielbare Gewinn und desto größer wird die Chance, die Ziele Wachstum und Sicherheit gleichzeitig erfolgreich anstreben zu können. Denn für ein Unternehmen, das als Marktführer akzeptiert wird, wandelt sich die für diese Ziele normalerweise geltende Konfliktbeziehung zu einer solchen der Harmonie: Die verfügbare Marktmacht kann eingesetzt werden, um den eigenen Marktanteil durch aggressive Strategien weiter zu steigern; zugleich verringert sich die Wahrscheinlichkeit, daß die erworbene starke Marktposition durch erfolgreiche Wettbewerbsvorstöße konkurrierender Unternehmen wieder verloren geht.

Die Strategie des externen Wachstums durch Fusion oder Konzernbildung kann Chancen der Expansion eröffnen, die bei ausschließlich internem Wachstum versagt bleiben. Führt sie zu höheren Ausbringungsmengen, dann fördert sie das Hineinwachsen in jene Betriebs- und Unternehmensgröße, die erreicht werden muß, um die Kostenvorteile wachsender Losgrößen (economies of scale) in Beschaffung, Produktion und Absatz, im Bereich der Finanzierung und möglicherweise auch in dem von Forschung und Entwicklung hinreichend nutzen zu können.

Übersicht O–3: Ursachen und Komponenten der Unternehmenskonzentration

Ursachen der Unternehmenskonzentration				
Finanzierungsnachteile kleiner und mittlerer Unternehmen	Größenvorteile (economies of scale	Diversifizierungsvorteile (economies of scope)	Staatliche Rahmenbedingungen (Steuersystem; Patentrecht; Umweltpolitik u. a. m.)	Markteintrittsbarrieren durch Wettbewerbsnachteile neuer Anbieter oder Importbeschränkungen

Komponenten des Konzentrationsprozesses				
Unterschiedliches internes Unternehmenswachstum durch Leistungsdivergenzen	Marktaustritt von Unternehmen	Markteintritt neuer Anbieter	Unternehmenszusammenschlüsse (externes Unternehmenswachstum)	Verdrängung kleinerer Anbieter durch Unternehmen mit überragender Marktstellung

Gesamtwirtschaftliche Kostenersparnisse lassen sich nicht nur erzielen, wenn sich zwei Unternehmen von suboptimaler Größe zusammenschließen; als Beschaffungs- oder Absatzvorteile können sie auch im Fall vertikaler Konzentration relevant sein. Konglomerate Fusionen dürften dagegen nur selten die Möglichkeit eröffnen, economies of scale zu realisieren. Hier sind es folglich vor allem marktstrategische Erwägungen, die zu derartigen Engagements veranlassen: Durch ein breit diversifiziertes Produktionsprogramm kann das Unternehmenswachstum möglicherweise verstetigt, das Risiko durch Streuung der Aktivitäten vermindert und das bisher angebotene Sortiment abgerundet und damit in allen seinen Teilen attraktiver gemacht werden. Man bezeichnet diese Vorteile als „economies of scope". Das Eintreten in zuvor nicht bediente Märkte eröffnet neue Chancen der Expansion. Die Grenzen des Unternehmenswachstums können dadurch immer wieder erfolgreich hinausgeschoben werden. Denn sie bestehen nur dort, wo an traditionellen Angeboten auch dann noch festgehalten wird, wenn deren Märkte den Übergang von der Expansions- zur Sättigungsphase vollziehen oder ein absoluter Rückgang der Nachfrage den Beginn der Rückbildungsphase anzeigt (HEUSS, 1965).

Marktwirtschaft ist ein System dezentraler Planung. Staatliche Politik, die den Prozeß der Unternehmenskonzentration fördert, läuft folglich Gefahr, gegen das Prinzip der Ordnungskonformität wirtschaftspolitischen Handelns zu verstoßen (Beitrag Q-3.3). Ungeachtet dieser Bedenken gibt es eine Vielzahl von Belegen dafür, daß die Träger der staatlichen Wirtschaftspolitik, und sei es auch nur durch unbedachte Nebenwirkungen der von ihnen ergriffenen Maßnahmen, dem Prozeß der Unternehmenskonzentration zusätzliche Impulse verleihen: In Bedrängnis geratene Großunternehmen werden durch Subventionen gestützt, die die Wettbewerbsposition ihrer kleineren Konkurrenten verschlechtern; Forschungs- und Technologiepolitik fördert erfahrungsgemäß häufig die größeren Unternehmen einer Branche oder macht die Gewährung von Mitteln davon abhängig, daß zuvor durch Unternehmenszusammenschlüsse größere Unternehmenseinheiten gebildet werden. Umweltauflagen können Finanzierungserfordernisse begründen, die nur die großen Betriebe einer Branche zu erfüllen vermögen. Auch das Steuersystem und das Patentrecht sind zumeist nicht so ausgestaltet, daß sie in ihren Wirkungen „konzentrationsneutral" wären. Schließlich führt vermutlich auch Protektionismus zu einem höheren Konzentrationsgrad als er bei Freihandel zu erwarten wäre, da Importbeschränkungen den Markteintritt leistungsfähiger ausländischer Anbieter verhindern können, ohne daß der Marktaustritt ineffizienter heimischer Produzenten dauerhaft vermieden werden könnte *(Übersicht O–3)*.

Methoden und Probleme der Konzentrationsmessung

Zur regelmäßigen Begutachtung der Unternehmenskonzentration in der Bundesrepublik Deutschland wurde 1973 die *Monopolkommission* gebildet. Dieses Gremium unabhängiger Sachverständiger legt seit 1976 alle zwei Jahre ein Gutachten vor, in dem ein umfassender und detaillierter Überblick über Stand und Entwicklung der Unternehmenskonzentration gegeben wird.

Von der Vielzahl möglicher Verfahren zur Konzentrationsmessung werden von der *Monopolkommission* vornehmlich drei Konzentrationsmaße verwendet: Konzentrationsraten, der Hirschman-Herfindahl-Index und der Variationskoeffizient (zu Einzelheiten siehe: BLEYMÜLLER/GEHLERT, 1989). Die Konzentrationsrate (CR) weist aus, wie groß der zusammengefaßte Anteil (etwa) der 3, 6 oder 10 größten Unternehmen eines Marktes ist, den diese am gesamten Umsatz des betrachteten Marktes aufweisen. Wie *Übersicht O-4* zu entnehmen ist, betrug beispielsweise der aggregierte Anteil der 6 größten Anbieter (CR_6) im Jahre 1991 auf dem Zigarettenmarkt 98,4 v. H., auf dem Markt für Werkzeuge zur Metallbearbeitung dagegen nur 13,0 v. H.

Konzentrationsraten werden häufig verwendet, weil sie einfach zu errechnen sind und weil die verfügbaren Daten zumeist ausreichen, um die Ermittlung des Umsatzanteils der führenden Anbieter zuzulassen. Die Aussagefähigkeit dieses Konzentrationsmaßes ist jedoch begrenzt. So bietet es keine Informationen darüber, wie der Umsatzanteil, den die größten Unternehmen insgesamt bestreiten, sich auf die einzelnen Mitglieder dieser Gruppe aufteilt. Auch Verschiebungen dieser Verteilung, zu denen es im Zeitablauf in der Regel kommt, werden nicht sichtbar gemacht. Ebenso wenig wird eine Aussage darüber geboten, wieviele Unternehmen welche Anteile an dem Umsatz halten, der nicht auf die betrachtete Gruppe der größten Anbieter, sondern auf die übrigen Unternehmen entfällt.

Der Hirschman-Herfindahl-Index ist das arithmetische Mittel der mit sich selbst gewogenen Marktanteile. Die Marktanteile der Anbieter werden quadriert und summiert. Die Marktanteile der größten Anbieter werden also stärker gewichtet als die der kleineren. Die errechneten Werte werden zumeist mit 10 000 multipliziert, da sich andernfalls für stark besetzte Märkte sehr geringe Werte ergeben würden. Maximale Konzentration liegt vor, wenn ein Anbieter den gesamten Marktanteil auf sich vereint, also den Anteil eins hat. In diesem Fall nimmt der Hirschman-Herfindahl-Index den Wert 10 000 an. Der Hirschman-Herfindahl-Index erlangte wettbewerbspolitische Bedeutung durch die 1982 vom *U.S. Department of Justice* veröffentlichten „Merger Guidelines". Danach wird ein Markt als niedrig konzentriert angesehen, wenn der Hirschman-Herfindahl-Index Werte aufweist, die unter 1000 liegen. Als „mäßig konzentriert" gelten Märkte, wenn dieser Index Werte zwischen 1000 und 1800 annimmt; hoch konzentrierte Märkte sind nach dieser Klassifizierung schließlich dadurch gekennzeichnet, daß hier die Werte des Hirschman-Herfindahl-Index über 1800 liegen.

Der Zigarettenmarkt stellte in diesem Sinne einen hoch konzentrierten Markt dar (*siehe Übersicht O-4*). Hier sind nach den Kriterien der „Merger Guidelines" Unternehmenszusammenschlüsse als wettbewerbspolitisch unerwünscht anzusehen. Der geringe Wert, den der Hirschman-Herfindahl-Index für den Markt „Werkzeuge für die Metallbearbeitung" in *Übersicht O-4* für die Jahre 1978 und 1991 ausweist, würde hier nach den Maßstäben der „Merger Guidelines" zur Folge haben, daß ein Unternehmenszusammenschluß wahrscheinlich nicht beanstandet werden würde. Für die Handhabung der Zusammenschlußkontrolle des deutschen Wettbewerbsrechts besteht eine Klassifizierung, wie sie in den „Merger Guidelines" vorgenommen wurde, allerdings nicht; auch hier gilt jedoch, daß ein Unternehmenszusammenschluß auf einem bereits hoch konzentrierten Markt mit höherer Wahrscheinlichkeit untersagt werden wird als ein Zusammenschlußvorhaben, das für einen Markt mit geringem Konzentrationsgrad beabsichtigt wird.

Um die in der Berechnung des Hirschman-Herfindahl-Index enthaltene Verteilung der Marktanteile sichtbar zu machen, wird von der *Monopolkommission* zusätzlich der Variationskoeffizient errechnet. Dieser mißt die Standardabweichung der Markt-

Übersicht O-4: Kennzahlen zur Konzentrationsmessung

Konzentrationsmaß	Gering konzentrierter Markt. Beispiel: Werkzeuge für die Metallbearbeitung 1978	1991	Hoch konzentrierter Markt. Beispiel: Zigaretten 1978	1991
Anzahl der Anbieter	815	1053	14	10
Konzentrationsrate (concentration ratio)				
CR 3	6,3	7,3	67,5	69,0
CR 6	11,4	13,0	96,5	98,4
CR 10	17,1	18,1	96,5	100,0
Hirschman-Herfindahl-Index (× 10 000)	59	57,7	1830	2907
Variationskoeffizient (× 100)	194,5	225,4	125,0	104,8

Quelle: Monopolkommission, Hauptgutachten IX, 1992/93, Anlagenband, Baden-Baden 1994, Tabelle I.7

anteile in Prozent ihres Mittelwertes. Wie *Übersicht O-4* zeigt, streuten die Marktanteile 1991 auf dem Markt für Werkzeuge für die Metallbearbeitung erheblich stärker um den Mittelwert als auf dem Zigarettenmarkt.

Als ein wesentliches Merkmal der Marktstruktur besitzt der Konzentrationsgrad erhebliche Relevanz für das Marktverhalten und damit auch für das Marktergebnis. Aussagekräftig sind Angaben zur Unternehmenskonzentration in diesem Sinne jedoch nur, wenn sie sich tatsächlich auf die Gegebenheiten eines sachlich, räumlich und zeitlich korrekt abgegrenzten Marktes, also auf den wettbewerbspolitisch jeweils relevanten Markt beziehen.

Kriterien zur Beurteilung von Unternehmenszusammenschlüssen

Die für die Wettbewerbspolitik zentrale Frage nach den Wettbewerbswirkungen von Unternehmenszusammenschlüssen ist weder generell noch im Einzelfall einfach zu beantworten. Generelle Aussagen sind nicht möglich, weil ein durch externes Unternehmenswachstum bewirktes Ansteigen des Konzentrationsgrades je nach der speziellen Konstellation des zu prüfenden Falles wettbewerbsfördernd, wettbewerbsneutral oder wettbewerbshemmend wirken kann *(Übersicht O–5)*.

- Die Voraussetzungen für einen wirksamen Wettbewerb können sich verbessern, wenn zuvor bestehende Mängel unzureichender Wettbewerbsfähigkeit durch den Zusammenschluß geheilt werden und nach der Fusion noch genügend Unternehmen im Markt verbleiben, mit denen das neu entstandene Unternehmen sich als nunmehr gleichwertiger Akteur im Wettbewerbsgeschehen messen kann.

- Wettbewerbsneutral ist ein Unternehmenszusammenschluß, wenn Marktstruktur und Marktverhalten durch ihn nicht fühlbar verändert werden.
- Eine Beeinträchtigung des Wettbewerbs wird sich als Folge eines Unternehmenszusammenschlusses schließlich immer dann ergeben, wenn den Fusionspartnern dadurch Marktmacht zuwächst, die ihnen einen dauerhaften Wettbewerbsvorsprung verschafft und damit die Fortsetzung des Wettbewerbsprozesses als Aufeinanderfolge von differenzierenden und nivellierenden Strömen erschwert oder gar unmöglich macht.

Als ein System dezentraler Planung erfordert die Marktwirtschaft eine möglichst große Zahl autonomer Entscheidungsträger. Denn nur auf diese Weise eröffnet sich die Chance, daß sich individuelle Planungsirrtümer kompensieren, daß sich die Preise frei am Markt bilden und damit jederzeit zuverlässig über die Knappheitsrelationen der einzelnen Güter und Faktorleistungen informieren und daß Ungleichgewichte

Übersicht O-5: Wettbewerbswirkungen der Unternehmenskonzentration

Mögliche negative Wirkungen der Unternehmenskonzentration:	Bei überragender Marktstellung oder marktbeherrschender Position durch fehlenden Wettbewerbsdruck reduzierte Allokationseffizienz, Anpassungsflexibilität und Innovationsaktivität.	Verringerung des Grades der Dezentralisierung wirtschaftlicher Entscheidungen; dadurch Abnahme der Möglichkeit zur individuellen unternehmerischen Disposition und zur Wahrnehmung von Wahlmöglichkeiten.	Verstoß gegen Postulat einer leistungsbezogenen Einkommensverteilung durch Entstehen von Monopolrenten. Durch verminderten Wettbewerbsdruck Bildung nicht ausreichend begrenzter und kontrollierter wirtschaftlicher Macht.	Zunehmende Wahrscheinlichkeit von friedlichem Oligopolverhalten durch Verhaltensabstimmung und Verzicht auf Preiswettbewerb. Erhöhung der Markteintrittsbarrieren; dadurch verminderte Drohung des Wirksamwerdens potentieller Konkurrenz.
Mögliche positive Wirkungen der Unternehmenskonzentration:	Verbesserte Allokationseffizienz durch das Nutzen von Größenvorteilen. Beseitigung von Wettbewerbsnachteilen durch Erreichen der optimalen Unternehmensgröße.	Erhöhte Chancen zum Eintritt in neue Märkte auch bei Bestehen von Markteintrittsbarrieren. Gesteigerte Möglichkeit zur Finanzierung aufwendiger Projekte von Forschung und Entwicklung.	Verbesserte Fähigkeit zur Kompensation partieller Mißerfolge und zur Bewältigung von Unternehmenskrisen durch diversifiziertes Angebot und Präsenz auf einer Vielzahl von Märkten.	Gesteigerte internationale Wettbewerbsfähigkeit durch überlegene Befähigung von Großunternehmen zur Erschließung von Auslandsmärkten.

durch Revisionen der individuellen Wirtschaftspläne rasch beseitigt werden. Unternehmenszusammenschlüsse reduzieren den Grad der Dezentralisierung der Planungskompetenz. Sie können folglich bereits dann als wettbewerbspolitisch bedenklich angesehen werden, wenn das Ausmaß der durch sie geschaffenen Marktmacht gesellschaftspolitisch noch tolerierbar erscheint (KANTZENBACH, 1990, 1)

4. Instrumente der Wettbewerbspolitik

4.1. Kartellverbot

Verträge, die Unternehmen oder Vereinigungen von Unternehmen zu einem gemeinsamen Zweck schließen, und Beschlüsse von Vereinigungen von Unternehmen sind nach deutschem Wettbewerbsrecht unwirksam, „soweit sie geeignet sind, die Erzeugung oder die Marktverhältnisse für den Verkehr mit Waren und gewerblichen Leistungen durch Beschränkungen des Wettbewerbs zu beeinflussen" (§ 1 GWB).

Die vom Gesetzgeber zur rechtlichen Ausgestaltung des damit ausgesprochenen Kartellverbotes gewählten Formulierungen haben schon kurze Zeit nach dem Inkrafttreten des GWB im Jahre 1958 unterschiedliche Interpretationen erfahren, die zum Teil darauf abzielten, die Anwendbarkeit der Vorschrift durch enge Auslegung möglichst zu begrenzen. Von besonderer Bedeutung waren dabei die Kontroverse, ob dem § 1 GWB die „Gegenstandstheorie" oder die „Folgetheorie" zugrundeliege, und der Streit über die Frage, ob mit dieser Vorschrift auch das aufeinander abgestimmte Verhalten erfaßt werden könne:

- Nach der Gegenstandstheorie ist das Kartellverbot des § 1 GWB nur auf Verträge anwendbar, die eine Beeinträchtigung des Wettbewerbs zum Gegenstand haben, also die Parteien zu wettbewerbsbeschränkendem Verhalten verpflichten. Verträge, die eine rechtliche Bindung des Wettbewerbsverhaltens der beteiligten Unternehmen nicht vorsehen, wären demnach auch dann erlaubt, wenn sie tatsächlich wettbewerbsbeschränkend wirken.
- Nach der Folgetheorie sind allein die Auswirkungen des Vertrages auf den Wettbewerb relevant. Alle Verträge, die eine Beschränkung des Wettbewerbs zur Folge haben, verstoßen nach dieser Auffassung gegen § 1 GWB und sind somit unwirksam.

Die Rechtsprechung hat sich lange Zeit von der Argumentation der Gegenstandstheorie leiten lassen (MÖSCHEL, 1972). Das mag den Vorzug eines höheren Maßes an Rechtssicherheit gehabt haben; die Effizienz des Verbotsprinzips hat durch diese Deutung jedoch Schaden genommen.

Die Einsicht, daß das Kartellverbot des § 1 GWB bei seiner Auslegung nach der strengen Gegenstandstheorie weitgehend wirkungslos werden könnte, hat mittlerweile auch die einschlägige Rechtsprechung dazu veranlaßt, weniger restriktive Interpretationen anzuerkennen, ohne damit bereits ein klares Bekenntnis zur Folgetheorie abzulegen. Dieses Zögern erklärt sich vor allem aus dem Mangel an Rechtssicherheit, der sich bei konsequenter Anwendung der Folgetheorie ergeben könnte. Da es hier allein auf die wettbewerbsbeschränkende Wirkung der getroffenen Vereinbarung ankommt, könnte ein Vertrag, der zunächst als unbedenklich anzusehen war, bei sich ändernden Marktdaten dann doch den Verbotstatbestand des § 1 GWB erfüllen. Für die Rechtsprechung ist die Diskussion um Gegenstands- und Folgetheorie dadurch weitgehend irrelevant geworden, daß sich hier mittlerweile die sogenannte Zwecktheorie durchgesetzt hat, die auch dann eine Wettbewerbsbeschränkung annimmt, wenn diese zwar nicht Vertragsinhalt ist, wohl aber den gemeinsamen Zweck der Vertragsparteien bildet.

Kontrovers war lange Zeit ferner die Frage, ob der § 1 GWB auch das aufeinander abgestimmte Verhalten erfaßt, bei dem die beteiligten Unternehmen keine rechtliche, wohl aber eine möglicherweise gleich wirksame moralische, gesellschaftliche oder wirtschaftliche Bindung eingehen. Die Rechtsprechung hat diese Frage mehrfach verneint. Die daraus resultierende Gefahr einer weitgehenden Irrelevanz des im GWB ausgesprochenen Kartellverbotes führte dazu, daß im Rahmen der zweiten Novellierung des Gesetzes vom 23. August 1973 mit der Vorschrift des § 25 Abs. 1 GWB ein Verbot des aufeinander abgestimmten Verhaltens neu in das Gesetz aufgenommen wurde. Das bloße Parallelverhalten bleibt weiterhin unerfaßt. Die Verbotsnorm greift jedoch bereits, wenn nachgewiesen werden kann, daß Unternehmen ihr Verhalten bewußt und gewollt voneinander abhängig gemacht haben; eine vertragliche Bindung muß dazu nicht eingegangen worden sein.

Wenn auf diese Weise auch eine Lücke des Gesetzes geschlossen wurde, so muß es doch vorerst dahingestellt bleiben, ob die Effizienz des wettbewerbspolitischen Instrumentariums dadurch tatsächlich wesentlich gesteigert worden ist. Denn der Nachweis eines aufeinander abgestimmten Verhaltens bleibt weiterhin außerordentlich schwierig, zumal in Verdacht geratene Unternehmen offenkundige Übereinstimmungen im Einsatz ihrer Aktionsparameter zumeist unwiderlegbar als bewußtes und damit nicht zu ahndendes Parallelverhalten darstellen können.

Ausnahmen vom Kartellverbot

Die Strenge, mit der § 1 GWB Kartellverträge für unwirksam erklärt, wird nicht nur dadurch abgeschwächt, daß die im Gesetz enthaltenen Umgehungsverbote vielfach aufgelockert werden; auch vom Kartellverbot selbst gibt es eine Vielzahl von Ausnahmen. So bedürfen bestimmte Kartellarten nur der Anmeldung bei der Kartellbehörde, um wirksam zu werden (Anmeldekartelle); andere erlangen diese Wirksamkeit, wenn sie angemeldet worden sind und ihnen die Kartellbehörde nicht binnen einer Frist von drei Monaten widerspricht (Widerspruchskartelle). Wieder andere müssen oder können erlaubt werden, wenn sie die dafür vorgesehenen gesetzlichen Ansprüche erfüllen (Erlaubniskartelle). Über Einzelheiten informiert die *Übersicht O–6* (s. auch: Cox, 1981).

Die zahlreichen Ausnahmen, die das Kartellverbot des § 1 GWB in den §§ 2–8 dieses Gesetzes erfährt, schränken seine Gültigkeit stark ein. Nur für reine Preiskartelle von Großunternehmen besteht nicht die Möglichkeit, durch eine dieser Ausnahmeregeln legitimiert zu werden (Emmerich, 1975, 2, 6. A. 1991).

Übersicht O-6: Ausnahmen vom Kartellverbot und ihre Begründung

Kartellart	Gegenstand des Kartellvertrages (Legaldefinition)	GWB-Regelung	Begründung der Freistellung vom Kartellverbot
Konditionenkartell (§ 2 GWB)	Einheitliche Anwendung allgemeiner Geschäfts-, Lieferungs- und Zahlungsbedingungen	Widerspruchs-K.: Anmeldepflicht; bei Erlaubnis Eintragung in das Kartellregister. Wirksam, wenn Kartellbehörde nicht innerhalb von 3 Monaten nach Eingang der Anmeldung widerspricht. Widerspruch möglich, soweit der Kartellvertrag einen Mißbrauch der durch die Freistellung vom Kartellverbot erlangten Stellung im Markt darstellt.	Die Freistellung vom Kartellverbot des § 1 GWB wird in der amtlichen Begründung zum Regierungsentwurf eines GWB mit der Vermutung gerechtfertigt, Konditionenkartelle seien geeignet, die Markttransparenz zu verbessern und die Vertragsabwicklung zu erleichtern. Ihre Wirkung sei somit wettbewerbsfördernd.
Rabattkartell (§ 3 GWB)	Einheitliche Rabattgewährung	Widerspruchs-K.: Anmeldepflicht; bei Erlaubnis Eintragung in das Kartellregister. Gefordert wird der Nachweis, daß Rabatte ein echtes Leistungsentgelt darstellen und nicht zu einer ungerechtfertigt unterschiedlichen Behandlung von Abnehmern führen, die gegenüber den Lieferanten die gleiche Leistung erbringen.	Die Ausnahme vom Kartellverbot wird vom Gesetzgeber mit der Vermutung begründet, Rabattkartelle würden eine höhere Markttransparenz zur Folge haben; auch könne durch sie „Rabattschleuderei" und unerwünschte „Preisdiskriminierung" verhindert werden.
Strukturkrisenkartell (§ 4 GWB)	Planmäßige Anpassung der Kapazität an den Bedarf bei Absatzrückgang, der auf nachhaltiger Änderung der Nachfrage beruht.	Erlaubnis-K. ohne Anspruch auf Erlaubnis: Erlaubnis kann erteilt werden, wenn der Kartellvertrag zur Kapazitätsanpassung notwendig ist und die Regelung unter Berücksichtigung der Gesamtwirtschaft und des Gemeinwohls erfolgt.	Der Gesetzgeber ließ sich bei dieser Ausnahmeregelung von der Vorstellung leiten, der Anpassungszwang eines freien Leistungswettbewerbs reiche bisweilen nicht aus, um Überkapazitäten genügend rasch zu beseitigen; auch könne der durch Wettbewerb bewirkte Anpassungsdruck zu nicht akzeptierbaren sozialen Härten führen.
Normen- und Typenkartell;	Einheitliche Anwendung von Nor-	Erlaubnis-K. mit Anspruch auf Erlaubnis: Erlaubnis ist zu erteilen,	In der amtlichen Begründung zum Regierungsentwurf eines GWB wird die

Rationalisierungskartell (§ 5 GWB)	men oder Typen (§ 5 Abs. 1 GWB); Steigerung der Leistungsfähigkeit oder Wirtschaftlichkeit in technischer betriebswirtschaftlicher oder organisatorischer Beziehung (§ 5 Abs. 2 GWB).	wenn die Regelung der Rationalisierung wirtschaftlicher Vorgänge dient und geeignet ist, die Leistungsfähigkeit oder Wirtschaftlichkeit der beteiligten Unternehmen in technischer, betriebswirtschaftlicher oder organisatorischer Beziehung wesentlich zu heben und dadurch die Befriedigung des Bedarfs zu verbessern. Der Rationalisierungserfolg soll in einem angemessenen Verhältnis zu der damit verbundenen Wettbewerbsbeschränkung stehen.	Auffassung vertreten, daß „gemeinsame Maßnahmen, die der Rationalisierung des Geschäftsverkehrs und der Ausschaltung unlauteren Wettbewerbs dienen, ... nicht als Wettbewerbsbeschränkung angesehen werden können und daß grundsätzlich diejenigen Marktmaßnahmen statthaft sein müssen, die durch Beschränkung des Wettbewerbs erst die Vorraussetzung für eine Leistungssteigerung und verbesserte Versorgung der Verbraucher bewirken (Rationalisierung)".
Spezialisierungskartell (§ 5a GWB)	Rationalisierung wirtschaftlicher Vorgänge durch Spezialisierung	Widerspruchs-K.: Anmeldepflicht. Erlaubnis setzt voraus, daß das Kartell wesentlichen Wettbewerb bestehen läßt.	Kartelle der im § 5a GWB vom Kartellverbot freigestellten Art gelten dem Gesetzgeber als „gute Bagatellkartelle", weil sie die Leistungsfähigkeit und die Wirtschaftskraft der beteiligten Unternehmen steigern, ohne daß der Wettbewerb auf dem relevanten Markt wesentlich beschränkt wird.
Kooperationskartell (§ 5b GWB)	Rationalisierung wirtschaftlicher Vorgänge durch zwischenbetriebliche Zusammenarbeit anderer als im § 5a GWB (Spezialisierungskartell) bezeichneten Art.	Widerspruchs-K.: Anmeldepflicht. Erlaubnis setzt voraus, daß der Wettbewerb durch die Kartellvereinbarung nicht wesentlich beeinträchtigt wird; ferner muß diese dazu dienen, die Leistungsfähigkeit kleiner oder mittlerer Unternehmen zu fördern.	Kleinen und mittleren Unternehmen soll durch die Vorschrift des § 5b GWB die Möglichkeit eröffnet werden, ihre Leistungsfähigkeit durch Kooperation zu steigern. Ein durch Kooperation erlangtes höheres Maß an Wettbewerbsfähigkeit soll die Voraussetzungen für einen dauerhaft wirksamen Wettbewerb vor allem auf solchen Märkten verbessern, die durch erhebliche Größenunterschiede zwischen den einzelnen Anbietern gekennzeichnet sind.
Ausfuhrkartell (§ 6 GWB)	Sicherung und Förderung der Ausfuhr.	Reine Ausfuhrkartelle ohne Inlandswirkungen unterliegen nicht dem GWB. Ausfuhrkartellen	Die amtliche Begründung zum Regierungsentwurf eines GWB rechtfertigt die Zulassung von Ausfuhrkar-

		mit Vereinbarungen, die auch inländische Märkte betreffen, ist die Erlaubnis zu erteilen, wenn die Inlandsregelung notwendig ist, um die angestrebte Wettbewerbsbeschränkung auf dem Auslandsmarkt zu gewährleisten. Die Erlaubnis ist zu versagen, wenn durch das Kartell auf dem Inlandsmarkt eine wesentliche Beschränkung des Wettbewerbs bewirkt wird und das Interesse an der Erhaltung des Wettbewerbs überwiegt.	tellen mit dem Hinweis, daß „viele ausländische Staaten keine oder doch keine restriktive Kartellgesetzgebung (haben) ... Es wäre eine ungerechtfertigte Erschwerung für die deutsche Exportwirtschaft, wenn ihr das Gesetz Bindungen auferlegen wollte, die stärker sind als die Bindungen der ihr im Ausland gegenüberstehenden Konkurrenz".
Einfuhrkartell (§ 7 GWB)	Kartellvertrag bezieht sich ausschließlich auf Einfuhrregelungen	Erlaubnis-K. ohne Anspruch auf Erlaubnis: Erlaubnis kann erteilt werden, wenn Legaldefinition erfüllt ist und die deutschen Bezieher keinem oder nur unwesentlichem Wettbewerb der ausländischen Anbieter gegenüberstehen. Die Erlaubnis ist zu versagen, wenn durch das Kartell auf dem Inlandsmarkt eine wesentliche Beschränkung des Wettbewerbs bewirkt wird und das Interesse an der Erhaltung des Wettbewerbs überwiegt.	Vom Gesetzgeber wird die Freistellung vom Kartellverbot mit der Vermutung begründet, die Zusammenfassung der inländischen Nachfrage durch Gemeinschaften von Importeuren ermögliche es, bei kartelliertem oder monopolisiertem ausländischem Angebot durch die erlangte Gegenmarktmacht (countervailing power) Preissenkungen für den Inlandsmarkt zu erreichen.
Sonderkartell (Notstandskartell; Ministerkartell) (§ 8 GWB)	Kartellvertrag unterliegt dem Kartellverbot des § 1 GWB und erfüllt keine der Freistellungsvoraussetzungen der §§ 2–7 GWB	Der Bundesminister für Wirtschaft kann auf Antrag jedes Kartell erlauben, wenn ausnahmsweise die Beschränkung des Wettbewerbs aus überwiegenden Gründen der Gesamtwirtschaft und des Gemeinwohls notwendig ist (§ 8 Abs. 1 GWB).	Die Bestimmung des § 8 Abs. 2 (Notstandskartell) soll eine Genehmigung von Kartellen dort zulassen, wo eine Branche durch eine konjunkturell, strukturell oder „politisch" verursachte „Krise" in ihrem Bestand bedroht wird, (andere) wirtschaftspolitische Maßnahmen nicht (rechtzeitig) getroffen werden können und eine Beschränkung des Wettbewerbs zur „Überwindung der Krise" geeignet ist.

Wettbewerbstheoretisch lassen sich gegen alle Kartellarten, die das GWB zuläßt oder deren Genehmigung es möglich macht, Bedenken erheben. Der grundlegende Einwand ist dabei stets der gleiche: Jedes Kartell bindet seine Mitglieder an eine ex ante festgelegte einheitliche Lösung. Es steht damit im Gegensatz zum Verfahren des marktwirtschaftlichen Wettbewerbs, durch das möglichst viele und möglichst unterschiedliche Alternativen am Markt auf ihre Brauchbarkeit überprüft werden sollen, um die besten Lösungen zu entdecken. Diese wären dann zur Bewahrung ihrer Wettbewerbsfähigkeit von allen Anbietern zu übernehmen. Dieses Such- und Entdeckungsverfahren zum Aufspüren bis dahin unbekannter Produkte und Produktionsverfahren wird durch Kartellbildung regelmäßig für jene Bereiche ausgeschlossen, die im Kartellvertrag für alle einheitlich und verbindlich geregelt werden.

Besonders offenkundig wird die grundsätzliche Antinomie einer Koordinierung des Anbieterverhaltens durch Kartellbildung oder Kooperation und der Abstimmung der einzelnen Produktionspläne durch die Verbindung von Leistungswettbewerb und Marktpreisbildung im Falle der Rationalisierungskartelle. Diese sollen Kostenersparnisse erbringen, die Leistungsfähigkeit der beteiligten Unternehmen steigern und dadurch zu einem besseren Marktergebnis führen. Hier wird also durch kollektives Handeln genau das angestrebt, was im Konzept der Marktwirtschaft als wesentliche gesamtwirtschaftliche Funktion eines wirksamen Wettbewerbs gilt.

Die wettbewerbliche Lösung scheint dabei dem Verfahren der Kartellierung bei vordergründiger Betrachtung unterlegen zu sein, weil sie unter Inkaufnahme von Faktorverschwendung durch Parallelanstrengungen erst am Ende eines Prozesses von „trial and error" jene Lösungen erreicht, die das Kartell möglicherweise schneller und zu geringeren Koordinierungskosten für alle durchsetzen kann. Eine derartige Vermutung ist jedoch nur zutreffend, wenn die jeweils beste Lösung bereits im Vorhinein bekannt ist, so daß sie nur noch im Kartellvertrag konkretisiert und von allen Unternehmen angewendet werden muß. Auch muß diese Lösung ihre Attraktivität im Zeitablauf bewahren. Sie darf also nicht durch sich ändernde Konsumentenpräferenzen, durch Verschiebungen der Faktorpreis-Relationen oder durch das Wirksamwerden von technischem Fortschritt obsolet werden.

4.2. Mißbrauchsaufsicht

Bestehende Marktmacht wird im GWB akzeptiert. Bestimmungen, die eine Politik der De-Konzentration weitgehend monopolisierter Märkte ermöglichen, enthält es nicht. Verhindert werden soll jedoch, daß Marktmacht mißbraucht wird. Die dazu geschaffene Mißbrauchsaufsicht wird vor allem im § 22 GWB geregelt. In ihrer ursprünglichen Fassung forderte diese Vorschrift von der Kartellbehörde den Nachweis, „daß die Preise oder Geschäftsbedingungen erheblich von dem Stand abweichen, der bei wirksamem Wettbewerb bestehen würde und daß für diesen Unterschied eine sachliche Rechtfertigung nicht vorhanden ist".

Im Rahmen der ersten Novellierung des GWB vom 1. 1. 1965 wurde diese sehr eng gefaßte Definition des Mißbrauchstatbestandes aufgegeben und dafür eine Generalklausel eingeführt. Sie sollte es der Kartellbehörde ermöglichen, in allen Fällen untersagend einzugreifen, in denen „Unternehmen ihre marktbeherrschende Stellung auf dem Markt für diese oder andere Waren oder gewerbliche Leistungen mißbräuchlich ausnutzen“.

Auch in dieser Fassung erwies sich die Regelung der Mißbrauchsaufsicht als wenig wirksam. Als wesentlicher Grund dafür galt die vom Gesetzgeber gewählte Abgrenzung des Tatbestandes der Marktbeherrschung, der nur dann als erfüllt angesehen wurde, wenn „ein Unternehmen für eine bestimmte Art von Waren oder gewerblichen Leistungen ohne Wettbewerber ist oder keinem wesentlichen Wettbewerb ausgesetzt ist.“

Die zweite Kartellgesetznovelle vom 3. 8. 1973 versuchte diesem Mangel dadurch abzuhelfen, daß sie den Kreis der Adressaten der Mißbrauchsaufsicht erweiterte und Vermutungstatbestände in das Gesetz aufnahm, die den Nachweis einer marktbeherrschenden Stellung erleichtern sollen. So findet der Begriff der Marktbeherrschung nunmehr auch auf Unternehmen Anwendung, die im Verhältnis zu ihren Wettbewerbern eine „überragende Marktstellung“ aufweisen. Als Kriterien einer derartigen Wettbewerbsposition nennt das Gesetz den Marktanteil sowie die Finanzkraft des Unternehmens, seinen Zugang zu den Beschaffungs- und Absatzmärkten, Verflechtungen mit anderen Unternehmen und das Bestehen von Marktzutrittsschranken (s. *Übersicht O–7*).

Der Tatbestand des Mißbrauchs wird in § 22 GWB lediglich durch das Aufzählen einiger Beispiele verdeutlicht. Im übrigen beläßt es der Gesetzgeber bei der Feststellung, daß die Kartellbehörde untersagend eingreifen und Verträge für unwirksam erklären kann, wenn eine marktbeherrschende Stellung mißbräuchlich ausgenutzt wird. Ein Verweis auf den Zweck des § 22 GWB ist für die Interpretation des Begriffes Mißbrauch kaum ergiebig. Die Mißbrauchsaufsicht hat die Aufgabe, eine Ausnutzung der vom Wettbewerb nicht kontrollierten Handlungsspielräume zu Lasten Dritter zu unterbinden. Die auf diesen Märkten nicht mehr wirksame „unsichtbare Hand“ des Lenkungs- und Kontrollverfahrens Wettbewerb soll hier gleichsam durch die „sichtbare Hand“ der Wettbewerbsbehörde ersetzt werden. Diese hat somit die Aufgabe, marktbeherrschende Unternehmen nach Möglichkeit zu einem wettbewerbsanalogen Verhalten zu veranlassen.

Dabei kann auf die Ursache des fehlenden Wettbewerbs und eines unter Umständen mißbräuchlichen Verhaltens, nämlich auf das Bestehen einer marktbeherrschenden Position, kein Einfluß genommen werden; sie ist als Datum zu akzeptieren. Auch kann von der Wettbewerbsbehörde zwar mißbräuchliches Verhalten untersagt, jedoch nur begrenzt positives Handeln angeordnet werden. Sie ist nicht imstande, ein Marktverhalten herbeizuführen, das vor allem auch gewährleistet, daß die sogenannten dynamischen Funktionen des Wettbewerbs, also eine rasche Anpassung der Angebots- an eine sich wandelnde Nachfragestruktur und eine befriedigende Innovationsrate hinreichend verwirklicht werden. Möglich ist lediglich die Korrektur eines unerwünschten Marktergebnisses im Einzelfall, ein Ansatz, der als „regulation approach“ bezeichnet wird (SCHMIDT, 1973, 4. A. 1993; HERDZINA, 1984, 4. A. 1993).

Die Kriterien, nach denen eine derartige Marktergebniskontrolle betrieben wird, sind umstritten. Da die sich hier ergebenden Probleme besonders geeignet erscheinen, um

Übersicht O–7: Mißbrauchsaufsicht nach § 22 GWB

1. Definition der Marktbeherrschung (sog. Monopolvermutung).	Ein Unternehmen ist marktbeherrschend..., soweit es als Anbieter oder Nachfrager einer bestimmten Art von Waren oder gewerblichen Leistungen 1. ohne Wettbewerber ist oder keinem wesentlichen Wettbewerb ausgesetzt ist oder 2. eine im Verhältnis zu seinen Wettbewerbern überragende Marktstellung hat;... (§ 22 Abs. 1 GWB).
2. Vermutungskriterien für das Bestehen einer überragenden Marktstellung.	... hierbei sind sein Marktanteil, seine Finanzkraft, sein Zugang zu den Beschaffungs- oder Absatzmärkten, Verflechtungen mit anderen Unternehmen, die Fähigkeit, sein Angebot oder seine Nachfrage auf andere Waren oder gewerbliche Leistungen umzustellen, die Möglichkeit der Marktgegenseite, auf andere Unternehmen auszuweichen, sowie rechtliche oder tatsächliche Schranken für den Marktzutritt anderer Unternehmen zu berücksichtigen ... (§ 22 Abs. 1 GWB).
3. Marktbeherrschendes Oligopol (sog. Oligopolvermutung).	Als marktbeherrschend gelten auch zwei oder mehr Unternehmen, soweit zwischen ihnen... ein wesentlicher Wettbewerb nicht besteht und soweit sie in ihrer Gesamtheit die Voraussetzungen des Absatzes 1 erfüllen (§ 22 Abs. 2 GWB).
4. Vermutungskriterien für das Bestehen eines Monopols.	Es wird vermutet, daß ein Unternehmen marktbeherrschend... ist, wenn es... einen Marktanteil von mindestens einem Drittel hat;... (§ 22 Abs. 3 GWB).
5. Vermutungskriterien für das Bestehen einer marktbeherrschenden Oligopolgruppe.	Es wird vermutet, daß die Voraussetzungen des Absatzes 2 vorliegen, wenn... a) drei oder weniger Unternehmen zusammen einen Marktanteil von 50 v. H. oder mehr haben oder b) fünf oder weniger Unternehmen zusammen einen Marktanteil von zwei Dritteln oder mehr haben (§ 22 Abs. 3 GWB).
6. Bagatellklausel.	Die Monopolvermutung gilt nicht gegenüber Unternehmen, die im letzten abgeschlossenen Geschäftsjahr Umsatzerlöse von weniger als 250 Mill. DM hatten (§ 22 Abs. 3 GWB). Die Oligopolvermutung greift nicht gegenüber Unternehmen mit Umsatzerlösen von weniger als 100 Mill. DM.
7. Eingreifkriterium der Mißbrauchsaufsicht.	Die Kartellbehörde hat gegenüber marktbeherrschenden Unternehmen die in Absatz 5 genannten Befugnisse, soweit diese ihre marktbeherrschende Stellung... mißbräuchlich ausnutzen (§ 22 Abs. 4 GWB).
8. Spezifizierung des Eingreifkriteriums.	Ein Mißbrauch im Sinne des Absatzes 1 liegt insbesondere vor, wenn ein marktbeherrschendes Unternehmen... 1. die Wettbewerbsmöglichkeiten anderer Unternehmen in einer für den Wettbewerb auf dem Markt erheblichen Weise ohne sachlich gerechtfertigten Grund beeinträchtigt; 2. Entgelte oder sonstige Geschäftsbedingungen fordert, die sich bei wirksamem Wettbewerb mit hoher Wahrscheinlichkeit nicht ergeben würden;... 3. ungünstigere Entgelte oder sonstige Geschäftsbedingungen fordert, als sie das marktbeherrschende Unternehmen selbst auf vergleichbaren Märkten von gleichartigen Abnehmern fordert, es sei denn, daß der Unterschied sachlich gerechtfertigt ist (§ 22 Abs. 4 GWB).
9. Befugnisse des Bundeskartellamtes.	Die Kartellbehörde kann unter den Voraussetzungen des Absatzes 4 marktbeherrschenden Unternehmen ein mißbräuchliches Verhalten untersagen und Verträge für unwirksam erklären.... Zuvor soll die Kartellbehörde die Beteiligten auffordern, den beanstandeten Mißbrauch abzustellen (§ 22 Abs. 5 GWB).

konzeptionelle Schwierigkeiten einer rationalen Wettbewerbspolitik zu veranschaulichen, werden wir sie in den Abschnitten 5.1 bis 5.3 ausführlich behandeln.

4.3. Zusammenschlußkontrolle

In seiner ursprünglichen Fassung war das GWB in dem Sinne durch ein „fundamentales Ungleichgewicht" (GÜNTHER, 1968) gekennzeichnet, daß das Gewinnen von Marktmacht durch Kartellbildung grundsätzlich verboten, das Begründen einer marktbeherrschenden Stellung durch Zusammenschluß jedoch statthaft war. Erst 1973 wurde dieser Mangel durch die Einführung einer Zusammenschlußkontrolle geheilt. Dieses Instrument greift jedoch vergleichsweise spät; auch wird seine Gültigkeit durch zwei Ausnahmen wesentlich eingeschränkt.

Nur Unternehmenszusammenschlüsse, durch die eine marktbeherrschende Stellung begründet oder verstärkt wird, können untersagt werden. Gelingt den Unternehmen der Nachweis, daß durch ihren Zusammenschluß auch eine Verbesserung der Wettbewerbsbedingungen eintritt und daß diese die Nachteile der Marktbeherrschung überwiegt, ist der Zusammenschluß zulässig (Abwägungsklausel des § 24 Abs. 1 GWB). Wird ein derartiger Nachweis nicht erbracht, kann der BUNDESMINISTER FÜR WIRTSCHAFT auf Antrag die Erlaubnis zu dem Zusammenschluß dennoch erteilen, wenn die Wettbewerbsbeschränkung von gesamtwirtschaftlichen Vorteilen des Zu-

Übersicht O–8: Verfahren der Zusammenschlußkontrolle nach § 24 GWB

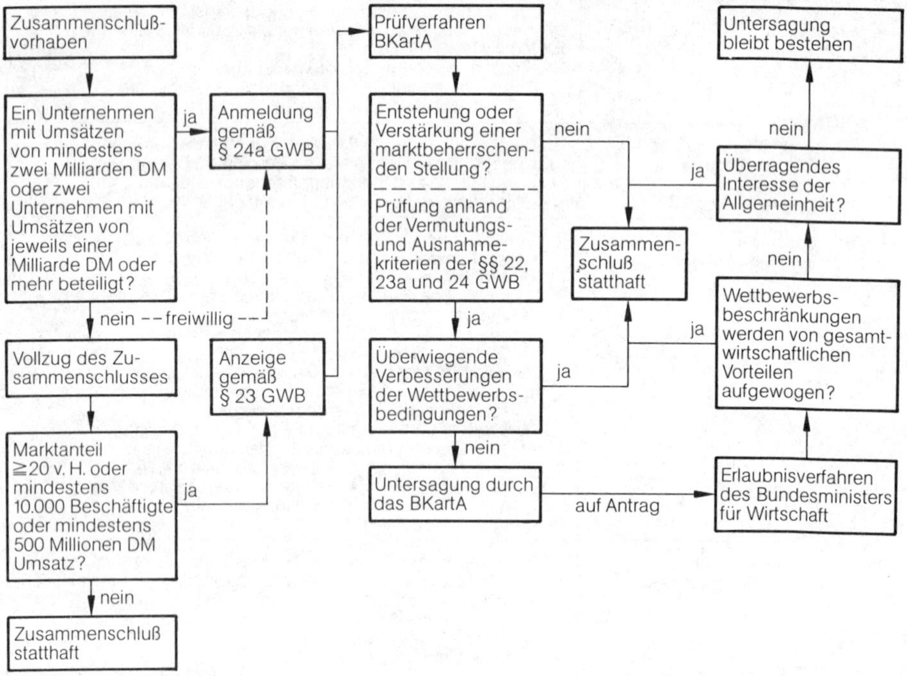

Übersicht O–9: Vermutungs- und Ausnahmekriterien der Zusammenschlußkontrolle

§ 22 GWB	Die in § 22 GWB gegebenen Definitionen von Marktbeherrschung und die dort genannten Vermutungstatbestände sind auch im Rahmen der Zusammenschlußkontrolle relevant.
§ 23 GWB	Es wird vermutet, daß durch den Zusammenschluß eine überragende Marktstellung entsteht oder sich verstärken wird, wenn
Anschluß an ein Groß-unternehmen	1. sich ein Unternehmen, das im letzten vor dem Zusammenschluß endenden Geschäftsjahr Umsatzerlöse von mindestens zwei Milliarden DM hatte, mit einem anderen Unternehmen zusammenschließt, das
Mittelstands-klausel	a) auf einem Markt tätig ist, auf dem kleine und mittlere Unternehmen insgesamt einen Marktanteil von mindestens zwei Dritteln und die am Zusammenschluß beteiligten Unternehmen einen Marktanteil von insgesamt mindestens 5 v. H. haben, oder
Anschluß eines „Markt-beherrschers"	b) auf einem oder mehreren Märkten marktbeherrschend ist, auf denen insgesamt ... mindestens 150 Millionen DM umgesetzt wurden, oder
Ressourcen-vermutung	2. die am Zusammenschluß beteiligten Unternehmen insgesamt Umsatzerlöse von mindestens zwölf Milliarden DM und mindestens zwei der beteiligten Unternehmen Umsatzerlöse von jeweils mindestens einer Milliarde DM hatten.
Markt-beherrschende Unternehmens-gruppe	Es gilt auch eine Unternehmensgruppe als marktbeherrschend, wenn sie 1. aus drei oder weniger Unternehmen besteht, die auf einem Markt die höchsten Marktanteile und zusammen einen Marktanteil von 50 v. H. erreichen, oder 2. aus fünf oder weniger Unternehmen besteht, die auf einem Markt die höchsten Marktanteile und zusammen einen Marktanteil von zwei Dritteln erreichen ...
Ausnahme-regelung	Die Vermutung gilt nicht, soweit es sich um Unternehmen handelt, die Umsatzerlöse von weniger als 150 Millionen DM hatten oder wenn die beteiligten Unternehmen insgesamt einen Marktanteil von nicht mehr als 15 v. H. erreichen.
§ 24 GWB	Wird durch einen Zusammenschluß eine marktbeherrschende Stellung erreicht oder verstärkt, so hat das BKartA die in § 24 Abs. 2–7 genannten Befugnisse. Dies gilt jedoch nicht,
Zusammenschluß kleiner und mittlerer Unternehmen	1. wenn die beteiligten Unternehmen insgesamt Umsatzerlöse von weniger als 500 Millionen DM hatten oder
Anschluß eines Klein-unternehmens	2. wenn sich ein unabhängiges Unternehmen mit Umsatzerlösen von nicht mehr als 50 Millionen DM einem anderen Unternehmen anschließt, es sei denn, das eine Unternehmen hatte Umsatzerlöse von mindestens vier Millionen DM und das andere Unternehmen Umsatzerlöse von mindestens einer Milliarde DM, oder
Bagatellmarkt-klausel	3. soweit ein Markt betroffen ist, auf dem seit mindestens fünf Jahren Waren oder gewerbliche Leistungen angeboten werden und auf dem im letzten Kalenderjahr weniger als zehn Millionen DM umgesetzt wurden.

sammenschlusses aufgewogen wird oder dieser durch eine überragendes Interesse der Allgemeinheit gerechtfertigt ist (Ministererlaubnis nach § 24 Abs. 3. GWB). Über Einzelheiten informieren die *Übersichten O–8* und *O–9*.

Während das Bundeskartellamt durch die Formulierung des § 24 Abs. 1 GWB dazu angehalten wird, genehmigungspflichtige Unternehmenszusammenschlüsse allein nach ihren Wettbewerbswirkungen zu beurteilen, räumt der Abs. 3 dieser Vorschrift einen erheblichen Ermessensspielraum ein. Worin mögliche „gesamtwirtschaftliche Vorteile“ eines Zusammenschlusses bestehen und woraus sich das „überragende Interesse der Allgemeinheit“ ergeben könnte, läßt das Gesetz ungeklärt. Die hier erforderliche Interpretation und Gewichtung obliegt dem Bundesminister für Wirtschaft. Er ist dabei in seiner Handlungsfreiheit nur durch die Bestimmung eingeschränkt, daß die Erlaubnis lediglich erteilt werden darf, „wenn durch das Ausmaß der Wettbewerbsbeschränkung die marktwirtschaftliche Ordnung nicht gefährdet wird“. Die Erlaubnis kann dabei mit Beschränkungen und Auflagen versehen werden; diese dürfen sich jedoch nicht darauf richten, die beteiligten Unternehmen einer laufenden Verhaltenskontrolle zu unterstellen (§ 24 Abs. 3 GWB).

4.4 Europäisches Wettbewerbsrecht

Der Vertrag zur Gründung der Europäischen Wirtschaftsgemeinschaft zielt grundsätzlich auf die Herstellung einer Wettbewerbsordnung. So klärt bereits der grundlegende Artikel 2 dieses Vertrages darüber auf, daß man die Ziele der Gemeinschaft vornehmlich durch die „Errichtung eines Gemeinsamen Marktes“ zu erreichen gedenkt; und in Artikel 9 EG-Vertrag heißt es: „Grundlage der Gemeinschaft ist eine Zollunion“.

Die durch diese und andere Formulierungen des Vertrages für verbindlich erklärte wirtschaftspolitische Konzeption gründet sich auf die Überzeugung, ein möglichst unbeschränkter Leistungswettbewerb im Integrationsraum fördere hier gleichermaßen die produktive und die allokative Effizienz. Produktive Effizienz: Dieser Begriff steht dabei sehr weitgehend für Unternehmen von kostenoptimaler Größe, Unternehmen also, die mögliche Kostenersparnisse wachsender Ausbringungsmengen (economies of scale) zu nutzen vermögen und die damit eine wesentliche Voraussetzung dafür erfüllen, daß die Produktion der angebotenen Sortimente so kostengünstig wie möglich erfolgt.

Allokative Effizienz ist zum einen gleichbedeutend mit einem Wettbewerb, der dafür Sorge trägt, daß das Angebot den Konsumentenpräferenzen entspricht und daß die Preise dazu tendieren, sich den langfristigen Grenzkosten anzupassen. Allokative Effizienz impliziert zum anderen, daß die Chancen und Risiken, die ein freier Leistungswettbewerb in Aussicht stellt, die Unternehmen wirksam zur Vornahme von Innovationen anhalten – zur Einführung neuer, besserer Produkte und zur Durchsetzung neuer, kostengünstigerer Verfahren.

Als Ergebnis eines derartigen Wettbewerbs in einem Gemeinsamen Markt erhofft man sich folglich jene kräftigen Produktivitätsforschritte und damit jene positiven Impulse für Wachstum und Beschäftigung sowie jene Stärkung der internationalen

Wettbewerbsposition, die im Artikel 2 EG-Vertrag als Ziele der Gemeinschaft genannt werden.

Bei der Formulierung des EG-Vertrages vermochten sich die Deutschen mit der Überzeugung durchzusetzen, daß marktwirtschaftlichem Wettbewerb die Tendenz zur Selbstaufhebung immanent ist, so daß eine aktive staatliche Wettbewerbspolitik nottut, um Wettbewerbsbeschränkungen zu vermeiden. Ihren Niederschlag fand diese Auffassung in der Bundesrepublik Deutschland im Gesetz gegen Wettbewerbsbeschränkungen (GWB), das im Jahre 1957 vom Bundestag verabschiedet wurde. Gegenstück zu den hier getroffenen Regelungen sind vornehmlich die Bestimmungen der Art. 85 und 86 des EG-Vertrages, mit denen die Grundlagen einer gemeinsamen Wettbewerbspolitik der Integrationspartner geschaffen wurden.

Art. 85 Abs. 1 EG-Vertrag formuliert ein Kartellverbot und untersagt formlos aufeinander abgestimmtes Verhalten. Voraussetzung für die Anwendung dieser Vorschrift ist, daß derartige Wettbewerbsbeschränkungen geeignet sind, den Handel zwischen Mitgliedsstaaten zu beeinträchtigen. Es soll verhindert werden, daß die Öffnung der Märkte durch den Abbau von Zöllen und sonstigen Handelshemmnissen im gegenseitigen Warenverkehr der Mitgliedsstaaten durch privatwirtschaftlich organisierte Wettbewerbsbeschränkungen wieder rückgängig gemacht wird, so daß die erhoffte Stimulierung des Wettbewerbs nicht zustande kommt.

Art. 85 Abs. 3 EG-Vertrag bietet die Möglichkeit, Ausnahmen vom Kartellverbot des Art. 85 Abs. 1 zuzulassen. Diese Vorschrift zielt vornehmlich darauf ab, Kooperation kleiner und mittlerer Betriebe nicht zu behindern, die erforderlich ist, um auch mittelständischen Unternehmen den Eintritt in die Märkte anderer Partnerstaaten zu ermöglichen.

Art. 86 EG-Vertrag untersagt marktbeherrschenden Unternehmen eine mißbräuchliche Ausnutzung ihrer dominanten Wettbewerbsposition, „soweit dies dazu führen kann, den Handel zwischen Mitgliedsstaaten zu beeinträchtigen“. Wie die vergleichbare Vorschrift des § 22 GWB ist auch Art. 86 EG-Vertrag bislang nur in wenigen Fällen erfolgreich angewendet worden.

Wie das deutsche GWB enthielt auch der EG-Vertrag zunächst keine Bestimmungen, durch die die Organe der Gemeinschaft zu einer Zusammenschlußkontrolle befugt wurden. Erst nach einer mehr als zwei Jahrzehnte währenden, sehr kontrovers geführten Diskussion gelang es im Dezember 1989, mit der Verabschiedung der Verordnung 4064/89 durch den Rat der Europäischen Gemeinschaft das Instrument einer europäischen Zusammenschlußkontrolle zu schaffen. Nach dieser Verordnung kann die EG-Kommission Unternehmenszusammenschlüsse für unvereinbar mit dem Gemeinsamen Markt erklären, die eine beherrschende Stellung begründen oder verstärken, „durch die wirksamer Wettbewerb im Gemeinsamen Markt oder in einem wesentlichen Teil desselben behindert wird . . .“.

Übersicht O-10: Europäisches Wettbewerbsrecht

Art der Wettbewerbsbeschränkung	Regelung
Kartellbildung und formlos aufeinander abgestimmtes Verhalten	*Verbotsprinzip:* „Mit dem Gemeinsamen Markt unvereinbar und verboten sind alle Vereinbarungen zwischen Unternehmen ... und aufeinander abgestimmte Verhaltensweisen, welche den Handel zwischen Mitgliedstaaten zu beeinträchtigen geeignet sind und eine Verhinderung, Einschränkung oder Verfälschung des Wettbewerbs innerhalb des Gemeinsamen Marktes bezwecken oder bewirken" (Art. 85 Abs. 1 EG-Vertrag). *Ausnahmen:* „Die Bestimmung des Absatzes 1 können für nicht anwendbar erklärt werden auf Vereinbarungen ... zwischen Unternehmen, Beschlüsse ... von Unternehmensvereinigungen und aufeinander abgestimmte Verhaltensweisen, die unter angemessener Beteiligung der Verbraucher an dem entstehenden Gewinn zur Verbesserung der Warenerzeugung oder -verteilung oder zur Förderung des technischen oder wirtschaftlichen Fortschritts beitragen, ohne daß den beteiligten Unternehmen a) Beschränkungen auferlegt werden, die für die Verwirklichung dieser Ziele nicht unerläßlich sind, oder b) Möglichkeiten eröffnet werden, für einen wesentlichen Teil der betreffenden Waren den Wettbewerb auszuschalten" (Art. 1 Abs. 3 EG-Vertrag).
Mißbrauch einer marktbeherrschenden Stellung	*Mißbrauchskontrolle:* „Mit dem Gemeinsamen Markt unvereinbar und verboten ist die mißbräuchliche Ausnutzung einer beherrschenden Stellung auf dem Gemeinsamen Markt oder auf einem wesentlichen Teil desselben durch ein oder mehrere Unternehmen, soweit dies dazu führen kann, den Handel zwischen Mitgliedstaaten zu beeinträchtigen" (Art. 86 EG-Vertrag).
Zusammenschlußkontrolle	*Anmeldepflicht* für Zusammenschlußvorhaben bei „gemeinschaftsweiter Bedeutung". Diese gilt als gegeben bei einem Gesamtumsatz aller beteiligten Unternehmen von mehr als 5 Mrd. ECU und einem gemeinschaftsweiten Gesamtumsatz von mindestens zwei beteiligten Unternehmen von jeweils mehr als 250 Mio. ECU. (Art. 1 Abs. 2 VO 4064/89). *Untersagungskriterium:* „Zusammenschlüsse, die eine beherrschende Stellung begründen oder verstärken, durch die wirksamer Wettbewerb im Gemeinsamen Markt oder in einem wesentlichen Teil desselben behindert wird, sind für unvereinbar mit dem Gemeinsamen Markt zu erklären" (Art. 2 Abs. 2 VO 4064/89). *Prüfungskriterien:* Bei ihrer Entscheidung berücksichtigt die Kommission: „a) die Notwendigkeit, im Gemeinsamen Markt wirksamen Wettbewerb aufrechtzuerhalten und zu entwickeln, insbesondere im Hinblick auf die Struktur aller betroffenen Märkte und den tatsächlichen oder potentiellen Wettbewerb der innerhalb oder außerhalb der Gemeinschaft ansässigen Unternehmen; b) die Marktstellung sowie die wirtschaftliche Macht und die Finanzkraft der beteiligten Unternehmen, die Wahlmöglichkeiten der Lieferanten und Abnehmer, ihren Zugang zu den Beschaffungs- und Absatzmärkten, rechtliche oder tatsächliche Marktzutrittsschranken, die Entwicklung des Angebots und der Nachfrage bei den jeweiligen Erzeugnissen und Dienstleistungen, die Interessen der Zwischen- und Endverbraucher sowie die Entwicklung des technischen und wirtschaftlichen Fortschritts, sofern dieser dem Verbraucher dient und den Wettbewerb nicht behindert" (Art. 2 Abs. 1 VO 4064/89). *Kompetenzen der Wettbewerbsbehörden der Mitgliedstaaten:* Die Kommission kann einen angemeldeten Zusammenschluß zur Überprüfung an die zuständigen Behörden eines Mitgliedstaates verweisen; Voraussetzung ist, daß ihr dieser Mitgliedstaat zuvor mitgeteilt hat, daß der Zusammenschluß „eine beherrschende Stellung zu begründen oder zu verstärken droht, durch die wirksamer Wettbewerb auf einem Markt in diesem Mitgliedstaat, der alle Merkmale eines gesonderten Marktes aufweist, erheblich behindert würde, unabhängig davon, ob dieser einen wesentlichen Teil des Gemeinsamen Marktes ausmacht oder nicht ... Ist die Kommission der Auffassung, daß ... ein solcher gesonderter Markt und eine solche Gefahr bestehen, a) so behandelt sie entweder selbst den Fall, um auf dem betreffenden Markt wirksamen Wettbewerb aufrechtzuerhalten oder wiederherzustellen oder b) verweist sie den Fall an die zuständige Behörde des betreffenden Mitgliedstaates, damit die Wettbewerbsvorschriften dieses Mitgliedstaates angewendet werden" (Art. 9 VO 4064/89).

5. Durchsetzung rationaler Wettbewerbspolitik

Auch Wettbewerbspolitik ist „Kunst des Möglichen“. Anspruch und Realität divergieren, weil der Versuch, das verfügbare Instrumentarium konsequent zu nutzen, durch richterliche Bedenken und politische Rücksichtnahmen gehemmt wird. Ein Teil der Probleme, mit denen sich die praktische Wettbewerbspolitik immer wieder konfrontiert sieht, hat seine Ursachen in einem unzureichenden Erkenntnisstand der Wettbewerbstheorie. Maßstäbe, die es gestatten, Marktmacht exakt zu bestimmen und die Wettbewerbswirkungen von Strategien des internen und des externen Unternehmenswachstums zuverlässig abzuschätzen, stehen noch aus. Im folgenden Abschnitt soll diese Behauptung am Beispiel ausgewählter Probleme erläutert und begründet werden.

5.1. Abgrenzung des relevanten Marktes

Wirtschaftlicher Wettbewerb als Aufeinanderfolge von Innovation und Imitation ist ein Prozeß, der sich auf Märkten vollzieht. Eine Aussage über die Funktionsfähigkeit des Wettbewerbs kann sich deshalb immer nur auf einen bestimmten, nämlich den jeweils betrachteten Markt beziehen. Die möglichst präzise Abgrenzung dieses sogenannten relevanten Marktes ist dabei ebenso notwendig wie schwierig.

Sie ist notwendig, weil erst die Bestimmung des relevanten Marktes Aussagen darüber zuläßt, wie groß die Zahl der Anbieter und wie hoch ihr Marktanteil ist. Erst diese Kenntnis ermöglicht eine Antwort auf die Frage, ob Unternehmen des betrachteten Marktes gemäß den Vermutungstatbeständen des § 22 Abs. 3 GWB eine marktbeherrschende Stellung einnehmen. Schwierig ist die Abgrenzung des relevanten Marktes, weil die bislang dazu vorgeschlagenen Verfahren durchweg nur begrenzt operabel sind (Oberender, 1975; Baum, 1981; Kantzenbach/Krüger, 1990).

Zeitlich, räumlich und sachlich relevanter Markt

Als vergleichsweise einfach erweist es sich erfahrungsgemäß, der Forderung zu genügen, den relevanten Markt in seiner zeitlichen Dimension korrekt zu bestimmen. Dazu muß die betrachtete Zeitspanne lang genug bemessen werden, um über bedeutsame Änderungen von Marktstruktur, Marktverhalten und Marktergebnis hinreichend Aufschluß erhalten zu können.

So mag etwa der führende Anbieter eines Marktes einen Marktanteil von 40 v. H. auf sich vereinen. Für die wettbewerbspolitische Bewertung dieser Tatsache ist es dabei wesentlich, ob dieser Marktanteil über viele Jahre hinweg konstant gehalten werden konnte, ob zuvor kräftige Einbußen einen ursprünglich sehr viel höheren Marktanteil auf den genannten Wert haben absinken lassen, oder ob schließlich ein zunächst deutlich geringerer Marktanteil in vergleichsweise kurzer Zeit erheblich gesteigert werden konnte.

Der räumlich relevante Markt kann nur einen Teil des Staatsraumes der Bundesrepublik umfassen; er kann mit dem nationalen Wirtschaftsraum identisch, aber auch größer als dieser sein. Probleme wirft dabei vor allem die letzte dieser drei Konstellationen auf. Geltung besitzt das Gesetz gegen Wettbewerbsbeschränkungen nur innerhalb der Staatsgrenzen der Bundesrepublik. Häufig wäre es jedoch von der Sache her geboten, den räumlich relevanten Markt weiter zu fassen, so etwa als Gemeinsamen Markt der Europäischen Gemeinschaft oder als Weltmarkt.

Das Bundeskartellamt muß sich auch in diesen Fällen darauf beschränken, ausschließlich die Wettbewerbsverhältnisse auf dem deutschen Markt zu würdigen. Dem Moment einer vielfach sehr intensiven außenwirtschaftlichen Verflechtung kann lediglich dadurch Rechnung getragen werden, daß man bei der Ermittlung von Marktanteilen Ex- und Importe berücksichtigt. Gegen diese Art der Betrachtung ist Kritik geltend gemacht worden (Monopolkommission, 1979; Kantzenbach, 1984; Berg, 1985). Sie legt es nahe, von den Möglichkeiten der nationalen Wettbewerbspolitik, vor allem bei der Anwendung der Zusammenschlußkontrolle (§ 24 GWB) eher zurückhaltend Gebrauch zu machen, wenn Unternehmen einen wesentlichen Teil ihres Umsatzes im Ausland erzielen, hier stark unter Wettbewerbsdruck stehen und wenn zudem auch im Inland Importkonkurrenz entweder in fühlbarem Maße bereits besteht oder als zunächst nur potentielle Konkurrenz bei Leistungsschwächen der heimischen Produzenten jederzeit wirksam werden kann.

Bei der Abgrenzung des sachlich relevanten Marktes ist das Problem zu lösen, die Produkte zu identifizieren, die in ihrer Bewertung durch die Nachfrager als gleichwertig, also als ohne fühlbare Nutzeneinbuße untereinander austauschbar angesehen werden. Gleichwertigkeit im Urteil des Käufers setzt technische Gleichwertigkeit oder gar physische Gleichartigkeit nicht voraus. Nicht von ihrer objektiven Beschaffenheit, sondern von ihrer subjektiven Bewertung durch den Verbraucher hängt es ab, ob und inwieweit Produkte als Substitute anzusehen sind und wie stark damit die zwischen ihren Herstellern bestehende Konkurrenzbeziehung ist.

Die Schwächen dieses Konzepts sind evident: Da es keine objektiven und für alle Verbraucher gleichermaßen gültigen Kriterien dafür gibt, welche Güter diese Eigenschaft aufweisen, beinhaltet die Anwendung des Substitutionskonzeptes ein hohes Maß an Subjektivität. Die mit Hilfe dieses Ansatzes gewonnene Abgrenzung des relevanten Marktes basiert zumeist nicht auf umfassenden und nachprüfbaren Befragungen der Marktparteien, sondern auf Plausibilitätsüberlegungen und Ermessensentscheidungen derjenigen, die die Marktabgrenzung vornehmen.

Trotz dieser methodischen Mängel greifen Entscheidungspraxis und Rechtsprechung zum Gesetz gegen Wettbewerbsbeschränkungen immer wieder auf das Substitutionskonzept zurück. Sie sehen sich dabei durch brauchbare Ergebnisse und durch das Unvermögen der Wettbewerbstheorie legitimiert, traditionelle Ansätze durch bessere Lösungen zu überwinden (Baum, 1980).

Mögliche Mängel dieses Vorgehens können dadurch gemildert werden, daß man den sachlich relevanten Markt nicht nur von der Nachfrage-, sondern auch von der Angebotsseite her zu bestimmen versucht. Dazu kann das Kriterium der Produktionsflexibilität herangezogen werden. Zuzuordnen sind dem relevanten Markt danach auch solche Unternehmen, die das hier angebotene Sortiment zwar zum betrachteten Zeitpunkt nicht herstellen, wohl aber über die Möglichkeit verfügen, dessen Produktion vergleichsweise rasch und mit vertretbaren Kosten aufzunehmen, wenn ihnen das lohnend erscheinen sollte. Auch (etwa ausländische) Produzenten, die den betrachteten Markt noch nicht beliefern, aber zum erfolgreichen Eintritt in diesen Markt befähigt erscheinen, sind als potentielle Konkurrenz bei der Abgrenzung des relevanten Marktes zu berücksichtigen (MONOPOLKOMMISSION, 1982; BERG, 1982; KANTZENBACH, 1984).

5.2. Bestimmung von Marktmacht

Bei Anwendung der Vorschriften zur Mißbrauchsaufsicht (§ 22 GWB) und zur Zusammenschlußkontrolle (§ 24 GWB) ergibt sich die Aufgabe, den jeweils relevanten Markt sachlich, räumlich und zeitlich abzugrenzen, durch die Notwendigkeit, Marktanteile zu bestimmen. Die Tatbestände des § 22 Abs. 3 GWB ziehen dieses Kriterium heran, um gegebenenfalls das Bestehen einer marktbeherrschenden Stellung zu vermuten. Die Annahme, von der sich der Gesetzgeber hier leiten ließ, ist offenkundig: Je höher der Marktanteil eines Unternehmens ist und je niedriger ihm gegenüber die Marktanteile seiner Konkurrenten sind, desto stärker ist seine Wettbewerbsposition und desto größer seine Marktmacht.

Die Mängel eines Marktmachtkonzeptes, das allein auf den Marktanteil abstellt, haben den Gesetzgeber dazu veranlaßt, im Rahmen der zweiten GWB-Novelle den Tatbestand der überragenden Marktstellung einzuführen und einen Katalog von Kriterien zu formulieren, der den Nachweis einer derartigen Marktposition erleichtern soll (s. Abschnitt 4.2. und *Übersicht O–9*).

Besondere Aussagekraft wird dabei nach wie vor dem Marktanteil zugesprochen. Das macht der Gesetzeswortlaut deutlich, wenn er die Formulierung wählt: „. . . außer seinem Marktanteil insbesondere . . .“; das zeigt auch die Tatsache, daß in § 22 Abs. 3 GWB nur für dieses Merkmal weitere, quantitative Vermutungskriterien genannt werden, während die zuvor aufgezählten übrigen Referenzgrößen (Finanzkraft, Zugang zu den Beschaffungs- und Absatzmärkten, Verflechtungen mit anderen Unternehmen, Marktzutrittsschranken) unpräzisiert bleiben. Unverkennbar ist jedoch die Absicht, jene Ursachen und Formen wirtschaftlicher Macht zu erfassen, die ihren Ursprung nicht in einem hohen Marktanteil auf einem einzelnen Markt, sondern in den Handlungsmöglichkeiten haben, die sich einem marktstarken Großunternehmen mit breit diversifiziertem Produktionsprogramm eröffnen.

Konglomerate Diversifikation, die dazu führt, daß eine Vielzahl von Märkten bedient wird, kann Unternehmensmacht schaffen, indem sie Möglichkeiten der firmeninternen Subventionierung und damit zur Finanzierung von Verdrängungsstrategien eröffnet, die Praxis des „reciprocal dealing“ gestattet und gleichermaßen aktuelle Wettbewerber zu Wohlverhalten und potentielle Konkurrenten zum Verzicht auf Markteintrittsversuche veranlassen kann:

- Möglichkeiten der unternehmensinternen Subventionierung verlustbringender Aktivitäten (cross-subsidizing) bieten sich vor allem dann, wenn auf einigen Märkten Monopolrenten realisiert werden. Die dadurch geschaffene „deep pocket“ kann dann verwendet werden, um dort den Verzicht auf kostendeckende Preise zu finanzieren, wo Konkurrenten verdrängt oder die eigenen Marktanteile rasch gesteigert werden sollen.
- Die Praxis des reciprocal dealing schafft Markteintrittsbarrieren und bietet damit Schutz vor neuer Konkurrenz: Vorleistungen werden bevorzugt von Lieferanten bezogen, die Abnehmer der Produkte des eigenen Unternehmens sind. Als Folge dieser wechselseitigen Verbundenheit scheut man einen Wechsel seiner Bezugsquellen, um dadurch nicht zugleich auch Abnehmer für das eigene Sortiment einzubüßen. Newcomer können dadurch erfolglos bleiben, obwohl sie als Zulieferer bessere Konditionen bieten als ihre etablierten Konkurrenten.
- Ein hoher Diversifikationsgrad kann Unternehmen von Wettbewerbsvorstößen abhalten, weil sie nicht auf allen Märkten, auf denen sie mit anderen Konglomeraten konkurrieren, gleich stark sind. Fordert ein Unternehmen einen Wettbewerber auf einem Markt heraus, auf dem er sich im Vorteil wähnt, dann muß er damit rechnen, daß sein Kontrahent für Vergeltungsmaßnahmen einen Markt auswählt, auf dem der Herausforderer ihm unterlegen ist. Es entsteht damit eine neue Form der oligopolistischen Interdependenz, die für alle Beteiligten der Anlaß sein kann, von aggressiven Wettbewerbshandlungen Abstand zu nehmen.
- Potentielle Konkurrenten können vom Versuch des Markteintritts abgeschreckt werden, weil sie wissen, daß Diversifikation die Möglichkeit eröffnet, von anderen Märkten Ressourcen abzuziehen, um sie dort zu konzentrieren, wo ein newcomer domestiziert oder verdrängt werden soll.

Ein Ansatz, der Marktmacht durch das Ressourcenpotential einer Unternehmung und die daraus resultierenden Handlungsmöglichkeiten zu erfassen versucht, ist der herkömmlichen Betrachtung einzelner Märkte und dem alleinigen Abstellen auf das Kriterium des Marktanteils überlegen. Das gilt vor allem, wenn Unternehmen mit vielfältigen Aktivitäten einen horizontalen Zusammenschluß planen, wenn der Grad der vertikalen Integration durch die Übernahme von Unternehmen vor- oder nachgelagerter Stufen erhöht werden soll, und wenn Strategien des konglomeraten Unternehmenswachstums betrieben werden.

Der Versuch, das Konzept einer ressourcenorientierten Erfassung wirtschaftlicher Macht für die Zwecke der Wettbewerbspolitik nutzbar zu machen, ist jedoch bislang kaum gelungen. Die dazu in § 22 Abs. 2 GWB neben dem Marktanteil zusätzlich genannten Vermutungskriterien sind nur begrenzt operationalisierbar; das Verhältnis von Ursache und Wirkung ist noch weitgehend ungeklärt. Allgemein anerkannte Maßstäbe zur Messung der Finanzkraft einer Unternehmung und der Höhe der Marktzugangsschranken, zur Klassifizierung unterschiedlicher Zugangsbedingungen zu Beschaffungs- und Absatzmärkten und zur Bestimmung der Intensität von Verflechtungen mit anderen Unternehmen fehlen. Auch mangelt es an genügend detaillierten und empirisch gehaltvollen Informationen darüber, auf welche Weise und mit welcher Relevanz diese Kriterien die Handlungsspielräume eines marktstarken Unternehmens und sein Wettbewerbsverhalten im einzelnen bestimmen. Seine erste

Anwendung erfuhr das Ressourcenkonzept im Fall „GKN-Sachs“ (WuW/E BKartA 1625 ff.; WuW/E OLG 1745 ff. und WuW/E BGH 1501 ff.).

5.3. Maßstäbe des Preismißbrauchs

Die Forderung des Ordoliberalismus lautet, auf vermachteten Märkten das Konzept eines „Als-ob-Wettbewerbs“ anzuwenden. Für eine staatliche Mißbrauchsaufsicht über die hier geforderten Preise ergibt sich daraus die Aufgabe, die Preise durchzusetzen, die auf diesen Märkten bei wirksamem Wettbewerb hätten erzielt werden können. Die tatsächlich geforderten Preise sind mit diesen Wettbewerbspreisen zu vergleichen. Die Differenz markiert den Preismißbrauch, den es durch Untersagung zu verhindern gilt.

Nun ist marktwirtschaftlicher Wettbewerb ein Prozeß, der in Verlauf und Ergebnis nicht vorhersehbar und folglich auch nicht gedanklich simulierbar ist. Die exakte numerische Bestimmung hypothetischer Wettbewerbspreise ist damit nicht möglich. Das Konzept des Als-ob-Wettbewerbs erweist sich als nicht operabel.

Um diesen Mangel zu heilen, ist vom Bundeskartellamt das sogenannte Vergleichsmarkt-Konzept entwickelt worden (zu Einzelheiten siehe etwa: Schmidt, 1973, S. 164 ff.; Monopolkommission, 1975, S. 33 ff.; Markert, 1981). Mit ihm versucht man, den benötigten Als-ob-Maßstab dadurch zu konkretisieren, daß dem mißbrauchsverdächtigen Preis ein anderer Preis gegenübergestellt wird, der auf einem vergleichbaren Markt mit höherer Wettbewerbsintensität gilt.

– Zum Vergleich werden dazu Märkte herangezogen, auf denen ein marktbeherrschendes Unternehmen das gleiche Produkt zu einem niedrigeren Preis anbietet als auf dem beanstandeten beherrschten Markt, und solche, auf denen andere Unternehmen für vergleichbare Produkte niedrigere Preise fordern, als sie der Marktbeherrscher auf dem von ihm bedienten Markt verlangt. Verglichen wurden beispielsweise die Preise von Autobahn- und Straßentankstellen – Tätigkeitsbericht des BKartA 1969, S. 26 f. und S. 50 – und die Preise, zu denen die Firma Merck Vitamin B 12-Präparate an Krankenhaus-Apotheken und an öffentliche Apotheken abgab (WuW/E BKartA 1482 ff. und WuW/E OLG 1589 ff.).

– Gebrauch gemacht wird auch vom Konzept des zeitlichen Vergleichsmarktes. Die Anwendbarkeit dieses Ansatzes setzt voraus, daß der betrachtete Markt zunächst durch Wettbewerb gekennzeichnet war, es dann jedoch zur Begründung einer marktbeherrschenden Stellung kam. Nach der Sockeltheorie wird ein vom Marktbeherrscher geforderter höherer Preis mit dem zuvor gegebenen Wettbewerbspreis verglichen, um zu prüfen, ob er durch unabwendbare Mehrkosten gerechtfertigt ist. Die Differenz zwischen dem auf die Preiserhöhung zurückzuführenden Mehrerlös und den unvermeidbaren, also nicht durch hohe Produktionseffizienz und Rationalisierung zu kompensierenden Mehrkosten, ergibt nach dieser Berechnungsmethode das Ausmaß des Preismißbrauchs (Oberender, 1979).

Die Einwände, die gegen ein derartiges methodisches Vorgehen erhoben werden können, sind vielfältig (Baur, 1972; Schmidt, 1973; Möschel, 1974; Monopolkommission, 1975; Baum, 1981).

Übersicht O-11: Mißbrauchsaufsicht über marktbeherrschende Unternehmen: Der Fall „Valium-Librium"

Zeitpunkt	Vorgang	Anmerkungen
Sommer 1973	Das Bundeskartellamt (BKartA) beginnt Ermittlungen gegen die Firma Hoffmann-La Roche AG, Grenzach/Baden (H-L), der deutschen Tochter des gleichnamigen Schweizer Pharma-Konzerns, einzuleiten, da für die Präparate „Valium" (V) und „Librium" (L) dieses Herstellers eine marktbeherrschende Stellung und deren Mißbrauch durch das Fordern „überhöhter" Preise vermutet wird.	Die Anwendung der Mißbrauchsaufsicht gemäß § 22 GWB erfordert den Nachweis, daß eine marktbeherrschende Stellung besteht und daß diese mißbräuchlich ausgenutzt wird. Um die Vermutung der Marktbeherrschung zu begründen, bedarf es der Abgrenzung des relevanten Marktes, für den das Vorliegen dieses Tatbestandes angenommen wird.
22. 8. 1974	Das BKartA lädt H-L zu einer öffentlichen mündlichen Verhandlung, die der weiteren Sachaufklärung, der Gewährung des rechtlichen Gehörs und der Information der Öffentlichkeit dienen soll.	Im Rahmen der vom Gesetz vorgeschriebenen öffentlichen mündlichen Verhandlung besteht die Möglichkeit, die vom BKartA vorgetragenen Verdachtsgründe auszuräumen. Das Amt kann eine Entscheidung erst nach Prüfung der Argumente des angehörten Unternehmens treffen.
16. 10. 1974	Das BKartA ordnet zum 1. 1. 1975 eine Senkung der Hersteller-Abgabepreise um mindestens 40 v. H. bei V- und um mindestens 35 v. H. bei L-Präparaten an und verfügt die sofortige Vollziehung dieses Beschlusses.	Das BKartA bejaht das Vorliegen einer marktbeherrschenden Stellung und bezeichnet die Preise für V und L als mißbräuchlich überhöht, da sie das Niveau, welches bei Bestehen von Preiswettbewerb realisierbar sein würde, erheblich übersteigen. Die sofortige Vollziehung einer Verfügung des BKartA kann angeordnet werden, wenn sie im öffentlichen Interesse geboten ist (§ 63a Abs. 1 GWB).
8. 11. 1974	Die Firma H-L legt beim Berliner Kammergericht (KG) gegen den Beschluß des BKartA vom 16. 10. 1974 Beschwerde ein.	
15. 11. 1974	Das KG äußert ernstliche Zweifel an der Rechtmäßigkeit der BKartA-Verfügung, da der rechtskräftige Ausgang des Verfahrens sehr ungewiß und die sofortige Vollziehung auch nicht durch ein überwiegendes öffentliches Interesse geboten sei.	Wird der Beschwerde gegen die Anordnung der sofortigen Vollziehung einer BKartA-Verfügung (wie im vorliegenden Fall) stattgegeben, dann ist dadurch die aufschiebende Wirkung einer derartigen Beschwerde wieder hergestellt: die Anordnung des BKartA ist erst zu befolgen, wenn alle Rechtsmittel ausgeschöpft worden sind und der BKartA-Beschluß rechtskräftig geworden ist.

Zeitpunkt	Vorgang	Anmerkungen
5. 1. 1976	Das KG entscheidet über die Beschwerde der Firma H-L und hebt den BKartA-Beschluß vom 16. 10. 1974 teilweise auf: Der Firma H-L wird eine Preissenkung bei den Präparaten V und L um lediglich 28 v. H. auferlegt.	Auch das KG sieht wie das BKartA den Tatbestand der Marktbeherrschung und der mißbräuchlichen Preisgestaltung bei V und L als gegeben an. Durch Anwendung eines Verfahrens zur Ermittlung des „wettbewerbsanalogen" V- und L-Preises, das sich von dem des BKartA unterscheidet, gelangt das KG jedoch zu einer weniger strengen Bestimmung der sog. „Mißbrauchsgrenze", die im Preis nicht überschritten werden darf.
16. 12. 1976	Der Kartellsenat des Bundesgerichtshofes (BGH), bei dem sowohl das BKartA als auch die Firma H-L gegen die Entscheidung des KG Beschwerde eingelegt haben, hebt diesen Beschluß auf und verweist den Fall zur erneuten Verhandlung und Entscheidung an das KG zurück.	Auch der BGH bejaht das Vorliegen einer marktbeherrschenden Stellung und den Tatbestand einer mißbräuchlichen Preisgestaltung; er erhebt jedoch Einwände gegen das vom KG zur Bestimmung des mutmaßlichen Wettbewerbspreises angewandte Verfahren.
26. 10. 1977	Das KG verkündet einen Beschluß, der den Beteiligten auferlegt, bis zum 15. 11. 1977 neues Material zu den Fragen der Marktanteile, der Preisgestaltung, der Abgrenzung der relevanten Märkte u. a. m. vorzulegen.	
24. 8. 1978	Beschluß des KG, durch den H-L auferlegt wird, die Preise für V und L um mindestens 24 v. H. zu senken. Dazu wird eine Umstellungsfrist bis zum 7. 12. 1978 gewährt. Die Firma H-L kündigt die Einlegung einer Rechtsbeschwerde gegen diesen Beschluß an.	Veränderte Marktanteile veranlassen das KG, das Bestehen einer marktbeherrschenden Stellung gemäß § 22 Abs. 1 GWB (sog. Monopolvermutung) zu verneinen; das KG stellt jedoch fest, daß H-L zusammen mit anderen Anbietern des relevanten Marktes eine marktbeherrschende Stellung gemäß § 22 Abs. 2 GWB (sog. Oligopolvermutung) innehat. Im übrigen wird den Beanstandungen des BGH Rechnung getragen und die Mißbrauchsgrenze neu bestimmt.
12. 2. 1980	Der Rechtsbeschwerde gegen den Beschluß des KG wird stattgegeben. Der BGH begründet diese Entscheidung damit, daß der herangezogene niederländische Vergleichsmarkt ungeeignet sei, da er sich vom relevanten deutschen Markt stark unterscheide.	Der Fall „Valium-Librium" dokumentiert die zahlreichen und schwierigen ökonomischen (und juristischen) Probleme, die durch den Versuch einer Preiskontrolle marktbeherrschender Unternehmen erfahrungsgemäß aufgeworfen werden; auch belegt dieser Fall den erheblichen Zeitbedarf, mit dem hier bis zum Ergehen eines rechtskräftigen Urteils gerechnet werden muß.

So lassen sich etwa Preisdifferenzen zwischen den miteinander verglichenen Märkten nur dann als machtbedingt identifizieren, wenn für die übrigen preisbestimmenden Faktoren die ceteris-paribus-Bedingung gilt. Ist dies nicht der Fall, stellt sich die Aufgabe, die machtbedingten von den marktbedingten Einflußfaktoren zu trennen. Dabei versucht das Bundeskartellamt, Preisdifferenzen, die sich aus Strukturunterschieden der miteinander verglichenen Märkte erklären lassen, abzuschätzen, um sie bei der weiteren Beweisführung unberücksichtigt lassen zu können. Dadurch erfordert das Vergleichsmarktkonzept ähnliche Ermessensentscheidungen, wie die mit eben diesem Argument zu Recht abgelehnte Konstruktion hypothetischer Wettbewerbspreise.

Einwände sind auch gegen das Konzept des zeitlichen Vergleichsmarktes und die hier angewandte Sockeltheorie geltend gemacht worden. Geprüft wird, ob die durch eine Preiserhöhung erzielten Mehrerlöse durch unvermeidbare Mehrkosten gerechtfertigt sind. Dieses Vorgehen löst sich von der Referenzsituation eines wirksamen Wettbewerbs, weil es die unter Wettbewerbsbedingungen durchaus gegebene Möglichkeit ausschließt, Preissteigerungen durch das Wirksamwerden zusätzlicher Nachfrage zu rechtfertigen; es zwingt die Kartellbehörde auch, kaum objektivierbare Entscheidungen darüber zu treffen, mit welchen Deckungsbeiträgen die einzelnen Erzeugnisse eines Mehrprodukt-Unternehmens zu belasten sind (s. auch *Übersicht O-11*).

Für die Unternehmenspolitik ergibt sich aus der Notwendigkeit, höhere Preise durch höhere Kosten zu rechtfertigen, die Aufgabe, die einzelnen Produkte so mit Gemeinkosten zu belasten, daß der Nachweis unabwendbarer Mehrkosten dort, wo Preiserhöhungen beanstandet wurden, gesichert ist. Es wird folglich dazu ermuntert, die Kosten den Preisen anzupassen.

Das aber ist gleichbedeutend mit einer Umkehrung des marktwirtschaftlichen Prinzips, das einem wirksamen Wettbewerb die Aufgabe zuweist, die Preise auf das Niveau der Kosten herabzudrücken und nicht etwa diese auf das Niveau der Preise „hochzurechnen". In dem Maße, in dem es gelingt, Preiserhöhungen durch gestiegene Kosten zu legitimieren, entfällt zudem der Zwang zur Kostensenkung. Damit wäre der Versuch, wettbewerbsanaloge Ergebnisse zustandezubringen, einmal mehr mißlungen.

Die Verfahren, die zur Abgrenzung relevanter Märkte und zur Bestimmung von Marktmacht angewendet werden, zeigen erhebliche Schwächen. Die Referenzsituation eines „Als-ob-Wettbewerbs" erweist sich als eine Fiktion, deren Konkretisierung erhebliche Ermessensspielräume eröffnet. Die Effizienz der Mißbrauchsaufsicht wird durch diese Mängel erheblich beeinträchtigt. Seit Inkrafttreten des GWB ist kaum mehr als ein Dutzend Mißbrauchsverfahren gemäß § 22 GWB eingeleitet worden, von denen nur wenige zu einer Untersagungsverfügung des Bundeskartellamtes geführt haben, die schließlich auch von den Gerichten bestätigt wurde. Der Zeitbedarf, den derartige Verfahren beanspruchen, ist zudem erheblich. Ein Beispiel auch für diese Unzulänglichkeiten bietet die *Übersicht O-11*.

5.4 Zielkonflikte der Europäischen Wettbewerbspolitik

Durch die am 7. 2. 1992 in Maastricht gefaßten Beschlüsse wurde in den Art. 3 EGV als eine neue Aufgabe die „Stärkung der Wettbewerbsfähigkeit der Industrie der Gemeinschaft" aufgenommen. Zugleich fordert dieser Artikel „ein System, das den Wettbewerb innerhalb des Binnenmarktes vor Verfälschungen schützt". Dadurch droht ein Konflikt zwischen den Zielen der Wettbewerbs- und denen der Industriepolitik.

Industriepolitik zielt darauf ab, Unternehmen der Gemeinschaft eine möglichst starke Wettbewerbsposition auf Märkten zu verschaffen, die durch „Hochtechnologie" und attraktive Wachstumschancen gekennzeichnet sind, und für die folglich angenommen wird, daß eine hochentwickelte Volkswirtschaft nicht darauf verzichten kann, hier angemessen vertreten zu sein.

Typische Mittel, um dieses Ziel zu fördern, sind Protektion und Subventionierung; damit verbunden ist häufig das Bemühen, durch eine Politik staatlich betriebener Konzentrationsförderung die für zu klein erachteten heimischen Anbieter der hier interessierenden Branchen zu einem nationalen „Champion" zu vereinen, um ein auf dem Inlandsmarkt möglicherweise marktbeherrschendes Großunternehmen zu schaffen, von dem man sich erhofft, daß es aus dieser Position auch im internationalen Wettbewerb Vorteile ziehen kann.

Die Vorschriften zur EG-Zusammenschlußkontrolle bieten für eine solche Politik durchaus Ansatzpunkte. So heißt es in Art. 2, Abs. 1 der Verordnung 4064/89, daß die Kommission bei ihrer Entscheidung die Notwendigkeit berücksichtigt, „im Gemeinsamen Markt wirksamen Wettbewerb aufrechtzuerhalten und zu entwickeln, insbesondere im Hinblick auf die Struktur aller betroffenen Märkte und den tatsächlichen oder potentiellen Wettbewerb der innerhalb oder außerhalb der Gemeinschaft ansässigen Unternehmen . . .". Mit der vermeintlichen Notwendigkeit, Wettbewerb zu „entwickeln", kann dort eine Politik der Konzentrationsförderung begründet werden, wo man glaubt, nur sehr große Unternehmen seien zum Markteintritt und zum Erfolg im globalen Wettbewerb befähigt. Für eine großzügige Genehmigungspraxis wird man ferner plädieren, wenn man sich die These zu eigen macht, daß auch marktbeherrschende Unternehmen bei Leistungsschwächen mit dem Wirksamwerden potentieller Konkurrenz rechnen müssen. Untersagungsverfügungen werden von der Kommission mit einfacher Mehrheit getroffen. Die Erwartung, daß es sehr schwierig sein würde, diese Mehrzeit zustande zu bringen, hat dazu geführt, daß von dem Instrument der Zusammenschlußkontrolle bislang mit großer Zurückhaltung Gebrauch gemacht wurde. Von den mehr als 150 Zusammenschlußvorhaben, die der Kommission im Zeitraum 1990 bis 1994 zur Überprüfung vorgelegt wurden, hat man lediglich zwei Fusionswünsche abschlägig beschieden (Berg, 1992, 1; Schmidt, 1993).

Protektion und Subventionierung sind nun erfahrungsgemäß ungeeignet, die Wettbewerbsfähigkeit der derart geschützten und geförderten Unternehmen zu verbessern. Der ihnen gewährte Schutz vor überlegener Importkonkurrenz vermindert den Wettbewerbsdruck, dem sie sich ausgesetzt sehen. Staatliche Finanzhilfen reduzieren die Notwendigkeit, am Markt unter Wettbewerbsbedingungen kostendeckende Erlöse zu erzielen. Das ist auch dem Bemühen abträglich, das Angebot dem Wandel der Konsumentenpräferenzen bestmöglich anzupassen und die Kostenvorteile neuer Produktionsverfahren konsequent zu nutzen (Berg/Schmidt, 1995; Beitrag Q-3.3).

6. Wettbewerbsförderung als wirtschaftspolitische Aufgabe

Die Effizienz der Wettbewerbspolitik kann gesteigert und ihre Glaubwürdigkeit erhöht werden, wenn ihr eine Strukturpolitik zur Seite tritt, die nicht den Status quo zu bewahren, sondern die Anpassung an eine neue Datenkonstellation mit ordnungskonformen Mitteln zu fördern sucht. Eine liberale Außenwirtschaftspolitik, die sich konsequent bemüht, Märkte der heimischen Volkswirtschaft für ausländische Anbieter zu öffnen oder offen zu halten, bietet eine weitere, sehr wesentliche Chance, potentielle Konkurrenz zu wirksamem Wettbewerb werden zu lassen. In der Bundesrepublik Deutschland besteht eine Vielzahl von Ausnahmebereichen, in denen die Vorschriften des Gesetzes gegen Wettbewerbsbeschränkungen nur mit weitgehenden Einschränkungen gelten (Versicherungswirtschaft, Kreditwesen) oder in denen das Wettbewerbsprinzip durch staatliche Regulationen ersetzt wurde, um die hier andernfalls vermeintlich drohende „ruinöse" Konkurrenz zu vermeiden (Agrarwesen, Verkehr), um den Mißbrauch „natürlicher Monopole" durch staatliche Aufsicht unmöglich zu machen (Energiewesen) oder um keine sozialen Härten entstehen zu lassen (Wohnungswirtschaft). Einer ökonomischen Analyse vermögen die Argumente, die zur Rechtfertigung aller dieser Ausnahmebereiche angeführt werden, durchweg nicht standzuhalten (KAUFER, 1981; BONUS, 1983; HAMM, 1984; HESSE, 1984; BÖGELEIN, 1990).

Aufgabe staatlicher Ordnungspolitik ist es folglich, dem Wettbewerb zunehmend auch in diesen Bereichen Geltung zu verschaffen; denn in einer Marktwirtschaft ist Ordnungspolitik gleichbedeutend mit dem konsequenten Bemühen, Wettbewerbsprozesse zu ermöglichen, zu fördern und zu sichern. Auch dort, wo sie als Sozialpolitik betrieben wird,muß sie auf Lösungen achten, die den Erfordernissen einer Wettbewerbswirtschaft nicht zuwiderlaufen (Beitrag R–1; *Übersicht O–12*).

Die damit formulierte Forderung nach einer konsequent auf Wettbewerbsförderung gerichteten Ordnungspolitik ist bislang nur höchst unzureichend erfüllt. Eine erhebliche Diskrepanz zwischen dem deklamatorischen Bejahen einer Wettbewerbsordnung und der tatsächlich betriebenen Politik ist evident. Für Parteien, die sich um die Mehrheit der Wählerstimmen bemühen, ist es erfahrungsgemäß häufig von Vorteil, gegen das Gebot wettbewerbskonformer Politik zu verstoßen.

Gewährt man unter Anpassungsdruck geratenen Branchen Schutz vor Importkonkurrenz und Subventionen, kann man hoffen, mit diesen Maßnahmen wirksam Werbung um Wählerstimmen zu betreiben. Die verschlechterte Faktorallokation, die sich als Folge derartiger Politik ergibt, wird in ihren wohlstandsmindernden Konsequenzen vielfach nicht durchschaut. Der Verlust an Anpassungsflexibilität und innovatorischer Potenz wird erst bewußt, wenn die gesamtwirtschaftliche Wachstumsdynamik durch die Vielzahl von Verstößen gegen die Gebote der Wettbewerbsordnung nachhaltig Schaden genommen hat. Der dann als notwendig erkannte Abbau von Importrestriktionen, Subventionen und staatlicher Regulierung stößt auf massiven Widerstand. Unternehmensverbände und Gewerkschaften bestehen gleichermaßen auf der Wahrung überkommenen Besitzstandes. Freier Leistungswettbewerb ist dort, wo er besteht, somit permanent bedroht; dort, wo er eingeschränkt oder außer Kraft gesetzt wurde, lassen sich seine Vorteile nur schwer zurückgewinnen. Das deutsche und das europäische Wettbewerbsrecht bieten Möglichkeiten, gegen privatwirtschaftlich organisierte Wettbewerbsbeschränkungen einzuschreiten, die nicht gering zu schätzen

Übersicht O–12: Wettbewerbssicherung und Wettbewerbsförderung als wirtschaftspolitische Aufgabe

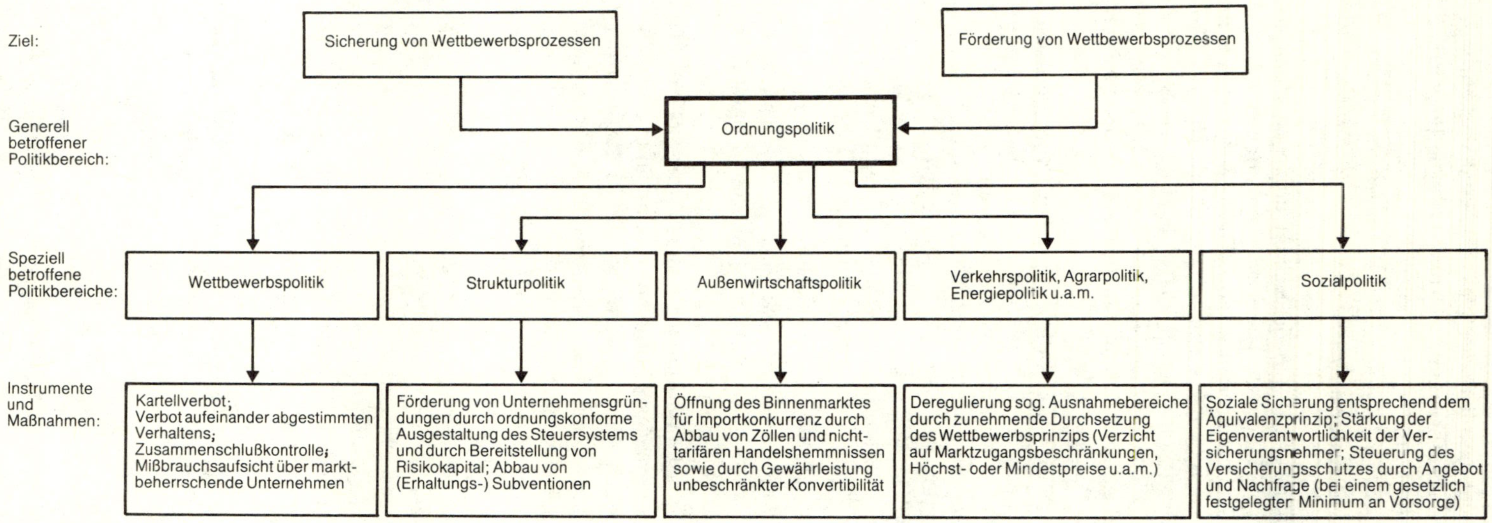

sind. Doch reicht das nicht aus. Was fehlt, sind Vorkehrungen, die wirksam auch für die Wettbewerbsbeschränkungen Abhilfe zu schaffen vermögen, die durch staatliches Handeln bewirkt werden.

Kommentierte Literaturhinweise

Eine gute Einführung in das deutsche Wettbewerbsrecht bietet Volker Emmerich (1975, 2, 6. A. 1991), dessen Lehrbuch durch eine von demselben Autor zusammengestellte Fall-Sammlung (Emmerich, 1975, 1, 3. A. 1990) ergänzt wird. Auch für den Ökonomen von großem Nutzen sind die Lehrbücher der Wettbewerbsrechtler Hermann-Josef Bunte (1980) und Franz Rittner (3. A. 1989). Die genannten Titel behandeln vor allem rechtliche Probleme der Wettbewerbspolitik. Wettbewerbstheoretische Überlegungen dominieren dagegen in der anregenden Monographie von Franz-Ulrich Willeke (1980).

Konzentrierte Abrisse wesentlicher Probleme von Wettbewerbstheorie und Wettbewerbspolitik bieten die Lehrbücher von Gerd Aberle (1980, 2. A. 1992), Klaus Herdzina (1984, 4. A. 1993) und Ingo Schmidt (1984, 4. A. 1993). Um eine Verbindung von Preis- und Wettbewerbstheorie bemühen sich Manfred Borchert und Heinz Grossekettler (1985). Weiterführende Lektüre ermöglicht das umfangreiche Handbuch von Helmut Cox; Uwe Jens und Kurt Markert (1981). Eine Analyse konkurrierender Leitbilder der Wettbewerbspolitik erfolgt in den Studien von Hartwig Bartling (1980) und Ingo Schmidt/Jan B. Rittaler (1986).

Walter Adams (1950, 7. A. 1986), Joe S. Bain (2. A. 1968), John M. Blair (1972) und F. M. Scherer und D. Ross (1970, 3. A. 1990) sind als Verfasser von Standardwerken der empirischen Wettbewerbsforschung (industrial organization; industrial economics) bekannt geworden.

In deutscher Sprache informieren Erich Kaufer (1980) und als Herausgeber eines Sammelbandes Gottfried Bombach; Bernhard Gahlen und Alfred E. Ott (1985) über dieses Gebiet. Peter Oberender (1984; 1989) ist der Herausgeber von zwei wichtigen Studien, die für die Bundesrepublik Deutschland Marktstruktur, Marktverhalten und Marktergebnis ausgewählter Branchen untersuchen. Eine Analyse ausgewählter europäischer Industrien und Märkte bietet die Studie von H. W. de Jong (1981, 3. A. 1993).

Die Monopolkommission, ein von der Bundesregierung berufenes Gremium von Sachverständigen, berichtet seit 1976 in ihren alle zwei Jahre vorgelegten Hauptgutachten und in zusätzlich erstatteten Sondergutachten über die Entwicklung der Unternehmenskonzentration in der Bundesrepublik sowie über Probleme der Mißbrauchsaufsicht und der Zusammenschlußkontrolle.

Ein ausführlicher Tätigkeitsbericht des Bundeskartellamtes wird jährlich als Bundestagsdrucksache vorgelegt.

Wirtschaft und Wettbewerb (WuW) ist die führende deutschsprachige Fachzeitschrift für Fragen der Wettbewerbspolitik; sie erscheint monatlich und informiert über wichtige Entscheidungen zum deutschen und europäischen Wettbewerbsrecht (WuW/E).

P. Stabilitätspolitik

Dieter Cassel, H. Jörg Thieme

Gliederung

1. Gegenstand und Bedeutung der Stabilitätspolitik

Unter „Stabilitätspolitik" wird in der älteren deutschsprachigen Literatur die auf Geldwert- bzw. Preisniveaustabilität gerichtete staatliche Wirtschaftspolitik verstanden. Wirtschaftspolitische Aktivitäten des Staates, die auf eine stetige Entwicklung der Wirtschaft bei Vollbeschäftigung zielen, werden traditionell als „Konjunktur- und Beschäftigungspolitik" bezeichnet. Sofern der Staat Maßnahmen ergreift, mit denen gleichzeitig ein ganzer Katalog gesamtwirtschaftlicher Ziele (z. B. Preisniveaustabilität, Vollbeschäftigung, stetiges Wirtschaftswachstum und ausgeglichene Zahlungsbilanz) realisiert werden soll, verwendet man im deutschen Sprachraum zunehmend den international geläufigen Terminus „Stabilisierungspolitik" („stabilization policy"). Da solche Maßnahmen bisher im wesentlichen zur Steuerung der gesamtwirtschaftlichen Nachfrage eingesetzt wurden, spricht man vielfach auch von „Globalsteuerung" bzw. von „demand management" (zur Begriffsvielfalt siehe Friedrich, 1978; 2. A. 1986; Tuchtfeldt, 1983, 1). Im vorliegenden Beitrag werden „Stabilitätspolitik" und „Stabilisierungspolitik" anders abgegrenzt: Stabilitätspolitik ist auf die Erhaltung, Stabilisierungspolitik auf die Wiedererreichung der in den stabilitätspolitischen Zielen normierten Sollzustände der Wirtschaft gerichtet.

Diese Unterscheidung ist keineswegs nur eine sprachliche Innovation; sie steht vielmehr für eine neue wirtschaftspolitische Konzeption, die aus der Entwicklung der makroökonomischen Theorie in den sechziger und siebziger Jahren hervorgegangen ist: Im Zentrum der Analysen standen lange Zeit „Konjunkturzyklen", definiert als Schwankungen der gesamtwirtschaftlichen Aktivität um ihre trendmäßige Entwicklung oder als Schwankungen im Auslastungsgrad des Produktionspotentials (Giersch, 1977, S. 15 ff.). In zahlreichen Makromodellen wurden die Bedingungen analysiert, unter denen die realen Größen Produktion und Beschäftigung zyklische Verlaufsmuster annehmen (Beitrag G-2.3.). Diese Analysen konzentrieren sich auf Stabilitätsprobleme in industrialisierten Marktwirtschaften, obwohl gesamtwirtschaftliche Instabilitäten auch in sozialistischen Planwirtschaften aktuell waren. (Überblick bei Thieme, 1979, 1; Schüller, 1984).

Im Anschluß an John Maynard Keynes' Analyse der Weltwirtschaftskrise von 1929-33 bestand nach dem Zweiten Weltkrieg zunächst die Furcht vor dauerhafter Unterbeschäftigung und zu geringem Wirtschaftswachstum („Stagnation"). Dem Staat wurde die Aufgabe zugewiesen, gesamtwirtschaftliche Nachfragedefizite durch Ausgabenerhöhungen auszugleichen. Durch diese am gesamtwirtschaftlichen Ausgabenniveau ansetzende, nachfrageorientierte Konjunktur- und Beschäftigungspolitik konnten die Aktivitätsschwankungen der Wirtschaft nicht beseitigt werden: Die Nachkriegsentwicklung in den westlichen Industrieländern ist durch zyklische Schwankungen des Wachstumstempos und des Beschäftigungsgrades der Produktionsfaktoren („Wachstumszyklen"; Überblick bei Ott, 1973) gekennzeichnet.

Seit Mitte der sechziger Jahre prägt ein neues Problem die wirtschaftspolitische Diskussion – das Phänomen anhaltender Preisniveauerhöhungen: Waren noch im ersten Drittel dieses Jahrhunderts nur in Boomphasen Preisniveausteigerungen festzustellen und gingen mit wirtschaftlichen Depressionen Preisniveausenkungen einher, so verlangsamte sich nunmehr bei Konjunkturabschwächungen lediglich der Preisniveauanstieg.

Schwankungen der realwirtschaftlichen Aktivität werden begleitet von Phasen der Inflationsakzeleration bzw. -dezeleration (Beitrag F-1.3.); die „neue" Kombination von Stagnation bzw. Rezession und Inflation – häufig als ,,Stagflation" oder ,,inflationäre Rezession" bezeichnet – konnte mit den „alten", keynesianisch orientierten realwirtschaftlichen Konjunkturmodellen kaum erklärt werden. Die lange Zeit vernachlässigte monetäre Komponente gesamtwirtschaftlicher Aktivitätsschwankungen wurde wiederentdeckt. Die immer dringlichere Aufgabe, realwirtschaftliche Aktivitätsschwankungen zu reduzieren und gleichzeitig die Inflation in Grenzen zu halten, mündete ein in eine umfassende stabilitätstheoretische und -politische Diskussion, die keineswegs abgeschlossen ist. Bis heute bestehen kontroverse Auffassungen über Ursachen und Wirkungen der Schwankungen realer und nominaler Makrovariablen. Mithin unterscheiden sich auch die wirtschaftspolitischen Strategien, die zur Vermeidung oder Minderung der Schwankungen empfohlen werden. Über Zahl und Art der stabilitätspolitischen Ziele sowie ihre Definition herrscht ebenso Uneinigkeit wie über Auswahl und Einsatz der wirtschaftspolitischen Instrumente.

Weitgehend einig ist man sich hingegen über das Erfordernis einer adäquaten Stabilitätspolitik. Starke Schwankungen der wirtschaftlichen Aktivität verursachen hohe wirtschaftliche und soziale Kosten. In Rezessionen entstehen Wohlfahrtsverluste durch ungenutzte Produktionsmöglichkeiten, wobei insbesondere eine anhaltend hohe Arbeitslosigkeit einzel- und gesamtwirtschaftlich folgenschwer sein kann. Andererseits verursachen Inflationsakzelerationen und ihre Bekämpfung gravierende Allokations-, Beschäftigungs- und Umverteilungseffekte, die im Extremfall einen völligen Vertrauensschwund in die Währung und damit in die Leistungsfähigkeit einer monetär organisierten Tauschwirtschaft auslösen können. Die wirtschaftlichen und sozialen Folgen von Inflation und Dauerarbeitslosigkeit bedrohen zudem die Funktionsweise und den Bestand parlamentarischer Demokratien, wie z. B. die Erfahrungen nach der Weltwirtschaftskrise in Deutschland bestätigen. Aus diesen Gründen wird allgemein akzeptiert, daß dem Staat die Aufgabe zukommt, die Voraussetzungen für eine stabile gesamtwirtschaftliche Entwicklung zu schaffen und zu sichern. Wie die als notwendig angesehene Stabilitätspolitik im einzelnen gestaltet werden soll, wird indes kontrovers diskutiert.

2. Stabilitätspolitische Konzeptionen

Diese Kontroverse ist begründet in den unterschiedlichen Sichtweisen des Funktionierens marktwirtschaftlicher Systeme, wie sie in der keynesianischen und der neoklassischen Theorie zum Ausdruck kommen (Friedman, 1969, 1; Tobin, 1970; Ando/Modigliani, 1965; Brunner, 1968; Johnson, 1970). Die anfänglich scharfen und unversöhnlich erscheinenden Auseinandersetzungen zwischen Keynesianern (,,Fiskalisten") und Neoklassikern (,,Monetaristen") haben zwar neuerdings zu partiellen Annäherungen der theoretischen Positionen geführt – Benjamin M. Friedman (1976) spricht sogar von ,,Schein- und Nichtkontroversen" –, gleichwohl bestehen bei einigen Basishypothesen so erhebliche Differenzen, daß daraus radikal gegensätzliche Konzepte und Strategien einer Makrosteuerung marktwirtschaftlicher Prozesse resultieren (Überblick bei THIEME, 1982; KROMPHARDT, 1986).

2.1. Theoretische Grundlagen stabilitätspolitischer Konzeptionen

Keynesianische Stabilisierungskonzeption

Die keynesianische Erklärung der gesamtwirtschaftlichen Aktivitätsschwankungen geht von der Basishypothese aus, daß der private Sektor einer Marktwirtschaft instabil ist, d. h. von sich aus Abweichungen von der langfristigen Trendentwicklung bei Vollbeschäftigung hervorruft oder bei exogenen Störungen nicht mehr dahin zurückführt. Da Marktwirtschaften in der vorkeynesianischen (klassischen) Theorie als weitgehend staatsfreie Wirtschaften interpretiert und analysiert wurden, ergab es sich nahezu von selbst, die beobachteten zyklischen Aktivitätsschwankungen dem Verhalten der privaten Konsumenten, Produzenten, Investoren, Geldnachfrager usw. anzulasten. Mit der „Entdeckung" der wirtschaftlichen Aktivität des Staates konnte KEYNES einen ,,Stabilisator" präsentieren, dessen antizyklisches Verhalten als notwendige Bedingung für eine stetige gesamtwirtschaftliche Entwicklung bei Vollbeschäftigung der Produktionsfaktoren angesehen wurde.

Die keynesianische Instabilitätshypothese ist in verschiedenen gesamtwirtschaftlichen Nachfragefunktionen angelegt, die in der makroökonomischen Theorie und der auf ihr basierenden Politik der Globalsteuerung in den vergangenen Jahrzehnten eine zentrale Rolle gespielt haben:

- Von besonderer Bedeutung für die Begründung der Instabilität des privaten Sektors ist die ,,Stimmungshypothese" des privaten Investitionsverhaltens: Wellen des Optimismus und Pessimismus – wodurch auch immer ausgelöst – haben abrupte Änderungen der Ertragserwartungen bei den privaten Investoren zur Folge. Das Ergebnis ist ein zyklisches Verlaufsmuster der privaten Investitionstätigkeit (Beiträge C-3.4. und G-2.3.).
- Auch die Erklärung des privaten Konsumverhaltens stützt die Instabilitätshypothese: Nach der keynesianischen Konsumhypothese hängen die Konsumausgaben der privaten Haushalte vom laufenden verfügbaren (Aktual-)Einkommen ab (Beitrag C-3.4.). Kurzfristige Einkommensänderungen lösen Schwankungen der Konsumausgaben aus. Dies erklärt auch, weshalb Steuersatzvariationen als kurzfristig wirksames Instrument einer Variation der privaten Konsumausgaben gelten.
- Schließlich wird die gesamtwirtschaftliche Geldnachfrage als instabil angesehen (Beiträge C-4.2. und D-2.2.): Sie variieren kurzfristig, auch ohne daß sich einer ihrer Bestimmungsfaktoren – das laufende Einkommen oder der Zinssatz – verändert. Daraus leitet sich die Forderung nach einer kurzfristig gegensteuernden Geldpolitik ab. Gleichzeitig basiert darauf die Hypothese von der eingeschränkten Effizienz der Geldpolitik (,,money doesn't matter"): Wenn monetäre Impulse von kompensatorischen Veränderungen der Geldnachfrage begleitet sind, beeinflussen sie den

Zinssatz kaum und haben nur geringe oder überhaupt keine realwirtschaftlichen Effekte.

Die keynesianische Instabilitätshypothese basiert somit auf verschiedenen makroökonomischen Verhaltensfunktionen, die nur kurzfristige und im Zeitablauf veränderliche Mengenbeziehungen zwischen den Makrovariablen herstellen. Entscheidend ist dabei die Annahme, daß die vom privaten Sektor ausgehenden Impulse und andere Schocks makroökonomische Gleichgewichtslagen stören und über spontane Veränderungen der Präferenzen und Erwartungen zu abrupten Verhaltensänderungen führen. Sie bewirken in den kurzfristigen Makromodellen ausschließlich Mengenreaktionen, die durch Multiplikator-Akzelerator-Prozesse verstärkt werden. Änderungen der relativen Preise bleiben ebenso unberücksichtigt wie Preisniveauänderungen. Die Finanzierungsmöglichkeiten geplanter Ausgaben sind nicht begrenzt, da sich annahmegemäß der private Sektor die erforderlichen nominalen Geldbestände jederzeit durch die Buchgeldproduktion des Geschäftsbankensystems beschaffen kann. Das Geldangebot wird somit als endogen unterstellt und für nicht hinreichend steuerbar gehalten.

In dieser Sichtweise marktwirtschaftlicher Prozesse fällt dem Staat die Aufgabe zu, das zyklische Ausgabeverhalten des privaten Sektors durch antizyklische Impulse zu kompensieren und so eine stetige gesamtwirtschaftliche Nachfrageentwicklung zu gewährleisten. Da die Wirkungen der Geldpolitik unsicher erscheinen und mit erheblichen Zeitverzögerungen eintreten, liegt die Hauptlast der Stabilisierungspolitik bei Ausgaben- oder Einnahmenvariationen des Staatshaushalts („Dominanz fiskalischer Impulse"). Nach keynesianischer Auffassung beeinflussen sie die gesamtwirtschaftlichen Niveaugrößen direkt, haben gut prognostizierbare multiplikative Mengeneffekte und können – bei entsprechenden Handlungsbedingungen für die Regierungen – schnell eingesetzt werden. Inflation wird nicht monetär, sondern durch autonomen Nachfragesog oder Angebotsdruck erklärt. Da Nominallöhne und Güterpreise als nach unten starr gelten, wird ein gewisses Maß an Inflation als Kosten der Sicherung von Vollbeschäftigung und angemessenem Wirtschaftswachstum toleriert (Beitrag F-3.2.). Inflationsbekämpfung obliegt mithin weniger der Geldpolitik als vielmehr der fiskalischen Feindosierung einzelner Komponenten der gesamtwirtschaftlichen Nachfrage sowie insbesondere der Einkommenspolitik, die den preisniveautreibenden Angebotsdruck auf Güter- und Faktormärkten mindern soll.

Nach der keynesianischen Theorie hat also der Staat in marktwirtschaftlichen Systemen die permanente Aufgabe, durch kurzfristiges diskretionäres Gegensteuern die wirtschaftliche Aktivität zu stabilisieren und das Wachstum der Wirtschaft zu fördern. Diese Vorstellungen bildeten noch in den siebziger Jahren das Fundament der Konjunktur- und Beschäftigungspolitik in den meisten westlichen Industrieländern.

Neoklassische Stabilitätskonzeption

Die keynesianische Lehre verstand sich als „Revolution" des klassischen Theoriegebäudes. Bereits Ende der fünfziger Jahre wurde eine „monetaristische Gegenrevolution" (Friedman, 1970, 2; Johnson, 1971) eingeleitet. Die monetaristische Kritik basiert auf der zur neoklassischen Theorie weiterentwickelten klassischen Lehrmeinung. Sie richtet sich vor allem gegen:

- die Vernachlässigung monetärer Faktoren bei der Erklärung gesamtwirtschaftlicher Aktivitätsschwankungen;
- die Nichtberücksichtigung von Änderungen relativer Preise im Prozeß der Transmission monetärer und fiskalischer Impulse;
- die Nichtberücksichtigung von Inflationserwartungen als Verhaltensdeterminante bei ausgeprägten Inflationen; und
- die kurzfristige Betrachtungsweise der Beziehungen zwischen den Makrovariablen, wodurch längerfristige Anpassungsprozesse außer acht bleiben.

Dem keynesianischen Instabilitätspostulat stellt die monetaristische Theorie die Basishypothese eines grundsätzlich („inhärent") stabilen privaten Sektors einer Marktwirtschaft gegenüber (BRUNNER, 1970; NEUMANN, 1974): Hiernach ist das erwartungsabhängige Konsum-, Investitions- und Geldnachfrageverhalten der Privaten keineswegs so unstetig, wie es aus keynesianischer Sicht erscheint und zur vollständigen Erklärung der Aktivitätsschwankungen erforderlich wäre. Dem Vorwurf, es handele sich lediglich um eine Neuauflage klassischer Stabilitätsvorstellungen, wird begegnet durch die Ausformulierung und empirische Prüfung der makroökonomischen Verhaltensfunktionen.

Die neoklassische Theorie stellt sowohl kurz- als auch langfristige Beziehungen zwischen den betrachteten Makrovariablen her. Das Konsum-, Investitions- und Geldnachfrageverhalten des privaten Sektors wird durch stabile Funktionen erfaßt, in denen die abhängigen Variablen (Konsumausgaben; Investitionsausgaben; reale Kassenhaltung) durch eine begrenzte Anzahl unabhängiger Variablen (permanentes Einkommen; realer Zinssatz; erwartete Inflationsrate) erklärt werden. Zu Totalmodellen zusammengefaßt (FRIEDMAN, 1970, 1; CLAASSEN, 1972; LAIDLER, 1976; BRUNNER/MELTZER, 1976, 1), lassen sich aus ihnen kurzfristige realwirtschaftliche Aktivitätsschwankungen sowie langfristige Schwankungen der Inflationsrate als Folge monetärer Impulse unter Einschluß von Inflationserwartungen ableiten. Kurzfristige Abweichungen von den langfristigen Gleichgewichtswerten der Modelle entstehen immer dann, wenn die Erwartungsgrößen (z. B. die erwartete Inflationsrate) von den tatsächlichen Größen abweichen oder die beabsichtigte Antizipation nicht vollständig gelingt. Ein wesentlicher Unterschied zur keynesianischen Analyse besteht in der Annahme, daß die Wirtschaftseinheiten eine bestimmte Relation zwischen ihrer realen Geldhaltung (Bestandsgröße) und ihrem Realeinkommen (Stromgröße) anstreben. Treten Störungen auf, versuchen die Wirtschaftseinheiten, durch entsprechende (Ausgaben- bzw. Vermögens-)Dispositionen die gewünschte Relation wiederherzustellen.

Die hieraus resultierenden Anpassungsprozesse sind Ausdruck der Dynamik des privaten Sektors und der besonderen Stabilitätseigenschaften marktwirtschaftlicher Systeme. Die Anpassungsreaktionen des privaten Sektors werden als Selbststeuerungsprozeß interpretiert, der – wodurch auch immer ausgelöste – reale und monetäre Impulse (Schocks) durch Mengen- *und* Preisanpassungen in stabilisierende Bewegungen umsetzt und schließlich absorbiert. Theoretische und empirische Analysen der Determinanten von Geldangebot und -nachfrage, der Transmission von Impulsen sowie der relativen Wirkung von monetären, fiskalischen und außenwirtschaftlichen Impulsen begründen die monetaristische Schlußfolgerung, daß wirtschaftspolitisch ausgelöste Veränderungen der Wachstumsrate des nominalen Geldangebots (monetäre Impulse) besonders heftige kurzfristige Mengen- und längerfristige Preisanpassungen im privaten Sektor auslösen und die fiskalischen Impulse dominieren („Dominanz monetärer Impulse").

Nach neoklassischer Auffassung verursacht somit im wesentlichen das Verhalten des Staates (Regierung und Notenbank) die beobachtbaren Schwankungen der realwirtschaftlichen Makrovariablen und der Inflationsrate. Der private Sektor weist in zweifacher Hinsicht Stabilitätseigenschaften auf: Er produziert keine sich selbst verstärkenden Schwankungen und absorbiert darüber hinaus auf ihn einwirkende Störungen. Daß die Anpassungsfähigkeit in der Realität nicht sofort zu Gleichgewichtslösungen führt, hat verschiedene Gründe:

- Erstens verhindern die entstehenden Transaktionskosten (Kosten der Informationsbeschaffung und -verarbeitung sowie die auszuführenden Dispositionen) eine rasche und vollständige Anpassung.
- Zweitens schwankt der Zeitbedarf der Anpassung in Abhängigkeit von der Art, Stärke und Dauer der Impulse sowie von den jeweils gegebenen institutionellen Anpassungsmöglichkeiten.
- Drittens schließlich produzieren parlamentarische Demokratien mit ihren regelmäßig wiederkehrenden Wahlterminen zyklische Impulsfolgen, so daß sich Anpassungsprozesse überlagern und zyklische Verlaufsmuster der realen und nominalen Makrovariablen entstehen können (Beitrag G-2.4.2.).

Die stabilitätspolitische Maxime der Neoklassik lautet folglich: Verstetigung der Wirtschaftspolitik zur Vermeidung von Schocks, die kumulative Anpassungsprozesse im privaten Sektor in Gang setzen. Um die sonst entstehenden kurzfristigen Produktions- und Beschäftigungseffekte sowie die längerfristigen Schwankungen der Inflationsrate zu vermeiden, soll die makroökonomische Steuerung primär auf die Geldpolitik übergehen. Sie soll die Wachstumsrate der nominalen Geldbestände längerfristig konstant halten und ihre Höhe so dosieren, daß das zu erwartende Wirtschaftswachstum inflationsfrei finanziert werden kann. Es wird angenommen, daß sie hierzu bei außenwirtschaftlicher Absicherung durch ein System weitgehend flexibler Wechselkurse auch in der Lage ist. Der Fiskalpolitik fallen in diesem Konzept primär struktur- und allokationspolitische Aufgaben zu: Ihr Ziel muß es sein, die Anpassungsfähigkeit des privaten Sektors zu verbessern. Da Inflation letztlich als monetär verursacht gilt, ist im neoklassischen Konzept kaum Platz für spezifische einkommenspolitische Maßnahmen.

Keynesianische Stabilisierungs- wie neoklassische Stabilitätskonzeption basieren auf überprüfbaren makroökonomischen Verhaltenshypothesen. Einige Kritiker wollen die neoklassische Stabilitätshypothese in den Bereich der Glaubenssätze (Gahlen, 1974) oder der Kosmologie (Frisch, 1977) verweisen. Dieser A-priori-Diskriminierung, die auch die keynesianische Instabilitätshypothese träfe, wird jedoch kaum gefolgt. Vielmehr haben sich die Auseinandersetzungen zunehmend auf das Feld empirischer Überprüfung verlagert. Dabei wurden auch von Nichtmonetaristen in ökonometrischen Fallstudien zyklusauslösende und -verstärkende Effekte einer antizyklisch intendierten Geld- und Fiskalpolitik festgestellt (Okun, 1969; Modigliani, 1977). Angesichts der vorhandenen empirischen Evidenz wächst jedenfalls die Zahl jener Ökonomen, die die Wirkungen kurzfristiger antizyklischer Makrosteuerung skeptisch beurteilen. In einigen Ländern (z. B. Bundesrepublik Deutschland,

Schweiz) hat die Kritik am „stop and go“ zu ersten Versuchen geführt, gesamtwirtschaftliche Aktivitätsschwankungen durch Verstetigung der Wirtschaftspolitik zu reduzieren. Freilich läßt sich das Ergebnis gegenwärtig noch nicht abschließend beurteilen.

In jüngerer Vergangenheit wurde die Diskussion um die neoklassische Stabilitätskonzeption in zweifacher Hinsicht belebt: zum einen durch die theoretische Analyse rationaler Erwartungen im Rahmen der Neuen Klassischen Ökonomie (new classical economics), zum anderen durch das politische Konzept der Angebotssteuerung (supply-side economics). Im Gegensatz zur keynesianischen Neuen Makroökonomie (Beitrag C-7.4.), die in ihren Rationierungsmodellen von rigiden Ungleichgewichtspreisen ausgeht und damit Verhaltensänderungen aufgrund von Zukunftserwartungen ausschließt, stellt die Neue Klassische Ökonomie (Überblick bei STEIN, 1981; 1982; RAHMEYER, 1984) das Erwartungsbildungs- und Antizipationsverhalten der Wirtschaftssubjekte in den Mittelpunkt ihrer gleichgewichtstheoretischen Erklärung der zu beobachtenden Preis- und Mengenschwankungen (Markträumungsansatz). Die vor allem von ROBERT E. LUCAS (1972); THOMAS J. SARGENT; NEIL WALLACE (1976) und ROBERT J. BARRO (1976) eingeführte Hypothese rationaler Erwartungen hat dabei in Verbindung mit der Annahme vollkommen flexibler Preise zu einer extremen stabilitätspolitischen Position geführt (Überblick bei NEUMANN, 1981, 2): Hiernach nutzen die Wirtschaftssubjekte alle möglichen Informationen aus, um die letztlich eintretenden Wirkungen wirtschaftspolitischer Maßnahmen vollständig zu antizipieren. Da sich rational verhaltende Wirtschaftssubjekte nicht ohne weiteres systematisch täuschen lassen, kann eine antizyklische Stabilisierungspolitik, die einem erkennbaren Muster folgt, selbst vorübergehend keine gezielten Produktions- und Beschäftigungseffekte erreichen. Bei rationalen Erwartungen gibt es folglich keinen stabilitätspolitisch nutzbaren „trade off“ zwischen Inflation und Arbeitslosigkeit, d. h. die PHILLIPS-Kurve verläuft auch kurzfristig senkrecht über der „natürlichen“ Arbeitslosenquote (Beitrag F-3.1.). Damit wird die vollständige Wirkungslosigkeit jeder systematisch betriebenen geld- und fiskalpolitischen Nachfragesteuerung behauptet, die sich ein Vollbeschäftigungsziel unterhalb der natürlichen Arbeitslosigkeit setzt. So unumstritten der Grundgedanke der Hypothese rationaler Erwartungen inzwischen ist, so umstritten ist nach wie vor die Frage, inwieweit man empirisch rationales Erwartungsbildungs- und Antizipationsverhalten der Marktakteure voraussetzen kann (MCCALLUM, 1980).

Der zweite Anstoß zur Belebung der stabilitätspolitischen Grundsatzdiskussion ging von der Wirtschaftspolitik vor allem Großbritanniens und den USA seit Anfang der achtziger Jahre aus. Angesichts der immer drängenderen gesamtwirtschaftlichen Probleme gab man in diesen Ländern mit dem Amtsantritt von MARGRET THATCHER (1979) und RONALD REAGAN (1981) die bis dahin praktizierte keynesianische Nachfragesteuerung auf; seitdem versucht man, Stagflation, Wachstumsschwäche und strukturelle Arbeitslosigkeit „angebotsseitig“, d. h. durch Programme zur Verbesserung der Wachstums- und Effizienzbedingungen der Produktion zu bekämpfen („Thatcherism“; „Reaganomics“). Die sich hieran anschließende Diskussion um eine „angebotsorientierte“ Stabilitätskonzeption hat jedoch bisher weder zu einer eigenständigen stabilitätstheoretischen Richtung noch zu einem geschlossenen stabilitätspolitischen Handlungskonzept geführt (Überblick bei ISSING, 1982, 1; 1983; WELFENS, 1985). Der Grundgedanke besteht darin, stabilitätspolitisch nicht an den Komponenten der volkswirtschaftlichen Gesamtnachfrage, sondern an den Bestimmungsfaktoren des Gesamtangebots bzw. des Produktionspotentials anzusetzen: Durch verbesserte Rahmenbedingungen (z. B. Steuerentlastung und Deregulierung der Wirtschaft; Konstanz der Geld- und Fiskalpolitik) sollen die Rentabilitätserwartungen der Produzenten erhöht und zugleich stabilisiert werden; dies fördere die Investitions- und Innovationstätigkeit, beschleunige den Anstieg von Produktion und Einkommen und führe schließlich zu einem höheren Beschäftigungsniveau und einer Dämpfung des Preisauftriebs. Wenngleich hiermit auf eine stabilitätspolitisch beachtenswerte, im Rahmen der Nachfragesteuerung weitgehend vernachlässigte Kausalkette verwiesen wird, so erscheint es fraglich, ob eine ausschließlich wachstums- und effizienzorientierte Angebotsstrategie unter allen Umständen adäquat ist. Anders als die angelsächsischen Vertreter der supply-side economics, nimmt daher u. a. der Sachverständigenrat in der Bundesrepublik Deutschland eine vermittelnde Position ein, indem er die Bedeutung der Angebotssteuerung würdigt, ohne die Nachfragesteuerung gänzlich abzulehnen (SVR, 1975/76; 1981/82 ff.; Überblick bei Sievert, 1982). Für ihn kommt es entscheidend darauf an, ob die jeweiligen Instabilitäten nachfrage- oder angebotsseitig ausgelöst sind („Doppelstrategie"). Insbesondere weist er auch auf die zwischen nachfrage- und angebotsorientierter Politik bestehenden Interdependenzen hin – z. B. sind Investitionen kurzfristig nachfrage- und langfristig angebotswirksam –, weshalb sich eine extrem einseitige Position von selbst verbiete.

2.2. Stabilitäts- und Stabilisierungspolitik

Die Interpretation verschiedener makroökonomischer Positionen erlaubt nunmehr eine genauere Begriffsbestimmung von Stabilitäts- und Stabilisierungspolitik.

Stabilitätspolitik umfaßt jenen Teil der staatlichen Wirtschaftspolitik, durch den die Fähigkeit des marktwirtschaftlichen Systems erhalten oder verbessert wird, gesamtwirtschaftlich relevante Impulse in angemessener Zeit und mit tolerablen Nebeneffekten absorbieren zu können. In diesem Sinne umfaßt sie nicht nur die traditionellen prozeßpolitischen Instrumente, die zur Verstetigung der gesamtwirtschaftlichen Nachfrage einzusetzen sind, sondern auch alle ordnungspolitischen Maßnahmen, durch die die Angebotsflexibilität des marktwirtschaftlichen Systems erhalten oder verbessert wird. Ordnungspolitisch geht es dabei insbesondere um den Abbau von Flexibilitätshemmnissen, die durch die Ausgestaltung von Markt-, Außenhandels- und Unternehmensverfassungen, aber auch von Geld- und Finanzverfassungen entstanden sind. Die zu realisierenden Rahmenbedingungen des Wirtschaftens sollen es dem privaten Sektor ermöglichen, auf ihn einwirkende Impulse zügig durch Mengen- *und* Preisanpassungen zu absorbieren.

Prozeßpolitische Eingriffe können im Einzelfall die Anpassungsprozesse beschleunigen. Im wesentlichen ist Prozeßpolitik jedoch zur Steuerung der gesamtwirtschaftlichen Güternachfrage einzusetzen. Dazu hat sie insbesondere ein kontinuierliches Wachstum des nominalen Geldangebots sicherzustellen, eine Aufgabe, die unter entsprechenden außenwirtschaftlichen Bedingungen durch den Einsatz geld- und finanzpolitischer Instrumente geleistet werden kann. Daneben können auch währungs- und einkommenspolitische Maßnahmen sinnvoll und notwendig sein, sofern damit nicht gegen das Postulat der Verstetigung der staatlichen Wirtschaftspolitik verstoßen wird.

Stabilitätspolitik ist mithin durch folgende Merkmale gekennzeichnet:

- Grundlage ist das Vertrauen auf einen stabilen privaten Sektor, der in der Lage ist, Impulse zu verarbeiten und sie – gegebenenfalls unter Erzeugung gedämpfter Schwingungen – abzubauen.
- Stabilitätspolitische Maßnahmen müssen dem Verstetigungspostulat entsprechen; von ihnen dürfen keine destabilisierenden Impulse auf den privaten Sektor ausgehen.
- Die Stabilitätspolitik hat darauf hinzuwirken, daß die Impulse in einer politisch akzeptablen Frist und mit politisch tolerablen Beschäftigungs-, Inflations-, Wachstums- sowie Allokationseffekten absorbiert werden.
- Den Schwankungen der realen und nominalen Makrovariablen wird nicht nur von der Nachfrageseite her entgegengewirkt, sondern auch durch eine entsprechende Gestaltung der Angebotsbedingungen.

Selbst bei einer so konzipierten Stabilitätspolitik ist nicht auszuschließen, daß sich die Wirtschaft in unerwünschter Weise entwickelt und ein zusätzlicher wirtschaftspolitischer Handlungsbedarf entsteht. Natürliche und politische Umweltbedingungen bei hochgradiger internationaler Arbeitsteilung und Verflechtung wirtschaftlicher Prozesse lassen die Annahme schockfreier nationaler Entwicklungen unrealistisch erscheinen, wie Kriege, Naturkatastrophen, Rohstoffknappheiten, Staatskrisen usw. zeigen. Hierdurch kann das Absorptionsvermögen des privaten Sektors vorübergehend überfordert werden; die zeitlichen und sachlichen Kosten des Absorptionsprozesses (z. B. die Höhe und Dauer der Arbeitslosigkeit) können so stark ansteigen, daß ein Gegensteuern politisch geboten erscheint.

Hierin liegt die Aufgabe der Stabilisierungspolitik: Sie umfaßt alle ordnungs- und prozeßpolitischen Maßnahmen, die geeignet sind, bereits entstandene Zielabweichungen rückgängig zu machen. Stabilisierungspolitik ist zwingend erforderlich, wenn – wie nach keynesianischer Auffassung – ein instabiler privater Sektor unterstellt wird; sie kann aus den genannten Gründen jedoch auch notwendig sein, wenn der private Sektor stabil ist. Hat es beispielsweise bei festen Wechselkursen einen unerwünschten Inflationsimport gegeben, so könnte die akzelerierte Inflation nach Freigabe des Wechselkurses monetär durch einen abrupten Stopp des Geldmengenwachstums oder durch ein schrittweises Reduzieren der Wachstumsrate der Geldmenge bekämpft werden. Im ersten Fall wird die Inflationsakzeleration möglicherweise schneller gestoppt und in eine Phase der Inflationsdezeleration übergeleitet werden können; die dabei entstehenden volkswirtschaftlichen Produktions- und Beschäftigungseinbußen können jedoch in eine politisch nicht tragbare „Stabilisierungskrise" einmünden. Im zweiten Fall sind negative Produktions- und Beschäftigungseffekte zwar nicht vermeidbar, wohl aber zu verringern, wenn die Erwartungsanpassungen der Wirtschaftssubjekte durch flankierende Maßnahmen erleichtert oder Indexierungen praktiziert werden (s. Abschnitt 4.4.). An diesem Beispiel wird zugleich deutlich, daß das Verstetigungspostulat auch für stabilisierungspolitische Aktivitäten gilt.

Stabilitätspolitik ist somit auf Erhaltung, Stabilisierungspolitik auf Wiedererreichung gewünschter gesamtwirtschaftlicher Entwicklungen gerichtet, die in den Zielsetzungen zum Ausdruck kommen. Bezugsgrößen sind Niveaus oder Änderungsraten makroökonomischer Bestands- oder Stromgrößen. Sie beschreiben den geldwirtschaftlichen bzw. monetären Sektor (Geldmenge, Preisniveau, Wechselkurs und deren Änderungsraten) und den güterwirtschaftlichen bzw. realen Sektor (Arbeitslosenquote, Produktionspotential, Sozialprodukt und deren Änderungsraten). Damit wird die häufig geforderte Integration von realer und monetärer Seite gesamtwirtschaftlicher Prozesse vollzogen (Haberler, 1975, S. 66; Claassen, 1977; Thieme, 1979, 2). Die Festlegung von Zielsetzungen für die praktische Stabilitäts- und Stabilisierungspolitik verursacht dabei erhebliche Probleme, die ihren Niederschlag in einer intensiven Zieldiskussion gefunden haben.

3. Ziele

Rationale Stabilitätspolitik setzt voraus, daß Stabilitätsziele definiert und operationalisiert werden. Sollen wirtschaftspolitische Entscheidungsträger in der Lage sein, ursachenadäquate Instrumente auszuwählen sowie Zeitpunkt, Dauer und Dosierung ihres Einsatzes festzulegen, so müssen die Zielvorgaben eindeutig sein. Sind sie es nicht, ist die Stabilitätspolitik – selbst wenn sie auf einer empirisch gut bestätigten Theorie mit hohem Prognosegehalt basiert – dem Zufall überlassen. Bei der praktischen Zielbestimmung sind verschiedene Normierungsprobleme zu lösen, die mittlerweile eine lebhafte theoretische Diskussion über Zahl, Art und Quantifizierung der Stabilitätsziele ausgelöst haben.

3.1. Normierungsprobleme

Stabilitätspolitische Ziele sind Normierungen bestimmter gesamtwirtschaftlicher Sollzustände, wie etwa Preisniveaustabilität, Vollbeschäftigung oder angemessenes Wirtschaftswachstum. In parlamentarischen Demokratien sind solche Normierungen das Ergebnis vielschichtiger Wertungs- und Willensbildungsprozesse. Dabei sind folgende Auswahl-Entscheidungen zu treffen (Beitrag N-4.2.):

- Im Wege der politischen Kompromißfindung sind zunächst jene Ziele auszuwählen, durch die die angestrebte Entwicklung der Gesamtwirtschaft hinreichend beschrieben wird (Auswahl der Ziele; Beispiel: Preisniveaustabilität).
- Ferner sind reale und nominale Makrovariablen zu bestimmen, auf die sich die stabilitätspolitische Einflußnahme richten soll (Auswahl der Zielvariablen; Beispiel: Änderungsrate des Preisniveaus bzw. Inflationsrate).
- Da es sich bei den Zielvariablen meist um theoretische Konstrukte handelt, sind Meßgrößen als empirisch repräsentative Indikatoren festzulegen (Auswahl des Indikators; Beispiel: Preisindex für die Lebenshaltung aller privaten Haushalte).
- Schließlich sind die Zielvariablen zu quantifizieren, damit die stabilitätspolitischen Maßnahmen rechtzeitig und richtig dosiert eingesetzt werden können und ihr Er-

folg kontrollierbar ist (Auswahl der Zielwerte; Beispiel: Der Preisindex für die Lebenshaltung aller privaten Haushalte soll nicht stärker steigen als 2,0 v. H. pro Jahr).

Daß Preisniveaustabilität, Vollbeschäftigung, angemessenes Wirtschaftswachstum usw. in den westlichen Industrieländern zur – teilweise gesetzlich fixierten – Richtschnur der Makrosteuerung wurden, hat seinen Grund insbesondere in den negativen Erfahrungen, die Generationen von Wirtschaftssubjekten mit galoppierenden Inflationen, wirtschaftlichen Depressionen und anhaltender Massenarbeitslosigkeit gemacht haben. Bei der Formulierung der stabilitätspolitischen Zielkataloge hat es nicht an Versuchen gefehlt, die Auswahl-Entscheidungen an den Ergebnissen makroökonomischer Gleichgewichtsmodelle zu orientieren. Ein solches Vorgehen erscheint jedoch problematisch (Krüsselberg, 1969, S. 13 ff.; Hoppmann, 1973; Tuchtfeldt, 1973, 2): In einer komplexen Welt sich nie einstellender Gleichgewichtslagen sind statische Gleichgewichte Fiktionen, die – zu Zielen erhoben – die praktische Stabilitätspolitik vor unlösbare Aufgaben stellen würden. Es erscheint auch fraglich, ob die „Ungleichgewichtsanalysen" von Makromärkten im Rahmen der Neuen Makroökonomie (Beitrag C-7.4.) geeignete Anhaltspunkte zur Bestimmung von Stabilitätszielen geben können. Die analytische Betonung unvollständiger und unsicherer Informationen der Wirtschaftssubjekte über Gegenwarts- und Zukunftsentwicklungen sowie der Existenz von Informations- und Anpassungskosten lassen jedoch erkennen, daß eine extrem enge Zielnormierung makroökonomischer „Gleichgewichte" für die Stabilitätspolitik verfehlt ist.

Ein zweites Problem ist bei der Zielauswahl zu beachten: Je mehr makroökonomische Stabilitätsziele festgelegt werden („magische Drei-, Vier- oder Vielecke"), desto geringer sind die Handlungsspielräume wirtschaftspolitischer Entscheidungsträger und desto wahrscheinlicher sind Zielkonflikte (trade offs) in konkreten Situationen. Tatsächlich nimmt die Diskussion über grundsätzliche Antinomien (Inkompatibilitäten) zwischen den Stabilitätszielen breiten Raum in der Literatur ein (Überblick bei Tichy, 1971; Giersch, 1977). Dabei steht die Unvereinbarkeitshypothese zwischen Vollbeschäftigung und Preisniveaustabilität (Phillips-Kurve; Beitrag F-2.1. und 3.1.) im Mittelpunkt der Betrachtung. Die Anerkennung der Existenz solcher Zielantinomien hat Vorschläge initiiert, generelle oder zumindest temporäre Prioritäten für einzelne Stabilitätsziele festzulegen. Sie sollen rational auf der Grundlage gesamtwirtschaftlicher (Wohlfahrts-)Verlustfunktionen getroffen werden (Mackscheidt, 1972), die jedoch gegenwärtig nicht praktikabel erscheinen.

Auch die Auswahl der makroökonomischen Zielvariablen und ihrer Indikatoren ist nicht unproblematisch, wobei folgende Aspekte besonders bedeutsam sind:

- Nicht alle durch Meßgrößen statistisch erfaßbaren Makrovariablen (z. B. verschiedene Sozialprodukte oder Preisniveauindizes) sind gleich gut geeignet, die gewünschte gesamtwirtschaftliche Entwicklung abzubilden. Wird – wie in wachsenden Volkswirtschaften üblich – nicht auf das Niveau der Variablen, sondern auf deren zeitliche Änderung abgestellt, können zudem Fehlinformationen vermittelt werden (Basisjahrproblem; Aussagefähigkeit prozentualer Änderungsraten).

- Hinzu kommt, daß es neben der statistisch erfaßten Wirtschaft auch eine „Schattenwirtschaft" gibt, die seit Mitte der siebziger Jahre in allen Industrieländern absolut und relativ zu wachsen scheint. Hierdurch könnten Inflation, Arbeitslosigkeit, Wachstumsschwäche usw. in den amtlich ausgewiesenen Daten größer erscheinen als sie tatsächlich sind. Durch systematisch verzerrte Informationen fehlgeleitet, liefe die Stabilitätspolitik Gefahr, das wahre Ausmaß der Zielabweichungen zu überschätzen und unangemessen zu reagieren („unobserved incomer hypothesis").
- Kriterium für die Auswahl von Zielvariablen ist ihre schnelle und exakte Meßbarkeit, damit Zielabweichungen zügig und richtig diagnostiziert werden können. Dabei tritt eine Reihe statistisch-methodischer Meßprobleme auf, die nur teilweise lösbar sind (zur Inflationsmessung s. Beitrag F-1.2.). Die Anforderungen an das statistische Basismaterial und die angewendeten Berechnungsmethoden sind zudem von Land zu Land verschieden, weshalb internationale Vergleiche von prozentualen Arbeitslosenquoten, Inflationsraten, Wachstumsraten usw. äußerst problematisch sind.
- Aus strategischen Gründen kann es zweckmäßig sein, Zwischenzielvariablen zu bestimmen (Beitrag N-4.3.1.): Weil die Transmissionskette zwischen Stabilitätszielen und Instrumenteneinsatz sehr lang ist, können geeignete Transmissionsglieder ausgewählt werden, auf deren Steuerung sich die Stabilitätspolitik richtet. Solche Zwischenzielvariablen (targets) müssen eine eindeutige, theoretisch geklärte Kausalbeziehung zur Zielvariablen (goal) haben und durch stabilitätspolitische Maßnahmen dominant beeinflußbar sein. Ihre Auswahl, wie sie besonders für die Geldpolitik diskutiert und praktiziert wird (Beitrag D-5.2.), hängt wiederum wesentlich von der jeweiligen stabilitätspolitischen Gesamtkonzeption ab.

Ist das normative Element schon bei der Auswahl von Stabilitätszielen, Zielvariablen und Indikatoren bedeutsam, so erst recht bei der notwendigen Fixierung der Zielwerte: Es sind numerische Werte der makroökonomischen Variablen anzugeben, deren Über- oder Unterschreitung einen stabilisierungspolitischen Handlungsbedarf signalisieren soll. Gegen sehr enge quantitative Zielfixierungen, wie sie in der Vergangenheit üblich waren, sprechen sowohl meßtechnische Probleme als auch theoretische Überlegungen: Statistische Datenerfassungsprobleme und Berechnungsmethoden allein lassen die häufig exakt auf eine Stelle nach dem Komma fixierten Zielwerte (z. B. 3,6 v. H. reales Wirtschaftswachstum; 0,8 v. H. Arbeitslosenquote) als unrealistisch erscheinen. Sie können sogar zu einer Gefahr werden, wenn selbst marginale Abweichungen der tatsächlichen oder prognostizierten Werte von diesen Zielwerten stabilisierungspolitische Aktivitäten auslösen.

Schwerwiegender ist jedoch folgender Einwand: In einer wachsenden, durch ständigen Strukturwandel gekennzeichneten Wirtschaft (Beitrag Q-1.) kann nicht jede Änderung des Niveaus oder der Änderungsrate gesamtwirtschaftlicher Aggregate als unerwünschte Instabilität interpretiert werden; denn im Verlauf der erforderlichen Mengen- und Preisanpassungen wird es immer auch zu Änderungen der relevanten nominalen und realen Makrovariablen kommen. Solche Schwankungen als unerwünschte gesamtwirtschaftliche Instabilität zu werten und verhindern zu wollen, würde bedeuten, die für eine längerfristig stabile Entwicklung geradezu unerläßlichen Anpassungsspielräume zu beschneiden und der Wirtschaft die Anpassungsflexibilität zu nehmen. Hieraus folgt die Notwendigkeit, einen ,,optimalen Stabilitätsgrad" festzulegen und dabei ein ,,doppeltes Normierungsproblem" zu lösen: Es sind nicht nur bestimmte Zielwerte anzugeben, sondern auch die aus stabilitätspolitischer Sicht tolerierbaren Abweichungen von ihnen. Eine solche ,,Bandbreitenstrategie" würde nicht nur den Anforderungen dynamischer Marktsysteme genügen, sondern auch einen wesentlichen Beitrag zur Verstetigung der Stabilitätspolitik und damit der gesamtwirtschaftlichen Aktivität leisten.

Die meisten dieser Normierungsprobleme werden in den konkreten Zielsetzungen, wie sie die wirtschaftspolitischen Entscheidungsträger in zahlreichen westlichen Ländern verfolgen, bisher nicht oder nur unzureichend berücksichtigt.

3.2. Zielsetzungen

3.2.1. Ziele des Stabilitätsgesetzes

In der Bundesrepublik Deutschland sind Stabilitätsziele in verschiedenen Gesetzen verankert. Schon der EWG-Vertrag von 1957 fordert in Artikel 104 von jedem Mitgliedsland eine Wirtschaftspolitik, die einen hohen Beschäftigungsstand, ein stabiles Preisniveau und ein Gleichgewicht der Zahlungsbilanz sichert. In der Bundesrepublik wurde im gleichen Jahr die Notenbank durch § 3 des Gesetzes über die Deutsche Bundesbank (BbkG) damit beauftragt, die Währung zu sichern. Im Gesetz über die Bildung des Sachverständigenrates zur Begutachtung der gesamtwirtschaftlichen Entwicklung von 1963 (SVRG) wird in § 2 mit „stetigem und angemessenem Wirtschaftswachstum" bereits ein viertes Makroziel angesprochen. Schließlich enthält § 1 des Gesetzes zur Förderung der Stabilität und des Wachstums der Wirtschaft (StabG) von 1967 nicht nur einen gesamtwirtschaftlichen Zielkatalog, sondern zugleich einen Hinweis auf die theoretische Bezugsbasis:

„Bund und Länder haben bei ihren wirtschafts- und finanzpolitischen Maßnahmen die Erfordernisse des gesamtwirtschaftlichen Gleichgewichts zu beachten. Die Maßnahmen sind so zu treffen, daß sie im Rahmen der marktwirtschaftlichen Ordnung gleichzeitig zur Stabilität des Preisniveaus, zu einem hohen Beschäftigungsstand und außenwirtschaftlichen Gleichgewicht bei stetigem und angemessenem Wirtschaftswachstum beitragen."

Diese Zielbestimmung im Stabilitätsgesetz, das bisweilen als wirtschaftspolitisches Grundgesetz der Bundesrepublik bezeichnet wird, ist formal unverändert gültig (Kommentare von Stern/Münch/Hansmeyer, 1967; Möller, 1968). Ausgehend von der gesamtwirtschaftlichen Gleichgewichtsidee, macht das Stabilitätsgesetz die bei seiner Einführung vorherrschende keynesianische Stabilisierungskonzeption zur Grundlage makroökonomischen Handelns von Bund und Ländern. Dabei werden für die genannten Ziele bewußt weder Zielvariablen noch Meßgrößen bestimmt und folglich auch keine Zielwerte genannt. Vielmehr ist die Bundesregierung als wichtigster Entscheidungsträger nach § 2 StabG verpflichtet, im Rahmen des jährlich vorzulegenden Jahreswirtschaftsberichts die von ihr für das laufende Jahr jeweils angestrebten Ziele darzulegen („Jahresprojektion"). Die Unbestimmtheit der Zielformulierungen ist von den Regierungen auch genutzt worden: So galten im Jahr

1967 für den Zeitraum bis 1971 unter dem damals amtierenden Wirtschaftsminister Karl Schiller, einem der Urheber des Stabilitätsgesetzes und konsequenten Verfechter keynesianischer Globalsteuerung, noch sehr enge mittelfristige Zieldefinitionen (Deutsche Bundesregierung, 1968, Anlage 1):

- Hoher Beschäftigungsstand: = Arbeitslosenquote von 0,8 v. H., definiert als prozentualer Anteil der Arbeitslosen an der Gesamtzahl der abhängigen Erwerbspersonen (= Vollbeschäftigung).
- Preisniveaustabilität: = jährliche Änderungsrate des Preisindex des Bruttosozialprodukts von 1,0 v. H.
- Außenwirtschaftliches Gleichgewicht: = Anteil des Außenbeitrags am Bruttosozialprodukt von 1,0 v. H.
- Angemessenes Wirtschaftswachstum: = jährliche Zuwachsrate des realen Bruttosozialprodukts von 4,0 v. H.

Dieser im Vertrauen auf die Wirksamkeit der keynesianischen Feinsteuerung („fine tuning“) der gesamtwirtschaftlichen Nachfragekomponenten formulierte hohe Zielanspruch wurde später angesichts der tatsächlichen Entwicklung erheblich reduziert: Nicht nur die mittelfristigen Zieldefinitionen, die seit 1973 überhaupt nicht mehr im Jahreswirtschaftsbericht angesprochen werden, sondern auch die amtlichen Jahresprojektionen lassen erkennen, daß bei einzelnen Zielen die Zielvariablen gewechselt und anstelle von numerisch exakt festgelegten Zielwerten häufig Bandbreiten mit erheblich reduziertem Anspruchsniveau angegeben wurden. Die in *Tab. P-1* erfolgte Gegenüberstellung von Jahresprojektionen und Istwerten der Zielindikatoren läßt außerdem vermuten, daß die Zielwerte im Zeitablauf den Fakten – und nicht umgekehrt – angepaßt wurden.

Wie der Soll-Ist-Vergleich zeigt, ist es lediglich gelungen, zeitweilig Einzelziele, nicht jedoch alle Ziele des „magischen Vierecks“ gleichzeitig zu verwirklichen. Die Diskrepanzen haben sich im Zeitverlauf trotz ständiger Zielrevisionen keineswegs verringert. In der hierdurch ausgelösten Zieldiskussion werden erneut die verschiedenen theoretischen Positionen deutlich: Diejenigen, die die Zielverfehlungen der Vergangenheit als eindrucksvollen Beweis für die Instabilität des privaten Sektors ansehen, konzentrieren ihre Revisionsempfehlungen auf folgende Aspekte:

- Da nach dem Phillips-Kurven-Ansatz eine gleichzeitige Verwirklichung der Ziele unmöglich erscheint, sind sie grundsätzlich zu relativieren. Preisniveaustabilität wird gegenüber dem Beschäftigungsziel als Nebenbedingung, derivatives oder sekundäres Ziel interpretiert; dem Vollbeschäftigungsziel wird absolute Priorität eingeräumt (Kommission für wirtschaftlichen und sozialen Wandel, 1977; Streissler u. a., 1976).
- Außerdem werden kurzfristige Ad-hoc-Entscheidungen empfohlen, durch die das jeweils am meisten gefährdete Ziel mit (temporärer) Priorität versehen wird und ins Zentrum stabilisierungspolitischer Aktivitäten zu rücken ist (SVR, lfde. Jge.).
- Schließlich soll der makroökonomische Zielkatalog zu einem Fünfeck erweitert werden, indem zusätzlich das Ziel einer „gerechten Einkommens- und Vermögensverteilung“ aufgenommen wird (Beitrag H-1.).

Tab. P-1: Gesamtwirtschaftliche Ziele: Jahresprojektionen und Istwerte der Zielindikatoren für die Bundesrepublik Deutschland 1968–1995

Ziele	Angemessenes Wirtschaftswachstum		Preisniveaustabilität		Hoher Beschäftigungsstand		Außenwirtschaftliches Gleichgewicht	
Zielindikatoren	Prozentuale Veränderung des realen Bruttosozialprodukts gegenüber dem Vorjahr		Prozentuale jährliche Änderungsrate des Preisindex des privaten Verbrauchs[1]		Arbeitslosenquote[4]		Prozentualer Anteil des Außenbeitrags am nominalen Bruttosozialprodukt[2]	
Jahr	Projektion	Ist[3]	Projektion	Ist	Projektion	Ist	Projektion	Ist
1968	4,0	6,5	2,5	1,9	1,4	1,4	2,7	3,3
1969	4,5	7,9	2,0	2,5	1,0	0,8	2,2	2,4
1970	4,0–5,0	5,9	3,0	3,5	1,0	0,7	1,5–2,0	2,1
1971	3,0–4,0	3,3	3,0	5,4	1,0	0,8	1,5–2,0	2,1
1972	2,0–3,0	3,6	4,5	5,6	1,0	1,1	1,5–2,0	2,2
1973	4,0–5,0	4,9	5,5–6,0	7,1	1,0	1,2	1,5–2,0	3,2
1974	0–2,0	0,4	8,0–9,0	7,0	2,0	2,6	1,5–2,0	4,4
1975	2,0	–1,8	6,0	6,2	3,0	4,7	3,0–3,5	2,8
1976	4,0–5,0	5,3	4,5–5,0	4,4	4,5	4,6	2,5	2,5
1977	5,0	2,8	4,0	3,7	4,0	4,5	2,0	2,5
1978	3,5	3,6	3,5	2,8	4,5	4,3	2,0	2,9
1979	4,0	4,0	3,0	4,1	4,0	3,8	2,5	0,8
1980	2,5	1,9	4,5	5,5	3,5–4,0	3,8	0	–0,2
1981	–1,0–0	–0,2	4,5	6,1	5,0	5,4	0–0,5	1,0
1982	1,0–1,5	–1,0	5,0	4,8	7,0	7,5	1,5	2,3
1983	0	1,8	4,0	3,2	9,5	9,1	2–2,5	2,2
1984	2,5	3,3	3,0	2,5	< 9,0	9,1	2,5	3,1
1985	2,5	1,9	2,0	2,1	< 9,0	9,3	2,5–3,0	4,3
1986	3,0	2,3	1,5	–0,5	8,5	9,0	4,0	5,9
1987	2,5	1,7	0–1	0,6	8,5	8,9	4,5	5,6
1988	1,5–2,0	3,7	1,0	1,4	9,0	8,7	5,0	5,8
1989	2,5	3,8	2,0–2,5	3,1	8,5	7,9	5,5	6,4
1990	3,0	5,1	2,5	2,6	8,0	7,2	6,5	5,9
1991	3,0–3,5	3,7	3,5	3,8	6,5	5,7	6,5	6,4
1992	1,5	1,5	3,5	4,1	6,0	5,8	7,0–7,5	7,1
1993	0– –1,0	–1,9	3,5	3,5	7,0–7,5	7,4	7,5	7,8
1994	0,5–1,0	1,6	3,0	2,6	8,5	8,2	8,0	8,0
1995	2,5	–	2,0	–	7,5–8,0	–	8,5	–

Quelle: Jahreswirtschaftsbericht der Bundesregierung, lfde. Jahrgänge.

1 Dieser Zielindikator wurde von der Bundesregierung durchgängig benutzt. Dagegen verlor der anfänglich bevorzugte Indikator „jährliche Änderungsrate des Preisindex des Bruttosozialprodukts" an Bedeutung. Zeitweilig wurde auch der Indikator „jährliche Änderungsrate des Preisindex der Inlandsnachfrage" verwendet.

2 Außenbeitrag: = Saldo des Waren- und Dienstleistungsverkehrs mit dem Ausland einschließlich der DDR.

3 Bis 1990 in Preisen von 1980, ab 1991 in Preisen von 1985.

4 Bis 1990 ausgewiesen als prozentualer Anteil der Arbeitslosen an der Gesamtzahl der abhängigen Erwerbspersonen; ab 1991 bezogen auf alle Erwerbspersonen.

Derartige Zielrevisionen sowie die Forderung, das Instrumentarium der antizyklischen Stabilisierungspolitik zu verfeinern und politische Entscheidungsprozesse zu beschleunigen, sollen die Globalsteuerung keynesianischer Prägung verbessern helfen. Nach den bisherigen Erfahrungen und theoretischen Erkenntnissen erscheint es jedoch zweifelhaft, ob eine solche Politik dauerhafte Erfolge haben kann.

3.2.2. Stabilitätspolitische Ziele

Die Vertreter der neoklassischen Konzeption setzen andere Akzente in der Zieldiskussion. Sie plädieren für eine Zielselektion und Revision der Zielfixierungen, um dadurch Überforderungen der Stabilitätspolitik aufzuheben und den Zwang zu kurzfristigen antizyklischen Aktivitäten abzubauen. Der Zielkatalog ist hiernach auf die Sicherung der Preisniveaustabilität und eines hohen Beschäftigungsstandes zu begrenzen; stetiges und angemessenes Wirtschaftswachstum sowie außenwirtschaftliches Gleichgewicht sind als eigenständige Ziele aufzugeben.

Daß Wirtschaftswachstum kein eigenständiges Ziel der Stabilitätspolitik sein soll, kann mit verschiedenen Argumenten begründet werden:

- Wirtschaftswachstum ist das kaum vorhersehbare Ergebnis einzelwirtschaftlicher Entscheidungen. Ein exakt quantifiziertes Wachstumsziel hat entweder rein deklamatorischen Charakter – mit möglicherweise negativen Ankündigungseffekten – oder es wird als verbindlich betrachtet und kann dann Maßnahmen zur Investitions-, Konsum- und Außenwirtschaftslenkung erfordern, die schwerlich mit der dezentralisierten Entscheidungsstruktur von Marktwirtschaften vereinbar sind (Woll, 1968; Besters, 1970; Beiträge A-3. und Q-4.3.).

- Angemessenes und stetiges Wirtschaftswachstum ist im Beschäftigungsziel bereits enthalten, weil bei erreichter Vollbeschäftigung des vorhandenen Arbeitspotentials das Wachstumstempo durch die im Wettbewerbsprozeß erzielten Produktivitätsfortschritte bestimmt wird (Heuss, 1971; Beitrag Q-3.).

- Sofern stetiges und angemessenes Wirtschaftswachstum wie üblich durch mittel- und langfristig konstante Wachstumsraten des realen Sozialprodukts quantifiziert wird, impliziert es die Forderung nach einer exponentiellen Zunahme des realen Einkommensniveaus. Abgesehen davon, daß Wirtschaftswachstum nicht ohne weiteres mit Wohlstandssteigerung gleichzusetzen ist, werden dadurch unrealistische Erwartungshaltungen der Wirtschaftssubjekte begünstigt. Dies hat zur Folge, daß die Verteilungsansprüche permanent die -möglichkeiten übersteigen, die Verteilungskämpfe zunehmen und die Leistungsfähigkeit der Wirtschaft langfristig überfordert wird. Aus stabilitätspolitischer Sicht ist somit jenes Wachstum, das sich aus der Dynamik einer preisniveaustabilen und vollbeschäftigten Wirtschaft ergibt, als „angemessen" zu betrachten. Es kann aber auch als „stetig" gelten, weil die dann noch auftretenden Schwankungen des Wachstumstempos lediglich ein Ausdruck der notwendigen Anpassungen in einer wachsenden Wirtschaft sind.

In ähnlicher Weise läßt sich begründen, warum das außenwirtschaftliche Gleichgewicht kein eigenständiges Stabilitätsziel, sondern allenfalls ein Zwischenziel (Mittel) sein kann, um binnenwirtschaftliche Stabilität zu erreichen (Körner, 1975; Glismann u. a., 1980). Preisniveaustabilität und Vollbeschäftigung gelten primär als nationale Ziele, deren Verwirklichung durch außenwirtschaftliche Einflüsse gefährdet wird:

- Erstens können die im Ausland bzw. in der Weltwirtschaft bestehenden Instabilitäten auf ein einzelnes Land übertragen werden und dessen Stabilitätsbemühungen zunichte machen (importierte Inflation, importierte Arbeitslosigkeit; Beiträge E-2.

und F-2.4.). Hierin besteht das Problem der außenwirtschaftlichen Absicherung der Stabilitätspolitik.

- Zweitens können Maßnahmen, mit denen eine im Inland bereits bestehende Inflation oder Arbeitslosigkeit bekämpft werden soll, durch außenwirtschaftliche Einflüsse unwirksam werden, so daß die (autonome) Wiedergewinnung der binnenwirtschaftlichen Stabilität unmöglich ist (Beitrag C-8.). Dies ist das Problem der außenwirtschaftlichen Absicherung der Stabilisierungspolitik.

In beiden Fällen ist das außenwirtschaftliche Gleichgewicht – hier wie üblich definiert als Ausgleich der Devisenbilanz (= Devisenbilanzsaldo von Null; Beiträge E-1.5. und S-1.1.1.) – eine notwendige Bedingung außenwirtschaftlicher Absicherung, deren Lösung vom realisierten Wechselkurssystem abhängt: Bei freier Preisbildung auf den Devisenmärkten (flexible Wechselkurse) wird das außenwirtschaftliche Gleichgewicht über Wechselkursänderungen herbeigeführt. In einem System fester Wechselkurse mit Interventionspflicht der Währungsautoritäten können nationale Beschäftigungs- und Geldwertsicherungsziele gleichzeitig nur dann verwirklicht werden, wenn anhaltende positive oder negative Devisenbilanzsalden vermieden werden (s. Abschnitt 4.2. und 4.3.).

Außer der Zielauswahl ist auch die Operationalisierung der Ziele zu überdenken, wenn die für eine stabile wirtschaftliche Entwicklung der Wirtschaft notwendige Verstetigung der Globalsteuerung erreicht werden soll. Als Indikator für Preisniveaustabilität kommt der (Laspeyres-) Preisindex für die Lebenshaltung aller privaten Haushalte in Betracht, weil er – wie auch die Deutsche Bundesbank (1968, S. 8) und der SVR (1964/65, Tz. 149) betonen – von den vorhandenen Preisindizes noch am ehesten geeignet ist, das Ausmaß der Geldentwertung bei der Verwendung des Geldes für Konsumgüterkäufe auszudrücken. Die Normierung absoluter Preisniveaukonstanz – d. h. einer jährlichen Änderungsrate des Preisindex der Lebenshaltung von Null – ist schon wegen der statistischen Ermittlung von Laspeyres-Indizes problematisch (Beitrag F-1.2.). Ferner muß berücksichtigt werden, daß sich in wachsenden und offenen Volkswirtschaften mit raschem Strukturwandel die Preisrelationen wegen vielfältiger Friktionen nur noch im Rahmen von Preisniveausteigerungen – d. h. alle Einzelpreise steigen, aber unterschiedlich stark – hinreichend verändern können (Strukturanpassungsdruck; Beitrag F-2.2.2.). Veranschlagt man den statistischen Meßfehler mit bis zu 0,5 und die Auswirkungen des Strukturanpassungsdrucks mit bis zu 1,5 Prozentpunkten pro Jahr, so könnte eine jährliche Änderungsrate des Preisindex von bis zu 2,0 v. H. toleriert und als Zielverwirklichung interpretiert werden, ohne daß Maßnahmen zur Inflationsbekämpfung ergriffen zu werden brauchten.

Auch für eine Neubestimmung des Zieles eines hohen Beschäftigungsstandes der Produktionsfaktoren gibt es theoretische Argumente und empirische Anhaltspunkte. Für den Faktor Arbeit wird das Konzept der „normalen“ oder „natürlichen“ Unterbeschäftigungsquote herangezogen (Friedman, 1968; Beitrab C-6.). Aus stabilitätspolitischer Sicht wird der hohe Beschäftigungsstand (Vollbeschäftigung) durch jene „normale“ Unterbeschäftigungsquote definiert, deren Höhe vom Ausmaß struktureller und friktioneller Arbeitslosigkeit abhängt. Da diese Arbeitslosigkeit durch entwicklungs- und landesspezifische Faktoren (z. B. Grad der Arbeitsteilung, ordnungspolitische Rahmenbedingungen, kulturelle Eigenheiten) determiniert wird, kann sie auf Dauer nicht durch Maßnahmen der Globalsteuerung reduziert werden, wohl aber durch spezifische strukturpolitische Maßnahmen (z. B. Mobilitätsförderung, Anpassungshilfen). Es mag schwierig sein, die „normale“ Unterbeschäftigung eines Landes zu bestimmen. Zwar wurden – nicht zuletzt wegen der hohen Arbeitslosigkeit seit Mitte der siebziger Jahre – verschiedene Indikatoren zur Messung der friktionellen und strukturellen Arbeitslosigkeit entwickelt (z. B. partielle Arbeitslosenquoten nach Alters-, Geschlechts-, Berufs-, Regional-, Branchen-, Nationalitätskriterien; Berücksichtigung der Dauer der Arbeitslosigkeit); ihre Anwendung ist jedoch problematisch. Deshalb bedient man sich einfacher Hilfsmaßstäbe – wie der Zahl der offenen Stellen als Indikator für die am Arbeitsmarkt nicht befriedigte Nachfrage nach Arbeitskräften: Die „natürliche“ Unterbeschäftigung wird dann durch diejenige Arbeitslosenquote erfaßt, bei der die Zahl der offenen Stellen bei normaler Auslastung des Produktionspotentials jener der Arbeitslosen entspricht. In der Bundesrepublik hat die so bestimmte Unterbeschäftigungsquote bis in die siebziger Jahre bei 2 bis 2,5 v. H. gelegen; Mitte der siebziger Jahre und nochmals Anfang der achtziger Jahre ist sie sprunghaft angestiegen und dürfte gegenwärtig dreimal so hoch sein (ASSENMACHER, 1986; KÖSTERS, 1986). In anderen Ländern hat sie schon immer höher gelegen (z. B. USA 4 bis 5 v. H.), wobei unterschiedliche Berechnungsmethoden zu berücksichtigen sind.

Vereinzelt wird empfohlen, neben dem Faktor Arbeit auch den Faktor Kapital explizit in das Beschäftigungsziel einzubeziehen, weil der Faktor Arbeit – unter gegebenen arbeitsrechtlichen Bedingungen (Arbeitszeit-, Urlaubsregelungen usw.) – vollbeschäftigt sein kann, ohne daß die vorhandenen sachlichen Produktionskapazitäten angemessen ausgelastet sind. Nichtausgelastete Kapazitäten vermindern jedoch über reduzierte Ertragserwartungen die Investitionen der Unternehmen und können so die Beschäftigungsmöglichkeiten des Faktors Arbeit in der Zukunft gefährden. Als Maßstab könnte die „normale“ Auslastung der vorhandenen sachlichen Produktionskapazitäten (Produktionspotential) verwendet werden, wie sie vom SVR (1976/77 ff.) berechnet wird. Abgesehen von der Problematik dieser Meßkonzepte sind es insbesondere intertemporale Zielaspekte, die es überflüssig erscheinen lassen, den Faktor Kapital in das Beschäftigungsziel einzubeziehen: Ein auf Dauer angestrebter hoher Beschäftigungsstand der Arbeit setzt aus den genannten Gründen eine „normale“ Auslastung der sachlichen Produktionskapazitäten im Zeitablauf voraus.

„Preisniveaustabilität“ und „hoher Beschäftigungsstand der Arbeit“ sind somit die gesamtwirtschaftlichen Ziele, die die Stabilitätspolitik gleichzeitig anzustreben hat.

3.3. Ziele und Politikbereiche

Diese Ziele zu verwirklichen, erfordert den Einsatz geeigneter Instrumente durch die Entscheidungsträger. Dabei ergeben sich Auswahl-, Zuordnungs- und Effizienzprobleme:

- Die Wirkungskette zwischen Instrumenteneinsatz und Zielvariablen ist lang und im Einzelfall für die Entscheidungsträger schwer überschaubar. Es ist deshalb notwendig, solche Zwischenziele auszuwählen, die auf stabilitätspolitische Maßnahmen rasch und sicher reagieren und aufgrund ihrer Kausalbeziehung zur Zielvariablen Richtung und Ausmaß der voraussichtlichen Wirkungen des Instrumenteneinsatzes auf die Zielgröße abzuschätzen gestatten. Zwischenzielvariablen, die durch bestimmte Maßnahmen direkt beeinflußbar sind, werden als strategische Variablen bezeichnet *(Übersicht P-1)*.

- Stabilitäts- wie Stabilisierungspolitik bedienen sich der Instrumente aus den traditionellen Politikbereichen, wobei die Fiskal-, Geld-, Außenwirtschafts- und Einkommenspolitik besonders bedeutsam sind. Der kombinierte Einsatz der Instrumente setzt vielfältige Abstimmungen zwischen den verschiedenen Entscheidungsträgern voraus, die in einem föderalistischen System kaum reibungslos funktionieren. Nicht jedes Instrument dieser Politikbereiche ist stabilitätspolitisch relevant; andererseits haben wirtschaftspolitische Maßnahmen, die nicht stabilitätspolitisch begründet sind, häufig erhebliche Rückwirkungen auf die gesamtwirtschaftliche Entwicklung.
- Schließlich können unterschiedliche Instrumente zu ähnlichen Ergebnissen führen. Die Wirtschaftspolitiker haben dann zu entscheiden, welches Instrument unter den gegebenen Bedingungen eingesetzt werden soll. Dabei sind vor allem die unerwünschten Nebenwirkungen des Instrumenteneinsatzes in die Entscheidungsfindung einzubeziehen (Beitrag N-5.2.1.).

Diese Entscheidungsprobleme ergeben sich unabhängig davon, wie der gesamtwirtschaftliche Zielkatalog im einzelnen bestimmt ist und welche Steuerungskonzeption verfolgt wird. Unterschiedliche Steuerungskonzeptionen schlagen sich vielmehr in der Frage nieder,

- welche Politikbereiche bei der gesamtwirtschaftlichen Steuerung dominieren;
- welche Variablen aufgrund der unterstellten Transmissionshypothese strategisches Gewicht erhalten; und
- welche Einzelinstrumente bevorzugt und wie sie quantitativ und zeitlich dosiert werden sollen.

In *Übersicht P-1* sind mögliche Beziehungen zwischen Ziel- und Zwischenzielvariablen, strategischen Variablen sowie den wichtigsten Instrumenten zu ihrer Beeinflussung aus den vier Politikbereichen dargestellt. Ausgaben-, Steuer- und Schuldenpolitik sind der Kern fiskalpolitischer Steuerung der nominalen Gesamtausgaben, die auf Variationen der Staatsausgaben oder der privaten Konsum- und Investitionsausgaben gerichtet ist. Nominale Geldbestände (Geldmenge) oder nominales Zinsniveau können geldpolitisch insbesondere durch Mindestreserve-, Refinanzierungs- und Offenmarktpolitik gesteuert werden, die an verschiedenen strategischen Variablen (z. B. Zentralbankgeldmenge, Liquiditätsreserven der Geschäftsbanken, Geldmarktzins) ansetzen. Außenwirtschaftspolitisch können durch die Wechselkurs-, Devisenbewirtschaftungs-, Zoll- und Kontingentpolitik die Zahlungsbilanz oder der Wechselkurs beeinflußt werden, je nachdem welches Wechselkurssystem realisiert ist. Schließlich setzt die Einkommenspolitik unmittelbar an den Güter- und Faktorpreisen an, um die Nominaleinkommensentwicklung in stabilitätskonforme Bahnen zu lenken.

In der *Übersicht P-1* bleibt die Ordnungspolitik unberücksichtigt, soweit sie nicht in den vier traditionellen Politikbereichen erfaßt wird. Die Gestaltung der allgemeinen Rahmenbedingungen von Markt- und Nichtmarktprozessen ist – insbesondere in der

Übersicht P-1: Ziele und Instrumente der Stabilitätspolitik

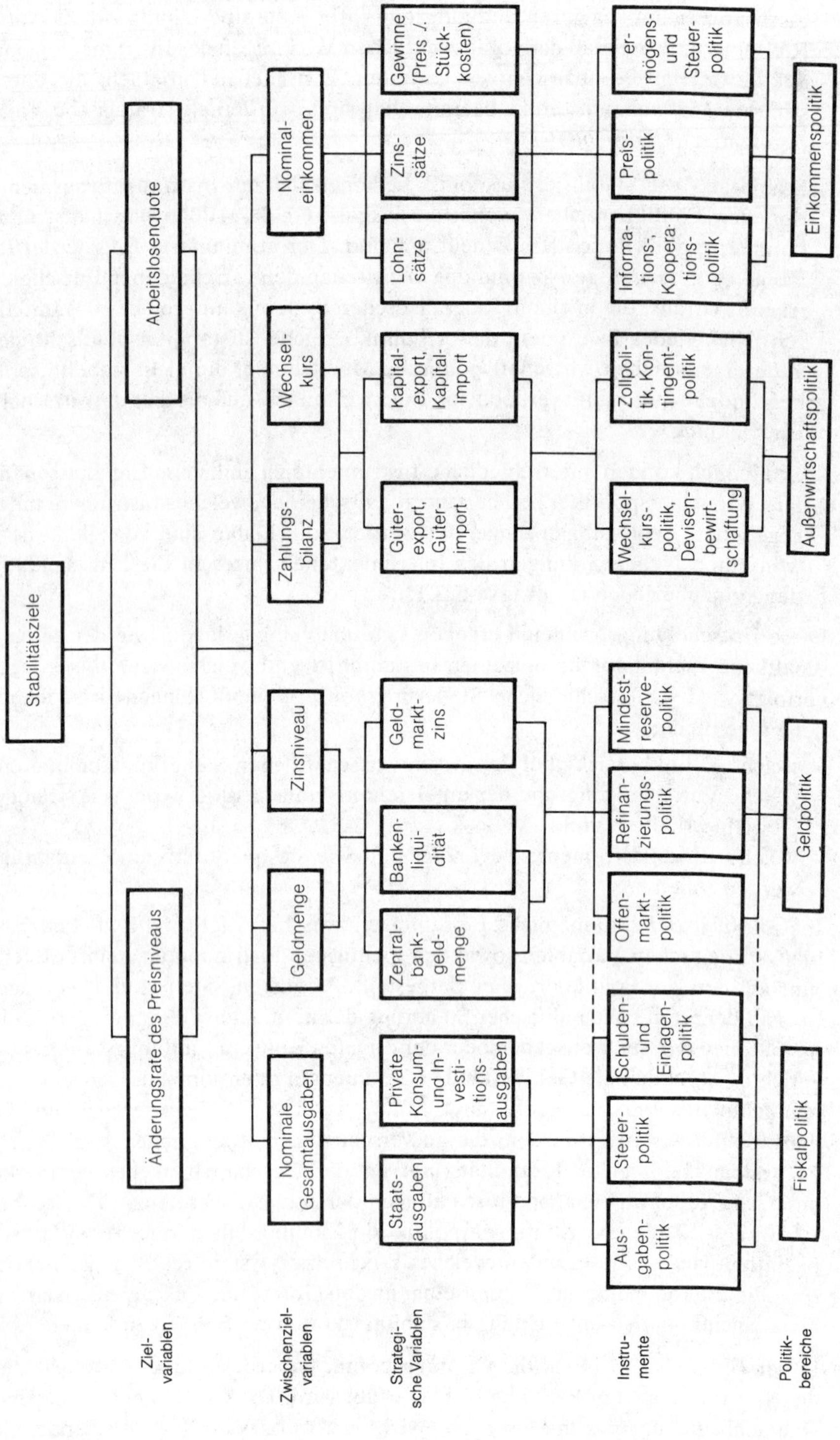

neoklassischen Stabilitätskonzeption – gleichwohl bedeutsam, weil durch sie die Impulsauslösung und -absorptionsfähigkeit wesentlich beeinflußt wird (s. Abschnitt 4.5.).

4. Instrumente und Träger

Die Darstellung von Instrumenten und Entscheidungsträgern dieser fünf Politikbereiche muß sich auf wesentliche Organisations- und Funktionsprobleme beschränken. Spezielle Strategieaspekte des Instrumenteneinsatzes und dabei auftretende praktische Probleme werden später aufgegriffen (s. Abschnitt 5.). Als institutioneller Bezugsrahmen wird die Bundesrepublik Deutschland gewählt – nicht zuletzt deshalb, weil weitreichende gesetzliche Grundlagen der Globalsteuerung vorhanden sind. Auch die übrigen westlichen Industrieländer verfügen über ein entsprechendes Instrumentarium. Allerdings können die organisatorischen und strukturellen Besonderheiten so groß sein, daß ähnliche Instrumente dort anders wirken als in der Bundesrepublik.

4.1. Fiskalpolitik

Fiskalpolitik (fiscal policy) bezeichnet den Einsatz der öffentlichen Finanzen zur Verwirklichung der gesamtwirtschaftlichen Ziele (Beitrag J-6.1.). Früher orientierte der Staat sein Verhalten an der klassischen Haushaltsregel, nach der Staatseinnahmen und -ausgaben jährlich auszugleichen waren. Angesichts des rapiden Anstiegs des Anteils der Staatsausgaben am Sozialprodukt – die so definierte Staatsquote betrug in der Bundesrepublik zeitweise über 50 v. H. – lag es nahe, Staatseinnahmen und -ausgaben aktiv in den Dienst einer makroökonomischen Steuerung der Gesamtnachfrage zu stellen, wofür KEYNES' Analyse das theoretische Fundament lieferte. Hiernach sollen die Schwankungen der privaten Konsum- und Investitionsausgaben durch eine antizyklische Haushaltsgestaltung ausgeglichen und so die gesamtwirtschaftlichen Aktivitätsschwankungen geglättet werden. Dies erfordert Haushaltsdefizite in der Abschwungsphase (Rezession) und Haushaltsüberschüsse in der Aufschwungsphase (Boom) der Gesamtwirtschaft. In der Bundesrepublik wurden die rechtlichen Grundlagen für eine solche Politik mit dem StabG von 1967 geschaffen.

Träger

Träger der Fiskalpolitik sind die Gebietskörperschaften (Bund, Länder, Gemeinden), wobei der Bund (Bundesregierung und Bundestag) eine herausragende Rolle spielt. Er hat das Initiativrecht und kann – mit Zustimmung des Bundesrates – durch Bundesgesetz auch die Länder und indirekt die Gemeinden auf ein gemeinsames Haushaltsgebaren verpflichten (Art. 109 (3) GG).

Wegen des großen Volumens der Länder- und Gemeindehaushalte ist eine solche Abstimmung des Haushaltsverhaltens notwendig, um konterkarierende Wirkungen zu vermeiden. In der Praxis ist dies allerdings schwierig, da insbesondere die Gemeinden zu einem gegenläufigen Verhalten tendieren. Bis 1967 mußten alle fiskalpolitischen Maßnahmen, sofern sie der gesetzgeberischen Mitwirkung bedurften, den normalen parlamentarischen Weg durchlaufen. Seit Inkrafttreten des StabG kann die Bundesregierung solche Maßnahmen durch Rechtsverordnungen wirksam werden lassen. Hierdurch wird der inside lag der Fiskalpolitik verkürzt (Beitrag N-5.2.1.). Das Kontrollrecht des Bundestages bleibt allerdings durch differenzierte Zustimmungserfordernisse (bei steuerpolitischen Maßnahmen) bzw. Einspruchsmöglichkeiten zu den Rechtsverordnungen erhalten. Darüber hinaus ist auch der Bundesrat als Repräsentant der Länderinteressen durch abgestufte Kompetenzen am Entscheidungsprozeß beteiligt, da er speziellen Rechtsverordnungen seine Zustimmung erteilen muß und ansonsten gegenüber dem Bundestag Stellung nehmen kann. Selbstverständlich kann der Bund jederzeit auch auf dem normalen Gesetzgebungsweg fiskalpolitisch aktiv werden – wie dies z. B. in den Fällen des rückzahlbaren Konjunkturzuschlages von 1970, der zehnprozentigen Investitionszulage von 1982 oder des Solidaritätszuschlages von 1995 geschehen ist.

Instrumente

Fiskalpolitische Ziele können durch Variationen der Ausgaben oder der Einnahmen angestrebt werden, wobei auf der Einnahmenseite zwischen Steuer- und Schuldenpolitik zu unterscheiden ist (*Übersicht P-2;* Gebühren und Beiträge bleiben unberücksichtigt). In der Regel werden beide Seiten des Haushalts kombiniert eingesetzt. Ob und inwieweit dabei einnahmen- oder ausgabenpolitische Instrumente bevorzugt werden, hängt von der jeweiligen Konjunkturphase und den Chancen ihrer politischen Durchsetzung ab.

Als Instrumente der Ausgabenpolitik dienen Variationen des Ausgabenvolumens und der Ausgabenstruktur. Die multiplikativen Effekte auf das Sozialprodukt sind unterschiedlich, je nachdem, ob Transformationsausgaben (Sachausgaben, insbesondere für Investitionen; Personalausgaben) oder Transferausgaben (Sozialausgaben, Subventionen) variiert werden (Beiträge C-3.3. und J-6.1.1.). Je nach Erfordernis können die Ausgaben auch zeitlich verschoben (Vorziehung oder Streckung geplanter Ausgaben ohne Volumensänderung) oder im Volumen verändert werden (Kürzungen oder Erhöhungen geplanter Haushaltsansätze); schließlich sind Verlagerungen zwischen einzelnen Haushaltstiteln denkbar (Kürzungen und Erhöhungen von Einzelhaushaltsansätzen bei Konstanz des gesamten Ausgabenvolumens). Die entsprechenden Regelungen nach dem StabG beziehen sich besonders auf die Investitionsausgaben:

- Nach § 9 StabG muß die Bundesregierung einen mittelfristigen Finanzplan (5 Jahre) aufstellen, der jährlich fortzuschreiben ist. In ihm sollen Umfang und Struktur der voraussichtlichen Ausgaben und ihre Deckungsmöglichkeiten in Beziehung zur erwarteten gesamtwirtschaftlichen Entwicklung gesetzt und gegebenenfalls in Alternativrechnungen dargestellt werden.
- In mehrjährigen Investitionsprogrammen sind alternative Investitionsprojekte nach ihrer Dringlichkeit auszuweisen, so daß im Bedarfsfall schnell gehandelt werden kann (Schubladenprojekte; §§ 10 f. StabG).

Übersicht P-2: Instrumente und Maßnahmen der Fiskalpolitik

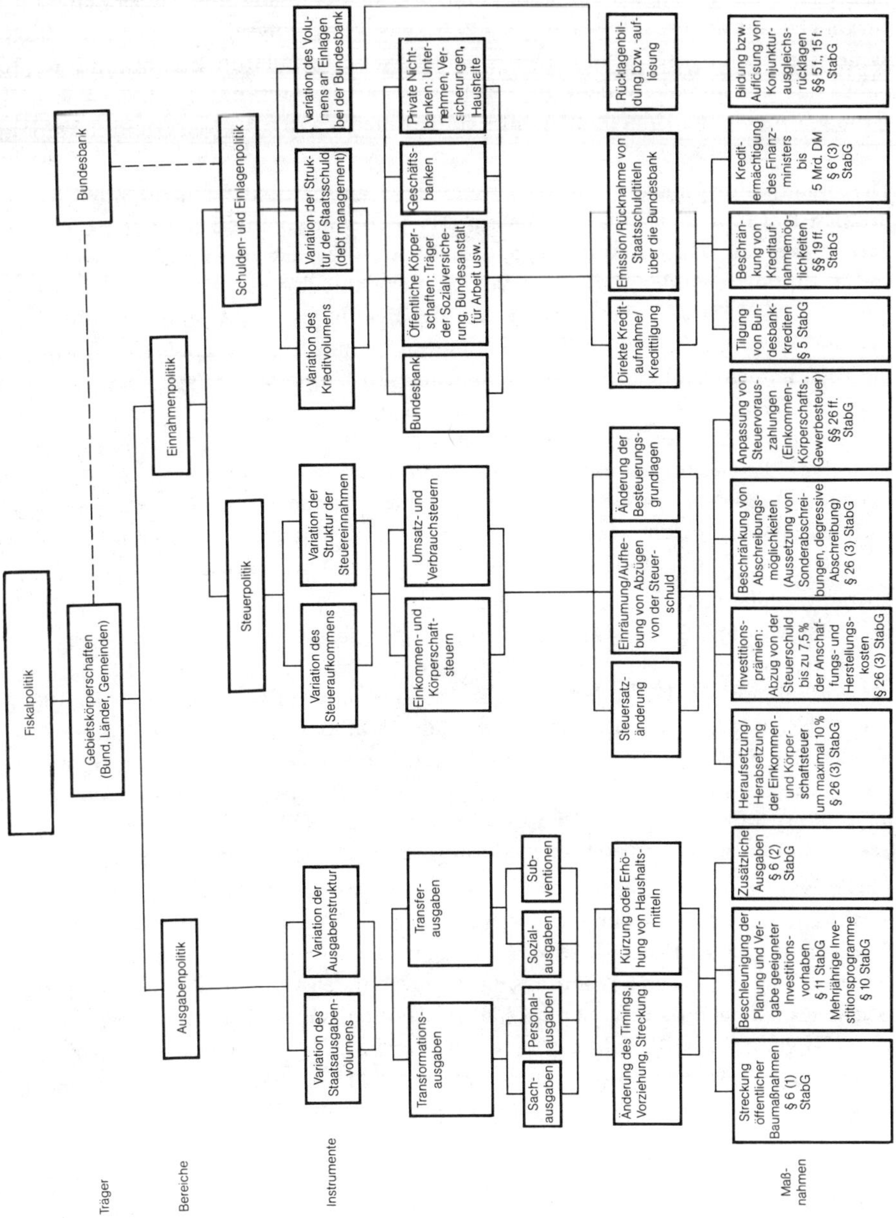

– Auch sind die Bedingungen für eine notwendige Streckung öffentlicher Baumaßnahmen (§ 6 (1) StabG) und einen Beschluß zusätzlicher Ausgaben (§ 6 (2) StabG) geregelt.

Wie die Erfahrung gezeigt hat, sind kurzfristige Niveau- und Strukturvariationen der Ausgaben relativ schwierig, weil ein hoher Anteil der Gesamtausgaben gesetzlich fixiert ist (Personal-, Sozialausgaben) und insbesondere Kürzungen wegen ihrer Auswirkungen auf andere Zielsetzungen (z. B. das Verteilungsziel) starken politischen Widerständen ausgesetzt sind. Die vergleichsweise flexibleren Investitionsausgaben haben dagegen nur einen relativ geringen Anteil an den Gesamtausgaben. Aus diesen Gründen rückte die Einnahmenpolitik immer mehr in den Vordergrund fiskalpolitischer Aktivitäten.

Die Steuerpolitik kann die Einnahmenseite des Staatshaushalts den gesamtwirtschaftlichen Erfordernissen anpassen, indem das Steueraufkommen oder seine Struktur variiert werden. Durch Änderungen der Steuersätze, der Besteuerungsgrundlagen sowie Einräumen oder Aufheben von Steuerschuldabzügen kann das für private Konsum- und Investitionsausgaben verfügbare (Netto-)Einkommen erhöht oder gesenkt werden. Seit 1967 kann die Bundesregierung aus fiskalpolitischen Motiven die Einkommen- und Körperschaftsteuersätze für längstens ein Jahr um maximal 10 v. H. erhöhen oder herabsetzen (§§ 26, Ziff. 3 b (3) und 27 StabG) und die Steuervorauszahlungen besser der gesamtwirtschaftlichen Entwicklung anpassen (§§ 26 ff. StabG). Die Investitionsnachfrage kann durch Investitionsprämien (Abzug von der Steuerschuld bis zu 7,5 v. H. der Anschaffungs- oder Herstellungskosten; § 26, Ziff. 3a StabG) belebt und im umgekehrten Fall durch auf ein Jahr begrenztes Aussetzen von Sonderabschreibungen gedämpft werden (§ 26, Ziff. 3 b StabG).

Drittens schließlich spielt die Schulden- und Einlagenpolitik des Staates fiskalpolitisch eine wichtige Rolle. Durch sie wird die Finanzierung von Haushaltsdefiziten und die Verwendung von Haushaltsüberschüssen geregelt. Sie ist mit den Ländern und der Notenbank (§§ 17, 20 BbkG) zu koordinieren, wenn konterkarierende Effekte vermieden werden sollen. Variiert werden kann das Volumen des öffentlichen Kredits, die Kreditstruktur (debt management) sowie das Einlagenvolumen, das die öffentliche Hand bei der Notenbank zu halten hat. Die gesetzlich zulässigen Maßnahmen sind strikt zu unterscheiden, weil sie verschiedene Wirkungen auf den monetären Sektor und insbesondere auf die Änderungsrate der Geldmenge haben:

- Die Aufnahme von Krediten durch die Gebietskörperschaften bei der Notenbank war auf Kassenverstärkungskredite (ca. 10 Mrd. DM; § 20 (1) BbkG) beschränkt; seit Januar 1994 ist auch diese Möglichkeit im Zuge der Zweiten Stufe der Europäischen Wirtschafts- und Währungsunion unterbunden worden. Werden durch Ausgabensenkungen oder Steuererhöhungen Haushaltsüberschüsse realisiert, sind sie zur Tilgung solcher Kredite zu verwenden (§ 5 StabG), um den Entzug der Haushaltsmittel aus dem monetären Kreislauf sicherzustellen. Im umgekehrten Fall eines fiskalpolitisch beabsichtigten Haushaltsdefizits wird der Finanzminister ermächtigt, bis zu 5 Mrd. DM Kredit kurzfristig bei der Bundesbank aufzunehmen (§ 6 (3) StabG).
- Darüber hinaus wurde ein besonderes Instrument der Bildung und Auflösung von Rücklagen des Bundes und der Länder bei der Bundesbank geschaffen: Mehreinnahmen oder Ausgabenkürzungen sind der Konjunkturausgleichsrücklage – einem Sonderkonto bei der Bundesbank – zuzuführen. Die Konjunkturausgleichsrücklage dient der Finanzierung von Haushaltsdefiziten, die als Folge von fiskalpolitisch verursachten Mehrausgaben oder Einnahmeausfällen entstehen (§§ 5 f. und 15 f.

StabG). Auch hierdurch wird die nominale Geldmenge verändert, weil im ersten Fall Zentralbankgeld vernichtet, im zweiten Fall produziert wird (Beitrag D-3.2.).

- Schließlich kann die Kreditaufnahme der Gebietskörperschaften bei Geschäftsbanken und privaten Nichtbanken limitiert werden, um zu verhindern, daß durch die relativ zinsunelastische staatliche Kreditnachfrage der Kapitalmarkt überfordert oder der Mittelausfall, der bei einer vereinbarten Rücklagenbildung bei der Bundesbank entsteht, kreditär ausgeglichen wird (§§ 19 ff. StabG). Im Gegensatz zu den beiden ersten Kredit- und Einlagenstrategien bleibt der Zentralbankgeldumlauf von diesen Maßnahmen unberührt; vorhandene Geldbestände werden auf dem Kreditwege umverteilt.

Die verschiedenen fiskalpolitischen Instrumente, ihre Ausgestaltung und die gesetzlichen Grundlagen der Maßnahmen in der Bundesrepublik sind in *Übersicht P-2* zusammengefaßt. Sie wurden seit Inkrafttreten des StabG in verschiedenen Kombinationen eingesetzt, wobei die fiskalpolitischen Entscheidungsträger keineswegs immer streng nach dem Gesetzesauftrag handelten.

Funktionsprobleme

Die Effizienz der Fiskalpolitik wird aus verschiedenen Gründen zunehmend skeptisch beurteilt:

Erstens ist die fiskalpolitische Variabilität der Staatsausgaben und -einnahmen in der Praxis sehr gering. Variationen von Einnahmen- und Ausgabenkomponenten (z. B. Bezüge öffentlicher Bediensteter) sind wegen der Widerstände der Betroffenen politisch schwer durchsetzbar. Dies gilt besonders für fiskalpolitisch motivierte Steuererhöhungen, sofern die einbehaltenen Einkommensteile – wie im StabG vorgesehen – nicht zurückgezahlt werden. Um die politischen Widerstände zu überwinden, wurde bereits einmal unter Umgehung des StabG ein befristeter und innerhalb von drei Jahren rückzahlbarer Zuschlag zur Einkommensteuer erhoben (zehnprozentiger Konjunkturzuschlag von 1970, der im Boomjahr 1972 zurückgezahlt werden mußte). Ohne der nachfragedämpfenden Wirkung dieser Zwangssparmaßnahmen sicher zu sein, wurde aus (wahl-)taktischen Motiven auf die Anwendung des StabG verzichtet (Starbatty, 1976, S. 76 ff.).

Zweitens wird das fiskalpolitische Timing skeptisch beurteilt. Lange Zeit wurden die Vorteile eines direkten, schnellen und rechtzeitigen Handelns fiskalpolitischer Entscheidungsträger hervorgehoben, die durch das StabG geschaffen wurden. Diese positive Einschätzung ist mittlerweile der Einsicht gewichen, daß beim gegenwärtigen Stand des Wissens über die kurzfristigen Wirkungszusammenhänge die Gefahren von Fehldiagnosen und -prognosen erheblich sind. Daraus resultierende Unsicherheiten induzieren Erkennungs-, Entscheidungs- und Handlungsverzögerungen, durch die eine antizyklisch intendierte Fiskalpolitik zum falschen Zeitpunkt greifen und so gesamtwirtschaftliche Instabilitäten verursachen oder verstärken kann.

Drittens lassen theoretische und empirische Analysen vermuten, daß fiskalpolitische Maßnahmen Wirkungsverzögerungen haben, die weder relativ kurz und im Zeitablauf konstant noch quantitativ annähernd exakt prognostizierbar sind. Weitgehend wird die Auffassung akzeptiert, daß die Fiskalpolitik ebenso wie die Geldpolitik über eine Veränderung des Zinsniveaus wirkt und – in den traditionellen Multiplikatormodellen vernachlässigte – Vermögenseffekte auslöst (Beitrag C-5.3. und 5.4.): Nicht nur die Art der fiskalpolitischen Maßnahmen (Ausgaben- oder Steuersatzvariationen), sondern insbesondere auch die Finanzierungsmodalitäten entscheiden darüber, ob kurzfristig spürbare Gesamtausgabeneffekte (geldmengenfinanzierte bzw. monetär alimentierte Fiskalpolitik) oder lediglich Allokationseffekte (crowding out bei wertpapierfinanzierter bzw. monetär nicht alimentierter, „reiner" Fiskalpolitik) entstehen (DIECKHEUER, 1980).

Die Kritik am traditionellen Konzept der Fiskalpolitik ist nicht so zu verstehen, daß sie für Stabilitäts- oder Stabilisierungszwecke unbrauchbar sei. Vielmehr ist die Konsequenz zu ziehen, daß fiskalpolitische Maßnahmen immer dann effizient sind, wenn sie Veränderungen der Wachstumsrate der Geldmenge bewirken, wie das z. B. bei der Bildung oder Auflösung von Konjunkturausgleichsrücklagen der Fall sein kann. Die Fiskalpolitik hat außerdem wegen der von ihr ausgelösten Änderungen der Mengen und der relativen Preise stets auch Allokationseffekte, die erwünscht oder unerwünscht sein können. Wegen ihrer relativ langen und zudem variablen lags eignet sie sich allerdings nur schlecht für kurzfristige antizyklische Aktionen.

4.2. Geldpolitik

Aufgabe der Geldpolitik ist es, die Geld- und Kreditversorgung einer Volkswirtschaft so zu steuern, daß vom monetären Sektor keine Impulse ausgehen, durch die der Wirtschaftsprozeß gestört wird. Hierfür ist eine Geld- und Währungsverfassung zu schaffen (Ordnungspolitik), in deren Rahmen die nominalen Strom- und Bestandsgrößen zielgerecht gesteuert werden können (Prozeßpolitik). Rolle und Bedeutung der Geldpolitik haben sich im Laufe der theoretischen Entwicklung gewandelt:

- Nach klassischer Lehre (Quantitätstheorie) hat die Geldpolitik die Funktion, die nominalen Geldbestände durch eine adäquate Geldangebotssteuerung so knapp zu halten, daß die Preisniveau- (Geldwert-) Stabilität gesichert bleibt.
- In der keynesianischen Theorie erhält die Geldpolitik Hilfsfunktionen: Die antizyklische Fiskalpolitik ist in Rezessionsphasen durch eine Niedrigzins- und in Boomphasen durch eine Hochzinspolitik zu unterstützen. Da das Hauptproblem in der Vollbeschäftigungssicherung und der dazu erforderlichen Gewährleistung einer ausreichenden Gesamtnachfrage gesehen wird, hat die Geldpolitik im übrigen die passive Rolle der monetären Alimentierung zu übernehmen (easy money policy).
- Nach neoklassischer Auffassung (Neoquantitätstheorie) hat die Geldpolitik für die Sicherung einer gesamtwirtschaftlich stabilen Entwicklung herausragende Bedeutung: Wegen der behaupteten Dominanz monetärer Impulse soll die Geldpolitik verstetigt werden und langfristig eine relativ konstante Wachstumsrate der nominalen Geldmenge gewährleisten, deren Höhe am langfristig zu erwartenden Wachstum des realen Sozialprodukts oder des Produktionspotentials zu orientieren ist (potentialorientierte Geldpolitik).

Die Notenbanken verfügen – je nach den realisierten Geld- und Währungsverfassungen – über verschiedene prozeßpolitische Instrumente, durch deren Einsatz sie die Zentralbankgeldproduktion, das Kreditangebotsverhalten der Geschäftsbanken sowie indirekt das Kreditnachfrageverhalten der Wirtschaftssubjekte beeinflussen können (Dickertmann/Siedenberg, 1973, 4. A. 1984; Jarchow, 1974, 6. A. 1992; Siebke/Willms, 1974; Woll/Vogl, 1976; Issing, 1981, 1, 5. A. 1993). Welche Maßnahmen präferiert, auf welche Zwischenzielvariablen sie ausgerichtet und wie sie dosiert werden, hängt von der zugrunde liegenden Theorie der Wirkungszusammenhänge und der auf ihr beruhenden geldpolitischen Strategie ab (Beiträge D-5.2.3. sowie C-4. und 5.). Instrumente und Maßnahmen der Geldpolitik sind in *Übersicht P-3* zusammengefaßt.

Träger

Wie in anderen Ländern verfügt auch in der Bundesrepublik der Staat über die Geldhoheit. Dem Bund obliegt die ausschließliche Gesetzgebung über das Währungs-, Geld- und Münzwesen sowie über den Waren- und Zahlungsverkehr mit dem Ausland (Art. 73 (4) und (5) GG). Dem im Art. 88 GG formulierten Gesetzesauftrag, eine Währungs- und Notenbank als Bundesinstitution zu errichten, hat der Bund mit der Verabschiedung des Gesetzes über die Deutsche Bundesbank (BbkG) von 1957 genügt. Weitere Rechtsgrundlagen der Geldpolitik sind u. a. im Gesetz über das Kreditwesen (KWG) von 1961, aber auch im Außenwirtschaftsgesetz (AWG) von 1961 sowie im StabG enthalten. Diese rechtlichen Regelungen bestimmen nicht nur die Entscheidungs- und Handlungsspielräume der Bundesbank, sondern begrenzen auch jene des Bundes auf die Gestaltung des internationalen Kapitalverkehrs, des Wechselkurssystems und der Beziehungen zu internationalen Währungsorganisationen. Sofern die Bundesregierung Maßnahmen in diesen Bereichen ergreift, beeinflußt sie die Geld- und Kreditversorgung auch direkt. Dies gilt darüber hinaus auch für die Schulden- und Einlagenpolitik (s. Abschnitt 4.1.).

Der Bundesbank als Hauptträger geldpolitischer Aktivitäten wurde eine relativ autonome Stellung eingeräumt (Schlesinger, 1977): Sie ist primär zur „Sicherung der Währung" verpflichtet (§ 3 BbkG). Unter Wahrung ihrer Aufgabe hat sie die allgemeine Wirtschaftspolitik der Bundesregierung zu unterstützen (§ 12 BbkG), wobei sie jedoch weisungsunabhängig ist. Sie unterliegt auch nicht unmittelbar den politischen Zwängen parlamentarisch-demokratischer Wahlzyklen. Gleichwohl sind formelle und informelle Einflußnahmen vorhanden (Beratungs- und Auskunftspflicht in Währungsangelegenheiten; Antragsrecht von Regierungsmitgliedern bei geldpolitischen Entscheidungen; § 13 BbkG).

Die Bundesbank hat als juristische Person des öffentlichen Rechts zwei zentrale Entscheidungs- und Handlungsorgane (Zentralbankrat und Direktorium) sowie elf regionale Organe (Vorstände der Landeszentralbanken). Das Direktorium (§ 7 BbkG) führt die laufenden Geschäfte und verwirklicht die Beschlüsse des Zentralbankrats (§ 6 BbkG), der die Grundsätze der Bundesbankpolitik beschließt. Im Rahmen der vorhandenen rechtlichen Grenzen kann die Bundesbank unterschiedliche geldpolitische Strategien verfolgen. Dies zeigt das Bemühen der Bundesbank seit Beginn der siebziger Jahre, von einer kurzfristig orientierten, antizyklischen Zins- und Liquiditätspolitik zu einer längerfristig angelegten Geldmengensteuerung überzugehen. Da die Bundesbank mit ihrem jeweiligen geldpolitischen Kurs die Weichen für die gesamtwirtschaftliche Entwicklung stellt, ist ihre weitgehende politische Autonomie nicht ungefährdet: Es fehlt nicht an Kritikern, die eine Einschränkung des Handlungsspielraums der Bundesbank fordern und sie stärker in die Willensbildungs- und Entscheidungsprozesse der Regierung einbezogen und kontrolliert sehen wollen (ARNDT, 1973; zur Kritik siehe Beiträge in EHRLICHER/SIMMERT, 1982).

Instrumente

Traditionelle Bereiche der Notenbankpolitik sind Mindestreserve-, Refinanzierungs- und Offenmarktpolitik. Ferner hat die Währungspolitik, die die Bundesbank weitgehend im Auftrag der Bundesregierung betreibt, in der Vergangenheit eine überragende Rolle für die inländische Geldversorgung gespielt. Schließlich ist die Schulden- und Einlagenpolitik der Gebietskörperschaften, die wegen der Initiativ- und Entscheidungskompetenzen der Fiskalpolitik zugeordnet wurde (s. Abschnitt 4.1.), von geldpolitischer Bedeutung.

Die Bundesbank kann im Rahmen der Mindestreservepolitik von den Kreditinstituten verlangen, in Höhe des Mindestreservesatzes einen Teil der Bankverbindlichkeiten als unverzinsliche Guthaben auf Girokonten der Bundesbank zu halten (§ 16 BbkG), wobei ein Teil der Barreserven der Geschäftsbanken seit 1978 anrechenbar ist. Reservepflichtig sind bestimmte Verbindlichkeiten (Sicht-, Termin- und Spareinlagen) der Kreditinstitute gegenüber Nichtbanken, nichtreservepflichtigen Kreditinstituten und Banken im Ausland. Die Mindestreservesätze sind nach verschiedenen Kriterien gestaffelt:

- Nach Art der Verbindlichkeit betragen die maximalen Reservesätze für Sichteinlagen 30 v. H., für Termineinlagen 20 v. H. und für Spareinlagen 10 v. H.
- Die reservepflichtigen Sichtverbindlichkeiten werden in drei Reservestufen (bis 10 Mio. DM; über 10 bis 100 Mio. DM; über 100 Mio. DM) aufgeteilt, für die von Stufe zu Stufe steigende Mindestreservesätze gelten. Die durchschnittliche Mindestreservebelastung nimmt nach Überschreiten der ersten Reservestufe mit steigendem Einlagenvolumen kontinuierlich zu und nähert sich asymptotisch dem Reservesatz der dritten Stufe (Progressionsstaffelverfahren).
- Nach der Herkunft der Verbindlichkeiten können für Einlagen Gebietsfremder seit 1969 (§ 4 (1) AWG) die Mindestreservesätze bis auf 100 v. H. heraufgesetzt werden. Um die internationale Wettbewerbsfähigkeit inländischer Bankplätze gegenüber den Euromärkten wieder herzustellen, werden seit Mai 1986 Fremdwährungsverbindlichkeiten gegenüber Gebietsfremden in Höhe entsprechender Buchforderungen von der Mindestreservepflicht befreit.
- Schließlich können – zusätzlich zu den Mindestreserven auf den Einlagenbestand – für abgegrenzte Perioden auch die Zuwächse an reservepflichtigen Verbindlichkeiten mit besonderen (Zuwachsmindestreserve-) Sätzen der Mindestreservepflicht unterworfen werden; Bestands- und Zuwachsreservesätze zusammen dürfen jedoch die oben genannten Maximalgrenzen nicht überschreiten.

Die Bundesbank kann das Mindestreservevolumen durch Variationen der Reservesätze beeinflussen: Reservesatzsenkungen erhöhen die für Geschäftsbanken und Nichtbanken frei verfügbare Geldbasis und reduzieren im Zuge von Portfolioanpassungen kurzfristig das Zinsniveau und umgekehrt. Das Mindestreservevolumen hängt

Übersicht P-3: Instrumente und Maßnahmen der Geldpolitik

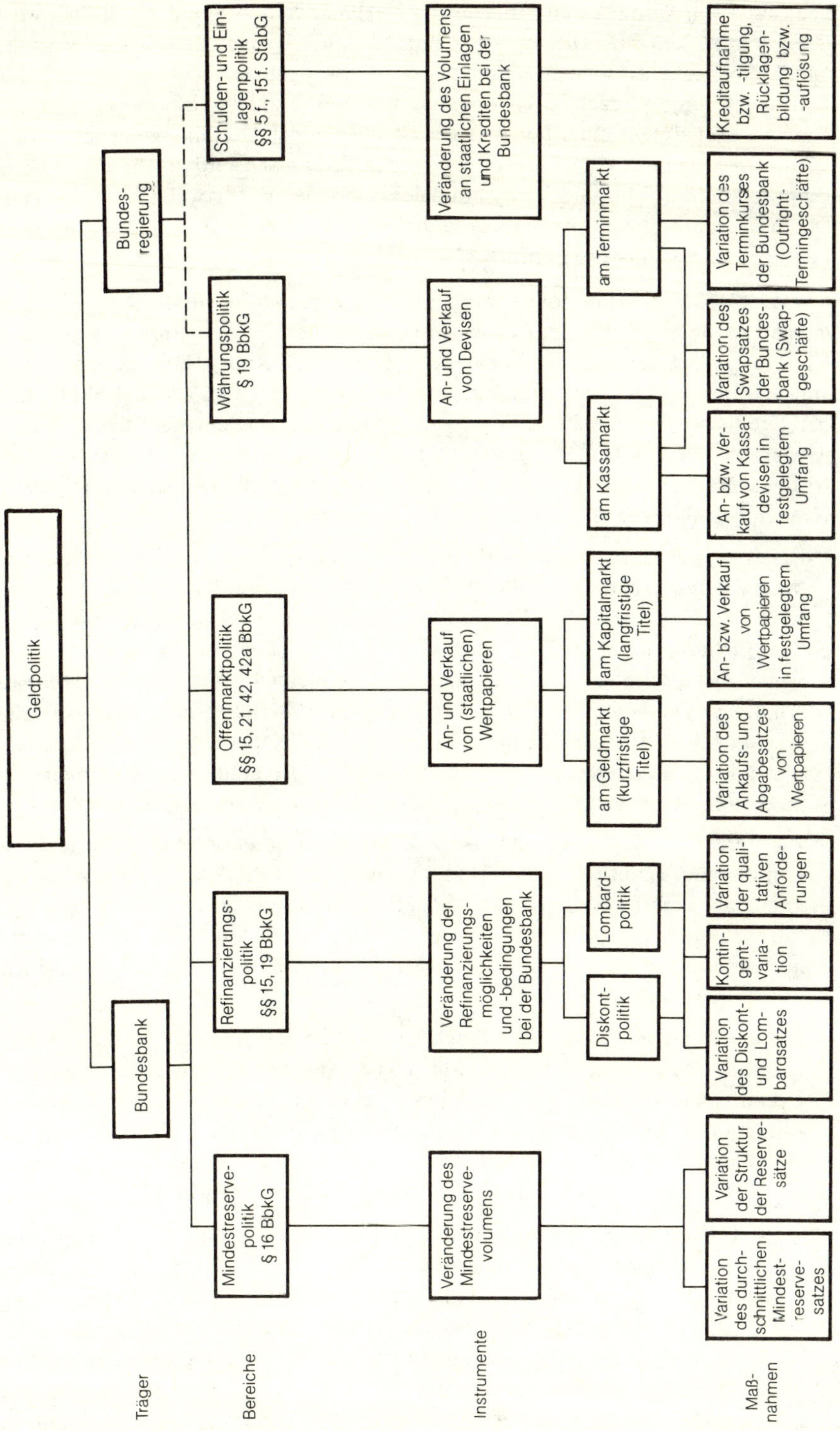

aber auch von Umfang und Struktur der Verbindlichkeiten und damit vom Verhalten der Nichtbanken ab. Die kurzfristigen Wirkungen der Mindestreservepolitik auf Geldmenge und Zinsniveau sind deshalb um so unsicherer, je mehr die genannten Differenzierungsmöglichkeiten der Mindestreservesätze geldpolitisch genutzt werden. Als Instrument einer langfristigen Steuerung des Geldmengenwachstums ist die Mindestreservepolitik ungeeignet, weil die in einer wachsenden Wirtschaft notwendige permanente Erhöhung der nominalen Geldmenge fortwährend Senkungen der Mindestreservesätze erfordern würde; bei Reservesätzen von Null wäre die Wirksamkeit des Instruments erschöpft.

Mit der Refinanzierungspolitik kann die Bundesbank die Möglichkeiten und Bedingungen variieren, unter denen die Geschäftsbanken bei der Bundesbank kurzfristig Kredite gegen Einreichung von Handelswechseln (Diskontpolitik) oder Verpfändung von Wertpapieren (Lombardpolitik) aufnehmen können (§§ 15 f. BbkG). In Höhe der Kreditmenge wird Zentralbankgeld produziert, das mit der Kreditrückzahlung wieder vernichtet wird. Die Bundesbank hat drei Möglichkeiten, die Aufnahme kurzfristiger Kredite durch die Geschäftsbanken und damit die Geldbasis und das Zinsniveau zu beeinflussen:

- Erstens kann die Bundesbank die Mindestanforderungen an rediskontierbare Wechsel und verpfändbare Wertpapiere variieren (qualitative Politik). Neben den Kriterien der Bonität (z. B. nur Wechsel mit drei als zahlungsfähig bekannten Verpflichteten) und der Restlaufzeit (drei Monate) kann sie festlegen, daß Wechsel von der Rediskontmöglichkeit ausgeschlossen bleiben, sofern ihnen bestimmte Geschäfte zugrunde liegen (z. B. Teilzahlungs- und Zwischenfinanzierungsgeschäfte). Dies gilt auch für die Art der verpfändbaren Wertpapiere (z. B. Schatzwechsel, unverzinsliche Schatzanweisungen, bestimmte festverzinsliche Wertpapiere), die im Lombardverzeichnis der Bundesbank näher bezeichnet werden.
- Zweitens legt die Bundesbank Rediskont- und Lombardkontingente fest (Normkontingente, Lombardwarnmarke), deren prozentuale Auslastung variiert werden kann, um damit kurzfristig die verfügbare Kreditmenge zu beeinflussen (quantitative Politik). Seit 1973 hat sie mehrfach auch Sonderlombardkredite gewährt, um bestehende Nachfrageüberhänge am Markt für kurzfristige Kredite (Geldmarkt) zu reduzieren.
- Drittens kann die Bundesbank durch Variationen der Zinssätze (Diskont- und Lombardsatz) für die kurzfristigen Kredite das Zinsniveau beeinflussen und dadurch die Kreditnachfrage des privaten Sektors anregen oder zurückdrängen (Zinssatzpolitik). Hiervon hat sie häufig Gebrauch gemacht, indem sie die Zinssätze stufenweise veränderte, wobei der Lombardsatz normalerweise 1 v. H., teilweise aber auch bis zu 3 v. H. über dem jeweiligen Diskontsatz festgesetzt wurde.

Die Effekte der Refinanzierungspolitik sind unsicher: Es hängt von den Zinselastizitäten der Kreditnachfrage der Nichtbanken und des Kreditangebots der Geschäftsbanken ab, ob und inwieweit durch Erhöhung des quantitativen Refinanzierungspotentials oder Senkung der Refinanzierungskosten zusätzliches Basisgeld produziert wird und umgekehrt. Nur im Extremfall einer vollen Nutzung der Refinanzierungsspielräume durch die Geschäftsbanken wird die Basisgeldmenge um jenen Betrag sinken, um den die Bundesbank die prozentuale Auslastung der Kontingente reduziert. Da mit der Kreditaufnahme zugleich der Zeitpunkt der Basisgeldvernichtung bestimmt ist, eignet sich die Refinanzierungspolitik ebenfalls nicht für eine längerfristig angelegte Steuerung des Geldmengenwachstums.

Im Rahmen der Offenmarktpolitik kann die Bundesbank auf den Märkten für kurzfristige (Geldmarkt) und langfristige Kredite (Kapitalmarkt) Wertpapiere kaufen oder verkaufen (§§ 15, 21 BbkG). Auf dem Geldmarkt werden zwischen Bundesbank und Geschäftsbanken insbesondere Schatzwechsel, unverzinsliche Schatzanweisungen der Gebietskörperschaften (ca. 8 Mrd. DM Mobilisierungspapiere; § 42 BbkG) sowie Liquiditätspapiere (8 Mrd. DM; § 42 a BbkG, § 29 StabG) gehandelt; in geringem Umfang hat sie auch mit privaten Nichtbanken Geschäfte abgeschlossen (Finanzierungspapiere des Bundes). Seit 1979 betreibt die Bundesbank zur „Feinsteuerung" auch Offenmarktgeschäfte mit Rückkaufsvereinbarung (Pensionsgeschäfte) über lombardfähige festverzinsliche Wertpapiere, wobei sie durch das angewandte Ausschreibungsverfahren („Mengentender" – mit vorgegebenem Zinssatz – oder „Zinstender" – mit Vorgabe eines Mindestgebotssatzes) die Konditionen – Laufzeit, Zinssatz und Gesamtbetrag – je nach Liquiditätslage variieren kann. Diese Wertpapierpensionsgeschäfte haben heute die größte quantitative Bedeutung bei der Basisgeldproduktion. Auf dem Kapitalmarkt hingegen kann sie – wie jeder andere Börsenteilnehmer – langfristige Wertpapiere (insbesondere festverzinsliche Wertpapiere staatlicher Emittenten) kaufen und verkaufen, was sie seit 1967 auch mehrfach getan hat. Durch solche Offenmarktoperationen beeinflußt die Bundesbank die Zinssätze auf den Kreditmärkten und die Geldbasis:

- Variiert sie die An- und Verkaufssätze der gehandelten Papiere, wird das tatsächlich umgesetzte Volumen – und damit der Geldmengeneffekt – vom Portfolioverhalten der Geschäftsbanken bzw. Nichtbanken bestimmt (zinsorientierte Offenmarktpolitik).
- Wählt sie hingegen die Umsatzmenge an Wertpapieren als Aktionsparameter, ist der Geldmengeneffekt determiniert; die Zinswirkungen hängen dann von den Marktkonditionen ab (mengenorientierte Offenmarktpolitik).

Da bei beiden Maßnahmen Zins- und Geldbasiseffekte entstehen, ist es eine Frage der geldpolitischen Strategie der Zentralbank, welche Variable sie zu steuern beabsichtigt. Im Gegensatz zur traditionell mengenorientierten Offenmarktpolitik in den USA hat die Bundesbank in der Vergangenheit überwiegend eine zinsorientierte Offenmarktpolitik betrieben. Anders als Mindestreserve- und Refinanzierungspolitik ist die Offenmarktpolitik dann geeignet, das Wachstum der Geldbestände längerfristig hinreichend exakt zu steuern, wenn beim Ankauf von Offenmarkttiteln konsequent der Mengenstrategie gefolgt wird.

Für die Effizienz der binnenwirtschaftlich ansetzenden Instrumente der Geldpolitik war in der Vergangenheit die Währungspolitik von großer Bedeutung. Sie umfaßt – neben anderen außenwirtschaftspolitischen Instrumenten (s. Abschnitt 4.3.) – insbesondere den An- und Verkauf von Devisen durch die Bundesbank. Diese handelt dabei nicht autonom, sondern nimmt im Auftrag der Bundesregierung jene währungspolitischen Aufgaben wahr, die in internationalen Vereinbarungen übernommen wurden (z. B. Weltwährungsordnung, Wechselkurssystem; Beiträge S-3. und E-4.). Da im Bundesbankgesetz keine Instrumente dafür genannt, sondern nur die

Zuständigkeiten geregelt sind (§ 19 BbkG), hat die Bundesbank selbst entsprechende Verfahren und Maßnahmen entwickelt. Durch ihre währungspolitischen Aktivitäten versucht sie, auf die Geld- und Kapitalbewegungen zwischen In- und Ausland einzuwirken, um dadurch die außenwirtschaftliche Komponente der Geldbasisproduktion und -vernichtung zu beeinflussen. Hierbei kann sie drei Arten von Maßnahmen ergreifen:

- Durch internationale Währungsabkommen (bis 1973 das Abkommen von Bretton Woods; gegenwärtig im Rahmen des Europäischen Währungssystems) ist die Bundesbank verpflichtet, die Kassakurse verschiedener Währungen innerhalb bestimmter Bandbreiten zu halten. Kauft die Bundesbank zur Abwehr einer DM-Aufwertung Devisen am Kassamarkt an, „produziert" sie Basisgeld in Höhe des DM-Wertes des angekauften Devisenbetrages; verkauft sie zur Abwehr einer DM-Abwertung Devisen, vernichtet sie Basisgeld. Kassamarktinterventionen der Bundesbank waren bis zur Freigabe des Dollarkurses im Frühjahr 1973 die wichtigste Ursache des rapiden Geldmengenwachstums in der Bundesrepublik. Auch im Rahmen des Europäischen Währungssystems sind immer wieder Kassamarktinterventionen zur Stützung verschiedener Währungen erforderlich, woraus mitunter beachtliche Geldmengeneffekte resultieren (wie 1993 bei der Pfund- und Lire-Stützung, was anschließend zur erheblichen Erweiterung der Bandbreiten von Kassakursschwankungen auf ± 15 v. H. geführt hat). Ähnlich wirkt auch die „Glättungsstrategie" der Bundesbank, mit der diese durch Kassamarktinterventionen größere Schwankungen des flexiblen Dollar-Kurses auszuschalten versucht (schmutziges Floaten).

- Die Bundesbank kann ferner die Nettozinsunterschiede (Bruttozinsdifferenz minus Kurssicherungskosten) zwischen In- und Ausland so beeinflussen, daß kurzfristige Geldkapitalexporte oder -importe induziert werden (Swapsatzpolitik): Scheint Inländern eine kurzfristige Auslandsanlage wegen höherer Auslandszinssätze rentabel, schließen sie – mit dem Ziel der Vermeidung von Kursverlusten – bereits zum Zeitpunkt des Devisenkaufs (Kassageschäft) einen Vertrag über den zukünftigen Devisenverkauf zum vereinbarten Kurs (Termingeschäft). Der sich am Markt bildende Swapsatz ist die positive oder negative relative Differenz zwischen Termin- und Kassakurs einer ausländischen Währungseinheit (Termin- minus Kassakurs, dividiert durch Kassakurs). Er bestimmt die Nettorendite einer Auslandsanlage. Bis Ende der siebziger Jahre, als die DM noch überbewertet war, hat die Bundesbank mit inländischen Geschäftsbanken Swapgeschäfte in US-Dollar (Geldmarktanlagen mit einer Laufzeit von bis zu 6 Monaten) zu Sätzen abgeschlossen, die über den Marktswapsätzen lagen, um dadurch den Geldkapitalexport zu fördern.

- Schließlich kann die Bundesbank am offiziellen Terminmarkt Devisen an- und verkaufen (Outright-Terminmarktinterventionen), um dadurch den Marktswapsatz zu verändern. Will sie – wie 1979/80 wegen der Zahlungsbilanzdefizite in der Bundesrepublik erstmals aktuell – den Geldkapitalimport fördern, kann sie am Terminmarkt ausländische Währung verkaufen und dadurch den Swapsatz so beeinflussen, daß Inlandsanlagen im Vergleich zu Auslandsanlagen lohnender werden. Darüber hinaus betreibt die Bundesbank seit 1979 Devisenpensionsgeschäfte, bei denen sie – bislang ausschließlich kontraktiv eingesetzt – den Geschäftsbanken

Auslandsaktiva für eine im voraus festgelegte Zeit zwecks Liquiditätsabschöpfung überträgt.

Die währungspolitischen Maßnahmen der Bundesbank hängen in ihrer Wirkung auf Zinsniveau und Geldmenge somit wesentlich von dem realisierten Wechselkurssystem ab, für dessen Konstituierung nicht sie, sondern die Bundesregierung politisch verantwortlich ist.

Funktionsprobleme

Die Geldverfassung der Bundesrepublik stellt somit der Bundesbank eine ausreichende Zahl von Instrumenten zur Steuerung der inländischen Geld- und Kreditversorgung zur Verfügung. Daß die Steuerung in der Vergangenheit nicht oder nur unzureichend gelang, hat seinen Grund in verschiedenen Funktionsproblemen der Geldpolitik. Sie ergeben sich weniger aus den organisatorisch-institutionellen Bedingungen, als vielmehr aus der lange Zeit von Bundesbank und Regierung verfolgten kurzfristig ausgerichteten, antizyklischen Stabilisierungsstrategie.

Erstens hat die Time-lag-Diskussion, die sich am Streit über die Effizienz der Geldpolitik als kurzfristiges Stabilisierungsinstrument entzündete (FRIEDMAN, 1961; DÜRR, 1970, 1), gezeigt, daß die Geldpolitik relativ lange Wirkungsverzögerungen aufweist. Zudem schwankt die Zeitspanne erheblich, innerhalb der die Geldmengen- und Zinssatzvariationen auf Produktion und Realeinkommen (Realeffekte) sowie das Preisniveau (Nominaleffekte) wirken. Wenngleich die empirischen Testergebnisse über die Dauer geldpolitischer Wirkungsverzögerungen kontrovers beurteilt werden, besteht Einigkeit darüber, daß eine exakte Terminierung der lags unmöglich ist.

Diese Erkenntnis hat zweitens eine Diskussion über die optimale Strategie einer stabilitätsfördernden Geldpolitik angefacht: Wenn geldpolitisch ausgelöste Impulse kurzfrisitige Real- und langfristige Nominaleffekte haben, die zeitlich nicht exakt bestimmbar sind, dann ist die Wahrscheinlichkeit groß, daß eine kurzfristig operierende diskretionäre antizyklische Geldpolitik gesamtwirtschaftliche Aktivitätsschwankungen auslöst oder verstärkt. Deshalb hat die stabilitätspolitische Alternative zunehmende Bedeutung gewonnen, das Geldmengenwachstum zu verstetigen und hektische Kurswechsel der Geldpolitik zu vermeiden. Die Bundesbank hat bereits seit Mitte der siebziger Jahre versucht, diese Strategie anzuwenden, indem sie die jährlich angestrebte Wachstumsrate der Zentralbankgeldmenge, seit 1988 jene der Geldmenge M 3 im voraus ankündigt. Damit will sie Informationen für die Erwartungsbildung vermitteln und die Gegenwartsentscheidungen auf den Märkten beeinflussen.

Drittens sind die Wirkungen der Geldpolitik entscheidend davon abhängig, welche monetäre Variable (z. B. Geldbasis, Liquiditätsreserven der Banken, Kreditvolumen, Zinsniveau) als Steuerungsgröße ausgewählt und wie sie abgegrenzt wird (z. B. Zentralbankgeldmenge i. S. der Bundesbank oder exogene Geldbasis; Beitrag D-3.2.). Von diesen Strategieentscheidungen hängt es ab, ob die geldpolitischen Instrumente mengen- oder zinsorientiert einzusetzen sind: Wird beispielsweise beabsichtigt, die nominale Geldmenge über eine Steuerung der exogenen Geldbasis den gesamtwirtschaftlichen Finanzierungsnotwendigkeiten anzupassen, so wäre eine Offenmarkt- oder Refinanzierungspolitik verfehlt, die die Zinssätze als Aktionsparameter verwendet.

Viertens resultierten in der Vergangenheit erhebliche Funktionsprobleme aus der mangelhaften außenwirtschaftlichen Absicherung der binnenwirtschaftlichen Instrumente der Geldpolitik: Für ein relativ kleines, international stark verflochtenes Land ist es bei festen Wechselkursen mit Interventionspflicht der Notenbank nahezu unmöglich, eine stabilitätsgerechte Geldversorgung im Inland zu sichern, wenn dies nicht auch im Ausland geschieht. In der Bundesrepublik hat beispielsweise die Hochzinspolitik als Instrument der Inflationsbekämpfung zu Beginn der siebziger Jahre die Geldkapitalimporte verstärkt; durch die bei festen Wechselkursen notwendigen Devisenankäufe der Bundesbank stieg die außenwirtschaftliche Komponente der Geldbasis in einem Ausmaß, das durch die binnenwirtschaftlichen Komponenten auch nicht annähernd kompensiert werden konnte. In den Jahren 1979–81 hatten Devisenverkäufe – nunmehr allerdings zur Verhinderung einer zu starken Aufwertung des inzwischen flexiblen Dollars – zeitweilig den entgegengesetzten Effekt.

Fünftens schließlich kann selbst dann, wenn die Voraussetzungen für einen optimalen Instrumenteneinsatz der Geldpolitik verwirklicht sind, der Erfolg einer monetären Globalsteuerung durch politische Faktoren bei der Strategiewahl gefährdet werden. Ursache dafür können Konflikte innerhalb der Entscheidungsgremien der Bundesbank über die Wahl strategischer Variablen, Zwischenziele usw. sein, aber auch die politische Einflußnahme auf die Entscheidungsprozesse der Bundesbank.

Einige dieser Funktionsprobleme konnten in den siebziger Jahren in der Bundesrepublik reduziert werden. Andere Probleme, wie z. B. der Einfluß neuer Finanzinstrumente (Derivate, Geldmarktfonds) auf die Steuerbarkeit monetärer Zielvariablen oder die geldpolitischen Konsequenzen der geplanten Europäischen Währungsunion, werden gegenwärtig intensiv und kontrovers diskutiert.

4.3. Außenwirtschaftspolitik

Im Rahmen der Stabilitätspolitik haben außenwirtschaftspolitische Maßnahmen (Wechselkurspolitik, Devisenbewirtschaftung, Zoll- und Kontingentpolitik; Beitrag S-2. und 3.) nur eine flankierende Funktion: Sie sollen gewährleisten, daß die Geld- und Fiskalpolitik trotz Einbindung eines Landes in den internationalen Güter- und Kapitalverkehr wirksam bleibt und insbesondere keine Instabilitäten vom Ausland auf die heimische Wirtschaft übertragen werden. Die Außenwirtschaftspolitik dient somit der „außenwirtschaftlichen Absicherung“ (§ 4 StabG) der monetären und fiskalischen Stabilitätspolitik.

Träger

Träger der Außenwirtschaftspolitik in der Bundesrepublik Deutschland sind Bund und Bundesbank. Dem Bund obliegt gemäß Art. 73 GG die ausschließliche Gesetzgebung über das Währungs- und Geldwesen sowie den Waren- und Zahlungsverkehr mit dem Ausland einschließlich des Zoll- und Grenzschutzes. Die wichtigsten dazu erlassenen Gesetze sind das Bundesbankgesetz (BbkG) von 1957 und das Außenwirtschaftsgesetz (AWG) von 1961, die auch die Zuständigkeit für bestimmte außenwirtschaftspolitische Maßnahmen regeln. Die wesentlichen Kompetenzen liegen hiernach bei der Bundesregierung; sie ist nach § 4 StabG zum Handeln verpflichtet, falls das gesamtwirtschaftliche Gleichgewicht außenwirtschaftlich gestört ist oder gestört zu werden droht (STERN/MÜNCH/HANSMEYER, 1967).

Obwohl durch keines der Gesetze explizit geregelt, ist es unbestritten eine bedeutsame Aufgabe der Bundesregierung, das Wechselkurssystem auszuwählen und zu gestalten sowie die Währungsparitäten festzusetzen und zu ändern, also Auf- und Abwertungen vorzunehmen (DICKERTMANN/SIEDENBERG, 1973, 4. A. 1984). Die Bundesregierung ist dabei jedoch an verschiedene internationale Abkommen gebunden, die den Mitgliedsländern bestimmte wechselkurspolitische Verhaltensweisen vorschreiben, wie dies auch gegenwärtig nach den neuen Statuten des Internationalen Währungsfonds (IWF) von 1978 und des Europäischen Währungssystems (EWS) von 1979 der Fall ist. Sieht man von indirekt wechselkursbeeinflussenden Operationen am Devisenterminmarkt im Rahmen des § 19 BbkG ab (Swap- und Outright-Termingeschäfte, Pensionsgeschäfte; s. Abschnitt 4.2.), so beschränkt sich die Rolle der Bundesbank in der Wechselkurspolitik darauf, die Bundesregierung gemäß § 13 BbkG zu beraten und deren Beschlüsse durch Interventionen am Devisenkassamarkt zu realisieren. Die kursregulierenden Käufe und Verkäufe von Devisen gehören zwar zu den Geschäften, die der Bundesbank nach §§ 19 und 22 BbkG gestattet sind, die sie aber nur im Rahmen der grundsätzlichen währungspolitischen Vorgaben abwickelt.

Die Kompetenzen für Eingriffe in den Güter- und Kapitalverkehr liegen ebenfalls im wesentlichen bei der Bundesregierung. Dabei wird der Spielraum für die Zoll- und Kontingentpolitik wiederum durch internationale Abkommen – z. B. den EWG-Vertrag von 1957 und das Allgemeine Zoll- und Handelsabkommen (GATT) von 1947 – begrenzt. Für Maßnahmen der Devisenbewirtschaftung hat die Bundesregierung eine Rechtsgrundlage in den §§ 6a und 22 f. AWG. Auch hierbei obliegt die technische Durchführung der Maßnahmen – insbesondere die Erteilung von Genehmigungen (§ 28 II AWG) und die einvernehmliche Festsetzung des Bardepot-Satzes (§ 6a AWG) – der Bundesbank. Autonom ist die Bundesbank in diesem Bereich nur beim Festsetzen des Mindestreservesatzes für Verbindlichkeiten der Kreditinstitute gegenüber Gebietsfremden gemäß § 16 (1) BbkG.

Instrumente

Nach § 4 StabG sind außenwirtschaftliche Störungen durch abgestuftes Handeln abzuwehren (STERN/MÜNCH/HANSMEYER, 1967; MÖLLER, 1968, 2. A. 1969):

- Zunächst ist zu prüfen, ob die Störungen nicht durch binnenwirtschaftliche Maßnahmen der Geld-, Fiskal- und Einkommenspolitik unter Wahrung der Ziele des § 1 StabG beseitigt werden können – etwa dann, wenn Zahlungsbilanzdefizite durch lohninduzierte Exportverteuerungen oder zinsinduzierte Kapitalexporte entstehen.
- Anderenfalls hat die Bundesregierung alle Möglichkeiten der internationalen Koordination zu nutzen, indem sie etwa wirtschaftspolitische Ziele und Maßnahmen mit den EWS-Partnern abstimmt oder neue internationale Abkommen, Statutenänderungen usw. initiiert.

- Soweit dies nicht ausreicht, hat die Bundesregierung die ihr zur Verfügung stehenden Instrumente der Außenwirtschaftspolitik einzusetzen. Entsprechende Maßnahmen sind auch dann zu ergreifen, wenn die ersten beiden Handlungsalternativen von vornherein keinen Erfolg versprechen.

Von dieser Rangfolge abgesehen, läßt das StabG der Bundesregierung im Rahmen der marktwirtschaftlichen Ordnung bei der Wahl bestehender und der Schaffung neuer Absicherungsinstrumente freie Hand.

Die Wechselkurspolitik hat als Mittel der außenwirtschaftlichen Absicherung höchste Priorität. Sie umfaßt nicht nur die unmittelbar wechselkursbestimmenden Maßnahmen im Rahmen bestehender Wechselkurssysteme, sondern auch die Änderungen des Systems selbst. Hierbei stehen grundsätzlich folgende Alternativen zur Wahl (Beiträge E-4. und S-3.):

- Feste Wechselkurse; in diesem System sind Währungsparitäten fixiert, die nur ausnahmsweise geändert werden dürfen (Auf- und Abwertungen). Die tatsächlichen Wechselkurse können nur innerhalb einer engen Bandbreite (z. B. ± 1 v. H.) um die Paritäten schwanken; drohen sie die Bandbreite zu verlassen, müssen die Notenbanken intervenieren, d. h. Devisen am Kassamarkt kaufen oder verkaufen (Beispiel: System von Bretton Woods, 1944–73).
- Feste, aber anpassungsfähige Wechselkurse; auch hierbei werden Währungsparitäten fixiert und mit – z. T. erheblich erweiterten – Bandbreiten versehen (z. B. EWS: 1979–1993 ± 2,5 v. H., seit 1993 ± 15 v. H.). Die Paritäten können jedoch formelgesteuert (crawling peg; self-adjusting peg) oder durch vereinfachte, an Abweichungsindikatoren orientierte diskretionäre Entscheidungen an den Trend der Wechselkursentwicklung angepaßt werden.
- Flexible Wechselkurse; in diesem System bilden sich die Wechselkurse im freien Spiel von Devisenangebot und -nachfrage: Es gibt weder fixierte Paritäten noch Bandbreiten noch Interventionen (sauberes Floaten). Faktisch wird jedoch immer wieder versucht, Wechselkursschwankungen durch Devisenmarktinterventionen zu „glätten“ und Wechselkurse durch zahlungsbilanzorientierte Transaktionen und Zahlungsverkehrsbeschränkungen zu stützen (kontrolliertes bzw. schmutziges Floaten; managed floating; Beispiel: IWF-System seit 1973).

Seit dem Zusammenbruch des Bretton-Woods-Systems und der Freigabe der Wechselkurse im Frühjahr 1973 hat sich die Bundesregierung intensiv um einen Europäischen Währungsverbund bemüht. Sie war schließlich maßgeblich an der Errichtung des EWS beteiligt, obwohl nach der Reform der IWF-Statuten im Jahre 1978 auch ein System flexibler Wechselkurse möglich gewesen wäre. Statt dessen hat sie sich für die nunmehr praktizierte Mischung aus festen, aber anpassungsfähigen Wechselkursen innerhalb des EWS und dem kontrollierten Floaten gegenüber anderen Währungen entschieden.

Jeder Versuch, in einem Festkurssystem unrealistische Paritäten aufrechtzuerhalten oder in einem System des kontrollierten Floatens den Wechselkurs „gegen den Markt“ zu verteidigen, gefährdet die binnenwirtschaftliche Stabilität oder bedingt weitergehende Interventionen – wie etwa Maßnahmen zur Devisenbewirtschaftung. Das sind direkte staatliche Eingriffe in den internationalen Zahlungs- und Kapitalverkehr, durch die verhindert werden soll, daß bei gegebenen Paritäten Angebots- oder

Nachfrageüberschüsse am Devisenmarkt entstehen: Grenzüberschreitende Kredit- und Geldanlagegeschäfte werden reglementiert; Devisenmärkte „gespalten"; Devisenangebot und -nachfrage rationiert; und die Konvertibilität eingeschränkt oder aufgehoben. Bundesregierung und Bundesbank verfügen nach geltendem Recht über folgende Eingriffsmöglichkeiten (Schmidt, 1977):

- Beschränkungen von Real- und Finanzinvestitionen Gebietsfremder; nach § 23 AWG läßt sich der Erwerb von Grundstücken, Schiffen, Unternehmen, Unternehmensbeteiligungen, Wertpapieren und Wechseln durch natürliche und juristische Personen mit Sitz im Ausland (Gebietsfremde) einschränken. Ferner können Gründung und Ausstattung von Unternehmen durch Gebietsfremde begrenzt werden.
- Beschränkung der Aufnahme von Krediten bei Gebietsfremden; nach § 23 AWG kann es verboten oder genehmigungspflichtig sein, Konten Gebietsfremder bei inländischen Banken zu führen und Kredite bei Gebietsfremden aufzunehmen.
- Mindestreserve auf Auslandsverbindlichkeiten; durch § 16 (1) BbkG wird die Bundesbank ermächtigt, für Verbindlichkeiten von Kreditinstituten gegenüber Gebietsfremden einen Mindestreservesatz bis zu 100 v. H. festzusetzen.
- Bardepot auf Auslandsverbindlichkeiten; nach § 6a AWG können gebietsansässige Nichtbanken, die sich bei Gebietsfremden verschulden, verpflichtet werden, bis zu 100 v. H. ihrer Verbindlichkeiten für einen bestimmten Zeitraum zinslos bei der Bundesbank zu halten.
- Besteuerung von Zinserträgen aus Geldanlagen Gebietsfremder; durch das Kuponsteuergesetz von 1965 wurde eine Kapitalertragsteuer in Höhe von 25 v. H. auf die Zinsen festverzinslicher Wertpapiere deutscher Emittenten im Besitz von Gebietsfremden erhoben.

Mit diesen Maßnahmen ist eine „Abwehr schädigender Geld- und Kapitalzuflüsse aus fremden Währungsgebieten" (§ 6a AWG) beabsichtigt. Sie sollen bei einem Aufwertungsdruck auf die Deutsche Mark den Kapitalimport bremsen und so das Devisenangebot reduzieren. Für den Fall des Abwertungsdrucks sieht § 22 AWG entsprechende Regelungen zur Kontrolle des Kapitalexports vor. Weitergehende Interventionsmöglichkeiten – wie sie andere Länder kennen und nutzen – könnten jederzeit auf Initiative der Bundesregierung im Rahmen des § 4 StabG geschaffen werden.

Als Ersatz für unterlassene Paritätsänderungen werden schließlich auch außenhandelspolitische Instrumente eingesetzt, obwohl sie normalerweise protektionistischen Zielen dienen (Berg, 1976; Beitrag S-2.2.): Um z. B. einen Devisenangebotsüberschuß durch Beeinflussung des Leistungsverkehrs zu verringern, müßten Exportzölle oder -kontingente eingeführt und bestehende Importzölle und -kontingente abgebaut werden. Umgekehrt wäre im Falle von Nachfrageüberschüssen zu verfahren. Das Errichten von (zusätzlichen) Handelsschranken widerspricht jedoch internationalen Abkommen (GATT; EWG-Vertrag), ihrem Abbau sind politische Grenzen gesetzt. Die Bundesregierung hat deshalb auch steuerliche Maßnahmen ergriffen, als sie im Herbst 1968 eine notwendige Aufwertung vor allem aus agrarpolitischen Rücksichten vermeiden wollte („Ersatzaufwertung"): Durch ein spezielles Absicherungsgesetz nach § 4 StabG belastete sie die Exporte mit einer Sonderumsatzsteuer in Höhe von 4

v. H. und entlastete die Importe mit einem gleich hohen Vergütungssatz. Bereits nach einem Jahr wurde diese Maßnahme wieder aufgehoben und die Deutsche Mark um 9,3 v. H. aufgewertet.

Funktionsprobleme

Nicht alle Instrumente sind geeignet, das Problem der außenwirtschaftlichen Absicherung effizient und dauerhaft zu lösen. Vorrangig ist die Wahl des Wechselkurssystems; der Rückgriff auf die übrigen Instrumente ist meist eine Folge dieser Grundentscheidung. Die Absicherungsfrage stellt sich nämlich unterschiedlich, je nachdem welches Wechselkurssystem realisiert ist (Haberler, 1975; Claassen, 1980; Beiträge C-8., E-2. und F-4.):

- Im System fester Wechselkurse sind Inflation und Beschäftigungsschwankungen Weltphänomene, die über Einkommens-, Liquiditäts- und direkte Preiseffekte auf das Inland übertragen werden. Eine auf binnenwirtschaftliche Stabilität zielende (autonome) Geldpolitik ist nicht möglich, die Fiskalpolitik nur begrenzt wirksam. Die stabilitätspolitischen Aktivitäten richten sich primär auf den Zahlungsbilanzausgleich, den man durch zinsorientierte Geldpolitik oder Interventionen in den Außenwirtschaftsverkehr zu erreichen sucht. Sporadische Wechselkurskorrekturen können nur vorübergehend die stabilitätspolitische Handlungsfähigkeit von Regierung und Notenbank wiederherstellen.
- Im System flexibler Wechselkurse können im Ausland bestehende monetäre Instabilitäten durch Wechselkursänderungen weitgehend vom Inland ferngehalten werden. Geld- und Fiskalpolitik bleiben effizient; der Saldo der Devisenbilanz ist null. Wirtschaftspolitische Aktivitäten können sich auf die binnenwirtschaftliche Stabilität konzentrieren. Diese Effizienzsteigerung kann jedoch durch kapitalverkehrsbedingte Wechselkursschwankungen gemindert werden.

Die Frage, welches Wechselkurssystem das Absicherungsproblem vergleichsweise besser löst, war in den fünfziger und sechziger Jahren heftig umstritten. Mit wenigen Ausnahmen (z. B. Köhler, 1979) plädieren Wirtschaftswissenschaftler inzwischen für das System flexibler Wechselkurse. So tritt der Sachverständigenrat seit seinem Bestehen für die Einführung flexibler Wechselkurse ein (SVR, 1964 ff.); und auch die Kommission für wirtschaftlichen und sozialen Wandel (1977) spricht sich vorbehaltlos für dieses System aus. Der Grund dafür ist, daß flexible Wechselkurse die einzige marktkonforme Methode sind, mit der sich ein Land vor inflationären und rezessiven Impulsen aus dem Ausland schützen und seine stabilitätspolitische Handlungsfähigkeit bewahren kann (Sohmen, 1973; Kath, 1975): Gibt ein Land mit Devisenüberschüssen den Kurs seiner Währung frei, so kann es den Inflationsimport stoppen und sein Preisniveau stabil halten; läßt ein Defizitland seine Währung floaten, so kann es einen drohenden Rezessionsimport verhindern und das Beschäftigungsziel leichter realisieren.

Flexible Wechselkurse sind allerdings kein stabilitätspolitisches „Allheilmittel" (Westphal, 1968; Bender, 1977; 1983; Claassen, 1978; Dornbusch, 1980; Frisch/Schwödiauer, 1980):

- Wegen des direkten internationalen Preiszusammenhangs sowie konjunkturinduzierter Veränderungen der Zahlungsbilanzstruktur und der terms of trade können flexible Wechselkurse ein Land nicht vollständig gegen monetär induzierte Instabilitäten im Ausland abschirmen; dennoch gewährleisten sie einen unvergleichlich höheren Grad stabilitätspolitischer Autonomie.

- Auch bieten sie keinen Schutz vor realwirtschaftlichen Impulsen, die – wie z. B. globale Nachfrageverschiebungen oder Ölpreissteigerungen – über Veränderungen der relativen Preise bzw. terms of trade auf das Inland übertragen werden und Anpassungsreaktionen auslösen.

- Bei Wechselkursflexibilität verstärken sich die negativen Effekte einer monetären Stop-and-go-Politik: Sie bewirkt zins- und erwartungsinduzierte Veränderungen des kurzfristigen (spekulativen) Kapitalverkehrs, die zu erratischen Wechselkursschwankungen führen (overshooting) und den Leistungs- und langfristigen Kapitalverkehr stören – wie z. B. während der amerikanischen Antiinflationspolitik von 1981–83 oder in 1994/95.

- Schließlich sind flexible Wechselkurse kein Ersatz für nationale Stabilitätspolitik; auch können sie keine binnenwirtschaftlichen Zielkonflikte lösen. Sie gewähren allenfalls eine Option für den gewünschten Stabilitätsgrad, ohne andere Länder mit dem eingeschlagenen stabilitätspolitischen Kurs merklich zu tangieren.

Praktiker wenden häufig unter Hinweis auf die Zyklen der Weltinflation und den fortbestehenden internationalen Konjunkturverbund ein, die Wechselkursfreigabe im Frühjahr 1973 habe das Absicherungsproblem bisher nicht lösen können. Sie übersehen dabei, daß die Wechselkurse zu keinem Zeitpunkt völlig flexibel waren, sondern daß neben einem partiellen Festkurssystem – zunächst als EURO-Währungsschlange, dann als EWS – stets auch kontrolliertes oder schmutziges Floaten praktiziert wurde. Darüber hinaus hat das Bretton-Woods-System Probleme hinterlassen (EURO-Dollar-Schwemme, weltwirtschaftliche Strukturverzerrungen), die zu lösen flexible Wechselkurse allein nicht im Stande sind.

Da sich die EG-Länder mit dem 1979 errichteten EWS erneut für ein System fester – wenngleich diskretionär anpassungsfähiger – Wechselkurse entschieden haben, verzichten sie freiwillig auf die Vorteile einer automatischen außenwirtschaftlichen Absicherung. Statt dessen nehmen sie erhebliche Funktionsprobleme in Kauf, die sich aus dem Festkurssystem einerseits und dem Nebeneinander von festen und flexiblen Wechselkursen andererseits ergeben:

- Da die EG-Länder keine gemeinsame stabilitätspolitische Konzeption haben und unterschiedliche Stabilitätsziele mit unterschiedlichen Mitteln verfolgen, divergieren innerhalb der EG vor allem die Inflationsraten. Dementsprechend bewegen sich die Wechselkurse tendenziell auf die Interventionspunkte zu. Bei flexibler Handhabung des vereinbarten „Paritätengitters“ sind somit diskretionäre Paritätsänderungen vorprogrammiert.

- Auf- und Abwertungen sind jedoch nach Zeitpunkt und Ausmaß unsicher. Sie stellen wirtschaftspolitische Schocks dar, die bei den Betroffenen antizipative Dispositionen auslösen und insbesondere zu Devisenkursspekulationen Anlaß geben. Obwohl zur außenwirtschaftlichen Absicherung erforderlich, sind Paritätsänderungen also selbst ein destabilisierender Faktor.

- Falls rechtzeitige und ausreichende Paritätsänderungen aus Rücksicht auf den EG-Zusammenhalt, einzelne Partnerländer oder eigene nationale Interessen unterbleiben, sind die Notenbanken zur Intervention verpflichtet. Hierdurch wird die Handlungsfähigkeit der monetären Autoritäten faktisch beeinträchtigt und die Stabilitätspolitik gefährdet.
- Kursstützende Notenbankinterventionen verunsichern die privaten Disponenten am Devisenmarkt, deren Reaktionen zu erratischen Kursschwankungen bei den nicht am EWS beteiligten Währungen führen können. Die daraufhin einsetzende Glättungsstrategie der Notenbanken kann die Kursausschläge noch verschärfen, wenn der langfristige Entwicklungstrend der betreffenden Währung verkannt wird.

Je länger die Notenbanken die Wechselkurse „gegen den Markt" stabilisieren, um so größer werden die Zahlungsbilanzprobleme und die importierten Instabilitäten. Ultima ratio sind dann häufig Kontrollen des Außenwirtschaftsverkehrs durch Devisenbewirtschaftung und außenhandelspolitische Maßnahmen.

Solches Vorgehen ist jedoch nicht ursachenadäquat. Die verfügbaren Kontrollinstrumente sind zudem nicht marktwirtschaftskonform; sie haben in der Regel nur Einmaleffekte und müssen um so stärker dosiert werden, je länger die Interventionen dauern; sie verursachen hohe staatliche Verwaltungs- und private Umgehungskosten; sie führen zu strukturellen Verzerrungen, behindern die internationale Arbeitsteilung und wirken desintegrierend; und sie können schließlich ökonomisch notwendige Paritätsänderungen nur hinausschieben, aber letztlich nicht verhindern. Die Bundesregierung hat deshalb zu Recht bisher auf solche Absicherungsmaßnahmen weitgehend verzichtet.

4.4. Einkommenspolitik

Neben den traditionellen fiskal-, geld- und außenwirtschaftspolitischen Instrumenten werden häufig auch gesamtwirtschaftliche Orientierungsdaten, verbindliche Lohn- und Preisleitlinien, Lohn- und Preisstopps oder Indexierungen als Mittel der Stabilitätspolitik verwendet. Hiermit sollen die Güter- und Faktorpreise direkt beeinflußt werden mit dem Ziel, die entstehenden Geldeinkommen im stabilitätspolitisch erwünschten Rahmen zu halten. Obwohl solche Instrumente nur an der Preiskomponente der verschiedenen Einkommensarten ansetzen, hat sich dafür die von der Fellner-Kommission (OECD, 1962) geprägte Bezeichnung „Einkommenspolitik" („income policy") durchgesetzt. Einkommenspolitik ist somit nicht gleichbedeutend mit der traditionellen Einkommensverteilungspolitik: Während diese „verteilungsgerechte" Einkommensrelationen anstrebt, zielt jene auf „stabilitätskonforme" Niveaus der funktionellen Einkommen. Dabei können verteilungspolitische Instrumente auch im Rahmen der Einkommenspolitik eingesetzt werden, falls sie deren Ziele fördern (Cassel/Thieme, 1977; Ribhegge, 1978).

Vereinzelt wurde das einkommenspolitische Instrumentarium seit jeher in Not- und Krisenzeiten – so auch während des letzten Weltkriegs – eingesetzt. Verstärkt

Übersicht P-4: Instrumente und Maßnahmen der Einkommenspolitik

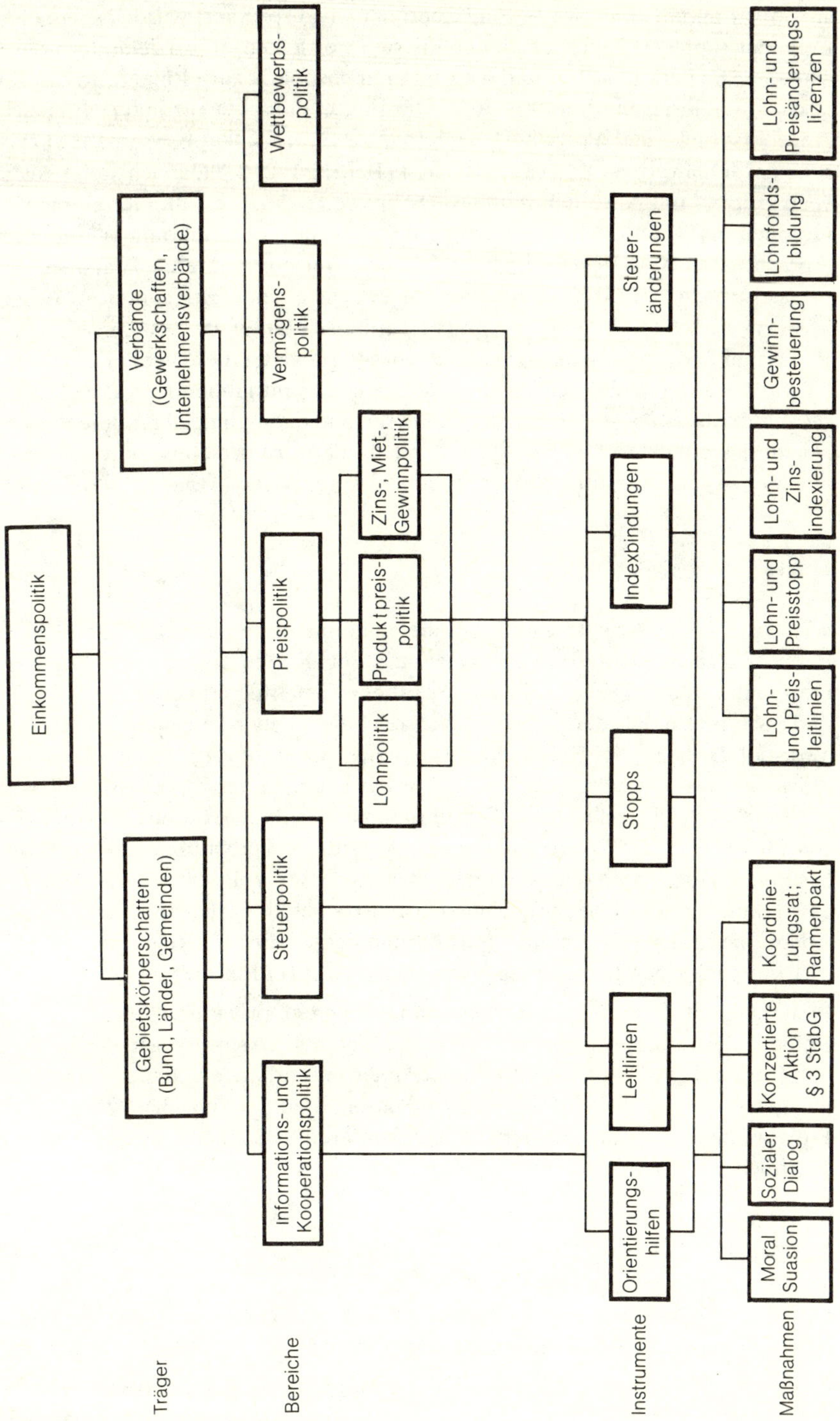

ausgebaut und in einer Welle von Experimenten ausprobiert wurde es jedoch erst seit Ende der fünfziger Jahre, als in den meisten westlichen Industrieländern das Phänomen der Stagflation auftrat und die Einkommenspolitik zur ultima ratio der keynesianischen Stabilisierungspolitik wurde. Die Begründung hierfür lieferten verschiedene Angebotsdruck- und Verteilungskampfhypothesen, die den Keynesianern zur Erklärung der inflationären Rezession dienten (Beitrag F-2.2.): Danach steigt das Preisniveau trotz konjunktureller Abschwächung weiter an, weil die autonomen sozialen Gruppen im Kampf um „gerechte“ Anteile am Volkseinkommen die Preise für erbrachte Leistungen ständig heraufsetzen. Der fortwährende Versuch, Einkommensansprüche am Markt durchzusetzen, erzeugt einen permanenten Angebotsdruck in Form von Kosten- und Gewinnsteigerungen. Unter diesen Umständen stehen Regierung und Notenbank vor dem Dilemma, entweder die Angebotsdruck-Inflation im Interesse der Vollbeschäftigung zu tolerieren und monetär zu alimentieren oder sie von der Nachfrageseite her zu bekämpfen und dadurch noch größere Arbeitslosigkeit zu riskieren. Der einzige Ausweg scheint darin zu bestehen, den Angebotsdruck durch einkommenspolitische Aktivitäten zu vermindern (Tobin, 1980).

Träger

Wie *Übersicht P-4* zeigt, lassen sich die einkommenspolitischen Aktivitäten zu fünf Bereichen zusammenfassen: Informations- und Kooperationspolitik, Steuerpolitik, Preispolitik, Vermögenspolitik und Wettbewerbspolitik. Entsprechend differenziert sind auch ihre möglichen Träger: Im Bereich der Steuer-, Vermögens- und Wettbewerbspolitik liegt die Entscheidungsbefugnis bei den Regierungen und – soweit legislative Maßnahmen nötig sind – den Parlamenten der zentralen Gebietskörperschaften. Dies gilt auch für die Einführung von Leitlinien, Stopps und Indexbindungen im Bereich der Preispolitik; dagegen wird die Durchführungskontrolle häufig bestimmten Behörden oder Gremien übertragen, wie z. B. einem Preis- und Kartellamt (Dänemark, Schweden), einer paritätisch besetzten Kommission (Österreich), einem neutralen Gremium (Großbritannien), einem Regierungsbeauftragten (Schweiz) oder den betroffenen Verbänden selbst (Frankreich).

Weitergehend sind die Mitwirkungsmöglichkeiten privatautonomer Gruppen im Rahmen der Informations- und Kooperationspolitik. So sind etwa in der Bundesrepublik Deutschland Gewerkschaften, Unternehmensverbände und Gebietskörperschaften gemäß § 3 StabG („Konzertierte Aktion“) aufgerufen, ihr Verhalten an den Projektionen der Bundesregierung zu orientieren und im Interesse der gesamtwirtschaftlichen Stabilität aufeinander abzustimmen.

Instrumente

Die einkommenspolitischen Instrumente lassen sich nach Ansatzpunkt und Eingriffsintensität zwei unterschiedlichen Strategien zuordnen:

- Zur ersten Strategie zählen alle Formen der Überredung und freiwilligen Verhaltensabstimmung auf der Grundlage von Orientierungsdaten und unverbindlichen Leitlinien. Die Regierung versucht, die sozialen Gruppen durch Information und

Kooperation zu stabilitätskonformem Handeln zu bewegen, ohne deren Machtpotential und Entscheidungsfreiheit formal einzuschränken (informatorische Einkommenspolitik).

- Die zweite Strategie umfaßt ordnungs- und prozeßpolitische Eingriffe, mittels derer die kollektiven oder individuellen Entscheidungen beim Festsetzen und Verwenden von Leistungsentgelten determiniert werden sollen. Die Regierung versucht dabei, stabilitätskonformes Verhalten durch verbindliche Regulative vorzuschreiben oder durch Änderung der längerfristigen Rahmenbedingungen zu konditionieren (imperative Einkommenspolitik).

Im Rahmen der informatorischen Einkommenspolitik hat die Regierung folgende Handlungsmöglichkeiten (Tuchtfeldt, 1971, 1; Klaus/Gömmel, 1973; Rall, 1975; *Übersicht P-4*):

- Sie kann sich mit Maßhalteappellen an die Öffentlichkeit oder spezielle Adressatenkreise wenden und für stabilitätskonformes Verhalten aus Einsicht und sozialer Verantwortung werben („Seelenmassage", „moral suasion"; Beispiel: Maßhalteappelle der Regierung Erhard Mitte der sechziger Jahre).
- Sie kann mit den Wirtschaftsverbänden Informationen über gesamtwirtschaftliche Daten, mögliche Entwicklungen und stabilitätspolitische Programme austauschen und versuchen, in informellen Kontakten die Einkommensansprüche und -erwartungen zu beeinflussen (Sozialer Dialog; Beispiel: Konsultationen unter den Wirtschaftsministern Erhard und Schmücker Anfang bis Mitte der sechziger Jahre).
- Sie kann aber auch eine formalisierte Kooperation praktizieren mit dem Ziel, ihr Verhalten mit dem der beteiligten Gruppen auf der Grundlage quantifizierter Orientierungsdaten unverbindlich abzustimmen (Konzertierte Aktion; Beispiel: § 3 StabG von 1967).
- Schließlich kann die Regierung durch formalisierte Kooperation innerhalb ständiger Koordinierungsräte oder im Rahmen befristeter Stabilitätspakte eine zwar freiwillige, dann aber verbindliche Verhaltensabstimmung anstreben (Beispiele: Paritätische Kommission für Lohn- und Preisfragen seit den fünfziger Jahren in Österreich; Preis- und Lohnrat seit 1968 in Finnland).

Informatorische Einkommenspolitik will somit lohn- und preispolitisches Wohlverhalten der sozialen Gruppen erreichen, indem sie die Einsicht in Sachzusammenhänge fördert, an das Verantwortungsbewußtsein appelliert und Kooperationsbereitschaft mit der Möglichkeit der Einflußnahme auf die Regierungspolitik honoriert. Auf diese Weise in den wirtschaftspolitischen Entscheidungsprozeß einbezogen, wird den beteiligten Interessenverbänden Mitverantwortung für wirtschaftliche Stabilität übertragen.

Diese Intention wird besonders deutlich am Beispiel der Konzertierten Aktion in der Bundesrepublik Deutschland (Schlecht, 1968, 1): In § 3 StabG wird sie definiert als ein „gleichzeitiges aufeinander abgestimmtes Verhalten der Gebietskörperschaften, Gewerkschaften und Unternehmensverbände zur Erreichung der Ziele des § 1". Im Falle der Gefährdung eines der Ziele des § 1 StabG ist die Bundesregierung berechtigt und verpflichtet, zu diesem Zweck Orientierungsdaten zur Verfügung zu stellen, die eine Darstellung der gesamtwirtschaftlichen Zusammenhänge im Hinblick auf die gegebene Situation enthalten sollen (§ 3 (1) StabG); der Bundeswirtschaftsminister hat die Orientierungsdaten auf Verlangen eines der Beteiligten zu erläutern (§ 3 (2) StabG). Das Gesetz legt jedoch weder den genauen Kreis der Beteiligten noch deren Rechte und Pflichten fest; auch enthält es keinerlei Verfahrensregeln zur beabsichtigten Verhaltensabstimmung.

Nach dem Wortlaut des StabG bezeichnet die Konzertierte Aktion eine bestimmte Verhaltensweise der Beteiligten. In der Praxis versteht man darunter die Institution gelegentlicher Zusammenkünfte auf Einladung der Bundesregierung. Beteiligt waren daran bis zum Rückzug der Gewerkschaften im Jahre 1977 etwa je zehn Vertreter der Gewerkschaften und Unternehmensverbände, einige Mitglieder des SVR, der Bundeswirtschafts-, Bundesfinanz- und Bundesarbeitsminister sowie Vertreter des Bundeskanzleramts und der Deutschen Bundesbank. Die nach § 3 StabG vorgesehene Verhaltensabstimmung mit den Ländern und Gemeinden erfolgte indirekt im Konjunkturrat der öffentlichen Hand sowie im Finanzplanungsrat. Gesetzgeberische Absicht und tatsächlicher Verlauf der Konzertierten Aktion lassen den Versuch erkennen, die arbeitsmarkt- und tarifpolitisch wichtigsten Spitzenverbände in den stabilitätspolitischen Entscheidungsprozeß einzubeziehen und zum Träger der Stabilitätspolitik zu machen, ohne die Tarifautonomie formal zu beseitigen.

Wegen der unsicheren Ergebnisse der Informations- und Kooperationspolitik bevorzugen die meisten Länder Instrumente der imperativen Einkommenspolitik, wobei die Regierungen folgende Interventionsmöglichkeiten nutzen (SVR, 1972; KERN, 1979):

- Sie greifen direkt in den Preisbildungsprozeß ein, indem sie für die Steigerungsraten von Produkt- und Faktorpreisen – insbesondere von Lohnsätzen – Höchstgrenzen vorschreiben oder einen absoluten Preisstopp verfügen (Lohn- und Preisleitlinien, Lohn- und Preisstopps; Beispiel: USA, 1971–73, und Großbritannien, 1972–79).
- Sie binden Faktorpreise – vor allem Lohn- und Zinssätze – an einen geeigneten Preisindex. Faktorpreiserhöhungen sind dann nur im Rahmen der bereits eingetretenen Indexsteigerung (Ex-post-Indexierung) oder der für die nächste Periode projektierten Inflationsrate (Ex-ante-Indexierung) zulässig. (Lohnindexierung, Wertsicherungsklauseln, escalator clauses; Beispiel: Italien, 1951–83).
- Sie verstärken ihre wettbewerbspolitischen Aktivitäten, indem sie Machtpositionen von Einzelunternehmen, Unternehmensverbänden und Gewerkschaften begrenzen und schärfer gegen wettbewerbsbeschränkende Praktiken auf Güter- und Faktormärkten vorgehen. Damit sollen die Interessendurchsetzung erschwert, der Wettbewerb intensiviert und die Lohn- und Preisflexibilität erhöht werden (Beispiele: angestrebte Reform der englischen Gewerkschaftsverfassung unter der Regierung THATCHER seit 1979; Preiskontrollen des Bundeskartellamtes auf dem deutschen Benzinmarkt, 1973–74).

Neben diesen bereits praktizierten Maßnahmen gibt es zahlreiche Reformvorschläge, die auf einen Konzeptionswandel der imperativen Einkommenspolitik zielen: Statt preis- und wettbewerbspolitischer Interventionen sollen steuer- und vermögenspolitische Regulative eingeführt werden. Die vermögenspolitisch orientierten Vorschläge setzen an der Verwendung der Lohn- und Gewinneinkommen an (Überblick bei Cox, 1980; Kleps, 1982): So soll nach dem Investivlohnkonzept nur ein Teil der tarifvertraglich vereinbarten Lohnerhöhungen ausgezahlt, der andere Teil aber vermögenswirksam im Unternehmen angelegt werden. Der Beitrag zur Stabilität wird darin gesehen, daß Investivlöhne den kostensteigernden und investitionshemmenden Liquiditätsentzug vermeiden, der mit Barlohnerhöhungen einhergeht. Andere Modelle sehen eine Kompensation von Lohnverzichten durch zusätzliche vermögenswirksame Leistungen des Staates vor oder auch Lohnfonds, die im Boom von den Unternehmen gespeist und in der Rezession an die Arbeitnehmer ausgeschüttet werden sollen. Steuerpolitisch orientierte Reformvorschläge wollen dagegen preis- und lohnpolitisches Wohlverhalten der privaten Wirtschaftssubjekte durch steuerliche Anreize oder Strafen erreichen. So schlagen Henry C. Wallich und Sidney Weintraub (1971) eine tax-based income policy (TIP) vor, nach der von jenen Unternehmen eine Strafsteuer auf den Gewinn zu zahlen ist, die bei ihren Lohnabschlüssen gegen die staatlichen Lohnleitlinien verstoßen. Laurence S. Seidman (1976; 1979) ergänzt diesen Plan durch einen anti-inflation payroll tax-credit (APT), mit dem die Arbeitnehmer eine um so höhere Steuerermäßigung erhalten, je niedriger ihre Lohnabschlüsse sind. Stabilitätswidrige Lohnzugeständnisse sollen also steuerlich bestraft, lohnpolitisches Wohlverhalten steuerlich belohnt werden.

Ordnungspolitisch am weitestgehenden sind schließlich Reformvorstellungen, nach denen sich die Regierungen auf den Marktmechanismus stützen sollen: Der wage-increase permit plan (WIPP) von Abba P. Lerner (1978) sieht vor, den Arbeitgebern Lizenzen für Lohnanhebungen in Höhe der zu erwartenden gesamtwirtschaftlichen Produktivitätssteigerung zu erteilen. Abweichungen von dieser Leitlinie sind einem Unternehmen nur erlaubt, wenn es auf dem freien Markt, an dem die Lizenzen gehandelt werden können, Lizenzen veräußert oder erwirbt. Carl C. von Weizsäcker (1975) schlägt analog dazu die Vergabe von Preisänderungslizenzen vor. Statt Preis- und Lohnsatzänderungen zu lizensieren, wollen Abba P. Lerner und David C. Colander (1980) nach ihrem market anti-inflation plan (MAP) die Veränderung der betrieblichen Wertschöpfung (Lohn- und Gewinnsumme) von handelbaren Lizenzen abhängig machen. Diese Vorschläge basieren analog zur Lösung des Umweltschutzproblems auf der Idee, die negativen externen Effekte stabilitätswidrigen Verhaltens sozialer Gruppen auf das öffentliche Gut Preisniveaustabilität durch Märkte zu internalisieren (Ribhegge, 1980). Damit sollen Funktionsmängel der traditionellen Einkommenspolitik vermieden und „stabilitätspolitische Umweltverschmutzungen“ durch privatwirtschaftliches Verhalten auf systemkonforme Weise verhindert werden.

Funktionsprobleme

Die außerhalb der Bundesrepublik Deutschland seit Mitte der sechziger Jahre zu beobachtende Eskalation einkommenspolitischer Maßnahmen von der Verhaltensbeeinflussung durch Information und Kooperation bis hin zu massiven Interventionen in den Preisbildungsprozeß hat Inflation und Arbeitslosigkeit weder verhindern noch beseitigen können (Brunner/Meltzer, 1976, 2). Aus neoklassischer Sicht ist der Mißerfolg der bisherigen Einkommenspolitik in erster Linie auf eine verfehlte Konzeption zurückzuführen: Die keynesianische Begründung einkommenspolitischer Aktivitäten impliziert, daß die Fiskal-, Geld- und Außenwirtschaftspolitik in den Dienst des Vollbeschäftigungsziels zu stellen ist (Vollbeschäftigungsgarantie), während die Einkommenspolitik den Verteilungskampf kanalisieren und Preisniveaustabilität gewährleisten soll. Im Gegensatz zum PHILLIPS-Kurven-Ansatz, der dieser Auffassung zugrunde liegt, ist es jedoch durch Globalsteuerung nicht möglich, dauerhaft die Arbeitslosigkeit unter ihre ,,natürliche" Rate zu drücken, ohne akzelerierte Inflation zuzulassen (Beitrag F-3.). Einkommenspolitik ist deshalb zum Scheitern verurteilt, wenn sie – wie bisher in den meisten westlichen Industrieländern – als Ersatz für eine Geldpolitik dienen soll, die im Dienste der Vollbeschäftigungsgarantie gezwungen ist, Inflation zu produzieren (HABERLER, 1971; JOHNSON, 1975, 1).

Preisniveaustabilität zu erhalten bzw. wiederzugewinnen, ist nach neoklassischer Stabilitätskonzeption Aufgabe der Geldpolitik; die Einkommenspolitik kann dabei allenfalls eine unterstützende bzw. flankierende Rolle spielen: Ihre Aufgabe besteht – analog zur Außenwirtschaftspolitik – in der ,,binnenwirtschaftlichen Absicherung" der traditionellen Geld- und Fiskalpolitik gegen solche unerwünschten Störungen, die vom Angebotsdruck auf den heimischen Märkten ausgehen können. Da der Angebotsdruck verteilungskampf- oder erwartungsinduziert sein kann (Beitrag F-2.2.3. und 2.2.4.), müssen die einkommenspolitischen Maßnahmen auf die stabilitätskonforme Beeinflussung sowohl des Verteilungskampfes als auch des Erwartungsbildungs- und Antizipationsverhaltens im privaten Sektor gerichtet sein (CASSEL/THIEME, 1977, S. 127 ff.; s. Abschnitt 5.).

Verteilungskampf- und erwartungsinduzierter Angebotsdruck sind eher Begleiterscheinung als Ursache des Inflationsprozesses. Deshalb bedeuten einkommenspolitische Maßnahmen, die anstelle monetärer Restriktionen den Angebotsdruck reduzieren sollen, ein Kurieren an Symptomen: Sie sind nicht ursachenadäquat und deshalb erfolglos. Bei anhaltend expansiver Geldpolitik sind sie sogar schädlich, weil sie jene Lohn- und Preisanpassungen verhindern oder verzögern, die nötig sind, um die bei Inflation wahrscheinliche Geldillusion der Wirtschaftssubjekte möglichst rasch zu überwinden und die Inflationswirkungen zu minimieren (Beitrag F-3.). Dies gilt insbesondere für administrative Lohn-Preis-Kontrollen, die darüber hinaus noch weitere gravierende Nachteile aufweisen (KLEPS, 1984):

- Bevor sie in Kraft treten, werden Löhne und Preise kräftig erhöht (Ankündigungseffekt); hebt man sie später wieder auf, werden unterlassene Lohn- und Preiserhöhungen nachgeholt (Nachholeffekt).

- Stopps und verbindliche Leitlinien verhindern Änderungen relativer Preise und verursachen somit Fehlallokationen und Umverteilungseffekte, die um so größer sind, je länger diese Politik anhält.

- Solche Interventionen durchzusetzen, erfordert kostspielige Antrags-, Genehmigungs-, Prüf- und Sanktionsverfahren, die zusätzliche Kontroll- und Behördenapparate bedingen.

- Verteilungskonflikte werden nicht gelöst, sondern nur vom ökonomischen auf den politischen Markt verlagert. Die hieraus resultierenden Allokations- und Umverteilungseffekte werden verstärkt durch Versuche, die Kontrollen zu umgehen.

Die Bundesregierung kann zwar nach § 2 des Preisgesetzes von 1948 Preiskontrollen einführen, „wenn dem wirtschaftlichen, sozialen und politischen Leben Gefahren durch die Preisentwicklung drohen"; für Eingriffe in die Lohnbildung fehlt ihr aber jegliche Rechtsgrundlage. Generell bestehen gegen solche Maßnahmen in der Bundesrepublik verfassungsrechtliche Bedenken, da Preiskontrollen die Eigentumsgarantie des Art. 14 GG und Lohnkontrollen die in Art. 9 (3) GG garantierte Tarifautonomie aushöhlen.

Diese Kritik läßt sich auch auf staatlich verordnete Ex-post-Indexierungen übertragen, da sie nichts anderes als verbindliche Leitlinien mit Anpassungsautomatik darstellen. Darüber hinausgehenden Einwänden ist vor allem die Lohnindexierung ausgesetzt (Ehrlicher, 1974; Raffay, 1978):

- Die Ex-post-Indexierung sichert den Realwert der Geldlöhne, wodurch der Widerstand gegen Inflation und Inflationsbekämpfung geschwächt wird.
- Die Realwertsicherung kann den Verteilungskampf sogar verschärfen, weil sich die Tarifparteien von vornherein auf die Verbesserung ihrer Realeinkommenspositionen konzentrieren können (Reallohnstrategie).
- Es besteht die Gefahr, daß sich die staatliche Aktivität zunehmend auf die Steuerung des relevanten Preisindex durch Preissubventionen, Änderung der Indexgewichte usw. verlagert (Indexmanipulation).
- Handelt es sich nicht um längerfristig wiederkehrende Preisniveausteigerungen (Inflation), sondern um temporäre, einmalige Erhöhungen des Preisniveaus, die auf realwirtschaftliche Ursachen (z. B. Rückgang der Arbeitsproduktivität; Ölpreisschock; Mißernten) zurückgehen, wirken Indexbindungen bei entsprechender monetärer Alimentierung inflationsbeschleunigend (built-in inflators) oder verhindern eine erforderliche Reallohnsenkung und verstärken damit negative Einkommens- und Beschäftigungseffekte realwirtschaftlicher Schocks.

Daraus wird geschlossen, daß umfassende und dauerhafte Ex-post-Indexierungen die Inflation eher fördern als bremsen und die Anfälligkeit der Volkswirtschaft gegenüber realen Schocks erhöhen.

Wird die imperative Einkommenspolitik dagegen flankierend zur binnenwirtschaftlichen Absicherung stabilitätsadäquater Geld- und Fiskalpolitik eingesetzt, kann sie bei entsprechender Instrumentierung durchaus dazu beitragen, Preisniveaustabilität und hohen Beschäftigungsstand wiederzugewinnen und zu erhalten. Dies gilt auch für verschiedene Formen der Indexierung. Die Deutsche Bundesbank (1979) verteidigt zwar nach wie vor das in der Bundesrepublik gemäß § 3 Währungsgesetz geltende generelle Indexierungsverbot (Nominalwertprinzip); eine Reihe von Ökonomen plädiert jedoch für seine Aufhebung: Sie sehen darin eine Möglichkeit für Wirtschaftssubjekte, sich aufgrund frei vereinbarter Indexklauseln automatisch an veränderte Inflationsraten anzupassen und dadurch die monetäre Restriktionspolitik wirksam zu flankieren (Giersch, 1974; Wissenschaftlicher Beirat beim Bundesministerium für Wirtschaft, 1975; Stützel, 1979). Dies gilt besonders für staatliche Ex-post-

Indexierungen und privatwirtschaftlich vereinbarte Indexklauseln, bei denen nachträglich monetär von realwirtschaftlich verursachten Schocks unterschieden werden können. Indexklauseln dieser Art bieten einen Ausgleich für monetär verursachte Preisniveauveränderungen, ohne eine Anpassung an reale Schocks zu erschweren, erleichtern die Antizipation einer dezelerierenden Inflation, mindern den Angebotsdruck und halten so die Kosten der Inflationsbekämpfung in politisch vertretbaren Grenzen (Dürr u. a., 1974; Friedman u. a., 1974; s. Abschnitt 5.). Unter entsprechenden Anwendungsbedingungen wäre ein solcher Stabilitätsbeitrag möglicherweise auch von den bisher nur theoretisch konzipierten steuer- und vermögenspolitischen Instrumenten zu erwarten. Allerdings sind die dabei gegebenen Umgehungsmöglichkeiten, Fehlallokationen und Bürokratiekosten nicht zu unterschätzen.

Auch die informatorische Einkommenspolitik ist nicht ohne Funktionsmängel. Sachaufklärung, Vernunftappelle und Verhaltensempfehlungen der Regierung an die Adresse der Öffentlichkeit oder der Tarifparteien, Verbände und Einzelunternehmungen im Rahmen von Moral-Suasion-Strategien und Sozialen Dialogen sind wenig erfolgversprechend: Alle sind am öffentlichen Gut Preisniveaustabilität interessiert, aber keiner ist bereit, dafür Vorleistungen in Form zurückgeschraubter Einkommensansprüche zu erbringen. Unternehmungen und Gewerkschaften werden sich kaum freiwillig selbstbeschränken und die gegebenen Preis- und Lohnerhöhungsspielräume ungenutzt lassen; sie werden solange ihrer einzelwirtschaftlichen Rationalität folgen und „Trittbrettfahrer" bleiben, wie sie nicht sicher sein können, daß sich jeweils alle anderen ebenfalls stabilitätskonform verhalten.

Dies gilt – wenngleich in abgeschwächter Form – auch für die unverbindliche Verhaltensabstimmung im Rahmen formalisierter Kooperation von Regierung und Verbänden, wie sie mit der Konzertierten Aktion beabsichtigt ist (Watrin, 1971; Hoppmann, 1972). Die Vorgabe quantitativer Orientierungsdaten, die Begrenzung der Teilnahme auf nichttariffähige Spitzenverbände und die Einbindung der Teilnehmer in den wirtschaftspolitischen Entscheidungsprozeß läßt die Konzertierte Aktion darüber hinaus problematisch erscheinen (Cassel, 1972, 1; Meissner/Unterseher, 1972):

- Quantifizierbare Orientierungsdaten basieren auf Prognosen, die notwendigerweise mit Unsicherheit behaftet sind (Beitrag N-5.1.2.). Je häufiger und größer die Prognosefehler sind, um so geringer sind das Vertrauen der Tarifparteien in die Orientierungsdaten und ihre Bereitschaft zu freiwilliger Verhaltensänderung.
- Selbst sichere Informationen lassen noch keine Interessenharmonie unter den beteiligten Spitzenverbänden entstehen, weil Gewerkschaften und Unternehmensverbände auf eine Selbstbeschränkung ihrer Mitglieder hinwirken müßten, statt deren gegensätzliche Einkommensinteressen wirksam zu vertreten. Ein solcher Funktionswandel wäre aber nicht ohne innerorganisatorische Spannungen vollziehbar.
- Um die Interessenverbände dennoch zur Mitarbeit zu bewegen, ist die Regierung geneigt, ihnen als Kompensation größeren Einfluß auf die Politik zuzugestehen. Da aber weder Gewerkschaften noch Unternehmensverbände ein allgemeines politisches Mandat haben, läuft diese gruppenspezifische Politikpartizipation Gefahr, gegen das in Art. 20 (3) GG verbürgte Prinzip der Rechtsstaatlichkeit zu verstoßen.

- Kommt es gleichwohl zu einer Verhaltensabstimmung, so wäre sie nur dann gesamtwirtschaftlich wirksam, wenn sie sich in den Effektivlöhnen und Güterpreisen tatsächlich niederschlüge. Die in der Konzertierten Aktion vertretenen Spitzenverbände sind jedoch weder selbst tariffähig noch gegenüber ihren tariffähigen Mitgliedern weisungsbefugt. Es bleibt deshalb offen, ob und inwieweit von den Verbandsspitzen akzeptierte Orientierungsdaten an der Basis eingehalten werden.
- Ist es schon fraglich, ob das Effektivlohnniveau durch abgestimmtes Verhalten der Spitzenverbände in der gewünschten Weise beeinflußt wird, so gilt dies noch stärker für die Nichtlohneinkommen: Mieten, Zinsen, Pachten, Honorare und Gewinne können nicht Gegenstand der Verhaltensabstimmung sein, da es dafür keinen Partner in der Konzertierten Aktion gibt.

Unzureichende Informationsqualität der Orientierungsdaten, fortbestehende Interessenkonflikte zwischen den und innerhalb der beteiligten Gruppen sowie die mangelhafte Transmission von Vereinbarungen auf höchster Ebene in die relevanten Makrovariablen sind somit die wichtigsten Gründe für die Ineffizienz und letztlich das Scheitern der Konzertierten Aktion. Dies schließt jedoch nicht aus, daß die Konzertierte Aktion – wie die anderen Formen der informatorischen Einkommenspolitik auch – für ein zeitlich befristetes Krisenmanagement etwa in Phasen verschärfter Inflationsbekämpfung einsetzbar ist und dabei vorübergehend durchaus erfolgreich sein kann.

4.5. Ordnungspolitik

Maßnahmen der Fiskal- und Geldpolitik dienen hauptsächlich der prozeßpolitischen Steuerung der gesamtwirtschaftlichen Nachfragekomponenten und ihrer Finanzierungsquellen (Nachfragepolitik). Aus neoklassischer Sicht ist es jedoch nicht minder wichtig, die gesamtwirtschaftlichen Angebotsbedingungen nach stabilitätspolitischen Gesichtspunkten zu gestalten (Angebotspolitik; s. Abschnitt 2.1.). Dabei geht es nicht nur um kurzfristige Aktionen zur Verminderung des Angebotsdrucks, wie sie im Rahmen der Einkommenspolitik erfolgen; angesprochen sind vor allem auch die Art und Weise, wie langfristige Rahmenbedingungen individuellen Handelns gesetzt und verändert werden (Cassel/Ramb/Thieme, 1988). Um die stabilitätspolitische Relevanz dieser ordnungspolitischen Gestaltungsaufgabe aufzuzeigen, genügt es, zwei Aspekte hervorzuheben:

- Wirtschaftliche Entscheidungen sind zukunftsorientiert und hängen insofern von unsicheren Erwartungen ab. Im Bewußtsein von Konsumenten und Produzenten haben wirtschaftspolitische Maßnahmen einen hohen Stellenwert; sie prägen private Entscheidungen, weil sie die Erwartungsbildung beeinflussen. Jede wirtschaftspolitische Kursänderung, jede Neufassung oder Revision von Rechtsnormen bewirkt Entscheidungskorrekturen. Wirtschaftspolitische Strategien und Maßnahmen sind folglich so anzulegen, daß die Unsicherheit der Zukunft nicht unnötig erhöht, die Erwartungsbildung also nicht erschwert wird. Verstetigung der Wirtschaftspolitik bedeutet somit auch Kontinuität der Gestaltung von Rahmenbedingungen oder – anders formuliert – Vermeidung hektischer Revisionen der bestehenden Wirtschaftsordnung.

- Zweitens stellt sich die Aufgabe, die Anpassungsflexibilität insbesondere der Angebotsseite des marktwirtschaftlichen Systems ordnungspolitisch zu fördern und zu sichern. Dies macht es erforderlich, Rahmenbedingungen so zu setzen, daß im privaten Sektor ausgelöste Impulse verringert und dessen Fähigkeit zur Impulsverarbeitung verbessert werden. Dabei ist sicherzustellen, daß Impulse durch Mengen- und Preisanpassungen zügig absorbiert und Antizipationen nicht durch dauerhafte Marktmachtpositionen verhindert werden.

Beide Aspekte sind in der Vergangenheit bei der politischen Gestaltung der Wirtschaftsverfassung in der Bundesrepublik nur unzureichend berücksichtigt worden. Für die Mißachtung des Stetigkeitspostulats durch Ordnungspolitik lassen sich zahlreiche Fälle aus verschiedenen Politikbereichen nennen:

Ein eindrucksvolles Beispiel ist die – als „Jahrhundertwerk" deklarierte – Steuerreform von 1974. Da die wirtschaftlichen Konsequenzen der steuerpolitischen Maßnahmen nicht überschaut oder nicht berücksichtigt wurden, sind nach wie vor einschneidende Korrekturen notwendig. Produzenten und Konsumenten müssen sich deshalb immer wieder komplizierten Neuregelungen anpassen. So setzte man beispielsweise einen nicht indexierten Progressionstarif fest, weil man offensichtlich von einer weitgehend inflationsfreien Einkommensentwicklung ausging. Die Inflation der letzten Jahre hat jedoch die nominalen Masseneinkommen so aufgebläht, daß sie zunehmend der Steuerprogression unterliegen. Die Gewerkschaften haben daraufhin ihr tarifpolitisches Verhalten geändert und versuchen, die progressionsbedingten Einbußen beim verfügbaren (Netto-)Einkommen durch entsprechende Tariflohnabschlüsse zu Lasten der Unternehmungen auszugleichen (Nettoreallohnstrategie). Um diesen stabilitätsgefährdenden Effekt mangelnder Fiskalillusion zu vermeiden und nicht als Inflationsgewinner zu gelten, haben Bund und Länder im Jahre 1981 den Steuertarif gesenkt. Da hierdurch die aus der Kombination von Inflation und progressivem Einkommensteuertarif resultierende Steuermehrbelastung nur vorübergehend etwas gemildert wird, blieb die künftige Entwicklung der Nettoeinkommen trotz der seit 1986 wirksamen Steuerentlastungen unsicher (ENGELS, 1983). Die neuerlichen, nicht stabilitätspolitisch motivierten Steuersatzerhöhungen (z. B. Umsatzsteueranhebung 1993 und 1994, Solidaritätszuschlag 1995) haben ähnlich unsichere Effekte, weil sie die Möglichkeiten der Ersparnisbildung einschränken und die Reduktion der Inflationsrate verzögern.

Ein anderes Beispiel sind Variationen jener Rahmenbedingungen, die das besonders erwartungsabhängige Investitionsverhalten der Unternehmer beeinflussen. In der Vergangenheit hat nicht nur das stop and go prozeßpolitischer Eingriffe investitionswillige Entscheidungsträger verunsichert (z. B. Wechselbäder von Investitionssteuern und -prämien in den Jahren 1973–76); gesellschaftspolitisch motivierte Neuordnungen betrieblicher Entscheidungs- und Handlungsprozesse haben auch die generellen Bedingungen variiert, unter denen langfristige Investitionsentscheidungen getroffen werden: Sozialversicherungs-, Kündigungsschutz-, Ausbildungs- und nicht zuletzt die Mitbestimmungsgesetzgebung beeinflussen – so wünschenswert sie aus sozialen Motiven heraus sein mögen – die Rentabilitätsrechnung der Kapitaleigner und mindern die Bereitschaft zu risikoreichen Investitionen in Sachkapital. Bei Reformen ist zu berücksichtigen, daß in einer Marktwirtschaft niemand investieren muß: Sowohl der Kapitalgeber als auch der Investor können jeweils auf eine bessere Gelegenheit warten, wenn ihnen ein Investitionsprojekt zu unsicher oder – bei gegebener Unsicherheit – die im erwarteten Zins (Rendite) enthaltene Prämie für die Übernahme des Risikos zu gering erscheint. Sobald aber Finanzinvestitionen im Inland oder Sachinvestitionen im Ausland vergleichsweise rentabler sind, kommt es zu ordnungspolitisch ausgelösten Faktorwanderungen, die man dann mit verfehlten stabilisierungspolitischen Maßnahmen (z. B. Zinssubventionen, Kapitalverkehrsbeschränkungen) zu verhindern sucht (BONUS, 1981).

Ein drittes Beispiel sind die ordnungspolitischen Aktivitäten, die im vergangenen Jahrzehnt in schneller zeitlicher Abfolge die Bedingungen des Erwerbs und der Anpassung von Humanvermögen stark verändert haben. Die Investitionsentscheidungen einzelner basierten auf Erwartungen, die politisch durch langfristige, aber bereits nach wenigen Jahren überholte Bedarfsprognosen erzeugt wurden. Bildungspläne und -programme mußten teilweise revidiert werden, weil sie in Teilen der Bevölkerung auf Widerstand stießen. Die politische Priorität für Schul- und Hochschulbildung führte zur Abwertung der beruflichen Aus- und Weiterbildung. Administrative Reformen des betrieblichen Ausbildungswesens und Verbesserungen von Kündigungsschutz und Entlohnung Auszubildender verursachten einen Kostenschub in den Ausbildungsbetrieben und gaben teilweise Anlaß zur Verringerung der Ausbildungskapazitäten. Dies hat Mitte der siebziger Jahre zum Anstieg der Jugendarbeitslosigkeit in der Bundesrepublik beigetragen (CASSEL, 1984, 2) und den Mangel an Facharbeitern in der Folgezeit bestimmt.

Umwelt-, Familien-, Gesundheitspolitik usw. sind weitere Beispiele für ordnungspolitische Aktivitäten, die in relativ kurzer Zeit die Rahmenbedingungen wirtschaftlichen Entscheidens und Handelns verändert haben. Damit soll nicht die Notwendigkeit von Reformen auf diesen Gebieten bezweifelt werden. Zu kritisieren sind vielmehr die Art und Weise, insbesondere aber die Geschwindigkeit, mit der sie politisch durchgesetzt wurden; denn die Fülle der kurzfristig ausgelösten ordnungspolitischen Impulse kann die große, jedoch nicht unbegrenzte Absorptionskapazität einer hochgradig arbeitsteiligen Marktwirtschaft überfordern. Solche Überbelastungen lassen dann jene strukturellen Probleme entstehen (z. B. Flexibilitäts- und Mobilitätshemmnisse auf Güter- und Faktormärkten, erhöhte „natürliche" Arbeitslosigkeit, abgeschwächte Wachstumsdynamik, kosteninduzierte Preisniveauerhöhungen, wachsende Schattenwirtschaft), die ursachenadäquat zu lösen auf Dauer immer dringlicher erscheint. Werden die Neben- und Folgewirkungen ordnungspolitischer Reformen als Stabilitätsprobleme interpretiert, begründen sie verstärkten stabilisierungspolitischen Aktivismus, wie er verschiedentlich vorgeschlagen wird (z. B. VON KOCK u. a., 1976; WELSCH, 1980). Hieraus kann leicht eine Kette destabilisierender staatlicher Interventionen in den Wirtschaftsablauf resultieren. Dem wollen das neoliberale Postulat der „Konstanz der Wirtschaftspolitik" (EUCKEN, 1952, 6. A. 1990) und sein monetaristisches Pendant, die Forderung nach „Stabilisierung der Stabilisierungspolitik" (NEUMANN, 1977), entgegenwirken: Sie stellen ein politisches Handlungsprinzip dar, das als Verstetigungsgebot, nicht aber als Konservierungsstrategie zu interpretieren ist.

Der Unsicherheit künftiger Bedürfnisse – Dilemma jeden Wirtschaftens – kann weder geld- und fiskalpolitisch noch einkommenspolitisch wirksam begegnet werden. Sie zu bewältigen, setzt Anpassungswilligkeit und -fähigkeit bei den Marktteilnehmern voraus. Um die stabilitätsnotwendige Anpassungsflexibilität vor allem auf der

Angebotsseite des marktwirtschaftlichen Systems zu erhalten bzw. wiederzugewinnen, ist eine stringente Wettbewerbspolitik erforderlich (s. Abschnitt 4.4.; Beitrag O-4. und 5.). Sie hat das Entstehen von Marktmacht nach Möglichkeit zu verhindern, da im Vergleich zu Wettbewerbsmärkten die Anpassungsflexibilität auf vermachteten Märkten geringer ist: Aufbau und organisatorisch-institutionelle Absicherung von dauerhaften Marktmachtpositionen (z. B. Preis-Mengen-Kartelle, Unternehmen mit marktbeherrschender Stellung, Verhaltensabstimmung in Oligopolen) schränken Aktions- und Reaktionsspielräume der Akteure ein, verzögern oder verhindern Mengen- und Preisanpassungen und erschweren so die Impulsabsorption. Es besteht deshalb weitgehend Einigkeit darüber, daß Geld- und Fiskalpolitik wirksamer sein könnten, wenn es gelänge, die Wettbewerbsintensität zu erhöhen (Tietmeyer, 1974). Den gleichen Effekt hätten ordnungspolitische Maßnahmen, die administrative Anpassungshemmnisse (wie etwa Genehmigungsverzögerungen, Auflagen, Rechtsunsicherheiten, Behördenrisiken und Erhaltungssubventionen) beseitigen oder zeitlich befristete Anpassungshilfen (z. B. Innovationserleichterungen, Ausbildungsförderung, Übernahme von Investitionsrisiken, Steuerentlastung von Investitionen) geben, ohne damit eine überbetriebliche Investitionslenkung zu beabsichtigen (Besters, 1979; Wissenschaftlicher Beirat beim Bundesministerium für Wirtschaft, 1979; Soltwedel, u. a., 1986; Beitrag Q-3. und 4.).

Ordnungspolitik als Stabilitätspolitik ist somit darauf zu richten, ,,vernünftige ökonomische Rahmenbedingungen“ für das Funktionieren wettbewerblicher Prozesse zu schaffen. Eine solche Politik ist in parlamentarisch-repräsentativen Demokratien mit starkem Einfluß sozialer Gruppen allerdings schwer durchsetzbar (Kirsch, 1981; Beiträge M-3. und N-5.):

– Das Prinzip der Konstanz der Wirtschaftspolitik ist gefährdet durch Handlungszwänge, denen Politiker durch politische Wahlzyklen und organisierte Interessen ausgesetzt sind.
– Stringente Wettbewerbspolitik stößt auf den Widerstand von Marktteilnehmern und ihren Interessenvertretern, die dazu tendieren, sich durch Ausnahmeregelungen oder wettbewerbsbeschränkende Strategien dem Konkurrenzdruck zu entziehen.

Abhilfe könnte hier ein vom Konsens aller sozialen Gruppen getragener ,,Sozialkontrakt“ schaffen (Buchanan/Wagner, 1977; Windisch, 1980): Er würde es den wirtschaftspolitischen Entscheidungsträgern erleichtern, stärker regelgebunden statt ermessensabhängig zu handeln und den Einfluß organisierter Interessen zu begrenzen.

5. Strategien

Wirtschaftliche Stabilität zu erhalten bzw. zu erreichen, setzt eine längerfristig orientierte, theoretisch fundierte und praktisch durchsetzbare Politik voraus. Sie muß auf einer Strategie basieren, die realistischen Zielsetzungen geeignete Instrumente zuordnet sowie Regeln und Bedingungen des planvollen Instrumenteneinsatzes angibt. Dabei sind folgende Anforderungen zu beachten (Schlecht, 1983; Woll, 1983, 1):

- Klare Rollenverteilung der einzelnen Politikbereiche: Geld- und Währungspolitik haben primär die Geldwertstabilität, Fiskal-, Einkommens- und Ordnungspolitik einen hohen Beschäftigungsstand und damit auch Wirtschaftswachstum zu sichern;
- Verstetigung stabilitäts- und stabilisierungspolitischer Aktivitäten: Wirtschaftspolitische Schocks sind auf ein Mindestmaß zu reduzieren, um die Erwartungen der privaten Akteure zu stabilisieren und ihr Vertrauen in das Leistungspotential des Wirtschaftssystems zu stärken;
- Verbesserung der Funktionsbedingungen des marktwirtschaftlichen Systems: Institutionelle und bürokratische Hemmnisse sowie staatliche Interventionen in den Preisbildungsprozeß sind abzubauen und private Marktmacht zu begrenzen, um den Handlungsspielraum der Wirtschaftssubjekte und damit den Flexibilitätsgrad des privaten Sektors zu erhöhen.

Vor diesem Hintergrund lassen sich Strategien formulieren, die es den wirtschaftspolitischen Entscheidungsträgern insbesondere in der Bundesrepublik erleichtern dürften, ihre stabilitäts- und stabilisierungspolitischen Aufgaben zu lösen.

5.1. Stabilitätspolitische Strategie

Rationale Stabilitätspolitik – definitionsgemäß auf Erhaltung der Stabilität gerichtet – sollte sich darauf beschränken, Preisniveaustabilität und hohen Beschäftigungsstand zu sichern. Dies kann als erreicht gelten, solange sich die jährliche Änderungsrate des Preisindex für die Lebenshaltung aller privaten Haushalte und die gemessene Arbeitslosenquote innerhalb einer Bandbreite von 0,5–2,0 v. H. bewegen (s. Abschnitt 3.2.2.). Diese Zielmargen sind erforderlich, damit nicht jede Schwankung der Inflationsrate und Arbeitslosenquote als Instabilität angesehen wird und stabilitätspolitischen Handlungsbedarf begründet; denn erstens sind die Indikatoren mit statistischen Meßungenauigkeiten behaftet und zweitens erweist eine dynamische, auf Wachstum und Strukturwandel angelegte Marktwirtschaft ihre inhärente Stabilität ja gerade dadurch, daß sie die mannigfaltigen politischen, außenwirtschaftlichen und technologischen Störimpulse durch temporäre Preis- und Mengenanpassungen abbaut und dabei notwendigerweise gewisse Schwankungen in den makroökonomischen Aggregaten auslöst. Zu anspruchsvolle Zielsetzungen – wie etwa ein „Nullpostulat" für Inflationsrate und Arbeitslosenquote – könnten deshalb die Stabilitätspolitik zu ständigem Aktionismus verleiten, der die zum Gleichgewicht führenden Anpassungsprozesse nur stören würde und auf diese Weise selbst zur Quelle von Instabilität werden müßte.

Verstetigungspostulat der Geldpolitik

Preisniveaustabilität im Sinne eines solchen Bandbreitenziels zu erreichen, setzt eine konsequente potentialorientierte Geldmengenpolitik voraus. Aus der monetären Inflationstheorie (Beitrag F-1.) folgt, daß Preisniveaustabilität auf Dauer erhalten, Inflation also vermieden werden kann, wenn die Wachstumsrate der Geldmenge

(g_M^{ZIEL}) der Summe aus der Wachstumsrate des Produktionspotentials (g_Y^{POT}) und der als stabilitätsgerecht erachteten Änderungsrate des Preisniveaus (g_P^{ZIEL}) entspricht („Friedman-Regel"):

(1) $$g_M^{ZIEL} = g_Y^{POT} + g_P^{ZIEL} - g_v^{POT}.$$

Dabei beschreibt g_v^{POT} die potentielle Änderungsrate der Umlaufgeschwindigkeit des Geldes. In Deutschland ist die Umlaufgeschwindigkeit in der Vergangenheit im längerfristigen Durchschnitt geringfügig gefallen, so daß g_v^{POT} mit − 1 v. H. berücksichtigt werden kann (Beitrag F-2.2.1.). Schätzt man – wie bislang Bundesbank, Bundesregierung und Sachverständigenrat –, daß das Produktionspotential in der Bundesrepublik Deutschland mit einer jahresdurchschnittlichen Rate von 2,0–3,0 v. H. wächst, und geht man davon aus, daß die Verbraucherpreise nicht mehr als 1,0–2,0 v. H. pro Jahr steigen sollten, errechnet sich nach (1) ein Zielkorridor für das Geldmengenwachstum von 4,0–6,0 v. H. mit einer mittleren Rate von 5,0 v. H. (*Abb. P-1.I.–II.*). Zu beachten ist, daß sich die Geldmenge seit der Wiedervereinigung auf Gesamtdeutschland bezieht, Preisniveau und Produktionspotential aus statistischen Gründen noch nicht.

Diese Handlungsmaxime läßt sich auch als geldpolitisches „Punktziel" oder „Verlaufsziel" interpretieren (g_M = 5,0 v. H. p. a.), das mit einem je nach gesamtwirtschaftlicher Lage nutzbaren Handlungsspielraum der Geldpolitik von ± 1,0 Prozentpunkten versehen ist. Als Zielvariable sollte dabei unter den institutionellen Gegebenheiten der Bundesrepublik die relativ eng abgegrenzte Geldmenge M1 fungieren (Beiträge D-2.4. und 6.2.3.). Mit einer solchen Zielfixierung würde sich die Bundesbank unmißverständlich auf einen stabilitätsgerechten Kurs langfristig stabilen Geldmengenwachstums festlegen, ohne kurzfristig ihre geldpolitische Handlungsfähigkeit gänzlich einzubüßen: Von der Geldpolitik gingen so gut wie keine destabilisierenden Effekte mehr aus, Inflation und Deflation könnten auf Dauer vermieden werden, und die Erwartungen der Wirtschaftssubjekte in die künftige Preis- und Produktionsentwicklung wären um einiges sicherer (NEUMANN, 1985; POHL, 1985; OBERHAUSER, 1987). Es ist dabei keineswegs erforderlich, die Wachstumsrate der Geldmenge gesetzlich – etwa im BbkG – zu fixieren; für eine potentialorientierte Geldpolitik wäre die Selbstverpflichtung der Bundesbank ausreichend, ein langfristig gültiges Geldmengenziel zu setzen und es tatsächlich einzuhalten.

Eine solche Verstetigungsstrategie entspräche einer trendorientierten geldpolitischen Regelbindung, wie sie seit längerem nicht nur von monetaristischer Seite gefordert wird (SVR, 1974 ff.; KOMMISSION FÜR WIRTSCHAFTLICHEN UND SOZIALEN WANDEL, 1977). Sie unterscheidet sich von den zyklusorientierten Regelmechanismen, die aus der keynesianischen Fiskalpolitik als „formula flexibility" bekannt sind und vereinzelt auch für die Geldpolitik gefordert werden (KÖHLER, 1974), durch den Verzicht auf antizyklisches Gegensteuern (Überblick bei MEHLER/PÄTZOLD, 1978). Dementsprechend benötigt sie weder kurzfristige Prognosen des Konjunkturverlaufs noch Indikatoren als Frühwarnsystem, das Gefährdungen signalisiert und automatisch den geldpolitischen Handlungsablauf einleitet. Mit der vorgeschlagenen Potentialorientierung soll allerdings eine gesetzliche oder faktische Regelbildung etabliert werden, die den Ermessensspielraum der Bundesbank hinsichtlich der Auswahl von Ziel- und Zwischenzielvariablen sowie der quantitativen Zielfixierung einschränkt.

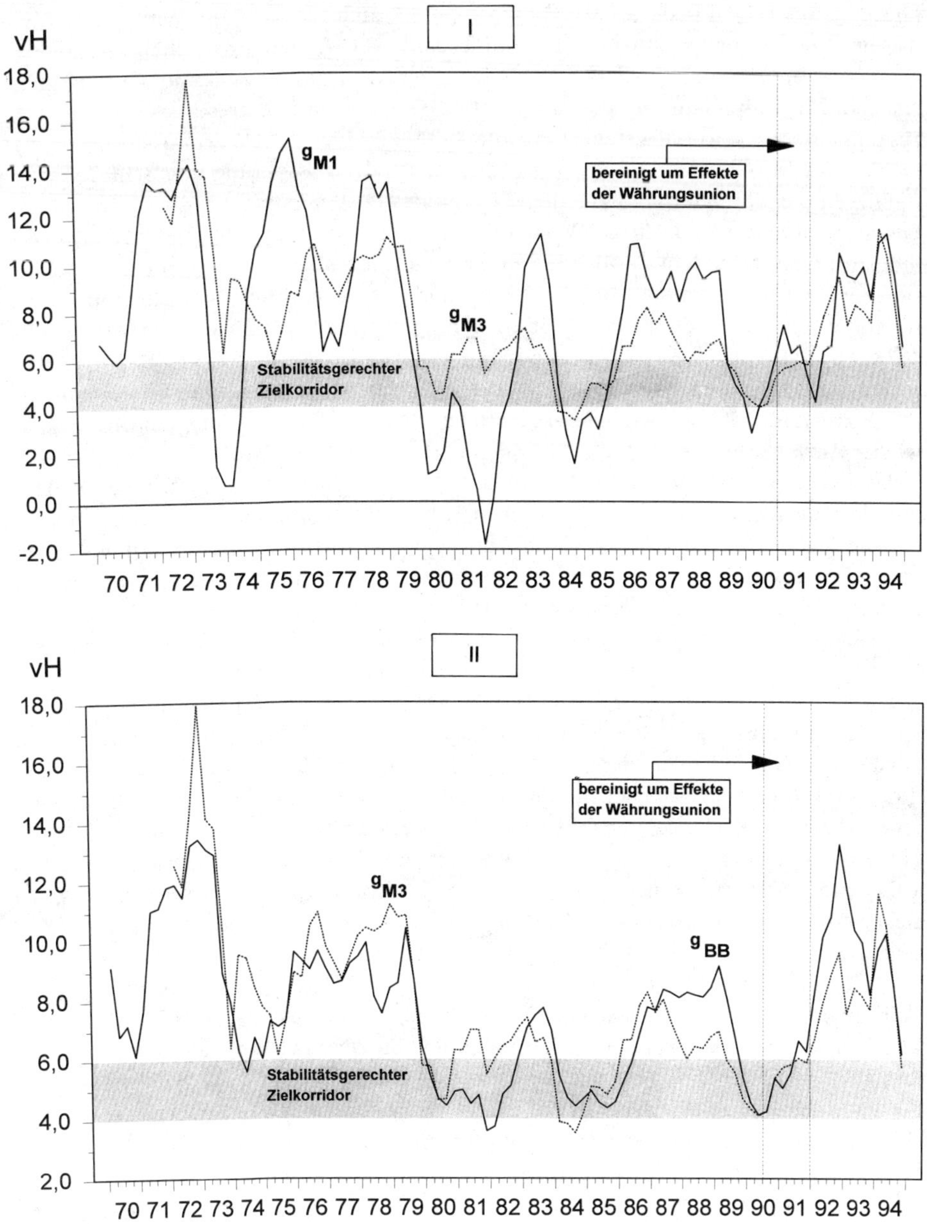

g_{M1} – Jährliche Änderungsrate der Geldmenge M1 in v. H. (gegenüber dem jeweiligen Vorjahresquartal).
g_{M3} – Jährliche Änderungsrate der Geldmenge M3 in v. H. (gegenüber dem jeweiligen Vorjahresquartal).
g_{BB} – Jährliche Änderungsrate der Zentralbankgeldmenge (gegenüber dem jeweiligen Vorjahresquartal).
Quelle: Statistische Beihefte zu den Monatsberichten der Deutschen Bundesbank, Reihe 4, lfde. Jge.

Abb. P-1: Unstetigkeit der monetären Entwicklung in der Bundesrepublik Deutschland, 1970–1994

Die geldpolitische Praxis in der Bundesrepublik steht jedoch im Widerspruch zu diesem Verstetigungspostulat: Die Bundesbank verfolgt als Zwischenzielvariable nicht M1, sondern orientierte sich bis 1987 an der „Zentralbankgeldmenge", die sich aus dem Bargeldumlauf und den Mindestreserven zum Mindestreservesatz von 1974 zusammensetzt; seit 1988 steuert sie die breiter definierte (Wertaufbewahrungs-) Geldmenge M3 (Beitrag D-2.4.). Zusätzlich beurteilt sie Richtung und Schärfe ihrer Politik an der Veränderung bzw. dem Niveau des Diskont- und Lombardsatzes, der Umlaufrendite festverzinslicher Wertpapiere (Kapitalmarktzins) und der freien Liquiditätsreserven. Nachdem sie für die Jahre 1975–78 jeweils Punktziele für die Expansion der Zentralbankgeldmenge vorgegeben und jeweils merklich überschritten hatte, setzte sie seit 1979 Zielkorridore mit einer relativ großen Spannweite fest (1981–83: 4–7 v. H.; 1984: 4–6 v. H.; 1985: 3–5 v. H.; 1986: 3,5–5,5 v. H.; 1987–88: 3–6 v. H., jeweils gerechnet vom 4. Quartal des vorangegangenen bis zum 4. Quartal des laufenden Jahres); für 1989 galt wieder ein Punktziel von „etwa 5 v. H.", und danach wurden wieder Zielkorridore festgesetzt (1990: 4–6 v. H.; 1991: 3–5 v. H.; 1992: 3,5–5,5 v. H.; 1993: 4,5–6,5 v. H.; 1994: 4–6 v. H.; 1995: 4–6 v. H.). Die Strategie variabler Bandbreiten läßt den künftigen geldpolitischen Kurs unbestimmt, weckt Zweifel an der Ernsthaftigkeit der Zielsetzung, verunsichert die Adressaten der Geldpolitik und gibt zu Fehlinterpretationen bestehender Preis- und Lohnerhöhungsspielräume Anlaß – Konsequenzen, die eine potentialorientierte Verstetigungsstrategie gerade zu vermeiden sucht. Im Widerspruch dazu stehen schließlich auch die realisierten jährlichen Wachstumsraten von M1, die – auf Quartalbasis berechnet – zwischen den Extremen 15,4 v. H. (1975, IV) und – 1,7 v. H. (1981, IV) schwanken und eine unstetige und letztlich destabilisierende Geldpolitik signalisieren (*Abb. P-1.I.*). Dies läßt sich auch anhand der Zentralbankgeldmenge und der Geldmenge M3 nachweisen, wenngleich ihre Wachstumsraten aus leicht einsichtigen Gründen nicht so stark schwanken (*Abb. P-1.II.*). Nicht alle Verstöße gegen das Verstetigungspostulat können freilich der Bundesbank angelastet werden. Die beschleunigte monetäre Expansion bis Ende 1972 etwa war im wesentlichen bedingt durch die fehlende außenwirtschaftliche Absicherung im Fixkurssystem von Bretton Woods, das von der Bundesrepublik verteidigt wurde; die überaus scharfe, den Konjunktur- und Beschäftigungseinbruch von 1974–75 mit verursachende monetäre Restriktion in 1973 hat die Bundesbank dagegen voll zu vertreten: Sie hatte ihre geldpolitische Handlungsfähigkeit nach der Wechselkursfreigabe im Frühjahr 1973 wiedererlangt und nutzte sie zu einer überaus scharfen kontraktiven Geldpolitik. Auch in der Rezession von 1980–82, die durch die monetäre Antiinflationspolitik des Jahres 1979 eingeleitet wurde, hat die Bundesbank angesichts des im Herbst 1980 einsetzenden Höhenflugs des Dollars rezessionsverschärfend agiert: Aus Furcht vor einem abwertungsbedingten Inflationsimport hat sie die D-Mark durch Verkauf von Währungsreserven im Wert von über 40 Mrd. DM zu stützen versucht, so daß der Wirtschaft Liquidität entzogen wurde, das Zinsniveau stieg und die Geldmenge M1 im Herbst 1981 erstmals seit 1948 absolut zurückging (SVR, 1981/82; 1982/83; *Abb. P-1.I.*). Die potentialorientierte Verstetigungsstrategie bedarf insoweit selbst eines stabilen Handlungsrahmens, den außenwirtschaftlich nur ein konsequent praktiziertes System flexibler Wechselkurse gewährleisten kann (s. Abschnitt 4.3.).

Geldpolitischer Reformbedarf

Außenwirtschaftliche Absicherung vorausgesetzt, wird gegen eine Regelbindung der Geldpolitik – nicht zuletzt von der Bundesbank selbst – eingewandt, daß die Besonderheiten der Geldverfassung und des Geldangebotsprozesses in der Bundesrepublik keine exakte Geldmengensteuerung zuließen. Dieses Argument gilt für eine kurzfristig orientierte, antizyklische Geldpolitik (s. Abschnitt 4.2.), nicht jedoch für eine potentialorientierte Verstetigungsstrategie: eine jährlich 5-prozentige Geldmengenexpansion bedeutet, die inländischen Geldbestände kontinuierlich und exponentiell auszuweiten. Problem ist deshalb nicht, interventionsbedingte Liquiditätszuflüsse durch Anheben der Reservesätze oder Einführen einer Aktivmindestreserve zu binden, Zinssätze durch Offenmarktkäufe hoch zu halten, das Geldmengenwachstum durch Kürzung der freien Liquiditätsreserven zu stoppen oder die Kreditexpansion mittels Verteuerung der Refinanzierung zu dämpfen; Steuerungsproblem ist vielmehr, wie von einem bestimmten Geldbestand M1 ausgehend (z. B. rd. 700 Mrd. DM Ende 1994), die gemäß der 5-Prozent-Regel zusätzlich erforderliche Geldmenge (rd. 35 Mrd. DM) binnen Jahresfrist zur Verfügung gestellt werden kann.

Prüft man die Effizienz des vorhandenen Instrumentariums vor dem Hintergrund dieses Steuerungsproblems, so zeigt sich, daß es keiner tiefgreifenden Reformen bedarf; es braucht nur anders als bisher eingesetzt zu werden (MÜLLER/WOLL, 1972; ENGELS, 1979,1; SIEBKE, 1982). Auswahl der Zielvariablen und Geldmengenregel gebieten, sich vorrangig solcher Instrumente zu bedienen, die möglichst direkt auf M1 einwirken. Dem monetaristischen Geldbasiskonzept entsprechend sind dies jene, mit denen die Geldbasis kontinuierlich und exakt dosiert gesteuert werden kann (mengenorientierte Geldpolitik; s. Abschnitt 4.2.). Instrumente, die nicht oder nur indirekt über Zins und Liquidität auf die Geldbasis wirken (zinsorientierte Geldpolitik), erscheinen dagegen kaum geeignet. Dementsprechend sind Mindestreserve- und Refinanzierungspolitik in einem potentialorientierten Geldmengenkonzept entbehrlich: Sie sind funktionslos, weil die Bundesbank nicht mehr für kurzfristige antizyklische Änderungen des Geldmengenwachstums zu sorgen braucht. Sie sind längerfristig aber auch unwirksam, weil ihr Beitrag zur monetären Expansion darin besteht, Refinanzierungskosten zu senken und die Bankenliquidität zu erhöhen; die dazu erforderliche Herabsetzung der Mindestreserve-, Diskont- und Lombardsätze stößt jedoch spätestens bei Null auf faktische Grenzen. Außerdem sind vermehrte Liquiditätsreserven nur potentielles und kein aktuelles Zentralbankgeld. Hieraus folgt:

- Erstens sollte die Bundesbank die Mindestreservesätze nicht mehr variieren – oder ganz auf Mindestreserven verzichten. Dies würde den Verwaltungsaufwand merklich senken und die Rahmenbedingungen des Bankenverhaltens vereinfachen und kalkulierbarer machen. Selbst ein vollständiger Verzicht auf Mindestreserven würde den Banken keine unbegrenzte Möglichkeit zur Geld- und Kreditschöpfung eröffnen, da sie aus Liquiditätsgründen nach wie vor eine gewisse Barreserve zu halten gezwungen wären.

- Die Bundesbank sollte zweitens ihre Refinanzierungspolitik mengenorientiert ausrichten bzw. sie längerfristig ganz aufgeben. Um dem Diskont- und Lombardsatz die irritierende Leitzinsfunktion zu nehmen und den Wechsel- und Lombardkredit zu einer nur gering beanspruchten, weil dann relativ teuren Refinanzierungsquelle zu machen, wären die Sätze mit einem konstanten Aufschlag über der Umlaufsrendite festverzinslicher Wertpapiere festzulegen, so daß sie sich simultan mit dem Marktzinsniveau bewegen. Das jeweilige Kreditvolumen müßte von der Bundesbank auf die angestrebte Geldbasisexpansion angerechnet werden. Von einem solchen Funktionswandel bis zum völligen Verzicht auf Refinanzierungspolitik wäre es dann nur noch ein kleiner Schritt.

Entfällt der herkömmliche Refinanzierungsmechanismus und trägt weder die außenwirtschaftliche Komponente der Geldbasis bei flexiblen Wechselkursen noch die Gewinnausschüttung der Bundesbank an die Bundesregierung zur monetären Expansion bei, so muß die regelgebundene Geldmengensteuerung auf die Offenmarktpolitik übergehen. Diese müßte strikt mengenorientiert sein, d. h. die Bundesbank hätte ohne Rücksicht auf den sich am „offenen" Markt einspielenden Zins jene Menge an Wertpapieren kontinuierlich anzunehmen, die wertmäßig der angestrebten Zunahme der Geldbasis entspricht. Anders als bei zyklusorientierter Offenmarktpolitik geht es dabei – vom Erfordernis kurzfristigen Feinsteuerns einmal abgesehen – grundsätzlich immer nur um den Ankauf von Papieren durch die Bundesbank und das damit verbundene Schaffen von Zentralbankgeld. Voraussetzung dafür ist ein entsprechendes Volumen umlaufender Papiere, aus dem sich die Bundesbank ständig bedienen kann. Hieran bestünde jedoch kein Mangel, sofern die Bundesbank – statt überwiegend am Geldmarkt zu operieren – vermehrt Kapitalmarktpapiere aufnehmen und außer den Titeln staatlicher Emittenten auch private Anleihen in ihre Operationen einbeziehen würde.

Angesichts eines öffentlichen Schuldenstandes von rd. 1.600 Mrd. DM Mitte 1994 wird ersichtlich, welches Reservoir allein die öffentliche Verschuldung für die Offenmarktpolitik bildet – vorausgesetzt, die öffentliche Hand finanziert sich künftig weniger durch Buchkredite als vielmehr durch Emission marktgängiger Anleihen mit möglichst langen Laufzeiten. Da die vorhandene Staatsschuld praktisch nicht rückzahlbar ist, d. h. den Charakter einer „ewigen Schuld" hat, und Revolvierungen eine Quelle fortwährender Unsicherheit an den Finanzmärkten bilden, wäre überdies zu prüfen, inwieweit nicht die Verschuldungspolitik unmittelbar in den Dienst der Geldpolitik gestellt werden kann. Denkbar wäre z. B., daß Gebietskörperschaften die Möglichkeit erhielten, einen Teil ihres Verschuldungsbedarfs durch Aufnahme unverzinslicher und nicht rückzahlbarer „Geldversorgungskredite" bei der Bundesbank zu decken (Oberhauser, 1966; Cassel, 1980). Allerdings müßte (verfassungs-)rechtlich und faktisch gewährleistet sein, daß sich eine solche Staatsschuldfinanzierung streng in den Grenzen der 5-Prozent-Regel hält.

Verstetigung der Fiskalpolitik

Folgen Geld- und Währungspolitik konsequent einer potentialorientierten Verstetigungsstrategie, ist eine inflationsfreie und verstetigte wirtschaftliche Entwicklung zu erwarten. Die Fiskalpolitik kann deshalb von ihrer bisherigen Aufgabe als keynesianischer „Konjunkturstabilisator" entbunden werden; sie sollte es auch wegen der gravierenden Funktionsmängel einer antizyklischen Haushaltsführung (SVR, 1974; s.

Abschnitt 4.1.; Beitrag J-6.1.). Dies bedeutet jedoch nicht, die Fiskalpolitik gänzlich aus der stabilitätspolitischen Verantwortung zu entlassen. Gerade weil das Ausgabe-, Einnahme- und Verschuldungsverhalten des Staates als wesentlicher Einflußfaktor privatwirtschaftlicher Aktivitäten gilt, ist es als transparente und längerfristig kalkulierbare Rahmenbedingung auszurichten. Der Stabilitätsbeitrag der öffentlichen Hand bestünde mithin darin, ihr eigenes Verhalten zu verstetigen und destabilisierende fiskalische Impulse weitgehend zu vermeiden. Zu diesem Zweck sollte sich die staatliche Ausgabenpolitik der gleichen potentialorientierten Regelbildung unterwerfen wie die Geldpolitik, d. h. längerfristig eine konstante jährliche Zuwachsrate der Staatsausgaben von etwa 5 v. H. verbindlich anstreben. Hierdurch würde die öffentliche Hand den Spielraum für eine kontinuierliche Erfüllung ihrer spezifischen Aufgabe abstecken, die Bürger mit öffentlichen Gütern zu versorgen und Einkommen umzuverteilen. Dem politischen Verteilungskampf wären deutlich Grenzen gesetzt, die Furcht vor weiterem Ansteigen der Staatsquote und der Steuerbelastung wäre unbegründet, staatsausgabeninduzierte Inflationserwartungen kämen nicht auf und Risikobereitschaft sowie Ertragserwartungen im privaten Sektor nähmen dauerhaft zu. Damit legt die potentialorientierte fiskalische Verstetigungsstrategie das Fundament für eine Mobilisierung der Wachstumschancen der Wirtschaft und trägt so längerfristig zu einem hohen Beschäftigungsstand bei.

Bei zyklusorientierter Ausgabenpolitik wurden bisher überwiegend die rechtlich meist nicht gebundenen Investitionsausgaben diskretionär variiert. Die fiskalische Regelbindung zieht ihren Vorteil wesentlich daraus, daß die staatlichen Investitionen längerfristig geplant und kontinuierlich realisiert werden können, statt kurzfristig immer wieder zur stabilisierungspolitischen Disposition zu stehen. Voraussetzung dafür ist jedoch, daß die permanente Ausgabenexpansion für den Staat insgesamt wie für die einzelnen Gebietskörperschaften und Parafisci finanzierbar ist. Dies gilt insbesondere für die Gemeinden, die etwa 65 v. H. aller öffentlichen Sachinvestitionen tätigen und ihre Ausgaben stark an den zyklisch schwankenden Steuereinnahmen orientieren (SVR 1980/81, S. 162 f.). Es stünde freilich im Widerspruch zur stabilitätspolitischen Strategie, wenn je nach Konjunktur- bzw. Finanzierungserfordernis Steuersätze, Bemessungsgrundlagen, Abschreibungsregeln usw. variiert würden, wie dies im StabG vorgesehen ist. Da in Abhängigkeit von der konjunkturellen Entwicklung gewisse zyklische Schwankungen des Steueraufkommens bei gegebenen Steuersätzen nicht ausgeschlossen sind, wäre durch Reformen des Steuersystems, des Finanzausgleichs und der Verschuldungsregeln sicherzustellen, daß alle staatlichen Institutionen ihren stabilitätspolitischen Beitrag leisten können – d. h. zumindest: nicht prozyklisch zu agieren gezwungen sind, wie dies nach wie vor für die Gemeinden in der Bundesrepublik typisch ist. Schließlich wären auch alle Progressionstarife zu indexieren, damit sich die reale Steuerlast bei Preisniveausteigerungen innerhalb des Zielkorridors nicht erhöht. Vor allem aber bedarf es einer entsprechenden Revision des StabG, um Bund und Länder von ihren antizyklischen Interventionspflichten zu befreien und die potentialorientierte fiskalische Verstetigungsstrategie auch rechtlich zu verankern (HOLLMANN, 1980).

Verstetigende Einkommens- und Ordnungspolitik

Im Rahmen der regelgebundenen Fiskalpolitik sind Maßnahmen zur Senkung der „normalen“ bzw. „natürlichen“ Arbeitslosigkeit notwendig und möglich. Selbst bei inflationsfreiem Wachstum wird es ein gewisses Maß an friktioneller und struktureller Unterbeschäftigung geben; außerdem kann es zu demographisch bedingten Schwankungen des Arbeitsangebots kommen – so beispielsweise durch die geburtenstarken Jahrgänge, die bis Ende der achtziger Jahre jährlich 100–150 Tsd. zusätzliche Arbeitsplätze benötigten. Durch gezielte Maßnahmen der Struktur-, Arbeitsmarkt- und Sozialpolitik ließen sich das Arbeitsplatzangebot partiell erhöhen, die berufliche und regionale Mobilität der Arbeitslosen fördern, die Transparenz des Arbeitsmarktes verbessern, die Effizienz der Arbeitsvermittlung steigern, negative Leistungsanreize im sozialen Sicherungsnetz abbauen, die Bereitschaft zum Einstellen von Problemarbeitslosen erhöhen usw. (GROSSESCHMIDT, 1976; ENGELEN-KEFER, 1977; Beiträge Q-3. und R-4. und 5.). Mit einer solchen differenzierten Beschäftigungspolitik kann die Verstetigungsstrategie wirksam ergänzt werden; sie ist jedoch kein Mittel gegen verteilungskampfinduzierte Arbeitslosigkeit, die auch bei potentialorientierter Regelbindung nicht ausgeschlossen ist: Gelingt es Anbietern, die Preise volkswirtschaftlich so bedeutsamer Einsatzfaktoren wie Arbeitsleistungen und Rohöl ständig stärker zu erhöhen als die Produktivität steigt, so entsteht anhaltender Kosten- bzw. Angebotsdruck, der bei begrenzter Expansion der monetären Gesamtnachfrage zu Produktionseinschränkungen zwingt (Beitrag F-2.2.2. und 2.2.3.). Ölpreisdiktate lassen sich sicherlich nicht durch ein einzelnes Importland verhindern – sie können allerdings längerfristig durch Änderung der Produktions- und Verbrauchsstruktur beschäftigungswirksam unterlaufen werden; gegen nicht stabilitätskonforme Lohnabschlüsse und ihre negativen Beschäftigungsfolgen können und sollten die Regierungen jedoch präventiv vorgehen. Mittel hierfür sind die Einkommens- und Ordnungspolitik.

Der monetär-fiskalischen Regelbindung entspricht in der Einkommenspolitik die Forderung, Nominallöhne nur im Ausmaß der Steigerung der Arbeitsproduktivität zu erhöhen (produktivitätsorientierte bzw. kostenniveauneutrale Lohnpolitik). Die Symmetrie der Regeln täuscht jedoch über ihre unterschiedliche Durchsetzbarkeit hinweg: mit der 5-Prozent-Regel binden sich Bundesbank und öffentliche Hand selbst; das Produktivitätspostulat richtet sich dagegen an die Kontrahenten des Arbeitsmarktes. Bei Tarifautonomie haben die wirtschaftspolitischen Entscheidungsträger keine Möglichkeit, ihrer Forderung unmittelbar Geltung zu verschaffen. Gangbar erscheinen zwei Wege:

- Marktmacht als Quelle stabilitätswidrigen Verhaltens der Tarifparteien zu begrenzen; und
- der Neigung der Tarifparteien entgegenzuwirken, ihre Marktmacht stabilitätswidrig zu nutzen.

Marktmacht zu begrenzen, ist fortwährende Aufgabe einer um Intensivierung der Konkurrenz auf allen Märkten bemühten Wettbewerbspolitik (s. Abschnitt 4.4.; Beitrag O-4.). Darüber hinaus sollte ordnungspolitisch das Mitbestimmungs-, Tarifvertrags- und Arbeitskampfrecht systematisch weiterentwickelt werden mit dem Ziel, ein zu großes Machtgefälle zwischen den Tarifparteien zu verhindern, Häufigkeit und

Dauer von Arbeitskämpfen zu senken sowie stabilitätsgefährdende Tarifabschlüsse möglichst zu verhindern (s. Abschnitt 4.5.; Beitrag R-4.). So ist die Stabilitätspolitik ordnungspolitisch insbesondere dann gefordert, wenn die Tarifkonflikte der Arbeitsmarktparteien durch neue Strategien und Mittel der Auseinandersetzung nach Ablauf und Ergebnis eine andere, mit den gesamtwirtschaftlichen Stabilitätserfordernissen nicht zu vereinbarende Dimension erlangt, wie dies nach Einführung der Politik der „Neuen Beweglichkeit" (verstärkte Warn- und Schwerpunktstreiks) der IG Metall und ihrer Beantwortung mit den „Abwehraussperrungen" der Metallarbeitgeber zeitweise der Fall gewesen zu sein scheint. Die Bundesregierung reagierte hierauf 1986 mit einer Änderung des § 116 Arbeitsförderungsgesetz (AFG), die die Neutralität der Bundesanstalt für Arbeit (BfA) im Tarifkonflikt durch Neuregelung der Arbeitslosengeldzahlungen sicherstellen soll.

Der Neigung der Tarifparteien, dennoch ihre Marktmacht stabilitätswidrig zu nutzen, kann man am besten durch striktes Einhalten der monetär-fiskalischen Regelbindung begegnen: Sie steckt den längerfristigen Verteilungsspielraum für alle klar erkennbar ab, minimiert Fehleinschätzungen des kurzfristig im Konjunkturablauf Erreichbaren und droht bei anhaltenden Verletzungen der Produktivitätsregel mit einer Zunahme der Arbeitslosigkeit. Hierdurch würde das verteilungskampfbedingte Beschäftigungsrisiko vom Staat auf die Privaten zurückverlagert und den Tarifparteien beschäftigungspolitische Mitverantwortung übertragen (Reprivatisierung des Beschäftigungsrisikos). Solche Zusammenhänge zu verdeutlichen und die Glaubwürdigkeit der Stabilitätspolitik zu verstärken, könnte Aufgabe einer auf reinen Informationsaustausch angelegten Konzertierten Aktion sein. Schließlich wäre es stabilitätspolitisch vorteilhaft, wenn Tarifabschlüsse – Preisniveaustabilität vorausgesetzt – längere Laufzeiten aufwiesen und außer Barlohnerhöhungen verstärkt vermögensbildende Investivlohnvereinbarungen enthielten (SVR, 1972 ff.).

Hemmnisse der Verstetigungsstrategie

Diese stabilitätspolitische Gesamtstrategie enthält Maximalforderungen und ist verschiedenen Einwänden ausgesetzt, von denen zumindest einige leicht entkräftet werden können:

- Die 5-Prozent-Regel kann erst dann angewandt werden, wenn Stabilität erreicht ist; wie das geschehen kann, ist ein stabilisierungspolitisches Problem.
- Die Maximalforderung läßt Abstriche zu – vor allem an der Stringenz der Regelbindung –, ohne daß ihr Ziel, Stabilität zu bewahren, allzu sehr gefährdet wird.
- Rechtlich-institutionelle Barrieren für eine potentialorientierte Verstetigungsstrategie sind in der Bundesrepublik nicht erkennbar bzw. könnten leicht beseitigt werden.
- Vorbehalte dürften vor allem Politiker und Bürokraten haben, die sich vom kurzfristigen Aktivismus politisch mehr versprechen als von einem vermeintlichen „technokratischen Automatismus".

Schwerer zu entkräften ist dagegen der Vorwurf einer „Schönwetter-Strategie": Trotz Regelbindung seien so gravierende Beschäftigungseinbrüche und inflationäre

Preisschübe denkbar, daß man notgedrungen wieder zur antizyklischen Ermessenspolitik zurückkehren müsse. Tatsächlich ist nicht auszuschließen, daß realwirtschaftliche Schocks – wie Ölpreiserhöhungen, Lieferboykotts, Naturereignisse oder politische Krisen – Schwankungen der Makrovariablen verursachen, deren Dauer und Amplitude die politischen Toleranzgrenzen überschreiten. Für diesen Fall ließe sich die potentialorientierte Verstetigungsstrategie mit einer Vorbehaltsklausel (Proviso-Klausel, escape clause) versehen: Sie würde es gestatten, die Regelbindung solange auszusetzen, wie bestimmte, genau definierte Gefährdungstatbestände oder Zielüberschreitungen gegeben sind. Im Gegensatz zur antizyklischen Globalsteuerung, die auf wiederkehrende Interventionen angelegt ist, kann es in einem solchen Fall jedoch nur um den einmaligen, konzertierten Einsatz des geld-, währungs-, fiskal- und einkommenspolitischen Instrumentariums zur Abwehr der stabilitätsgefährdenden Folgen eines eindeutig identifizierbaren Schocks gehen – wie sie etwa bei den beiden Ölkrisen von 1973 und 1979 oder beim Verfall des Dollar-Kurses von 1985–86 zu erwarten waren.

5.2. Stabilisierungspolitische Strategie

Stabilisierungspolitik richtet sich definitionsgemäß auf das Wiedererreichen wirtschaftlicher Stabilität. Sie ist notwendig, wenn

– im Rahmen der stabilitätspolitischen Strategie realwirtschaftliche Schocks einen Anstieg von Preisniveau oder Arbeitslosenquote über die festgelegten Zielgrenzen hinaus erwarten lassen; oder wenn
– monetär-fiskalische Schocks, wie sie z. B. von antizyklischen Maßnahmen oder unzureichender außenwirtschaftlicher Absicherung ausgehen können, die Wirtschaft destabilisieren und gravierende Zielverletzungen verursachen.

In beiden Fällen ist statt hektischem Gegensteuern strategisches Vorgehen geboten: Stabilität läßt sich nur dann wiedergewinnen und nachhaltig sichern, wenn der stabilisierungspolitische Kurs verstetigt und die eingangs erwähnten Maximen befolgt werden.

Antiinflationäre Geldpolitik

Für die Bundesrepublik ist – wie für die übrigen westlichen Industrieländer auch – seit Mitte der sechziger Jahre insbesondere der zweite Fall aktuell: Ständig wechselnde Phasen monetär-fiskalischer Inflations- und Rezessionsbekämpfung haben zu ausgeprägten Inflations- und Beschäftigungszyklen geführt und das zyklusdurchschnittliche Inflations- und Unterbeschäftigungsniveau deutlich ansteigen lassen (*Tab. P–1;* Beitrag F-2.3.). Das so entstandene Stagflations-Dilemma ist im wesentlichen eine Folge falsch konzipierter und nicht konsequent durchgehaltener monetärer Antiinflationspolitik. So ging die Bundesbank z. B. nach Freigabe der Wechselkurse im Frühjahr 1973 auf scharfen Restriktionskurs, in dessen Verlauf die Geldmenge M1 von März bis August sogar um 5,6 v. H. schrumpfte, nachdem sie zurvor noch mit einer Jahresrate von rd. 14 v. H. expandiert war (*Abb. P–1.I.*). Diese Politik war insoweit erfolgreich, als sie die Inflationsrate von 7,0 v. H. (1973) auf 2,6 v. H. (1978) herabdrücken konnte; sie führte jedoch – verstärkt durch die Ölkrise vom Herbst 1973 – in die bisher schwerste Rezession der Nachkriegszeit. Der drastische Anstieg der Arbeitslosenquote von 1,2 v. H. (1973) auf 4,7 v. H. (1975) löste alsbald einen stabilisierungspolitischen Kurswechsel aus – M1 wuchs bereits im zweiten Halbjahr 1974 wieder mit einer Rate von knapp 10 v. H. p. a. –, als dessen Spätfolge die 1979 erneut einsetzende Inflationsakzeleration anzusehen ist. Die Antiinflationspolitik der Jahre 1973–74 ist somit an politisch untragbaren Nebeneffekten gescheitert, die sie im wesentlichen selbst verursacht hat (NEUMANN, 1981, 1; CASSEL, 1987). Dies dürfte auch für die Phase der Inflationsbekämpfung von 1979–85 gelten (*Abb. P–1. I.*): Nach zunächst drei Jahren restriktiver Geldpolitik hat die Bundesbank die monetären Bremsen 1983 etwas gelockert, sie dann aber bis Mitte 1985 erneut angezogen. Im Gleichklang mit der 1980 einsetzenden Weltrezession kam es daraufhin in der Bundesrepublik zu einer ebenso tiefen wie anhaltenden Rezession, in deren Verlauf das reale Sozialprodukt in den Jahren von 1980–82 absolut schrumpfte und die Zahl der Arbeitslosen auf 2,3 Mio. stieg. Auf der Aktivseite dieser Restriktionspolitik steht – quasi lehrbuchreif – die Zurückführung der Inflationsrate von 6,3 v. H. (1981) auf – 0,2 v. H. (1986). Die neuerliche monetäre Expansionspolitik (1986–1988) mit einer Wachstumsrate der Geldmenge M1 von ca. 10 v. H. p. a. hat zeitverzögert einen neuen Inflationsprozeß ausgelöst, der mit einem Preisindexanstieg von über 4 v. H. p. a. 1991/92 seinen Höhepunkt erreichte. Die monetäre Restriktionspolitik 1989/90 war die Ursache der scharfen Rezession 1991–1993, aber auch des deutlichen Inflationsabbaus seit 1993 auf knapp über 2 v. H. im Frühjahr 1995.

Zentrales Problem der Stabilisierungspolitik ist somit, daß Preisniveaustabilität volkswirtschaftlich nicht kostenlos zurückgewonnen werden kann: Restriktive Impulse haben außer der Inflationsdezeleration merkliche Einkommens-, Beschäftigungs-, Allokations- und Verteilungswirkungen zur Folge, die praktisch eine Umkehrung der in Phasen akzelerierter Inflation auftretenden Effekte darstellen (Beitrag F-3.). Soweit sie in der Wertschätzung der Betroffenen negativ beurteilt werden, gelten sie als soziale Kosten der Inflationsbekämpfung. Politisch im Vordergrund stehen dabei die negativen Einkommens- und Beschäftigungswirkungen: Je ausgeprägter sie sind und je länger sie anhalten, um so größer ist die Gefahr, daß das Beschäftigungsziel kurzfristig Priorität erhält, die Inflationsbekämpfung gestoppt und eine Wiederankurbelungspolitik eingeleitet wird. Erfolgversprechende Stabilisierungspolitik hat diese Kosten zu reduzieren, wobei folgende Wege denkbar sind (BRUNNER, 1971; TOBIN, 1980; BALTENSPERGER/BÖHM, 1984):

- Die Sozialkosten der Antiinflationspolitik sind um so höher, je schärfer bei gegebenem Grad der Inflationsantizipation die monetäre Expansion gebremst wird. Deshalb empfiehlt es sich, die restriktiven Impulse langsam und allmählich über die Zeit zu verteilen. Kostenminimierendes Abbremsen hat jedoch den politischen Nachteil, daß die Inflationsrate nur zögernd sinkt, spürbare Erfolge also lange auf sich warten lassen.
- Bei gegebenem Restriktionskurs hängen die Inflationsbekämpfungskosten davon ab, wie rasch Wirtschaftssubjekte ihre Inflationserwartungen revidieren und inwieweit bestehende Kontrakte es ihnen erlauben, die dezelerierte Inflation zu antizipieren, d. h. wie schnell der erwartungsinduzierte Angebotsdruck verringert wird.

Er läßt sich dadurch reduzieren, daß die Wirtschaftspolitik Einfluß auf die Erwartungsbildung nimmt und Antizipationen erleichtert.

– Schließlich sind Einkommens- und Beschäftigungseinbußen bei restriktiver Geld- und Fiskalpolitik um so größer und dauerhafter, je heftiger der Verteilungskampf geführt wird, je stärker also der verteilungskampfinduzierte Angebotsdruck ist. Er kann durch einkommens- und ordnungspolitische Maßnahmen gemindert werden.

In der Sprache der PHILLIPS-Kurven-Analyse formuliert, ist die stabilisierungspolitische Strategie darauf zu richten, die kurzfristige PHILLIPS-Kurve möglichst steil verlaufen zu lassen und sie zügig nach unten zu verschieben.

Inflationsbekämpfung ist ohne Reduktion des Geldmengenwachstums nicht möglich. Deshalb kommt der Geldpolitik höchste Priorität zu. Um die Inflationsbekämpfungskosten niedrig zu halten, ohne auf den Erfolg allzu lange warten zu müssen, sollte die Wachstumsrate der Geldmenge M1 je nach Ausgangsniveau innerhalb von 2–4 Jahren degressiv auf die stabilitätskonforme 5-Prozent-Marke gesenkt werden. Ausgehend von einer jährlichen Rate von z. B. 10 v. H., könnte die Geldmengenexpansion im ersten Jahr auf 8 v. H., im zweiten auf 6 v. H. und im dritten wie in den folgenden Jahren auf 5 v. H. begrenzt werden. Um die Erwartungen möglichst rasch und vollständig an die veränderten Daten anzupassen und um den Wirtschaftssubjekten Zeit zu geben, die erwartungsgemäß sinkende Inflationsrate in allen neuabzuschließenden Verträgen zu antizipieren, müßte die Bundesbank ihren Kurswechsel rechtzeitig ankündigen und ihren neuen Kurs konsequent einhalten. Notwendige Voraussetzungen dafür sind zum einen eine wirksame außenwirtschaftliche Absicherung durch flexible Wechselkurse oder rechtzeitige Paritätsänderungen innerhalb des EWS; zum anderen der vorrangige – wenn nicht ausschließliche – Einsatz der Offenmarktpolitik, wie er bereits für die stabilitätspolitische Strategie vorgeschlagen wurde. Dabei ist zu beachten, daß die stufenweise Zurücknahme des Geldmengenwachstums nicht bedeutet, die Geldbasis durch Offenmarktverkäufe absolut zu reduzieren; erforderlich ist lediglich ein sukzessives Einschränken des Ankaufs von Offenmarkttiteln.

Fiskal- und einkommenspolitische Flankierung

Die Fiskalpolitik hat in dieser stabilisierungspolitischen Strategie wesentliche, die monetäre Restriktionspolitik unterstützende Funktionen: Sie kann auf verschiedene Weise die negativen Impulse auf Einkommen und Beschäftigung mindern, dadurch die Inflationsbekämpfungskosten reduzieren und den Erfolg der restriktiven Geldpolitik sichern helfen. Die öffentliche Hand sollte zunächst die Zuwachsraten ihrer Ausgaben im Gleichschritt mit der Wachstumsrate der Geldmenge verringern. Dazu bedarf es keiner Haushaltskürzungen, wohl aber einer stufenweisen Begrenzung der Mehrausgaben. Durch Haushaltsumschichtungen – vor allem zu Lasten der Personalausgaben, Subventionen und Transferzahlungen (SVR, 1980/81, S. 154 ff.) – ließen sich die für eine aktive Fiskalpolitik zusätzlich erforderlichen Finanzierungsmittel gewinnen. Sie wären insbesondere für Zwecke intensiverer Arbeitsmarktpolitik (Beitrag R-4.) sowie zur Erhöhung staatlicher Investitionsausgaben einzusetzen. Da ein relativer oder sogar absoluter Rückgang der Steuereinnahmen infolge verminderter wirtschaftlicher Aktivität nicht ausgeschlossen ist, muß vorübergehend eine höhere Staatsverschuldung – gegebenenfalls finanziert durch „Geldversorgungskredite" der Bundesbank – in Kauf genommen werden. Davon dürfen vor allem die Gemeinden nicht ausgeschlossen sein. Die öffentliche Hand sollte außerdem besonders investitionshemmende Steuern, Veranlagungspraktiken, Verwaltungsvorschriften usw. abbauen. Allgemeine Steuersenkungen und tiefgreifende Konsolidierungsmaßnahmen – so wünschenswert sie zur Minderung der realen Steuerlast und zur Beseitigung „struktureller" Haushaltsdefizite sein mögen – sind dagegen in Phasen der Inflationsbekämpfung unzweckmäßig.

Inwieweit sich die Restriktionswirkungen auf Preis- und Mengeneffekte verteilen, hängt wesentlich vom Erfolg der Einkommenspolitik ab: Je weniger Angebotsdruck sie zuläßt, um so rascher bildet sich die Inflationsrate zurück und um so geringer sind die Inflationsbekämpfungskosten. Zur Verminderung des verteilungskampfinduzierten Angebotsdrucks sind jene Maßnahmen einzusetzen, die für die stabilitätspolitische Strategie bereits diskutiert wurden. Ein besonderes Problem stellt der erwartungsinduzierte Angebotsdruck dar: Einkommenspolitisch kommt es darauf an, Erwartungsbildung und Antizipation der Wirtschaftssubjekte so rechtzeitig und nachhaltig zu beeinflussen, daß sich der Angebotsdruck gleich zu Beginn der monetären Restriktionspolitik verringert und nicht erst in der Spätphase der Inflationsbekämpfung, wenn die Arbeitslosigkeit bereits gestiegen und die Kapazitäten unterausgelastet sind. War die Stabilisierungspolitik in der Vergangenheit glaubhaft, reicht bereits das rechtzeitige Ankündigen des monetär-fiskalischen Restriktionskurses aus, um privatwirtschaftliche Akteure zu veranlassen, ihre Dispositionen nach jenen sinkenden Inflationsraten auszurichten, die sie aufgrund ihrer theoretischen Kenntnis der Wirkungszusammenhänge relativ sicher erwarten (Überblick bei McCallum, 1980). Dieses Verhalten ist jedoch keineswegs so sicher, daß auf eine aktive erwartungs- und antizipationsbeeinflussende Politik verzichtet werden könnte – vor allem dann nicht, wenn die Geld- und Fiskalpolitik in der Vergangenheit sehr unstetig war: Wirtschaftssubjekte, die bereits mehrfach in ihren Erwartungen getäuscht wurden, betrachten die angekündigte Restriktionspolitik häufig als unglaubwürdig und rechnen auch weiterhin mit anhaltenden oder gar zunehmenden Inflationsraten. Ihre Antizipationsversuche beschleunigen dann den Angebotsdruck, obwohl die Nachfrageexpansion bereits gebremst wird. In diesem Fall gilt es, die ,,Inflationsmentalität" mittels der Einkommenspolitik möglichst rasch zu brechen.

Bei der Auswahl einkommenspolitischer Maßnahmen ist zu beachten, daß sie geeignet sein müssen, Erwartungen von Wirtschaftssubjekten auf sinkende Inflationsraten zu richten und dafür zu sorgen, daß sich sinkende Inflationserwartungen trotz bestehender Verträge in niedrigeren Faktor- und Produktpreissteigerungen niederschlagen können. Unter diesen Aspekten sind folgende Maßnahmen empfehlenswert:

- Vorübergehend wäre eine Ex-ante-Indexierung der Löhne vorzusehen: Lohnsteigerungsraten dürften nicht höher sein als die für die Folgeperiode erwartete Produktivitätssteigerung der jeweiligen Branchen, zuzüglich der „unvermeidbaren", d. h. stabilisierungspolitisch projektierten und im Vergleich zur Vorperiode niedrigeren Inflationsrate. Ergibt sich später eine positive Differenz zwischen Ex-post- und Ex-ante-Wert der beiden Raten, hätten die Arbeitgeber einen entsprechenden Nachschlag (Nachbesserung) zu zahlen.

- Die Modalitäten der Ex-ante-Indexierung wären mit den Tarifparteien abzusprechen und für die Dauer der monetären Restriktion als verbindlich anzuerkennen. Diese Absprache hätte den Charakter eines befristeten Rahmenpakts, der die Tarifautonomie nicht aufheben, wohl aber für eine begrenzte Zeit aussetzen würde. Dies wäre der von den Tarifparteien zu zahlende „Preis“ für das im Gesamtinteresse herzustellende öffentliche Gut Geldwertstabilität.
- Um die Flexibilität der sonstigen Faktor- und Produktpreise zu erhöhen und Preisanpassungen zu erleichtern, sollte das Indexierungsverbot aufgehoben werden. Es dürfte keine rechtlichen Beschränkungen hinsichtlich Art und Verwendung von Preisgleitklauseln geben, damit sich die Vertragspartner jeweils für die aus ihrer Sicht günstigste Lösung entscheiden können. Längerfristige Verträge ohne Preisgleitklauseln sollten zumindest Revisions- oder Vorbehaltsklauseln enthalten, die beim Vorliegen bestimmter Indikatoren erneute Preisverhandlungen ermöglichen. Erhöhungen staatlich administrierter Preise müßten sich im Rahmen der projektierten Inflationsrate halten.
- Die Entscheidungsträger sollten der Öffentlichkeit über die monetär-fiskalischen Daten hinaus weitere Orientierungsdaten geben. Sie könnten damit die sonst bei stabilisierungspolitischen Kurswechseln schnell wachsende Unsicherheit der Erwartungen sowie die sprunghaft steigenden Kosten der Informationsbeschaffung verringern. Ein wesentlicher Beitrag hierzu wäre, wenn Regierung und Bundesbank die theoretische Basis ihrer Politik, deren Ziele, Zwischenziele und Instrumente, die Kosten, Risiken und Erträge des eingeschlagenen Kurses sowie die Konsequenzen stabilitätswidrigen Verhaltens allgemein verständlich darlegen würden.

Die stabilisierungspolitische Strategie stellt somit ein kalkuliertes Krisenmanagement dar, für das grundsätzlich auch das Verstetigungspostulat gilt. Aber anders als die stabilitätspolitische Strategie ist das stabilisierungspolitische Maßnahmenbündel von vornherein nur als temporär, d. h. auf die Phase der Inflationsbekämpfung begrenzt, vorzusehen. Um die Glaubwürdigkeit der Restriktionspolitik zu erhöhen sowie das Vertrauen der Bevölkerung nicht zu verspielen, müßte die Regierung verdeutlichen, daß alle stabilisierungspolitischen Maßnahmen wie auch das Wohlverhalten der sozialen Gruppen die Inflationsbekämpfungskosten zwar senken, niemals aber ganz vermeiden können: Kostenlose Inflationsbekämpfung ist ebenso eine Illusion wie kostenlose Inflationsakzeleration. Es käme deshalb wesentlich darauf an, die unvermeidlichen Kosten der Inflationsbekämpfung nicht unerwartet eintreten zu lassen und dafür zu sorgen, daß sie in einer mehrheitlich akzeptierten Weise verteilt werden.

Kommentierte Literaturhinweise

Einführungen in die Stabilitätspolitik mit besonderem Bezug auf rechtliche und institutionelle Gegebenheiten der Bundesrepublik Deutschland sind die Grundrisse von Ulrich Teichmann (1976, 4. A. 1988), Horst Friedrich (1978, 2. A. 1986) und Jürgen Pätzold (1985, 5. A. 1993). Helmut Wagner (1989, 2. A. 1992) betont die mikro- und makroökonomische Fundierung der Stabilitätspolitik.

Zur Vertiefung sind das grundlegende Lehrbuch von HERBERT GIERSCH (1977) und der von MANFRED E. STREIT (1988) herausgegebene Sammelband heranzuziehen, die besonders die wachstums- und außenwirtschaftspolitischen Aspekte betonen; CLAUS KÖHLER (1983) stellt die geldpolitischen Strategien in den Vordergrund.

Theorie und Praxis der Globalsteuerung nach dem StabG werden von HANS-JÜRGEN SCHMAHL (1970) dargestellt. JOACHIM STARBATTY (1976; 1977) setzt sich kritisch mit ihren Ergebnissen und den stabilisierungspolitischen Reformvorschlägen auseinander.

Stabilitätspolitische Probleme offener Volkswirtschaften bei alternativen Wechselkurssystemen aus der Sicht der sechziger Jahre behandeln die Monographie von ERNST DÜRR (1968) sowie die von EMIL-MARIA CLAASSEN; PASCAL SALIN (1972) und HERBERT GIERSCH (1972) herausgegebenen Tagungsbände.

Den Stand der stabilitätspolitischen Diskussion Mitte der siebziger Jahre repräsentieren die beiden von HANS KARL SCHNEIDER; WALDEMAR WITTMANN; HANS WÜRGLER (1975) im Anschluß an die Züricher Tagung des Vereins für Socialpolitik herausgegebenen Sammelbände. Eine Ergänzung dazu ist der Ottobeurer Tagungsband, der von BERNHARD GAHLEN; HANS KARL SCHNEIDER (1974) herausgegeben wurde.

Die neuere stabilitätstheoretische und -politische Diskussion findet ihren Niederschlag vor allem in den von KARL BRUNNER; ALLAN H. MELTZER (1975 ff.), GOTTFRIED BOMBACH; BERNHARD GAHLEN; ALFRED OTT (1983) und ARTUR WOLL (1983, 2) herausgegebenen Tagungsbänden, die ein breites Spektrum aktueller Fragestellungen behandeln.

Praktische stabilitätspolitische Probleme und ihre Lösungsmöglichkeiten speziell aus der Sicht der Bundesrepublik Deutschland werden in verschiedenen Sammelbänden diskutiert: In den von WERNER EHRLICHER; DIETHART B. SIMMERT (1982) und JOACHIM STARBATTY (1982) herausgegebenen Bänden werden vor allem geld- und währungspolitische Aspekte angesprochen; breiter angelegt sind die Bücher, für die MANFRED FELDSIEPER; RICHARD GROSS (1983) und HORST SIEBERT (1983, 2) als Herausgeber zeichnen.

In den genannten Titeln wird insbesondere auch die Kontroverse um die nachfrage- und angebotsorientierte Stabilitätspolitik aufgearbeitet. Eine noch detailliertere Auseinandersetzung bieten PAUL J. WELFENS (1965) sowie die von LAURENCE H. MEYER (1981), DAVID G. RABOY (1982) und VICTOR A. CANTO; DUGLAS H. JOINES; ARTHUR B. LAFFER (1983) herausgegebenen Sammelbände.

Für die laufende stabilitätspolitische Diskussion in der Bundesrepublik Deutschland unverzichtbar ist die Lektüre der Jahresgutachten des SACHVERSTÄNDIGENRATES ZUR BEGUTACHTUNG DER GESAMTWIRTSCHAFTLICHEN ENTWICKLUNG (1964/65 ff.), die auch eine Fülle nationaler wie internationaler Wirtschaftsdaten enthalten. Der jeweils aktuellste Stand ist den Monatsberichten sowie den Statistischen Beiheften zu den Monatsberichten der Bundesbank zu entnehmen. Die DEUTSCHE BUNDESBANK (1978, 4. A. 1992; 1982, 6. A. 1993) informiert darüber hinaus in zwei Sonderdrucken über ihr geld- und währungspolitisches Instrumentarium.

Q. Strukturpolitik

Manfred Willms

Gliederung

1. Gesamtwirtschaftlicher Strukturwandel

1.1. Strukturwandel und Strukturpolitik

Im Wachstumsprozeß von Volkswirtschaften unterliegt der Beitrag einzelner Sektoren zum Sozialprodukt einer ständigen Veränderung. Dieser Strukturwandel wird in einer marktwirtschaftlichen Ordnung durch die Entscheidungen von Unternehmen und privaten Haushalten getragen. Die Determinanten des Strukturwandels sind deshalb sowohl auf der Angebotsseite als auch auf der Nachfrageseite zu finden. Zwischen dem Wachstumsprozeß und dem Strukturwandel besteht eine Interdependenz. Während der Wachstumsprozeß in der Regel mit einem Strukturwandel verbunden ist, stellt eben dieser Strukturwandel eine wichtige Voraussetzung für weiteres wirtschaftliches Wachstum dar. Offene, dem internationalen Wettbewerb ausgesetzte Volkswirtschaften sind in besonderem Maße gezwungen, sich schnell den Bedingungen auf den Weltmärkten anzupassen. Änderungen der relativen Preise, der Nachfrage oder der Produktionstechnologie erzeugen einen erheblichen Anpassungsdruck und können dazu führen, daß die Unternehmen die Produktion an ausländische Standorte verlagern. In Ländern, die sich durch Beschränkungen des Handels und des Kapitalverkehrs gegenüber der Weltwirtschaft abschotten, vollzieht sich der Strukturwandel demgegenüber relativ langsam, weil sowohl der Anpassungsdruck über relative Preisdifferenzen als auch die Standortalternativen fehlen.

Der Strukturwandel kann mit erheblichen wirtschaftlichen und sozialen Anpassungslasten verbunden sein. Insbesondere wenn ein schrumpfender Sektor eine sehr große Bedeutung in einer Region hat, ist hier ein kurzfristiger Anstieg der Arbeitslosigkeit kaum vermeidbar, wenn die freigesetzten Arbeitskräfte nicht durch expandierende Sektoren wieder aufgenommen werden können. Zur Bewältigung der Begleiterscheinungen des Strukturwandels versuchen die wirtschaftspolitischen Entscheidungsträger, über Subventionen den Anpassungsprozeß in schrumpfenden Sektoren zu verzögern und durch Fördermaßnahmen die Expansion überdurchschnittlich wachsender Sektoren zu beschleunigen. So werden in Deutschland und in den meisten anderen hochentwickelten Ländern auf der einen Seite die Landwirtschaft sowie der Kohle-, Stahl- und Schiffbau subventioniert und auf der anderen Seite neue Technologien im Verkehrs-, Telekommunikations- und Energiesektor gefördert. Auch auf der Ebene der Europäischen Gemeinschaft gewinnen diese Maßnahmen zunehmend an Bedeutung. Die Gesamtheit dieser staatlichen Maßnahmen zur Beeinflussung der sektoralen Wirtschaftsstruktur wird als Strukturpolitik bezeichnet. Strukturpolitik ist somit primär Angebotspolitik.

Der Gegenstand dieses Beitrags ist es, die Determinanten des marktwirtschaftlichen Strukturwandels aufzuzeigen sowie die Ansätze der Strukturpolitik und ihre Problembereiche zu charakterisieren.

1.2. Drei-Sektoren-Hypothese

Der Entwicklungsprozeß der Volkswirtschaften ist durch typische Muster des Strukturwandels gekennzeichnet. Diese sogenannten Normalmuster lassen sich, ebenso wie die Abweichungen von ihnen, ökonomisch erklären. Empirisch können sie intertemporal durch Zeitreihenanalysen oder interregional durch Querschnittsanalysen mit Daten für verschiedene Länder oder Regionen ermittelt werden.

Einen häufig verwendeten Ansatz zur Ableitung von typischen Strukturmustern stellt die Drei-Sektoren-Hypothese dar. Sie stützt sich auf ein Normalmuster des Strukturwandels, das in zahlreichen Ländern zu beobachten ist. Empirische Ergebnisse dienten ALLAN G. B. FISHER (1939) zur Entwicklung der Drei-Sektoren-Hypothese. Weiterentwickelt wurde sie von COLIN CLARK (1940) und JEAN FOURASTIÉ (1949). Die Hypothese besagt, daß im langfristigen Wachstumsprozeß von Marktwirtschaften zunächst der sekundäre Sektor den Anteil des primären Sektors zurückdrängt und daß schließlich der Anteil des sekundären Sektors zugunsten einer Expansion des tertiären Sektors schrumpft *(Abb. Q-1)*. Die relative Bedeutung der einzelnen Sektoren hängt von der Höhe des Pro-Kopf-Einkommens ab. Bei niedrigem Pro-Kopf-Einkommen (unterentwickelte Volkswirtschaft) dominiert der primäre Sektor, bei mittlerem bis hohem Pro-Kopf-Einkommen (entwickelte Volkswirtschaft) der sekundäre Sektor und bei sehr hohem Einkommen (hochentwickelte Volkswirtschaft) der tertiäre Sektor.

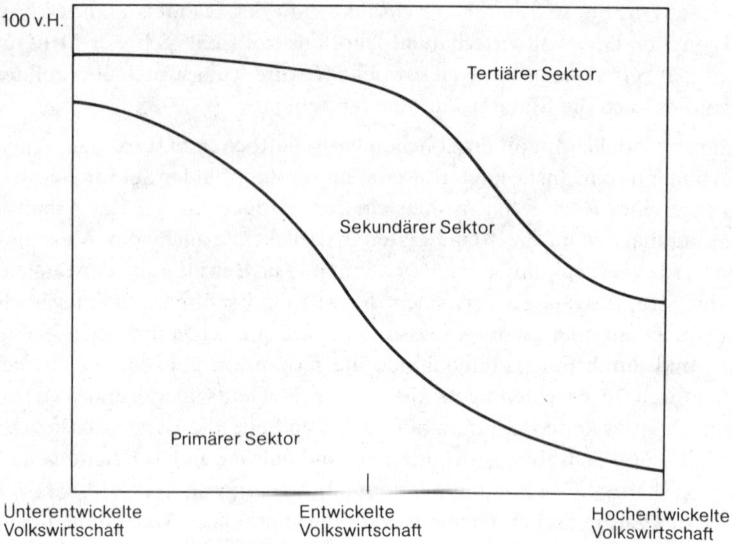

Abb. Q-1: Sektoraler Strukturwandel nach der Drei-Sektoren-Hypothese

Die Abgrenzung der drei Sektoren wird in der Literatur nicht einheitlich vorgenommen. Bei JEAN FOURASTIÉ erfolgt sie nach der Intensität des technischen Fortschritts, gemessen an der Zunahme der Arbeitsproduktivität. Er ordnet Wirtschaftsbereiche mit auf lange Sicht mittlerem Produktivitätszuwachs dem primären Sektor zu, solche mit hohem Produktivitätszuwachs dem sekundären Sektor und diejenigen mit geringem Produktivitätszuwachs dem tertiären Sektor. ALLAN G. B. FISHER nimmt die Abgrenzung der Sektoren nach der Einkommenselastizität der Nachfrage vor. Danach gehören zum primären Sektor alle Unternehmungen, die lebensnotwendige Güter herstellen (Einkommenselastizität der Nachfrage kleiner als 0,5). Im sekundären Sektor werden solche Aktivitäten erfaßt, die sich der Produktion weniger wichtiger Güter widmen (Einkommenselastizität der Nachfrage zwischen 0,5 und 1). Der tertiäre Sektor schließt alle ökonomischen Aktivitäten ein, die sich einer Einkommenselastizität der Nachfrage von größer als 1 gegenübersehen.

Die Kriterien, nach denen die drei Sektoren in der bisher angesprochenen Literatur unterschieden werden, haben sich als problematisch herausgestellt. Sie führen nicht zu einer konsistenten Einteilung der drei Sektoren. Beispielsweise wird bei der Abgrenzung von FISHER nicht berücksichtigt, daß im Nahrungsmittelbereich eine Nachfragesättigung dann nicht gegeben sein muß, wenn es zu einer qualitativen Nachfrageveränderung kommt, d. h. wenn bei einer Schrumpfung oder Stagnation der Leistungsinanspruchnahme aus dem primären Sektor zusätzlich Leistungen aus dem sekundären oder tertiären Sektor in Anspruch genommen werden (Fertiggerichte, Tiefkühlkost, Verzehr in Gaststätten).

Auch die Unterscheidung der drei Sektoren nach dem Wachstum des technischen Fortschritts, wie sie JEAN FOURASTIÉ vornimmt, ist nicht unproblematisch. So ist trotz geringen technischen Fortschritts ein Teil des tertiären Sektors eng mit der Entwicklung des sekundären Sektors verbunden (Handel, Verkehr). In einem anderen Teil des tertiären Sektors, den einkommensabhängigen Dienstleistungen, läßt sich entgegen der Auffassung von FOURASTIÉ häufig ein beachtlicher Produktivitätsfortschritt feststellen.

Grundsätzlich ist anzumerken, daß die Aggregation zu drei in sich sehr heterogenen Sektoren auf der Grundlage eines einzigen Abgrenzungskriteriums zu ökonomisch nicht konsistenten Ergebnissen führt. In der Praxis hat sich daher eine Einteilung durchgesetzt, die auf der volkswirtschaftlichen Gesamtrechnung aufbaut oder auf

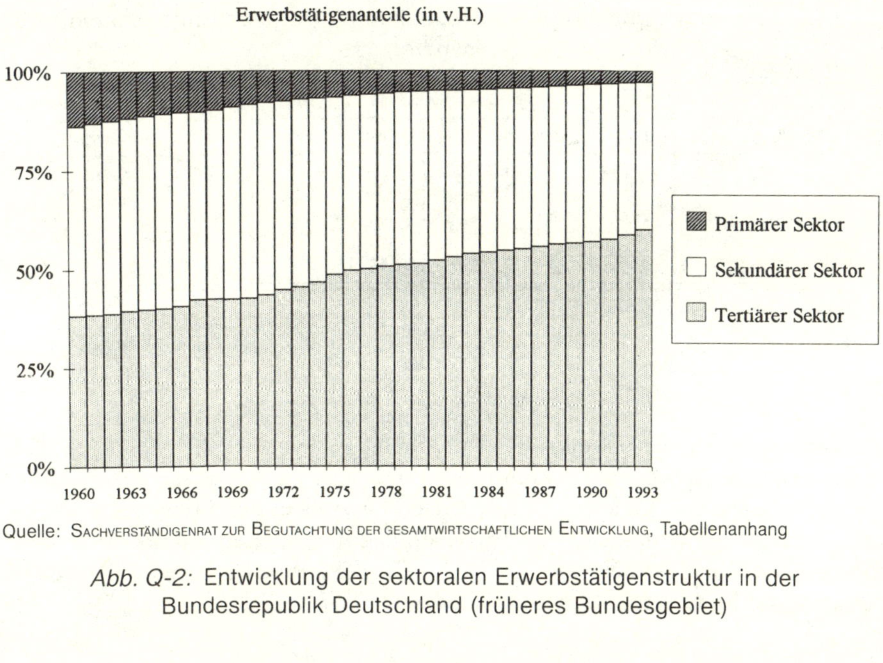

Quelle: SACHVERSTÄNDIGENRAT ZUR BEGUTACHTUNG DER GESAMTWIRTSCHAFTLICHEN ENTWICKLUNG, Tabellenanhang

Abb. Q-2: Entwicklung der sektoralen Erwerbstätigenstruktur in der Bundesrepublik Deutschland (früheres Bundesgebiet)

andere statistische Erhebungen zurückgreift. Diese eher pragmatisch ausgerichtete Sektorenabgrenzung wird meist folgendermaßen vorgenommen:

- Primärer Sektor: Land- und Forstwirtschaft, Fischerei;
- Sekundärer Sektor: Bergbau, Industrie, Handwerk;
- Tertiärer Sektor: Dienstleistungen (Handel, Verkehr, Kreditwirtschaft, Versicherungswirtschaft, Gastronomie, Gesundheitsdienst, Bildungswesen, Staat, Organisationen ohne Erwerbscharakter, private Haushalte, sonstige Dienstleistungen).

Das Grundmuster der Drei-Sektoren-Hypothese wird sowohl unter Verwendung der Beschäftigtenzahlen als auch der Bruttowertschöpfung für die hochentwickelten Volkswirtschaften weitgehend bestätigt (LINDNER, 1987). So ist in Deutschland der Anteil der Erwerbstätigen im primären Sektor an der Gesamtzahl der Erwerbstätigen von 13,7 v. H. im Jahr 1960 auf 3,0 v. H. im Jahr 1993 gesunken. In derselben Zeit ist der Erwerbstätigenanteil im sekundären Sektor von 47,9 v. H. auf 37,2 v. H. zurückgegangen, während er im tertiären Sektor von 38,4 v. H. auf 59,8 v. H. gestiegen ist (*Abb. Q-2*). Einem ähnlichen Muster folgen auch die Anteilsverschiebungen der nominalen und der realen Bruttowertschöpfung der drei Sektoren.

Bei der Arbeitsproduktivität hat der primäre Sektor im Vergleich zum sekundären und tertiären Sektor besonders hohe Wachstumsraten zu verzeichnen. Die Wachstumsraten der Arbeitsproduktivität im sekundären Sektor waren bis Mitte der 70er Jahre wiederum höher als im tertiären Sektor. Seither sind die Produktivitätszuwächse in diesen beiden Sektoren etwa gleichlaufend. Für alle drei Sektoren läßt sich jedoch im Zeitablauf ein Rückgang der Wachstumsraten der Arbeitsproduktivität feststellen (*Tab. Q-1*).

Tab. Q-1: Reale Wertschöpfungsanteile und Arbeitsproduktivität in den drei Sektoren der Bundesrepublik Deutschland (früheres Bundesgebiet) in Preisen von 1991

	Bruttowertschöpfungsanteile					Arbeitsproduktivität*		
	1960	1970	1980	1990	1991	1960-70	1970-80	1980-90
Primärer Sektor	2,3	1,7	1,5	1,5	1,3	6,3	6,4	5,8
Sekundärer Sektor	47,9	49,2	44,5	39,7	39,2	4,4	2,8	1,6
Tertiärer Sektor	49,8	49,1	54,0	58,8	59,5	3,0	1,7	1,6

*Jahresdurchschnittliche Änderungsraten je Erwerbstätigen

Quelle: SACHVERSTÄNDIGENRAT ZUR BEGUTACHTUNG DER GESAMTWIRTSCHAFTLICHEN ENTWICKLUNG (1994/95), Tabellenanhang, Tab. 26.

Der Strukturwandel einer Volkswirtschaft kommt jedoch nicht allein in dem Bedeutungswandel der drei großen Sektoren zum Ausdruck. Auch innerhalb der Sektoren finden umfangreiche Veränderungen der Betriebsgrößen, der Erwerbstätigenstruktur, der Güterproduktion und der Wertschöpfung statt. Dieser intrasektorale Strukturwandel soll im folgenden für den primären, den sekundären und den tertiären Sektor in der Bundesrepublik Deutschland aufgezeigt werden.

1.3. Intrasektoraler Strukturwandel

1.3.1. Primärer Sektor

Der wichtigste Wirtschaftszweig im primären Sektor ist die Landwirtschaft. Der Strukturwandel in der Landwirtschaft wird deutlich an der Veränderung der Betriebsgrößen, an der Entwicklung der Arbeitsproduktivität und an der grundlegenden Veränderung der Produktionsstruktur.

Bei der Größenstruktur der landwirtschaftlichen Betriebe in der Bundesrepublik ist in der Nachkriegszeit ein Trend von den Kleinbetrieben zu Mittel- und Großbetrieben zu beobachten. Der Anteil der Kleinbetriebe mit einer Größe von 1–9 ha verringerte sich im früheren Bundesgebiet von 69,3 v. H. (1960) auf 45,9 v. H. (1993). Der Anteil der Betriebe mit 10–19 ha erfuhr dagegen in derselben Periode nur eine leichte Reduzierung von 20,7 v. H. auf 19,4 v. H.. Betriebe mit 20 ha und mehr, deren Zahl auch absolut zunahm, erreichten 1993 einen Anteil von 34,7 v. H., nachdem auf sie 1960 nur 10 v. H. der gesamten landwirtschaftlichen Betriebe entfallen waren (*Abb. Q-3*). Mit diesem Strukturwandel bei den Betriebsgrößen ist ein stetiger Abbau der Erwerbstätigen in der Landwirtschaft einhergegangen. Von 1960 bis 1993 ist die Zahl der in landwirtschaftlichen Betrieben voll- und teilbeschäftigten Familienarbeitskräfte sowie der familienfremden Arbeitskräfte im früheren Bundesgebiet von 2,6 Mill. auf 1,2 Mill. gesunken.

Während die Zahl der landwirtschaftlichen Betriebe und die Zahl der in der Landwirtschaft Tätigen erheblich abgenommen hat, ist die Arbeitsproduktivität beträchtlich angestiegen. Die durchschnittliche jährliche Wachstumsrate der Bruttowertschöpfung je Erwerbstätigen in der Landwirtschaft übertraf in der Bundesrepublik mit 6,4 v. H. in der Periode von 1970 bis 1993 die für die Gesamtwirtschaft erreichte jährliche

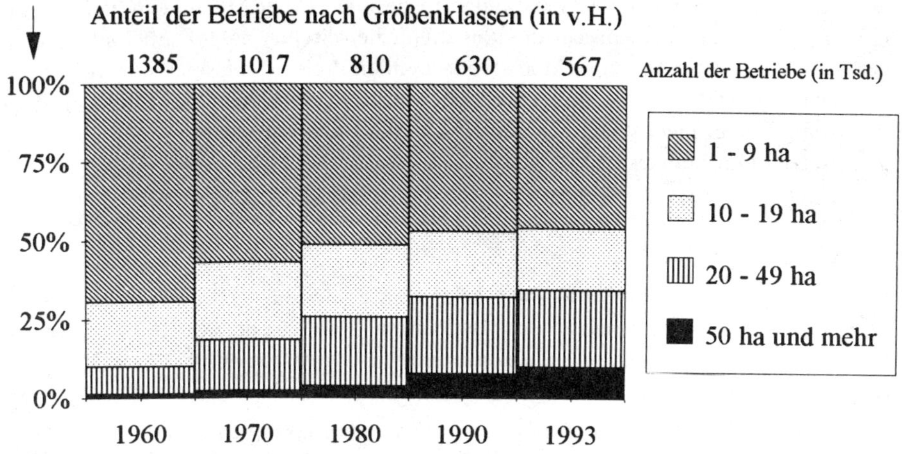

Quelle: Statistisches Bundesamt, Statistisches Jahrbuch für die Bundesrepublik Deutschland, lfde. Jge.

Abb. Q-3: Größenstruktur landwirtschaftlicher Betriebe (früheres Bundesgebiet)

Wachstumsrate von 2,5 v. H. erheblich. Dennoch war die Bruttowertschöpfung je Erwerbstätigen in der Landwirtschaft 1993 mit 40 970 DM noch um 54 v. H. niedriger als in den übrigen Wirtschaftsbereichen mit 89 200 DM. Dieser gravierende Unterschied ist allerdings zum Teil statistischer Natur. Er ergibt sich u. a. aus dem in der Landwirtschaft typisch hohen Anteil an teilzeitbeschäftigten Familienangehörigen. Ihre Einbeziehung in die Zahl der in der Landwirtschaft Ganzzeitbeschäftigten führt zu der drastischen Senkung des Durchschnittswerts der Bruttowertschöpfung pro Arbeitskraft.

Die landwirtschaftlichen Betriebe stellten nicht nur ihre Produktionstechniken um. Sie waren auch gezwungen, ihre Produktionsstruktur anzupassen, da sich mit wachsendem Einkommen das Niveau und die Struktur der Nachfrage nach Agrarproduktion verändert haben. Der Niveaueffekt findet seinen Ausdruck in einer Einkommenselastizität der Nahrungsmittel-Nachfrage, die zwar positiv, aber kleiner als Eins ist (ENGELsches Gesetz). Nach dem ENGELschen Gesetz nehmen die Ausgaben für Nahrungsmittel mit steigendem verfügbarem Einkommen zwar noch absolut zu, ihr Anteil am Einkommen aber verringert sich (Beitrag K-2.3.1.).

Für die einzelnen Nahrungsmittelarten ist die Einkommenselastizität der Nachfrage jedoch sehr unterschiedlich. Im Wachstumsprozeß kommt es daher zu Veränderungen der Struktur der Nachfrage nach Agrarprodukten. In der Bundesrepublik sank der Pro-Kopf-Verbrauch besonders stark bei Kartoffeln. Auch bei Getreide und Trinkmilch gab es beträchtliche Verbrauchsrückgänge. Gleichzeitig stieg der Pro-Kopf-Verbrauch von hochwertigen Veredelungsprodukten aus Milch sowie von Gemüse und Frischobst erheblich an. Die Strukturveränderungen der Nachfrage kommen in den Anteilsverschiebungen der einzelnen Erzeugnisse am Produktionswert der gesamten Landwirtschaft zum Ausdruck.

Durch die im Rahmen der EG-Marktordnungen betriebene Preispolitik war der Druck zur Anpassung der Produktionsstruktur an die Nachfragestruktur nicht bei allen Produkten gegeben. So entstanden insbesondere bei Milch, Rindfleisch und Getreide Angebotsüberschüsse, die von staatlichen Stellen aufgekauft und eingelagert, auf dem Weltmarkt zu nicht kostendeckenden Preisen abgesetzt oder vernichtet werden mußten (Beitrag S-2.3.2.). Trotz der Marktinterventionen hat sich die Produktionsstruktur aber nicht völlig unabhängig von der Nachfragestruktur oder gar entgegengesetzt zu ihr entwickelt.

1.3.2. Sekundärer Sektor

Innerhalb des sekundären Sektors hat die Industrie (einschließl. Bergbau) gegenüber dem Handwerk die wesentlich größere Bedeutung. So betrug der Anteil der Industriebeschäftigten am sekundären Sektor im früheren Bundesgebiet 1993 63 v. H., während sich der Umsatzanteil auf 78 v. H. belief.

Die Untersuchung des intrasektoralen Strukturwandels konzentriert sich daher in diesem Abschnitt auf die Entwicklung von Beschäftigung, Produktion und Produktivität im industriellen Bereich.

Gemessen an den Beschäftigten hat sich die Größenstruktur der Industriebetriebe seit 1980 nur unwesentlich verändert. Der Anteil der Betriebe mit unter 100 Beschäftigten ist bis 1992 leicht von 72,5 v. H. auf 71,8 v. H. gesunken. Das gleiche gilt für Großbetriebe mit über 1000 Beschäftigten, deren Anteil von 2,2 v. H. auf 2,1 v. H. rückläufig war. Betriebe mit Beschäftigtenzahlen zwischen 100 und 999 konnten demgegenüber einen geringen Anteilsgewinn von 25,3 v. H. auf 26,1 v. H. verzeichnen. Die Daten deuten eine leichte Trendentwicklung hin zu mittelgroßen Betrieben an.

Die Zahl der Industriebeschäftigten (einschl. Bergbau) stieg bis zu Beginn der 70er Jahre nahezu kontinuierlich an und ging danach unter zyklischen Schwankungen wieder zurück. 1970 beschäftigte die Industrie noch fast 8,9 Mill. Personen, während es 1993 im früheren Bundesgebiet nur noch 6,8 Mill. waren. Ebenso wie an der Beschäftigungsausweitung in der Industrie alle Industriesektoren beteiligt waren, betraf der Schrumpfungsprozeß gleichfalls alle Sektoren mit Ausnahme der Investitionsgüterindustrie. Relativ am stärksten waren der Bergbau und die Verbrauchsgüterindustrie (Textilien, Leder, Keramik, Glas) betroffen (*Abb. Q-4*). Stärker als der Durchschnitt schrumpften auch die Grundstoff- und Produktionsgüterindustrie (Eisen, Stahl, NE-Metalle). Die Nahrungs- und Genußmittelindustrie konnte ihren Beschäftigtenanteil im Industriesektor weitgehend konstant halten. Während die Investitionsgüterindustrie (Straßenfahrzeugbau, Flugzeugbau, Elektrotechnik, Maschinenbau) im Durchschnitt der 80er Jahre die Beschäftigung absolut ausweiten konnte, sind die Beschäftigtenzahlen hier Anfang der 90er Jahre ebenfalls stark rückläufig gewesen.

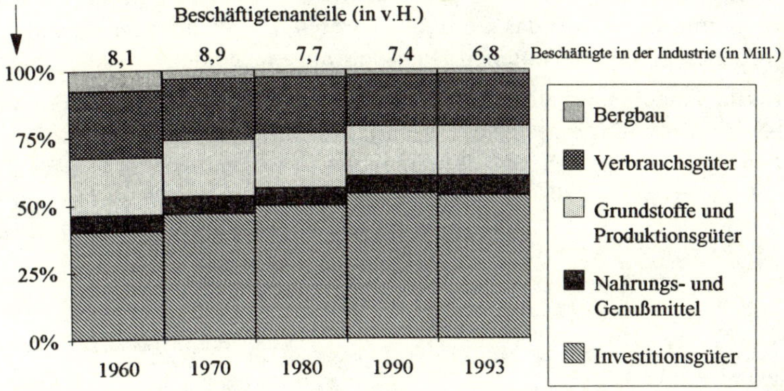

Quelle: Statistisches Bundesamt, Statistisches Jahrbuch für die Bundesrepublik Deutschland, lfde. Jge.

Abb. Q-4: Beschäftigtenstruktur der Industrie (einschl. Bergbau) (früheres Bundesgebiet)

Trotz des erheblichen Beschäftigungsrückgangs im verarbeitenden Gewerbe seit Anfang der 70er Jahre hat die Bruttowertschöpfung in fast allen Industriegruppen weiter zugenommen. Besonders hohe Zuwächse verzeichneten dabei die Chemische Industrie, die Kunststoffwarenherstellung, die Elektrotechnik und der Straßenfahrzeugbau. Ihre Anteile an der realen Bruttowertschöpfung sind dementsprechend gestiegen (*Tab. Q-2*). Durchschnittliche Zuwachsraten erzielten die Papierindustrie und die Hersteller von Eisen-, Blech- und Metallwaren. Ihre Anteile an der realen Bruttowertschöpfung sind weitgehend unverändert geblieben. Alle anderen wichtigen Industriegruppen sind durch unterproportionale Zuwächse und damit sinkende Anteile gekennzeichnet. Besonders hohe Anteilsverluste mußten die Textil- und Bekleidungsindustrie, aber auch die Ernährungsindustrie, die Eisenschaffende Industrie und selbst der Maschinenbau hinnehmen.

Bei der Arbeitsproduktivität zeigt sich in der Periode von 1980 bis 1990, daß sowohl einzelne der schrumpfenden Industriegruppen wie die Eisenschaffende Industrie und die Textilindustrie als auch die Wachstumsgruppe Elektrotechnik weit über dem Industriedurchschnitt liegende Zuwächse verzeichnen konnten (*Tab. Q-2*). Äußerst geringe Produktivitätszuwächse weisen dagegen der Maschinenbau und die Ernährungsindustrie auf.

Insgesamt zeigt sich, daß der Strukturwandel seit den 70er Jahren innerhalb des industriellen Bereichs mit einer Produktivitätssteigerung einherging. Dabei war die steigende Arbeitsproduktivität bei wachsendem Anlagevermögen sowie sinkender Kapitalrentabilität und Beschäftigung vor allem das Resultat einer erheblichen Erhöhung der Kapitalintensität.

1.3.3. Tertiärer Sektor

Die interne Struktur des tertiären Sektors ist noch wesentlich differenzierter als die des primären und des sekundären Sektors. So umfaßt dieser Sektor neben dem Staat, dem Verkehr, dem Kommunikationswesen, dem Handel, den Kreditinstituten und der Versicherungswirtschaft das Gesundheitswesen, die Wohlfahrtsverbände und die vielen sonstigen privat angebotenen Dienstleistungen.

Der Strukturwandel innerhalb des tertiären Sektors wird tendenziell an der Veränderung der Erwerbstätigenanteile der wichtigsten Gruppen dieses Sektors sichtbar (*Abb. Q-5*). Dabei zeigt sich, daß der Anteil der Erwerbstätigen im Handel sowie im Bereich des Verkehrs seit 1960 rückläufig ist. Die Zahl der dort Tätigen ist unterdurchschnittlich gestiegen. Überdurchschnittlich gestiegen ist dagegen die Zahl der Er-

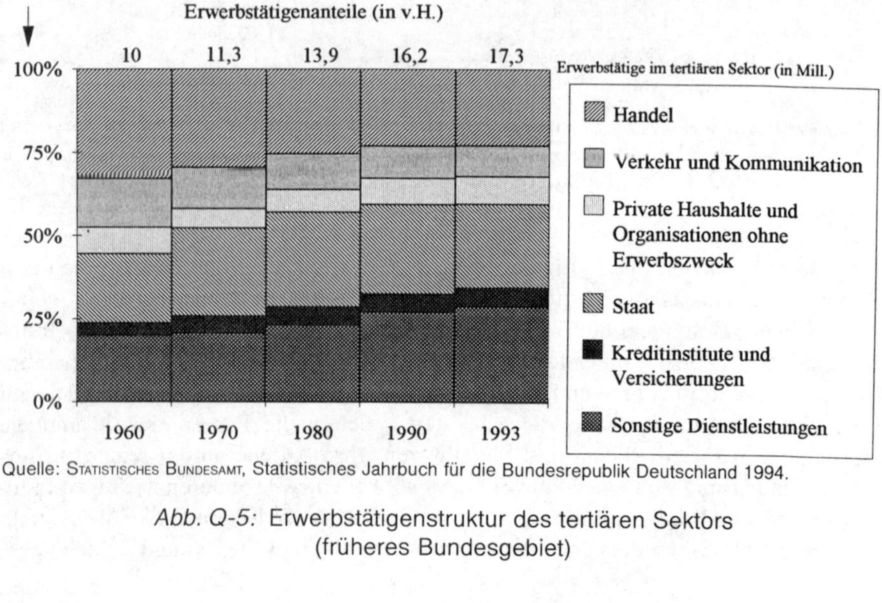

Quelle: Statistisches Bundesamt, Statistisches Jahrbuch für die Bundesrepublik Deutschland 1994.

Abb. Q-5: Erwerbstätigenstruktur des tertiären Sektors (früheres Bundesgebiet)

Tab. Q-2: Reale Wertschöpfungsanteile und Arbeitsproduktivität im Verarbeitenden Gewerbe der Bundesrepublik Deutschland (früheres Bundesgebiet) in Preisen von 1991

	Bruttowertschöpfungsanteile					Arbeitsproduktivität*		
	1960	1970	1980	1990	1991	1960-70	1970-80	1980-90
Verarbeitendes Gewerbe insgesamt (Mrd.DM)	**320,84**	**548,10**	**660,35**	**762,27**	**790,81**	**4,98**	**2,97**	**1,63**
davon Anteile ausgewählter Industriegruppen in v.H.:								
Chemische Industie	4,38	6,73	8,01	9,14	9,08	7,89	4,18	2,49
Kunststoffwaren	0,65	1,44	2,15	3,18	3,28	7,62	3,66	1,97
Eisenschaffende Industrie	3,37	2,76	2,50	2,09	2,04	5,95	2,80	4,10
Maschinenbau	16,20	15,38	13,43	12,84	12,11	3,26	1,33	0,31
Straßenfahrzeugbau	7,03	9,49	10,68	11,93	12,55	4,24	2,04	1,75
Elektrotechnik	6,04	7,70	9,94	12,81	12,94	5,54	5,22	3,00
Eisen-, Blech- und Metallwaren	4,28	4,06	3,58	3,89	3,92	4,89	2,30	1,24
Holzverarbeitung	4,00	3,74	3,88	2,72	2,80	7,32	2,26	-0,97
Papier- und Pappeverarbeitung	1,66	1,52	1,22	1,28	1,39	3,02	1,98	1,84
Textilgewerbe	3,84	3,04	2,35	1,95	1,80	5,69	4,31	3,34
Bekleidungsgewerbe	3,23	2,47	1,80	1,32	1,29	3,83	2,65	1,95
Ernährungsgewerbe	9,62	7,15	6,98	6,10	5,96	3,92	1,67	0,86

*Jahresdurchschnittliche Änderungsraten je Erwerbstätigen

Quelle: Statistisches Bundesamt, Statistisches Jahrbuch für die Bundesrepublik Deutschland 1994 und Volkswirtschaftliche Gesamtrechnungen, Fachserie 18, Reihe 1.3, Hauptbericht 1993

werbstätigen in der Gruppe der sonstigen Dienstleistungen, dem Kredit- und Versicherungswesen, den Organisationen ohne Erwerbszweck und beim Staat. Diese Bereiche konnten ihre Anteile entsprechend ausdehnen.

Um charakteristische Muster für die strukturelle Entwicklung innerhalb des durch große Vielfalt von Branchen gekennzeichneten Dienstleistungssektors zu gewinnen, sind verschiedene Konzepte vorgeschlagen worden. Eines dieser Konzepte unterscheidet zwischen gebundenen und ungebundenen Dienstleistungen (KLODT u. a., 1994). Gebundene Dienstleistungen sind durch die räumliche Nähe und den persönlichen Kontakt zwischen Anbietern und Nachfragern gekennzeichnet. Beispiele sind der Einzelhandel, der Verkehr, soziale Dienste, das Gesundheitswesen und gastronomische Dienstleistungen (Gaststätten). Ungebundene Dienstleistungen sind solche, die sich auch über größere Entfernungen und ohne persönlichen Kontakt abwickeln lassen. Hierzu gehört ein großer Teil der Dienstleistungen von Banken und Versicherungen, von Forschungseinrichtungen und von freiberuflichen Beratungstätigkeiten.

Innerhalb des Dienstleistungssektors hat sich gemessen an der realen Wertschöpfung seit 1960 das Gewicht von den gebundenen hin zu den ungebundenen Dienstleistungen verschoben (*Tab. Q-3*). Bei den gebundenen Dienstleistungen haben vor allem die Bereiche Handel, Verkehr und Gaststätten/Hotels relativ an Bedeutung verloren. Anteilsgewinne konnten dagegen alle ungebundenen Dienstleistungen verzeichnen, wobei die relativ stärkste Zunahme auf die Gruppe der Kommunikations- und Finanzdienstleistungen entfällt.

Die gebundenen Dienstleistungen bieten meist nur geringe Möglichkeiten zur Steigerung der Arbeitsproduktivität, weil die Möglichkeiten zur Substitution von Arbeit durch Kapital sehr begrenzt sind. Dementsprechend fällt das Wachstum der Arbeitsproduktivität dort sehr niedrig aus (*Tab. Q-3*). Im Gaststättenbereich und im Gesundheitswesen ist sie sogar gesunken. Demgegenüber bieten die Bereiche der ungebundenen Dienstleistungen hohe Rationalisierungspotentiale durch den Einsatz der EDV und Mikroelektronik. Ihre Zuwächse bei der Arbeitsproduktivität sind daher sehr hoch und übertreffen sogar diejenigen der Industrie.

2. Ursachen und Entwicklungstendenzen des Strukturwandels

Der Strukturwandel hat seine Ursachen sowohl in Veränderungen auf der Angebotsseite als auch in Veränderungen auf der Nachfrageseite. Er kann dabei nicht als ein isolierter nationaler Prozeß angesehen werden. In einer Welt interdependenter Märkte kommt ein großer Teil der Anstöße zum Strukturwandel aus dem Ausland. Die diesbezüglichen Impulse und Anpassungsreaktionen sind in die Analyse des Strukturwandels einzubeziehen.

2.1. Angebotsdynamik

Im Prozeß des Strukturwandels dürfte den Anstößen, die von der Angebotsseite ausgehen, eine größere Bedeutung zukommen als den nachfrageseitigen Impulsen.

Tab. Q-3: Reale Wertschöpfungsanteile und Arbeitsproduktivität im Dienstleistungssektor (ohne Staat und Organisationen ohne Erwerbszweck) der Bundesrepublik Deutschland (früheres Bundesgebiet) in Preisen von 1991

	Bruttowertschöpfungsanteile					Arbeitsproduktivität*		
	1960	1970	1980	1990	1991	1960-70	1970-80	1980-90
Gebundene Dienstleistungen in v.H. des Dienstleistungssektors davon:	**67,4**	**60,6**	**54**	**46,5**	**46,3**	**3,3**	**1,4**	**1,3**
Groß- und Einzelhandel	31,5	31,5	27,9	23,4	23,5	4,6	2,1	1,6
Verkehr	12	11,1	9,8	8,9	8,8	5,1	2,1	2,1
Gaststätten, Hotels	8,8	6,1	4,6	3,7	3,4	-3,4	-1	-0,6
Bildung, Wissenschaft	8,4	5,8	4,9	4,7	4,7	1,7	-3,2	0,8
Gesundheitswesen	6,7	6,1	6,8	5,8	5,9	1,3	-0,8	0,7
Ungebundene Dienstleistungen in v.H. des Dienstleistungssektors davon:	**32,5**	**39,5**	**46**	**53,5**	**53,7**	**5**	**3,1**	**2,4**
Bundespost	3,9	4,4	5,5	6	5,9	5	5,4	4,2
Banken, Versicherungen	8	12,6	14,4	14,2	14	7,7	4,5	4,2
Sonstige Dienstleistungen	26,6	22,5	26,1	33,3	33,8	3,6	1,8	2,4

*Jahresdurchschnittliche Änderungsraten je Erwerbstätigen

Quelle: Klodt, H. u. a., Standort Deutschland. Strukturelle Herausforderungen im neuen Europa, Tübingen 1994.

Angebotsseitig kann zwischen Produktinnovation, Prozeßinnovation und Standortinnovation unterschieden werden. Produktinnovation bedeutet die Markteinführung neuer Güter und Dienstleistungen, Prozeßinnovation die Einführung neuer (kostensparender) Herstellungsverfahren und Standortinnovation die Verlagerung von Sachkapital an solche Standorte, in denen eine besonders kostengünstige Produktion möglich ist.

Die Realisierung jeder der drei Innovationsarten ist mit erheblichen Risiken verbunden. Bei JOSEPH A. SCHUMPETER stellt die Risikobereitschaft eine zentrale Eigenschaft dynamischer Unternehmer in der Marktwirtschaft dar. Bei ihnen handelt es sich um Pioniere, die Marktentwicklungen antizipieren und neue Produkte und Produktionsverfahren erschließen und am Markt durchsetzen. Jedes neue Produkt verdrängt alte Produkte und jedes neue Produktionsverfahren macht bisherige Produktionsverfahren obsolet (Prozeß schöpferischer Zerstörung). Wenn das neue Produkt oder Produktionsverfahren vom Markt akzeptiert wird, hat der dynamische Unternehmer für einige Zeit eine gewisse Vormachtstellung. Er kann dann vorübergehend einen Pioniergewinn realisieren. Das Bestreben, am Pioniergewinn zu partizipieren, veranlaßt andere Unternehmen, die neuen Produkte zu imitieren (SCHUMPETER, 1911; Beitrag 0–1). Damit beginnt eine Phase der Verbreitung des neu geschaffenen technischen Wissens. Der auf diese Weise ausgelöste Konkurrenzdruck führt zu einer Verbilligung des Produkts und zu einem Abbau des Pioniergewinns. Durch seine Verbilligung kann das Produkt mehr und mehr Einkommensbezieher erreichen. Der Produktionsprozeß geht von der Fertigung in kleinen Serien, die für ein neues Produkt zunächst unvermeidbar sind, in die Phase der Massenfertigung über. Im Zuge der mit der Massenfertigung verbundenen Investitionen kommt es zu einem Anstieg des Volkseinkommens. Die Einkommenserhöhungen bewirken, daß der Einkommensanteil, der für das neue Produkt ausgegeben wird, sinkt. Im Zeitablauf tendiert der Markt zur Sättigung. Die zusätzliche Nachfrage wird von dem bisherigen Produkt auf neue innovative Produkte gelenkt. Wichtige innovative Produkte im weltweiten Industrialisierungsprozeß waren die Einführung bahnbrechender Neuerungen wie der Dampfmaschine, des Elektromotors, der Eisenbahn, des Autos, des Flugzeugs, des Computers und der Mikroprozessoren.

Zur Entwicklung neuer Produkte und Produktionsverfahren bedarf es bestimmter Rahmenbedingungen. Hierzu gehören heutzutage Fühlungsvorteile im Hochtechnologiebereich ebenso wie ein gut ausgebautes Telekommunikationsnetz und eine leistungsfähige Verkehrsinfrastruktur. Darüber hinaus spielen inzwischen Investitionen in Humankapital neben Sachkapitalinvestitionen eine immer größere Rolle.

Nur Länder, denen es gelingt, die diesbezüglichen Voraussetzungen zu schaffen, haben die Chance, im internationalen Wettlauf vorn zu liegen. Der internationale Innovationswettlauf ist dabei nicht nur gekennzeichnet durch die Konkurrenz der Industrieländer untereinander, sondern auch durch einen Aufholprozeß zahlreicher Entwicklungsländer, die die Schwelle zur Industrialisierung erreicht oder überschritten haben. Viele alte Industrieländer haben Schwierigkeiten, sich der neuen Herausforderung des internationalen Wettbewerbs und Strukturwandels zu stellen. Vor allem das Vordringen der Länder des ostasiatischen Entwicklungsraums gegenüber den traditionellen Industrieländern Westeuropas und Nordamerikas belegt diesen Sachverhalt.

Lange Zeit haben sich die Entwicklungsländer darauf beschränkt, in den Industrieländern ausgereifte Produkte zu niedrigeren Lohnkosten herzustellen und auf dem Weltmarkt anzubieten. Im Prinzip entsprach dies einer Standortinnovation. Sie hat dazu geführt, daß in den Industrieländern die Anzahl der Industriebeschäftigten insgesamt gesunken ist und daß zahlreiche ehemals wichtige Branchen, wie z. B. die Bekleidungsindustrie, die Textilindustrie, die Lederindustrie, die optische Industrie und die Industrie für Unterhaltungselektronik auf Restbestände reduziert worden sind.

Inzwischen haben sich aber auch in den Schwellenländern beachtliche Anpassungsprozesse vollzogen. So hat eine Anzahl dieser Länder nicht nur erhebliche Fortschritte in der Anwendung moderner Technologien gemacht, sondern sie tragen auch ihrerseits bereits zur Weiterentwicklung derartiger Technologien bei.

Die Industrieländer reagieren auf diese Herausforderung auf vierfache Weise, nämlich mit

- der Entwicklung und Anwendung neuer Supertechnologien,
- der Einführung neuer Formen der Diversifizierung,
- einer zunehmenden Internationalisierung der Produktion,
- einer umfangreichen Deregulierung der Märkte.

Die neuen Supertechnologien betreffen vor allem den Informations-, den Kommunikations- und den Steuerungsbereich. Diese Technologien sind dadurch gekennzeichnet, daß sie in fast allen Branchen eingesetzt werden können, daß sie zur Einsparung fast aller Produktionsfaktoren (Arbeit, Kapital, Energie, Rohstoffe und Umwelt) beitragen und daß sie die Vorteile der Massenproduktion teilweise aufheben.

Die neuen Formen der Diversifizierung stehen teilweise im Zusammenhang mit der Einführung der Supertechnologien. Ziel der Diversifizierung ist die optimale Nutzung neuer Kommunikationstechniken (Synergieeffekte). Dieses Ziel lenkt die unternehmerische Expansionsaktivität in solche Produktgruppen, die zur Senkung der Vernetzungs- und Betriebskosten derartiger Systeme beitragen. Ganz überwiegend handelt es sich hierbei um die Übernahme oder den Aufbau branchenfremder Produktionen, die letztendlich zur Auflösung traditioneller Branchenstrukturmuster führen werden.

Die zunehmende Internationalisierung der Produktion dürfte neben Gesichtspunkten der Rentabilität und Wechselkursvariabilität zu einem großen Teil die Folge des weltweiten Anstiegs protektionistischer Maßnahmen sein. Direktinvestitionen stellen häufig die einzige Möglichkeit dar, durch Protektionismus gefährdete Anteile auf ausländischen Märkten zu erhalten. Erleichtert werden die Direktinvestitionen durch die neuen Technologien, die zu kleineren optimalen Betriebsgrößen und zu mehr Produktionsflexibilität führen.

In den einzelnen Volkswirtschaften werden die Angebotsstrukturen schließlich durch Deregulierungen von Märkten, die bisher durch gesetzliche Vorschriften vom Wettbewerb weitgehend ausgenommen waren, verändert. Der Zwang zur Deregulierung resultiert aus dem internationalen Wettbewerb. Er hängt zum Teil auch damit zusammen, daß nationale Marktzugangsbarrieren durch neue Technologien übersprungen werden, wie dies z. B. im Kommunikationsbereich der Fall ist.

2.2. Nachfragedynamik

Veränderungen in der Nachfragestruktur sind zum einen das Ergebnis sich mit steigendem Einkommen ändernder Präferenzen und zum anderen eine Reaktion auf Veränderungen der relativen Preise. Beides bewirkt sowohl Verschiebungen zwischen den großen Nachfrageaggregaten Konsum, private Investition, Staatsausgaben, Export und Import als auch Verschiebungen innerhalb dieser Aggregate. Die Verschiebungen im Bereich der privaten Konsumgüternachfrage lassen sich beispielsweise an der durch das verfügbare Einkommen und die relativen Preise bestimmten Bedarfsstruktur aufzeigen. Bei relativ niedrigem verfügbaren Einkommen dominiert die Nachfrage nach Gütern zur Deckung des Grundbedarfs wie Nahrungsmittel, Kleidung und Mietwohnungen. Mit steigendem Pro-Kopf-Einkommen wächst die Nachfrage nach diesen Gütern unterproportional. Die Nachfrage nach Gütern des gehobenen Bedarfs wie Kraftfahrzeuge, Wohnungseigentum und vor allem private Dienstleistungen wächst dagegen überproportional.

Der Einfluß der Einkommensentwicklung auf die Nachfrage nach einzelnen Gütern und damit auf den Strukturwandel läßt sich mit Hilfe von ENGEL-Kurven darstellen (Beitrag K-2.3). Anhand dieser Kurven kann auch die Einkommenselastizität für ein bestimmtes Konsumgut $\eta = (dC_i/dY) \cdot (Y/C_i)$ ermittelt werden. Kennzeichnend für viele typische Kurven eines Produktzyklus ist, daß sie zunächst sehr elastisch ($\eta > 1$) beginnen, sich dann einer Elastizität von Eins nähern und schließlich Elastizitätswerte von kleiner Eins annehmen *(Abb. Q-8)*.

Der Verlauf der in *Abb. Q-6* aufgezeigten ENGEL-Kurve reflektiert den typischen Lebenszyklus eines Produkts. In der Einführungsphase reagiert die Nachfrage elastisch. Der Gesamtabsatz ist jedoch noch relativ gering. Mit zunehmendem Pro-Kopf-Einkommen tritt die Nachfrage in die Expansionsphase. Dies ist die Phase der Massenproduktion. Die Nachfrage reagiert hier hochelastisch auf einen Anstieg des Pro-Kopf-Einkommens. Mit weiter steigendem Einkommen zeichnet sich dann eine

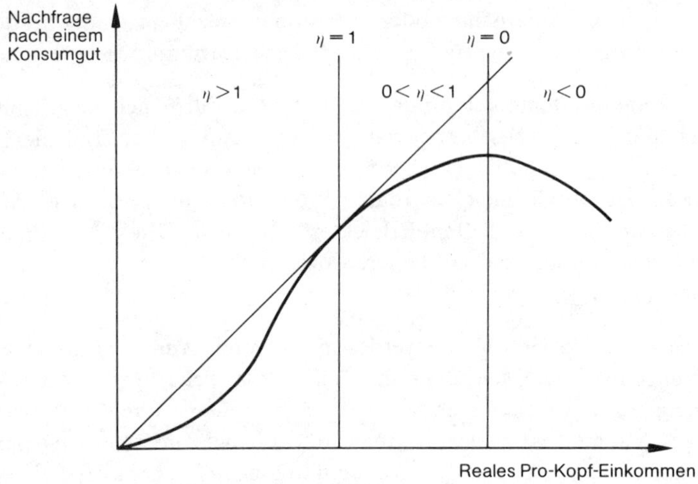

Abb. Q-6: Typische Kurve eines Produktzyklus

zunehmende Marktsättigung für das Produkt ab. In dieser Sättigungsphase nimmt die Einkommenselastizität Werte von Eins oder kleiner Eins an. Sie kann aber auch negativ werden.

Für die strukturelle Entwicklung der Wirtschaft hat die in der Einkommenselastizität zum Ausdruck kommende Veränderung der Präferenzen mit steigendem Einkommen weitreichende Konsequenzen: Branchen mit hoher Einkommenselastizität expandieren überproportional. Branchen mit einer Einkommenselastizität, die kleiner Eins, aber positiv ist, wachsen unterproportional, während Branchen mit einer negativen Einkommenselastizität schrumpfen. Die hiermit postulierte starke Abhängigkeit der strukturellen Entwicklung von der Einkommenselastizität der Nachfrage wird in empirischen Untersuchungen bestätigt (Chenery, 1960; Kuznets, 1971). Aus diesen Untersuchungen ergibt sich, daß etwa 50 v. H. der Strukturausprägung innerhalb des sekundären Sektors und 70 v. H. des Anteils dieses Sektors am Volkseinkommen statistisch aus der Einkommenshöhe erklärt werden können.

Die strukturelle Entwicklung der Volkswirtschaft wird neben der Einkommenselastizität von der Preiselastizität der Nachfrage und der Veränderung der relativen Preise bestimmt. So expandieren Wirtschaftszweige, die sich einer hohen Preiselastizität der Nachfrage gegenübersehen, dann besonders stark, wenn sie ihre Stückkosten und damit ihre Preise aufgrund des Übergangs zur Massenproduktion zu senken vermögen. Gleichzeitig erfolgt hiermit eine Verringerung des relativen Preises des betreffenden Gutes.

Die staatliche Nachfrage beeinflußt sie sektorale Wirtschaftsstruktur sowohl direkt als auch indirekt. Direkte Nachfrageeffekte betreffen vor allem den Bausektor über die Ausgaben für staatliche Gebäude und für Infrastrukturinvestitionen sowie die Rüstungsindustrie über die Ausgaben für Verteidigungszwecke. Aber auch die Ausgaben für das Unterrichts- und Gesundheitswesen, mit denen der Staat diesbezügliche Ressourcen bindet, stellen eine direkt sektoral wirksame Nachfrage dar. Indirekte sektorale Effekte gehen dagegen von den staatlichen Subventionszahlungen für einzelne Wirtschaftszweige aus.

Der Einfluß der staatlichen Nachfrage auf die sektorale Wirtschaftsstruktur läßt sich recht gut an der Veränderung der Struktur der Staatsausgaben nach Aufgabenbereichen aufzeigen (*Abb. Q-7*). In den 20 Jahren von 1970 bis 1989 sind vor allem der Bausektor durch den Anteilsrückgang der Verkehrsinvestition von 8,5 v. H. der staatlichen Gesamtausgaben auf 3,9 v. H. sowie die Rüstungsindustrie durch den Rückgang der Verteidigungsausgaben von 7,7 v. H. auf 5,5 v. H. negativ betroffen worden. Rückläufig war ebenfalls der Anteil der Ausgaben für das Unterrichtswesen (10,5 v. H. 1970 gegenüber 9,1 v. H. 1989), während der Anteil der Ausgaben für das Gesundheitswesen von 10,5 v. H. auf 13,1 v. H. angestiegen ist. Insgesamt haben die staatlichen Ausgabenpositionen, die die sektorale Wirtschaftsstruktur direkt beeinflussen, relativ an Bedeutung verloren zugunsten von Zahlungen an private Haushalte in Form von Sozialleistungen, Zinszahlungen und Kosten der allgemeinen staatlichen Verwaltung. Dieser Ausgabenblock ist von 49,3 v. H. im Jahr 1970 auf 54,7 v. H. im Jahr 1989 angestiegen.

Die Struktur der Export- und Importnachfrage wird von den relativen Kostenvorteilen sowie vom Qualitätsstandard der handelsfähigen Güter bestimmt. Die relativen

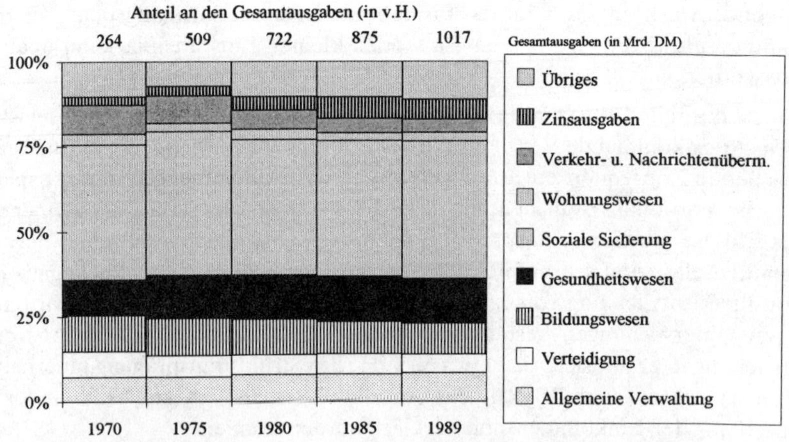

Quelle: Statistisches Bundesamt, Fachserie 18, Volkswirtschaftliche Gesamtrechnungen, Reihe S. 13, Der Staat in den Volkswirtschaftlichen Gesamtrechnungen, Stuttgart 1991.

Abb. Q-7: Ausgabenstruktur der öffentlichen Haushalte nach Aufgabenbereichen

Kostenvorteile hängen außer von den Lohnkosten von der Entwicklung der Wechselkurse ab. Vor allem Veränderungen der realen Wechselkurse beeinflussen den Strukturwandel in den einzelnen Ländern. So kann der Deindustrialisierungsprozeß in einem Land, dessen Währung unterbewertet ist, für einige Zeit abgeschwächt werden, oder es kann sogar zu einer Reindustrialisierung kommen. Länder mit überbewerteter Währung sind dagegen durch einen überproportionalen Rückgang des industriellen Sektors gekennzeichnet. Eine Dauerwirkung kann Unter- oder Überbewertungen der Währung allerdings nicht zugesprochen werden. Die Erfahrung zeigt, daß sie den langfristigen Strukturanpassungsprozeß nicht aufzuhalten vermögen.

2.3. Entwicklungstendenzen des Strukturwandels

Mit dem Strukturwandel ist eine ständige Reallokation der Produktionsfaktoren in höhere Effizienzen hinein verbunden. Durch den Strukturwandel kommt es zu Positionsverschiebungen in der internationalen Wachstumshierarchie und zur Verlagerung von Wachstumszentren. Nur Länder, in denen sich die Produktionsstruktur schnell an veränderte Bedingungen der internationalen Arbeitsteilung anpaßt, können die sich bietenden Wachstumschancen nutzen. Seit den 80er Jahren konnten neben den USA vor allem Japan und die ostasiatischen Schwellenländer Südkorea, Taiwan, Thailand, Malaysia und Indonesien ihren Anteil am Weltsozialprodukt ausdehnen, während Westeuropa relativ zurückgefallen ist. Die Wachstumszentren in der Welt haben sich damit von den Regionen beiderseits des Atlantiks zu den Regionen beiderseits des Pazifiks verlagert.

Der weltwirtschaftliche Strukturwandel ist dadurch gekennzeichnet, daß immer mehr Schwellenländer den Industrieländern selbst bei forschungsintensiven Produkten Konkurrenz machen. Dies gilt vor allem für Produkte, bei denen eine enge räumliche Beziehung zwischen Forschung und Produktion nicht erforderlich ist. Zu solchen mobilen SCHUMPETER-Industrien zählen die Chemische Industrie, die Mineralölverarbeitung, die Kunststoffverarbeitung, die Elektrotechnik sowie die Herstellung von Büromaschinen und Datenverarbeitungsgeräten.

In den Industrieländern führt der zunehmende Wettbewerbsdruck von außen zu gravierenden Veränderungen in der Wirtschaftsstruktur verbunden mit entsprechenden Anpassungsproblemen. Im Trend hält die Anteilsschrumpfung des Industriesektors und die Ausdehnung des Dienstleistungssektors an. Daneben gewinnen der Strukturwandel innerhalb der Sektoren und die länderübergreifende strukturelle Verflechtung zunehmend an Bedeutung.

Insgesamt ist der Strukturwandel in den Industrieländern durch folgende Entwicklungstendenzen gekennzeichnet (KLODT u. a., 1989):

Tertiarisierung

Die fortschreitende Tertiarisierung geht nicht mehr nur von der Nachfrage der privaten Haushalte aus, sondern immer stärker auch vom industriellen Sektor. Die aus den steigenden Realeinkommen resultierende haushaltsbezogene Dienstleistungsnachfrage ist inzwischen sogar von geringerer Bedeutung als die Dienstleistungsnachfrage der Unternehmen. Diese Nachfrage, die als Folge des technischen und wirtschaftlichen Wandels auftritt, wird nur zum Teil über den Markt abgewickelt (externe Dienstleistungen). Ein großer Teil wird von den Unternehmen selbst erstellt (interne Dienstleistungen). Dieser nicht über Märkte abgewickelte Teil wird in der offiziellen Produktionsstatistik nicht sichtbar. Er läßt sich jedoch aus der beruflichen Tätigkeit der in den Unternehmen Beschäftigten ableiten. Werden die in den Unternehmen erbrachten internen Dienstleistungen in die Betrachtung einbezogen, war in der Bundesrepublik Deutschland 1987 nur noch ein knappes Viertel der Erwerbstätigen mit der Warenproduktion beschäftigt.

Der Anstieg des intern erstellten Dienstleistungsanteils an der Produktion hat seine Ursache in der zunehmenden Nachfrage nach komplementären Leistungen z. B. in den Bereichen Maschinenwartung, Vermarktung und Finanzierung. Die Ursache für den Kauf fremder Dienstleistungen liegt in der Spezialisierung von Anbietern in den Bereichen Planung, Beratung, Datenverarbeitung, Lagerhaltung, Entsorgung und Transport, die eine kostengünstigere Erfüllung dieser Aufgaben ermöglicht. Eine große Zahl von Produktionsunternehmen tritt inzwischen selbst als Anbieter von Dienstleistungen am Markt auf. Vor allem die Hersteller von Investitionsgütern bieten Dienstleistungen in Form von technischer Planung und Beratung, Inspektion und Personalschulung an.

Globalisierung und Internationalisierung

Parallel zur Tertiarisierung vollzieht sich eine zunehmende Globalisierung der Märkte und Internationalisierung der Produktion. Die Globalisierung der Märkte findet ihren Ausdruck in der starken Ausweitung des internationalen Handels. Die Exporte und Importe von Waren und Dienstleistungen wachsen rascher als die Inlandsproduktion, d. h. die Spezialisierung zwischen den Ländern nimmt zu (Donges u. a., 1988). Die Internationalisierung der Produktion erfolgt über den Austausch der Produktionsfaktoren Kapital und Arbeit sowie technischen und organisatorischen Wissens. Inwieweit sich die internationale Verflechtung über Handel oder über die Wanderung von Produktionsfaktoren vollzieht, hängt von den Transaktionskosten ab. Nach wie vor ist der Handel größer als die Faktorbewegungen. Das Gewicht der Faktorbewegungen nimmt jedoch zu. Immer mehr Unternehmen errichten oder erwerben Produktions- und Vertriebsstätten im Ausland. Wichtige Motive sind hierbei neben der Sicherung von Absatz- und Beschaffungsmärkten niedrigere Lohnkosten und im Vergleich zu den Transportkosten geringere Kommunikationskosten.

Deutsche Direktinvestitionen im Ausland konzentrieren sich auf Aktivitäten, die zur Absatz- und Beschaffungsseite der inländischen Produktion komplementär sind. Über die Hälfte der deutschen Auslandsinvestitionen wird im Bereich der Vertriebs- und Servicenetze vorgenommen. Der größte Teil der Investitionen erfolgt in Branchen, die dem internationalen Wettbewerb besonders ausgesetzt sind, wie der Chemischen Industrie, dem Maschinenbau, dem Straßenfahrzeugbau und der Elektrotechnik. Als Investitionsstandorte werden eindeutig die Industrieländer bevorzugt.

Diversifizierung

Der Strukturwandel führt nicht nur zu einer Anteilsverschiebung zwischen den Sektoren, sondern löst auch Verlagerungen innerhalb der Sektoren aus (intrasektoraler Strukturwandel). Dieser Prozeß ist durch eine zunehmende Diversifizierung unternehmerischer Aktivitäten gekennzeichnet. Viele Unternehmen streben in Märkte, die sie bisher nicht bedient haben, und entwickeln sich so zu produktions- und absatzmäßig verbundenen Mehrbranchenunternehmen (Klodt u. a., 1989). Motive für die Diversifizierung sind neben der Risikostreuung die Nutzung von Synergieeffekten in der Produktion, im Vertrieb und in letzter Zeit verstärkt in der Forschung und Entwicklung. Für Unternehmen in stagnierenden oder schrumpfenden Branchen stellt häufig der Wunsch, auf Wachstumsmärkten vertreten zu sein, ein Motiv für die Diversifizierung dar.

Die Ausweitung der Aktivitäten auf andere Märkte erfolgt nur zu einem geringeren Teil durch Neugründungen oder die Verselbständigung von Unternehmensteilen (interne Diversifizierung). Ganz überwiegend wird die Diversifizierung durch den teilweisen oder vollständigen Erwerb anderer Unternehmen vollzogen (externe Diversifizierung). Nicht zuletzt aus diesem Grund haben die Fusionen in der Vergangenheit zugenommen. Weit über die Hälfte aller Fusionen betrifft branchenfremde Unternehmenszusammenschlüsse.

Dezentralisierung

Neben der Internalisierung von Lieferverflechtungen aufgrund von Fusionen finden Externalisierungen durch die Umstellung von der Eigenproduktion auf Fremdbezug statt. In vielen Branchen wird damit die Fertigungstiefe zurückgefahren. Die Vorleistungen anderer Unternehmen steigen und die Wertschöpfungsquote, d. h. der Anteil der Nettowertschöpfung am Produktionswert des Endproduktherstellers, sinkt.

Die Reduzierung der Fertigungstiefe hat ihre Ursache in der Nutzung von Kostenvorteilen und einer höheren Anpassungsflexibilität. Unternehmen beziehen ihre Vorprodukte von leistungsstarken spezialisierten Zulieferern. Dabei wird die Umstellung von der Eigenproduktion auf den Fremdbezug durch die Entwicklung moderner Informations-, Kommunikations- und Steuerungstechniken begünstigt. Erst diese technisch-organisatorischen Neuerungen machen es möglich, den Materialfluß auch zwischen selbständigen Unternehmen zu optimieren und die für die Weiterverarbeitung erforderlichen Teile ohne zwischenzeitliche Lagerung bereitzustellen (just in time).

Der Prozeß der Dezentralisierung hat auch eine internationale Komponente: Immer mehr deutsche Unternehmen beziehen einen zunehmenden Teil ihrer Vorprodukte aus Ländern mit niedrigeren Lohnkosten und/oder längeren Maschinenlaufzeiten.

3. Strukturpolitische Konzeptionen

3.1. Grundlagen

Zuvor ist bereits darauf hingewiesen worden, daß der Strukturwandel eine wichtige Voraussetzung für das Wirtschaftswachstum darstellt. Die Bedeutung des Strukturwandels für die gesamtwirtschaftliche Wachstumsrate läßt sich auf einfache Weise aufzeigen, indem daran erinnert wird, daß sich das Sozialprodukt Y aus der Wertschöpfung der einzelnen Sektoren Y_1, Y_2, ... Y_n zusammensetzt:

$$Y = Y_1 + Y_2 + \ldots + Y_n.$$

Die Anteile der einzelnen Sektoren lassen sich durch Division mit Y ermitteln als

$$1 = \frac{Y_1}{Y} + \frac{Y_2}{Y} + \ldots + \frac{Y_n}{Y}.$$

Durch eine Erweiterung dieser Gleichung ergibt sich die Wachstumsrate des Sozialprodukts g_Y als Summe der mit ihrem Anteil gewichteten Wachstumsraten der einzelnen Sektoren:

$$g_Y = \frac{Y_1}{Y} g_{Y1} + \frac{Y_2}{Y} g_{Y2} + \ldots + \frac{Y_n}{Y} g_{Yn}.$$

Die gesamtwirtschaftliche Wachstumsrate fällt um so höher aus, je größer die Wachstumsrate derjenigen Sektoren ist, die ein großes Gewicht haben. Die sektorale Wachstumsrate beeinflußt dabei im Zeitablauf wiederum das Gewicht der Sektoren.

Die zentrale Aufgabe der Strukturpolitik besteht darin, die Anteilsverschiebungen der Sektoren nicht zu behindern, sondern dafür zu sorgen, daß sich der strukturelle Wandlungsprozeß frei entfalten kann. Es gilt, die Strukturpolitik so auszugestalten, und durch die anderen Bereiche der Wirtschaftspolitik so zu flankieren, daß

- die unternehmerischen Entscheidungen durch die Käuferpräferenzen gesteuert werden,
- Arbeit und Kapital in die Sektoren gelangen, in denen sie den höchsten gesellschaftlichen Nutzen erbringen,
- das Waren- und Dienstleistungsangebot flexibel auf Veränderungen der relativen Knappheiten reagieren kann,
- ein ständiger Strom von neuem technischen und organisatorischen Wissen sowie von neuen Waren und Dienstleistungen erzeugt wird,
- Einkommen dominant aus den vom Markt bewerteten Leistungen abgeleitet werden.

Die besten Voraussetzungen für die Erfüllung dieser Aufgaben bietet ein marktwirtschaftlicher Ordnungsrahmen mit einem funktionsfähigen Wettbewerb. Aber selbst bei idealer Ausgestaltung eines solchen Systems kann es Gründe für einen über die Setzung des Ordnungsrahmens hinausgehenden Bedarf an staatlichen Eingriffen in den Wirtschaftsprozeß geben. Zur Rechtfertigung staatlicher Regulierungen wird meist auf folgende Argumente eines potentiellen Marktversagens zurückgegriffen: (Deregulierungskommission, 1991):

- Positive oder negative externe Effekte
  Positive externe Effekte treten auf, wenn mit einer wirtschaftlichen Aktivität andere begünstigt werden, ohne daß diese ein Entgelt dafür zahlen. Die Produktion des betreffenden Gutes ist dann geringer als die volkswirtschaftlich optimale Menge. Negative externe Effekte stellen sich ein, wenn ein Produzent oder Konsument von ihm verursachte Kosten nicht selbst trägt, sondern auf andere abwälzt. Produktion und Konsum der betreffenden Güter liegen dann oberhalb der gesamtwirtschaftlich optimalen Menge. Externe Effekte dienen als Argument für Schutzzölle, für die Förderung einzelner Industrien und für Regulierungen im Umweltschutz (Beitrag M).
- Natürliches Monopol
  Von einem natürlichen Monopol wird gesprochen, wenn technische und organisatorische Bedingungen vorliegen, bei denen mit steigender Produktionsmenge stetig sinkende Stückkosten verbunden sind. In diesem Fall ist ein Anbieter in der Lage, die gesamte Nachfrage am kostengünstigsten abzudecken, und der Wettbewerb zwischen mehreren Unternehmen führt zwangsläufig zum Ausscheiden aller Anbieter außer einem. Mit diesem Argument werden Regulierungen und Verstaatlichungen im Bereich der Netz- und Leitungsmonopole (Telekommunikation, Eisenbahn, Elektrizität, Wasser, Gas) begründet.
- Öffentliche Güter
  Öffentliche Güter sind Güter, die wegen ihrer technischen Eigenschaften, nämlich dem Versagen des Marktausschlußprinzips und der Nicht-Rivalität im Konsum, nicht von privaten Unternehmen angeboten werden (Beitrag J). In ihrer engsten Ausprägung als spezifische öffentliche Güter können sie nur vom Staat bereitgestellt werden und rechtfertigen insofern eine staatliche wirtschaftliche Aktivität. Es gibt jedoch wenige Güter, die die strengen Kriterien eines spezifisch öffentlichen Gutes erfüllen. Fast alle Güter sind durch Rivalität im Konsum und Ausschlußmöglichkeiten gekennzeichnet, so daß sie über den Markt angeboten werden können. Dennoch erfolgen staatliche Eingriffe mit dem Argument, daß das private Angebot

entweder zu niedrig oder zu hoch ist. Mit einem zu geringen Angebot werden vor allem staatliche Eingriffe in die Grundlagenforschung und den Bildungs- und Ausbildungsbereich begründet.

- Ruinöse Konkurrenz
  Ruinöse Konkurrenz kann auftreten, wenn in Sektoren mit hoher Bindung von Sach- oder Humankapital sowie hohen Marktzutritts- und Marktaustrittskosten ein Nachfrageeinbruch eintritt, der einen extremen Preiskampf auslöst. Es wird argumentiert, daß ein solcher Preiskampf gesamtwirtschaftlich funktionslos ist, da nicht der Tüchtigste, sondern der Finanzstärkste überlebt und sich eine wettbewerbsschwächende Unternehmenskonzentration einstellt. Das Argument spielt eine große Rolle bei der Regulierung der Luftfahrt, des Straßengüterverkehrs und der Binnenschiffahrt.
- Asymmetrisch verteilte Informationen
  Asymmetrisch verteilte Informationen liegen vor, wenn die Kenntnis über Produkteigenschaften oder -verwendungsmöglichkeiten nicht gleichmäßig über alle Marktteilnehmer verteilt ist. Informationsdefizite können dabei sowohl auf der Nachfrage- als auch auf der Angebotsseite auftreten. So erlangt der Nachfrager im Bereich nicht-homogener Güter häufig erst nach dem Kauf eine genaue Kenntnis über die Produktqualität. Daher ist er nur bereit, einen Preis für durchschnittliche Qualität zu zahlen. Als Konsequenz scheiden Produkte mit hoher Qualität aus dem Markt aus. Es entsteht ein Prozeß der adversen Selektion, bei dem sich letztendlich nur schlechte Qualitäten durchsetzen. Sofern der Markt nicht eigenständig zu Lösungen findet, bieten sich staatliche Maßnahmen in Form von Vorschriften über Qualitätsstandards und Produkthaftungen oder Informationen zum Verbraucherschutz an. Im Bereich der Versicherungsdienstleistungen haben dagegen die Anbieter das Informationsdefizit, weil ihnen das Risiko des einzelnen Versicherungsnehmers oft unbekannt ist. Die resultierenden Probleme der adversen Selektion und des Moral Hazard (Beitrag K-4.3.) führen dazu, daß die schlechten Risiken die guten Risiken verdrängen und bestimmte Schadensrisiken nur noch gegen sehr hohe Prämien oder gar nicht mehr versicherbar sind. Obwohl ein derartiger Angebotsmangel grundsätzlich auch privatwirtschaftlich zu beheben ist (Schadenfreiheitsrabatte), interveniert der Gesetzgeber, wenn ihm die Marktlösung als politisch nicht opportun erscheint (Pflichtversicherung ohne Risikodifferenzierung in der gesetzlichen Krankenversicherung).

Aus den Begründungen für staatliche Eingriffe in den Wirtschaftsprozeß lassen sich verschiedene interventionistische strukturpolitische Konzeptionen ableiten. Diese sollen im folgenden im Anschluß an die Politik zur Intensivierung des Wettbewerbs dargestellt werden.

3.2. Wettbewerb, Deregulierung und Privatisierung

Die großen Wachstumsleistungen der Marktwirtschaft sind in ihrer Fähigkeit begründet, auf veränderte Knappheitsverhältnisse von Gütern und Faktoren flexibel zu reagieren und daher Ressourcen effizient einzusetzen. So antwortet diese Ordnung auf die Verknappung und Verteuerung eines Rohstoffs mit seiner sparsameren Verwendung und der Schaffung von Substituten. Bei Verknappung und Verteuerung des

Produktionsfaktors Arbeit werden arbeitssparende Techniken entwickelt und eingesetzt, d. h. der Produktionsfaktor Arbeit wird von weniger produktiven Tätigkeiten in solche mit höherer Produktivität transferiert. Der Wirtschaftsprozeß bleibt hierdurch in ständiger Bewegung. Die der Marktdynamik ausgesetzten Bereiche einer Volkswirtschaft ändern sich permanent in Richtung neuer und besserer Produkte sowie eines produktiveren Faktoreinsatzes.

Sind ökonomische Effizienz und hohes Wachstum Ziele der Wirtschaftspolitik, läßt sich der hierfür notwendige Strukturwandel am besten durch eine Politik der Aufrechterhaltung und Intensivierung eines funktionsfähigen Wettbewerbs erreichen (Giersch, 1964). Ein funktionsfähiger Wettbewerb sorgt dafür, daß vorhandene Möglichkeiten zur Kostensenkung tatsächlich genutzt und die Produktionsfaktoren effizient eingesetzt werden (Allokationsfunktion des Wettbewerbs). Wettbewerb schafft Anreize zur Entwicklung neuer Produkte, zur Erschließung neuer Märkte und zur Einführung neuer Techniken (Innovationsfunktion des Wettbewerbs). In diesem Sinn stellt der Wettbewerb ein Entdeckungsverfahren dar (Hayek, 1968), das Unternehmen veranlaßt, nach bisher unentdeckten Gewinnmöglichkeiten zu suchen. Schließlich gewährleistet der Wettbewerb, daß eine Übernachfrage oder ein Überangebot auf den Güter- und Faktormärkten rasch abgebaut wird. Wettbewerb bewirkt damit, daß die Unternehmungen Produkte erzeugen, die von den Konsumenten gewünscht werden (Steuerungsfunktion des Wettbewerbs; Beitrag O-1).

Der stärkste Wettbewerbsdruck besteht erfahrungsgemäß in einer offenen Volkswirtschaft. Die Auslandskonkurrenz zwingt die inländischen Unternehmen auf der einen Seite, sich dem internationalen Kostenniveau, auf der anderen Seite, sich der internationalen Nachfragestruktur sowie den Qualitätsstandards der Weltmärkte anzupassen. Aus diesem Grund sind die dem internationalen Wettbewerb ausgesetzten Unternehmungen meist durch eine über dem Durchschnitt liegende Produktivität gekennzeichnet. Offene Volkswirtschaften wachsen daher schneller als solche, die die Möglichkeiten der internationalen Arbeitsteilung weniger nutzen. Wegen des effizienteren Faktoreinsatzes tragen offene Märkte stets zu einer Erhöhung des Welteinkommens bei.

Die wichtigste Aufgabe der Strukturpolitik besteht daher darin, die Märkte offenzuhalten, Verkrustungen aufzubrechen und den Wettbewerb zu intensivieren. Instrumente hierzu sind die Deregulierung, die Privatisierung sowie der Abbau von tarifären und nicht-tarifären Handelshemmnissen. Bemühungen, auf diesen Gebieten voranzukommen, lassen sich in fast allen Industrieländern beobachten.

In der Bundesrepublik Deutschland hat die 1988 eingesetzte Deregulierungskommission 1991 eine breite Palette von Vorschlägen zum Abbau von wettbewerbshemmenden Vorschriften unterbreitet. Als Sektoren, in denen ein besonderer Deregulierungsbedarf besteht, wurden das Versicherungswesen, das Verkehrswesen, die Elektrizitätswirtschaft, das Technische Prüfungs- und Sachverständigenwesen, die Rechts- und Wirtschaftsberatung und der Arbeitsmarkt identifiziert.

Bei der Deregulierung geht es vor allem darum, gesetzliche Vorschriften, die die Gewerbe- und Vertragsfreiheit sowie die Konkurrenz unter Anbietern einengen, zu beseitigen. Hierzu gehören vor allem Marktzutrittsbeschränkungen, einengende Qualitätsvorschriften und Preiskontrollen.

Von der Deregulierung wird neben der kostengünstigeren Bereitstellung von Waren und Dienstleistungen eine größere Angebotsvielfalt erwartet. Darüber hinaus wird mit positiven Beschäftigungseffekten gerechnet.

Die Privatisierung betrifft den anteiligen oder gesamten Verkauf staatlicher Unternehmensbeteiligungen. Auf Bundesebene gehört dazu die Privatisierung von Bahn, Post und Telekommunikation (Windisch, 1987) und auf kommunaler Ebene die Privatisierung von Versorgungseinrichtungen wie der Müllbeseitigung, der Energie- und Wasserversorgung, der Abwasserentsorgung und des öffentlichen Personennahverkehrs. In Ostdeutschland ist die Privatisierung mit dem kompletten Verkauf ehemaliger staatseigener Betriebe nahezu abgeschlossen. In Westdeutschland beschränkt sich die Privatisierung bisher weitgehend auf den Verkauf von Bundesbeteiligungen. Auf Länderebene und im kommunalen Bereich haben Privatisierungen bisher nur in Ausnahmefällen stattgefunden. Ziele der Privatisierungen sind vor allem eine effiziente Produktion und die flexiblere Anpassung an veränderte Marktbedingungen. Sowohl bei der Privatisierung als auch bei der Deregulierung sind die Potentiale noch lange nicht ausgeschöpft.

Bei der Öffnung der Märkte nach außen sind die Schutzzölle bis auf den Agrarsektor inzwischen weitgehend abgebaut. Bei einer Anzahl von Industrieprodukten (Textilien, Kraftfahrzeugen) bestehen jedoch entweder Kontingente oder Selbstbeschränkungsabkommen. Außerdem wird der internationale Handel nach wie vor durch eine Vielzahl anderer nicht-tarifärer Handelshemmnisse beschränkt (Beitrag S).

3.3. Strukturgestaltung

Unter Strukturgestaltung wird eine aktive Politik staatlicher Instanzen zur Förderung solcher Sektoren verstanden, von denen hohe Wachstumsimpulse, hohe Beschäftigungseffekte und eine starke Ausstrahlung auf andere Branchen (Spin-off-Effekte) erwartet werden. Diese Politik, die auch als „neue Industriepolitik" oder „strategische Handels- und Industriepolitik" bezeichnet wird, postuliert, daß die Entwicklung der Industriestrukturen nicht allein den Marktkräften überlassen werden soll. Vielmehr wird argumentiert, daß die künftige industrielle Struktur durch das Zusammenspiel von Wirtschaft, Politik und Wissenschaft gestaltet werden müsse. Als Vorbild der neuen Industriepolitik gilt Japan, dessen Exporterfolg auf die selektive Förderung strategisch wichtiger Industriezweige zurückgeführt wird. Forderungen, der „japanischen Herausforderung" mit einer ähnlich konzipierten Industriepolitik zu begegnen, werden vor allem in den USA und von der EG-Kommission in Brüssel erhoben.

Auf europäischer Ebene hat das Bestreben nach einer eigenständigen Industriepolitik seinen Niederschlag in der Einbeziehung eines neuen Artikels 130 in den Vertrag zur Gründung der Europäischen Gemeinschaft (früherer EWG-Vertrag) vom 7. Februar 1992 in Maastricht gefunden. Der Artikel unterstreicht zwar, daß die Industriepolitik der EG auf eine Verbesserung der ordnungspolitischen Rahmenbedingungen zur Erleichterung des Strukturwandels auf offenen und wettbewerbsorientierten Märkten ausgerichtet sein soll. Gleichzeitig wird aber der Kommission die Möglichkeit zu einer selektiven Einflußnahme auf den Strukturwandel, zur Förderung einer strategischen Zusammenarbeit europäischer Unternehmen sowie zur Förderung von Innovationen,

Forschung und technologischer Entwicklung eingeräumt. Außerdem kann der Europäische Rat – wenn auch nur einstimmig – auf Vorschlag der Kommission Maßnahmen zur Unterstützung von industriepolitischen Programmen und Projekten beschließen, die in den einzelnen Mitgliedsstaaten bereits betrieben werden. Darüber hinaus ist die Kommission befugt, Initiativen zu ergreifen, die der Koordinierung einzelstaatlicher Programme förderlich sind.

Insgesamt sind die industriepolitischen Befugnisse der Organe der EG durch die Beschlüsse von Maastricht erheblich ausgeweitet worden. Die Bestimmungen des Artikels 130 erwecken den Anschein, daß die EG-Bürokratie der Innovations- und Anpassungsfunktion eines freien Leistungswettbewerbs reserviert gegenüber steht. Dies kommt auch in den zahlreichen Branchenprogrammen zum Ausdruck, die die Kommission für die Automobilindustrie, die Luftfahrtindustrie, die Elektronik- und Informationsindustrie sowie für die Biotechnologie in jüngster Zeit entwickelt hat (Berg/Schmidt, 1995). Wichtige Elemente der neuen Industriepolitik der EG sind dabei die Förderung von Forschung und Entwicklung sowie die Verbesserung der Ausbildung von Arbeitskräften. Diese Aufgaben werden aus den stark expandierenden Strukturfonds finanziert (Klodt u. a., 1992).

Ausgangspunkt der neuen Industriepolitik bildet die These, daß in einzelnen oligopolistisch strukturierten Hochtechnologie-Sektoren mit zunehmender Produktionsmenge steigende statische und dynamische Skalenerträge anfallen. Statische Skalenerträge sind vor allem dann von Bedeutung, wenn mit der Entwicklung und Einführung neuer Produkte hohe Fixkosten für Forschung und Marketing verbunden sind. Dynamische Skalenerträge treten als Folge von Lerneffekten in der Produktion auf. Durch die damit verbundenen Stückkostensenkungen erlangen diejenigen Unternehmen, die als erste am Markt sind, eine starke Wettbewerbsposition. Sie realisieren Pioniergewinne und können ihre Stellung auf dem nationalen und internationalen Markt weiter festigen. Für die Volkswirtschaft ergeben sich positive externe Effekte, indem das neue Produkt als Zwischenprodukt für andere Industrien Verwendung findet, die dann ihrerseits expandieren. Eine Förderung derartiger Schlüsseltechnologien würde folglich das gesamtwirtschaftliche Wachstum erhöhen.

Als theoretische Begründung für die neue Industriepolitik werden die neue Außenhandelstheorie (Übersichten in Beitrag I-3.3.; Bletschacher/Klodt, 1992; Kösters, 1992 und 1994; Siebert, 1988) und die neue Wachstumstheorie (Romer, 1990; Grossmann/Helpmann 1991; Übersichten in Bletschacher/Klodt, 1992; Stolpe, 1993; Beitrag G-3.3.) herangezogen, obwohl diese Theorien nicht zur Rechtfertigung einer strategischen Industrie- und Handelspolitik entwickelt worden sind. Ziel der neuen Außenhandelstheorie ist es, die starke Zunahme des intraindustriellen Handels, der überwiegend auf Märkten mit unvollständiger Konkurrenz stattfindet, zu erklären. Mit der Theorie lassen sich aber auf oligopolistischen Märkten Situationen aufzeigen, unter denen protektionistische Maßnahmen zur Förderung einzelner Industriezweige mit Nettowohlfahrtsgewinnen für das betreffende Land verbunden sind (Brander/Spencer, 1983). Aus der Sicht der neuen strategischen Handels- und Industriepolitik ist die Subventionierung inländischer Oligopolunternehmen mit steigenden Skalenerträgen sinnvoll, wenn die erhöhte Produzentenrente die Subventionsbelastung der Steuerzahler und die wegen des verringerten Wettbewerbsdrucks der inländischen Unternehmen reduzierte Konsumentenrente übersteigt.

Die neue Wachstumstheorie ist durch die Einbeziehung externer Effekte und des internationalen Technologietransfers gekennzeichnet. Im Gegensatz zur traditionellen Theorie, nach der Änderungen der Investititionsquote den Wachstumspfad einer Volkswirtschaft nicht beeinflussen können, ist die neue Theorie in der Lage aufzuzeigen, daß mit höheren Investitionsquoten dauerhaft höhere reale Wachstumsraten erreicht werden können. Die Erklärung liegt in der Berücksichtigung endogenen technischen Fortschritts. Dieser hat seine Ursache in der Akkumulation von technischem Wissen, das vor allem von Investitionen in Humankapital, aber auch von Sachkapitalinvestitionen ausgeht. Das technische Wissen beschränkt sich nicht auf den Sektor, in dem die Investitionen vorgenommen werden, sondern überträgt sich auf andere Branchen. Damit erhöhen die in einem Unternehmen oder Sektor entwikkelten neuen Technologien auch die Produktivität in anderen Unternehmen oder Sektoren, ohne daß die innovativen Unternehmen dafür entgolten werden. Weil sich die sozialen Erträge nicht vollständig internalisieren lassen, hat das technische Wissen teilweise den Charakter eines öffentlichen Gutes. Dementsprechend fallen die Forschungsinvestitionen geringer aus, als gesamtwirtschaftlich optimal wäre. Die wirtschaftspolitische Konsequenz ist die staatliche Forschungsförderung, die die forschenden Unternehmen für externe Erträge entschädigt. Sie würde – so lautet das Argument – die Forschungsinvestitionen an das gesamtwirtschaftliche Optimum heranführen und die langfristige Wachstumsrate erhöhen. Im Zentrum der neuen Industriepolitik stehen die Sektoren Flugzeugbau, Mikroelektronik und die Automobilindustrie.

Für die Industriepolitik folgt aus dieser Argumentationskette, solche Sektoren zu fördern, denen eine Schlüsselrolle für die industrielle Entwicklung beigemessen wird. Das wichtigste Instrument stellt dabei die Subventionierung von Forschungs- und Entwicklungskosten dar. Darüber hinaus werden auch weitergehende Kostenübernahmen durch den Staat, wettbewerbliche Ausnahmeregelungen, Exportsubventionen und handelspolitische Protektionen gerechtfertigt. Die Förderung konzentriert sich auf Hochtechnologie-Unternehmen in oligopolistischen Märkten, weil davon ausgegangen wird, daß nur sie die erwarteten Skalenerträge realisieren können und das für die Spin-off-Effekte notwendige gesamtwirtschaftliche Gewicht haben.

3.4. Strukturerhaltung und Anpassungsverzögerung

Unter Strukturerhaltung wird eine Politik verstanden, bei der Kapazitäten aufrechterhalten werden, die im Wettbewerb nicht im gegebenen Umfang bestehen können. Im Extremfall bedeutet diese Politik die völlige Konservierung einzelner Sektoren. In der Praxis läuft sie jedoch auf die Verzögerung sektoraler Anpassungsprozesse hinaus. Die wichtigsten Argumente zur Begründung einer Strukturerhaltungspolitik sind:

– Arbeitsplatzsicherung: Die am häufigsten vorgetragene und politisch wirksamste Begründung von Subventionsforderungen ist die Sicherung vorhandener Arbeitsplätze. Die Forderungen werden meist mit dem Hinweis verbunden, daß die Subventionsmaßnahmen nur vorübergehender Art sind. Sofern die abzudeckenden Verluste durch eine Umstrukturierung der Nachfrage ausgelöst worden sind, wie dies meist bei schrumpfenden oder stagnierenden Branchen der Fall ist, wird der

Nachfrageeinbruch als kurzfristige Erscheinung dargestellt. Das gleiche gilt, wenn Großunternehmungen durch Fehlinvestitionen oder das Unterlassen von Innovationen in finanzielle Schwierigkeiten geraten. Auch hier wird meist darauf hingewiesen, daß die Subventionen nur so lange benötigt werden, bis die Arbeitsplätze durch Produktionsumstellungen wieder gesichert sind. Ein Beispiel ist die Werftindustrie.

- Versorgungssicherung: Oftmals wird die Forderung nach strukturpolitischen Subventionen mit der Sicherung der Marktversorgung aus inländischer Produktion begründet. Es wird gefordert, daß die inländische Erzeugung in bestimmten Bereichen größer sein soll als die zu Marktpreisen nachgefragte Menge. Als Ziel einer solchen Politik wird die Erhaltung inländischer Kapazitäten genannt, um die Abhängigkeit vom Weltmarkt und seiner Anfälligkeit für politische Krisen zu vermindern. Ein Beispiel ist der Kohlebergbau.
- Einkommenssicherung durch Preisfixierung: Zur Verminderung des Anpassungsdrucks bestimmter Wirtschaftsbereiche an die Marktentwicklung und zur direkten Verbesserung der Einkommenssituation der in diesen Bereichen Tätigen wird neben direkten Subventionen auch mit Preisfixierungen gearbeitet. Soll die Einkommenssituation von Anbietern begünstigt werden, sind Mindestpreise ein häufig benutztes Subventionsinstrument. Der Mindestpreis wird als politischer Preis oberhalb des Marktpreises festgelegt. Für den Anbieter bedeutet dies eine Preisgarantie für seine Produkte auf überhöhtem Niveau. Ein Beispiel für Mindestpreisregelungen ist der EG-Agrarmarkt (Beitrag S–2.3.2). Sollen dagegen bestimmte Nachfragergruppen begünstigt werden, erlassen Politiker oftmals Höchstpreisvorschriften. Derartige Höchstpreise werden niedriger als die jeweiligen Marktpreise fixiert. Sie sollen dazu dienen, die Nachfrager billiger mit Gütern zu versorgen. Ein Beispiel für Höchstpreise sind die in vielen Ländern erlassenen Mietpreisvorschriften.

Insgesamt wird zur Verzögerung von Strukturanpassungen ein umfangreiches Bündel von Instrumenten eingesetzt. Neben Preisfixierungen gehören hierzu Schutzzölle, Importquoten, Selbstbeschränkungsabkommen und Subventionen. In Deutschland beliefen sich die Subventionen im Jahr 1993 auf 216 Mrd. DM (Klodt u. a., 1994). Etwa drei Viertel davon entfielen auf Finanzhilfen und ein Viertel auf Steuervergünstigungen. Im Zuge der Wiedervereinigung sind die Subventionen stark angestiegen. Am stärksten begünstigt werden die Landwirtschaft, die Wohnungsvermietung, der Verkehrssektor und der Bergbau. Diese Sektoren erhielten 1993 fast 40 v. H. aller Subventionen.

3.5. Strukturplanung

Die bisher dargestellten Konzeptionen verändern überwiegend den Datenkranz für die Entscheidungen der Wirtschaftssubjekte. Der einzelne Investor behält grundsätzlich die Freiheit über seine Anlageentscheidung, wenn auch die mit den strukturpolitischen Eingriffen verbundenen „Prämien“ oder „Sanktionen“ die Handlungsweise der Wirtschaftssubjekte erheblich beeinflussen können. Die von einigen Autoren (Zinn, 1973; Meissner, 1974) entwickelten Vorschläge zu einer staatlichen Strukturpolitik in Form einer direkten Investitionslenkung sehen dagegen vor, die Unternehmungen in ihrer alleinigen Entscheidungsbefugnis über Investitionen weitgehend zu beschränken.

Begründet wird die direkte bzw. kollektivistische Kontrolle privater Investitionen mit folgenden Argumenten:

- Falsche Investitionssignale von Marktpreisen: Marktpreise seien für Investitionen Ex-post-Indikatoren. Sofern sie überhaupt die Knappheitsrelationen richtig widerspiegeln, liefern sie korrekte Informationen allenfalls bis zum Investitionszeitpunkt. Investitionen sind jedoch zukunftsorientiert. Nach Abwicklung der Investitionen können andere Knappheitsverhältnisse herrschen, und die neugeschaffenen Kapazitäten können sich als Fehlinvestitionen erweisen. In anderen Bereichen werden notwendige Investitionen unterlassen. Es gibt damit auf der einen Seite Engpässe und auf der anderen Seite Überkapazitäten.
- Einschränkung der Konsumentenfreiheit: Der Einfluß der Konsumenten auf die Produktgestaltung wird zunehmend geringer. Die Produzenten bestimmen mit ihrem Angebot die Nachfrage der Konsumenten. Über die Werbung steuern sie die Präferenzstruktur der Verbraucher. Die Konsumenten werden durch die Werbung sogar veranlaßt, Güter nachzufragen, die ihren wirklichen Bedürfnissen nicht entsprechen.
- Vernachlässigung der Bedarfsdeckung bei öffentlichen Gütern: Die Orientierung der privaten Investitionen am Erwerbsprinzip führt dazu, daß wichtige öffentliche Investitionen, deren Rentabilität zwar geringer, deren gesellschaftlicher Nutzen aber größer ist, unterbleiben. Häufig wird die nicht staatlich kontrollierte private Investitionstätigkeit auch für ein angeblich zu geringes öffentliches Investitionsvolumen verantwortlich gemacht. Hieraus wird die Forderung nach einer Ausdehnung des staatlichen Anteils am Sozialprodukt abgeleitet. Das System der direkten Investitionslenkung sieht vor, daß zunächst eine „gesellschaftliche Bedarfsstruktur“ festgelegt wird.

Die Bedarfsrangliste soll demokratisch legitimiert sein, d. h. alle gesellschaftlichen Gruppen sind an ihrer Aufstellung zu beteiligen. Es wird erwartet, daß paritätisch aus Unternehmern und Arbeitnehmern besetzte Wirtschafts- und Sozialräte als Ergänzung des Parlaments die Abstimmung von Individual- und Kollektivbedürfnissen vornehmen. Die Mitbestimmung der Gewerkschaften in den Unternehmen kann die Koordinierung der gesamtgesellschaftlichen und der privatwirtschaftlichen Ziele bereits im Vorfeld der Investitionsentscheidungen erleichtern.

Die an der Bedarfsrangskala orientierte Kontrolle der Investitionen soll einer zentralen Investitionsmeldestelle obliegen, die institutionell ähnlich wie das Bundeskartellamt konstruiert sein könnte. Als genehmigungspflichtig oder wenigstens meldepflichtig müßten gelten:

- Investitionen, die mit negativen externen Effekten verbunden sind (z. B. Umweltbelastung)
- Investitionen, die die soziale und materielle Infrastruktur in Anspruch nehmen (z. B. Fahrzeugbau);
- Investitionen, die für weniger dringende oder unerwünschte Produktionen getätigt werden (z. B. Werbebranche);
- Investitionen in Sektoren, die schrumpfen (z. B. Kohlebergbau und Stahlindustrie).

Über die Durchführung der genehmigungspflichtigen Investitionen sollen Unternehmen und Kontrollbehörden in enger Zusammenarbeit entscheiden, wobei die letzte

Entscheidungskompetenz allerdings nicht den Unternehmen vorbehalten bleiben kann. Erwünschte, aber von ihnen nicht durchgeführte Investitionen sind von der öffentlichen Hand zu übernehmen. Unerwünschte, aber von Privatunternehmen vorgesehene Investitionen sollen durch steuerliche Abschöpfung des Selbstfinanzierungsspielraums und direkte staatliche Kontrolle des Finanzierungssektors (Banken, Versicherungen) verhindert werden. Die in den nachgelagerten Produktionsbereichen erforderlichen Investitionen sollen mit Hilfe von dynamischen Input-Output-Modellen berechnet werden.

4. Problembereiche der interventionistischen Strukturpolitik

4.1. Informationsproblem

Das zentrale Dilemma der interventionistischen Strukturpolitik liegt in der Informationsproblematik. Jede politische Beeinflussung der sektoralen Wirtschaftsstruktur setzt voraus, daß die staatlichen Stellen die zukunftsträchtigen Industrien identifizieren können und daß sie bei schrumpfenden Branchen die Kapazitäten kennen, die am Ende des Anpassungsprozesses wettbewerbsfähig sind. Hier sind Informationen über Produktionstechnologien, über Interdependenzen von Industrien und über die Marktstruktur eines Sektors erforderlich. Sofern externe Effekte relevant sind, gilt es, diese zu quantifizieren. In der Praxis aber dürfte es kaum möglich sein, positive externe Effekte von Forschungs- und Entwicklungsinvestitionen zu messen und die betreffenden Unternehmen hierfür zu entschädigen. Parlamente und Ministerien wissen noch weniger als private Unternehmen, welche neuen Produkte und Produktionsverfahren eine Marktchance haben und wie sich die Angebots- und Nachfragebedingungen in den Sektoren, in denen die Anpassung verzögert wird, entwickeln.

Die Hauptfunktionen der Unternehmen, nämlich nach neuen Produkten zu suchen, lohnend erscheinende Innovationen von anderen aufzugreifen und die Produktionsfaktoren an veränderte Nachfrageentwicklungen anzupassen, werden durch strukturpolitische Interventionen eingeschränkt. Der Wettbewerb wird als Entdeckungsverfahren und in seiner wichtigen Funktion der Kostensenkung und Kostenkontrolle ausgeschaltet. Anstatt unternehmerische Aufgaben wahrzunehmen, konzentriert sich die Aktivität des Managements auf die Beschaffung von Fördermitteln und anderen Vergünstigungen. Die Unternehmen haben dabei gegenüber den Ministerien den Vorteil des Informationsvorsprungs. So liegt es nahe, Fördermittel für neue Technologien anzuwerben, deren Entwicklung ohnehin geplant ist (Mitnahmeeffekte), oder Subventionen für die Aufrechterhaltung von Kapazitäten anzufordern, die im Wettbewerb langfristig nicht bestehen können.

Das Interesse von Unternehmen und Gewerkschaften trifft sich hier mit dem Interesse einer budgetmaximierenden Bürokratie (Streit, 1987) und dem Interesse von Politikern, die mit den Interventionen ihre besondere Verantwortung zu demonstrieren versuchen. Bei Fehlinvestitionen ist das Haftungsrisiko für die Beteiligten gering. Die Unternehmen haben keine eigenen Mittel verloren, die Bürokratie haftet ohnehin nicht, und die Politiker werden wegen derartiger Fehleinschätzungen kaum abgewählt. Meist werden Fehlentscheidungen auch dadurch verdeckt, daß weitere Haushaltsmittel mit dem Argument bewilligt werden, daß die Produktion irgendwann rentabel wird.

4.2. Wettbewerbsverzerrung

Die Protektion und Subvention ausgewählter Sektoren und Unternehmen beeinflußt die Position derjenigen Bereiche, die nicht gefördert werden. Grundsätzlich bedeutet jede Förderung einzelner Wirtschaftszweige eine relative Verschlechterung der Position anderer. Zudem werden sowohl bei der gestaltenden Industriepolitik im Hochtechnologiebereich als auch bei der auf Erhalt und Anpassungsverzögerung ausgerichteten Strukturpolitik für schrumpfende Branchen Großunternehmen bevorzugt. Mittelständische und kleine Unternehmen, die den größten Teil der Arbeitsplätze bereitstellen und meist wirtschaftlicher arbeiten, werden zurückgedrängt oder zum Ausscheiden gezwungen. Verstärkt wird dieser Prozeß dadurch, daß subventionierte Industrien in ihrer Region meist eine Art Lohnführerschaft ausüben. Sie sind damit auf dem Arbeitsmarkt konkurrierenden mittelständischen Unternehmen überlegen. Das gleiche gilt auf dem Markt für Industrieflächen. Überhöhte Preise auf beiden Faktormärkten wirken sich als Expansions- und Zugangsbarrieren für kleinere und mittlere Unternehmen aus. Hinzu kommt, daß diese Unternehmen einen Teil der Steuermittel aufbringen, aus denen die Großunternehmen subventioniert werden.

Die Förderung einzelner Industrien beeinflußt auch die internationale Wettbewerbsfähigkeit einer Volkswirtschaft. So kommen vor allem Branchen in den Genuß von Protektionsmaßnahmen, die eine niedrige Sachkapitalrendite aufweisen. Kapital wird damit nicht in die produktivsten Sektoren gelenkt, sondern in weniger produktiven Verwendungsmöglichkeiten gebunden. Eine solche Form der Kapitalumlenkung hat die begünstigten Branchen bisher nirgendwo international wettbewerbsfähiger gemacht.

Gleiches gilt für die Förderung der Forschungs- und Entwicklungsaktivitäten. Es gibt keinen Zusammenhang zwischen der Forschungsförderung und den Produkt- und Verfahrensinnovationen. Auch die Exportentwicklung forschungsintensiver Branchen wird durch staatliche Subventionen nicht positiv, sondern negativ beeinflußt (Donges u. a., 1988).

Insgesamt verzerren die Subventionen die Faktorpreise und damit die Produktionsstruktur und internationale Spezialisierung eines Landes (Nienhaus, 1989). Es werden Faktoren in Bereiche gelenkt und dort gebunden, wo keine komparativen Vorteile bestehen.

4.3. Beschäftigungswirkung

Die Maßnahmen zur Protektion und Subvention einzelner Industriezweige werden meist auch beschäftigungspolitisch begründet. In der Tat lassen sich durch die staatliche Förderung Arbeitsplätze in schrumpfenden Branchen erhalten und neue Arbeitsplätze in den expandierenden Branchen schaffen. Gleichzeitig gehen aber Arbeitsplätze in den diskriminierten Branchen verloren oder entstehen dort gar nicht erst. Die Gesamtbeschäftigung wird durch die Fördermaßnahmen negativ beeinflußt. So gibt es einen empirisch gesicherten Zusammenhang zwischen dem Anstieg der Protektion und dem Rückgang der Beschäftiung (DONGES u. a., 1988). Simulationsrechnungen zeigen, daß durch einen Abbau der Förderung in den hochgradig geschützten Branchen wie dem Kohlebergbau, der Landwirtschaft und der Textil- und Bekleidungsindustrie Arbeitskräfte freigesetzt werden, gleichzeitig aber in wenig protektionierten Sektoren wie der Elektrotechnik und den anderen Investitionsgüterbranchen neue Arbeitsplätze geschaffen werden. Insgesamt sind von einer Rückführung der Protektion keine Beschäftigungseinbußen, sondern kräftige Beschäftigungszunahmen zu erwarten.

4.4. Internationale Subventionskonkurrenz

Ebenso fragwürdig wie andere Argumente zum Schutz oder zur Förderung einzelner Industrien sind die Hinweise auf entsprechende Aktivitäten im Ausland oder die Abhängigkeit von ausländischer Produktion und Technik. Sicherlich verzerren Subventionen im Ausland den internationalen Wettbewerb. Den Preis hierfür zahlen jedoch die ausländischen Konsumenten, während die inländischen Konsumenten dadurch gewinnen. Die Antwort auf Subventionen im Ausland sollten nicht Subventionen im Inland sein, sondern internationale Vereinbarungen zum Abbau von Branchensubventionen. Selbst ein einseitiger Ausstieg aus dem Subventionswettlauf läßt sich aufgrund der direkten und indirekten Kosten der Subventionierung vertreten (STREIT, 1987). Länder, die beim Subventionswettlauf nicht mitmachen, können dadurch gewinnen, daß sie die von anderen geförderten Produkte und Technologien auf dem Weltmarkt einkaufen. Versuche, durch staatliche Industrieförderung kommerzielle Erfolge zu erzielen, sind bisher fast ausnahmslos gescheitert. In diesem Zusammenhang wird die Bedeutung des japanischen MITI (Ministerium für Internationalen Handel und Industrie) meist überschätzt (BLETSCHACHER/KLODT, 1992). Das MITI beschränkt sich darauf, die Forschungsarbeiten der japanischen Unternehmen zu koordinieren, ohne den Wettbewerb auf der Produktebene zu beeinträchtigen. Seine Beteiligung an den Forschungsaufwendungen ist gering. Die Bemühungen des MITI waren zudem nicht immer erfolgreich. Als Vorbild für eine hochsubventionierte europäische Industriepolitik ist das MITI schlecht geeignet.

4.5. Einfluß von Interessengruppen

Protektionen und Subventionen führen in der Regel zu erheblichen Fehlentwicklungen. Die mit ihnen verfolgten wirtschaftspolitischen Ziele werden fast nie verwirklicht. Daher stellt sich die Frage, warum überhaupt eine sektorale Wirtschaftspolitik betrieben wird. Die plausibelste Antwort liegt darin, daß es einen politischen Markt für staatliche Intervention gibt. Nachfrageseitig besteht der Markt aus Unternehmern und Arbeitnehmern, für die es sich lohnt, sich zur Durchsetzung ihrer Forderung nach Protektionen und Subventionen zu organisieren. Politiker gewähren die Förderung, wenn die forderne Gruppe groß und einflußreich genug ist, um die Chancen ihrer Wiederwahl zu verbessern.

Im Industriebereich lassen sich politisch einflußreiche Gruppen vor allem dann organisieren, wenn der branchenmäßige Konzentrationsgrad hoch, das Produkt relativ homogen und die regionale Ballung groß sind. In einer offenen Volkswirtschaft bestehen die Forderungen dieser Gruppen zumeist in Schutzmaßnahmen vor kostengünstigerer ausländischer Substitutionskonkurrenz. Empirisch läßt sich aufzeigen (Donges u. a., 1988), daß die Politiker den Forderungen um so eher entsprechen,

- je mehr Wählerstimmen mobilisiert werden können,
- je stärker die Branche regional konzentriert ist,
- je geringer die Zahl der Unternehmen in der betreffenden Branche ist.

Der Handlungsbedarf für die Politiker wird verstärkt, wenn die Interessengruppen der jeweiligen Regierungspartei nahestehen. Die Maßnahmen zugunsten einer Gruppe werden um so eher gebilligt, je besser es gelingt, die Kosten der Förderung zu verschleiern oder über die restlichen Wähler zu verteilen. Es zeigt sich dabei deutlich, daß sowohl bei anstehenden Deregulierungen oder Verlängerungen von Anpassungshilfen die politische Rationalität Vorrang vor der ökonomischen Rationalität hat (Nienhaus, 1989).

5. Strukturpolitik und internationaler Standortwettbewerb

Vom Prinzip her sollte Strukturpolitik als Wachstumspolitik konzipiert sein. Sie soll den Strukturwandel fördern und dafür sorgen, daß die Produktionsfaktoren in die jeweils produktivsten Verwendungsmöglichkeiten gelenkt werden. Grundelemente einer solchen Politik sind

- die Schaffung stabiler wirtschaftspolitischer Rahmenbedingungen,
- die Einführung einer verläßlichen Welthandelsordnung,
- der Abbau von investitions- und marktzutrittshemmenden Regulierungen,
- der Abbau von Zöllen und Subventionen sowie
- die Privatisierung staatlicher und halbstaatlicher Unternehmen.

Im Zentrum der Strukturpolitik sollte die Erhöhung der Anpassungsflexibilität der Volkswirtschaft und die Offenhaltung der Märkte stehen. Eine strategische Industrie- und Handelspolitik ist sowohl auf nationaler als auch auf supranationaler Ebene abzulehnen. Grundsätzlich sollte auf jede Form einer sektoral differenzierenden Industriepolitik verzichtet werden.

Im einzelnen bedeutet dies eine Umgestaltung der staatlichen Forschungsförderung und der Förderung im Hochtechnologiebereich. An die Stelle der selektiven Projektförderung sollte ein allgemeiner Zuschuß zu den Forschungsausgaben treten, der bei der Grundlagenforschung höher sein müßte als bei der angewandten Forschung. Ferner sollten Anpassungshilfen für schrumpfende Branchen nur in Ausnahmefällen gewährt werden. Sie sind zudem zeitlich zu befristen und degressiv zu gestalten.

Insgesamt sollten sich staatliche Instanzen aus der sektoralen Steuerung der Wirtschaft heraushalten. Aufgabe des Staates ist es nicht, einzelne Sektoren zu begünstigen, sondern die allgemeinen Bedingungen für die Unternehmen zu verbessern. Jedes Land steht inzwischen im internationalen Standortwettbewerb um mobiles Kapital. Eine zukunftsorientierte Industriepolitik sollte die Standortbedingungen so gestalten, daß Kapital attrahiert wird und produktive Arbeitsplätze geschaffen und erhalten werden (Maennig/Wagner, 1994; Porter, 1990; Siebert, 1992). Hierzu bedarf es einer leistungsfähigen Infrastruktur im Verkehrs-, Kommunikations- und

Ausbildungsbereich ebenso wie einer sauberen Umwelt und einer moderaten Steuerbelastung der Unternehmen. Die Schaffung derartiger Rahmenbedingungen ist nicht auf einzelne Sektoren zugeschnitten, sondern auf die Stärkung der Leistungskraft der gesamten Volkswirtschaft. Die Bewältigung dieser Aufgaben fällt eindeutig in den staatlichen Aufgabenbereich, während die Gestaltung der sektoralen Struktur der Wirtschaft überlassen bleiben sollte.

Kommentierte Literaturhinweise

Klassische Beiträge zum Strukturwandel und zur Strukturpolitik sind die Aufsätze von Herbert Giersch (1964) und Jürg Niehans (1964).

Als Einführungswerke in die Problematik der sektoralen Strukturpolitik gelten die Bücher von Lothar Hübl; Walter Schepers (1983), Bernhard Külp u. a. (1984), Hans-Rudolf Peters (1988) und Werner Meissner; Werner Fassing (1989).

Eine umfassende empirische Überprüfung der Drei-Sektoren-Hypothese erfolgt in Helmut Lindner (1987). Neuere empirische Ergebnisse zum Strukturwandel in der Bundesrepublik Deutschland sowie seinen Problemen und Entwicklungsperspektiven werden vorgestellt in Henning Klodt u. a. (1994).

Die wohlfahrtstheoretischen Bedingungen für einen optimalen Ressourceneinsatz in der Marktwirtschaft und die sich aus Marktunvollkommenheiten ergebenden Allokationswirkungen werden umfassend und fundiert aufgezeigt in Egon Sohmen (1976) und Michael Fritsch; Thomas Wein; Hans-Jürgen Ewers (1993).

Eine präzise Darstellung und kritische Diskussion der theoretischen Ansätze der „neuen Industriepolitik“ und „strategischen Handelspolitik“ bieten die Beiträge von Georg Bletschacher; Henning Klodt (1992) und Michael Stolpe (1993).

Ein breites Spektrum strukturpolitischer Probleme, insbesondere der Strukturdiagnose und -prognose, wird in dem von Gottfried Bombach; Bernhard Gahlen; Alfred E. Ott (1977) herausgegebenen Sammelband angesprochen.

Eine kritische Auseinandersetzung mit der sektoralen Strukturpolitik in der Bundesrepublik Deutschland findet sich in Manfred E. Streit (1987), Volker Nienhaus (1989) sowie im Hauptgutachten der Monopolkommission (1992) und in dem Sammelband von Peter Oberender (1994).

Die staatliche Lenkung privater Investitionen wird zu begründen versucht von Karl Georg Zinn (1973) und Werner Meissner (1974).

Hingegen beschäftigen sich Otmar Issing (1975), Walter Hamm (1976) und Hans Besters (1982) kritisch mit den Argumenten der Befürworter der staatlichen Investitionslenkung.

Branchenspezifische Deregulierungspotentiale in der Bundesrepublik Deutschland werden in den Büchern von Rüdiger Soltwedel u. a. (1986), Rupert Windisch (Hg.) (1987), Jürgen B. Donges u. a. (1988), Otto Vogel (Hg.) (1988) und Henning Klodt u. a. (1989) sowie im Bericht der Deregulierungskommission (1991) aufgezeigt.

Die jüngsten industriepolitischen Aktivitäten der EG werden wohlwollend von Francois Bilger (1994) und eher kritisch von Hartmut Berg; Frank Schmidt (1995) diskutiert.

R. Sozialpolitik

Dietmar Kath

Gliederung

1. Leitbilder und Ziele

Sozialpolitisches Handeln ist darauf gerichtet, benachteiligten Gruppen in der Gesellschaft ein menschenwürdiges Dasein zu ermöglichen. Mit diesem Humanitätsanspruch sind seit Beginn der Industrialisierung trotz ständiger Wohlstandssteigerung immer neue Bereiche zum Gegenstand der Sozialpolitik gemacht worden. Der auf diese Weise angewachsene Bestand an gesetzlichen und vertraglichen Regelungen mit sozialpolitischer Zielsetzung sowie die auf ihrer Grundlage errichteten Institutionen bilden in ihrer Gesamtheit die Sozialordnung eines Staates. Sie formuliert die Regeln, nach denen der einzelne zum Erreichen der sozialen Ziele beizutragen hat, weist den gesellschaftlichen Gruppen die ihnen obliegenden sozialpolitischen Aufgaben zu und grenzt schließlich den Einflußbereich des Staates gegenüber den individuellen Freiheitsräumen ab. In der bestehenden Sozialordnung finden die als verbindlich anerkannten gesellschaftlichen Wertvorstellungen ihren Ausdruck. Dies wird deutlich beim Vergleich von Ländern mit unterschiedlichen Gesellschafts- und Wirtschaftssystemen. Während Sozialpolitik in einer Marktwirtschaft darauf gerichtet ist, die dezentralen Entscheidungsprozesse und ihre Ergebnisse dort zu korrigieren, wo eine Verletzung des Humanitätsprinzips vermutet wird, zielt sozialistische Sozialpolitik auf die Befriedigung von – durch den zentralen Plan – ,,objektivierten" gesellschaftlichen Bedürfnissen (LAMPERT, 1965, 1977; TIETZE, 1969).

Je nachdem, welche Rangordnung gesellschaftlicher Werte zugrunde gelegt wird, ergeben sich auch in einer demokratischen Gesellschaft abweichende Vorstellungen über die gewünschte Sozialordnung. Politisches Gewicht erhalten diese Normen, wenn sie Interessenverbänden dazu dienen, ihre Forderungen nach „sozialen Verbesserungen" zu begründen und wenn sie in die Sozialprogramme der Parteien aufgenommen werden. Wegen dieser Konkurrenz zwischen verschiedenen sozialpolitischen Konzeptionen führt ein politischer Machtwechsel, der die bisherige Opposition an die Regierung bringt, in der Regel auch zu Korrekturen an der überkommenen Sozialordnung. Selten führen sozialpolitische Kurswechsel jedoch zu einem Abbau sozialer Vergünstigungen, weil dadurch die Chancen der Wiederwahl beeinträchtigt würden. Statt dessen werden häufig bis dahin vernachlässigte gesellschaftliche Gruppen – insbesondere wenn ihre soziale Unzufriedenheit den Wahlsieg der neuen Regierungspartei ermöglicht hat – zu Nutznießern des ,,sozialen Fortschritts". Die konkreten Sozialordnungen in parlamentarischen Demokratien sind meist auf diese Weise historisch ,,gewachsen" und sind daher nicht frei von Widersprüchen.

Welcher konkrete gesellschaftliche Sachverhalt als sozial unerwünscht gilt und sozialpolitisches Handeln notwendig macht, ist eine Frage, die je nach Gesellschaftssystem und Gruppenzugehörigkeit, aber auch in Abhängigkeit von der historischen Situation, in der sie gestellt wird, eine andere Antwort erfährt. Aus diesem Grunde gehen die Ansichten darüber, was unter Sozialpolitik zu verstehen sei, weit auseinander (Überblick bei MOLITOR, 1972).

Sozialpolitische Leitbilder

Die unterschiedlichen Ordnungsvorstellungen und Konzeptionen der praktischen Sozialpolitik in einer demokratischen Gesellschaft lassen sich vereinfachend zwei abweichenden gesellschaftlichen Leitbildern zuordnen, dem des Sozialstaats und dem der Leistungsgesellschaft (zur Bedeutung des Leitbildes in der Sozialpolitik SANMANN, 1973).

Das Leitbild des Sozialstaats entspricht den sozialpolitischen Ordnungsvorstellungen des „demokratischen Sozialismus". Sozialpolitik wird nach diesem Konzept als Instrument zur „Gestaltung des Gesellschaftssystems" begriffen, ohne daß die Prinzipien einer marktwirtschaftlichen Ordnung aufgegeben werden. Die herrschende Eigentumsordnung und die aus der Preisbildung an den Faktormärkten resultierende Einkommensverteilung sowie teilweise auch die über die Gütermärkte gesteuerte Produktion werden jedoch für korrekturbedürftig gehalten. Die sozialpolitischen Bestrebungen sind darauf gerichtet, die obersten gesellschaftlichen Normen unmittelbar für den einzelnen in allen Lebensbereichen zur Geltung zu bringen. Entsprechend dem als gültig anerkannten Sozialprinzip trägt die Gesellschaft eine Mitverantwortung für die Gestaltung der individuellen Lebensbedingungen (Grundsatz der Solidarität). Vollzugsorgan dieses gesellschaftlichen Auftrags ist der Staat. Seine Aufgabe wird darin gesehen, für eine gerechte Güterverteilung zu sorgen und zugleich die von der Verfassung garantierten Freiheiten zu gewährleisten. Ein Konflikt zwischen beiden Forderungen wird insofern ausgeschlossen, als Freiheit nicht als formales Prinzip, sondern als materielle Möglichkeit („materiale Freiheit") begriffen wird. Da auch das Gerechtigkeitspostulat auf die konkrete Güterausstattung der Gesellschaftsmitglieder („distributive Gerechtigkeit") bezogen wird, gelten Freiheit und Gerechtigkeit als zwei Seiten derselben Medaille. Die Zielsetzung einer systemgestaltenden staatlichen Sozialpolitik, beide Normen gleichzeitig zu erfüllen, wird daher nicht als Widerspruch betrachtet (BRÜCK, 1976; EHRENBERG/FUCHS, 1980).

Im Leitbild der Leistungsgesellschaft erhält die Sozialpolitik einen grundlegend anderen, jedoch nicht notwendig geringeren Stellenwert. Der gesellschaftsgestaltende Anspruch des Staates wird hier zurückgewiesen und demgegenüber dem Recht auf freie Entfaltung der Persönlichkeit der Vorrang eingeräumt (Individualprinzip). Die Freiheit des einzelnen gilt als konstitutives Element der Menschenwürde. Das Ideal der distributiven Gerechtigkeit wird verworfen und durch die Forderung nach gleicher Ausstattung der Gesellschaftsmitglieder mit immateriellen gesellschaftlichen Grundgütern – Rechte, Freiheiten und Chancen – ersetzt. Das Gerechtigkeitspostulat wird nicht auf das konkrete Verteilungsergebnis, sondern auf allgemeine Handlungsregeln bezogen. Werden diese gerechten Regeln von jedermann anerkannt und eingehalten, gelten auch die Handlungsergebnisse als gerecht (HAYEK, 1969, 2; RAWLS, 1971; BUCHANAN, 1975, 1). Im ökonomischen Bereich wird der Marktmechanismus als ein gesellschaftliches Entscheidungsverfahren angesehen, das diese Eigenschaften aufweist. Er gewährleistet, daß die Güterproduktion an den individuellen Präferenzen ausgerichtet wird und daß ihre Verteilung der Bewertung des individuellen Leistungsbeitrags durch die Marktteilnehmer entspricht.

Beide Leitbilder gleichen sich in ihrem unmittelbaren Bezug auf oberste gesellschaftliche Werte. Die Sozialnormen Gerechtigkeit, Sicherheit und Frieden werden auf der

Grundlage von Freiheit und Wohlstand übereinstimmend als Voraussetzung für ein menschenwürdiges Dasein anerkannt. Die Gegensätze in den sozialen Ordnungsvorstellungen liegen zum einen darin begründet, daß diese Grundwerte mit unterschiedlichen Inhalten versehen werden; sie sind zum anderen aber auch auf abweichende Werturteile zurückzuführen, die notwendig sind, um die in Konflikt stehenden Normen in eine Rangordnung zu bringen. In der für die Sozialpolitik so bedeutsamen Grundwertediskussion nimmt das Prinzip der sozialen Gerechtigkeit, also die Forderung nach gerechter Verteilung der in einer Gesellschaft vorhandenen und der periodisch erzeugten Güter auf deren Mitglieder eine Schlüsselstellung ein. Je nachdem, ob der Gerechtigkeitsbegriff auf distributive oder formale Gerechtigkeit abstellt und ob Freiheit als materiale oder formale Unabhängigkeit definiert ist, wird jeweils auch die Antwort auf die Frage vorgeprägt, ob und inwieweit Gerechtigkeit und Sicherheit mit Freiheit, Wohlstand und sozialem Frieden vereinbar sind. Die Forderung nach sozialer Sicherheit bezieht sich einerseits darauf, Risiken, wie Krankheit, Unfall, Invalidität und Arbeitslosigkeit abzuwenden und ist andererseits – sofern diese Ereignisse eintreten – darauf gerichtet, den einzelnen in die Lage zu versetzen, die wirtschaftlichen Folgen zu tragen. Sozialer Frieden setzt den Konsens der sozialen Gruppen mit den herrschenden gesellschaftlichen Bedingungen voraus. Er ist dann gewährleistet, wenn auch Minderheiten in der Gesellschaft keine Veranlassung haben, eine Verletzung der gesellschaftlichen Grundsätze zu reklamieren. Insofern ist sozialer Frieden eine Norm, die nicht unabhängig von den anderen Prinzipien realisiert werden kann.

Sozialstaatliches Denken räumt den Prinzipien soziale Gerechtigkeit, soziale Sicherheit und sozialer Frieden eine unbedingte Vorrangstellung ein. Die Übereinstimmung mit diesen Sozialnormen gilt als verbindliches Kriterium für die Wahl der sozialpolitischen Mittel, die infolgedessen nicht selten – etwa als Forderungen nach einem „gerechten Steuersystem" oder nach „paritätischer Mitbestimmung" – in den Rang von Zielen erhoben werden. Die Unterordnung des marktwirtschaftlichen Funktionszusammenhangs unter die Sozialnormen führt aber auch dazu, daß sozialpolitische Ziele instrumentellen Charakter erhalten, indem beispielsweise gefordert wird, die Erwerbsmöglichkeit des einzelnen durch Bestandsschutz für das individuelle Beschäftigungsverhältnis zu sichern („Sicherung des Arbeitsplatzes"). Derartige Maßnahmen bewirken jedoch das Gegenteil dessen, was mit ihnen erreicht werden soll. Statt die Existenzbedingungen einzelner zu verbessern, beeinträchtigen sie die Produktivität und verschlechtern damit die Voraussetzungen für sozialen Fortschritt. Dem Sozialstaat sind nicht nur dort Grenzen gezogen, wo die ökonomische Leistungsfähigkeit der Gesellschaft erreicht ist, sondern auch, wo die Eigeninitiative der Gesellschaftsmitglieder gelähmt wird. Überschreitet die Sozialpolitik diese Grenzen, läuft sie Gefahr, jene sozialen Mißstände selbst zu schaffen, die zu beseitigen sie angetreten ist (WATRIN, 1977).

Gemäß dem Leitbild der Leistungsgesellschaft gilt das Individualprinzip als eine das sozialpolitische Handeln bindende Norm. Werden die individuellen Entscheidungsspielräume von staatlichen Eingriffen freigehalten, dann können sich auch die für eine Verbesserung der Lebensbedingungen entscheidenden marktwirtschaftlichen Antriebskräfte ungehindert entwickeln. Freiheit begünstigt demnach das Wohlstandsstreben, und höherer Wohlstand wird als Grundlage für Sicherheit und sozialen Frieden angesehen. Während sich die Sozialpolitik als soziale Komponente in den marktwirtschaftlichen Ordnungsrahmen einzufügen hat, steht umgekehrt die Ordnungspolitik im Dienst der Sozialpolitik: Durch Monopolisierung der Märkte und eine ungleiche Vermögensverteilung kann in der Marktwirtschaft ein unerwünschtes Verteilungsergebnis zustande kommen; Wettbewerbs- und Vermögenspolitik erfüllen daher eine sozialpolitische Funktion. Doch eine am Leitbild der Leistungsgesellschaft orientierte Sozialpolitik begnügt sich nicht mit diesen auf den Ordnungsrahmen der Marktwirtschaft zielenden Maßnahmen. Sie verkennt nicht, daß die Startchancen in der Gesellschaft ungleich verteilt sind, daß der Marktmechanismus in einigen Bereichen, etwa im Gesundheitssektor, nicht zu einer optimalen Versorgung führt, daß stets Individuen in ihrer Erwerbsfähigkeit behindert sind und daß der Strukturwandel einer dynamischen Wirtschaft einige Gruppen in ihren Erwerbsmöglichkeiten begünstigt und andere benachteiligt. Der Sozialpolitik obliegt daher auch die Aufgabe, Ungleichheiten in den Startchancen abzubauen und den benachteiligten, behinderten und schwächeren Gesellschaftsmitgliedern zu helfen (Grundsatz der Subsidiarität). In der Wahl ihrer Mittel ist sie dabei auf jene beschränkt, deren Einsatz die Funktionsfähigkeit des marktwirtschaftlichen Koordinationsverfahrens nicht beeinträchtigt. Eine derart in die marktwirtschaftliche Ordnung integrierte Sozialpolitik gilt als systemkonform.

Sozialpolitische Ziele

Sozialpolitisches Handeln ist an Teilzielen orientiert, die zu der übergeordneten Zielsetzung zusammengefaßt werden können, allen Gesellschaftsmitgliedern menschenwürdige Lebensbedingungen zu gewährleisten (EUCKEN, 1952). Als Argumente dieser verbindenden Zielfunktion gelten insbesondere Gesundheit, Erwerbsfähigkeit und -möglichkeit, Altersversorgung, Arbeitsbedingungen sowie die Einkommens- und Vermögensverteilung. Darüber hinaus werden sozialpolitische Maßnahmen auch dazu eingesetzt, bedürftigen Personen einen gesellschaftlich anerkannten Grundbedarf (Nahrung, Kleidung, Wohnung und eine Reihe kultureller Güter) zu sichern. Die sozialpolitischen Teilziele überschneiden und ergänzen einander. So bildet ein erfolgreicher Gesundheitsschutz die Voraussetzung für die Sicherung der Erwerbsfähigkeit, und humane Arbeitsbedingungen können wiederum die Gefahr von Berufskrankheiten einschränken.

2. Aufgaben, Träger und Instrumente

Ziele, Träger, Adressaten und Instrumente der Sozialpolitik haben im Verlauf der letzten rund 200 Jahre grundlegende Veränderungen erfahren, die dazu führten, daß immer neue sozialpolitische Aktionsbereiche erschlossen wurden. Während vor Einsetzen des Industrialisierungsprozesses und auch noch in der Anfangsphase der Industriellen Revolution Sozialpolitik gleichbedeutend war mit „Armenhilfe", verlagert sich im 19. Jahrhundert das Hauptgewicht der Sozialpolitik deutlich auf die „soziale Sicherung" der Arbeiterschaft gegen wirtschaftliche Not bei Krankheit, Unfall und Invalidität. Sichtbarer Ausdruck ist die von BISMARCK gegründete Sozialversicherung. Mit der gesetzlichen Krankenversicherung (1883), der Unfallversicherung sowie der Alters- und Invaliditätsversicherung (1889) werden in jener Zeit die Fundamente für das heutige System der sozialen Sicherung gelegt.

In den ersten drei Jahrzehnten dieses Jahrhunderts rückt der Arbeitsmarkt in den Brennpunkt der Sozialpolitik. Die Garantie der Koalitionsfreiheit durch die Weimarer Reichsverfassung und die Einführung der betrieblichen Mitbestimmung durch das Betriebsrätegesetz von 1920 sind Weichenstellungen für eine demokratische Arbeitsmarktordnung in Deutschland. Mit der Arbeitslosenversicherung wird 1927 die letzte Säule der gesetzlichen Sozialversicherung errichtet. Nach dem Zweiten Weltkrieg wird der sozialpolitische Auftrag des Staates schrittweise auf die Gesellschaft als Ganzes ausgeweitet. Gemäß dem Leitbild des Sozialstaats wird Sozialpolitik seither zunehmend als Gesellschaftspolitik begriffen, für die eine konsequente staatliche Sozialplanung gefordert wird (MACKENROTH, 1952; BRÜCK, 1976).

Mit der Erweiterung des Aufgabenbereichs der Sozialpolitik ist zugleich eine Ausdehnung des Kreises ihrer Adressaten verbunden. Ursprünglich war er begrenzt auf Mitglieder einer Gemeinschaft (Familie, Zunft, Gemeinwesen), die in wirtschaftliche Not geraten waren. In der Folge wurde er schrittweise ausgeweitet: Zunächst auf die Industriearbeiter sowie besonders schutzbedürftige Gruppen (Kinder, Frauen, Jugendliche) der Arbeitnehmerschaft, dann unter Einbeziehung der Angestellten (Sozialversicherung der Angestellten 1911, gestaffelter Kündigungsschutz für Angestellte 1926) auf die meisten unselbständig Beschäftigten und auf deren Familienmitglieder und schließlich gar auf einen großen Teil der Selbständigen (Kleingewerbetreibende, Bauern, Handwerker und Angehörige freier Berufe). Heute ist jedes Mitglied der Gesellschaft, unabhängig von seinem Status, potentieller Nutznießer sozialpolitischer Maßnahmen, sofern die Kriterien eines „regelungsbedürftigen" Sachverhalts erfüllt sind.

Aufgaben

Nach dem Zweiten Weltkrieg wurden der Sozialpolitik in der Bundesrepublik Deutschland – nicht zuletzt bedingt durch die Kriegsfolgen – neue Aufgabengebiete (Lastenausgleich, Kriegsopferversorgung) zugewiesen und bereits bestehende (sozialer Wohnungsbau) erheblich ausgeweitet (KLEINHENZ/LAMPERT, 1971). Heute erstreckt sich der sozialpolitische Anspruch, ein menschenwürdiges Dasein zu gewährleisten, auf nahezu alle Lebensbereiche:

- Im Produktionsbereich ist sozialpolitisches Handeln darauf gerichtet, menschenwürdige Arbeitsbedingungen durchzusetzen. Diesem Ziel dienen sowohl gesetzli-

Tab. R-1: Entwicklung der Sozialleistungen in Deutschland* 1970–1993

Jahr	Sozialausgaben[1] in v. H. des Bruttosozialprodukts	Sozialbudget in Mrd. DM	Sozialbudget in Mrd. DM (Gesamte BRD)	Sozialleistungsquote[2]	Sozialleistungsquote (Gesamte BRD)[2]	Sozialleistungsziffer in DM[3]	Sozialleistungsziffer in DM (Gesamte BRD)[3]
1960	17,4	69,1		22,8		1248	
1965	18,2	115,0		25,1		1931	
1970	19,1	179,2		26,5		2954	
1975	27,0	348,1[4,5]		33,9[4,5]		5629[4,5]	
1980	26,1	479,8		32,5		7798	
1982	27,5	529,8		33,3		8600	
1984	26,2	560,9		31,8		9161	
1985	26,1	578,8		31,5		9492	
1986	25,8	610,5		31,5		10007	
1987	26,2	638,7		31,9		10458	
1988	26,2	665,6		31,6		10832	
1989	25,3	682,9		30,4		11023	
1990	24,6	716,5	742,9	28,4	29,2	11327	
1991	25,2	767,7	893,5	28,9	31,4	11981	11171
1992[p]	26,1	826,1	1005,3	29,5	33,0	12735	12473
1993[p]	27,7[6]	859,3	1062,6	30,3	34,0	13103	13083

* Sofern nicht anders vermerkt, beziehen sich die Angaben auf das frühere Bundesgebiet.
1 Vom Bundesministerium für Arbeit und Sozialordnung als „Sozialleistungen der volkswirtschaftlichen Gesamtrechnung" bezeichnet.
2 Sozialbudget in v. H. des Bruttosozialprodukts.
3 Sozialbudget pro Kopf der Wohnbevölkerung.
4 Ab 1974 methodische Änderung, daher mit den Vorjahren nicht vergleichbar.
5 Die Zahlen ab 1975 entsprechen der seit 1986 gültigen Abgrenzung.
6 Eigene Berechnung; Daten entnommen aus dem Statistischen Taschenbuch 1994.
p Vorläufige Ergebnisse.
Quellen: Bundesministerium für Arbeit und Sozialordnung, Hg.:
- Statistisches Taschenbuch 1993 und 1994.
- Arbeits- und Sozialstatistik, Hauptergebnisse 1994.
- Statistisches Jahrbuch für die Bundesrepublik Deutschland, lfde. Jahrgänge.

che Regelungen des Staates zum Schutz von Kindern und Jugendlichen, zum Mutter-, Unfall- und Kündigungsschutz sowie zur Beschränkung der Arbeitszeit als auch Vereinbarungen der Tarifvertragsparteien zur weiteren „Humanisierung der Arbeit". Im Produktionsbereich wird der Sozialpolitik daher eine Schutzfunktion zugewiesen (Preller, 1962). Darüber hinaus wird auch die Forderung nach betrieblicher Mitbestimmung aus dem Humanitätsprinzip abgeleitet. Mitbestimmung soll nicht nur das Einhalten der Arbeitsschutzbestimmungen sicherstellen; mit der Begründung, daß sie den Grundsatz der freien Entfaltung der Persönlichkeit am Arbeitsplatz zur Geltung bringt, wird ihr zugleich ein Eigenwert zuerkannt.

– Am Arbeitsmarkt verfolgt die Sozialpolitik das Ziel, allen arbeitsfähigen Individuen den Erwerb eines existenzsichernden Arbeitseinkommens zu ermöglichen. In der Bundesrepublik Deutschland sind der staatlichen Arbeitsmarktpolitik durch die Tarifautonomie der Arbeitsmarktparteien Grenzen gezogen. Zu den Aktionsfeldern des Staates gehören die Sicherung der Vollbeschäftigung, die Arbeitsvermittlung und Berufsberatung sowie die Förderung der Aus- und Weiterbildung.

Diese Aktivitäten sind darauf gerichtet, die Funktionsfähigkeit des Arbeitsmarktes und auf diese Weise die Faktorallokation zu verbessern. Insofern erfüllt die Sozialpolitik am Arbeitsmarkt eine Produktivitätsfunktion.

- In der Konsumsphäre unterstellt die Sozialpolitik – insbesondere in den unteren Einkommensklassen – einen ungedeckten Bedarf an privaten und kollektiven Gütern. Um ihn zu befriedigen, wird die primäre Verteilung der Markteinkommen durch Besteuerung, Transferzahlungen und Subventionen korrigiert. Diesem Zweck dient auch das organisierte Transfersystem der Sozialversicherung. Außerdem zählen hierzu sämtliche direkten und indirekten Transferleistungen (Mietbeihilfen, Kindergeld, Ausbildungsbeihilfen und Sozialtarife bei der Versorgung mit öffentlichen Gütern) an solche privaten Haushalte, die vorübergehend oder andauernd als bedürftig gelten. Im Konsumsektor nimmt die Sozialpolitik insofern eine Verteilungsfunktion wahr.

Die Ausweitung der sozialpolitischen Aktivität, hervorgerufen durch die Übernahme neuer Aufgaben, durch die Erweiterung des Adressatenkreises und durch die Steigerung der Sozialleistungen, läßt sich auch am Anstieg der Sozialausgaben ablesen (*Tab. R-1*):

- Der Anteil der in der Volkswirtschaftlichen Gesamtrechnung erfaßten Sozialausgaben (Geld- und Sachleistungen des Staates und der Sozialversicherungsträger) am Bruttosozialprodukt ist in Deutschland im Verlauf von 33 Jahren um ca. 60 v. H. angestiegen.
- Die Sozialleistungen in der Abgrenzung des Sozialbudgets, das zusätzlich zu den Sozialausgaben auch die indirekten Sozialleistungen (Steuerermäßigungen sowie Vergünstigungen im Wohnungsbau), die Fortzahlungen des Arbeitsentgelts sowie die sonstigen vertraglichen und freiwilligen Zahlungen der Arbeitgeber berücksichtigt, erreichten 1993 mehr als das Zwölffache ihres Betrages von 1960, dem Jahr, für das diese Meßzahl erstmals berechnet wurde.
- Während desselben Zeitraums stieg die Sozialleistungsquote (Anteil des Sozialbudgets am Bruttosozialprodukt) von 22,8 v. H. auf 30,3 v. H. (Spalte 5), und die Sozialleistungen pro Kopf der Bevölkerung (Sozialleistungsziffer, Spalte 7) sind im früheren Bundesgebiet auf das Zehneinhalbfache angewachsen.

In zwei Dritteln der westlichen Industriestaaten ist der Anteil der Sozialausgaben am Bruttoinlandsprodukt seit 1980 gestiegen, dennoch sind die Unterschiede – vergleicht man die Quoten der einzelnen Länder mit gestiegenen Anteilen miteinander – bemerkenswert (*Übersicht R-1*).

In dem Maße, wie soziale Leistungen von den Unternehmen getragen werden, sind sie als Bestandteil der Kosten für den Faktor Arbeit (Personal- oder Lohnzusatzkosten) aufzufassen, ohne Rücksicht darauf, ob sie gesetzlich auferlegt sind, ob sie auf tarifvertraglichen Vereinbarungen beruhen oder auf freiwilliger Basis gewährt werden. In der Bundesrepublik Deutschland umfassen sie außer den Arbeitgeberbeiträgen zur gesetzlichen Sozialversicherung (ab 1995 einschließlich Pflegeversicherung) insbesondere die Kosten für Lohn- und Gehaltsfortzahlung im Krankheitsfall, die Aufwendungen nach dem Mutterschutzgesetz, Schwerbehindertengesetz, Vermögensbildungsgesetz sowie Urlaubsgeld, betriebliche Altersversorgung, Verpflegungszuschüsse, Ausbildungsvergütungen und Entlassungsentschädigungen. Das wachsende Ausmaß

Übersicht R-1: Sozialausgaben in v. H. des Bruttoinlandsprodukts in den westlichen Industriestaaten

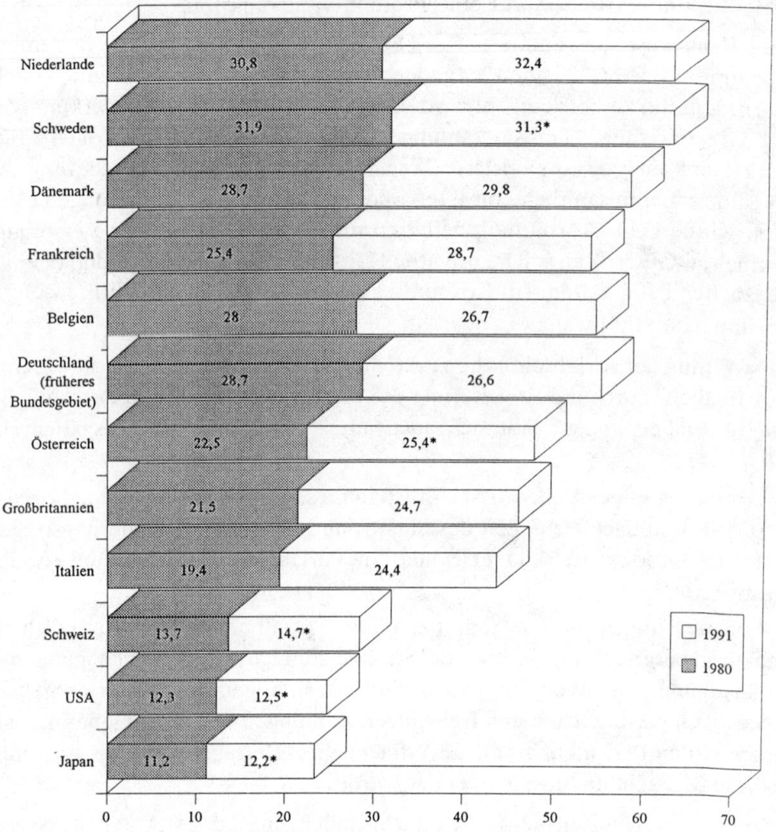

* Datenbasis 1986, da Zahlen für 1991 nicht verfügbar.

Quellen: Institut der Deutschen Wirtschaft (1993/1994), Hg., Internationale Wirtschaftszahlen 1993/1994; Statistisches Bundesamt, Statistisches Jahrbuch für das Ausland 1994.

der mit den Personalnebenkosten verbundenen Kostenlast wird deutlich, wenn sie zu dem jährlich an die Arbeitnehmer gezahlten Bruttoentgelt für geleistete Arbeit in Beziehung gesetzt werden. 1966 erreichten sie 44 v. H. des Arbeitsentgelts, 1993 bereits 84 v. H. Sie sind also während dieses Zeitraums fast doppelt so stark gestiegen wie die Löhne und Gehälter. (Zur Problematik der Lohnzusatzkosten, Beitrag J-2.2.1.)

Träger

Träger sozialpolitischen Handelns war im vorindustriellen Europa die Gemeinschaft, der ein Bedürftiger angehörte. In den Jahrhunderten vor Einsetzen der Industrialisierung existierten bereits für das zunftmäßig organisierte Handwerk und in den Bergbauregionen erste sozialpolitische Einrichtungen in Form genossenschaftlicher Unterstützungskassen. Sie dienten der Vorsorge für Notfälle (Krankheit, Unfall, Invalidität), in die ihre Mitglieder geraten konnten. An diese Institutionen knüpften auch die ersten sozialpolitischen Aktivitäten des Staates an: 1776 wurden in Preußen – im Rahmen der „Revidierten Bergordnung" – die bestehenden Knappschaftskassen der Staatsaufsicht unterstellt und gleichzeitig wurde für Berg- und Hüttenarbeiter die Zwangsmitgliedschaft verordnet. Damit war ein Vorbild für die später von Bismarck eingeführte Sozialversicherung geschaffen (Henning, 1977). In der Bundesrepublik Deutschland gehört die sozialpolitische Gesetzgebungskompetenz zur „konkurrierenden Gesetzgebung" des Art. 74 GG. Die Aufgaben der sozialen Sicherung (Alters-, Kranken- und Arbeitslosenversicherung) werden im Rahmen der bestehenden Sozialordnung durch öffentlich-rechtliche Körperschaften und Anstalten (parafiskalische Institutionen) sowie teilweise durch Selbsthilfeeinrichtungen (Berufsgenossenschaften als Träger der Unfallversicherung) wahrgenommen. Krankenhäuser, Kindergärten und die Sozialhilfe fallen grundsätzlich in die Verantwortlichkeit der Gemeinden und Gemeindeverbände. Im Gesundheitswesen und in der Altenbetreuung sind neben dem Staat Kirche und Wohlfahrtsverbände tätig. Vereinbarungen über Arbeitsbedingungen fallen – unter Beachtung gesetzlicher Mindestregelungen – im Rahmen der Tarifautonomie in die Kompetenz der Gewerkschaften und Arbeitgeberverbände.

Instrumente

Aufgrund der Interdependenz zwischen dem ökonomischen Teilsystem der Gesellschaft und den sozialpolitischen Aufgabenbereichen ist eine klare Trennung in Mittel der allgemeinen Wirtschaftspolitik und solche der Sozialpolitik häufig nicht möglich. Als spezifische sozialpolitische Instrumente kommen allerdings allein jene in Betracht, die primär auf die Argumente der sozialpolitischen Zielfunktion (s. Abschnitt 1.) einwirken. Jedoch sind auch in diesem Fall ökonomische Nebeneffekte zu erwarten, die auf den sozialpolitischen Interventionsanlaß positiv oder negativ zurückwirken können.

Für die Mittelwahl gelten in der Sozialpolitik die gleichen Entscheidungskriterien wie in der allgemeinen Wirtschaftspolitik. Danach muß das eingesetzte Instrument geeignet sein, das angestrebte Ziel überhaupt zu erreichen (Kriterium der Zielkonformität), es muß im Hinblick auf ein vorgegebenes Zielniveau – verglichen mit alternativen Maßnahmen – die geringsten Kosten verursachen (Kriterium der Kostenminimierung), und es darf nicht im Widerspruch zur wirtschaftspolitischen Grundentscheidung über das im ökonomischen Teilsystem geltende Koordinationsverfahren stehen (Kriterium der Systemkonformität).

Bei einer großen Zahl sozialpolitischer Interventionen ist bereits das Kriterium der Zielkonformität nicht erfüllt. Dies gilt für alle Maßnahmen, deren Neben- und

Rückwirkungen „Bumerangeffekte" auslösen, indem die beabsichtigte Begünstigung in einen sozialen Nachteil umschlägt. Aber auch der Grundsatz der Kostenminimierung wird in der praktischen Sozialpolitik dann nicht hinreichend beachtet, wenn ein Kostenbegriff zugrunde gelegt wird, der allein auf die Belastung des Staatshaushaltes mit zusätzlichen Ausgaben abstellt. Um unter den denkbaren Handlungsalternativen die kostengünstigste auswählen zu können, ist von den sozialen Kosten auszugehen. In diesem Konzept werden neben den direkten Ausgaben für den Mitteleinsatz auch der Verwaltungsaufwand des Staates und die Belastung des privaten Sektors berücksichtigt. Gerade diejenigen sozialpolitischen Gesetze, die „den Staat nichts kosten", erhöhen entweder direkt die Kosten der Unternehmen oder verursachen über eine suboptimale Faktorallokation indirekt soziale Wohlfahrtsverluste. Nicht selten lösen die vermeintlich kostenlosen sozialpolitischen Eingriffe in das Marktgeschehen jene Bumerangeffekte aus, die als gesellschaftlicher Nutzenentgang des sozialpolitischen Eingriffs verbucht werden müssen. So hat etwa in der Bundesrepublik die Ausweitung des Kündigungsschutzes für ausgewählte Gruppen von unselbständig Beschäftigten (ältere Arbeitnehmer und werdende Mütter) deren Chance, einen Arbeitsplatz zu finden, nachhaltig beeinträchtigt.

Will man ein Urteil über die systemkonforme Ausgestaltung der Sozialpolitik gewinnen, ist es zweckmäßig, die sozialpolitischen Eingriffsmöglichkeiten auf vier Grundtypen von Instrumenten zu reduzieren: Transferzahlungen, Beschränkungen der Vertragsfreiheit, Vollstreckungshemmungen und Subventionen (Stützel, 1980).

Die Frage nach der Systemkonformität dieser Mittel muß unterschiedlich beantwortet werden, je nachdem, ob das Leitbild des Sozialstaats oder das der marktwirtschaftlichen Leistungsgesellschaft zugrunde gelegt wird. Die Vertreter einer systemgestaltenden Sozialpolitik berufen sich auf den Sozialstaatsauftrag des Grundgesetzes (Art. 20 (1) GG) und leiten aus ihm den Vorrang sozialpolitischer Maßnahmen gegenüber dem marktwirtschaftlichen Koordinationsprinzip ab (Widmaier, 1976). Alle vier Typen von Instrumenten haben demnach grundsätzlich als systemkonform zu gelten. Eine am Leitbild der Leistungsgesellschaft orientierte Sozialpolitik hat demgegenüber auf den marktwirtschaftlichen Funktionszusammenhang Rücksicht zu nehmen. Aus dieser Sicht erfüllt allein das Instrument des interpersonellen Einkommenstransfers das Kriterium der Systemkonformität.

Beschränkungen der Vertragsfreiheit gelten als klassisches Instrument der staatlichen Sozialpolitik im Bereich des Arbeitsschutzes. Durch obrigkeitliche Anordnung (Gebote und Verbote) sollen in privaten Verträgen Vereinbarungen erzwungen werden, die einer Vertragspartei zu Lasten der anderen soziale Vorteile garantieren. Derartige Auflagen des Gesetzgebers führen in der Regel dazu, daß die benachteiligte Gruppe das Interesse verliert, weiterhin solche Verträge abzuschließen. Auf diese Weise müssen nicht selten jene, denen ursprünglich eine Verbesserung ihrer sozialen Stellung zugedacht war, soziale Nachteile hinnehmen. Die Zielsetzung, sozial erwünschte Verhaltensweisen (Kapitalbildung, Hochschulstudium, interregionale und -sektorale Faktorwanderung) zu fördern, läßt sich in einer freiheitlichen Gesellschaftsordnung nicht durch Gebote und Verbote, sondern nur über pekuniäre Anreize (Prämien, Beihilfen, Steuererleichterungen) erreichen. Auch wenn der Staat die Preisbildung auf den Güter- und Faktormärkten reglementiert, treten unerwünschte soziale Folgen auf. So führen staatlich fixierte Höchstpreise zu einem eingeschränkten Güterangebot und Mindestlöhne zu einem verringerten Einsatz des Faktors Arbeit. Da die Überwachung von Preisregulierungen einen hohen Verwaltungsaufwand erfordert, sind nicht nur die Grundsätze der Zielkonformität und der Systemkonformität verletzt, sondern zugleich ist auch das Prinzip der Kostenminimierung in Frage gestellt.

Die Vollstreckungshemmung bewahrt den Schuldner im Konkursfall davor, daß auch der zu seiner Existenz gerade noch notwendige Teil des Vermögens und des Einkommens (Existenzminimum) zur Befriedigung der Gläubiger herangezogen wird. Ursprünglich war dieses Rechtsinstitut dazu gedacht, einem gescheiterten Unternehmer ein bescheidenes menschenwürdiges Dasein zu ermöglichen. In der Gegenwart ist es zu einem sozialpolitischen Instrument der Arbeitsplatzsicherung ausgeweitet worden. Wo durch Konkurs eine Freisetzung von Arbeitskräften in großem Ausmaß droht, kommt es zum Einsatz staatlicher Bürgschaften, um einen Unternehmenszusammenbruch abzuwenden. Durch die Aussicht einer potentiellen Staatsbürgschaft genießen Großunternehmen, insbesondere am Kapitalmarkt, Wettbewerbsvorteile. Diese Wettbewerbsverzerrung zu Lasten kleiner und mittlerer Unternehmen sowie die Fehlallokation der Ressourcen (Bindung von Faktoren in ineffizienten Produktionsstätten) machen die Vollstreckungshemmung zu einem ungeeigneten Instrument einer marktwirtschaftskonformen Sozialpolitik.

Ebenfalls mit dem Argument, Arbeitsplätze zu erhalten, häufig aber auch – wie etwa im sozialen Wohnungsbau in der Bundesrepublik – mit dem Ziel, als bedürftig erachtete Konsumenten mit lebenswichtigen Gütern zu versorgen, wird das Mittel der Subventionen eingesetzt. Es handelt sich dabei um ein in mehrfacher Hinsicht fragwürdiges Instrument. Einerseits kann das ursprünglich erfüllte Merkmal der Bedürftigkeit im Zeitablauf wegfallen, so daß der zunächst Anspruchsberechtigte später ungerechtfertigt begünstigt ist – eine Möglichkeit, die um so wahrscheinlicher ist, je länger er das betreffende Gut nutzen kann –; andererseits ist – insbesondere wenn der Staat die Preise dieser Güter fixiert – nicht sichergestellt, daß die Qualität der subventionierten Produkte den Präferenzen der Nachfrager entspricht (Metze, 1977).

Interpersonelle Einkommensübertragungen sind ein wirksames Mittel zur Wahrnehmung der Verteilungsfunktion der Sozialpolitik. Mit Rücksicht auf das Kriterium der Systemkonformität muß der Transfermechanismus in einer marktwirtschaftlichen Ordnung so ausgestaltet sein, daß von ihm erstens keine leistungshemmenden Effekte ausgehen, daß zweitens die Transfers stets den tatsächlich Bedürftigen zugute kommen (Ausschlußprinzip) und daß drittens die freie Konsumentscheidung der Empfänger nicht beeinträchtigt wird. Die Bedingung der freien Konsumgutwahl ist erfüllt, wenn die Unterstützung den Empfängern als monetärer Transfer, also in Form von Geldleistungen, zur Verfügung gestellt wird. Der Ausschluß nichtberechtigter Personen läßt sich über direkte (offene) Transfers erreichen, die nach dem Grundsatz der „speziellen Bedürftigkeit“ gewährt werden, wobei die Bedürftigkeit des Individuums an der Höhe seines Einkommens und seines Vermögens zu messen ist. Indirekte (versteckte) Transfers in Form von Preis- oder Gebührenermäßigungen bei öffentlichen Gütern sind dagegen nicht geeignet, ausschließlich bedürftige Personen zu begünstigen. Das gleiche gilt für Zuwendungen, die bestimmten Gruppen der Bevölkerung (Kinderreichen, Behinderten, Studenten, Rentnern) aufgrund einer vom Gesetzgeber unterstellten „generellen Bedürftigkeit" gemacht werden. Die Zunahme derartiger nach dem „Gießkannenprinzip" verteilter Vergünstigungen ist nicht zuletzt auch für den starken Anstieg der Sozialausgaben in den letzten Jahrzehnten verantwortlich.

Ein Transfersystem, das sozialpolitisch effizient sein, dabei aber nicht leistungshemmend wirken soll, muß so ausgestaltet sein, daß bei den Belasteten die Bereitschaft zur Leistung erhalten bleibt und daß bei den Begünstigten nach Möglichkeit weiterhin ein Anreiz besteht, ihre Transferbezüge durch ein eigenes Leistungseinkommen aufzustocken. Beide Bedingungen lassen sich verwirklichen, wenn das Einkommensteuer- und das Transfersystem zu einem einheitlichen Umverteilungsmechanismus zusammengefügt werden. In diese Richtung geht auch der Vorschlag von MILTON FRIEDMAN (1962, Kapitel 12), für Einkommen unterhalb der Steuerfreigrenze gestaffelte negative Steuersätze einzuführen und den Betroffenen Transfers in Höhe der ausgewiesenen „Negativsteuer" zu zahlen (s. Abschnitt 6.1.).

3. Arbeitsschutzpolitik

Der Arbeitsplatz ist derjenige Lebensbereich, auf dessen Gestaltung sich bereits zu Beginn der Industrialisierung erste sozialpolitische Forderungen richten. In vielen europäischen Ländern stehen hoheitliche Regelungen zum Schutz bestimmter Personengruppen (zunächst Kinder und Jugendliche, später Frauen) am Beginn einer staatlichen Sozialpolitik im Industriezeitalter überhaupt.

3.1. Staatlicher Arbeitsschutz

In England wird bereits im Jahre 1802 die Kinderarbeit in Baumwollfabriken verboten. Der wegen mangelnder staatlicher Überwachung zunächst wenig wirksame Arbeitsschutz wird 1833 durch den „Factory Act" ausgeweitet und um die notwendige staatliche Kontrolle ergänzt. Dieses Gesetz diente als Vorbild für das „Regulativ über die Beschäftigung jugendlicher Arbeiter in Fabriken" von 1839, das in Preußen den Beginn einer überregionalen staatlichen Sozialpolitik markiert. Es verordnet für Fabriken, Berg- und Hüttenwerke ein Beschäftigungsverbot für Kinder unter neun Jahren und läßt die höchstens zehnstündige Arbeit für Jugendliche unter sechzehn Jahren in den genannten Arbeitsstätten nur zu, wenn sie einen mindestens „dreijährigen regelmäßigen Schulunterricht genossen" haben (KÖLLMANN, 1966; HENNING, 1977).

Eine weitere wichtige Station in der Entwicklung des Arbeitsschutzes ist die Gewerbeordnung des Norddeutschen Bundes von 1869, die 1871 als Reichsgewerbeordnung (RGO) übernommen wird. Die für den Arbeitsschutz maßgebliche Bestimmung (§ 120a) verpflichtet die Unternehmen, „die Arbeitsräume, Betriebsvorrichtungen, Maschinen und Gerätschaften so einzurichten und zu unterhalten und den Betrieb so zu regeln, daß die Arbeiter gegen Gefahren für Leben und Gesundheit so geschützt sind, wie es die Natur des Betriebes gestattet."

Die RGO bildet in der Folgezeit den Rahmen für eine Vielzahl von konkreten Arbeitsschutzbestimmungen, meist in Form von Novellierungen der RGO:

- Arbeitszeitregelungen: Verbot der Sonntagsarbeit (1891), Beschränkung der täglichen Arbeitszeit für Frauen auf zehn Stunden (1908);
- Arbeitsschutz: für Arbeiter (1891) und Angestellte (1899) in Form von Mindestruhezeiten, Schutz vor Betriebsgefahren, Ladenschlußbestimmungen;
- Arbeitsverbot: für Kinder unter 14 Jahren (1903).

Bis zur Gegenwart wurde der Arbeitsschutz zu einem umfangreichen sozialpolitischen Aktionsbereich ausgeweitet. Sein besonderer Gegenstand ist neben personenbezogenen Schutzvorschriften (Jugendliche, Frauen, Mütter, Schwerbehinderte) die Gestaltung der Arbeitsbedingungen in zeitlicher (Arbeitszeit), räumlicher (Arbeitsplatz, Arbeitsstätte) und technischer (Arbeitsgerät, Arbeitsstoff) Hinsicht für alle unselbständig Beschäftigten. Ziele der Arbeitsschutzpolitik sind die Vermeidung gesundheitlicher Schäden im allgemeinen und die Unfallverhütung im besonderen. Seit 1968 ist dieser engere Bereich des Arbeitsschutzes, der Gefahrenschutz, durch eine Reihe von Gesetzen neu geregelt und den veränderten technologischen Erfordernissen sowie arbeitsmedizinischen und arbeitswissenschaftlichen Erkenntnissen angepaßt worden:

- Durch das „Gesetz über technische Arbeitsmittel" (Gerätesicherheitsgesetz) von 1968 werden die Unternehmen verpflichtet, nur solche technischen Arbeitsmittel herzustellen oder zu importieren, die den nationalen Arbeitsschutz- und Unfallverhütungsvorschriften entsprechen;
- das „Arbeitssicherheitsgesetz" (1973) bestimmt, daß Arbeitgeber zur Verbesserung der Arbeitssicherheit eine ausreichende Zahl von Fachkräften (Betriebsärzte und Sicherheitsingenieure) einstellen müssen;
- die „Gefahrstoffverordnung" (ersetzt seit 1986 die „Arbeitsstoffverordnung" von 1971) verpflichtet Unternehmen, die gefährliche Stoffe herstellen, einführen oder verarbeiten, zu ordnungsgemäßer Verpackung und Kennzeichnung sowie zu wirksamen Schutzmaßnahmen am Arbeitsplatz. Ein daraufhin tätiger „Ausschuß für Gefahrstoffe" unterstützt die Bundesregierung bei der Anwendung und Weiterentwicklung der Vorschriften;
- die „Arbeitsstättenverordnung" (1975) legt für die Arbeitsstätten in der Bundesrepublik allgemeine Grundsätze fest, wonach Einrichtung, Ausstattung und Unterhaltung von Arbeits-, Sozial- und Sanitätsräumen „allgemein anerkannten sicherheitstechnischen, arbeitsmedizinischen und hygienischen Regeln sowie den sonstigen arbeitswissenschaftlichen Erkenntnissen" entsprechen müssen;
- weiterhin wurden der Jugendarbeitsschutz verbessert (1976), Schutzbestimmungen für „Arbeiten in Druckluft" (1972) und „Arbeiten im Freien" (1974) erlassen und „Mindestanforderungen an Unterkünfte für Arbeitnehmer" (1974) gesetzlich vorgeschrieben.

Nicht nur die große Zahl von Gesetzen und Verordnungen, auch ihre detaillierten Durchführungsbestimmungen und teilweise selbst ihr Gegenstand weisen auf einen zunehmenden Interventionismus im Bereich des Arbeitsschutzes hin, der mit einer aufwendigen Bürokratisierung der Arbeitswelt verbunden ist. Die hohen volkswirtschaftlichen Kosten dieser Schutzbestimmungen sind letztlich nur dann gerechtfertigt, wenn sich in jedem Fall nachweisen läßt, daß sie durch höhere soziale Erträge überkompensiert werden. Dieses Kriterium läßt sich auf alle Bereiche des Arbeitsschutzes anwenden:

- Der Arbeitsschutz im engeren Sinn (Unfallverhütung, Gesundheitsschutz) ist insofern einer ökonomischen Betrachtung zugänglich, als Arbeitsausfälle und Berufskrankheiten neben dem eigentlichen individuellen Schaden weitere soziale Folgekosten verursachen. Untersuchungen haben nachgewiesen, daß die über 2,7 Millionen Arbeitsunfälle des Jahres 1980 (1993: 1,62 Mill.) volkswirtschaftliche Kosten (Summe aus Schadenskosten, Kosten des Produktions- und Freizeitausfalls sowie Verwaltungs- und Rechtsfolgekosten) in Höhe von 30,2 Mrd. DM hervorgerufen haben. Der größte Teil davon fiel im Unternehmenssektor an (1972: 67 v. H.), der Rest wurde von privaten Haushalten und vom Staat getragen (Jokl, 1983). Durch Unfallverhütung können diese Kosten gesenkt werden, andererseits entstehen dadurch neue Kosten. Vorausgesetzt, daß Unfallverhütung nur zu steigenden Grenzkosten möglich ist und daß die marginalen Folgekosten für Arbeitsunfälle konstant sind, kann der ökonomische Nettoertrag einer zusätzlichen Unfallverhütung negativ werden. Ökonomisch optimale Unfallverhütung ist dann erreicht, wenn der Aufwand für die Vermeidung eines zusätzlichen Unfalls den durch ihn verursachten Folgekosten gleich ist. Erst jenseits dieser Schwelle tritt zwischen humanitärer und ökonomischer Rationalität ein Zielkonflikt auf.
- Beschränkungen der Arbeitszeit dienen der notwendigen Regeneration der menschlichen Arbeitskraft. Sie haben einen produktivitätssteigernden Effekt, solange die tatsächliche Arbeitszeit die physisch und psychisch notwendige Regeneration nicht zuläßt. Arbeitszeitverkürzungen bei vollem Reallohnausgleich erhöhen die Kosten des Faktors Arbeit und sind ein Anreiz für zusätzliche, nicht durch Marktkräfte induzierte Rationalisierungen. Sie können darüber hinaus die internationale Wettbewerbsfähigkeit inländischer Produzenten beeinträchtigen. Auf kurze Sicht sind deshalb insgesamt eher negative Beschäftigungseffekte zu erwarten. Längerfristig ist hingegen aufgrund des Rationalisierungszwangs ein positiver Einfluß auf das wirtschaftliche Wachstum nicht auszuschließen.
- Kündigungsschutz, Lohnfortzahlungsanspruch und betriebliche Verdienstsicherung für ausgewählte Gruppen von Arbeitnehmern erhöhen die Kosten der Beschäftigung dieser Arbeitskräfte und mindern ihre Chancen auf Neu- oder Wiedereinstellung. Generell gilt, daß infolge erschwerter Kündigungsmöglichkeiten – weil arbeitssparender technischer Fortschritt, aber auch Mehrarbeit der bereits Beschäftigten (Überstunden) rentabler werden – die im Durchschnitt für einen Arbeitsplatz aufgewendete Suchzeit verlängert wird, so daß die Zahl der Arbeitslosen dauerhaft auf ein höheres Niveau ansteigt. Eine Diskriminierung der als schutzbedürftig erachteten Gruppen (Problemgruppen) der Arbeitnehmerschaft wird dagegen vermieden, wenn der Einkommensausfall infolge Krankheit, Mutterschaft und technologisch bedingter Arbeitslosigkeit vom staatlichen Transfersystem erstattet wird.

Die organisatorische Durchführung und die Überwachung der Arbeitsschutzbestimmungen liegen nicht allein in der Hand staatlicher Institutionen (Gewerbeaufsichtsämter der Bundesländer). Träger sind in diesem Bereich der Sozialpolitik außerdem die Berufsgenossenschaften, die als Selbstverwaltungseinrichtungen für die Anwendung der Unfallverhütungsvorschriften und den Gesundheitsschutz zuständig sind, sowie die Betriebsräte, die darüber wachen, daß die gesetzlichen und vertraglichen Regelungen des betrieblichen Gesundheitsschutzes und der Arbeitsplatzgestaltung eingehalten werden (§ 89 BetrVG).

Die Überwachung der vereinbarten Lohn- und Arbeitsbedingungen, die Mitwirkung bei der Einführung neuer Arbeitsmethoden sowie die Anhörung bei Einstellungen und Entlassungen gehören in Deutschland seit Einführung der betrieblichen Mitbestimmung (Betriebsrätegesetz, 1920) zu den zentralen Aufgaben des Betriebsrats. Nachdem die Mitbestimmungsrechte im „Dritten Reich" 1934 abgeschafft worden waren, wurden sie in der Bundesrepublik 1952 durch das Betriebsverfassungsgesetz für die private Wirtschaft und 1955 durch das Personalvertretungsgesetz für den Bereich der öffentlichen Verwaltung wieder eingeführt. Beide Gesetze wurden seither mehrmals geändert. Nach dem Betriebsverfassungsgesetz hat der Betriebsrat neben seiner Einflußnahme auf die betriebliche Berufsbildung sowie auf personelle und auf wirtschaftliche Entscheidungen das Recht auf „Mitbestimmung in sozialen Angelegenheiten" (§ 87): Arbeitszeit, Urlaub, Unfallverhütung und Gesundheitsschutz, Verwaltung sozialer Einrichtungen, Kündigungen.

3.2. Tarifvertraglicher Arbeitsschutz

Neben dem Staat sind seit mehr als hundert Jahren auch die Tarifvertragsparteien Träger sozialpolitischer Maßnahmen im Bereich des Arbeitsschutzes. Gegenstand dieser „qualitativen Tarifpolitik" waren lange Zeit kollektive Vereinbarungen zur Begrenzung der Arbeitszeit (Tages-, Schicht- oder Wochenarbeitszeit, Pausenregelungen und Urlaubsdauer sowie Lebensarbeitszeit). Bereits der erste gesamtstaatlich geltende Tarifvertrag in Deutschland, der 1873 für das Druckergewerbe abgeschlossen wurde, enthielt eine derartige Bestimmung, wonach die tägliche Arbeitszeit einschließlich Pausen zehn Stunden nicht überschreiten durfte. Auch der gesetzlich festgelegte Acht-Stunden-Tag (1918) hatte eine Vereinbarung der Arbeitsmarktparteien („Zentralarbeitsgemeinschaft") als Vorläufer. Durch Tarifverträge geregelt wurden nach dem Zweiten Weltkrieg insbesondere die wöchentliche Arbeitszeit (sie betrug 1993 im früheren Bundesgebiet für 95,75 v. H. aller Arbeiter und Angestellten weniger als 40, meist aber zwischen 36 und 39,5 Stunden und im Beitrittsgebiet für 97,5 v. H. der Arbeitnehmer zwischen 40 und 42 Stunden) und der Urlaubsanspruch (1993 konnten 98 v. H. aller westdeutschen Arbeitnehmer und 87 v. H. aller ostdeutschen Arbeitnehmer einen Urlaub von fünf Wochen und mehr beanspruchen, obwohl der gesetzliche Mindesturlaub aufgrund des Bundesurlaubsgesetzes nur drei Wochen beträgt). Weiterhin waren Bildungsurlaub, Vermögensbildung und seit 1973 ein verstärkter Kündigungsschutz für ältere Arbeitnehmer in Verbindung mit einer Verdienstsicherung sowie Vereinbarungen über einen vorzeitigen Ruhestand Gegenstand tarifvertraglicher Regelungen.

In neuerer Zeit ist der Tarifvertrag auf Initiative der Gewerkschaften verstärkt als Instrument eines umfassenden Arbeitschutzes eingesetzt worden, um unerwünschte Folgen der Rationalisierung und Automatisierung abzuwenden. Rationalisierungsschutzabkommen mit dieser Zielsetzung wurden z. B. für die Metallindustrie in Nordwürttemberg/Nordbaden („Lohnrahmentarifvertrag II" von 1973 und „Sicherung der Eingruppierung und Verdienstsicherung" von 1978) sowie in der Druckindustrie (Tarifvertrag „Neue Technik" von 1978) abgeschlossen. Mit dem Anspruch, „humane Arbeitsbedingungen" zu verwirklichen, werden nicht nur Grundsätze über die Gestaltung der Fließband- und Gruppenarbeit vereinbart und die Methoden für arbeitswissenschaftliche Messungen und Arbeitsplatzbewertungen festgelegt; auch ein verstärkter Kündigungsschutz, Abfindungen und Ausgleichszahlungen bei Entlassung sowie Verdienstsicherung im Falle der Weiterbeschäftigung auf einem geringerwertigen Arbeitplatz gehören zum Inhalt dieser Tarifverträge. Der ursprüngliche Gegenstand des Arbeitsschutzes wird hier unter dem Sammelbegriff „Humanisierung der Arbeitswelt" auf die Forderungen nach Lohnschutz und Sicherung des Arbeitsplatzes ausgeweitet (HIMMELMANN, 1979).

Ein Bestandsschutz für das bestehende Arbeitsverhältnis durch gesetzliche Regelung oder durch tarifvertragliche Vereinbarung ist mit dem Grundsatz der sozialen Gerechtigkeit nicht vereinbar. Er erzwingt eine willkürliche Umverteilung der Chancen und Risiken am Arbeitsmarkt, indem er beschäftigte Arbeitnehmer zu Lasten der Arbeitsuchenden begünstigt. Darüber hinaus ist der Bestandsschutz sogar ein untaugliches Mittel, um das Arbeitsplatzrisiko in einer Marktwirtschaft zu verringern, da er auf längere Sicht eher zu einem Anstieg als zu einem Rückgang der Arbeitslosigkeit führt (s. Abschnitt 4.3.). Tarifvertragliche Regelungen zur ,,Humanisierung der Arbeit" wirken negativ auf die gesamtwirtschaftliche Produktivität und die internationale Wettbewerbsfähigkeit, wenn sie zusätzlich zu Reallohnerhöhungen durchgesetzt werden, die den Produktivitätszuwachs bereits voll ausschöpfen, denn sie beeinträchtigen einzelwirtschaftlich rentable und gesamtwirtschaftlich wichtige Anpassungen. Da arbeitssparender Maschineneinsatz mit der Absicht eingeführt wird, die Produktionskosten zu senken, sind Kündigungsschutz – verbunden mit Verdienstsicherung für Beschäftigte, die auf geringwertige Arbeitsplätze versetzt werden – und Abfindungsvereinbarungen geeignet, Rationalisierungsinvestitionen zu verteuern. Auf diese Weise werden der technische Fortschritt gehemmt und der optimale Kapitaleinsatz behindert. Potentielle Produktivitätssteigerungen als Voraussetzung für zukünftiges Reallohnwachstum können nicht realisiert werden. Humanisierungsmaßnahmen und Arbeitszeitverkürzungen sind nur dann kostenniveauneutral, wenn sie mit einem Verzicht auf anderenfalls mögliche Lohnerhöhungen erkauft werden (BETHUSY-HUC, 1979).

4. Arbeitsmarktpolitik

Der Begriff Arbeitsmarktpolitik bezeichnet diejenigen wirtschafts- und sozialpolitischen Entscheidungen und Maßnahmen, mit denen die Funktionsweise des Arbeitsmarktes geregelt, dessen Funktionsprobleme verringert und die mit ihnen verbundenen sozialen Folgen abgewendet werden sollen. Arbeitsmarktordnungspolitik legt die Grundregeln fest, nach denen in einer Gesellschaft entschieden wird, wer, wann, wo, zu welchen Bedingungen arbeitet; Arbeitsmarktausgleichspolitik will im Rahmen dieser ordnungspolitischen Grundentscheidung die Funktionsfähigkeit des Arbeitsmarktes verbessern, um das Entstehen von Arbeitslosigkeit zu verhindern und zum Abbau vorhandener Arbeitslosigkeit beizutragen. Arbeitsmarktausgleichspolitik ist als Ergänzung zu einer am Ziel der Vollbeschäftigung orientierten Stabilitätspolitik zu verstehen. Während Vollbeschäftigungspolitik darauf gerichtet ist, konjunkturelle Arbeitslosigkeit zu bekämpfen, besteht das Anliegen der Arbeitsmarktausgleichspolitik darin, friktionelle und strukturelle Arbeitslosigkeit zu begrenzen (LAMPERT, 1980).

Bis in die sechziger Jahre bestand für Arbeitsmarktprobleme eine klare Aufgabentrennung. Die Gewährleistung der Vollbeschäftigung galt als Domäne der Stabilitätspolitik, und die soziale Sicherung der unfreiwillig aus dem Arbeitsprozeß ausscheidenden Arbeitnehmer oblag der Sozialpolitik. Arbeitsmarktpolitik stellt demgegenüber eine Sichtweise dar, die beide Aspekte miteinander verbindet. Ausgangspunkt hierfür ist wiederum der Humanitätsanspruch der Sozialpolitik. Der Auftrag, jedem Individuum ein menschenwürdiges Dasein zu ermöglichen, schließt in der modernen Arbeits- und Wirtschaftsgesellschaft ein ,,Recht auf Arbeit" ein, das als Recht des Menschen auf Schutz gegen Arbeitslosigkeit ausgelegt wird. Dieser Interpretation des sozialpolitischen Auftrags liegt die Erkenntnis zugrunde, daß Arbeitslosigkeit für den Betroffenen häufig eine Minderung seines ,,Selbstwertgefühls und seines sozialen Ansehens" bedeutet. Die Abwehr von Arbeitslosigkeit ist der traditionellen Aufgabe der Sozialpolitik – Sicherung der physischen Existenz der Arbeitslosen durch Unterstützungszahlungen (Arbeitslosengeld, Arbeitslosenhilfe, Sozialhilfe) – insofern vorgelagert, als ihre immateriellen Nachteile nur auf diese Weise vermieden werden können (KLEINHENZ, 1979).

Der Erweiterung des sozialpolitischen Funktionsbereichs entspricht auch ein neues Verständnis der Vollbeschäftigungspolitik, indem die vorbeugende Vermeidung (aktive Arbeitsmarktpolitik) gegenüber der nachträglichen Bekämpfung von Arbeitslosigkeit (reaktive Arbeitsmarktpolitik) stärker betont wird. Unstrittig ist, daß soziale Sicherung beim Verlust des Arbeitsplatzes sowie reaktive und aktive Arbeitsmarktpolitik nicht als alternative Konzepte, sondern als ergänzende Lösungsmöglichkeiten zu gelten haben. Kontrovers sind jedoch die Ansichten über das in jedem Fall angemessene Instrumentarium (MERTENS/KÜHL, 1979).

4.1. Arbeitsmarktordnungspolitik

Arbeitsmarktordnungspolitik betrifft die Frage, wem in der Gesellschaft die Entscheidungskompetenz zugewiesen werden soll über

- individuelle Berufsausübung,
- Vergabe und Besetzung von Arbeitsplätzen,
- Festlegung der Arbeitsbedingungen und
- Lohnvereinbarungen.

In zentralverwalteten Volkswirtschaften ist die Organisation des Arbeitseinsatzes Gegenstand staatlicher Planung und Lenkung; in demokratischen Gesellschaften gehört die freie Wahl des Arbeitsplatzes zu den durch die Verfassung garantierten Grundrechten (in der Bundesrepublik Deutschland Art. 12 GG). Sofern im übrigen marktwirtschaftliche Prinzipien gelten, erfolgt die Einstellung von Arbeitskräften nach ökonomischen Kriterien aufgrund unternehmerischer Entscheidungen; Arbeitsbedingungen sowie Lohnbildung sind Ergebnis marktmäßiger Koordination der individuellen Pläne. Als das für den Arbeitsmarkt gültige Entscheidungsverfahren hat sich in Deutschland seit der zweiten Hälfte des 19. Jahrhunderts wie in den meisten anderen demokratischen Ländern das Verhandlungssystem (collective bargaining) herausgebildet. Vollständig legalisiert wurde die Entscheidungskompetenz der Arbeitsmarktparteien jedoch erst zu Beginn der Weimarer Republik (1918), als die letzten Beschränkungen der Koalitionsfreiheit fielen und das Streikrecht der Gewerkschaften zugelassen wurde. In der Bundesrepublik Deutschland gehört die Tarifautonomie einschließlich des Arbeitskampfes zu den unantastbaren Grundrechten (Art. 9 (3) GG).

Das Verfahren, Löhne und weitere wesentliche Arbeitsbedingungen allgemeinverbindlich – also einschließlich der nicht organisierten Arbeitnehmer – durch bevollmächtigte Verhandlungsführer auszuhandeln, ist für beide Marktparteien vorteilhaft. Für die Arbeitsanbieter besteht der Hauptvorteil im Ausschluß der Konkurrenz auf ihrer Marktseite. Der Lohn ist in der Regel diejenige Einkommenskomponente, auf die ein Arbeitnehmerhaushalt ausschließlich oder überwiegend angewiesen ist, um seinen Lebensunterhalt zu bestreiten. Wenn seine Mitglieder bemüht sind, ihr gemeinsames Haushaltseinkommen mindestens zu sichern, müssen sie bei sinkendem Lohn mehr Arbeit anbieten. Ein derart gleichgerichtetes Verhalten aller Haushalte wird dazu führen, daß der Lohnsatz pro Arbeitsstunde weiter sinkt. Um das angestrebte Lohneinkommen zu erzielen, muß das Arbeitsangebot erneut ausgeweitet werden. Die Angebotskurve am Arbeitsmarkt verläuft demnach – verglichen mit der eines Gütermarktes – anormal (Beitrag K-2.2.). Durch gewerkschaftlichen Zusammenschluß wird dieses ,,Herunterkonkurrieren“ des Lohnes ausgeschlossen. Da das collective bargaining durch geschulte Fachkräfte vorbereitet und von erfahrenen Verhandlungsführern geleitet wird, ergibt sich zudem für die Angebotsseite – verglichen mit individuellen Lohnabsprachen – ein insgesamt höherer Informationsgrad über die Bedingungen des Arbeitsmarktes. Darüber hinaus bietet das Verhandlungssystem die Möglichkeit, den in der jeweiligen Marktsituation durchsetzbaren Lohnsatz gegebenenfalls mit dem Mittel des Streiks zu erzwingen (Pen, 1959; Phelps Brown, 1962; Lampert, 1979, 2).

Aber auch für die Unternehmen als Nachfrager nach Arbeitskräften können kollektiv ausgehandelte Löhne vorteilhaft sein. Sie gewährleisten während der Laufzeit des Tarifvertrags eine feste Kalkulationsgrundlage. Als Nachteil gilt aus der Sicht jener Unternehmen, die eine unterdurchschnittliche Produktivitätsentwicklung aufweisen, daß die Tariflöhne nicht unterschritten werden dürfen. Um Gewinneinbußen zu vermeiden, könnten die Produzenten zwar ihre Preise erhöhen, doch diese Maßnahme würde ihre Wettbewerbsstellung verschlechtern. Als einziger Ausweg bleibt ihnen daher der Einsatz arbeitssparender Produktionsverfahren.

Das Verhandlungssystem steht nicht im Widerspruch zur marktwirtschaftlichen Ordnung, weil die freie Arbeitsplatzwahl nicht eingeschränkt ist, weil das Angebot an Arbeitsplätzen weiterhin auf der individuellen unternehmerischen Entscheidung beruht und weil trotz Ausschaltens der Anbieterkonkurrenz die Marktkräfte nicht außer Kraft gesetzt werden. So fördert der auf die schwächeren Unternehmen ausgeübte Rationalisierungszwang die marktwirtschaftliche Dynamik. Aber auch die Lenkungsfunktion des Arbeitsmarktes bleibt erhalten, weil die Tariflöhne, da sie ein Mindestlohnniveau festlegen, überboten werden können. Indem die leistungsfähigeren Unternehmen höhere Effektivverdienste zahlen, sind sie jederzeit in der Lage, Arbeitskräfte an sich zu ziehen. Dem entspricht für die Anbieter von Arbeit auch im

Verhandlungssystem die Chance, durch Arbeitsplatzwechsel ihr Einkommen zu erhöhen.

Der gesamtwirtschaftliche Zusammenhang zwischen Lohnhöhe und Beschäftigung wird durch das Verhandlungssystem nicht aufgehoben. Da die Unternehmen nicht bereit sind, Löhne zu zahlen, die über dem Grenzprodukt der Arbeit liegen, werden sie ihre Arbeitsnachfrage einschränken, wenn diese Bedingung verletzt und die Möglichkeit zur Reallohnsenkung über kompensierende Preiserhöhungen wegen einer restriktiven Geldpolitik entweder eingeschränkt oder ausgeschlossen ist. Die Gewerkschaften müssen also fürchten, daß Lohnerhöhungen, die über den Produktivitätszuwachs hinausgehen, Unterbeschäftigung zur Folge haben und bei den freigesetzten Arbeitskräften Unzufriedenheit auslösen (Insider-Outsider-Problematik). Wären die im Arbeitsprozeß Verbleibenden verpflichtet, aus den für sie durchgesetzten Lohnerhöhungen die zusätzlichen Arbeitslosen zu entschädigen, müßte die rationale Tarifstrategie der Gewerkschaften darin bestehen, die unter den geltenden Marktbedingungen maximal mögliche Lohnsumme auszuhandeln. Liegt jedoch die Verantwortung für die Arbeitslosenunterstützung – wie in der Bundesrepublik – beim Staat, dann ist die Entlassung von Arbeitskräften kein wirksames Hindernis für die Gewerkschaften, Lohnerhöhungen oder kostensteigernde Arbeitsbedingungen durchzusetzen, die das Produktivitätswachstum überschreiten. Nicht das für den Arbeitsmarkt spezifische Entscheidungsverfahren an sich, sondern dessen Verknüpfung mit einem staatlich organisierten Unterstützungssystem ist geeignet, das Beschäftigungs-Inflations-Dilemma für die Wirtschaft zu verstärken. (Zum Insider-Outsider-Problem LINDBECK, 1993.).

Das Verhandlungssystem ist ebenso wie das Marktsystem ein Entscheidungsverfahren, das die individuellen Freiheitsrechte am Arbeitsmarkt zur Geltung bringt. Es ist dem Marktsystem überlegen, da es dessen potentielle sozial unerwünschten Konsequenzen (Lohnkonkurrenz der Anbieter) vermeidet. Indem es in der Regel zu einem Interessenausgleich führt, der von beiden Marktseiten akzeptiert wird, trägt es zum sozialen Frieden bei. Insofern ist es dem staatlichen Lohndirigismus selbst dann vorzuziehen, wenn der Kompromiß nur im Wege des Arbeitskampfes (Streik und Aussperrung), verbunden mit Produktionseinbußen, gefunden werden kann. Im Fall der Zwangsschlichtung durch den Staat ist nämlich nicht auszuschließen, daß sich mindestens eine Marktpartei übervorteilt fühlt, weil der Informationsprozeß über die Kompromißbereitschaft der Gegenseite, dem letztlich auch der Arbeitskampf dient, nicht abgeschlossen wird. Der soziale Konflikt würde dann durch das Vereinbarungsdiktat nur unterdrückt werden.

4.2. Vollbeschäftigungspolitik

Arbeitslosigkeit wurde bis zum Ende der sechziger Jahre in erster Linie als Konjunkturproblem behandelt. Im konjunkturellen Abschwung, hervorgerufen durch einen Rückgang der gesamtwirtschaftlichen Nachfrage – insbesondere ihrer privaten Komponenten, Konsum- und Investitionsausgaben –, kommt es bei nach unten starren Preisen zu einer verringerten Beschäftigung, weil die Unternehmen ihre Produktion einschränken und insofern auch weniger Arbeitskräfte nachfragen. Um derartige zyklische Ausschläge im Aktivitätsniveau einer Volkswirtschaft zu vermeiden, wird häufig eine kompensatorische Steuerung der gesamtwirtschaftlichen Nachfrage durch den Staat gefordert. Dies sollte auf zweierlei Wegen geschehen: Entweder durch Variation von Steuern und Staatsausgaben seitens der öffentlichen Haushalte (Fiskalpolitik) oder über den Einsatz monetärer Instrumente durch die Notenbank (Geldpolitik). Unmittelbare Aktionsebene einer mit diesen Mitteln der Nachfragesteuerung betriebenen expansiven Beschäftigungspolitik sind die Märkte für Konsum- und Investitionsgüter. Veränderungen der Beschäftigung treten – wenn überhaupt – nur als Sekundäreffekt auf.

Allerdings ist auch eine direkte Verknüpfung zwischen den fiskalpolitischen Instrumenten und den letztlich angestrebten Beschäftigungswirkungen möglich. Hierzu gehören in erster Linie diejenigen „Arbeitsbeschaffungs"-Maßnahmen, die sich gleichzeitig auf den Güter- wie auf den Arbeitsmarkt richten. Denkbar sind beispielsweise Staatsaufträge, die mit Arbeitsplatzsubventionen in Bereichen gekoppelt sind, in denen die vom Staat nachgefragten Güter produziert werden. Aber auch erhöhte Staatsausgaben für zusätzliche Arbeitskräfte im öffentlichen Dienst haben diese Wirkung. In beiden Fällen wird jedoch die optimale Faktorkombination behindert, und es besteht die Gefahr, daß private Investitionsvorhaben in anderen Sektoren zurückgedrängt werden. Die zunächst auftretenden positiven Beschäftigungswirkungen würden dann mit fortschreitender Entwicklung wieder rückgängig gemacht. Zudem ist längerfristig ein dauerhafter Abbau der Arbeitslosigkeit in Frage gestellt, weil je nach Finanzierungsart inflationäre oder kontraktive Effekte mit negativem Einfluß auf die Beschäftigung zu erwarten sind (Beitrag P-5.). Positive Beschäftigungswirkungen als Ergebnis einer Nachfrageexpansion können nur dann auftreten, wenn die Bezieher von Arbeitseinkommen der Geldillusion unterliegen (Beitrag C-7.). Von dieser Voraussetzung kann zumindest bei anhaltend hohen Inflationsraten nicht ausgegangen werden (Beitrag F-3.). Aufgrund der aus der makroökonomischen Theorie bekannten Zusammenhänge sind Geld- und Fiskalpolitik zur nachhaltigen Bekämpfung der strukturellen und friktionellen Arbeitslosigkeit („natürliche Arbeitslosigkeit") nicht geeignet.

4.3. Arbeitsmarktausgleichspolitik

Um strukturelle und friktionelle Arbeitslosigkeit zu verringern, sind nur solche Maßnahmen erfolgversprechend, die auf dem Arbeitsmarkt selbst ansetzen (Arbeitsmarktausgleichspolitik). Nach dem Kriterium der Eingriffsintensität (Schiller, 1965, 2) lassen sie sich einteilen in

- Marktbeeinflussungen, die in erster Linie eine Verbesserung der Markttransparenz und den Abbau von Friktionen zum Inhalt haben;
- Marktinterventionen, verstanden als Maßnahmen, die indirekt auf eine Verbesserung der Marktergebnisse zielen;
- Marktregulierungen, mit denen bestimmte Marktergebnisse gegen die Marktkräfte direkt durchgesetzt werden sollen.

Als systemkonform gelten in einer Marktwirtschaft sämtliche Maßnahmen der Marktbeeinflussung und solche Marktinterventionen, die auf das Arbeitsangebot zielen. Sie sind geeignet, den Marktmechanismus zu stärken. Interventionen auf der Nachfrageseite des Arbeitsmarktes beeinträchtigen die sektorale oder regionale Mobilität, und Marktregulierungen setzen den Marktmechanismus außer Kraft, so

Übersicht R-2: Systematik des Instrumentariums der Arbeitsmarktausgleichspolitik

Klassifizierung	Marktbeeinflussungen		Marktinterventionen		Marktregulierungen	
Zwischenziel	Verbesserung der Markttransparenz; Abbau von Friktionen		Veränderung der Faktorallokation und -kombination		Lenkung der Beschäftigung	
Aktionsebene	Angebot	Nachfrage	Angebot	Nachfrage	Angebot	Nachfrage
Aktionsparameter	Informationskosten; Anpassungskosten	Informationskosten	Anpassungskosten	Faktorkosten	Arbeitszeit; Arbeitsmobilität	Personaleinsatz
Instrumente	Berufsberatung; Arbeitsplatzvermittlung; Umzugsbeihilfen; allgemeine Aus- und Fortbildungsförderung	Vermittlung von Arbeitskräften	spezielle Ausbildungsförderung; Umschulungsbeihilfen	spezielle Subventionierung des Arbeitseinsatzes; Verteuerung arbeitssparender Investitionen	Arbeitszeitverkürzungen; Verbot von Ausländerbeschäftigung; Arbeitsdienst	Einstellungsverpflichtungen
	systemkonform			systeminkonform		

daß eine effiziente Faktorkombination verhindert wird. Eine Systematik des Instrumentariums der Arbeitsmarktausgleichspolitik enthält *Übersicht R-2*.

Der Arbeitsmarkt besteht aus Teilmärkten, die räumlich getrennt und durch Qualifikationsunterschiede gegeneinander abgegrenzt sind. Der in einer dynamischen Volkswirtschaft ständig auftretende Strukturwandel wirkt sich in den einzelnen Segmenten unterschiedlich aus. Da Nachfrager und Anbieter von Arbeitsleistungen nur unvollkommen über die Marktsituation informiert sind und sich nur langsam an veränderte Marktbedingungen anpassen können, ist strukturelle Arbeitslosigkeit kaum zu vermeiden.

Zu struktureller Unterbeschäftigung kommt es, wenn Neuerungen in der Produktionstechnik, Strukturverschiebungen der Güternachfrage, Veränderungen in den demographischen Faktoren oder in den sozialen Verhaltensmustern die qualitativen Anforderungen an den Faktor Arbeit verändern. Um sich an die geänderten Bedingungen des Arbeitsmarktes anzupassen, müssen Zeit und Kosten für Ausbildung und Umschulung aufgewendet werden. Angebotsüberhang auf einigen und Überschußnachfrage auf anderen Teilmärkten treten daher nicht selten gleichzeitig auf; sie gehören zum Erscheinungsbild einer dynamischen Wirtschaft. Auf diese Weise erklärt sich das Nebeneinander von offenen Stellen und Arbeitslosigkeit.

Friktionelle Unterbeschäftigung entsteht aus dem Bestreben von Anbietern und Nachfragern am Arbeitsmarkt, ihren Informationsstand zu verbessern. Für den Arbeitnehmer ist die Suche nach einem Arbeitsplatz, der seinen Vorstellungen entspricht, zeitaufwendig und verursacht Einkommensausfall, wenn Arbeitslosigkeit in Kauf genommen wird. Unterstützungszahlungen in Form von Abfindungen aus dem bisherigen Arbeitsverhältnis oder durch das System der sozialen Sicherung (Arbeitslosengeld, Arbeitslosenhilfe) verringern diese Opportunitätskosten und können insofern den Suchprozeß verlängern. Diese „Sucharbeitslosigkeit" ist das Ergebnis eines rationalen ökonomischen Verhaltens, denn der Arbeitssuchende wägt die erwarteten Erträge des Arbeitsplatzwechsels (kapitalisiertes Mehreinkommen) und dessen Kosten – direkte Kosten zuzüglich des während der Suchdauer erlittenen Einkommensausfalls – gegeneinander ab und nimmt den Zustand der Arbeitslosigkeit dann in Kauf, wenn die erwarteten Erträge höher sind als die anfallenden Kosten. Das Anspruchsniveau des Arbeitsanbieters orientiert sich zunächst am bisherigen Verdienst. Je nach konjunktureller Situation bewirkt der Informationsprozeß eine Korrektur seiner ursprünglichen Vorstellungen nach oben oder unten. Zur Anpassung an ein niedrigeres Arbeitsentgelt in Zeiten des konjunkturellen Abschwungs wird ein Arbeitnehmer nur widerstrebend bereit sein. Erst die mit der Dauer der Arbeitslosigkeit steigenden Suchkosten zwingen ihn, einen Lohn zu akzeptieren, der unter seinen ursprünglichen Erwartungen liegt. Folglich wird die Sucharbeitslosigkeit in einer Rezession größer sein als im Konjunkturaufschwung (Phelps, 1968; Holt, 1970, 2).

Strukturelle und friktionelle Arbeitslosigkeit begründen somit eine „natürliche Unterbeschäftigungsrate", die – bedingt durch das unterschiedliche Tempo des Strukturwandels, durch Abweichungen in der Mobilität oder im Qualifikationsgrad des Faktors Arbeit – im internationalen Vergleich erheblich differiert (Beitrag C-6). Beide Formen der Arbeitslosigkeit entziehen sich dem Einfluß der Geld- und Fiskalpolitik. Durch Arbeitsmarktausgleichspolitik ist es möglich, die auf dem Arbeitsmarkt bestehenden Mobilitätsbarrieren abzubauen und auf diese Weise den Beschäftigungsgrad zu erhöhen. So verbessern Berufsberatung und Arbeitsvermittlung die Markttransparenz. Indem der Staat diese Aktivitäten Anbietern und Nachfragern unentgeltlich zur Verfügung stellt, werden private Informationskosten von der Gesellschaft übernommen. Auch die staatliche Ausbildungsförderung für bestimmte berufliche Qualifikationen sowie Beihilfe an Arbeitssuchende, für die ein neues Beschäftigungsverhältnis mit einem Ortswechsel (Umzugsbeihilfen) oder mit dem Qualifikationserwerb für einen anderen Beruf (Umschulungsbeihilfen) verbunden ist, stellen eine Sozialisierung anderenfalls privat zu tragender Anpassungskosten dar.

Verbesserung der Markttransparenz und Friktionsabbau auf dem Arbeitsmarkt (Marktbeeinflussung) werden in einer marktwirtschaftlichen Ordnung als systemkonforme Maßnahmen eingestuft. Dies gilt ebenfalls für staatliche Interventionen, die den Arbeitnehmern die entstehenden Kosten der Anpassung an veränderte Marktbedingungen abnehmen (angebotsorientierte Interventionen). Sie können zugleich den Arbeitseinsatz in den Unternehmen rentabler machen oder die Einführung solcher Produktionsverfahren, die besonders qualifizierte Arbeitskräfte erfordern, überhaupt erst ermöglichen und insofern zu einer Mehrbeschäftigung führen (Giersch, 1979). Neben den positiven sozialpolitischen Wirkungen – die sowohl die materielle als auch die immaterielle Zielsetzung (Steigerung des Selbstwertgefühls und des sozialen Ansehens) betreffen – weisen diese Maßnahmen wohlstandssteigernde Effekte auf, da sie die Anwendung des technischen Fortschritts fördern. Problematisch sind staatliche Anpassungshilfen dann, wenn sie statt an aktuellen Marktsignalen – wie der bestehenden Lohnstruktur – an einem voraussichtlichen Strukturwandel orientiert werden, weil zweifelhaft ist, daß der Staat über bessere Informationen verfügt als der Markt.

Marktinkonform sind solche Mittel, die als Interventionen auf die Nachfrageseite des Arbeitsmarktes gerichtet sind und hier entweder spezifische Verwendungen des Faktors Arbeit subventionieren oder auf eine Besteuerung des technischen Fortschritts hinauslaufen. Subventionen verhindern eine optimale Allokation des Faktors Arbeit; Maßnahmen, die vorhandene Arbeitsplätze sichern sollen, hemmen den technischen Fortschritt, weil sie direkt oder indirekt den Einsatz von arbeitssparenden Produktionstechniken verteuern. Sie gefährden damit eine wesentliche Bedingung für das Erreichen des Vollbeschäftigungsziels. Partiellen Freisetzungen von Arbeitskräften als unmittelbare Folge von Rationalisierungsinvestitionen steht die Zunahme von Arbeitsplätzen in expandierenden Sektoren der Wirtschaft gegenüber. Zu ihnen zählen nicht zuletzt jene Industriezweige, die an der Produktion der verbesserten Investitionsgüter beteiligt sind. Eine mobilitätsfördernde Arbeitsmarktpolitik kann die Voraussetzung dafür verbessern, daß diese Arbeitsplätze rasch besetzt werden. Ein verstärkter Kündigungsschutz für diejenigen, die durch Rationalisierungsinvestitionen bedroht sind, hat demgegenüber – ebenso wie die Belastung der Unternehmen mit Abfindungszahlungen an die freigesetzten Arbeitnehmer – die Wirkung einer Maschinensteuer. Beides verteuert den ansonsten rentablen Kapitaleinsatz. Soziale Härten bei den Betroffenen können ohne nachteilige Folgen für die marktwirtschaftlichen Antriebskräfte durch staatliche Transferzahlungen ausgeglichen werden.

Die Arbeitsverpflichtung als Maßnahme zur Regulierung des Arbeitsmarktes (Arbeitsdienst) verletzt den Grundsatz der freien Arbeitsplatzwahl. Dieses Mittel kommt in einer Marktwirtschaft ebensowenig in Betracht wie eine den Unternehmen auferlegte Einstellungsverpflichtung. Selbst im Fall besonders benachteiligter Personengruppen (Behinderte) sind finanzielle Anreize an die Unternehmen einem gesetzlichen Einstellungszwang vorzuziehen. Auch die Arbeitszeitverkürzung ist kein systemkonformes Mittel der Arbeitsmarktausgleichspolitik (s. Abschnitt 3.1.).

Arbeitsmarktausgleichspolitik in der Bundesrepublik Deutschland

Träger, Ziele und Mittel der Arbeitsmarktausgleichspolitik werden in der Bundesrepublik durch das 1969 geschaffene und seither mehrfach ergänzte Arbeitsförderungsgesetz (AFG) festgelegt. Mit dem Ziel, einen hohen Beschäftigungsstand zu gewährleisten, die Beschäftigungsstruktur zu verbessern und damit das Wachstum der Wirtschaft zu fördern, weist das AFG der Bundesanstalt für Arbeit folgende Aufgaben zu:

- Arbeitsvermittlung und Berufsberatung;
- Berufliche Ausbildungsförderung (Ausbildung, Fortbildung, Umschulung);
- Förderung der regionalen Mobilität (Zuschüsse zu Bewerbungs-, Reise- und Umzugskosten, Trennungsbeihilfen bei auswärtiger Arbeitsaufnahme, anteilige Finanzierung der Arbeitsausrüstung sowie Beihilfen zur Überbrückung bis zur ersten Lohn- und Gehaltszahlung und schließlich Zahlung eines zeitlich beschränkten Übergangsgeldes bei Gründung einer selbständigen Existenz durch Arbeitslose);
- Arbeitsplatzerhaltung (Kurzarbeitergeld, Winterbauförderung) und Arbeitsplatzschaffung (Subventionierung von arbeitsplatzschaffenden Unternehmen und Institutionen des Öffentlichen Rechts, sofern die Arbeiten „im öffentlichen Interesse liegen"). Besonders gefördert werden Personen, die zu den Problemgruppen des Arbeitsmarktes gehören (Behinderte, ältere Arbeitnehmer, Langzeitarbeitslose und junge Arbeitslose ohne beruflichen Abschluß). Der Lohnkostenzuschuß beträgt bis zu 70 v. H. des Arbeitsentgelts.

Während das AFG die Grundlage für eine aktive Arbeitsmarktpolitik bildet, zielt das Beschäftigungsförderungsgesetz aus dem Jahr 1985 auf den Abbau beschäftigungshemmender Wirkungen, die durch das geltende Arbeitsrecht geschaffen wurden. Dieses Gesetz erleichtert den Abschluß befristeter Arbeitsverträge mit einer Laufzeit bis zu achtzehn Monaten und für neugegründete und kleine Unternehmen mit höchstens zwanzig Beschäftigten sogar bis zu einer Dauer von zwei Jahren. Damit soll vermieden werden, daß der Kündigungsschutz für unbefristete Arbeitsverhältnisse die Unternehmen weiterhin davon abhält, die Zahl ihrer Beschäftigten zu erhöhen. Solange die Unternehmen nicht sicher sein können, daß ein Nachfrageanstieg längerfristig andauert, werden sie Neueinstellungen unterlassen und statt dessen versuchen, ihre Produktion durch intensivere Nutzung der vorhandenen Arbeitskräfte (Überstunden) zu steigern. Sie wollen das Risiko vermeiden, bei einem zukünftigen Absatzrückgang und der daraufhin erforderlichen Produktionseinschränkung die Zahl ihrer Beschäftigten nicht wieder verringern zu können. Bei rückläufiger Produktion üben ein umfassender Kündigungsschutz einerseits und ein tarifvertraglicher Ausschluß von Lohnsenkungen andererseits auf die Unternehmen eine Zangenwirkung aus. Da die Kosten des Faktors Arbeit konstant bleiben, resultieren steigende Stückkosten und schrumpfende Gewinne oder gar Verluste. Die Möglichkeit, befristete Arbeitsverträge abzuschließen, gibt den Unternehmen einen Teil der ihnen entzogenen Anpassungsfähigkeit wieder zurück, die für die Funktionsfähigkeit des marktwirtschaftlichen Systems unerläßlich ist.

5. Sicherungspolitik

Krankheit, Unfall, Invalidität, Alter, Pflegebedürftigkeit, Mutterschaft, Kinderreichtum, Arbeitslosigkeit oder Vermögensverlust können die materielle Grundlage für ein menschenwürdiges Dasein gefährden. Bei Arbeitslosigkeit und Vermögensverlust versiegen die Einkommenszahlungen, während Kinderreichtum und Pflegebedürftigkeit die Ausgaben für den Lebensunterhalt auf eine Höhe anwachsen lassen, die die Finanzierungsmöglichkeiten von Empfängern niedriger Einkommen übersteigen kann. Im Unterschied dazu werden durch Krankheit, Unfall, Invalidität, Alter und Mutterschaft in der Regel beide Seiten des Haushaltsbudgets belastet. Einerseits kommt es wegen der eingeschränkten Erwerbsfähigkeit zu Einkommensausfällen, andererseits entsteht für Behandlung, Pflege und Betreuung ein spezifischer Mehrbedarf, der über die normale Lebenshaltung hinaus zusätzliche Ausgaben begründet.

5.1. Ordnungs- und Gestaltungsprinzipien

Um die Bedarfsdeckung des privaten Haushalts auch in extremen Lebenslagen sicherzustellen, bedarf es der Vorsorge. Diese Sicherung kann in einer Gesellschaft grundsätzlich entweder durch Eigenvorsorge nach dem Individualprinzip oder durch kollektive Vorsorge nach dem Sozialprinzip organisiert werden. Als Grundsätze der „sozialen Sicherung" kommen das Versicherungs-, das Versorgungs- und das Fürsorgeprinzip in Betracht. Eine Systematik der alternativen Ordnungs- und Gestaltungsprinzipien enthält *Übersicht R-3*.

Übersicht R-3: Ordnungs- und Gestaltungsprinzipien der Daseinsvorsorge

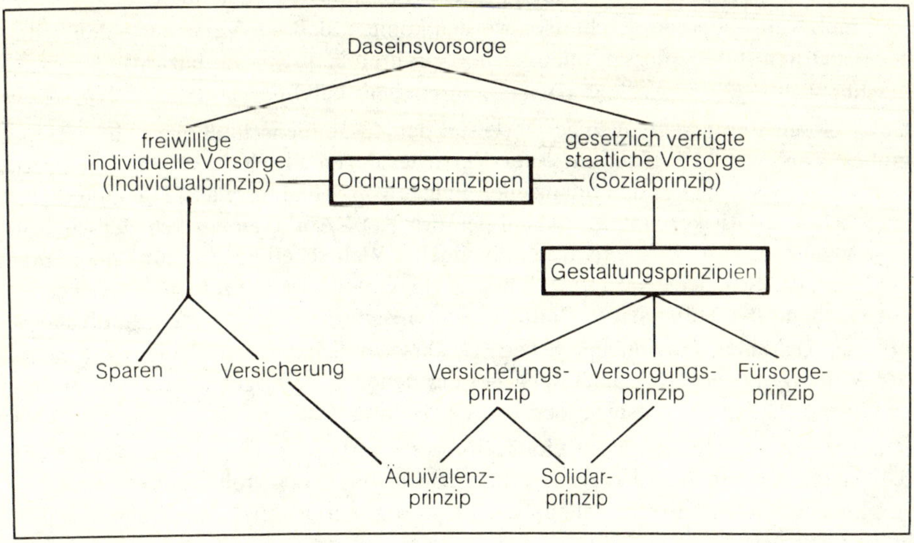

Individualprinzip

Das Individualprinzip entspricht dem Leitbild einer Leistungsgesellschaft, in der jeder die Freiheit haben soll, seine Lebensbedingungen selbst zu gestalten. Aus diesem Grundsatz folgt die eigenverantwortliche Vorsorge für Notfälle (Krankheit, Unfall, Arbeitslosigkeit, Invalidität) sowie für solche Ereignisse (Familiengründung, Alter), die im normalen Lebenszyklus zu erwarten sind. Diese Selbsthilfe ist entweder durch freiwilliges Sparen oder durch Abschluß einer Versicherung möglich.

Kann der einzelne selbst entscheiden, ob und inwieweit er einen erforderlichen Mehraufwand tragen will, ist eine optimale zeitliche Zuordnung von Einkommen und Ausgaben (Ersparnisbildung) möglich. Dies gilt auch in den Fällen von Mutterschaft und Kinderreichtum. Zum Ausgleich des altersbedingten Einkommensausfalls können während des Erwerbszeitraums ebenfalls Rücklagen gebildet werden. Da jedoch die individuelle Lebenserwartung ungewiß ist, so daß der einzelne die Dauer seiner wirtschaftlichen Inaktivität nicht absehen kann, ist Alter – ähnlich wie Krankheit, Unfall und Invalidität – ein „Risiko“, das sich durch Sparen nicht hinreichend abdecken läßt.

Bei Unsicherheit über den Eintritt des Vorsorgefalls und über das Ausmaß der finanziellen Folgen bietet allein die Versicherung einen vollständigen Risikoschutz. Versicherungsschutz ist allerdings nur bei solchen Risiken möglich, die versicherbar sind. Versicherbarkeit ist gegeben, wenn folgende Bedingungen erfüllt sind:

- Eine hinreichend große Zahl von Individuen muß potentiell durch gleichartige Risiken bedroht sein;
- es muß davon ausgegangen werden können, daß zu jedem Zeitpunkt nur ein Teil der Bedrohten tatsächlich auch von den Folgen dieser Risiken betroffen wird;
- die Schadensfälle müssen als unabhängige Ereignisse gelten;

- der Versicherer muß die individuelle Schadenswahrscheinlichkeit kennen, um eine Negativeauslese schlechter Risiken (adverse selection) zu vermeiden;
- es muß weitgehend ausgeschlossen werden können, daß der Versicherte den Schadensfall selbst beeinflussen oder gar herbeiführen kann (moral hazard);
- schließlich muß das Ausmaß des Gesamtschadens kalkulierbar sein.

Unter diesen Voraussetzungen gewährleistet der Zusammenschluß einer hinreichend großen Zahl von Individuen zu einer Versichertengemeinschaft jedem Beteiligten vollständigen Schutz vor den finanziellen Folgen von Schadensfällen. Die individuellen Kosten des Risikoschutzes sind auf den Pro-Kopf-Anteil an der Schadenssumme aller Mitglieder beschränkt. Je nach individueller Wahrscheinlichkeit für Eintritt und Umfang des Schadens wird der Finanzierungsanteil des einzelnen Versicherten entsprechend der Höhe seines Beitrags zum Gesamtrisiko festgesetzt (Äquivalenzprinzip). Bei einer individuellen Schadenswahrscheinlichkeit von kleiner als Eins ist der Vorsorgeaufwand für eine Versicherung dennoch niedriger als die im Durchschnitt je Schadensfall entstehenden Kosten (Beitrag J-2.2.1.).

Krankheit, Alter, Unfall und Invalidität sind versicherbare Risiken. Grundsätzlich gilt dies auch für einen Vermögensverlust sowie für strukturelle und friktionelle Arbeitslosigkeit. In diesen Fällen besteht jedoch ein Anreiz, das Ereignis selbst herbeizuführen, um sich zu Lasten der Versichertengemeinschaft einen finanziellen Vorteil zu verschaffen. Besondere Kontrollen können diese Gefahr einschränken. Bei konjunkturbedingter Massenarbeitslosigkeit und bei Kriegsfolgen versagt das Versicherungsprinzip völlig, weil die Bedingung unabhängiger Einzelereignisse verletzt ist; Eigenvorsorge ist hier nicht möglich.

Notwendige Voraussetzung für eine eigenverantwortliche Sicherung nach dem Individualprinzip ist ein stabiler Geldwert. In einer inflationären Wirtschaft bedarf es zusätzlicher Geldkapitalbildung, um ein für die Zukunft geplantes reales Versorgungsniveau zu sichern. Hinzu kommt das Risiko, daß die zukünftige Inflationsrate über den gegenwärtig antizipierten Wert hinaus ansteigt. Wegen des relativ langen Zeitraums von Vorsorgeplanungen wird die Risikoschutzfunktion des Finanzvermögens bei Unsicherheit über die zukünftige Entwicklung des Geldwertes erheblich gemindert. Insofern leistet der Staat durch konsequente Stabilitätspolitik einen Beitrag zur sozialen Sicherheit auf der Grundlage des Individualprinzips.

Sozialprinzip

Eine Zuständigkeit des Staates für die Existenzsicherung seiner Bürger – also die Notwendigkeit einer „sozialen Sicherung“ – wird nicht nur mit fehlender Versicherbarkeit bestimmter Risiken, sondern auch mit unzureichender Bereitschaft und mangelnder Fähigkeit zu individueller Vorsorge begründet. Wegen der mit dem Risikoschutz verbundenen positiven externen Effekte sei ein anteiliges gesellschaftliches Interesse an einer hinreichenden Vorsorge aller Gesellschaftsmitglieder vorhanden. Vier Argumente dienen üblicherweise dazu, dem Staat im Bereich der Sicherungspolitik allokative und distributive Aufgaben zuzuweisen (Bogs u. a., 1966):

Erstens zeige die Erfahrung, daß der Mensch nicht selten seine künftigen Bedürfnisse unterschätzt, während er die Möglichkeit überbewertet, längerfristig Einkommenssteigerungen zu realisieren. Durch solche Fehleinschätzungen könne die notwendige

Eigenvorsorge vernachlässigt werden. Diese Gefahr sei bei Beziehern niedriger Einkommen größer als bei Höherverdienenden, weil sie dem gegenwärtigen im Vergleich zum zukünftigen Konsum einen wesentlich höheren Grenznutzen beimessen würden. Mangelnde individuelle Vorsorge bedeute aber auch für die Gesellschaft ein Risiko, weil der Ungesicherte ein potentieller Sozialfall sei. Indem der Staat – wie im Fall der Versicherungspflicht – einen Vorsorgezwang ausübe, würde er nicht nur das Individuum vor den existenzbedrohenden Auswirkungen tatsächlich eintretender Risiken, sondern zugleich auch die Gesellschaft vor künftigen Sozialfällen schützen.

Zweitens habe die Gesellschaft wegen vorhandener positiver externer Effekte ein Interesse daran, Bestand und Qualität des vorhandenen Humankapitals zu erhalten und zu verbessern. Aus diesem Grunde sei es wünschenswert, daß der einzelne unabhängig von der Höhe seines Einkommens Leistungen in Anspruch nimmt, die – wie Krankenpflege und Rehabilitation – geeignet sind, die individuelle Erwerbsfähigkeit zu sichern. Der Staat müsse sich daher an der Finanzierung von Krankenhäusern, Pflege- und Kuranstalten beteiligen oder diese Einrichtungen unentgeltlich zur Verfügung stellen.

Drittens hätten die spezifischen Gefahren der industriellen Arbeitswelt bestimmte Risiken (Berufsunfälle, berufsbedingte Dauerleiden, Zivilisationskrankheiten, technologische Arbeitslosigkeit) erhöht, ohne daß die gleichzeitig eintretende Wohlstandssteigerung vorzugsweise jenen zugute käme, die diese Risiken überwiegend zu tragen hätten. Die Gesellschaft sei daher zu einem sozialen Ausgleich verpflichtet.

Viertens seien Bezieher niedriger Einkommen häufig nicht in der Lage, aus eigener Kraft eine angemessene Vorsorge zu betreiben, ohne ihren existenznotwendigen aktuellen Lebensunterhalt zu gefährden. Die finanzielle Fähigkeit zur Sicherung gegen krankheits- und altersbedingte Risiken gehöre zum „permanenten" Existenzminimum. Der staatlichen Sicherungspolitik wird daher die Aufgabe zugewiesen, dieses Existenzminimum sicherzustellen.

Als Prinzipien staatlicher Sicherungspolitik kommen das Versicherungs-, das Versorgungs- und das Fürsorgeprinzip in Betracht (FARNY, 1977).

Versicherungsprinzip

Das beim privaten Risikoschutz dominierende Versicherungsprinzip dient in abgewandelter Form auch als Grundlage staatlicher Sicherungspolitik. Von der freiwilligen Versicherung unterscheidet sich die Sozialversicherung, wenn

- der freiwillige Beitritt durch eine Versicherungspflicht ersetzt wird,
- die Mitgliedschaft auf bestimmte soziale Gruppen beschränkt ist,
- der individuelle Beitrag zu den bei der Schadensregulierung entstehenden Kosten nicht nach dem Äquivalenzprinzip, sondern nach sozialen Kriterien bemessen wird,
- jedem Mitglied unabhängig von der Beitragshöhe für den gleichen Risikofall die gleiche Leistung zugesichert wird, und
- der Staat einen Teil der Kosten für Versicherungsleistungen aus dem Steueraufkommen finanziert.

Das Versicherungsprinzip ist um so stärker durchbrochen, je mehr der Zusammenhang zwischen Beitrag und Leistung aufgelöst wird und je höher der Steueranteil an der Finanzierung ist.

Versorgungsprinzip

Nach dem Versorgungsprinzip werden die Kosten der Risikosicherung nicht demjenigen angelastet, der sie verursacht. Grundlage der Versorgungsleistung ist vielmehr eine „generelle Bedürftigkeit". Die Sicherung der Bedürftigen wird vom Staat aus Steuern oder Abgaben finanziert und damit von der Gesamtheit aller Einkommensbezieher entsprechend ihrer Steuerlast getragen. Der Versorgung kann eine Gegenleistung oder ein Opfer des Versorgungsempfängers an die Gesellschaft vorangegangen sein. Im Unterschied zu dieser „Sonderversorgung", die in der Bundesrepublik Deutschland nach dem Zweiten Weltkrieg für Kriegsopfer (Kriegsopferversorgung) und Vertriebene (Lastenausgleich) eingeführt wurde, ist in einigen Ländern (Großbritannien, Schweden) das Versorgungsprinzip generelle Grundlage für das System der sozialen Sicherung („Staatsbürgerversorgung"): Allen Staatsbürgern wird ohne Rücksicht auf ihre individuelle Bedürftigkeit für den Versorgungsfall (Krankheit, Alter, Invalidität) eine einheitliche Versorgungsleistung garantiert.

Fürsorgeprinzip

Beim Fürsorgeprinzip ist eine „spezielle Bedürftigkeit" Anlaß für die Leistung (Sozialhilfe). Die Sozialhilfe soll demjenigen, der in eine Notlage geraten ist, ein menschenwürdiges Dasein auch dann ermöglichen, wenn er seine Situation selbst verschuldet hat. In diesem Fall besteht in der Bundesrepublik Deutschland ein prinzipieller Rechtsanspruch für jeden, der Bedürftigkeit nachweisen kann, ohne daß er zur Gegenleistung oder Rückzahlung verpflichtet ist. Die Fürsorge wird hier allerdings nur subsidiär gewährt, also nur dann, wenn unterhaltspflichtige Verwandte zur Unterstützung nicht fähig sind. Da die Sozialhilfe aus Steuern finanziert wird, ist Fürsorge eine Transferzahlung, die eine Korrektur der Einkommensverteilung aus sozialen Motiven bewirkt.

Versicherungs-, Versorgungs- und Fürsorgeprinzip sind nicht auf jeden sicherungsbedürftigen Sachverhalt gleichermaßen anwendbar. In der praktischen Sozialpolitik werden daher alle drei Prinzipien, allerdings mit unterschiedlichem Gewicht, berücksichtigt. Je nachdem, ob soziale Sicherung am Leitbild des Sozialstaates oder an dem der Leistungsgesellschaft orientiert ist, wird entweder der Versorgungs- oder der Versicherungsgrundsatz dominieren.

5.2. Systeme sozialer Sicherung

Die staatliche Sicherungspolitik hat vier Grundprobleme zu lösen:

- die Finanzierung des spezifischen Mehraufwandes für Gesundheitsgüter bei Mutterschaft, Krankheit, Unfall und Pflegebedürftigkeit sicherzustellen,

- den Einkommensausfall des Haushalts infolge Mutterschaft, Krankheit, Unfall, Invalidität, Alter und Arbeitslosigkeit auszugleichen,
- einen Finanzierungsbeitrag zur Deckung jenes Bedarfs – in der Bundesrepublik Deutschland für Kinder, Ausbildung und Wohnung – zu leisten, für den ein „anteiliges Sozialinteresse“ unterstellt wird,
- den generellen Basisbedarf einkommensschwacher und einkommensloser Haushalte zu decken.

In der praktischen Sozialpolitik werden diese Probleme unterschiedlich behandelt, je nachdem, welches Gestaltungsprinzip zugrunde gelegt wird. Gilt das Versorgungsprinzip, ergeben sich für das erste und dritte sowie für das zweite und vierte Grundproblem jeweils gleiche Lösungsansätze:

- Gesundheitsleistungen und andere zum Basisbedarf gehörende Güter – wie Ausbildung und Wohnung – werden als meritorische Güter behandelt. Der Staat sichert hier ein Angebot, das dem in der Gesellschaft vermuteten Bedarf entspricht Der in Großbritannien seit 1948 bestehende staatliche Gesundheitsdienst (NATIONAL HEALTH SERVICE) ist hierfür ein Beispiel (ROYAL COMMISSION OF THE NATIONAL HEALTH SERVICE, 1979).

Abb. R-1: Sozialbudget 1993 nach Funktionen

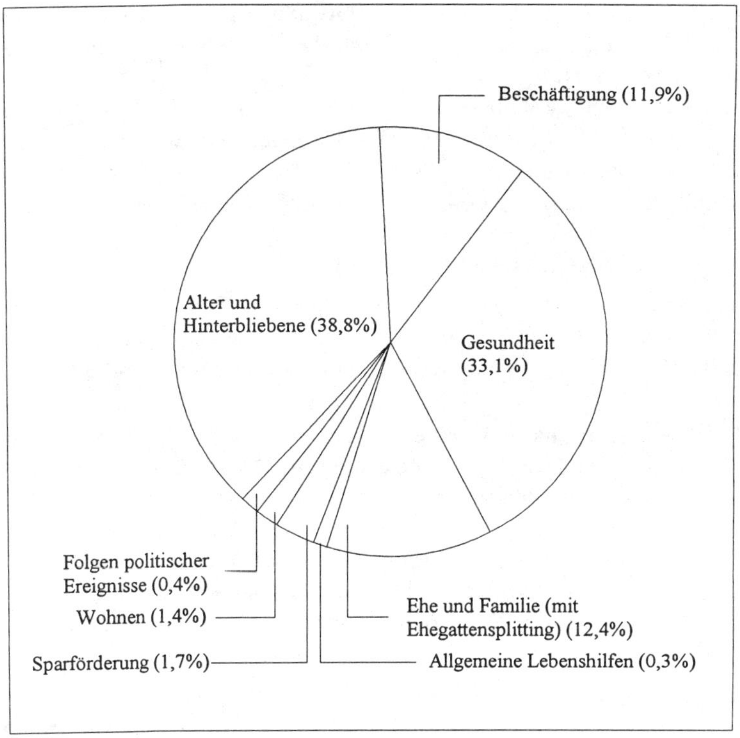

Quelle: BUNDESMINISTERIUM FÜR ARBEIT UND SOZIALORDNUNG (1994), Hg., Arbeits- und Sozialstatistik, Hauptergebnisse 1994, S. 116; eigene Darstellung.

- Einkommenslosigkeit erscheint als regelungsbedürftiger Sachverhalt ohne Rücksicht darauf, ob Krankheit, Alter, Arbeitslosigkeit oder Arbeitsunwilligkeit hierfür die Ursache sind. Indem der Staat jedem Bürger einen generellen Versorgungsanspruch einräumt, gestaltet er zugleich die sekundäre Einkommensverteilung nach sozialen Kriterien (s. Abschnitt 6.1.).

Wird soziale Sicherung nach dem Versicherungsprinzip organisiert, ist wegen der verschiedenartigen Risiken und der unterschiedlichen Adressatenkreise eine spartenweise Gliederung notwendig. Der Risikoschutz des jeweiligen Sicherungssystems erstreckt sich

- bei Krankheit und Unfall gleichermaßen auf die Fortzahlung des Einkommens und die Übernahme der Ausgaben für Gesundheitsleistungen,
- bei Pflegebedürftigkeit ausschließlich auf die Finanzierung des pflegebedingten Mehraufwandes,
- bei Alter und Invalidität allein auf die Sicherung des Einkommens.

Auf das dritte und das vierte Grundproblem ist das Versicherungsprinzip nicht anwendbar. Zusätzliche Transferregelungen sind daher nötig, wenn Ausbildung gefördert, eine breite Bevölkerungsschicht mit „angemessenem Wohnraum" versorgt, Mutterschaft finanziell gesichert und ein Familienlastenausgleich erreicht werden soll und wenn außerdem beabsichtigt wird, Arbeitslose, Kriegsopfer sowie Personen mit geringem Einkommen zu unterstützen (s. Abschnitt 6.).

Einen Hinweis auf die Gewichtung der vier Grundprobleme in der praktischen Sozialpolitik der Bundesrepublik Deutschland gibt die Gliederung des Sozialbudgets nach Funktionen *(Abb. R-1)*.

Die unterschiedlichen ökonomischen Konsequenzen aus der Anwendung des Versicherungs- und des Versorgungsprinzips auf die ersten beiden Grundprobleme staatlicher Sicherungspolitik lassen sich beispielhaft am Gesundheitssektor, an der Alterssicherung und an der Regelung des Pflegekostenrisikos aufzeigen.

Gestaltung des Gesundheitssektors

Systeme, die dazu dienen sollen, die Finanzierung von Gesundheitsgütern zu sichern, können entweder nach dem Versorgungs-, dem Äquivalenz- oder dem Solidarprinzip – einer Kombination aus Versicherungs- und Versorgungsgrundsatz – organisiert werden.

Im Fall der Sicherung nach dem Versorgungsprinzip ist der Staat im Schadensfall alleiniger Träger aller Geld- und Sachleistungen. Dem Betroffenen wird zum Ausgleich seines Einkommensausfalls eine Unterstützung gezahlt, und außerdem werden ihm die erforderlichen medizinischen Dienste unentgeltlich zur Verfügung gestellt. Der Vorteil eines vollständig sozialisierten Gesundheitssektors wird darin gesehen, daß jedem Mitglied der Gesellschaft ohne Rücksicht auf Einkommen und Sozialstatus die bestmögliche medizinische Betreuung zuteil wird. Als Nachteile dieses Systems gelten, daß

- Umfang, Struktur und Qualität der Gesundheitsleistungen dem Patienten ohne Rücksichtnahme auf seine Präferenzen von der Angebotsseite, also vom Staat als Finanzier und vom Arzt als „unabhängigem" und „allwissendem" Experten, vorgeschrieben werden,

– ein verschwenderischer Umgang mit Gesundheitsgütern für die Verursacher (Arzt und Patient) keine ökonomischen Nachteile, für den Arzt sogar Vorteile hat (CULYER, 1976).

Werden Gesundheitsleistungen vom Staat unentgeltlich angeboten, sind die entscheidenden Kontrollmechanismen, die unter Marktbedingungen einen optimalen Ressourceneinsatz erzwingen, außer Kraft gesetzt. So sind die Nachfrager weder an einer kostenminimalen Behandlung bei gegebenem Heilerfolg noch aus ökonomischen Gründen an einer mengenmäßigen Begrenzung der Inanspruchnahme von Leistungen interessiert. Dies gilt insbesondere dann, wenn der Behandlungserfolg desto günstiger ausfällt, je aufwendiger die Therapie ist. Andererseits besteht für die Anbieter der Anreiz, ein möglichst großes Leistungsvolumen zu erbringen. Dies gilt sowohl für den Arzt, der auf diese Weise sein Einkommen erhöhen kann, als auch für die Hersteller von Arzneimitteln und medizinischen Geräten. Das System gibt ihnen die Chance, solche Produkte häufiger auf den Markt zu bringen, als dies durch den medizinischen Fortschritt gerechtfertigt ist (KAUFER, 1976).

Die Gefahr eines verschwenderischen Umgangs mit knappen Ressourcen besteht auch dann, wenn der Gesundheitssektor formal nach dem Versicherungsmodell organisiert ist, dessen konstitutives Element, das Äquivalenzprinzip, jedoch durch das Solidarprinzip ersetzt wird. In diesem Fall werden die Gesundheitsleistungen zwar durch Mitgliedsbeiträge finanziert, die individuelle Beitragshöhe drückt jedoch nicht das Risikoäquivalent aus, sondern wird als Prozentsatz des Einkommens festgelegt. Während also die Kosten der Gesundheitssicherung nach sozialen Maßstäben verteilt werden, gilt für die Leistungsseite der Grundsatz, daß jeder – unabhängig von der Einkommenshöhe – einen nach Umfang und Qualität gleichen Anspruch auf Gesundheitsgüter hat (Solidarprinzip). Eine Äquivalenz von Beitrag und Leistung ist in diesem Fall nicht mehr gegeben. Für diejenigen, deren Lasten die Leistung erheblich übersteigen, besteht daher ein Anreiz, dieses Mißverhältnis durch verstärkte Inanspruchnahme medizinischer Dienste zu korrigieren. Dieses als „moral hazard" bezeichnete Verhalten führt ähnlich wie die unentgeltliche Gesundheitsversorgung zu einem verzerrten Ressourceneinsatz, da die soziale Sicherung jene „Schadensfälle" erst schafft, vor denen sie Schutz bieten soll (MOLITOR, 1976, 2).

Die Tendenz zu einem übermäßigen Verbrauch von Gesundheitsgütern wird durch Faktoren auf der Angebotsseite unterstützt, wenn die Beziehung zwischen Preis und Leistung auch durch die Konstruktion des Finanzierungssystems aufgelöst ist. So werden in der Bundesrepublik Deutschland die Mitgliedsbeiträge zu den gesetzlichen Krankenkassen wie eine Steuer behandelt, indem sie vom Arbeitgeber einbehalten (Lohnabzugsverfahren) und an die zuständigen Versicherungsträger überwiesen werden. Diese handeln mit den Repräsentanten der Vertragsärzte (Kassenärztliche Vereinigungen) eine Bewertungsskala für standardisierte ärztliche Leistungen sowie die Gesamtvergütung für alle Ärzte aus und zahlen aus dem Beitragsaufkommen für die von den Mitgliedern in Anspruch genommenen Dienste. Das periodische Honorar für den einzelnen Arzt ergibt sich erst ex post aufgrund seiner Mitteilung über die von ihm im abgelaufenen Zeitraum erbrachten Leistungen (HERDER-DORNEICH, 1976; BREYER/ZWEIFEL, 1992).

Dem Moral-Hazard-Verhalten der Patienten entspricht das Streben der Ärzte nach Maximierung ihrer Einkommen. Bei vorgegebenen Honorarsätzen kann der Arzt seine Einnahmen nur dadurch steigern, daß er den Umfang seiner Leistungen ausweitet. Um diesen Mechanismus der Leistungsexpansion im Gesundheitssektor zu unterbinden und den resultierenden Kostenanstieg zu reduzieren, wurden in der Bundesrepublik Deutschland bereits 1977 kostendämpfende Maßnahmen beschlossen („Gesetz zur Dämpfung der Ausgabenentwicklung und zur Strukturverbesserung in der gesetzlichen Krankenversicherung“ vom 27. Juni 1977). Da die prinzipiellen Konstruktionsmängel des Sicherungssystems dadurch jedoch nicht beseitigt wurden, ist ein dauerhafter Dämpfungseffekt ausgeblieben: von 1976 (67 Mrd. DM) bis 1988 (128 Mrd. DM) haben sich die Leistungsausgaben der gesetzlichen Krankenversicherung wiederum verdoppelt. Während desselben Zeitraums stiegen die Bruttolöhne und -gehälter nur um ca. 75 v. H.

Mit dem am 1. Januar 1989 in Kraft getretenen Gesundheits-Reformgesetz (GRG) wurde die Zielsetzung verfolgt, den Ausgabenanstieg der gesetzlichen Krankenkassen auf die Zuwachsrate der Löhne und Gehälter zu begrenzen. Zu diesem Zweck wurden die im GRG der „Konzertierten Aktion im Gesundheitswesen“ zugewiesenen Aufgaben (Entwicklung von Vorschlägen zur Erhöhung der Leistungsfähigkeit, Wirksamkeit und Wirtschaftlichkeit im Gesundheitswesen sowie über Veränderungen der Vergütungen) unter den „Grundsatz der Beitragssatzstabilität“ gestellt (§ 141 (2) GRG). Durch eine Vielzahl einzelner Maßnahmen sollte darüber hinaus ein verschwenderischer Umgang mit Gesundheitsleistungen (Überversorgung) verhindert werden: Begrenzung der Verweildauer bei stationärer Behandlung, Herausnahme von Heil- und Hilfsmitteln mit geringer oder umstrittener therapeutischer Wirkung aus der Leistungspflicht der gesetzlichen Krankenversicherung, Einführung von Festbeträgen für Arznei- und Hilfsmittel sowie verstärkte Anwendung des Prinzips der Selbstbeteiligung durch „Zuzahlungen“. Durch eine auf das Familieneinkommen bezogene zumutbare Eigenbelastung für alle in einem Kalenderjahr anfallenden Zuzahlungen sollen soziale Härten vermieden werden. Unter den aufgeführten Maßnahmen sind die Festbeträge für Arzneimittel besonders umstritten, weil zu befürchten ist, daß dadurch die Innovationsbereitschaft der Hersteller pharmazeutischer Produkte gelähmt wird. Schwerer wiegt der Vorwurf, daß auch das GRG das Individualprinzip weiterhin zugunsten des Solidaritätsprinzips vernachlässigt.

Auch das GRG hat – wie seine Vorgänger – die Kostenexplosion nur vorübergehend unterdrücken können. Das Ende 1992 verabschiedete Gesundheitsstrukturgesetz (GSG) soll daher die weiterhin angestrebte Beitragssatzstabilität längerfristig durch eine Organisationsreform der gesetzlichen Krankenkassen sicherstellen. Mit dem Ziel, die Kassen zu kostensparendem Wirtschaften zu zwingen, wird zum 1. 1. 1996 das überkommene bürokratische Verwaltungsmodell zugunsten einer im Unternehmensbereich bewährten Organisations- und Leitungsstruktur abgeschafft und ab 1. 1. 1997 die freie Kassenwahl zwischen Orts-, Betriebs-, Innungs- und Ersatzkassen eingeführt. Der daraufhin mögliche Wettbewerb hätte zur Folge, daß Kassen mit „schlechter“ Mitgliederstruktur (hohe Krankheitshäufigkeit und niedriges Durchschnittseinkommen) ihre Tätigkeit einstellen müßten, da an der einkommensbezogenen Beitragsbemessung festgehalten wird und zudem ein gesetzlicher Kontrahierungszwang besteht. Um derartige Wettbewerbsverzerrungen auszuschließen, wurde durch das GSG ab 1. 1. 1994 ein bundesweiter, kassenübergreifender Risikostrukturausgleich eingeführt.

Ein zuverlässiges Urteil darüber, ob das GSG als Hinwendung zu mehr Wettbewerb im Gesundheitssektor oder als Einstieg in ein staatliches Gesundheitswesen gewertet werden muß, ist gegenwärtig noch nicht möglich. Befürchtungen, daß die Entwicklung eher in Richtung auf eine staatliche Einheitskasse verläuft, gründen sich auf die im Gesetz angelegten Zwänge zum einheitlichen Beitragssatz, zu einem die Kassenvielfalt aufhebenden regionenübergreifenden Konzentrationsprozeß und zu einem anwachsenden Staatseinfluß auf die Geschäftspolitik der Kassen (CASSEL, 1992).

Ein alternatives Konzept zur Organisation des Gesundheitsrisikos müßte sich stärker am Individual- und Äquivalenzprinzip orientieren. Ein solches Organisationsmodell ist durch folgende Merkmale gekennzeichnet:

- freie Wahl des Versicherungsträgers einschließlich privater Versicherungsunternehmen bei Aufrechterhaltung der Versicherungspflicht;
- freie Tarifwahl mit der Möglichkeit, über Selbstbeteiligungsquoten den individuell notwendigen Risikoschutz nach der Leistungsfähigkeit (Einkommenshöhe) zu bestimmen;
- Äquivalenz zwischen potentieller Inanspruchnahme (Risiko) und Beitrag;
- staatliche Behilfen zum Versicherungsbeitrag bedürftiger Versicherungsnehmer sowie
- Liquidation gegenüber dem Patienten und anschließende Erstattung durch die Krankenkasse.

Dieses Modell hat im Vergleich zu Konzepten, die dem Versorgungsprinzip oder dem Solidarprinzip folgen, den Vorteil, marktwirtschaftliche Kontrollmechanismen stärker zu berücksichtigen. So fördert die freie Kassenwahl den Wettbewerb auf dem Versicherungsmarkt; die Äquivalenz zwischen Beitragshöhe und Inanspruchnahme von Versicherungsleistungen verhindert ein ressourcenverschwendendes Moral Hazard; die direkte Liquidation für ärztliche Dienste hemmt die Leistungsexpansion der Ärzte und stärkt das Kostenbewußtsein der Patienten (KNAPPE, 1981). Tarifbeihilfen an Bezieher niedriger Einkommen bilden in diesem System die soziale Komponente. Sie gewährleisten auch dem sozial Schwächeren eine seinen Bedürfnissen entsprechende Inanspruchnahme von Gesundheitsgütern.

Grundprobleme der Alterssicherung

Die Sicherung des Lebensunterhalts bei altersbedingter Inaktivität (Alterssicherung) gehört neben dem Schutz gegen die finanziellen Folgen von Krankheit, Unfall, Invalidität und Arbeitslosigkeit zu den wesentlichen Aufgaben jedes sozialen Sicherungssystems.

Wenn die Alterssicherung nach dem Sozialprinzip gestaltet wird, ist zu entscheiden, an welchem Maßstab die Höhe der Sicherungsleistungen (Rente) orientiert werden soll. Während es im Fall der individuellen Vorsorge im Ermessen jedes einzelnen liegt, den im Alter gewünschten Lebensstandard in Relation zur Höhe seines Erwerbseinkommens zu bestimmen, ist es in einem System kollektiver Vorsorge möglich, die Renten weitgehend losgelöst vom jeweiligen Erwerbseinkommen an sozialen Kriterien auszurichten (Bedarfsprinzip). Im Grenzfall, wenn für alle Rentnerhaushalte eine annähernd gleiche Bedürfnisstruktur unterstellt wird, kann das Bedarfskriterium dazu dienen, eine einheitliche Altersrente zu begründen. Ihre Höhe hätte mindestens die existenznotwendigen Bedürfnisse eines repräsentativen Rentenempfängers einschließlich kultureller Güter zu berücksichtigen (sozio-kulturelles Existenzminimum). Dieses Konzept einer Einheitsrente entspricht im Grundsatz dem Vorschlag, jedem Mitglied der Gesellschaft ohne Rücksicht auf eine individuelle Bedürftigkeit ein aus Steuern finanziertes Mindesteinkommen (social dividend) zu garantieren. Wenn darüber hinaus jeder die Möglichkeit hätte, diese soziale Grundsicherung entsprechend seinen individuellen Bedürfnissen durch private Vorsorge aufzustocken, wäre zugleich umfassend dem Grundsatz der sozialen Sicherheit und dem Individualprinzip Rechnung getragen (RHYS-WILLIAMS, 1942; SCHMIDT, 1969; s. Abschnitt 6.).

Die Ergebnisse der Konsumforschung (Beitrag C-3.4.) deuten darauf hin, daß ein privater Haushalt nur widerstrebend bereit ist, seinen einmal erreichten Lebensstandard einzuschränken. Ein soziales Sicherungssystem, das sich an den Konsumentenpräferenzen orientieren will, kann demnach den Umfang der individuellen Alterssicherung nicht an standardisierten existenznotwendigen Bedürfnissen bemessen. Vielmehr hat auch hier der Grundsatz zu gelten, daß sich die Lebenshaltung des einzelnen mit dem Eintritt in den Ruhestand nicht verschlechtern darf. Demnach müssen sich die Altersbezüge an der Höhe des individuellen Erwerbseinkommens orientieren, wobei allerdings das nach Abzug von Steuern und Altersvorsorgeaufwand verfügbare Einkommen – gemindert um die bisher durch die Erwerbstätigkeit bedingten Ausgaben – als Maßstab zu gelten hat. Da Vorsorge für das Alter auch darin besteht, Realvermögen in Form langlebiger Konsumgüter zu bilden, kann der Lebensstandard durch eine Altersrente sichergestellt werden, die unter dem Erwerbseinkommen liegt. Die einkommensabhängige Alterssicherung für alle Mitglieder der Gesellschaft hat zugleich den Vorteil, daß jeder seine relative Einkommensposition – verglichen mit den Angehörigen seiner Altersgruppe – beibehält. Nicht gewährleistet ist hingegen die unveränderte Position des Rentenbeziehers in der gesamten Einkommenspyramide, wenn ein anhaltender Produktivitätsfortschritt in der Volkswirtschaft nicht über sinkende Güterpreise (Deflation), sondern bei konstantem Preisniveau über steigende Erwerbseinkommen weitergegeben wird. Auch bei Inflation verschlechtert sich die Verteilungsposition der Rentner, und es kommt zugleich zu einem Realwertverlust der Renteneinkünfte. Vorausgesetzt, daß Löhne und Gehälter mit einer Rate wachsen, die sich aus dem Produktivitätsanstieg und der Inflationsrate zusammensetzt, ist die soziale Stellung der Rentner dann gesichert, wenn ihre Bezüge regelmäßig um den Prozentsatz erhöht werden, um den in derselben Periode das Durchschnittseinkommen der Erwerbstätigen steigt (LIEFMANN-KEIL, 1961).

Jedes System einer sozialen Alterssicherung ist – unabhängig von seiner Ausgestaltung – als Vertrag zu interpretieren, der die verschiedenen Generationen einer Gesellschaft verpflichtet, den jeweils inaktiven Bevölkerungsteil an der von den Erwerbstätigen erzeugten Gütermenge zu beteiligen. Da in einer Volkswirtschaft mit ausgeglichener Leistungsbilanz in jeder Periode nicht mehr Güter verteilt werden können als im gleichen Zeitraum produziert werden, hängt die Belastung der aktiven Bevölkerung durch die Alterssicherung der Rentner (Altenlast) von zwei Faktoren ab: von den Anteilen beider Gruppen an der Gesamtbevölkerung und von der Arbeitsproduktivität. Die Altenquote bringt zum einen die säkulare Bevölkerungsentwicklung zum Ausdruck. Zum anderen ist sie abhängig von der durchschnittlichen Lebensarbeitszeit, die ihrerseits bestimmt wird durch das Alter des Berufseintritts der jüngeren Generation sowie durch die Altersgrenze, bei der der Rentenanspruch entsteht. Bei unverändertem durchschnittlichen Ein- und Austrittsalter bleibt die Altenlast konstant, wenn die Bevölkerungszahl stagniert; sie sinkt jedoch bei wachsender und steigt bei schrumpfender Bevölkerung. Durch ein Vorziehen der Altersgrenze muß die Altenlast anwachsen. Für den Fall konstanter Arbeitsproduktivität könnte eine Gesellschaft mit schrumpfender Bevölkerung vor dem Problem stehen, daß eine steigende Zahl von Rentnern aus einem ständig sinkenden Sozialprodukt ernährt werden muß. Diese Gefahr besteht jedoch nicht, wenn der Rückgang der Zahl der Erwerbspersonen durch eine steigende Arbeitsproduktivität ausgeglichen oder sogar überkompensiert wird. Eine Steigerung der Kapitalintensität und verstärkter technischer Fortschritt bilden hierfür die wesentlichen Voraussetzungen.

Zwei Konzepte sind denkbar, um die Renten zu finanzieren: Beim Umlageverfahren werden die Rentenzahlungen in Form von Beiträgen oder Steuern von den Erwerbstätigen aufgebracht, beim Kapitaldeckungsverfahren wird – ähnlich wie bei einer privaten Lebensversicherung – aus den Beiträgen der Versicherungspflichtigen ein Kapitalstock aufgebaut, aus dem ihre späteren Renten gezahlt werden (SCHREIBER, 1971). Während bei stagnierender oder wachsender Bevölkerung wegen der gleichbleibenden oder sinkenden Altenlast das Umlageverfahren vorzuziehen ist, erscheint bei schrumpfender Bevölkerung das Kapitaldeckungsverfahren überlegen, sofern auf diese Weise die Kapitalbildung in der Volkswirtschaft zunimmt. Die dann steigende Kapitalintensität begünstigt den in dieser Situation erwünschten Anstieg der Arbeitsproduktivität wie auch des Pro-Kopf-Einkommens der Erwerbsbevölkerung und erhöht damit zugleich das zur Verteilung verfügbare Sozialprodukt (FELDSTEIN, 1975).

In einer offenen Volkswirtschaft wird das von einer schrumpfenden Bevölkerung ausgehende Problem einer steigenden Altenlast dadurch entschärft, daß jeder die Möglichkeit hat, für das Alter durch Kapitalanlage im Ausland vorzusorgen. In dem Maße, wie die Rentner ihren Lebensunterhalt aus der Auflösung von Auslandskapital bestreiten, wird die im Inland verfügbare Gütermenge von den Rentenansprüchen nicht berührt. Während der Phase des Kapitalaufbaus kommt es zu einem Nettokapitalexport, der wegen der notwendigen Gleichheit der Salden der Kapitalbilanz und der Leistungsbilanz zwangsläufig mit einem Leistungsbilanzüberschuß einhergeht, und der mit dem Ausscheiden aus dem Erwerbsleben beginnende Kapitalverzehr bewirkt per Saldo einen Kapitalimport, der einem Leistungsbilanzdefizit entspricht. Bei unausgeglichener Leistungsbilanz weicht die im Inland verfügbare Gütermenge also von der Höhe der heimischen Produktion ab: Durch Exporte wird das inländische Güterangebot verringert, durch Importe wird es ausgeweitet.

In der Bundesrepublik Deutschland werden zur Lösung des Problems der steigenden Altenlast zwei Modelle diskutiert: Dem Grundrentenmodell liegt der Vorschlag zugrunde, jedem, der eine bestimmte Altersgrenze erreicht hat, eine aus dem Steueraufkommen zu finanzierende Grundsicherung zu garantieren (Grundrente) und diese durch einen leistungsbezogenen Rentenanteil aufzustocken (MIEGEL/WAHL, 1985). Ein derartiges System würde einen Anreiz schaffen, sich während des gesetzlich festgelegten Erwerbszeitraums dem steuerlichen Zugriff zu entziehen und auf eine berufliche Qualifikation zu verzichten. Selbst jene, die ein „Aussteigerdasein" vorziehen, hätten die Gewißheit, im Alter ein auskömmliches „arbeitsloses" Einkommen zu erhalten. Die Altenlast könnte daraufhin zunehmen, denn zum einen würde die Erwerbsquote sinken und zum anderen wäre auch der erwünschte Anstieg der Arbeitsproduktivität gefährdet. Das Modell der Maschinensteuer beruht auf einer Wertschöpfungsabgabe, also auf der Bemessung des Arbeitgeberbeitrags zur Sozialversicherung an der Bruttowertschöpfung (Summe aus Faktorentgelt und Abschreibung auf das Produktionskapital) der Unternehmen (EHRENBERG/FUCHS, 1980, zur Kritik KRELLE, 1985). Dieser Vorschlag hat zur Konsequenz, daß sich die Kostenlast von den arbeits- zu den kapitalintensiven Unternehmen verschiebt, weil diese einen höheren Abschreibungsbedarf haben. Daraus ergibt sich für die Realkapitalbildung im allgemeinen und für arbeitssparende Investitionen im besonderen eine steuerähnliche Belastung, und insofern besteht die Gefahr einer wachstumshemmenden Wirkung. Da in beiden Modellen negative Wirkungen für die Kapitalbildung in der Wirtschaft und den technischen Fortschritt resultieren, sind diese Vorschläge nicht geeignet, das Problem der steigenden Altenlast zu lösen.

Das am 9. November 1989 beschlossene Rentenreformgesetz, dessen wesentliche Teile 1992 in Kraft getreten sind, soll die Finanzierung der gesetzlichen Altersrenten in der Bundesrepublik unter Berücksichtigung des absehbaren Anstiegs der Altenlast langfristig sichern. Es greift keines der beiden vorgestellten Reformmodelle auf. Vielmehr werden die in ihm enthaltenen Neuerungen in den bestehenden durch das Umlageverfahren geprägten konzeptionellen Rahmen eingefügt.

Alterssicherung in der Bundesrepublik Deutschland

In der Bundesrepublik Deutschland bestehen mehrere einander ergänzende Systeme der Alterssicherung (ausführliche Darstellung bei BUNDESMINISTER FÜR ARBEIT UND SOZIALORDNUNG (Hg.), 1991):

- Die gesetzliche Rentenversicherung dient der Vorsorge für Alter und Invalidität bei Arbeitern und Angestellten und sichert im Todesfall den Lebensunterhalt der Hinterbliebenen. Sie beruht auf der Versicherungspflicht aller Arbeitnehmer.
- Die öffentlichen Körperschaften tragen die Altersversorgung der Beamten. Der gesetzliche Versorgungsanspruch schließt Witwen- und Waisengeld ein.
- Die obligatorische Rentenversicherung der Handwerker (seit 1938) ist als Sondersystem der Arbeiterrentenversicherung zugeordnet. Sie bietet jenen selbständigen Handwerkern eine Grundsicherung im Alter, die während einer vorangegangenen versicherungspflichtigen Tätigkeit keinen Rentenanspruch erwerben konnten.
- Die Rentenversicherung der Landwirte (seit 1957) sichert den landwirtschaftlichen Unternehmern auf der Grundlage des Versicherungszwangs ein Altersgeld.
- Selbständige Künstler und Publizisten werden in der Rentenversicherung der Angestellten versichert, wenn sie ihre Tätigkeit erwerbsmäßig und nicht nur vorübergehend ausüben. Die Finanzierung der Renten erfolgt zu 50 v. H. aus Beiträgen der Versicherten; die anderen 50 v. H. werden je zur Hälfte durch einen Zuschuß des Bundes und durch eine Künstlersozialabgabe jener Unternehmungen gedeckt, die

ständig Aufträge an selbständige Künstler und Publizisten erteilen (Künstlersozialversicherungsgesetz von 1981, Neufassung von 1988).

- Für Angehörige freier Berufe besteht ein generelles Versicherungsgebot. Sofern keine verbindliche berufsständische und auch keine freiwillige private Versicherung nachgewiesen werden kann, sind freiberuflich Erwerbstätige zur Mitgliedschaft in der gesetzlichen Rentenversicherung verpflichtet.

Diese Systeme der gesetzlichen Alterssicherung werden in der Bundesrepublik durch öffentlich-rechtliche Regelungen sowie tarifrechtliche und betriebliche Vereinbarungen über eine Zusatzversorgung im Alter ergänzt. Von der sozialen Alterssicherung sind auch die selbständigen Unternehmer nicht ausgeschlossen. Sie haben während eines Zeitraums von zwei Jahren nach Beginn ihrer selbständigen Erwerbstätigkeit das Recht zur Aufnahme in die gesetzliche Rentenversicherung.

Die Alterssicherung ist in der Bundesrepublik überwiegend nach dem Versicherungsprinzip organisiert. Indem einerseits die nach dem Lohnabzugsverfahren erhobenen Pflichtbeiträge als einheitlicher Prozentsatz des periodischen Bruttoeinkommens festgelegt sind und andererseits die Renten an der Höhe des Arbeitsentgelts und der Zahl der Beitragsjahre (Versicherungsdauer) bemessen werden, ist grundsätzlich Äquivalenz von Beitrag und Leistung gegeben. Die Beteiligung der Arbeitgeber am Pflichtbeitrag zur Rentenversicherung in Höhe von 50 v. H. steht im Einklang mit diesem Grundsatz, weil seit Bestehen der gesetzlichen Rentenversicherung in Deutschland (1889) auch hierfür das Arbeitnehmereinkommen als Bezugsgröße dient und weil der Arbeitgeberanteil ökonomisch gesehen als Lohnkomponente gilt. Die Verknüpfung wäre allerdings deutlicher sichtbar, wenn der Arbeitgeberbeitrag offen als Einkommensbestandteil ausgewiesen würde. Das Äquivalenzprinzip wird in dem Maße verletzt, wie in der gesetzlichen Rentenversicherung auch redistributive Elemente berücksichtigt werden:

- Weil die Altersrenten weniger stark differenziert sind als die proportional zur Einkommenshöhe festgelegten Beiträge, bewirkt die gesetzliche Rentenversicherung eine Umverteilung zugunsten der Versicherten mit relativ niedrigem und zu Lasten derjenigen mit höherem Arbeitseinkommen. Dieser Redistributionseffekt ist allerdings auf Einkommen innerhalb der Beitragsbemessungsgrenze beschränkt (Schmähl, 1977).
- Um die Nachteile zu begrenzen oder zu vermeiden, die dem Versicherten im Alter dadurch entstehen würden, daß er während seines versicherungspflichtigen Lebensabschnitts durch Kriegsdienst, Ausbildung, Arbeitslosigkeit, Krankheit, Frühinvalidität, Kindererziehung oder Pflege daran gehindert war, Beitragsleistungen zu erbringen, ist die Konstruktion der Ersatz-, Zurechnungs- und Berücksichtigungszeiten eingeführt worden. Die Anrechnung dieser beitragsfreien Zeiten auf die Versicherungsdauer und damit auf die Rentenhöhe bedeutet ebenso eine Abkehr vom Äquivalenzprinzip wie die sozialen Korrekturen in den siebziger Jahren (Rente nach Mindesteinkommen, flexible Altersgrenze, Erwerb der freiwilligen Mitgliedschaft durch Selbständige sowie freiwillige Höherversicherung von Pflichtmitgliedern).

Auf der Einnahmenseite wird das Versicherungsprinzip durchbrochen, wenn die Renten nur mit Hilfe von Zuschüssen aus dem Staatshaushalt gezahlt werden können.

Soll der Zusammenhang zwischen Beitrag und Leistung in der gesetzlichen Rentenversicherung trotz sozialer Lasten auf der einen und staatlicher Zuschüsse auf der anderen Seite nicht verlorengehen, müssen die Finanzierung aus dem Steueraufkommen und die versicherungsfremden Belastungen einander entsprechen.

Mit dem Ziel, die Sozialrentner am Produktivitätsfortschritt zu beteiligen, wurde in der Bundesrepublik 1957 die dynamische Anpassung der Altersbezüge an die durchschnittliche Zuwachsrate der Bruttolöhne gesetzlich eingeführt. Durch diese Dynamisierung wird zugleich ein Ausgleich für den inflationsbedingten Kaufkraftverlust erreicht, wenn es den Arbeitnehmern gelingt, Nominallohnerhöhungen durchzusetzen, die neben der Produktivitätssteigerung auch die jeweilige Inflationsrate berücksichtigen. Die Orientierung der periodischen Rentenanpassung am Anstieg der Bruttolöhne hat sich allerdings seit Mitte der siebziger Jahre zunehmend als problematisch erwiesen. Ein überproportionaler Anstieg der direkten Steuern und Sozialabgaben führt nämlich dazu, daß – gleiche Zuwachsraten für Renten und Bruttolöhne vorausgesetzt – die verfügbaren Arbeitseinkommen weniger stark steigen als die Renten. Dieser Umverteilungseffekt tritt in inflationären Zeiten auch bei unverändertem Steuertarif auf, wobei das Ausmaß von der Höhe der Inflationsrate und der Stärke der Steuerprogression bestimmt wird.

Um künftig eine parallele Entwicklung von Nettoarbeitseinkommen und Renten zu gewährleisten, sieht das Rentenreformgesetz seit 1992 die Stabilisierung des gegenwärtigen Nettorentenniveaus vor, das einem Versicherten nach 45 Versicherungsjahren eine Rente in Höhe von etwa 70 v. H. des vergleichbaren Nettolohns ermöglicht. Dies soll dadurch erreicht werden, daß die Renten jeweils zur Jahresmitte an das von den Arbeitnehmern im Vorjahr bezogene verfügbare Einkommen angepaßt werden.

Der Grundsatz der Stabilisierung des Nettorentenniveaus steht im Einklang mit der übergeordneten Zielsetzung des Rentenreformgesetzes, ein Konzept für die Finanzierung der zunehmenden Altenlast durch das System der gesetzlichen Alterssicherung in der Bundesrepublik längerfristig festzulegen. Durch folgende Regelungen soll zudem eine möglichst gleichmäßige Verteilung der Belastung auf Rentner, Beitrags- und Steuerzahler erreicht werden:

- Ein schrittweises Anheben des Beitragssatzes von derzeit 18,6 v. H. des Bruttoeinkommens auf 21,4 v. H. im Jahre 2010 mindert den produktivitäts- und inflationsbedingten Anstieg des Nettoeinkommens der Arbeitnehmer und damit zugleich die jährliche Rentenerhöhung, so daß die Zunahme der Altenlast abgeschwächt wird.
- Der Anstieg der Altenlast wird zusätzlich dadurch gebremst, daß das Renteneintrittsalter bis zum Jahre 2012 allmählich wieder auf die Regelaltersgrenze von 65 Jahren heraufgesetzt wird. Durch die Nutzung der „flexiblen Altersgrenze" und des „vorgezogenen Ruhestands" ist sie in den vergangenen Jahren von einer zunehmenden Zahl von Versicherten unterschritten worden. Seit Ende 1990 liegt der Anteil der neu bewilligten Altersruhegelder wegen Vollendung des 65. Lebensjahres an der Gesamtzahl der neu bewilligten Altersrenten unter 50 v. H.
- Darüber hinaus wird ein Anreiz geschaffen, die Erwerbstätigkeit auch über das 65. Lebensjahr hinaus auszudehnen, indem hierfür ein Zuschlag zur Rente von jähr-

lich 6 v. H. gezahlt und ein Abzug von jährlich 3,6 v. H. vorgenommen wird, wenn ein Versicherter seinen Renteneintritt um bis zu drei Jahre vorzieht. Auch ein schrittweises Ausscheiden aus dem Erwerbsleben („gleitender Übergang in den Ruhestand") ist seit 1992 möglich. Als Ersatz für den damit verbundenen Einkommensausfall wird eine Teilrente gezahlt.

– Die Dynamisierung des Bundeszuschusses gewährleistet eine gleichbleibende Beteiligung der Steuerzahler an der Finanzierung der sozialen Alterssicherung. Indem der Beitrag aus dem Staatshaushalt seit 1992 zum einen am Anstieg der Bruttoverdienste des vorletzten Jahres und zum anderen an den Veränderungen des Beitragssatzes für die Rentenversicherung bemessen wird, soll der Bundesanteil langfristig bei etwa 19,2 v. H. der jährlichen Rentenausgaben gehalten werden.

Finanzierung von Pflegefällen

Mit höherem Alter läßt häufig die Fähigkeit zur selbständigen Lebensführung nach, so daß Pflegebedürftigkeit entsteht. Die damit verbundenen Sach- und Dienstleistungen stellen für den Betroffenen eine zusätzliche finanzielle Belastung dar, die nach Höhe und Dauer nicht vorhersehbar ist (Pflegefallrisiko). Ein Finanzierungsproblem tritt allerdings erst dann auf, wenn die laufenden Einkünfte – also bei Ruheständlern die Altersrenten – und das Vermögen des einzelnen nicht ausreichen, die Kosten der Pflege zu decken. Das gleiche gilt bei nicht altersbedingten Pflegefällen.

In der Bundesrepublik Deutschland hat jeder Pflegebedürftige, der die Pflegekosten nicht tragen kann, nach dem Bundessozialhilfe-Gesetz einen Anspruch auf „Hilfe in besonderen Lebenslagen" (s. Abschnitt 6.1.). Als Folge der gestiegenen Lebenserwartung hat die Zahl der Pflegefälle während der letzte Jahrzehnte deutlich zugenommen. Da zugleich auch die Bereitschaft in der Gesellschaft zu familiärer Pflege nachgelassen hat und die Kosten für stationäre Pflege stärker als die Renten gestiegen sind, ist der Sozialhilfeaufwand für die Finanzierung von Pflegefällen im gleichen Zeitraum stark angewachsen. Um die Städte und Gemeinden als Träger der Sozialhilfe in Zukunft von diesen Ausgaben zu entlasten, wurde 1994 eine gesetzliche Pflegeversicherung eingeführt, die der gesetzlichen Krankenversicherung angegliedert ist. Von ihr werden – gestaffelt nach dem Grad der Pflegebedürftigkeit – Pauschalbeträge für die häusliche (ab 1. 4. 1995) und die stationäre Pflege (ab 1. 7. 1996) gezahlt.

Das Risiko, pflegebedürftig zu werden, betrifft grundsätzlich jeden bereits ab seiner Geburt, und nimmt in späten Lebensjahren exponentiell zu. Da die individuelle Betroffenheit jedoch ex post stark differiert, gehört es zu den versicherbaren Risiken. Durch eine allgemeine Versicherungspflicht, die mit der Geburt beginnt und die zur Vermeidung der Ablehnung „schlechter Risiken" seitens der Versicherer mit einem Kontrahierungszwang verbunden sein müßte, ließe sich eine umfassende Absicherung für den Pflegefall auf der Grundlage des Kapitaldeckungsverfahrens erreichen. Die Finanzierung wäre zudem vom Altersaufbau der Bevölkerung unabhängig. Die Einführung einer Versicherungspflicht auf der Grundlage des Kapitaldeckungsverfahrens erfordert jedoch stets eine Übergangsregelung für die bestehenden und für die in Kürze eintretenden Versicherungsfälle. Denn für erstere kann ein Deckungsstock überhaupt nicht mehr und für letztere nicht mehr in ausreichender Höhe aufgebaut werden. In der Bundesrepublik hätte die Sozialhilfe die Möglichkeit geboten, dieses Übergangsproblem zu lösen, zumal die damit verbundene Belastung während eines begrenzten Zeitraums zurückgegangen und schließlich ausgelaufen wäre.

Dem Pflegeversicherungsgesetz (PflegeVG) liegt demgegenüber das Umlageverfahren zugrunde. Dementsprechend werden die Ausgaben für die jeweils bestehenden Pflegefälle durch die aktiven Beitragszahler getragen, die daraufhin ihrerseits einen Anspruch auf zukünftige Pflegeleistungen erwerben. Die Beiträge werden, wie in den Sparten der gesetzlichen Kranken- und Rentenversicherung, je zur Hälfte von Arbeitnehmern und Arbeitgebern gezahlt. Getragen werden sollen sie nach dem Willen des Gesetzgebers allerdings allein von den Arbeitnehmern. Um den mit der Beitragsbelastung der Arbeitgeber verbundenen Anstieg der Lohnnebenkosten auszugleichen, wurde daher bei der Einführung der gesetzlichen Pflegeversicherung die Umwandlung eines gesetzlichen Feiertages in einen Arbeitstag ohne zusätzliche Lohnzahlung beschlossen.

Die Finanzierung der Pflegeversicherung auf der Grundlage des Umlageverfahrens vereint die Nachteile und Gefahren der gesetzlichen Kranken- und Rentenversicherung in ihrer geltenden Ausgestaltung. Wie die gesetzliche Krankenversicherung bietet sie Anreize zum moral hazard-Verhalten, und analog der Rentenversicherung ist sie der Altenlastproblematik ausgesetzt. Insofern neigt das System zur Leistungs- und Kostenexplosion. Da das Budgetvolumen von der Leistungsseite bestimmt wird, die hierfür erforderlichen Mittel aber nicht angespart werden, ist es auf Überschuldung angelegt (SACHVERSTÄNDIGENRAT ZUR BEGUTACHTUNG DER GESAMTWIRTSCHAFTLICHEN ENTWICKLUNG, Jahresgutachten 1991 Ziffer 357ff., Sondergutachten März 1994).

6. Verteilungspolitik

Dem obersten sozialpolitischen Ziel, jedem ein menschenwürdiges Dasein zu gewährleisten, dient bereits die Ordnungspolitik. Durch Arbeitsschutz, Wettbewerbs- und Arbeitsmarktpolitik sowie durch gesetzlichen Zwang zu individueller Vorsorge sollen Fähigkeiten und Möglichkeiten des einzelnen gefördert werden, seine Lebensbedingungen nach eigenen Vorstellungen und aus eigener Kraft zu gestalten. Zugleich sollen Voraussetzungen dafür geschaffen werden, daß

- jeder ein Einkommen entsprechend seiner produktiven Leistung bezieht und daß
- jenen, die infolge von Krankheit, Alter, Invalidität und struktureller Arbeitslosigkeit nicht in der Lage sind, eine produktive Leistung zu erbringen, ein Transfereinkommen aufgrund eigener Vorsorgeleistungen zufließt.

Eine solche am Leistungsprinzip orientierte Einkommensverteilung schließt Armut nicht aus. Selbst in Gesellschaften mit hohem Wohlstandsniveau kann das Haushaltseinkommen von jenen kinderreichen Familien, die auf ein vergleichsweise niedriges Einkommen des allein verdienenden Haushaltsvorstandes angewiesen sind, unter jenes Minimum sinken, das seinen Mitgliedern einen angemessenen Lebensstandard sichert. Menschen in außergewöhnlichen Lebensumständen – Frühbehinderte, alleinstehende Mütter mit kleinen Kindern – können in ihrer Existenz bedroht sein, weil sie weder in der Lage sind zu arbeiten, noch einen Anspruch auf ein Transfereinkommen erwerben konnten (SCHERL, 1978). Will man Einkommensschwachen und Einkommenslosen ein menschenwürdiges Dasein ermöglichen, muß man sie zu Lasten der leistungsbezogenen Einkommen unterstützen (Sozialtransfer). Langfristig kann die Einkommensschwäche von Erwerbstätigen auch durch Bildungs- und Vermögenspolitik überwunden werden.

Gegenstand einer an sozialen Kriterien orientierten Verteilungspolitik ist die personelle Einkommensverteilung. Sie ist in einer Marktwirtschaft mit Privateigentum am Produktivvermögen das Ergebnis der Preisbildung auf den Güter- und Faktormärkten (Beitrag H–1.1.). Als Primärverteilung spiegelt sie zugleich die Knappheitsrelationen der Produktionsfaktoren wider und drückt die relative Faktorausstattung der Wirtschaftssubjekte hinsichtlich Menge und Qualität aus. Eine staatliche Politik, die darauf gerichtet ist, die personelle Einkommensverteilung zu beeinflussen, kann grundsätzlich auf zwei verschiedenen Ebenen ansetzen:

Erstens kann der Staat eine von der Distribution der Markteinkommen abweichende Verteilung des verfügbaren Einkommens (Sekundärverteilung) durchsetzen. Hierzu bedarf es einer redistributiven Ausgestaltung des Steuer- und Transfersystems.

Zweitens kommt eine Korrektur der primären Einkommensverteilung in Betracht. Sie läßt sich durch ein breiter gestreutes Produktionsmitteleigentum und eine verbesserte Qualität des Faktors Arbeit erreichen.

6.1. Gestaltung der Sekundärverteilung

Soziale Korrekturen der Einkommensverteilung (Umverteilungspolitik) können über den Staatshaushalt und durch staatliche Eingriffe in das Vorsorgesystem bewirkt werden (Beispiele s. Abschnitt 5). Über den Staatshaushalt lassen sich Redistributionswirkungen erreichen, indem einer Gruppe der Gesellschaft Mittel durch Steuern entzogen werden, die einer anderen als Transferzahlungen zugute kommen. Bereits der Entzugseffekt einer progressiven Einkommensteuer kann bestehende Einkommensdifferenzen verringern. Die einkommensnivellierende Wirkung wird verstärkt, wenn die Transfers vorzugsweise Beziehern niedriger Einkommen gezahlt werden. Je nachdem, ob diese Übertragungen den Begünstigten direkt als Rente, Unterstützung, Beihilfe oder Sozialhilfe zufließen oder ob sie indirekt über ermäßigte Preise und Sozialtarife für bestimmte Güter denen zugute kommen, die diese Güter erwerben, sind unterschiedliche Redistributionseffekte zu erwarten. Durch direkte Transferzahlungen ist es möglich, einer eindeutig abgegrenzten Gruppe von Adressaten (Einkommenslosen und Einkommensschwachen) gezielt Mittel zuzuwenden. Demgegenüber setzen indirekte Transfers ebenso wie steuerentlastende Maßnahmen (implizite Transfers) ein bereits vorhandenes Einkommen voraus, und der Kreis der Begünstigten bleibt offen, so daß Richtung und Ausmaß der Redistribution ungewiß sind.

In der Bundesrepublik Deutschland ist die sekundäre Einkommensverteilung das Ergebnis des Zusammenwirkens von

- direkten Transfers (Sozialhilfe, Wohngeld, Familienlastenausgleich, Ausbildungsförderung, Kriegsopferversorgung und Lastenausgleich für Kriegsgeschädigte) und

– indirekten sowie impliziten Transfers in den Sparten der Sozialversicherung (Überblick bei SCHMÄHL, 1977), im Steuersystem und im Preisgefüge.

Einen Überblick über Höhe und Struktur der direkten Transfers in der Bundesrepublik gibt *Tab. R-2.* Über das Ausmaß der indirekten Transferleistungen liegen naturgemäß keine verläßlichen Zahlen vor.

Sozialhilfe

Sozialhilfe soll jedem „die Führung eines Lebens ermöglichen, das der Würde des Menschen entspricht" (§ 1 Bundessozialhilfe-Gesetz – BSHG – in der Fassung von 1969). Personen, die nicht in der Lage sind, aus eigenen Kräften und Mitteln (Einkommen und Vermögen) für ihren notwendigen Lebensunterhalt zu sorgen, erhalten ein regelmäßiges Transfereinkommen in Höhe der Differenz zwischen dem als notwendig erachteten Bedarf und eigenen Einkünften. Diese ,,Hilfe zum Lebensunterhalt" berücksichtigt ,,in vertretbarem Umfang" auch sozio-kulturelle Bedürfnisse (,,Beziehungen zur Umwelt und eine Teilnahme am kulturellen Leben", § 12 BSHG). Sozialhilfeempfänger sind allerdings – soweit dies zumutbar ist – verpflichtet, ihren Lebensunterhalt vorrangig durch eigene Arbeit zu sichern. Sozialhilfe wird auch als ,,Hilfe in besonderen Lebenslagen" gewährt. Als solche dient sie zum Ausgleich eines besonderen Mehraufwandes für Aufbau oder Sicherung der Lebensgrundlage, Weiterführung des Haushalts, Pflege und Ausbildung und schließt Kranken-, Behinderten- und Altenhilfe ein (§ 27 BSHG).

Über die Entwicklung der Einnahmen und Ausgaben nach Höhe und Struktur sowie die Zahlen der Sozialhilfeempfänger in der Bundesrepublik Deutschland von 1970 bis 1993 gibt *Tab. R-3* Aufschluß. Bemerkenswert ist, daß mit dem Anstieg der Sozialhilfeleistungen auf das 13-fache während dieses Zeitraumes nur eine Erhöhung des Volkseinkommens auf das 4-fache und des jährlichen Bruttoentgelts je beschäftigten Arbeitnehmer auf das 3,6-fache einhergeht.

Wohngeld

Wohngeld wird jenen Familien und alleinstehenden Personen gezahlt, deren Einkommen nicht ausreicht, um die Aufwendungen für einen ,,familiengerechten angemessenen Wohnraum" zu tragen. Anspruchsberechtigte Mieter erhalten eine Mietbeihilfe, Eigenheimbesitzer einen Lastenzuschuß. Familiengröße, Einkommenshöhe und Wohnungsaufwand – beide im Rahmen von Höchstgrenzen – sind Kriterien, nach denen die Höhe des Wohngeldes bemessen wird (Zweites Wohngeldgesetz, 1971). Wohngeld wird ebenso wie Sozialhilfe aufgrund einer speziellen Bedürftigkeit gezahlt, die in jedem Einzelfall durch Vergleich zwischen den individuellen Einkünften und einem standardisierten Bedarf (lebensnotwendiger Aufwand, angemessener Wohnraum) ermittelt wird. Damit soll das Umverteilungsziel erreicht werden, bedürftigen Personen einen angemessenen Lebensunterhalt zu gewährleisten.

Familienlastenausgleich

Der Familienlastenausgleich soll Familien mit Kindern, unabhängig von der speziellen Bedürftigkeit, entlasten. Diesem Ziel dienen einerseits solche redistributiven

Tab. R-2: Ausgewählte direkte Transfers in der Bundesrepublik Deutschland 1978–1993* (in Mill. DM)

Transferarten	**1978**	**1982**	**1986**	**1990**	**1991**	**1992p**	**1993p**
Arbeitslosengeld[3]	4780	10480	9410	11410	23750	31560	42600
Kurzarbeitergeld[3]	600	1570	710	200	1050	653	948
Arbeitslosenhilfe[3,5]	1200	2780	5880	4870	7159	9152	14000
Geldleistungen im Rahmen der Arbeitsmarktförderung[3,6]	4110	5930	7220	12860	18826	21717	27071
Geldleistungen der Rentenversicherung[3,4]	108120	132780	149440	178900	253198	287198	311286
Öffentliche Pensionen[2,4]	22110	33540	35450	41100	46266	48227	49210
Geldleistungen der Kranken- und Unfallversicherung[3,4]	13510	16690	16830	19230	22159	25071	26192
Kindergeld	14960	16180	13690	14619	20477	21987	21850
Sozialhilfe[1]	5590	7190	10780	14390	16000	17262	18615
Ausbildungsförderung	2296	3110	442	813	2611	2455	2510
Erziehungsgeld[7]			1660	4597	5915	7234	7013
Wohngeld	1944	2872	3628	3910	4904	7415	7310

Erläuterungen:
* Ab 1990 einschließlich der neuen Bundesländer.
1 Vgl. Fußnote a) zu Tabelle R-3
2 Nach Abzug der Lohnsteuer auf Pensionen.
3 Nach Abzug der Beiträge des Staates für Empfänger sozialer Leistungen.
4 Ab 1983 nach Abzug der Eigenbeiträge zur Sozialversicherung von den jeweiligen sozialen Leistungen.
5 Einschließlich der von der Bundesanstalt für Arbeit bis 1980 gezahlten Anschlußarbeitslosenhilfe.
6 Geldleistungen im Rahmen der Förderung der beruflichen Aus- und Fortbildung, Umschulung, Leistungen zur Rehabilitation, Winterbauförderung u. ä.
7 1986 neu eingeführt; ersetzt seither das Mutterschaftsurlaubsgeld, über dessen Höhe in den vergangenen Jahren keine Zahlen vorliegen.
p Vorläufige Ergebnisse.

Quellen: Engelmann (1982); Lützel (1986); Dorow (1989); Essig/Strohm (1991); Bundesminister für Arbeit und Sozialordnung, Hg., Arbeits- und Sozialstatistik, Hauptergebnisse, lfde. Jahrgänge; Statistisches Jahrbuch für die Bundesrepublik Deutschland 1994; Institut der Deutschen Wirtschaft (1993/1994), Hg., Internationale Wirtschaftszahlen 1993/1994.

Maßnahmen (Steuerentlastungen, Beihilfen), die das verfügbare Nettoeinkommen im Vergleich zu kinderlosen Einkommensbeziehern mit gleichen Bruttobezügen erhöhen und andererseits besondere Vergünstigungen, die indirekt den Mehraufwand für Kinder verringern (Sozialtarife für vom Staat angebotene Leistungen sowie Sozialinvestitionen für Kindergärten, Schulen und Wohnungen). Eine Steuerentlastung durch Kinderfreibeträge begünstigt wegen der Steuerprogression Familien um so stärker, je höher ihr Einkommen ist (Oberhauser, 1980). Dieser unerwünschte Verteilungseffekt wird vermieden, wenn statt dessen ein nach der Kinderzahl gestaffeltes Kinder-

Tab. R-3: Sozialhilfe[a] in der Bundesrepublik Deutschland 1970–1993*

	1970	1975	1980	1985	1990	1992	1993[p]	1993**[p]
I. Ausgaben und Einnahmen der Sozialhilfe (in Mill. DM)								
1. Hilfe zum Lebensunterhalt	1181	3025	4339	8025	12976	14327	16485	18017
2. Hilfe in besonderen Lebenslagen	2155	5380	8927	12821	18805	23794	26651	30902
a) Hilfe zur Pflege	1107	2956	5003	7152	10154	12362	13756	16481
b) Eingliederungshilfe für Behinderte	379	1320	2666	4151	6567	8529	9867	11209
Ausgaben insgesamt[1]	3335	8405	13266	20846	31782	38120	43035	48919
abzüglich Einnahmen[2]	708	1808	3114	4554	6543	6342	4313	8736
Nettoausgaben[3]	2627	6597	10152	16292	25238	31778	36159	40187
II. Empfänger von Sozialhilfe (in Tsd.)[6]	1491	2049	2144	2814	3754	4033	4181	4945
Laufende Hilfe zum Lebensunterhalt[4,5]	749	1190	1322	2063	2890	3151	3375	3937
Hilfe in besonderen Lebenslagen	965	1147	1125	1108	1510	1630	1603	1865
III. Zum Vergleich: Volkseinkommen in Mrd. DM	530	801	1140	1420	1891	2122	2108	2337
Jährliches Bruttoarbeitseinkommen je Beschäftigter (DM)	13481	22426	29691	35844	42000	47000	48300	45500

a Die Angaben weichen von den in Tabelle R-2 für die Sozialhilfe ausgewiesenen Beträgen ab, denen die Abgrenzung der volkswirtschaftlichen Gesamtrechnung zugrunde liegt. Im Unterschied zur volkswirtschaftlichen Gesamtrechnung werden in Tab. R-3 in der Position „Ausgaben gesamt" u. a. die Sachleistungen an Sozialhilfeempfänger erfaßt.

* Früheres Bundesgebiet, ** Gesamtdeutschland.

1 Leistungen nach dem Bundessozialhilfegesetz; ohne die sonstigen Aufwendungen der Sozialhilfeträger für fürsorgerische Zwecke, insbesondere nach Landesgesetzen.

2 Kostenbeiträge bzw. Aufwandersatz, Ersatzleistungen (z. B. von Unterhaltspflichtigen und von anderen Sozialleistungsträgern), Rückflüsse von und Zinsen auf Darlehen.

3 Differenzen in den Summen durch Runden der Zahlen.

4 Personen, die Hilfe verschiedener Art bzw. Hilfe außerhalb und in Einrichtungen erhielten, wurden mehrfach gezählt.

5 Seit 1978 wird die in teilstationären Einrichtungen gewährte Hilfe nicht mehr als Hilfe außerhalb von Einrichtungen, sondern als Hilfe in Einrichtungen erfaßt.

6 Ohne die Empfänger von einmaligen Leistungen zum Lebensunterhalt sowie Nichtseßhafte, die – entsprechend ihrer Lebensweise – Sozialhilfe bei ihrem vorübergehenden Aufenthalt an einem Ort in Anspruch genommen haben; Mehrfachzählungen ausgeschaltet (ab 1980 können allerdings die Angaben über Hilfeempfänger, die von mehr als einem Sozialhilfeträger Leistungen erhalten haben, aus datenschutzrechtlichen Gründen nicht mehr zusammengeführt werden; aufgrund solcher Doppelzählungen dürfte die Gesamtzahl der Hilfeempfänger ab 1980 etwas überhöht sein).

p Vorläufiges Ergebnis.

Quellen: Statistisches Bundesamt, Statistisches Jahrbuch für die Bundesrepublik Deutschland, lfde. Jahrgänge; Deutsche Bundesbank (1983), Monatsbericht, April 1983.

geld ohne Rücksicht auf die Höhe des Einkommens gezahlt wird. Dieses Verfahren bewirkt allerdings eine Expansion des Staatshaushalts, die das Nettotransfervolumen beträchtlich übersteigt. Da die Beihilfe aus Steuern finanziert wird und die meisten Empfänger von Kindergeld zugleich Steuerzahler sind, werden nur jene bessergestellt, bei denen der Saldo aus Beihilfe und zusätzlicher Steuerlast positiv ist. Bei einer bestimmten Einkommenshöhe entsteht überhaupt kein Verteilungseffekt, weil sich Entzug und Zuwendung ausgleichen. Die Steuerprogression kann sogar bewirken, daß selbst Familien mit Kindern netto zusätzlich belastet werden. Die Wahrscheinlichkeit hierfür ist um so größer, je höher ihr Einkommen und je niedriger die Kinderzahl ist. Bezieher hoher Einkommen mit nur einem Kind müssen aufgrund der Steuerprogression eine Mehrbelastung tragen, die das Kindergeld übersteigt. Wegen des mit der Umverteilung verbundenen Verwaltungsaufwandes ist zudem die Gesamtsumme, die als Kindergeld zugeteilt wird, notwendig geringer als das zu seiner Finanzierung erforderliche Steueraufkommen (ALBERS, 1977). Insofern ist außer dem Kriterium der Zielkonformität auch das der Kostenminimierung verletzt. Das Ziel, den kinderbedingten Mehraufwand einkommensschwacher Haushalte auszugleichen, läßt sich mit geringerem Verwaltungsaufwand dadurch erreichen, daß der Anspruch auf Kindergeld durch eine Einkommensobergrenze beschränkt wird.

Der Familienlastenausgleich in der Bundesrepublik stellt eine Kombination beider Verfahren dar. Zum einen wird ein von der Einkommenshöhe und der Kinderzahl abhängiges Kindergeld gezahlt, und zum anderen wird Steuerpflichtigen ein entsprechend der Kinderzahl abgestufter Steuerfreibetrag gewährt. Um die unerwünschte Redistributionswirkung dieses Verfahrens auszugleichen, erhalten Familien, die wegen zu geringer Einkommen nicht in den Genuß der Steuerermäßigung kommen, einen Zuschlag zum Kindergeld. Außerdem wird für Kinder bis zu maximal achtzehn Monaten in Abhängigkeit von der Einkommenshöhe ein Erziehungsgeld gezahlt und erwerbstätigen Eltern ein Erziehungsurlaub gewährt.

Koordinationsprobleme gemischter Transfersysteme

Das Nebeneinander von direkten Sozialtransfers, sozialpolitisch motivierten indirekten und impliziten Vergünstigungen in den Sparten der Sozialversicherung, im Steuersystem und im Preisgefüge durch Entlastungen und Subventionen bewirkt einen Wirrwarr von Umverteilungseffekten. Über Ausmaß und Struktur der redistributiven Wirkungen des Transfersystems als Ganzes sind daher keine genauen Aussagen möglich. Immerhin kommt eine 1977 von der Bundesregierung eingesetzte TRANSFER-ENQUÊTE-KOMMISSION nach vierjähriger Tätigkeit zu dem Ergebnis, daß zwei Hauptziele des Transfersystems zumindest der Richtung nach erreicht werden. Zum einen sei die unter Berücksichtigung von Steuern, Abgaben und Einkommensübertragungen resultierende Sekundärverteilung der verfügbaren Einkommen gleichmäßiger als die Primärverteilung der Markteinkommen, und zum anderen lasse sich der beabsichtigte Einkommenstransfer von den Erwerbstätigen zu den Nichterwerbstätigen zweifelsfrei nachweisen (TRANSFER-ENQUÊTE-KOMMISSION, 1981, S. 44 ff.; zu gleichen Ergebnissen kommt LOEFFELHOLZ, 1981). Für den Teilbereich der sozialen Alterssicherung hatte der Zwischenbericht derselben Kommission einen weitgehenden Mangel an Abstimmung und Transparenz der Sozialleistungen nachgewiesen: Der Kumulation sozialer Vergünstigungen bei einigen Gesellschaftsmitgliedern stehen Versorgungslücken bei anderen gegenüber (TRANSFER-ENQUÊTE-KOMMISSION, 1979).

Verläßliche Aussagen über die durch das Zusammentreffen von direkten und indirekten Transfers sowie die durch das Steuersystem bewirkten impliziten Transfers per Saldo resultierenden Verteilungswirkungen lassen sich nur durch Modellrechnungen gewinnen. Dabei werden für verschiedene Haushaltstypen Transfersalden ermittelt,

Abb. R-2: Die Umverteilungswirkungen der Staatstätigkeit für verschiedene Haushaltstypen, Rechtsstand 30. 6. 1977

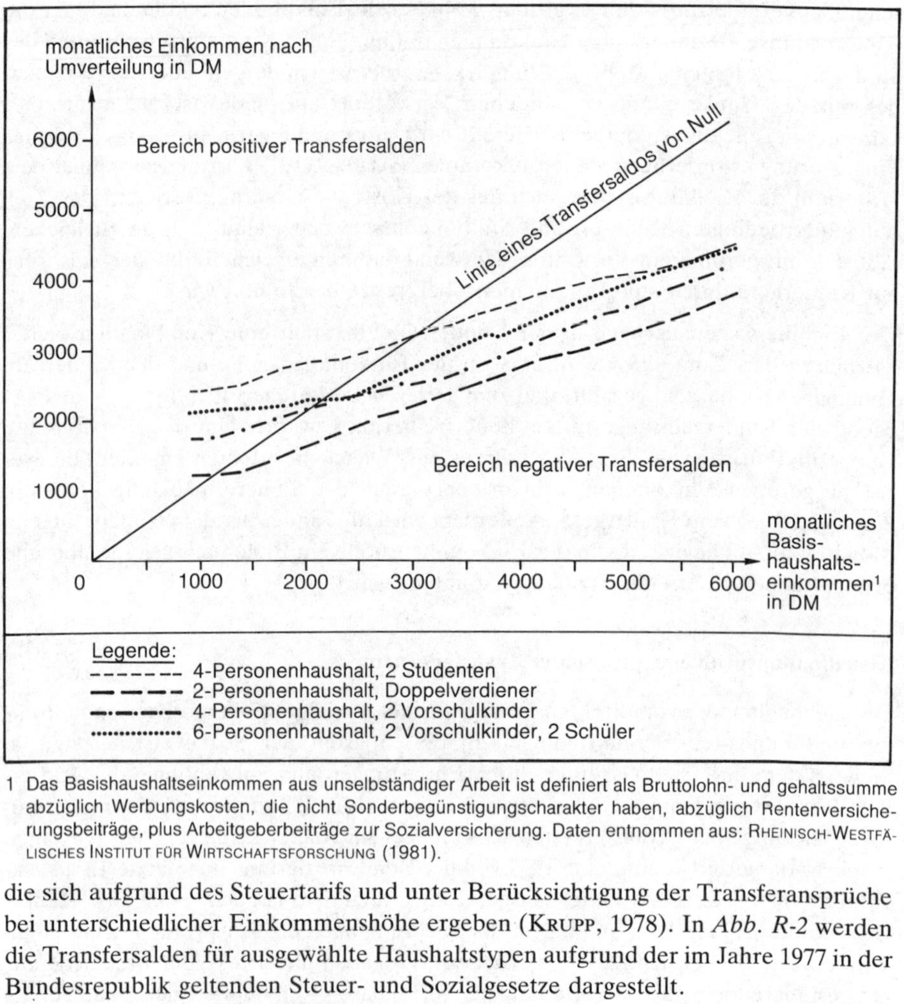

1 Das Basishaushaltseinkommen aus unselbständiger Arbeit ist definiert als Bruttolohn- und gehaltssumme abzüglich Werbungskosten, die nicht Sonderbegünstigungscharakter haben, abzüglich Rentenversicherungsbeiträge, plus Arbeitgeberbeiträge zur Sozialversicherung. Daten entnommen aus: RHEINISCH-WESTFÄLISCHES INSTITUT FÜR WIRTSCHAFTSFORSCHUNG (1981).

die sich aufgrund des Steuertarifs und unter Berücksichtigung der Transferansprüche bei unterschiedlicher Einkommenshöhe ergeben (KRUPP, 1978). In *Abb. R-2* werden die Transfersalden für ausgewählte Haushaltstypen aufgrund der im Jahre 1977 in der Bundesrepublik geltenden Steuer- und Sozialgesetze dargestellt.

Eine soziale Korrektur der Sekundärverteilung zugunsten bestimmter Gesellschaftsmitglieder ist nicht erreichbar, ohne daß andere belastet werden. Die Rücksichtnahme auf das Leitbild der Leistungsgesellschaft gebietet, solche Organisationsformen, Konstruktionen und Maßnahmen zu finden, die die individuelle Leistungsbereitschaft der Begünstigten wie der Benachteiligten nicht lähmen. Sofern Träger und Adressaten von Umverteilungsprozessen identisch sind, ist dieser Grundsatz verletzt. Durch redistributive Maßnahmen, die ihr Verteilungsziel verfehlen, wird die Umverteilungsmasse vergrößert und damit die Steuerlast erhöht. Das schwächt die Anreizfunktion der Markteinkommen und hemmt das Streben nach höherem Wohlstand.

Ein einheitliches und übersichtliches Transfersystem für eine Marktwirtschaft könnte dadurch erreicht werden, daß auf indirekte und implizite Vergünstigungen verzichtet wird und die für notwendig erachteten Transferzahlungen über negative Steuersätze in den Einkommensteuertarif integriert werden. Drei Varianten einer Negativsteuer werden in der Literatur diskutiert (Tobin, 1965; Green, 1967; Rolph, 1969; Überblick bei Molitor, 1976,2):

- Jedem Bürger wird in Höhe des Existenzminimums eine Sozialdividende garantiert, die gegen seine Steuerschuld aufgerechnet wird. Während einkommenslosen Personen dieser Betrag in voller Höhe ausgezahlt wird, erhalten Steuerpflichtige nur den Differenzbetrag. Bei einer bestimmten Einkommenshöhe gleichen sich Sozialdividende und Steuerlast aus, und oberhalb dieser Einkommensschwelle wird die Sozialdividende steuermindernd verrechnet.
- Einkommenslosen und einkommensschwachen Bürgern wird ein Transfereinkommen bis zur Höhe des Existenzminimums gezahlt; jenseits dieses staatlich garantierten Mindesteinkommens setzt die allgemeine Steuerpflicht ein.
- Das steuerfreie Einkommen (Freibetrag) wird oberhalb des Existenzminimums angesetzt. Unterschreitet das Erwerbseinkommen diese Schwelle, wird auf die Differenz zum Freibetrag ein bestimmter Prozentsatz (negativer Steuersatz) als Transfereinkommen gezahlt. Die maximale Transfersumme – das Produkt aus Erstattungssatz und Freibetrag – markiert das absolute Existenzminimum.

Die ersten beiden Transfermodelle beinhalten leistungshemmende Konsequenzen. Am stärksten ausgeprägt sind diese bei der Sozialdividende, weil deren Finanzierung eine hohe Steuerbelastung aller Leistungseinkommen erfordert. Da der Steuerabzug mit steigendem Einkommen immer weniger ins Gewicht fällt, wirkt die Sozialdividende wie eine indirekte Steuerprogression. Eine leistungsmindernde Wirkung entsteht außerdem bei den direkt Begünstigten. Wenn diese annahmegemäß die unterhaltssichernde Zuwendung erhalten, ohne daß ihre Arbeitsfähigkeit und -willigkeit geprüft wird, erlischt ihr Interesse, eine Erwerbstätigkeit auszuüben, und statt dessen besteht ein Anreiz, das höchstmögliche Sozialeinkommen zu beziehen. Dagegen wird im Modell der negativen Steuerstaffel der einzelne über abgestufte Steuersätze bereits in der Erstattungszone stimuliert, ein eigenes Leistungseinkommen zu erzielen. Da auch die Leistungsbereitschaft der übrigen Erwerbstätigen nicht geschwächt wird, ist dieses Konzept grundsätzlich geeignet, in einem nach dem Versicherungsprinzip organisierten Vorsorgesystem das soziale Korrektiv zu bilden. Eine für die Verhältnisse in der Bundesrepublik durchgeführte empirische Untersuchung kommt zu dem Ergebnis, daß durch die Kombination einer progressiv negativen Einkommensteuer mit einer progressiv ausgestalteten positiven Einkommensteuer ein stärkerer Nivellierungseffekt erreicht werden kann, als durch das bestehende Transfersystem (Becker, 1983).

6.2. Korrektur der Primärverteilung

Bei gegebener Menge und Qualität der Produktionsfaktoren wird die Primärverteilung des Volkseinkommens auf die Faktoren Arbeit und Kapital durch das Verhältnis der Faktorpreise bestimmt. Daher ist der Lohnsatz eine zentrale Größe im Kampf der Arbeitsmarktparteien um höhere Einkommensanteile. Jede Marktseite sieht in den kollektiven Lohnvereinbarungen eine Möglichkeit, ihre Verteilungsposition zu Lasten der des Verhandlungspartners zu verbessern. Während die Gewerkschaften versuchen, durch Nominallohnerhöhungen, die über den Produktivitätsfortschritt hinausgehen (Nominallohnpolitik), die Quote der Einkommen aus unselbständiger Arbeit am Gesamteinkommen (Lohnquote) zu vergrößern, sind die Unternehmer bemüht, den Anteil der Einkommen aus Unternehmertätigkeit und Vermögen (Gewinnquote) zumindest stabil zu halten. Häufig wollen die Gewerkschaften über eine Mindestpauschale (Sockelbetragsklausel) die Bezüge von Angehörigen der unteren Lohngruppen überproportional anheben, um zugleich die personelle Distribution der Arbeitseinkommen gleichmäßiger zu gestalten. Beide Ziele der Gewerkschaften lassen sich mit Nominallohnpolitik – wenn überhaupt – nur vorübergehend erreichen. Da die Unternehmer nicht bereit sind, einen Reallohn zu zahlen, der über dem physischen Grenzprodukt der Arbeit liegt, werden sie die Güterpreise erhöhen oder – sofern dies wegen einer restriktiven Geldpolitik nicht gelingt – jene Arbeitskräfte entlassen, deren Weiterbeschäftigung unrentabel geworden ist. Im Fall der Sockelbetragsklausel sind davon in erster Linie Arbeitnehmer betroffen, deren Einkommen am unteren Ende der Lohnskala liegen.

Verteilungspolitik, die auf eine Korrektur der Primärverteilung gerichtet ist, muß – wenn sie erfolgreich sein will – bei den Ursachen für eine ungleichmäßige personelle Einkommensdistribution ansetzen:

- Eine ungleiche Verteilung der Kapitaleinkommen hat ihre Ursache in einer personellen Konzentration des Produktivvermögens (Preiser, 1948); Ziel der Vermögenspolitik ist es, das Kapitaleigentum breiter zu streuen;
- eine ungleiche Verteilung der Arbeitseinkommen ist auf Qualifikationsunterschiede der Arbeitnehmer zurückzuführen; eine auf mehr Chancengleichheit gerichtete Bildungspolitik will diese Einkommensdifferenzen abbauen.

Vermögenspolitik

Ohne das Privateigentum als konstitutives Element der Wirtschaftsordnung anzutasten, läßt sich eine Dekonzentration des Kapitals dann erreichen, wenn es gelingt, an der Bildung neuen Vermögens jene stärker zu beteiligen, die über kein Produktivvermögen verfügten. Als Mittel der Vermögenspolitik kommen in Betracht:

- die staatliche Sparförderung,
- der Investivlohn,
- die direkte Beteiligung der Arbeitnehmer am Unternehmensertrag (betriebliche und überbetriebliche Gewinnbeteiligung).

Staatliche Sparförderung zielt darauf, jene privaten Haushalte zum Sparen anzuregen, die ihr Einkommen ganz oder überwiegend aus unselbständiger Arbeit beziehen. Gelingt es, die Sparquote der Arbeitnehmerhaushalte zu erhöhen, ohne daß die Investitionstätigkeit der Unternehmer zurückgeht, verbessert sich die Verteilungsposition der Empfänger von Arbeitseinkommen und außerdem wächst den Arbeitnehmern ein höherer Anteil am Vermögen zu (Kaldor, 1955/56; Preiser, 1961).

Wird das Sparen wie zeitweise in der Bundesrepublik Deutschland vom Staat wahlweise durch Sparprämien (Sparprämiengesetz, 1959; Wohnungsbau-Prämiengesetz, 1952) und durch Steuerabzugsfähigkeit (§ 10 EStG) gefördert, kann die Absicht, vorzugsweise die Vermögensbildung von Beziehern niedriger Einkommen zu begünstigen, nicht erreicht werden, wenn die vom Staat gezahlte Prämie niedriger ist als der – wegen der Steuerprogression – in der Spitze erreichbare Steuernachlaß. Wenn zudem der Nachweis einer bestimmten Vermögensanlage ausreicht, um die Vergünstigung zu erhalten, hat jeder die Möglichkeit, auch früher gebildete Ersparnisse in förderungsfähige Anlageformen zu überführen (Vermögensumschichtung). Eine zusätzliche Vermögensbildung ist dann nicht gewährleistet.

Der Investivlohn ist jener Einkommensanteil, auf dessen Auszahlung ein Arbeitnehmer zugunsten einer längerfristigen Vermögensanlage verzichtet. In kollektiven Lohnvereinbarungen dient der Investivlohn den Gewerkschaften als Strategie, die Chancen der Unternehmer zu vermindern, eine über den Produktivitätszuwachs hinausgehende Lohnerhöhung durch Überwälzung zu neutralisieren. In der Bundesrepublik ist die investive Lohnbindung durch Vermögensbildungsgesetze in die staatliche Sparförderung einbezogen worden. Arbeitnehmer, die einen Teil ihres Einkommens – höchstens jedoch 936 DM im Jahr (Fünftes Vermögensbildungsgesetz, 1987, Neufassung 1994 – durch Lohnabzug auf eine vermögenswirksame Anlageform (Kapitalbeteiligungen, Bausparverträge und Aufwendungen zugunsten von Grundstückserwerb, Haus- oder Wohnungseigentum) übertragen lassen, erhalten vom Staat eine Sparzulage, sofern ihr zu versteuerndes Einkommen eine Höchstgrenze nicht übersteigt. Selbst durch dieses Verfahren ist nicht auszuschließen, daß die Arbeitnehmer ihre freiwillig geplante Ersparnis verringern. Das Ziel, die personelle Einkommensverteilung zugunsten der Arbeitnehmer zu verbessern, ist aber auch dann in Frage gestellt, wenn es gelingt, die Arbeitnehmersparquote anzuheben. Da Ersparnis zugleich Konsumverzicht bedeutet, reduziert sie das Wachstum der gesamtwirtschaftlichen Nachfrage, selbst wenn Investitionen, Staatsausgaben und Außenbeitrag sich nicht ändern, denn zusätzliches Sachkapital entsteht durch Sparen nur, wenn auch die Investitionstätigkeit zunimmt. Reagiert die Sachkapitalbildung auf den ersparnisbedingten Nachfrageausfall stärker als auf ein Sinken des Kapitalzinses, ist jedoch eher mit einem Rückgang der Investitionen zu rechnen (Oberhauser, 1978).

Die Gefahr investitions- und wachstumshemmender Effekte wollen jene vermögenspolitischen Pläne vermeiden, die eine investive Gewinnbeteiligung der Arbeitnehmer vorsehen. Zwar ist die Überwälzbarkeit einer prozentualen Gewinnbeteiligung im Vergleich zum Investivlohn zusätzlich erschwert, weil die Unternehmen wegen differierender Gewinne unterschiedlich stark belastet werden, jedoch wird das für Investitionen verfügbare Finanzierungspotential nicht reduziert, sofern die den Arbeitnehmern übertragenen Gewinnanteile im Unternehmen verbleiben (betriebliche Ertragsbeteiligung). Insbesondere bei Kapitalgesellschaften ist trotz der anfangs verringerten Rendite für die bisherigen Kapitaleigner auch kein Rückgang der Investitionsneigung zu erwarten, weil Eigentum und Leitung personell getrennt sind. Da die Belegschaftsmitglieder zu Miteigentümern werden, liegt ein produktivitätsförderndes Verhalten, das den Gewinn steigern kann, in ihrem eigenen Interesse, zumal sie in Höhe ihrer Kapitaleinlage auch am Verlustrisiko beteiligt sind. Die doppelte Risikolast der Belegschaftsaktionäre für Arbeitsplatz und Kapitaleinsatz sowie die mobilitätshemmende Bindung an das Unternehmen gelten als Nachteile der betrieblichen Ertragsbeteiligung. Da die Beschäftigten verschiedener Unternehmen bei ungleicher Gewinnhöhe selbst dann unterschiedlich begünstigt werden, wenn die investive Gewinnbeteiligung allen Unternehmen gesetzlich auferlegt wird, ist zudem die verteilungsnivellierende Wirkung zweifelhaft.

Überbetriebliche Ertragsbeteiligungsmodelle, die in Deutschland beispielsweise vom Gewerkschaftsbund (1972), von der Sozialdemokratischen Partei (1973) und von der Bundesregierung (1974) entwickelt wurden, zielen auf eine gleich hohe Gewinnausschüttung an alle Beschäftigten, deren Arbeitseinkommen eine Obergrenze nicht übersteigt (Überblick bei Mückl, 1975). Das einheitliche Grundprinzip dieser Konzepte besteht darin, daß die Unternehmen ab einer bestimmten Gewinnhöhe verpflichtet werden, einen Teil ihres Ertrags in Form von Kapitalanteilen zentralen Fonds zu übertragen. Im Gegenwert des Fondsvermögens erhalten die Arbeitnehmer Anteilsrechte (Zertifikate), über die sie erst nach einer mehrjährigen Sperrfrist frei verfügen können. Die Organisationsform des Fonds schließt jedes Verlustrisiko für den Bezugsberechtigten aus und verlangt von ihm keine Mobilitätseinbußen; die Gleichbehandlung aller Erwerbstätigen der unteren und mittleren Einkommensklassen wirkt nivellierend auf die personelle Einkommensverteilung. Den abstrakten Zertifikaten fehlt jedoch die Anreizfunktion des Miteigentums, und die betroffenen Unternehmen sehen sich einem zunehmenden Einfluß der Fondsverwaltungen auf ihre Geschäftspolitik ausgesetzt. Je stärker diese Fonds zentralisiert sind, desto größer ist die Konzentration von wirtschaftlicher Macht, und wegen der Trennung von individuellen Vermögensansprüchen und kollektiver Entscheidungskompetenz droht die Gefahr einer zunehmenden Bürokratisierung und Anonymisierung des Wirtschaftsgeschehens. Überbetriebliche Ertragsbeteiligungen können auch von den Arbeitsmarktparteien auf der Grundlage von Tarifverträgen für einzelne Branchen oder Regionen vereinbart werden. Träger der Vermögensbildung sind dann Tariffonds, die gemeinsam von Gewerkschaften und Arbeitgebern verwaltet werden. An die Stelle einer staatlich verordneten Gewinnabgabe tritt hier die vertragliche Übereinkunft autonomer Verhandlungspartner (Cox, 1980). Dennoch kann auch diese Konstruktion die Trennung von individuellen Vermögensansprüchen und kollektiver Entscheidungskompetenz nicht vermeiden.

Will der Staat die Vermögensbildung der Arbeitnehmer fördern, ohne das Umschichten von vorhandenem Vermögen in bevorzugte Anlageformen zu prämieren, will er weiterhin den unternehmerischen Entscheidungsspielraum nicht einengen und die private Investitionsneigung nicht beeinträchtigen, muß er jene Formen der betrieblichen Ertragsbeteiligung unterstützen, die eine individuelle Teilhaberschaft der Arbeitnehmer begründen. Insbesondere in kleinen und mittleren Unternehmen könnte das direkte Miteigentum eine Integrationsfunktion wahrnehmen. Eine breite Streuung des Privateigentums ist nicht nur ein Instrument, um die personelle Einkommensverteilung gleichmäßiger zu gestalten, sie erweitert zugleich den Freiheitsraum des einzelnen, erhöht seine Sicherheit und dient dem sozialen Frieden (Preiser, 1960; Issing, 1976; Kurz/Rall, 1980).

Bildungspolitik

Durch Bildungspolitik kann die personelle Verteilung der Arbeitseinkommen gleichmäßiger gestaltet werden, wenn sie begabten, aber gering qualifizierten Erwerbstätigen die Weiterbildung erleichtert und wenn sie allen Heranwachsenden gleiche Ausbildungschancen einräumt. Bildung und Ausbildung dienen dem Erwerb von Kenntnissen und Fertigkeiten, die erforderlich sind, um einen produktiven Beitrag zur volkswirtschaftlichen Gütererzeugung zu leisten und hierfür ein äquivalentes Arbeitseinkommen zu erzielen. Abgesehen von Begabung und Neigung sind die Wahl des Berufs und die mit der Ausbildung angestrebte Qualifikation als Investitionsentscheidung aufzufassen, die unter der Bedingung getroffen wird, daß der erwartete Ertrag die anfallenden Kosten übersteigt. Der Ertrag einer vermehrten und verbesserten Ausbildung (Investition in Humankapital) besteht in der Zunahme der produktiven Fähigkeiten des Individuums und der daran geknüpften Erwartung eines höheren Zukunftseinkommens: Zu den Kosten der Bildungsinvestitionen zählen die Ausgaben für Ausbildungsleistungen und Lernmittel, sowie der Einkommensausfall, der während der Ausbildungsdauer in Kauf genommen werden muß.

Die Notwendigkeit für staatliche Maßnahmen im Bereich der akademischen beruflichen Bildung wird damit begründet, daß die Ausbildungschancen der Heranwachsenden ohne staatliche Eingriffe – abgesehen von Begabungsunterschieden – allein von der Vermögenslage der Eltern abhängen und daher in einer Gesellschaft ungleich verteilt sind (FRIEDMAN, 1962, Kapitel 6). Eine Kreditfinanzierung der individuellen Bildungsinvestition setzt demgegenüber hinreichende Kreditsicherungsmöglichkeiten voraus. Neben dem elterlichen Vermögen kommt dafür der für die Zukunft erwartete Einkommensstrom in Betracht. Entscheidend für den individuellen Bildungsweg ist in diesem Fall die Einschätzung des Investitionsertrags durch den Kreditgeber. Eine auf Chancengleichheit gerichtete staatliche Bildungspolitik soll jenen, die nicht in der

Übersicht R-4: Öffentliche Ausgaben[1] je Student an Hochschulen[2] in der Bundesrepublik Deutschland im Jahr 1991.

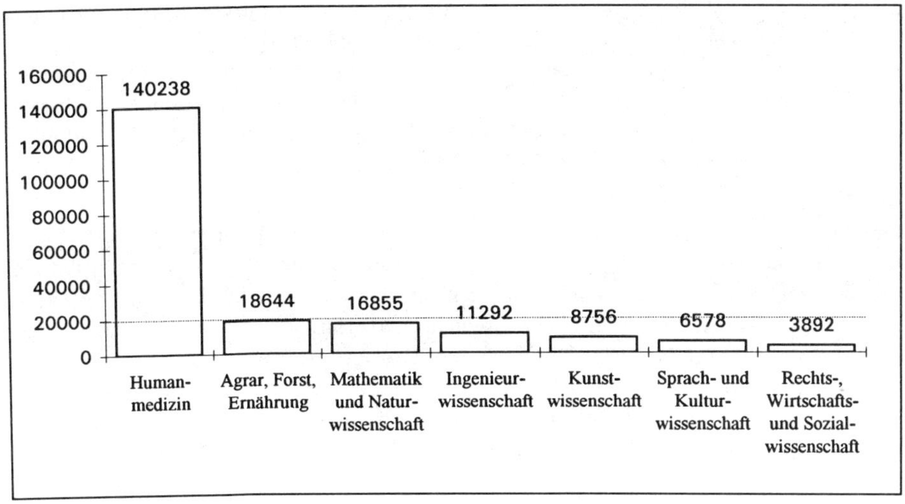

1 Laufende Personal- und Sachausgaben.

2 Universitäten, Gesamthochschulen, Pädagogische Hochschulen, Theologische Hochschulen, Kunsthochschulen und Fachhochschulen.

Quellen: STATISTISCHES BUNDESAMT, Statistisches Jahrbuch für die Bundesrepublik Deutschland 1992 und 1994; eigene Berechnungen.

Lage sind, die hohen Investitionskosten aus eigenen oder elterlichen Mitteln zu tragen und die das Risiko einer Kreditaufnahme scheuen, eine ihren Begabungen und Neigungen entsprechende Ausbildung ermöglichen. Zwei grundlegend verschiedene bildungspolitische Konzeptionen kommen hierfür in Betracht.

Der Staat hat die Möglichkeit, jedem, der eine bestimmte Mindestbegabung nachweisen kann,

- entweder die nachgefragten Bildungsgüter unentgeltlich zur Verfügung zu stellen und ihm zum teilweisen Ausgleich des Einkommensausfalls eine Unterhaltsbeihilfe zu zahlen
- oder ihm zur Finanzierung der Investitionskosten ein verzinsliches Ausbildungsdarlehen zu gewähren, das aus dem späteren Mehreinkommen zurückgezahlt werden muß, und das Angebot von Bildungsgütern Privaten zu überlassen.

In der Bundesrepublik Deutschland ist eine Kombination beider Konzepte verwirklicht. Die Bildungsgüter werden überwiegend entsprechend der ersten Variante zur Verfügung gestellt, daneben erhalten bedürftige Studenten ein Stipendium, das je zur Hälfte als Zuschuß und als unverzinsliches Darlehen gewährt wird (Bundesausbildungsförderungsgesetz – BAföG, neueste Fassung von 1991). Einen Uberblick über die Höhe der öffentlichen Ausgaben für die bereitgestellten Bildungsgüter gibt *Übersicht R-4*.

Die erste Variante hat für den „Investor“ den Vorteil, daß er nur einen Teil der anfallenden Kosten – nämlich die Differenz zwischen Einkommensausfall und Unterhaltszahlung – zu tragen hat. Insofern besteht ein Anreiz, die Nachfrage nach Ausbildungsleistungen soweit auszuweiten, bis die für die Zukunft erwartete Einkommenssteigerung gerade noch die privaten Ausbildungskosten übersteigt. Da die übrigen vom Staat übernommenen Kosten nicht ins ökonomische Kalkül eingehen, kommt es zur Überinvestition in Humankapital. Zugleich findet eine Einkommensumverteilung zu Lasten der Steuerzahler und zugunsten derjenigen Mitglieder der Gesellschaft statt, die aufgrund der staatlichen Ausbildungsförderung ein höheres Einkommen erzielen. Außerdem kann durch die staatliche Produktion von Bildungsgütern eine Struktur des Ausbildungsangebots festgelegt werden, die nicht mit den Präferenzen der Nachfrager übereinstimmt.

Der zweite bildungspolitische Lösungsansatz kann unter der Bedingung eine effiziente Faktorallokation im Bildungswesen gewährleisten und zugleich eine optimale Struktur von Sach- und Humankapital sichern, daß die Individuen in der Lage sind, den Ertrag der Bildungsinvestition möglichst zuverlässig vorauszuschätzen. Durch erfolgreiche Stabilitätspolitik läßt sich die Ertragsunsicherheit zwar vermindern, jedoch nicht vollständig beseitigen. Risikoscheue Individuen werden daher von besonders aufwendigen Bildungsinvestitionen absehen, wenn nicht der Staat einen Teil der Ausbildungskosten trägt (Werner, 1979).

Kommentierte Literaturhinweise

Das zweibändige Werk „Theorie der Sozialpolitik“ von Bruno Molitor behandelt die beiden Problemfelder „Soziale Sicherung“ (1987) sowie „Lohn- und Arbeitsmarktpolitik“ (1988, 2) sowohl hinsichtlich ihrer theoretischen Fundierung als auch ihrer praktischen Ausgestaltung in der Bundesrepublik Deutschland. Umfassend angelegte und zugleich detaillierte Gesamtdarstellungen der Sozialpolitik sind die Lehrbücher von HEINZ LAMPERT (1985, 3. A. 1994) und JOHANNES FRERICH (1987, 2. A. 1990). Komprimierte Überblicke enthalten fünf Artikel zur „Sozialpolitik" und sieben Aufsätze zum Problembereich „Sozialversicherung und Soziale Sicherung" in WILLI ALBERS: u. a. (1977 ff.).

Aufsätze von BRUNO MOLITOR (1976, 2) behandeln Fragen der praktischen Sozialpolitik in der Bundesrepublik Deutschland. Eine „Synopse sozialpolitischer Vorstellungen" der politischen Parteien, der Gewerkschaften und der Arbeitgeberverbände findet sich in der Arbeit von GERHARD W. BRÜCK und HARALD EICHNER (1974). Das Gutachten der KOMMISSION FÜR WIRTSCHAFTLICHEN UND SOZIALEN WANDEL (1977) enthält Kapitel über Verteilungspolitik, Arbeitsschutzpolitik, Soziale Sicherung und Bildungspolitik.

HEINZ LAMPERT (1979, 1) hat Beiträge verschiedener Autoren zur Arbeitsmarktpolitik zusammengestellt. Eine umfassende Analyse der Lohnbildung und des Arbeitsmarktes auf dem Stand herrschender mikro- und makroökonomischer Theorie bietet WOLFGANG FRANZ (1991).

Die gesetzlichen Bestimmungen und die institutionelle Ausgestaltung des Sozialleistungssystems in der Bundesrepublik Deutschland werden dargestellt in der vom BUNDESMINISTERIUM FÜR ARBEIT UND SOZIALORDNUNG herausgegebenen „Übersicht über die Soziale Sicherheit" (1991). Den Problembereich Soziale Sicherheit behandeln auch die Arbeiten von VIOLA VON BETHUSY-HUC (1965, 2. A. 1976) und HELMUT WINTERSTEIN (1980) sowie der Reader von BERNHARD KÜLP; WILFRIED SCHREIBER (1971).

Ein Lehrbuch, das die theoretischen, empirischen und institutionellen Probleme der Gesundheitsökonomie umfassend behandelt, ist die Abhandlung von FRIEDRICH BREYER und PETER ZWEIFEL (1992).

Die Alterssicherung aus der Sicht der ökonomischen Theorie behandelt STEFAN HOMBURG (1988).

Lehrtexte zur Verteilungspolitik haben BERNHARD KÜLP (1971) und JOSUA WERNER (1979) verfaßt.

Eine Geschichte der deutschen Sozialpolitik, die zugleich in die sozialpolitischen Grundprobleme einführt, bietet VOLKER HENTSCHEL (1983, 3. A. 1985).

S. Außenwirtschaftspolitik

Hartmut Berg

Gliederung

1. Freihandel als Leitbild der Außenwirtschaftspolitik

Das marktwirtschaftliche Bekenntnis zum Freihandel beruht auf der Überzeugung, daß die Verbindung von dezentraler Planung mit einem freien Leistungswettbewerb und einem System von Marktpreisen als Organisationsprinzip für die Weltwirtschaft ebenso vorteilhaft ist wie als Ordnungsgrundsatz für den nationalen Wirtschaftsraum:

- Freihandel eröffnet Chancen zu produktivitätssteigernder Spezialisierung. Die am Welthandel beteiligten Länder können sich auf die Erzeugung jener Produkte konzentrieren, die sie mit vergleichsweise geringeren Kosten herstellen als ihre Tauschpartner. Von diesen Gütern gilt es mehr zu produzieren als für den heimischen Bedarf erforderlich, um den damit verfügbaren Überschuß gegen Produkte zu tauschen, die im eigenen Staatsraum gar nicht oder nur mit erheblich höheren Kosten hergestellt werden können. Freihandel gestattet es einer Volkswirtschaft somit, ihre Ressourcen mit größerer Ergiebigkeit einzusetzen, als es bei Autarkie oder Protektionismus möglich wäre (Beitrag I–3).
- Durch Freihandel können Konflikte gelöst werden, die auftreten, wenn auf zu engen nationalen Märkten zugleich ein intensiver Wettbewerb, eine hinreichende Nutzung von Massenproduktionsvorteilen und ein genügend vielfältiges Angebot angestrebt wird. Denn durch Export und den Rückgriff auf ausländische Erzeugung läßt sich die Zahl der Konkurrenten und die der offerierten Alternativen erhöhen, ohne daß die durchschnittliche Unternehmensgröße abnehmen und auf kostengünstige Produktion verzichtet werden muß (Beitrag 0–3.3).
- Freihandel ist gleichbedeutend mit offenen Märkten. Dadurch droht leistungsschwachen inländischen Produzenten, von überlegener ausländischer Konkurrenz vom Markt verdrängt zu werden. Das zwingt zu kostengünstiger Produktion marktgerechter Produkte, nötigt zu innovatorischer Aktivität und fördert die Anpassungsflexibilität. Auch steigt die Wahrscheinlichkeit dafür, daß Monopolrenten zum Markteintritt neuer Anbieter führen und damit verloren gehen. Freihandel reduziert somit die Möglichkeit zu friedlichem Oligopolverhalten und dauerhafter Monopolisierung. Er steigert die Wettbewerbsintensität und schafft ein stetes Reservoir potentieller Konkurrenz. Alles das verbessert die Faktorallokation und fördert die Wachstumsdynamik (Giersch, 1956).

Freihandel ist ein Leitbild der Außenwirtschaftspolitik, dessen Tradition durch die klassischen Nationalökonomen des späten 18. und des beginnenden 19. Jahrhunderts – Adam Smith (1723–1790); David Ricardo (1772–1823); John Stuart Mill (1806–1873) – begründet wird (Beitrag I–3.1.1). Der Glaube an die natürliche Harmonie der Interessen, der die wirtschaftspolitische Konzeption des klassischen Liberalismus kennzeichnet, bestimmt auch die ihr zugrundeliegende außenhandelstheoretischen Vorstellungen und die daraus abgeleiteten Empfehlungen zur Außenhandelspolitik. Wenn nur die freie Entscheidung der Individuen beim Einsatz der produktiven Kräfte gewahrt ist, der Außenhandel sich also frei von staatlichen Eingriffen vollzieht, dann bewirkt er eine Wohlstandssteigerung in allen Volkswirtschaften, die durch wirtschaftliche Beziehungen miteinander verbunden sind: Jedes Land realisiert das größtmögliche Produktionsergebnis, das in seiner Zusammensetzung zudem mit den Konsumentenpräferenzen bestmöglich abgestimmt ist.

Die Idee einer friedlichen internationalen Tauschgesellschaft ist eine Utopie. Das erkannten bereits die Klassiker, die im übrigen Ausnahmen vom Grundsatz eines uneingeschränkten Freihandels durchaus zugestanden, so etwa

- zum Schutz von Produktionen, die zur Landesverteidigung benötigt werden;
- zum Ausgleich von Wettbewerbsverzerrungen, die sich aus Unterschieden in den nationalen Steuersystemen ergeben können;
- als Vergeltung für Zölle, die dem eigenen Exportangebot von anderen Ländern auferlegt werden; schließlich
- zur Vermeidung sozialer Härten in Branchen, in denen es bei einem abrupten Fortfallen zuvor gewährter Protektion zu Massenarbeitslosigkeit kommen könnte (SMITH, 1776).

Mit dem Freihandelsprinzip – und damit auch mit den Grundsätzen einer marktwirtschaftlichen Ordnung – unvereinbar sind Schutzmaßnahmen zugunsten heimischer Produzenten vor allem dann, wenn sie dauerhaft gewährt werden, wenn sie den internationalen Preiszusammenhang außer Kraft setzen und die Preisrelationen verfälschen und wenn sie diskriminierend wirken, also Vergleichbares ungleich behandeln (GIERSCH, 1952; WATRIN, 1967, 1).

Vor allem in Phasen nachlassender Wachstumsdynamik und zunehmender Unterbeschäftigung ist die Gefahr groß, daß Regierungen der dann erfahrungsgemäß verstärkt geltend gemachten Forderung nach Protektion und Subventionierung nachgeben. Das Engagement der staatlichen Strukturpolitik beschränkt sich indes nicht darauf, dort Beistand zu leisten, wo traditionelle Industrien durch Substitutionskonkurrenz oder das Auftreten neuer Anbieter aus ,,jungen" Industrienationen zunehmend Nachfrage einzubüßen drohen (Kohle, Stahl, Schiffsbau). Es wächst vielmehr auch die Neigung, die internationale Wettbewerbsfähigkeit der heimischen Industrie in jenen Bereichen gezielt zu fördern, für die künftig überdurchschnittliche Wachstumschancen vermutet werden. Begünstigte einer derartigen Industriepolitik sind zumeist Branchen, deren Sortimente durch einen hohen Anteil an ,,high technology" gekennzeichnet sind und von deren Innovationsaktivität in besonderem Maße ,,spin offs" erwartet werden – positive externe Effekte in dem Sinne, daß die hier realisierten Prozeß- und Produktinnovationen durch ihre Diffusion in andere Bereiche der heimischen Volkswirtschaft auch dort die Produktionseffizienz und die Attraktivitat der angebotenen Sortimente erhöhen (BERG/SCHMIDT, 1995).

Ob derartige Bemühungen tatsächlich mehr Wachstum und Beschäftigung schaffen, ist zu bezweifeln. Subventionen eines Landes werden zumeist durch die entsprechenden Beihilfen neutralisiert, die den konkurrierenden Unternehmen der jeweils anderen Volkswirtschaften sehr bald ebenfalls gewährt werden. Dauerhaft sind positive Beschäftigungseffekte in den durch Protektionismus und Subventionen begünstigten Branchen somit kaum zu erhoffen. Nicht zu vermeiden sind dagegen die negativen Beschäftigungswirkungen, die durch den ,,Entzugseffekt" der Subventionierung entstehen: Transferzahlungen an ,,schwache" Branchen müssen durch zusätzliche Besteuerung der ,,starken" Bereiche aufgebracht werden. Dort verschlechtern sich folglich die Investitions- und Innovationsbedingungen (BERG, 1982; KLODT, 1987; KÖSTERS, 1992).

Durch Protektion und Subventionierung können von den begünstigten Unternehmen auf den Absatzmärkten höhere Faktorentgelte gewährt werden als unter Wettbewerbsbedingungen. Nicht geförderte Unternehmen, die dadurch höhere Vorleistungspreise zahlen und in die überhöhten Löhne und anderen Faktorpreise eintreten müssen, erleiden Wettbewerbsnachteile. Dadurch werden Arbeitsplätze gefährdet und die Chancen neuer Beschäftigung vermindert. Dies gilt auch deswegen, weil Protektion und Subventionierung zur Folge haben, daß ausländisches Angebot durch teuere Inlandsproduktion verdrängt wird, also die Importe geringer ausfallen als bei Freihandel. Die daraus resultierende Aufwertungstendenz der inländischen Währung reduziert die Exportmöglichkeiten, so daß gesamtwirtschaftlich wiederum nicht mehr Beschäftigung zustande kommt.

Trügerisch ist zumeist auch die Hoffnung, dadurch zu mehr Wachstum und Beschäftigung zu gelangen, daß durch gezielte Förderung von „high technology“ die internationale Wettbewerbsfähigkeit gesteigert wird; denn die Erfahrung lehrt, daß derartige Strategien sich häufig in dem Versuch erschöpfen, die Innovationen erfolgreicher Pioniere anderer Volkswirtschaften zu imitieren. Das bedingt die Gefahr, daß die angebotenen Produkte durch ihre späte Einführung auf bereits weitgehend gesättigte Märkte stoßen oder den Angeboten der bereits etablierten Anbieter nicht so stark überlegen sind, daß man diesen mit Erfolg Marktanteile streitig machen könnte.

Auch lehrt die Erfahrung, daß es vielfach die gleichen Branchen sind, die in den einzelnen Volkswirtschaften als vermeintliche Garanten künftiger Wachstumsdynamik gefördert werden. Durch diese Parallelität der nationalen Forschungs- und Technologiepolitiken können weltweit mehr Kapazitäten geschaffen werden als zur Befriedigung der Nachfrage erforderlich sind. Eine auf Wachstumsförderung abzielende Strukturpolitik, die auf diese Weise zu Überkapazitäten führt, kann damit zum Entstehen von Branchenkrisen beitragen und dadurch die (vermeintliche) Notwendigkeit neuer Protektion und weiterer Subventionierung begründen.

2. Welthandelsordnung

2.1. Internationale Ordnungspolitik: Anspruch und Realität

Um dauerhaft in den Genuß der Vorteile zu gelangen, die sich durch die Teilnahme am Prozeß der internationalen Arbeitsteilung eröffnen, bedarf es der Bereitschaft, Einbußen an nationaler Autonomie zu akzeptieren:

- Dieser Autonomieverlust ergibt sich zum einen als Konsequenz jener Reaktionsverbundenheit, die zwischen den am Welthandel beteiligten Staaten bei intensiver weltwirtschaftlicher Verflechtung begründet wird.
- Die Notwendigkeit, in der Freiheit zu autonomem (wirtschafts-)politischem Handeln Beschränkungen zu akzeptieren, folgt zum anderen aus der Tatsache, daß die wohlstandsfördernden Wirkungen eines freien internationalen Handels nur erzielt werden können, wenn die von ihm geforderten „Spielregeln“ beachtet werden.

Die Versuchung, gegen diese Regeln eines ordnungskonformen Verhaltens zu verstoßen, ist groß. Freihandel erfordert die Bereitschaft zur Anpassung. Wettbewerbsvorteile gehen durch das Aufholen konkurrierender Anbieter verloren. Sich ändernde Faktorpreisrelationen und technische Fortschritte sind auf der Angebotsseite, sich wandelnde Konsumgewohnheiten auf der Nachfrageseite Ursachen eines fortwährenden Strukturwandels, der immer wieder dazu zwingt, Sortimente, Standorte und Produktionsverfahren zu verändern. Fehlt es an der Bereitschaft oder Fähigkeit, diesem Erfordernis zu genügen, drohen Beschäftigungseinbußen. Sie verleihen dem dann verstärkt geltend gemachten Wunsch nach Protektion Popularität und Durchsetzungskraft. Dort, wo bei den Unternehmern einer Volkswirtschaft innovatorische Potenz und Anpassungsflexibilität nachlassen, büßt ihr Angebot an internationaler Wettbewerbsfähigkeit ein. Ein abnehmender Welthandelsanteil und eine Zahlungsbilanzsituation, die zur Abwertung drängt, stärken nicht nur die Neigung, die Importe verstärkt zu beschränken; sie motivieren vielmehr auch zu einer Politik, die die Exporte auf mannigfache Weise zu fördern sucht und die dadurch im Zweifel erhebliche Wettbewerbsverzerrungen bewirkt.

Um die Freiheit des internationalen Handels zu sichern, müssen die Staaten somit einen Kodex ordnungskonformen Verhaltens anerkennen und beachten. Das Herstellen eines solchen Konsensus über die Regeln, nach denen sich der zwischenstaatliche Wirtschaftsverkehr vollziehen soll, ist Aufgabe internationaler Ordnungspolitik. Besteht ihr Ziel darin, dem Grundsatz des Freihandels möglichst weitgehend Geltung zu verschaffen, hat sie eine Welthandelsordnung, die die Freiheit des Warenverkehrs sichert, mit einer Weltwährungsordnung zu verbinden, die die Freiheit des Kapitalverkehrs gewährleistet (Gröner/Schüller, 1978).

Das Instrumentarium der nationalen Außenwirtschaftspolitiken der am Welthandel teilnehmenden Staaten ist reichhaltig, die Neigung, von ihm Gebrauch zu machen, groß. Dabei läßt sich dieses Instrumentarium kaum jemals anwenden, ohne daß dieses Handeln nicht zu einem Verstoß gegen das Freihandelspostulat führen würde. In diesem Sinne ist der Einsatz der hier relevanten Aktionsparameter – Zölle, Mengenbeschränkungen, Exportsubventionen, Reglementierungen des internationalen Zahlungs- und Kapitalverkehrs – also stets problematisch. Das gilt auch dann, wenn er mit dem Hinweis begründet werden kann, er diene nur der Kompensation entsprechender Verstöße anderer Länder, oder es gehe lediglich darum, Anpassungsprozesse durch zeitlich befristete Protektion sozial erträglich zu machen. Hier muß damit gerechnet werden, daß (erneute) Reaktionen nicht ausbleiben. Es droht die Gefahr eines sich selbst verstärkenden Prozesses zunehmender Protektion, der den Welthandel rasch schrumpfen läßt, allen Ländern Wohlstandseinbußen einträgt und vermutlich auch von keinem Land wirklich gewollt wurde. Die Weltwirtschaftskrise der beginnenden dreißiger Jahre und die sich daran anschließende Phase einer weitgehenden Desintegration der Weltwirtschaft sind ein bis heute mahnendes Beispiel einer derartigen Sequenz sich wechselseitig bedingender und einander verstärkender handelspolitischer Restriktionen, deren Ergebnis ein Rückfall in Protektionismus und Autarkie ist (Predöhl, 1962; Kindleberger, 1973).

2.2. Instrumente der Außenhandelspolitik

2.2.1. Zölle

Zölle sind staatliche Abgaben im grenzüberschreitenden Warenverkehr. Nach der Art des Handels, den sie treffen, unterscheidet man Einfuhr-, Ausfuhr- und Durchfuhrzölle. Bedeutung hat von diesen Kategorien seit längerem nur noch der Einfuhrzoll. Er kann als Mengenzoll (spezifischer Zoll) oder Wertzoll erhoben werden, je nachdem, ob Grundlage der Zollbemessung die Menge (Stück, Gewicht) oder der Wert der Ware ist. Mengenzölle weisen zwar den Vorzug einfacher Handhabung auf, verlieren bei steigenden Preisen jedoch zunehmend ihre Schutzwirkung. In den modernen Zolltarifen dominiert deswegen der Wertzoll. Gleitzölle gestatten es, Preisabschläge des zur Einfuhr anstehenden Gutes durch eine entsprechend erhöhte Zollbelastung zu kompensieren und ermöglichen somit eine vollständige Abschirmung des Binnenmarktes gegenüber ausländischem Angebot. Sie spielen vor allem im Rahmen der gemeinsamen Agrarpolitik der EG eine wichtige Rolle, da sie hier unter der Bezeichnung „Abschöpfungen" dazu dienen, das Angebot aus Drittländern so zu dosieren, daß ein Absinken der Preise unter das den EG-Produzenten garantierte Mindestniveau im Integrationsraum verhindert wird (Abschnitt 3.5).

Zölle wirken wie Transportkosten. Je höher sie sind, desto größer werden die in Kosten gemessenen ökonomischen Entfernungen und desto geringer wird die Chance, Produktionskostenvorteile auf dem Auslandsmarkt als Preisvorteile geltend zu machen. Zölle reduzieren somit das Ausmaß der bei Freihandel möglichen internationalen Arbeitsteilung. Auch dort, wo sie den Handel zwar be-, nicht aber verhindern, bewirken sie Abweichungen von der Referenzsituation einer weltweit optimalen Faktorallokation und führen damit zu einer verschlechterten Marktversorgung. Denn in dem Maße, wie durch Zölle Kostenvorteile ausländischer Anbieter zunichte gemacht werden, verlagern sich Produktionen von kostengünstigen Standorten außerhalb des zollerhebenden Landes zu solchen höherer Kosten im Inland. Die Verbraucher müssen sich zu höheren Preisen mit geringeren Mengen begnügen. Die Verbrauchsteuer, die ihnen in Form des Zolls auferlegt wird, dient somit der Subventionierung jener inländischen Anbieter, die bei Freihandel nicht wettbewerbsfähig wären (Beitrag I-4.1).

2.2.2. Nicht-tarifäre Handelshemmnisse

Stärker als durch Zölle werden die Preisrelationen gegenwärtig vermutlich durch sogenannte „nicht-tarifäre Handelshemmnisse" verzerrt:

- durch mengenmäßige Einfuhrbeschränkungen (Kontingente), die häufig nur eine wesentlich geringere Menge zugestehen, als sie bei Freihandel bezogen werden würde;
- durch Abkommen, mit denen Lieferländer, die als besonders „aggressiv" gelten, zur „freiwilligen" Selbstbeschränkung genötigt werden;

- durch Schutzklauseln, die die Rücknahme gewährter Zollkonzessionen gestatten, wenn der durch die Importkonkurrenz bewirkte Preisdruck als nicht mehr tragbar angesehen wird;
- durch Normen und Sicherheitsbestimmungen, die von denen des Auslands abweichen und somit nur durch das Aufwenden zusätzlicher Kosten – etwa durch den erzwungenen Verzicht auf Massenproduktionsvorteile – erfüllt werden können;
- durch Vorschriften des Lebens- oder Arzneimittelrechts, die primär zwar andere Ziele verfolgen mögen, häufig jedoch durchaus gewollt auch handelshemmend wirken;
- durch Methoden der Zollwertermittlung, die erhebliche Ermessensspielräume eröffnen und die damit den Importeur weder vor Willkür und Diskriminierung schützen noch ihm die Möglichkeit bieten, die Höhe der Zollbelastung im vorhinein zuverlässig abzuschätzen;
- durch das Erheben von Verwaltungsgebühren oder das Festhalten an zeitraubenden Verfahren der Genehmigung und Abfertigung, die zu zusätzlichen Kosten führen und damit zollähnlichen Charakter aufweisen; schließlich, ohne daß die Aufzählung dadurch erschöpfend werden würde,
- durch Verfahren staatlicher Auftragsvergabe, die auch dann verhindern, daß ausländische Bewerber zum Zuge kommen, wenn deren Offerten wesentlich preisgünstiger sind als die der inländischen Anbieter;
- durch Einführung von Verbrauchsteuern auf Güter, für die keine nennenswerte Inlandsproduktion besteht, wodurch nach den GATT-Statuten eine entsprechende Importbelastung zulässig wird, die wie ein Einfuhrzoll wirkt (GAB/GIESECK, 1988; LANG 1990).

Das Gegenstück zu derartigen „neomerkantilistischen" Praktiken auf der Einfuhrseite bilden alle Maßnahmen, die darauf abzielen, die Absatzchancen der heimischen Exportwirtschaft zu verbessern:

- Subventionen werden gewährt und steuerliche Entlastungen zugestanden;
- der Staat übernimmt das Wechselkursrisiko, erleichtert die Finanzierung oder knüpft gewährte Entwicklungshilfe an die Bedingung, daß diese zu Käufen im Geberland verwendet wird;
- Direktinvestitionen werden gefördert, Auslandsmessen heimischer Produzenten unterstützt und fällige Aufwertungen der Inlandswährung verzögert.
- Der Staat gewährt Zuschüsse zur Werbung, die die Exportwirtschaft im Ausland betreibt; er ist hier bei der Informationsbeschaffung und Marktforschung behilflich; schließlich macht er konsequent diplomatischen Einfluß geltend oder versucht politischen Druck auszuüben, um der heimischen Industrie zum Eintritt in neue Auslandsmärkte zu verhelfen oder um dort, wo sie bereits tätig ist, ihre Wettbewerbsbedingungen zu verbessern.

Die nicht-tarifären Handelshemmnisse, die auf Importerschwernis abzielen, gleichen in ihrer Wirkung dort, wo sie (wie etwa Selbstbeschränkungsabkommen) die Einfuhrmenge begrenzen, dem »klassischen« Instrument des Kontingents; dort, wo sie Importe mit zusätzlichen Kosten belasten, entspricht ihr Effekt dem eines Zolls. Zölle und Kontingente können jedoch in der Regel hinreichend zuverlässig in die unternehmerischen Dispositionen einbezogen werden. Sie sind weitgehend kalkulierbar; mit ihrer Konstanz kann zumindest auf mittlere Sicht im allgemeinen gerechnet werden;

die Möglichkeiten der willkürlichen oder diskriminierenden Anwendung sind begrenzt.

Die nicht-tarifären Handelshemmnisse in ihrer „modernen“ Ausprägung erfüllen diese Erfordernisse durchweg nicht. Sie sind in Umfang und Wirkung nur schwer zu durchschauen; ihre Handhabung kann sehr differenziert erfolgen, die Eingriffsintensität häufig kurzfristig und erheblich variiert werden. Dort, wo die Maßnahmen auf Exportförderung abzielen, provozieren sie zur Reaktion. Veranlaßt diese wiederum zum Parieren, droht ein Prozeß der Eskalation, der den Status quo der Liberalisierung verlorengehen läßt und eine derartige Vielzahl von Verzerrungen und Verfälschungen bewirkt, daß der Anspruch eines freien Leistungswettbewerbs sich zunehmend diskreditiert sieht (Fröhlich, 1988; Kösters, 1992).

2.3. Welthandelsordnung der Gegenwart: Probleme und Perspektiven

2.3.1. Erfolge und Grenzen des GATT

Ordnungsprinzipien des GATT

Das 1947 in Genf vereinbarte Allgemeine Zoll- und Handelsabkommen (GATT – General Agreement on Tariffs and Trade) erfährt bei der Wahrnehmung seiner Aufgaben von vornherein eine wesentliche Begrenzung durch die Tatsache, daß seine Mitglieder nicht darauf zu verzichten bereit waren, eine autonom konzipierte, primär nationale Interessen verfolgende Konjunktur- und Wachstumspolitik zu betreiben. Der damit begründete Konflikt zwischen Freihandel und wirtschaftspolitischer Autonomie erfordert eine Politik, die es an Behutsamkeit und Flexibilität nicht fehlen lassen darf. Es gilt eine möglichst weitgehende Annäherung an das Leitbild eines marktwirtschaftlich geordneten, freien Welthandels zu erreichen, ohne den Signatarstaaten das Recht zu bestreiten, die binnenwirtschaftlichen Ziele eines hohen Beschäftigungsstandes und eines stabilen Preisniveaus grundsätzlich höher zu bewerten als das Ziel eines außenwirtschaftlichen Gleichgewichts.

Das GATT versucht die damit formulierte Aufgabe zu lösen, in dem es die Vertragsparteien zwar einerseits zur Beachtung des Freihandelspostulates verpflichtet, andererseits jedoch eine Vielzahl von Verstößen gegen diesen Grundsatz legitimiert oder doch zumindest toleriert.

Um Fortschritte zu einer wesentlich durch Freihandel gekennzeichneten Weltwirtschaft zu erreichen, proklamiert das Abkommen

- das Prinzip der Liberalisierung;
- das Prinzip der Gegenseitigkeit und
- das Prinzip der Nicht-Diskriminierung.

Das Prinzip der Liberalisierung verpflichtet zum Verzicht auf das Heraufsetzen bestehender und das Einführen neuer Zölle; es beinhaltet zudem ein Verbot mengenmäßiger und anderer nicht-tarifärer Handelshemmnisse. Der Grundsatz der Reziprozität fordert in bilateralen Zollverhandlungen die Gleichwertigkeit von Leistung und Gegenleistung. Die Maxime der Nicht-Diskriminierung schließlich findet ihren Ausdruck in der Klausel der unbedingten Meistbegünstigung: Zollkonzessionen oder andere Vergünstigungen, die zwei Vertragsparteien einander gewähren, sind auch allen anderen Signatarstaaten zuzugestehen. Bilateral konzedierte Zollsenkungen führen auf diese Weise zu einer multilateralen Liberalisierung (Preeg, 1970).

Das GATT wäre nicht unterzeichnet worden oder bloße Deklamation geblieben, wenn es den Freihandel oder auch nur einen freieren Handel zum allgemein gültigen und stets anzuwendenden Ordnungsprinzip hätte erheben wollen (Gardner, 1956). Wie gering es zum Zeitpunkt der Paraphierung des Abkommens um die Neigung der Vertragsparteien bestellt war, ihre (vermeintliche) wirtschaftliche Autonomie ernsthaft in Frage stellen zu lassen, zeigt bereits die für die Gründung des GATT gewählte Rechtsform des Handelsabkommens, mit dem ihm der höherwertige – und mittlerweile de facto auch erlangte – Status einer internationalen Organisation verweigert wird.

Der Wille der Vertragsparteien, ihren in der Vergangenheit erworbenen Besitzstand nach Möglichkeit zu bewahren und sich das Recht auf eine nationale Vollbeschäftigungspolitik nicht entscheidend beschneiden zu lassen, dokumentiert sich auch in einer Vielzahl von Ausnahmen, durch die jedes der wesentlichen Grundprinzipien des Abkommens eine erhebliche Relativierung erfährt.

- So findet der Grundsatz der Meistbegünstigung keine Anwendung auf Präferenzen, die bei Inkrafttreten des Abkommens bereits bestanden: Diese Ausnahme ermöglichte es etwa Großbritannien, die Vorzugsbehandlung aufrechtzuerhalten, die es Einfuhren aus den Ländern des Commonwealth gewährte und die es für seine Exporte in diese Gebiete beanspruchen konnte.
- Als Ausnahme vom Prinzip der Meistbegünstigung gestatten die GATT-Statuten auch die Bildung von Zollunionen und Freihandelszonen, obwohl deren konstituierendes Merkmal gerade darin besteht, daß ihre Mitglieder sich untereinander Präferenzen gewähren, die dritten Ländern vorenthalten werden. Zur Rechtfertigung der hier zugestandenen Ausnahme verbleibt somit nur die Hoffnung, der durch diese Präferenzräume bewirkte regional begrenzte Freihandel werde sich als sinnvoller Schritt zu weltweitem Freihandel erweisen (Predöhl; Jürgensen, 1961).
- Das grundsätzliche Verbot mengenmäßiger Beschränkungen wird durch die Vorschrift durchbrochen, gemäß der eine Vertragspartei „zum Schutz ihrer finanziellen Lage gegenüber dem Ausland und zum Schutz ihrer Zahlungsbilanz" die Einfuhr – auch selektiv und damit diskriminierend – begrenzen darf.
- Schließlich wird der Gruppe der Entwicklungsländer dadurch ein sehr weitgehender Sonderstatus zugestanden, daß der Grundsatz der Reziprozität für sie nicht gilt: Zollkonzessionen, die ihnen von Industrieländern gewährt werden, verpflichten nicht zu (gleichwertigen) Gegenleistungen.

2.3.2. Fortentwicklung des GATT zur WTO

Das GATT konnte in den nunmehr über dreißig Jahren seiner Tätigkeit beachtliche Erfolge erzielen. Die grundlegende Maxime dieses Abkommens, das Prinzip der Meistbegünstigung, ist jedoch durch die Gründung der Europäischen Wirtschaftsgemeinschaft (EWG), die von ihr abgeschlossenen Assoziierungs- und Präferenzab-

Abb. S-1: Welthandelsorganisation World Trade Organization (WTO)

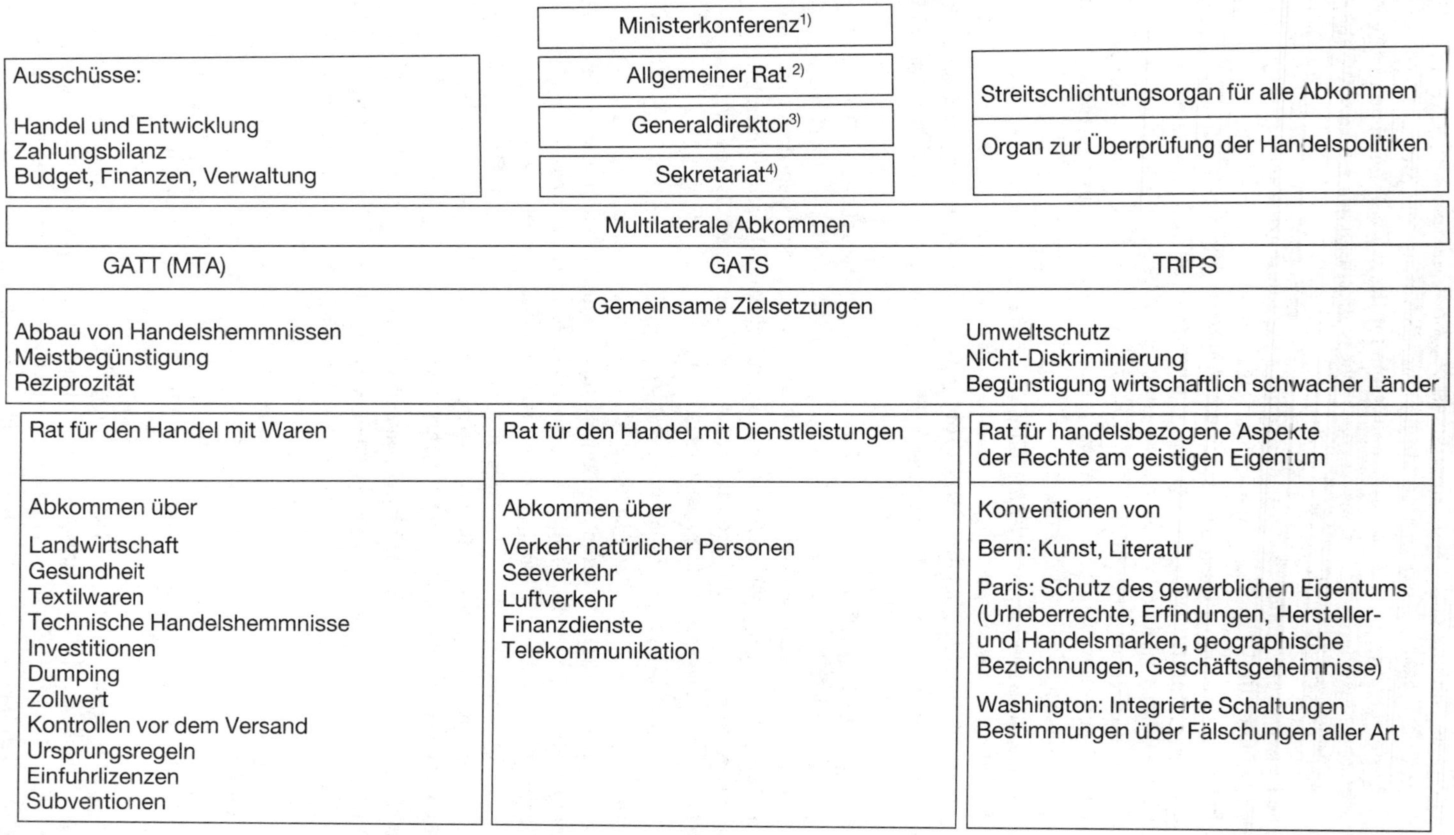

1) Minister der Mitgliedstaaten, tagt alle zwei Jahre
2) Delegierte der Mitgliedstaaten, tagt monatlich
3) Führt Beschlüsse aus
4) Bereitet Sitzungen vor, erstellt Analysen, erhebt Statistiken

kommen, die Bildung einer Nordamerikanischen Freihandelszone (NAFTA – North American Free Trade Association; Mitglieder: USA, Kanada, Mexico) und ähnliche Vereinbarungen auch im asiatischen Pazifikraum mittlerweile so häufig und offenkundig mißachtet worden, daß es als verbindliches Ordnungsprinzip des Welthandels kaum noch akzeptiert wird:

- Die Entwicklungsländer fordern zusätzliche Zollpräferenzen, die es ihnen ermöglichen sollen, ihre Exporte in die Industrieländer kräftiger als bislang zu steigern. Eine nach liberalen Prinzipien geordnete Weltwirtschaft erscheint ihnen darüber hinaus nur begrenzt geeignet, um das Wachstum ihrer Volkswirtschaft zu fördern und ihre internationale Wettbewerbsposition zu verbessern. Ein freies Spielen der Marktkräfte auf den internationalen Rohstoffmärkten gilt nicht selten als unerwünscht; gefordert werden folglich Preisgarantien und eine administrative Einflußnahme auf Angebot und Nachfrage.
- In den Industrieländern sind prohibitiv wirkende Einfuhrzölle und restriktiv gehandhabte Kontingente zumindest im Austausch industrieller Fertigwaren zwar zur Ausnahme geworden; an ihre Stelle droht jedoch zunehmend ein „neuer Protektionismus" (Krauss, 1979) zu treten, der sich vor allem des sublimen Instrumentariums der nicht-tarifären Handelshemmnisse bedient.

Die zwischen den hochentwickelten Industrieländern bestehende „Wachstumskonkurrenz der Staaten" (Stegemann, 1966) findet ihren Ausdruck zudem in umfangreichen und vielfältigen Maßnahmen der Exportförderung. Der damit begründete Neo-Merkantilismus in der Außenwirtschaftspolitik kann Restriktionen provozieren und einen Prozeß der Eskalation in Gang setzen, der einem freien Welthandel nur schaden kann (Oppermann/Molsberger, 1991).

Das GATT vermag gegen diese Gefahren eines Rückfalls in den Protektionismus nicht zuverlässig zu schützen. Dazu ist es als Organisation zu schwach. Dazu fehlen ihm gegenüber den Mitgliedstaaten Weisungsbefugnis und Sanktionsgewalt. Diese Feststellung wird vermutlich auch nach dem Abschluß der „Uruguay-Runde" weiter Gültigkeit haben. Die Verhandlungen im Rahmen dieser achten „Zollrunde" wurden nach sieben Jahren im Dezember 1993 abgeschlossen. Sie sehen eine neue institutionelle Ordnung des GATT vor und verbinden diese Reform mit der Zuweisung erweiterter Zuständigkeiten und vermehrter Kompetenzen.

Geschaffen wird eine Welthandelsorganisation (WTO – World Trade Organization), deren Ziele und Befugnisse durch drei Abkommen geregelt werden: Unter der Bezeichnung „Multilateral Trade (in Goods) Agreements (MTA)" werden die Bestimmungen des GATT in der erweiterten Fassung subsumiert, die sie in der Uruguay-Runde erhalten haben. Sie beziehen sich vor allem auf den Austausch von Agrarerzeugnissen, der in der Vergangenheit in den GATT-Runden immer ausgeklammert worden war, auf den Handel mit Textilien, für den zuvor ein gesondertes Abkommen bestand, und auf neu gefaßte, erweiterte und präzisierte Antidumping-Bestimmungen.

Ein zweites Regelwerk trägt die Bezeichnung GATS (General Agreement on Trade in Services). Ziel ist die schrittweise Liberalisierung auch der Dienstleistungsmärkte und des öffentlichen Beschaffungswesens. Hier gelang es im Rahmen der Uruguay-Runde allerdings nur, eher bescheidene Erfolge zu erzielen.

Die dritte Säule der WTO bildet ein neu ausgehandeltes Abkommen zum Schutz des geistigen Eigentums (Patente, Urheberrechte, Markennamen, geographische Herkunftsbezeichnungen). Es soll vor allem der Zunahme von Produktfälschungen entgegenwirken und trägt die Bezeichnung TRIPS (AGREEMENT ON TRADE-RELATED ASPECTS OF INTELLECTUAL PROPERTY RIGHTS).

Als besonders bedeutsam gilt die im Rahmen der Uruguay-Runde erzielte Übereinkunft über ein verbessertes Verfahren zur Schlichtung von Handelsstreitigkeiten. Zuvor war die Streitschlichtung auf den Güterhandel beschränkt. Nunmehr sind auch der Austausch von Dienstleistungen, der Schutz des geistigen Eigentums, der Handel mit zivilen Luftfahrzeugen, das öffentliche Beschaffungswesen und das Abkommen über Milch und Rindfleisch in dieses Verfahren einbezogen worden. Die Vorgabe verbindlicher Fristen soll verhindern, daß Entscheidungen verzögert werden können. Beschlüsse des mit der Schlichtung befaßten WTO-Gremiums können nur noch einstimmig und nicht mehr wie zuvor durch das Veto eines einzelnen Landes abgelehnt werden.

Ob die WTO das Ziel eines „freien“ Handels konsequent und weitergehend als das GATT durchzusetzen vermag, bleibt abzuwarten. Die Erfolgschance dieser Organisation wird wesentlich davon abhängen, welche Handelspolitik von den Mitgliedern der „Triade“ betrieben wird. Würden die USA, die EG und Japan zu einer grundsätzlich eher protektionistisch beschaffenen Außenwirtschaftspolitik neigen, dann bliebe sehr wahrscheinlich auch die Wirksamkeit der WTO gering.

2.3.3. Einbeziehung der Entwicklungsländer in die Weltwirtschaft

Notwendigkeit verstärkter Fertigwarenexporte

Der Anteil der Entwicklungsländer am Welthandel ist gering. Die unzureichende Einbeziehung dieser Länder in die internationale Arbeitsteilung ist die Folge einer verfehlten Spezialisierung: Ihr Exportsortiment enthält zu viele Güter mit nur unterdurchschnittlichen Expansionschancen. Werden den Entwicklungsländern die Absatzchancen für tropische Nahrungs- und Genußmittel vor allem durch geringe Werte der Einkommenselastizität und durch Importbeschränkungen der Industriestaaten beschnitten, so sehen sie sich als Rohstoffproduzenten vielfach mit einer scharfen Substitutionskonkurrenz und einem sinkenden spezifischen Rohstoffverbrauch konfrontiert.

Der in der Vergangenheit noch stets gescheiterte Versuch, den Preismechanismus auf den internationalen Rohstoffmärkten so zu beeinflussen, daß er bei Beibehaltung des traditionellen Exportsortiments ausreichende Devisenerlöse gewährleistet, erscheint somit als langfristige Lösung wenig sinnvoll. Mehr Erfolg versprechen Strategien, die auf eine Veränderung dieses Sortiments und damit auf eine stärkere Beteiligung der Entwicklungsländer am Welthandel mit Fertigwaren abzielen. Dazu müssen sich die Entwicklungsländer auf Produktionen spezialisieren, bei denen sie gegenüber den bereits industrialisierten Ländern einen komparativen Vorteil aufweisen.

Protektionismus der Industrieländer

Relativ knapp ist in Entwicklungsländern Sach- und Ausbildungskapital. Demnach besitzen diese Länder dort einen komparativen Vorteil, wo die Produktion einen relativ geringen Einsatz von Sach- und Ausbildungskapital und statt dessen relativ viel Input des Produktionsfaktors ungelernte Arbeit erfordert. Industrien, die diese Voraussetzung erfüllen, sind gezielt zu fördern, um hier ein Überschußangebot bereitzustellen; die Industrieländer müssen die Produktion der entsprechenden Erzeugnisse dagegen einschränken oder ganz aufgeben, um den Entwicklungsländern den Absatz ihres Angebots zu ermöglichen. Deshalb dürfen heimische Produktionen, deren internationale Wettbewerbsfähigkeit nicht (mehr) gegeben ist, nicht durch Einfuhrbeschränkungen geschützt und durch Gewährung von Subventionen erhalten werden. Die Bereitschaft der Industrieländer, eine Korrektur ihrer überkommenen Produktionsstruktur zugunsten der Entwicklungsländer zuzulassen, wird von diesen zu Recht als unzureichend erachtet (HESSE/SAUTER, 1977; HEMMER, 1978).

3. Wirtschaftliche Integration: Europäische Gemeinschaft

3.1. Von der „EWG der Sechs" zur „Gemeinschaft der Fünfzehn"

GATT und INTERNATIONALER WÄHRUNGSFONDS (Abschnitt 4.1) erweisen sich Mitte der fünfziger Jahre zunehmend als nicht ausreichend, um jene Konflikte zu lösen, die unvermeidlich sind, wenn das Ziel eines marktwirtschaftlich geordneten freien Welthandels angestrebt wird, ohne das Recht der Mitgliedsländer zu begrenzen, eine primär nationale Interessen verfolgende Konjunktur- und Wachstumspolitik zu betreiben.

Als Alternative zur nicht durchsetzbaren raschen Rückkehr zu weltweitem Freihandel, bietet sich als eine mögliche „zweitbeste Lösung" das Konzept einer regional begrenzten Reintegration. Dabei empfiehlt sich die regionale Lösung eben dort, wo die Störung am größten, wo sie aber auch am ehesten zu überwinden ist, nämlich in den Industrieländern des westlichen Kontinentaleuropas (JÜRGENSEN, 1959). Von den zahlreichen und vielfältigen Versuchen, die hier nach dem Zweiten Weltkrieg unternommen werden, um zu einer verstärkten Zusammenarbeit zu gelangen, ist dabei dauerhafter und nachhaltiger Erfolg vor allem der EWG beschieden gewesen.

Der „Vertrag zur Gründung einer Europäischen Wirtschaftsgemeinschaft" wird am 25. 3. 1957 in Rom unterzeichnet. Signatarstaaten sind die Bundesrepublik Deutschland, Frankreich, Italien, Belgien, die Niederlande und Luxemburg. Am 22. 1. 1972 treten auch Großbritannien, Dänemark und Irland der EWG bei. Diese Länder waren zuvor Mitglieder der EUROPÄISCHEN FREIHANDELSASSOZIATION (EFTA – EUROPEAN FREE TRADE ASSOCIATION), die nach ihrem Ausscheiden zur „Rest-EFTA" wird, der nur noch Schweden, Norwegen, die Schweiz und Österreich angehören und die mittlerweile weitgehend bedeutungslos geworden ist (CURZON, 1974). Die zwischen diesen Ländern und der EWG bestehenden Zölle sind stufenweise abgebaut worden. Auf diese Weise entstand schließlich doch noch jene „GROSSE EUROPÄISCHE FREIHANDELSZONE“, deren Bildung in den fünfziger Jahren durch die Gründung von EWG und EFTA zunächst verhindert worden war. Durch den Beitritt Griechenlands (1981) und die Mitgliedschaft von Spanien und Portugal zum 1. 1. 1986 wandelt sich die „EWG der Neun“ schließlich zur „Gemeinschaft der Zwölf“. Seit dem 1. 1. 1995 sind auch Schweden, Österreich und Finnland Mitglieder der Europaischen Wirtschaftsgemeinschaft, die seit den Beschlüssen, die am 7. 2. 1992 in Maastricht getroffen wurden, die neue Bezeichnung „Europäische Gemeinschaft“ (EG) trägt. Der durch diese Beschlüsse wesentlich ergänzte und erweiterte „Vertrag zur Gründung der Europäischen Wirtschaftsgemeinschaft“ (EWGV) vom 25. 3. 1957 heißt nunmehr „Vertrag zur Gründung der Europäischen Gemeinschaft“ (EGV).

3.2. Ziele der EG

Art. 2 EGV nennt die wirtschaftlichen Ziele, die mit der EG angestrebt werden und skizziert zugleich auch den grundlegenden Ansatz, der gewählt wurde, um diese Ziele zu ermöglichen:

„Aufgabe der Gemeinschaft ist es, durch die Errichtung eines Gemeinsamen Marktes und einer Wirtschafts- und Währungsunion ... eine harmonische und ausgewogene Entwicklung des Wirtschaftslebens innerhalb der Gemeinschaft, ein beständiges, nichtinflationäres und umweltverträgliches Wachstum, einen hohen Grad an Konvergenz der Wirtschaftsleistungen, ein hohes Beschäftigungsniveau, ein hohes Maß an sozialem Schutz, die Hebung der Lebenshaltung und der Lebensqualität, den wirtschaftlichen und sozialen Zusammenhalt und die Solidarität zwischen den Mitgliedstaaten zu fördern.“

Art. 3 EGV gibt Aufschluß darüber, welche Maßnahmen die Vertragspartner zur Errichtung eines Gemeinsamen Marktes für erforderlich halten:

„Die Tätigkeit der Gemeinschaft im Sinne des Artikels 2 umfaßt ...

a) die Abschaffung der Zölle und mengenmäßigen Beschränkungen bei der Ein- und Ausfuhr von Waren sowie aller sonstigen Maßnahmen gleicher Wirkung zwischen den Mitgliedstaaten;
b) eine gemeinsame Handelspolitik;
c) einen Binnenmarkt, der durch die Beseitigung der Hindernisse für den freien Waren-, Personen-, Dienstleistungs- und Kapitalverkehr zwischen den Mitgliedstaaten gekennzeichnet ist;
d) Maßnahmen hinsichtlich der Einreise in den Binnenmarkt und des Personenverkehrs im Binnenmarkt ...;
e) eine gemeinsame Politik auf dem Gebiet der Landwirtschaft und der Fischerei;
f) eine gemeinsame Politik auf dem Gebiet des Verkehrs;;
g) ein System, das den Wettbewerb innerhalb des Binnenmarktes vor Verfälschungen schützt;
h) die Angleichung der innerstaatlichen Rechtsvorschriften, soweit dies für das Funktionieren des Gemeinsamen Marktes erforderlich ist;

i) eine Sozialpolitik mit einem Europäischen Sozialfonds;

j) die Stärkung des wirtschaftlichen und sozialen Zusammenhalts;

k) eine Politik auf dem Gebiet der Umwelt;

l) die Stärkung der Wettbewerbsfähigkeit der Industrie der Gemeinschaft;

m) die Förderung der Forschung und technologischen Entwicklung;

n) die Förderung des Auf- und Ausbaus transeuropäischer Netze;

o) einen Beitrag zur Erreichung eines hohen Gesundheitsschutzniveaus;

p) einen Beitrag zu einer qualitativ hochstehenden allgemeinen und beruflichen Bildung sowie zur Entfaltung des Kulturlebens in den Mitgliedstaaten;

q) eine Politik auf dem Gebiet der Entwicklungszusammenarbeit;

r) die Assoziierung der überseeischen Länder und Hoheitsgebiete, um den Handelsverkehr zu steigern und die wirtschaftliche und soziale Entwicklung durch gemeinsame Bemühungen zu fördern;

s) einen Beitrag zur Verbesserung des Verbraucherschutzes . . ."

Der Abbau der Zölle und mengenmäßigen Beschränkungen im gegenseitigen Warenverkehr der Mitgliedsländer und die Einführung eines gemeinsamen Außenzolltarifs konstituieren jene Zollunion, die gemäß Artikel 9 EGV als „Grundlage der Gemeinschaft" anzusehen ist.

Eine Zollunion, in der neben dem Postulat des freien Warenverkehrs auch das eines freien Faktor-, Geld- und Kapitalverkehrs erfüllt ist, bezeichnet man als Gemeinsamen Markt oder, in neuerer Terminologie, als Binnenmarkt. Kommt es im Gemeinsamen Markt zu einer weitgehenden Vereinheitlichung der Wirtschaftspolitik der Mitgliedstaaten, so wandelt sich dieser zur Wirtschaftsunion als der möglichen Vorstufe einer Währungsunion, die durch unwiderruflich feste Wechselkurse im Integrationsraum oder sogar durch eine Einheitswährung gekennzeichnet ist.

Am 1. 1. 1958 tritt der EWG-Vertrag in Kraft; zu Beginn des Jahres 1959 beginnt der stufenweise Abbau der im gegenseitigen Warenverkehr der Mitgliedsländer bestehenden Zölle und mengenmäßigen Handelsbeschränkungen sowie die schrittweise Angleichung der nationalen Zollsätze vom 1. Januar 1957 an den gemeinsamen Außenzolltarif. Am 1. Juli 1968 ist der dafür im Vertrag vorgesehene Übergangszeitraum beendet, die EWG als Zollunion zumindest de jure Realität.

Die im Rahmen der EWG angestrebten Ziele stimmen weitgehend mit jenen überein, die auch der nationalen Wirtschaftspolitik der Mitgliedstaaten zur Realisierung aufgegeben sind. Die Erwartung, diese Ziele im Rahmen des dazu eingeleiteten Integrationsprozesses mit größerem Erfolg anstreben zu können als im nationalen Rahmen des Status quo ante, resultiert aus der Hoffnung auf Wachstumssteigerungen

- durch mehr Wettbewerb in einem größeren Markt;
- durch ein höheres Maß an Rationalität des wirtschaftspolitischen Handelns durch gemeinsame Aktion;
- durch Reduzierung des Konfliktes zwischen Freihandelspostulat und wirtschaftspolitischer Autonomie mittels einer verstärkten Koordinierung der nationalen Konjunktur- und Währungspolitiken der Mitgliedstaaten; sowie

- durch die Verdrängung „schlechter“ durch „gute“ wirtschaftspolitische Lösungen als Konsequenz einer „Wachstumskonkurrenz der Staaten“, eines „Wettbewerbs der Systeme“, einer Situation also, in der auch Regierungen miteinander in Wettbewerb stehen und sich um „Qualitätsverbesserungen“ ihrer Wirtschaftspolitik bemühen müssen, um an Macht und Einfluß keine Einbußen zu erfahren und die Gunst der Wähler nicht zu verlieren.

3.3. Auf- und Abschließungseffekte einer Zollunion

Eine Zollunion erhöht den Wohlstand der Unionsmitglieder um so mehr, je stärker die durch sie bewirkten Aufschließungseffekte (trade creating effects) sind und je geringer die Relevanz der durch sie induzierten Abschließungseffekte (trade diverting effects) ist.

Die Mitglieder gewähren einander Zollfreiheit und eine Präferenzmarge in Höhe des gemeinsamen Außenzolls. Von Abschließungseffekten einer Zollunion spricht man nun immer dann, wenn die aus dieser unterschiedlichen Behandlung resultierende Diskriminierung von Drittländern (also von Volkswirtschaften, die der Zollunion nicht angehören) dazu führt, daß sich Produktionen von Standorten niedrigerer Realkosten außerhalb der Zollunion zu Standorten höherer Realkosten im Integrationsraum verlagern. Dies wird in vereinfachter, modelltheoretischer Betrachtung immer dann der Fall sein, wenn der gemeinsame Außenzoll so hoch ist, daß er den Kostenvorteil der Drittlandanbieter gegenüber ihren im Integrationsraum ansässigen Konkurrenten überkompensiert.

Zu Aufschließungseffekten einer Zollunion kommt es dagegen immer dann, wenn der Zollabbau im gegenseitigen Warenverkehr der Mitgliedsländer dazu führt, daß sich im Integrationsraum Produktionen von Standorten höherer zu solchen niedrigerer Realkosten verlagern.

Abschließungseffekte bewirken offensichtlich immer eine Verschwendung von Produktivkräften. Eine gegebene Ausbringungsmenge wird mit höheren Kosten erzeugt als es bei weltweitem Freihandel möglich wäre. Aufschließungseffekte sind dagegen stets erwünscht, weil sie zu Produktivitätssteigerungen führen.

In *Abbildung S-2* bezeichnet S_A die Angebotsfunktion eines Landes A; S_B und S_C sind die als vollkommen elastisch angenommenen Export-Angebotsfunktionen der Länder B und C. D_A ist die Nachfragefunktion des Landes A. Erhebt Land A einen Zoll Z, wird im Inland die Menge $0X_3$ nachgefragt und zum Preis P_A abgesetzt. Auf heimische Produktion entfällt dabei die Menge $0X_2$, importiert wird die Menge X_2 X_3. A und B gründen nun annahmegemäß eine Zollunion. Der gemeinsame Außenzoll möge dem zuvor von A erhobenen Zollsatz Z entsprechen. Zum Preis P_B wird nun im Land A die Menge $0X_4$ zum Preis P_B angeboten und nachgefragt. Von diesem Angebot entfällt $0X_1$ auf heimische Produktion. Die Menge X_1X_2 kommt jetzt aus Land B. Hier findet somit ein Aufschließungseffekt (trade creating effect) statt, da sich diese Produktion von einem weniger kostengünstigen Standort im Land A zu einem kostengünstigeren

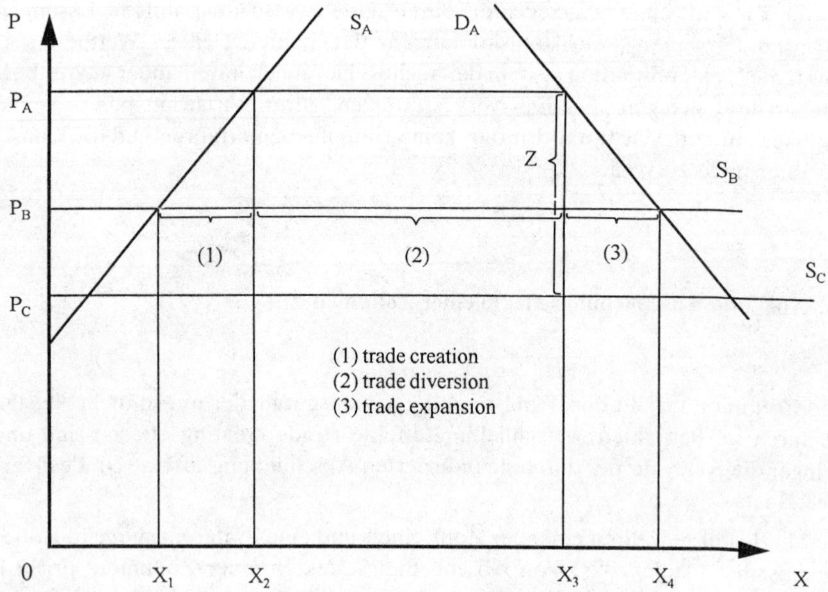

Abb. S-2: Auf- und Abschließungseffekte

Standort im Land B verlagert. Die Menge X_2X_3 wird ebenfalls aus Land B bezogen. Sie geht den Anbietern des Drittlandes C verloren, weil der hier bestehende Kostenvorteil durch den gemeinsamen Außenzoll der Unionspartner überkompensiert wird. Der Wechsel der Bezugsquelle von C zu B bezeichnet somit einen Abschließungseffekt (trade diverting effect). Dadurch, daß in Land A der Preis von P_A auf P_B gesunken ist, kommt es zu zusätzlicher Nachfrage in Höhe X_3X_4. Diese Wirkung bezeichnet man als Handelsausweitung (trade expansion effect).

Die Relevanz dieser komparativ-statischen Analyse wird durch eine Vielzahl eher realitätsferner Annahmen erheblich eingeschränkt: Markteintritts- und Marktaustrittsbarrieren werden als nicht existent angenommen, von Transport- und Anpassungskosten wird abstrahiert. Das Wirksamwerden von Größenvorteilen bleibt ebenso ungewürdigt wie Strategien der Produktdifferenzierung und Innovationsaktivitäten.

Von der Gründung der EWG ließen sich beträchtliche Aufschließungseffekte erwarten. Denn diese pflegen um so stärker zu sein, je mehr sich die Produktionsprogramme der Mitgliedsländer im Status quo ante ähneln, sich also zunächst substitutiv und damit potentiell komplementär zueinander verhalten (Jürgensen, 1959).

Je mehr sich nämlich die Sortimente der Integrationspartner vor Bildung der Zollunion überschneiden, desto größer sind die sich hier bietenden Spezialisierungschancen. Ist doch anzunehmen, daß die Produktion nicht an allen Standorten gleichermaßen kostengünstig erfolgt. Erzwingt der Wettbewerb Kostenersparnisse in Betrieben mit zuvor geringer Effizienz oder bewirkt er eine Verlagerung von Nachfrage zu den bereits besonders leistungsfähigen Anbietern, dann kommt es durch diese Anpassungsprozesse und Reaktionen zu eben den Produktivitätsfortschritten, auf die der Integrationsprozeß abzielt (Jürgensen, 1959).

Die Mitgliedsländer der „EWG der Sechs“ sind mit Ausnahme des italienischen Mezzogiorno hochentwickelte Industrieländer mit zumindest ähnlichen Nachfrage- und Angebotsstrukturen. Die „Schnittmenge“ ihrer Sortimente dürfte zu Beginn des Integrationsprozesses somit erheblich gewesen sein; entsprechend attraktiv waren die sich daraus ergebenden Möglichkeiten, Spezialisierungsgewinne zu realisieren und durch Verlagerung von Nachfrage und Produktion von Standorten höherer zu solchen geringerer Realkosten Aufschließungseffekte zu erzielen.

Aufschließungseffekte sind auch um so eher zu erwarten, je höher die Zölle und je zahlreicher die mengenmäßigen Handelsbeschränkungen sind, die im gegenseitigen Warenverkehr der Integrationspartner vor Bildung der Zollunion bestanden. Denn die Wahrscheinlichkeit, daß ein Zollabbau zwischen den Mitgliedsländern kostengünstigere Bezugsquellen eröffnet, wird dort besonders hoch sein, wo die heimischen Industrien im Status quo ante eines kräftigen Zollschutzes bedurften, um gegenüber Importen wettbewerbsfähig zu sein (Giersch, 1957).

Nimmt man die Höhe der am 1. Januar 1957 von den späteren EWG-Partnerstaaten angewandten Zollsätze und die Unterschiede, die im Zollschutz bestimmter Produktionen von Land zu Land bestanden, als Indiz für die Unterschiede in den Realkosten, so konnten von einem Abbau dieser Zölle in der Tat beträchtliche Aufschließungseffekte erwartet werden. Denn die Höhe dieser Zollsätze erreichte auch in den sogenannten Niedrig-Zoll-Ländern, also in den Niederlanden, Belgien und Luxemburg, im Durchschnitt immer noch 9,5 v. H., wobei die Sätze für die einzelnen Positionen in der Regel beträchtlich um diesen Mittelwert streuten.

Hohe Zollsätze sind zumeist ein Beleg für entsprechend große Kostennachteile, die die geschützten Industrien gegenüber ausländischen Anbietern aufweisen. Ausgeprägte Unterschiede in der Höhe des Zollschutzes für bestimmte Produktionen begründen die Vermutung, daß diese Kostennachteile nicht in allen Ländern gleich groß sind. Je größer die Kostenunterschiede sind, die zwischen den Mitgliedsländern bei der Erzeugung gleichartiger Produkte bestehen, desto größer sind offensichtlich auch die Realkostenersparnisse, die sich beim integrationsinduzierten Wechsel der Bezugsquellen von Orten höherer zu solchen niedriger Produktionskosten realisieren lassen.

Aufschließungseffekte und damit Wohlstandsgewinne stellt eine Zollunion auch um so eher in Aussicht, je größer – Größe hier etwa gemessen an der Höhe des realen Pro-Kopf-Einkommens – der durch sie geschaffene Freihandelsraum ist, und je geringer die durch die Höhe der Transportkosten bestimmten ökonomischen Entfernungen zwischen den Mitgliedstaaten sind. Auch an diesen Kriterien gemessen, vermag die EWG etwa im Vergleich zur EFTA gut zu bestehen (Giersch, 1957).

Aufschließungseffekte werden ferner wirksam werden, wenn die einbezogenen Märkte nicht durch Unterschiede in den Konsumentenpräferenzen und andere Unvollkommenheiten in Teilmärkte zerfallen, die den hier anbietenden Unternehmen auch nach dem Zollabbau noch Schutz vor neuen Konkurrenten bieten und das Ausnutzen von Massenproduktionsvorteilen verhindern.

Daß der im Rahmen der EWG angestrebte „Gemeinsame Markt“ auch auf lange Sicht zahlreiche derartige „Unvollkommenheiten“ aufweisen würde, stand außer Zweifel, daß sie sich im Zuge des Integrationsprozesses allmählich verringern würden, erschien indes wahrscheinlich. Proklamiert doch Art. 3 EGV nicht nur die „Abschaffung der Zölle und mengenmäßigen Beschränkungen“, sondern ausdrücklich auch die Beseitigung „aller sonstigen Maßnahmen gleicher Wirkung zwischen den Mitgliedstaaten“ sowie „die Angleichung der innerstaatlichen Rechtsvorschriften, soweit dies für das Funktionieren des Gemeinsamen Marktes erforderlich ist.“

Es ist anzunehmen, daß die Unternehmen die Chance zur Erschließung neuer, ihnen zuvor versperrter Märkte in den jeweils anderen Mitgliedsländern der Gemeinschaft um so eher und konsequenter nutzen werden, je mehr sie auf die rasche Vollendung und den dauerhaften Bestand der Zollunion vertrauen können, je geringer also die Möglichkeiten der Mitgliedsländer sind, auftretende Zahlungsbilanzschwierigkeiten dadurch zu lösen, daß sie den durch die Zollunion gewonnenen freien Warenverkehr wieder einschränken.

Die für den Fall eines solchen Konfliktes vom EWG-Vertrag vorgesehenen Lösungsmöglichkeiten mögen bei vordergründiger Betrachtung nicht allzu überzeugend wirken; denn die entsprechenden Bestimmungen sind in ihrer Formulierung durchweg eher vage und in ihrer politischen Durchsetzbarkeit zunächst auch höchst ungewiß. Doch haben sich die Signatarstaaten schon bei Vertragsabschluß immerhin bereit gefunden, ihre Konjunkturpolitik als eine „Angelegenheit von gemeinsamem Interesse zu behandeln“ (Art. 103 Abs. 1 EWGV) und die auf Vollbeschäftigung, Preisniveaustabilität und Zahlungsbilanzgleichgewicht abzielende Wirtschaftspolitik zu „koordinieren“ (Art. 105 Abs. 1 EWGV). Als „eine Angelegenheit von gemeinsamem Interesse“ gilt auch die Politik auf dem Gebiet der Wechselkurse (Art. 107 Abs. 1 EWGV).

Das alles mag in der Tat nicht sonderlich verbindlich klingen, es war indes zumindest deutlich mehr, als beispielsweise die Mitglieder der EFTA einander zuzugestehen bereit gewesen waren und mehr allemal auch als das, was sich im Rahmen von GATT und Internationalen Währungsfonds (IWF) bis dahin hatte zustandebringen lassen.

Schließlich bestimmt Art. 108 EWGV, daß einem Mitgliedstaat bei drohenden oder bereits eingetretenen Zahlungsbilanzschwierigkeiten „gegenseitiger Beistand“ gewährt werden kann. Art. 109 EWGV schreibt zudem vor, daß Schutzmaßnahmen, die ein Mitgliedstaat im Fall einer „plötzlichen Zahlungsbilanzkrise“ ergreift, nur ein „Mindestmaß an Störungen im Funktionieren des Gemeinsamen Marktes hervorrufen dürfen und gegebenenfalls durch eine Mehrheitsentscheidung des Rates aufgehoben werden können.“

Auch andere Vorschriften des EWG-Vertrages (in seiner ursprünglichen Fassung vom 25. 3. 1957) können zumindest als ernsthafter Versuch angesehen werden, eine geordnete und mit den Erfordernissen eines Gemeinsamen Marktes nicht mehr als unvermeidbar kollidierende Lösung jener Konflikte zwischen binnenwirtschaftlichem und außenwirtschaftlichem Gleichgewicht zu ermöglichen, die unter den Nebenbedingungen eines freien internationalen Handels, voller Konvertibilität und (damals gegebener) fester Wechselkurse kaum vermeidbar sind.

Der Wachstumsbeitrag, den der Integrationsprozeß zu leisten vermag, wird schließlich um so größer sein, je ungehinderter die Faktoren auch über die nationalen Grenzen hinweg „zum besten Wirt zu wandern“ vermögen. Nach Art. 48 bis 73 EWGV ist bis zum Ende der Übergangszeit in der Gemeinschaft die Niederlassungsfreiheit für Unternehmen sowie die Freizügigkeit von Arbeit und Kapital herzustellen. Damit wird eine wesentliche Voraussetzung erfüllt, um durch eine uneingeschränkte Mobilität von Gütern und Faktoren nicht nur innerhalb der Mitgliedsländer, sondern auch zwischen ihnen zum Ausgleich der Faktorproduktivitäten zu gelangen (GIERSCH, 1957; JÜRGENSEN, 1959).

Auch ist evident, daß die ökonomischen Vorteile wirtschaftlicher Integration sich um so attraktiver ausnehmen werden, je weniger die Unionspartner bereits im nationalen Staatsraum Spezialisierungsvorteile und „economies of scale“ zu nutzen vermögen. Hier bot sich den Mitgliedsländern der EWG die Chance, sich eben im Rahmen eines gemeinsamen Marktes jene Möglichkeiten zu erschließen, die die USA mit ihrem wesentlich größeren Staatsraum schon durch den Rückgriff auf die nationale, intraregionale Arbeitsteilung nutzen konnten.

Ließ die EWG somit das Wirksamwerden beträchtlicher Aufschließungseffekte erwarten, so sah sie sich doch als „kleineuropäische Lösung“ in der Form einer Zollunion von Anbeginn mit dem Vorwurf konfrontiert, die Einfuhren aus Drittländern zu diskriminieren und dadurch die internationalen Warenströme zu verzerren (GIERSCH, 1957).

Die Zollunion gewährt ihren Mitgliedern eine Präferenzmarge in Höhe des wirksamen Außenzolls. Ist diese Präferenzmarge größer als die Kostennachteile von Produzenten innerhalb des Integrationsraumes gegenüber kostengünstiger produzierenden Unternehmen in Drittländern, dann kann es, wie bereits angemerkt, zu einem Wechsel der Bezugsquelle und damit zu einer entsprechenden Umlenkung der Importströme kommen.

Läßt sich das Auftreten derartiger Abschließungseffekte somit bereits aus den konstituierenden Prinzipien einer Zollunion ableiten, so erhielt die hier ansetzende Kritik an der EWG durch zwei (zum Zeitpunkt ihrer Gründung) unbestreitbare Tatsachen noch zusätzlich Gewicht:

- Erstens faßte die Europäische Wirtschaftsgemeinschaft zwar hochentwickelte Industrieländer mit überwiegend substitutiven, also sich zunächst weitgehend überschneidenden Produktionsstrukturen zusammen und ließ insoweit das Wirksamwerden beträchtlicher Aufschließungseffekte erwarten; gleichzeitig drohte aber solange eine erhebliche Beeinträchtigung bedeutsamer traditioneller Austauschbeziehungen, wie so wichtige Industriestaaten wie Großbritannien, die Schweiz und Schweden von der Aufhebung der Handelsschranken ausgenommen blieben. Bei einer Würdigung der EWG aus gesamteuropäischer Sicht konnte die Möglichkeit durch sie bewirkter Verzerrungen der Produktionsstrukturen somit nicht ausgeschlossen werden.
- Zweitens zeigen die Bestimmungen des EWG-Vertrages, daß die Signatarstaaten von den protektionistischen Möglichkeiten, die der Artikel XXIV des GATT nach ihrer Interpretation zu bieten schien, weitgehend Gebrauch gemacht haben.

Gestützt wird diese Kritik durch das Verfahren, dessen man sich bediente, um bei der Festsetzung des gemeinsamen Außenzolltarifs jenes „mittlere Niveau" zu ermitteln, das die genannte GATT-Bestimmung als Obergrenze zuläßt. Denn die gemeinsamen Zollsätze für die einzelnen Positionen errechnen sich danach durch das einfache arithmetische Mittel derjenigen Zollsätze, die am 1. Januar 1957 in den vier Zollgebieten Benelux, Deutschland, Frankreich und Italien angewendet wurden. Das mit den jeweiligen Importwerten gewogene Mittel hätte wahrscheinlich in den meisten Fällen niedrigere Sätze ergeben, da die relativ hohen Zölle Frankreichs und Italiens dann in der Regel geringere Gewichte erhalten hätten als die niedrigen Sätze des Tarifs der Bundesrepublik Deutschland oder vor allem der Benelux-Länder. Die Sätze des gemeinsamen Außenzolltarifs wären ebenfalls niedriger ausgefallen, wenn in das arithmetische Mittel nicht die Zollsätze der vier Tarifgebiete, sondern die der sechs Signatarstaaten eingegangen wären, da der niedrige Benelux-Tarif im ersten Fall mit dem Gewicht „eins" versehen wurde, während er im zweiten Fall das Gewicht „drei" erhalten hätte (GIERSCH, 1957).

3.4. Funktionelle Methode wirtschaftlicher Integration

Der Bildung einer Zollunion, wie sie immer noch das Kernstück der Europäischen Gemeinschaft bildet, liegt das Konzept der „funktionellen Methode" zugrunde: Die Mitgliedstaaten schaffen im Integrationsraum durch das Beseitigen der im gegenseitigen Warenverkehr bestehenden Hemmnisse einen „Gemeinsamen Markt" und begründen dadurch eine neue Datenkonstellation.

Leistungsstarke Unternehmen nutzen die ihnen eröffnete Möglichkeit zum Eintritt in zuvor verschlossene Märkte. Der Wettbewerbsprozeß erhält durch diese Vorstöße neue Impulse. Weniger leistungsfähige Unternehmen geraten verstärkt unter Druck. Sie müssen ihre Effizienz steigern, wenn sie nicht Gefahr laufen wollen, vom Markt verdrängt zu werden.

Der neu entstandene, größere Markt gestattet es, besser als zuvor mögliche Massenproduktionsvorteile (economies of scale) zu nutzen. Der Konsument sieht sich mit einer größeren Vielfalt von Angeboten umworben. Im Vergleich zum Status quo ante sind die Sortimente differenzierter und damit attraktiver geworden. Der Wettbewerb drückt mit gesteigerter Wirksamkeit auf Kosten und Preise.

Alles dies ist gleichbedeutend mit einer zunehmenden Verwirklichung der durch den Prozeß wirtschaftlicher Integration angestrebten Ziele: Die erzielten Produktivitätsfortschritte bescheren eine höhere Wachstumsrate des realen Bruttosozialproduktes als sie die Integrationspartner bei Fortschreibung des Status quo ante hätten erhoffen können.

Steigender Wettbewerbsdruck reduziert die Preiserhöhungsspielräume und verbessert somit die Erfolgschancen einer Politik, die die Inflationsrate niedrig zu halten versucht. Zusätzlich gewonnene Wachstumsdynamik führt schließlich auch zu mehr Beschäftigung. Erhebliche Produktivitätsfortschritte verbessern die internationale Wettbewerbsfähigkeit und vermindern dadurch das Risiko von Zahlungsbilanzkrisen.

Wie die Erfahrung lehrt, hat der Integrationsprozeß vor allem während der Übergangszeit die Bedingungen für einen funktionsfähigen Wettbewerb auf zahlreichen Märkten der Gemeinschaft verbessert: Im nationalen Rahmen des Status quo ante als „enge" und damit zumeist friedliche Oligopole organisierte Märkte werden durch den Abbau der Zölle und sonstigen Handelshemmnisse im gegenseitigen Warenverkehr der Mitgliedsländer vielfach in supranationale „weite" und damit vermutlich kompetitive Oligopole verwandelt.

In einem „weiten" Oligopol sind die Unternehmen zumeist ausreichend groß und genügend gewinnstark, um Innovationsakte und Anpassungsmaßnahmen finanzieren und die sich bei wachsender Unternehmensgröße häufig bietenden Möglichkeiten der Kostensenkung (economies of scale) bei Beschaffung, Produktion und Absatz, bei Organisation, Forschung und Entwicklung hinreichend nutzen zu können. Die zwischen den Anbietern bestehende Reaktionsverbundenheit ist im „weiten" noch nicht wie im „engen" Oligopol so hoch, daß die Gewinnchancen eines Wettbewerbsvorstoßes zu gering wären, um als attraktiv befunden zu werden. Die Reaktionsverbundenheit ist jedoch (im Gegensatz zur Marktform des Polypols) im „weiten" Oligopol noch hoch genug, um eine ausreichende Existenzgefährdung passiver Unternehmen zu bewirken.

Das „weite" Oligopol bietet somit günstige Voraussetzungen, um bei unbeschränktem Wettbewerbsverhalten eine weitgehende „Entmagisierung" des „magischen Dreiecks der Wettbewerbspolitik" zu gestatten, dessen Eckpunkte „ausreichende Wettbewerbsintensität", „weitgehende Nutzung von Massenproduktionsvorteilen (economies of scale)" und „hinreichendes Maß an Produktdifferenzierung" gleichzeitig erfolgreich anzustreben sind, wenn eine optimale Konsumentenversorgung gewährleistet sein soll (KANTZENBACH, 1967).

Jener Konflikt, der immer dann droht, wenn ein Markt von gegebener Größe weniger kostenoptimalen Unternehmen Platz bietet als ein ausreichend intensiver Wettbewerb erfordert, kann somit im Zuge des Integrationsprozesses bei Verzicht auf spezielle Maßnahmen der Wettbewerbspolitik dadurch gelöst werden, daß man größere Märkte schafft.

Der Integrationsprozeß vermag die Intensität des Wettbewerbs auch dadurch zu steigern, daß er in polypolistisch strukturierten, also durch eine Vielzahl von Anbietern gekennzeichneten Branchen einen Ausleseprozeß in Gang setzt, der die Zahl der Anbieter reduziert, ohne sie jedoch für einen wirksamen Wettbewerb zu gering werden zu lassen, und der die durchschnittliche Unternehmensgröße kräftig nach oben verschiebt und damit die Wettbewerbsfähigkeit der Branchenmitglieder verbessert.

Das wird etwa dann der Fall sein, wenn auf polypolistisch organisierten Märkten wenig leistungsfähige Unternehmen durch das Auftreten neuer Anbieter zur Fusion oder zum Ausscheiden gezwungen werden: Das Polypol des Status quo ante wandelt sich zum „weiten" Oligopol; die Intensität des Wettbewerbs nimmt zu: Die Konsequenz ist eine verbesserte Marktversorgung.

Die wettbewerbsstimulierenden Impulse, die ein erfolgreich eingeleiteter Integrationsprozeß vor allem in seiner Anfangsphase auslöst, büßen im Zeitablauf jedoch zunehmend an Wirksamkeit ein. Der Integrationsprozeß wird vielfach gerade dort, wo er den Wettbewerb zunächst stimulierte, wettbewerbsbeschränkende Praktiken induzieren, die bei Erfolg eine gesamtwirtschaftlich unerwünschte Abschwächung des von den Unternehmen hinzunehmenden Wettbewerbsdrucks bewirken. Auch kann der Integrationsprozeß zu einer verstärkten Unternehmenskonzentration führen. Dadurch können sich auf Märkten, auf denen schließlich nur noch eine sehr geringe Zahl von Anbietern tätig ist, die Wettbewerbsbedingungen verschlechtern.

Die wettbewerbspolitischen Möglichkeiten, die der EWG-Vertrag bietet, um einer derartigen Entwicklung vorzubeugen, sind zunächst unzureichend. Er enthält zwar in Art. 85 ein Kartellverbot und gestattet eine Mißbrauchsaufsicht über marktbeherrschende Unternehmen (Art. 86); er verweigert jedoch lange Zeit hindurch das demgegenüber wichtigere Instrument einer Zusammenschlußkontrolle. Erst im Dezember 1989 gelingt es, nach jahrelangen Kontroversen und zähem Verhandeln diese Lücke zu schließen. Mit der Verordnung 4064/89 verfügt die EG-Kommission nunmehr auch über das Instrument einer Zusammenschlußkontrolle, deren Bewährung allerdings noch aussteht.

3.5. Institutionelle Methode wirtschaftlicher Integration

Im Gegensatz zum funktionellen Ansatz, der die Mehrung des Wohlstandes im Integrationsraum von der Intensivierung des Wettbewerbs durch eine wechselseitige Öffnung und Durchdringung zuvor segmentierter nationaler Märkte erhofft, sucht der institutionelle Ansatz neue und denen des Status quo ante überlegene Problemlösungen dadurch zu erreichen, daß die Mitgliedstaaten ihre Ziele im Rahmen einer gemeinsamen Politik verfolgen (Remus, 1969).

Der EGV befugt zwar nur den Rat, in dem die Regierungen der Mitgliedstaaten durch Minister repräsentiert werden, Entscheidungen zu treffen. In der Regel kann der Rat jedoch nur auf Initiative der Kommission tätig werden und seine Beschlüsse nur auf der Grundlage eines entsprechenden Kommissionsvorschlages fassen. Die Kommission soll dabei durch die Unabhängigkeit und den hohen Sachverstand ihrer Mitglieder Lösungen gewährleisten, die sich ausschließlich am „Gemeinschaftsinteresse“ orientieren. Nun hat sich jedoch die Hoffnung rasch als Illusion erwiesen, jene Politik, die als Ergebnis eines erfolgreichen „Dialogs“ zwischen Rat und Kommission zustande komme, werde durch ein höheres Maß an Sachgerechtigkeit gekennzeichnet sein als die Maßnahmen, die von den Mitgliedstaaten zuvor auf den nunmehr „vergemeinsamten“ Gebieten ergriffen wurden. Die Möglichkeit der Kommission, sachgerechte Lösungen zu entwickeln und sie im Rat durchzusetzen, wird erfahrungsgemäß auf vielfache Weise erheblich eingeengt:

So sieht sich die Kommission einem starken Zwang ausgesetzt, die Wünsche der Regierungen in ihren Initiativen und Vorschlägen sehr weitgehend zu berücksichtigen, wenn sie nicht Gefahr laufen will, im Rat zu scheitern. Das gilt um so mehr, je größer die Scheu des Rates vor Mehrheitsentscheidungen ist, je unnachgiebiger hier jedes Land auf der Durchsetzung seiner „nationalen“ Interessen beharrt und je geringer der Wille zur Einigung ist, mit dem sich die Mitgliedstaaten im Rat zusammenfinden. Der für Kommission und Rat nutzbare Lösungsbereich wird auf diese Weise stark reduziert. Das muß nicht bedeuten, daß die Beschlüsse des Rates stets Kompromisse auf der Basis des kleinsten gemeinsamen Nenners sind. Wohl aber ist denkbar, daß sich

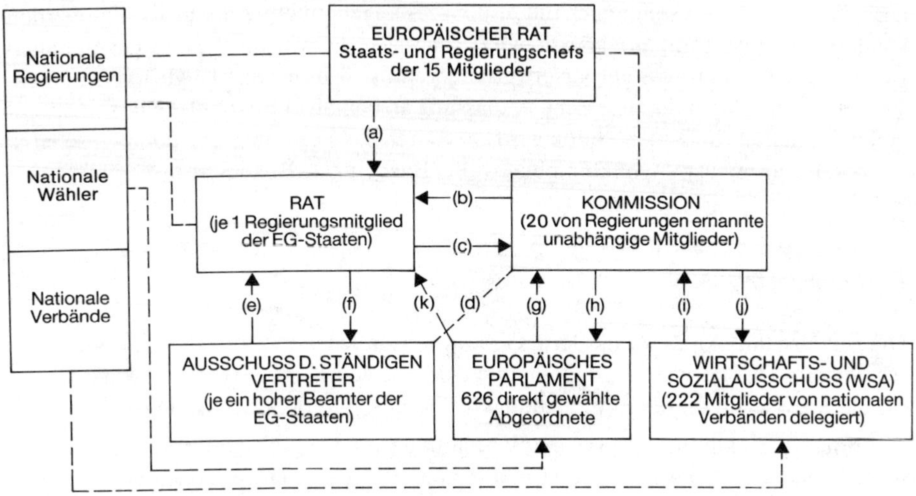

(a) Grundsatzdirektiven an Rat zur Weiterentwicklung der EG
(b) Initiativen und Vorschläge der Kommission an den Rat
(c) Ausführung der Ratsbeschlüsse durch Kommission
(d) Erarbeitung beschlußfähiger Vorlagen durch Ausschuß der Ständigen Vertreter und Kommission
(e) Vorbereitung der und Mitwirkung an Beschlüsse(n) des Rates
(f) Bei Nicht-Einigung im Rat Zurückweisung an Ausschuß der Ständigen Vertreter, Kommission und Europäisches Parlament
(g) Bestätigung einer neu berufenen Kommission, Anfragen an Kommission durch Abgeordnete des Europäischen Parlaments und Stellungnahmen zu Kommissionsvorschlägen an den Rat
(h) Information des Europäischen Parlaments durch Kommission
(i) Initiativen, Stellungnahmen und Vorschläge des WSA
(j) Information und Anhörung des WSA durch Kommission
(k) Begrenzte Mitwirkung des Europäischen Parlaments an Rechtsetzungsverfahren der Gemeinschaft und an Beschlußfassung über Haushalt.

Abb. S-3: Organe und Entscheidungsprozeß der Europäischen Gemeinschaft

die Kommission mit einer sachlich unbefriedigenden Lösung bescheidet, wenn ihr nur für diese eine hinreichende Chance gegeben zu sein scheint, vom Rat angenommen zu werden.

Die Bemühungen der Kommission, bei divergierenden Standpunkten der Mitgliedstaaten im Rat als „ehrlicher Makler" vermittelnd tätig zu werden, bleiben häufig ohne Erfolg: Der Rat erweist sich als unfähig, überhaupt zu einer Entscheidung zu gelangen. Diese Situation wird regelmäßig wiederkehren, solange der Rat an seiner Praxis festhält, auch weniger wichtige Beschlüsse nur einstimmig zu fassen. Jeder Mitgliedstaat ist dann in der Lage, das System durch sein Veto funktionsunfähig zu machen. Das als „Gemeinschaftsmethode" bezeichnete Zusammenwirken von Kommission und Rat im Prozeß von Willensbildung und Entscheidung wird dadurch in hohem Maße krisenanfällig. Der Integrationsprozeß vollzieht sich nicht stetig und störungsfrei, sondern gleichsam in Schüben und in dem Sinne unausgewogen, daß er in einigen Bereichen rasch voranschreitet, in anderen dagegen stagniert.

Um zu einer Einigung zu gelangen, werden im Rat zudem häufig von der Sache her völlig verschiedenartige Probleme und die ihnen zugedachten Lösungen zu einem „package deal" verknüpft, das für jedes Land Leistung und Gegenleistung sorgsam ausbalanciert und das somit auch nur als Ganzes angenommen oder abgelehnt werden kann. Eben diese Strategie aber bewirkt, daß sich die mit ihrer Hilfe gewonnenen Beschlüsse als kaum revidierbar erweisen, wenn sich ihre Unzulänglichkeit herausstellt. Das Postulat einer auf rasche Anpassung an den Strukturwandel einer wachsenden Wirtschaft abzielenden Politik wird also durch das Verfahren der „Gemeinschaftsmethode" nur höchst unvollkommen erfüllt (Berg, 1972; Berg/Schmidt, 1993).

EG-Agrarpolitik

Die gemeinsame Agrarpolitik der EG – ein wesentliches Ergebnis des als „Gemeinschaftsmethode" bezeichneten Zusammenwirkens von Kommission und Rat – liefert für die Schwächen dieses Entscheidungsverfahrens eine Fülle von Belegen.

Das primäre Ziel der EG-Agrarpolitik besteht darin, den im Integrationsraum ansässigen Landwirten „angemessene" Einkommen zu sichern. Dazu dienen gemeinsame Marktordnungen, deren wesentliche Merkmale am Beispiel der hier typischen Getreidemarktordnung skizziert werden sollen:

- Der vom Rat jedes Jahr neu festgesetzte Richtpreis bezeichnet das Preisniveau, das angestrebt wird, da man ihm die Eigenschaft zuschreibt, „leistungsfähigen" Erzeugern „angemessene" Erlöse zu gewährleisten.
- Da ohne staatliche Interventionen nicht stets mit einer Angebots-Nachfrage-Konstellation gerechnet werden kann, die zur Sicherung „angemessener" Einkommen genügend hohe Preise und dadurch ausreichende Erlöse garantiert, wird vom Rat zusammen mit dem Richtpreis ein Mindestpreis, der sogenannte Interventionspreis festgesetzt. Die nationalen Einfuhr- und Vorratsstellen (Interventionsstellen) sind verpflichtet, Angebot heimischer Erzeuger, das vorgegebenen Qualitätsstandards genügt, zu jeder Zeit und zumeist auch in jeder Menge zum Interventionspreis anzukaufen. Interventionspreise bilden somit nicht nur die Preisuntergrenze der Produkte, für die sie gelten; sie repräsentieren vielmehr auch eine zumeist unbegrenzte Absatzgarantie und nehmen in diesem Sinne den Erzeugern jedes unternehmerische Risiko.
- Das Fixieren von Mindestpreisen und eine Stützung des Binnenmarktes durch Interventionen sind erforderlich, wenn das Angebot, bei einem Preis, der nicht unterschritten werden soll, die Nachfrage dauerhaft zu übersteigen tendiert. Entsprechend ergibt sich ein Zwang zur Abschirmung des Binnenmarktes gegenüber dem Angebot aus Drittländern, wenn das auf den Märkten der Gemeinschaft angestrebte Preisniveau über dem des Weltmarktes liegt. Da dies wie bei den meisten Marktordnungsprodukten zumeist auch bei Getreide in beträchtlichem Maße der Fall ist, wird auf Importe aus Drittländern eine bewegliche Einfuhrabgabe (Abschöpfung) erhoben, die der jeweiligen Differenz zwischen dem Richtpreis und dem Weltmarktpreis entspricht. Solange der Marktpreis in der Gemeinschaft unter dem Richtpreis liegt, sind die hier ansässigen Erzeuger somit gegenüber preisgünstigerem Angebot aus Drittländern vollkommen geschützt.
- Um zum Export der in der EG bei zahlreichen Agrarerzeugnissen regelmäßig entstehenden hohen Angebotsüberschüsse anzuregen, wird den Produzenten eine

Ausfuhrerstattung gewährt. Ihr Betrag entspricht der Differenz zwischen den in der Gemeinschaft erzielbaren Preisen und den zumeist wesentlich niedrigeren Preisen, die auf dem Weltmarkt zu erlösen sind.

Die Notwendigkeit einer weitgehenden Reform der EG-Agrarpolitik wird seit längerem kaum noch bestritten:

- Interventionspreise, die erheblich über dem Gleichgewichtsniveau fixiert werden, und eine unbegrenzte Abnahmegarantie bewirken starke Anreize zur Ausweitung der Produktion und führen zudem zu Differentialrenten, die nicht durch Leistung legitimiert sind. Bei kräftig wachsender Erzeugung und stagnierender oder gar rückläufiger Nachfrage kommt es zur Bildung erheblicher Überschüsse, deren Lagerung hohe Kosten verursacht und deren Vernichtung die Idee der europäischen Einigung diskreditiert.
- Die Versorgung der Verbraucher erfolgt zu Preisen, die in der Regel weit über dem Preisniveau des Weltmarktes liegen. Die Bezieher niedriger Einkommen tragen dabei relativ mehr als andere zur Finanzierung dieser Subventionierung über den Preis bei, da der Anteil der Nahrungsmittelkäufe an den Gesamtausgaben bei steigendem Einkommen abnimmt.
- Kennzeichen der EG-Agrarpolitik ist schließlich ein extremer Protektionismus, da das System der Abschöpfungen Drittländern keine Chance bietet, ihren Preisvorteil im Integrationsraum geltend zu machen, und die Gemeinschaft sich regelmäßig dumpingähnlicher Praktiken bedient, um die bei den Interventionsstellen akkumulierten Überschüsse durch stark subventionierte Lieferungen an Entwicklungsländer zu reduzieren.

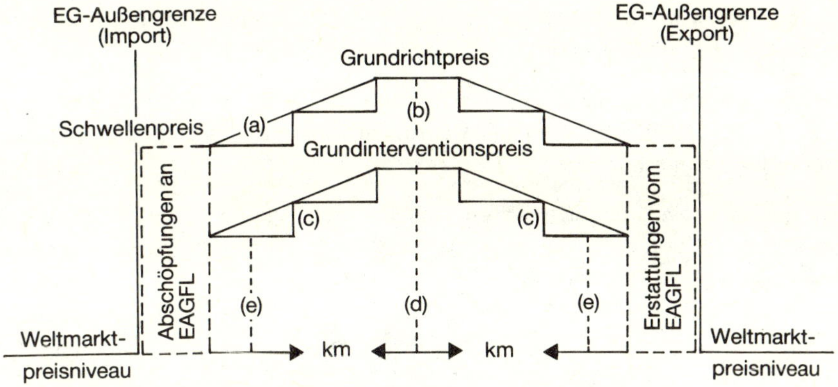

a) Transportkosten von EG-Grenze bis Hauptzuschußgebiet (Duisburg)
b) gegen Importangebot protektionierte freie EG-Preisbildungsmarge
c) regionale Abstufung der Richt- und Interventionspreise
d) Hauptzuschußgebiet Duisburg
e) marktfernstes Gebiet

EAGFL: Europäischer Ausrichtungs- und Garantiefonds für die Landwirtschaft

Abb. S-4: Grundschema der EG-Getreidemarktordnung

Trotz wiederholter Bemühungen ist eine umfassende Reform der EG-Agrarpolitik bislang nicht gelungen. Das meist erheblich überhöhte Niveau der garantierten Mindestpreise ist zwar für einige Produkte deutlich gesenkt worden, doch wurden zum Ausgleich die den Landwirten direkt gewährten Beihilfen erhöht. Auch werden für einzelne Produkte, so etwa für Milch mittlerweile Höchstmengen festgelegt, bei deren Überschreiten eine Abnahmeverpflichtung nicht mehr besteht. Diese Regelung erfordert, daß den einzelnen Mitgliedstaaten Quoten zugewiesen werden, die dann jeweils unter den heimischen Landwirten aufzuteilen sind. Der bürokratische Aufwand des Systems ist durch diese Regelung eher größer geworden. Da die Höchstmengen in der Regel erheblich über den Mengen liegen, die bei sich frei bildenden Marktpreisen absetzbar wären, ist die Tendenz des Systems zur Bildung von Angebotsüberschüssen bestehen geblieben.

3.6. Integrationserfolge und Integrationshemmnisse

Die ersten Jahre nach Inkrafttreten des EWG-Vertrages sind in allen Mitgliedstaaten durch ein kräftiges Wirtschaftswachstum gekennzeichnet. Dadurch vermindern sich Zahl und Gewicht der sich aus dem Integrationsprozeß ergebenden Anpassungsprobleme. Die Inanspruchnahme der zahlreichen Ausnahmeklauseln und Schutzbestimmungen des EWG-Vertrages bleibt die Ausnahme. Die zur Bildung der Zollunion vorgesehene Übergangsperiode kann bereits am 1. 7. 1968 als beendet erklärt werden. Das ist deutlich früher, als es der EWG-Vertrag als Regelfall vorsieht.

Der Phase rascher Fortschritte folgt indes die Ernüchterung, als DE GAULLE's Veto gegen einen EWG-Beitritt Großbritanniens die Gemeinschaft 1963 in ihre erste ernste Vertrauenskrise stürzt. Auch zeigt sich, daß die Mitgliedstaaten nicht bereit sind, im Rat, so wie es der EWG-Vertrag vorsieht, zunehmend vom Konsens- zum Mehrheitsprinzip überzugehen.

Die Kommission kann ihre Funktion, „Motor der Gemeinschaft“ (WALTER HALLSTEIN) zu sein, nicht mehr wirksam wahrnehmen, da sie immer häufiger mit ihren Initiativen im Rat scheitert.

Mehr und mehr wird deutlich, daß der im Rahmen der EWG eingeleitete Integrationsprozeß die an ihm beteiligten Nationalstaaten nicht, wie von vielen erwartet und erhofft, geschwächt, sondern durch die erlangten wirtschaftlichen Erfolge eher zu deren Stärkung beigetragen hat. Das somit im Vergleich zu den ersten Nachkriegsjahren zurückgewonnene nationale Selbstbewußtsein findet seinen Ausdruck in der Weigerung der Regierungen, sich der Verfügungsgewalt über ihr wirtschaftspolitisches Instrumentarium mehr und mehr dadurch zu begeben, daß sie es an eine supranationale Institution abtreten, auf deren Aktivitäten jeder einzelne Mitgliedstaat bei Anwendung des Mehrheitsprinzips nur begrenzt Einfluß nehmen kann.

Die Erfahrung lehrt somit, daß der Versuch, die Zollunion zu einer Wirtschafts- und Währungsunion fortzuentwickeln, auf „Harmonisierungswiderstände“ (KLAUS STEGEMANN) stößt, die in ihren Ursachen zu vielfältig und in ihren Motiven zu stark sind, als daß man etwa hoffen könnte, sie im Sinne eines „big push" rasch und gänzlich überwinden zu können.

Ab Mitte der 60er Jahre beginnt der Integrationsprozeß zunehmend an Dynamik einzubüßen. Als Illusion erweist sich die Hoffnung, ökonomische „Sachzwänge" würden die nationalen Regierungen gleichsam dazu nötigen, immer mehr Befugnisse an die Organe der Gemeinschaft abzutreten. Statt eines derartigen „spill over"-Effektes kommt es tatsächlich eher zu einem „spill back": Der bereits erreichte Integrationsgrad kann nicht einmal uneingeschränkt bewahrt werden, da die Integrationspartner in den 70er Jahren verstärkt dazu tendieren, den entfallenen Zollschutz im gegenseitigen Warenverkehr durch nicht-tarifäre Handelshemmnisse zu ersetzen.

Am 1. 1. 1973 treten Großbritannien, Dänemark und Irland der EWG bei. Die „EWG der Sechs" wandelt sich zur „Gemeinschaft der Neun" und durch den Beitritt von Griechenland, Spanien und Portugal am 1. 1. 1986 schließlich zur „Gemeinschaft der Zwölf". Für ein zügiges Fortschreiten des Integrationsprozesses ist diese Erweiterung zunächst eher hinderlich. Fühlbare Wachstumsimpulse durch das erneute erfolgreiche Setzen auf das Konzept der funktionellen Integration können kaum erzielt werden. Dazu ist die britische Exportwirtschaft, auf die man hier vor allem zu hoffen hätte, zu schwach. Sie kann auf dem Kontinent kaum Wettbewerbsdruck erzeugen und gerät auf dem heimischen Markt vielfach in die Defensive. Soweit die dadurch erzwungene Anpassung Produktivitätsfortschritte einträgt, wird dadurch zwar ein Beitrag zur Verwirklichung der Integrationsziele geleistet; doch sind diese Wachstumseffekte, bezogen auf die Gemeinschaft als Ganzes, wohl doch eher als gering zu werten.

Was schwerer wiegt, ist die Erfahrung, daß die „Gemeinschaftsmethode", also das Zusammenwirken von Rat und Kommission bei Willensbildung und Entscheidungsfindung, durch die Erweiterung um sechs neue Mitglieder vollends funktionsunfähig zu werden droht.

Der Rat hält nämlich auch weiterhin an seiner Praxis fest, Beschlüsse stets nur im gegenseitigen Einvernehmen zu fassen. Je größer nun aber die Zahl der Mitglieder eines Gremiums ist, je stärker hier die Interessen divergieren, je mehr Entscheidungen zu treffen sind und je weniger wirksam die Kommission die ihr zugedachte Funktion des „ehrlichen Maklers" wahrzunehmen vermag, desto schwieriger wird der Prozeß der Konsensbildung und desto größer wird folglich die Wahrscheinlichkeit sein, daß Probleme als unlösbar befunden werden müssen, weil kein Lösungsvorschlag die Zustimmung aller Ratsmitglieder findet.

Die Erweiterung der EWG bestätigt diese Befürchtungen. Die Zahl der Ratsmitglieder nahm zu, die „Schnittmenge" der gemeinsamen Interessen wurde (auch) dadurch geringer; denn Großbritannien, Irland und Dänemark wären der EWG bereits im Jahre 1957 gleichsam als Mitglieder der ersten Stunde beigetreten, wenn die Regierungen dieser Länder nicht der Auffassung gewesen wären, zur Wahrung gewichtiger Sonderinteressen damals auf den Beitritt verzichten zu sollen. Eine größer werdende „Heterogenität" der Gemeinschaft hat auch der Beitritt Griechenlands, Spaniens und Portugals zur Folge.

Schließlich stieg auch die Zahl der der „Gemeinschaftsmethode" zur Lösung überantworteten Probleme. Dies war zum einen deshalb der Fall, weil man sich im Rahmen der Beitrittsverhandlungen über zahlreiche Sachverhalte nur im Grundsatz geeinigt hatte, so daß die schwierige Lösung im Detail erst noch zustandezubringen war; zum anderen wird im EWG-Vertrag nur die Bildung der Zollunion detailliert und verbindlich geregelt; alle darüber hinausgehenden Verpflichtungen, die zur Fortentwicklung dieses Stadiums wirtschaftlicher Integration zu einer Wirtschafts- und Währungsunion einzugehen sind, erwähnt der EWG-Vertrag dagegen, wenn überhaupt, nur in eher vagen Formulierungen. Zugleich gerät man hier mehr und mehr in den Bereich der „high politics". Man stößt gleichsam zunehmend auf den harten Kern nationaler Souveränität und damit auch auf den harten Kern des Widerstandes nationaler Regierungen, Parlamente und Bürokratien, die sich hier weitgehend entmachten lassen müßten.

Der Integrationsprozeß geriet in den späten 60er und mehr noch in den 70er Jahren zunehmend ins Stocken, weil sich der Rat eben als weitgehend entscheidungsunfähig erwies – und weil gleichzeitig das Bestreben der Kommission, eine umfassende Harmonisierung einer Vielzahl von nationalen Rechtsvorschriften vorzunehmen, zur Folge hatte, daß sich dieser weitgehend entscheidungsunfähige Rat mit einer wachsenden Anzahl entsprechender Richtlinien- und Verordnungsentwürfe konfrontiert sah.

Die Vorschläge der Kommission wurden zudem auch immer komplizierter – zum einen, weil sie bemüht war, möglichst den Wünschen aller Mitgliedstaaten Rechnung zu tragen, um die Chance einer Annahme ihrer Vorlagen im Rat zu erhöhen; zum anderen, weil die Kommission auch die zahlreichen Wünsche der jeweils betroffenen nationalen Interessengruppen weitgehend berücksichtigte, um sich die Unterstützung dieser „Lobbies" zu verschaffen und dadurch auf den Rat wirksam Druck ausüben zu können.

So kam es denn zu der immer wieder zu Recht kritisierten Tendenz zur „Überregulierung" – zur „Überregulierung" gleichsam durch Addition oder gar Potenzierung der nationalen Interventionen und Regelungen der einzelnen Mitgliedstaaten.

Die am 28. 2. 1986 vom Europäischen Rat der Staats- und Regierungschefs unterzeichnete „Einheitliche Europäische Akte" (EEA) ist Ausdruck des Bemühens, dem Integrationsprozeß neue Impulse zu verleihen. Ziel ist die Verwirklichung eines EG-Binnenmarktes als ein „Raum ohne Binnengrenzen, in dem der freie Verkehr von Waren, Personen, Dienstleistungen und Kapital gewährleistet ist" (Art. 8a EEA).

Die Einheitliche Europäische Akte sieht vor, daß Maßnahmen zur Angleichung der Rechts- und Verwaltungsvorschriften der Mitgliedstaaten, die die Bildung und das Funktionieren des Binnenmarktes zum Gegenstand haben, vom Rat mit qualifizierter Mehrheit beschlossen werden können. Einstimmigkeit soll hier künftig also nicht mehr erforderlich sein. Auch soll der Versuch aufgegeben werden, als Voraussetzung eines freien Leistungswettbewerbs im Integrationsraum eine Harmonisierung aller in diesem Zusammenhang relevanten nationalen Bestimmungen vorzunehmen. Dieses Prinzip einer umfassenden Ex ante-Harmonisierung soll vielmehr nur noch dort angewendet werden, wo es um die Festlegung zwingender Erfordernisse von Gesundheit und Sicherheit geht. In allen anderen Fällen soll das sogenannte Äquivalenzprinzip gelten: Die einzelstaatlichen Vorschriften der Mitgliedstaaten sollen als gleichwertig angesehen werden. Die Integrationspartner haben sie folglich wechselseitig zu respektieren.

Die Einheitliche Europäische Akte nennt eine Vielzahl von Gründen, auf die sich die Mitgliedstaaten berufen können, wenn sie Mehrheitsentscheidungen des Rates nicht akzeptieren und das Äquivalenzprinzip nicht anerkennen wollen. Tatsächlich hat sich das Programm „EG-Binnenmarkt '92" auch als zu ehrgeizig erwiesen. Staatliche Regulierungen und nicht-tarifäre Handelshemmnisse haben noch immer Marktsegmentierungen zur Folge, die verhindern, daß die wohlfahrtssteigernden Wirkungen eines uneingeschränkten Warenverkehrs und unbegrenzter Faktormobilität voll ausgeschöpft werden können.

3.7. Europäische Gemeinschaft und Drittländer

Artikel 110 EG-Vertrag verpflichtet die Mitgliedstaaten zum Betreiben einer gemeinsamen Handelspolitik, die „zur harmonischen Entwicklung des Welthandels, zur schrittweisen Beseitigung der Beschränkungen im internationalen Kapitalverkehr und zum Abbau der Zollschranken beitragen" soll.

Wie weit ist es bislang gelungen, diesem Anspruch zu genügen? Als Großbritannien, Irland und Dänemark der EWG am 1. 1. 1973 beitreten, drohen die verbleibenden EFTA-Mitglieder in die Isolierung zu geraten. Das Wirksamwerden massiver Abschließungseffekte kann jedoch durch eine Vereinbarung verhindert werden, durch die die EWG mit den Ländern der „Rest-EFTA" (Schweden, Norwegen, Österreich, Schweiz) für den Austausch von industriellen Fertigerzeugnissen eine Freihandelszone begründet: In ihren Handelsbeziehungen mit Drittländern können die genannten EFTA-Staaten weiterhin eine autonome Zollpolitik betreiben; für sie ist hier also nicht der gemeinsame Außenzolltarif der EWG verbindlich. Im Fertigwarenaustausch mit der EWG gilt Zollfreiheit. Die Gefahr einer handelspolitischen Spaltung Europas ist durch diese Übereinkunft gebannt.

Ein Verdienst der EWG ist es auch, Mitte der 60er Jahre der im Rahmen des GATT abgehaltenen „KENNEDY-Runde" (mit) zum Erfolg verholfen zu haben. Erhebliche Zollkonzessionen verhindern, daß der gemeinsame Außenzolltarif der EWG tatsächlich in der Höhe wirksam wird, wie sie ursprünglich vorgesehen war. Als Gegenleistung für den dadurch für Anbieter aus Drittländern erleichterten Zugang zu den Märkten des Integrationsraumes erweisen sich auch die USA bereit, ihre Märkte gegenüber ausländischer Konkurrenz nicht länger so weitgehend zu versperren, wie das bis dahin der Fall war.

Damit sind die Verdienste, die sich die EG bislang um eine (weitere) Liberalisierung des Welthandels erworben hat, auch schon weitgehend erschöpfend benannt. Denn die im Rahmen der sog. Lomé-Abkommen geregelte Kooperation der EG mit mittlerweile 66 Ländern Afrikas, der Karibik und des Pazifik (AKP-Staaten) können ebenso wie die mit 12 Mittelmeeranrainern abgeschlossenen Assoziierungsabkommen nur mit Einschränkungen als Beitrag zur Verwirklichung der genannten Ziele des Art. 110 EGV angesehen werden. Dieses Urteil gilt auch für das sog. Allgemeine Präferenzsystem (APS), für die von der EG geleistete Nichtassoziiertenhilfe und für weitere Abkommen (etwa mit Indien, Pakistan, Bangladesh, Sri Lanka und China) sowie für einzelne Aktionen, wie etwa die Nahrungsmittelhilfe.

So zielt etwa die im Rahmen der Lomé-Abkommen gewährte finanzielle und technische Entwicklungshilfe vornehmlich auf die Förderung der Nahrungsmittelproduktion; doch zugleich ist die EG-Agrarpolitik, wie bereits dargelegt wurde, durch einen außerordentlich rigoros praktizierten Protektionismus gekennzeichnet: Drittlandanbietern wird der Zugang zum EG-Markt entweder durch sehr knapp bemessene Kontingente oder durch ein nahezu unüberwindbares System variabler Einfuhrzölle (Abschöpfungen) versperrt. Gleichzeitig werden Agrarexporte massiv subventioniert, um die als Folge überhöhter Preise immer wieder entstehenden erheblichen Angebotsüberschüsse zu reduzieren.

Folge dieser Politik sind nicht nur immer neue Konflikte mit anderen bedeutenden Nahrungsmittelexporteuren, wie etwa den USA – Konflikte, die in der Vergangenheit mehrfach zu höchst gefährlichen „Handelskriegen" zu eskalieren drohten; als Konsequenz der extrem protektionistisch ausgestalteten EG-Agrarpolitik wird darüber hinaus auch Entwicklungsländern, die bereits über eine leistungsfähige Landwirtschaft verfügen, die Chance genommen, durch Agrarexporte in die Gemeinschaft jene Devisen zu erwirtschaften, die zur Fortsetzung des Entwicklungsprozesses benötigt werden (Streit/Voigt, 1991).

Für gewerbliche Waren wird den AKP-Staaten grundsätzlich Zollfreiheit zugestanden. Mit einigen Einschränkungen wird diese Begünstigung durch das Allgemeine Präferenzsystem auch den Entwicklungsländern gewährt, die nicht zur Gruppe der AKP-Staaten gehören. Bedeutsamer als dieser Grundsatz der Zollfreiheit sind de facto jedoch dessen erhebliche Einschränkungen. So gibt es für „sensible" Produkte, die mehr als die Hälfte der begünstigten Waren ausmachen, Obergrenzen (Plafonds), die als Zollkontingente nach einem festen Schlüssel auf die Mitgliedstaaten der Gemeinschaft aufgeteilt werden: Ist das Zollkontingent ausgeschöpft, wird auf weitere Einfuhren der normale Zollsatz erhoben.

Erfahrungsgemäß wird der Grundsatz der Zollfreiheit dort am stärksten eingeschränkt, wo Entwicklungsländer in besonderem Maße über Kostenvorteile verfügen, so wie das etwa für den Bereich „Textilien und Bekleidung" gilt. Bei weitgehend freiem Zugang zum EG-Markt würden die hier ansässigen Hersteller vergleichbarer Produkte unter Wettbewerbsdruck geraten, dem vermutlich vielfach nicht standgehalten werden könnte. Die Befürchtung, dadurch Arbeitslosigkeit hinnehmen zu müssen, erklärt, warum ungeachtet aller Präferenzgewährung Exporte aus Entwicklungsländern vor allem dort durch knapp bemessene Kontingente gering gehalten werden, wo diese Länder die besten Voraussetzungen aufweisen, um sich im Prozeß der internationalen Arbeitsteilung nicht nur in traditioneller und begrenzt ergiebiger Weise als Rohstofflieferanten, sondern zunehmend auch als Anbieter von Fertigwaren zu betätigen.

Die EG hat durch die Vereinbarung mit der ,,Rest-EFTA", durch die Lomé-Abkommen und durch die Assoziierung nahezu aller Mittelmeer-Länder – Ausnahme ist hier lediglich Libyen – ein System regional begrenzter (und zudem auch regional differenzierter) Präferenzen geschaffen, das durch die Vorzugsbehandlung, die es gewährt, alle anderen Länder, denen diese Vergünstigung vorenthalten wird, schlechter stellt. Der Grundsatz der Meistbegünstigung als eines der wesentlichen Prinzipien des GATT ist dadurch als Ordnungselement einer liberalen Weltwirtschaft weitgehend außer Kraft gesetzt worden.

Das Programm ,,EG-Binnenmarkt '92" hat vor allem in den USA und Japan die Befürchtung geweckt, die EG werde sich ihnen gegenüber verstärkt abschließen. In der dazu unter dem Schlagwort ,,Festung Europa" geführten Diskussion hat die EG-Kommission diese Bedenken ihrer Handelspartner zwar bislang noch immer als unbegründet zurückgewiesen, tatsächlich gibt es jedoch gewichtige Argumente, mit denen sich die Drohung eines zunehmenden Protektionismus begründen läßt: Entscheidungen zur Handelspolitik können im Rat mit qualifizierter Mehrheit getroffen werden. Dabei kann die Sperrminorität von 23 Stimmen zwar von den traditionell am stärksten protektionistisch eingestellten Mitgliedstaaten Frankreich, Italien und Griechenland, nicht jedoch von den drei Ländern ausgeübt werden, die in der Vergangenheit stets eine eher liberale Politik befürwortet haben, nämlich die Bundesrepublik, die Niederlande und Dänemark.

Selbstbeschränkungsabkommen zielen vor allem darauf ab, Einfuhren aus Japan und aus Newly Industrialized Countries (NIC's) wie Korea, Taiwan, Singapur und Malaysia zu begrenzen. Betroffen werden dadurch vornehmlich die Exportmöglichkeiten dieser Länder bei Automobilen, bei Erzeugnissen der Unterhaltungs- und der Mikroelektronik. Die Vereinigten Staaten sind dagegen vornehmlich vom Protektionismus im Agrarbereich und von den Einfuhrbegrenzungen betroffen, die von der Kommission zur Lösung der Krise in der europäischen Stahlindustrie für erforderlich gehalten wurden. Anlaß zur Kritik sind hier auch die massiven Finanzhilfen, mit denen das Projekt ,,Airbus" gefördert wird – ein Vorhaben ,,strategischer" Außenhandelspolitik, das darauf abzielt, die dominante Position des US-Herstellers Boeing als Anbieter für Großflugzeuge des zivilen Luftverkehrs zu brechen (BERG/TIELKE-HOSEMANN, 1988; STREIT/VOIGT, 1991).

3.8. Perspektiven des Integrationsprozesses in Europa

Seit dem 1. 1. 1995 sind auch Österreich, Schweden und Finnland Mitglieder der EG. Wesentliche wettbewerbsstimulierende Impulse sind durch diese Beitritte kaum zu erwarten. Mit diesen Ländern bestand zuvor das 1992 abgeschlossene Abkommen über den Europäischen Wirtschaftsraum (EWR). Dadurch wurde ein freier Waren-, Dienstleistungs- und Kapitalverkehr zwischen diesen Mitgliedern der „Rest-EFTA" und der EG bereits vor ihrem Beitritt gewährleistet. Wird die Leistungsfähigkeit der „funktionellen" Methode wirtschaftlicher Integration durch die Erweiterung der Gemeinschaft somit kaum gesteigert, so droht die der „institutionellen" Methode sogar weiter beeinträchtigt zu werden. Dem Rat gehören jetzt 15 Regierungsvertreter an. Die Kommission zählt nunmehr 20 Mitglieder. Auch in den anderen Organen der

Gemeinschaft ist die Zahl der Mitglieder angestiegen. Der Prozeß der Willensbildung und der Entscheidungsfindung wird dadurch erschwert. Eine institutionelle Reform der Gemeinschaft ist somit unabdingbar. Ihre Notwendigkeit ist seit längerem erkannt. Ein konsensfähiges Konzept besteht indes noch nicht. Es zu erarbeiten und durchzusetzen wird zu den wichtigsten Aufgaben gehören, die die Gemeinschaft in den nächsten Jahren bewältigen muß (BERG/SCHMIDT, 1993; MÖSCHEL, 1993).

Hinzu kommt die Notwendigkeit, über die Beitrittsgesuche der ehemals sozialistischen Volksrepubliken Mittel- und Osteuropas zu befinden. Mit Polen, Ungarn, der Tschechischen Republik und der Slowakei hat die Europäische Gemeinschaft Assoziierungsabkommen geschlossen. Sie sollen diesen Staaten durch Zollvergünstigungen den verbesserten Zugang zu den Märkten der Gemeinschaft eröffnen. Dort, wo komparative Vorteile der mittel- und osteuropäischen Volkswirtschaften zu vermuten sind (Agrarprodukte, Textilien, Kohle, Stahl), hat die EG ihnen jedoch bislang kaum Zugeständnisse gemacht. Eine baldige EG-Mitgliedschaft wird von allen zuvor genannten Staaten angestrebt. Sie kann nicht dauerhaft verweigert werden, wenn der Reformprozeß in diesen Ländern und ihre Einbeziehung in die internationale Arbeitsteilung gelingen sollen. Doch wirft der Beitritt schwierige Probleme auf. So verfügen alle genannten Volkswirtschaften Mittel- und Osteuropas über eine grundsätzlich sehr leistungsfähige Landwirtschaft. Würden die gegenwärtigen EG-Marktordnungen auch hier gelten, würde es zu Angebotsüberschüssen kommen, die nicht mehr finanzierbar wären. Eine grundlegende Reform der EG-Agrarpolitik würde somit unvermeidbar sein. Dagegen gibt es massive Widerstände jener Mitgliedstaaten, die durch die gegenwärtige Praxis begünstigt werden (WELFENS, 1993).

4. Weltwährungsordnung

4.1. Funktionsprinzipien und Funktionsschwächen des Systems von Bretton Woods

Eine auf dem Freihandelsprinzip basierende Welthandelsordnung erfordert als gleichrangiges Pendant eine Weltwährungsordnung, deren dominierendes Ziel es am Ende des Zweiten Weltkrieges sein muß, die damals bestehende Devisenbewirtschaftung durch ein System des multilateralen, vollkonvertiblen Zahlungsverkehrs zu überwinden. Das dazu im Juli 1944 in Bretton Woods unterzeichnete „ABKOMMEN ÜBER DEN INTERNATIONALEN WÄHRUNGSFONDS“ (IWF; IMF – INTERNATIONAL MONETARY FUND) versuchte dieser Forderung durch folgende Regelungen zu genügen:

- Jedes Mitgliedsland des INTERNATIONALEN WÄHRUNGSFONDS war verpflichtet, mit diesem eine „Anfangsparität“ seiner Währung „in Gold als gemeinsamen Maßstab oder in US-Dollar im Gewicht und in der Feinheit vom 1. Juli 1944 zu vereinbaren“. Der Außenwert des US-Dollar war nur durch seine Relation zum Gold bestimmt. Durch die Fixierung der Paritäten der nationalen Währungseinheiten zum Gold (und damit auch zum US-Dollar) begründete das Abkommen somit ein System fester Wechselkurse.
- Die Mitglieder des INTERNATIONALEN WÄHRUNGSFONDS waren angehalten, durch Interventionen ihrer Zentralbanken auf den Devisenmärkten die Stabilität der

Wechselkurse zu sichern. Abweichungen vom Paritätskurs nach unten und oben waren nur um maximal ein Prozent zugelassen.

- Das Abkommen von Bretton Woods sah Wechselkursänderungen nur für den Fall eines „fundamentalen Zahlungsbilanzungleichgewichts" vor. Änderungen, die 10 Prozent der ursprünglichen Parität überschritten, mußten beim Fonds beantragt und konnten von diesem abgelehnt werden, wenn er glaubte, ein „fundamentales Ungleichgewicht" der Zahlungsbilanz sei nicht gegeben. Kriterien, die es gestattet hätten, ein Zahlungsbilanzungleichgewicht als „fundamental" zu befinden, nannten die Statuten des Fonds jedoch nicht.

Das System von Bretton Woods war als Gold-Devisen-Standard konzipiert, da als Währungsreserven nicht nur die Goldbestände der Zentralbanken, sondern auch deren Bestände an sogenannten Reservewährungen galten. Reservewährungen waren zunächst noch das Pfund Sterling, vor allem aber der US-Dollar. Die Leitwährungsfunktion des US-Dollar ergab sich zum einen aus der Tatsache, daß ein bedeutender Teil des internationalen Zahlungsverkehrs in dieser Währung abgewickelt wurde und daß die USA über ein hochentwickeltes Bankensystem sowie über aufnahmefähige Geld- und Kapitalmärkte verfügten; als Reservewährung wurde der US-Dollar zum anderen deshalb bevorzugt, weil sich das US-Schatzamt bereits in den dreißiger Jahren verpflichtet hatte, Gold zum festen Preis von 35 Dollar je Feinunze an ausländische Währungsbehörden abzugeben und weil die Erwartung weitverbreitet war, diese Währung werde auch künftig knapp sein („Dollarlücke").

Das Abkommen von Bretton Woods etablierte mit dem INTERNATIONALEN WÄHRUNGSFONDS (IWF) einen Pool von Goldbeständen und nationalen Währungen, auf den den Mitgliedstaaten Kreditansprüche (Ziehungsrechte) eingeräumt wurden. Länder mit einem außenwirtschaftlichen Überschuß-Ungleichgewicht (Überschußländer) mußten auf dem Devisenmarkt fremde Währungen ankaufen. Dadurch nahm ihr Bestand an Währungsreserven zu; die Notwendigkeit einer Inanspruchnahme ihrer Ziehungsrechte beim IWF entstand für diese Länder somit nicht. Länder mit einem außenwirtschaftlichen Defizit-Ungleichgewicht (Defizitländer) mußten zur „Verteidigung" des Paritätskurses auf dem Devisenmarkt dagegen heimische Währung gegen Hingabe von Devisen ankaufen; dadurch verminderten sich ihre Währungsreserven. Waren die eigenen Reserven erschöpft oder sollten sie geschont werden und wollte man eine Abwertung vermeiden, mußte das Defizitland seine Ziehungsrechte beim IWF in Anspruch nehmen.

Je weitergehend ein Land den ihm verfügbaren Spielraum für Ziehungen bereits genutzt hatte, desto nachdrücklicher wurde vom Fonds bei weiteren Kreditwünschen die Forderung erhoben, das betreffende Land möge – etwa durch einen entsprechend restriktiven Kurs seiner Geld- und Fiskalpolitik – das Gleichgewicht seiner Zahlungsbilanz wiederherstellen (Beitrag E-2). Vorschläge, die darauf abzielten, dem Fonds eine darüber hinausgehende Einflußnahme auf die Wirtschaftspolitik der Mitgliedstaaten einzuräumen, erwiesen sich in Bretton Woods als nicht durchsetzbar.

4.2. Krisen und Zusammenbruch des Systems von Bretton Woods

Seit Mitte der sechziger Jahre zeigte sich die in Bretton Woods geschaffene Weltwährungsordnung in zunehmendem Maße störungsanfällig. Zu Beginn der siebziger Jahre sah sich das System dann durch eine Reihe schwerer Krisen in seiner Funktionsfähigkeit massiv bedroht.

Der Niedergang der mit dem Abkommen von Bretton Woods begründeten Weltwährungsordnung hat seine Ursachen vor allem

- in der mangelnden – und durch das System auch nicht erzwungenen – Bereitschaft der Länder, deren Zahlungsbilanzen immer wieder chronische Überschuß-Ungleichgewichte aufwiesen, ihre Währung genügend häufig und ausreichend kräftig aufzuwerten;
- in der durch das System ermöglichten Neigung der Defizitländer, die erforderliche Abwertung ihrer Währung solange wie möglich hinauszuzögern; und schließlich
- in der Weigerung der Vereinigten Staaten, jene streng zahlungsbilanzorientierte Wirtschaftspolitik zu betreiben, die ihr vom System mit der Rolle des Leitwährungslandes auferlegt wurde.

Wenn Länder mit einem kräftig ausgeprägten Überschuß-Ungleichgewicht ihrer Zahlungsbilanz trotz der damit drohenden Wohlstandseinbußen eine Aufwertung möglichst verzögern, dann erklärt sich das aus dem starken Widerstand, der gegen eine derartige Maßnahme erfahrungsgemäß geltend gemacht wird. Die heimische Industrie will nicht auf den Subventions- und Schutzzolleffekt verzichten, der ihr bei unterbewerteter Währung zuteil wird; die Gewerkschaften befürchten Beschäftigungseinbußen, wenn Unternehmen erkennen müssen, daß ihre vermeintliche Wettbewerbsfähigkeit auf ausländischen Märkten nur die Folge eines falschen Wechselkurses war (Steuer, 1968).

So wie die Überschußländer eine Aufwertung, suchten die Defizitländer eine Abwertung nach Möglichkeit zu vermeiden. Diese Länder hätten zwar spätestens in dem Moment abwerten (oder zur Devisenbewirtschaftung übergehen) müssen, in dem ihre Devisenbestände abgeflossen und ihre Ziehungsrechte beim IWF erschöpft waren. Durch das Einräumen zusätzlicher Ziehungsmöglichkeiten und die großzügige Gewährung von Stützungskrediten auch außerhalb des Fonds wurde das Eintreten einer solchen Situation jedoch immer wieder verzögert.

Motiv dieser Hilfe war die Furcht, die Defizitländer würden eher ihre Importe beschränken und ihre Exporte verstärkt fördern, als das Beschäftigungsrisiko einer konsequent betriebenen Restriktionspolitik zur Wiederherstellung ihres Zahlungsbilanzgleichgewichts auf sich zu nehmen.

Um die Goldäquivalenz des Dollars zu bewahren, hätte die Versorgung der Weltwirtschaft mit dieser Währung stets vergleichsweise knapp gehalten werden müssen. Um eine ausreichende Versorgung der Weltwirtschaft mit internationaler Liquidität zu gewährleisten, bedarf es dagegen der Verschuldung der Vereinigten Staaten gegenüber der übrigen Welt in Form entsprechender Defizite der US-Zahlungsbilanz. Nur wenn die USA mehr Zahlungen in Dollar an Ausländer leisten als sie im gleichen Zeitraum von ihnen empfangen, können diese zusätzliche Dollarforderungen erwerben.

Die Versorgung der Weltwirtschaft mit internationaler Liquidität war somit in entscheidendem Maße abhängig von der jeweiligen Konstellation der US-Zahlungsbilanz: Das war eine kaum weniger problematische Konstruktion als die der Goldwährung, in der die Zunahme der Geldmenge bei gegebener Deckungsquote wesentlich durch die Abbaurate der Goldvorkommen bestimmt wurde.

Um den US-Dollar als Reservewährung zu entlasten, wurde bereits 1967 mit den Sonderziehungsrechten (SZR) eine neue Form internationaler Liquidität geschaffen. Sonderziehungsrechte sind Ansprüche der IWF-Mitglieder an die Gesamtheit der jeweils übrigen Mitgliedsländer auf konvertible Währungen; sie können gegen Hingabe von SZR erworben werden. Jedes Mitglied ist verpflichtet, SZR bis zum zweifachen Betrag der eigenen Quote in konvertierbare Währung umzutauschen. Mitglieder können die Zuteilung von SZR und die damit verbundene Umtauschverpflichtung jedoch auch ablehnen (hinausoptieren). Länder mit Zahlungsbilanzdefiziten werden in der Regel beim Fonds ziehen, also SZR in Anspruch nehmen. Länder mit Zahlungsbilanzüberschüssen oder hohem Bestand an Währungsreserven werden vom Fonds designiert, d. h. zum Erwerb von SZR gegen Hingabe von konvertibler Währung bestimmt.

Je mehr sich im System von Bretton Woods die Neigung verstärkte, fällige Paritätsänderungen zur Korrektur grundlegender Zahlungsbilanzungleichgewichte solange wie möglich hinauszuzögern, desto größer mußte die Gefahr werden, daß Zahlungsbilanzschwierigkeiten Beschränkungen des internationalen Geld- und Kapitalverkehrs und auch solche des zwischenstaatlichen Warenverkehrs induzierten.

Diese Gefahr begann allerdings erst Ende der fünfziger Jahre akut, die Notwendigkeit von Paritätsänderungen erst zu diesem Zeitpunkt evident zu werden. Bis dahin konnten Überschußländer eine Aufwertung dadurch vermeiden, daß sie ihren Handels- und Kapitalverkehr vergleichsweise rasch liberalisierten, während die Defizitländer anstatt abzuwerten die Konvertibilität ihrer Währung entsprechend länger beschränkten und der heimischen Wirtschaft einen vergleichsweise kräftigen Zollschutz beließen.

Mit dem Übergang aller wichtigen Währungen zur (Ausländer-) Konvertibilität und dem Beginn des Zollabbaus im gegenseitigen Warenverkehr der EWG- und EFTA-Länder konnte der Flexibilitätsbedarf des Systems von Bretton Woods auf diese Weise nicht mehr gedeckt werden. Mit zunehmender Liberalisierung des Kapitalverkehrs sahen sich die einzelnen Länder zudem in ihrer konjunkturellen und konjunkturpolitischen Autonomie in wachsendem Maße beeinträchtigt.

Die Dollarguthaben, die Jahr für Jahr in Höhe des jeweiligen Defizits der US-Zahlungsbilanz neu entstanden, steigerten das Angebot, das auf dem internationalen Geldmarkt („Euro-Dollarmarkt“) möglichst ertragreiche Anlage suchte. Bot ein Land durch einen kontraktiven Kurs seiner Geldpolitik Zinsvorteile, induzierte es folglich erhebliche Kapitalzuflüsse, die den Absichten der Stabilisierungspolitik kräftig entgegenwirkten. Außerordentlich starke Kapitalbewegungen wurden auch dadurch ausgelöst, daß im späten System von Bretton Woods bestimmte Währungen immer wieder als unter- oder überbewertet galten. Dort, wo eine Aufwertung erwartet wurde, versuchte man, den Kapitalimport zu erschweren und den Kapitalexport anzuregen. Länder, deren Währung als abwertungsbedroht angesehen wurde, versuchten, den hier drohenden Kapitalabfluß zu verhindern und zum Kapitalimport zu ermuntern. Zur Einflußnahme auf den (kurzfristigen) Kapitalverkehr wurde folglich ein Instrumentarium geschaffen, das an Umfang und Eingriffsintensität zwar ständig zunahm, in seiner Wirksamkeit jedoch durchweg gering blieb.

So begnügte man sich in der Bundesrepublik zunächst mit dem Versuch, die Aufwertungsspekulation zu entmutigen. Dazu wurde am Devisenkassa- und am Devisenterminmarkt auch dann noch konsequent kursstützend eingegriffen, als der „fundamentale" Charakter des Überschuß-Ungleichgewichts der westdeutschen Zahlungsbilanz längst nicht mehr zu bezweifeln war (STEUER, 1968). Als sich zeigte, daß die Spekulation durch das hartnäckige Verteidigen eines nicht marktgerechten Wechselkurses nicht abgeschreckt, sondern eher ermutigt wurde, machte die Bundesbank verstärkt von der Möglichkeit Gebrauch, Einlagen, die bei inländischen Geschäftsbanken von Ausländern gehalten wurden, mit höheren Mindestreserven zu belasten, deren Satz schließlich auf 100 Prozent angehoben wurde. Am 23. 12. 1971 wurde zur „Abwehr schädigender Geld- und Kapitalzuflüsse aus fremden Wirtschaftsgebieten" eine Depotpflicht (Bardepot) eingeführt, die es gestattete, inländische Wirtschaftseinheiten, die sich im Ausland verschuldeten, zu verpflichten, einen bestimmten Prozentsatz der aufgenommenen Kreditsumme zinslos bei der Bundesbank zu hinterlegen.

Als sich Bundesbank und Bundesregierung zu Beginn der siebziger Jahre immer häufiger und immer massiver mit spekulativen Kapitalzuflüssen konfrontiert sahen, schwanden auch die ordnungspolitischen Bedenken, von den dirigistischen Bestimmungen des Außenwirtschaftsgesetzes (AWG) Gebrauch zu machen und die Kapitaleinfuhr durch Verbote und Genehmigungserfordernisse direkt zu reglementieren (KÖRNER, 1970; HASSE/WERNER/WILLGERODT, 1975).

Gegenstück der Maßnahmen, die auf eine Abwehr unerwünschter Kapitalzuflüsse abzielten, waren die sich damit zumeist verbindenden Versuche, den Kapitalexport anzuregen, um das Zahlungsbilanzungleichgewicht auch auf diese Weise – zumindest optisch, nämlich durch „Privatisierung von Währungsreserven" – zu reduzieren. Wichtigstes Instrument dazu war die Swap(satz)politik der Bundesbank: Um die Bereitschaft der Geschäftsbanken zum (kurzfristigen) Kapitalexport zu erhöhen, wurden ihnen von der Bundesbank zum Kassakurs Devisen zum Kauf angeboten, deren Rückkauf gleichzeitig zu einem verbindlich vereinbarten Terminkurs zugesagt wurde. Für die Geschäftsbanken wurde durch diese Rückkauf- und Kursgarantie die Notwendigkeit vermindert, Kurssicherungskosten aufzuwenden. Dadurch konnte bereits bei relativ geringen Zinsdifferenzen die Geldanlage im Ausland attraktiv werden (Beitrag E–3.1).

Die Erfahrungen, die vor allem in der Phase des Niedergangs des Systems von Bretton Woods gemacht wurden, lehren, daß alle Instrumente zur Kontrolle des Kapitalverkehrs Möglichkeiten der Umgehung zulassen, und daß der Versuch, diese durch weitere Eingriffe zu beseitigen, sich nach einiger Zeit wiederum als bestenfalls begrenzt und nur vorübergehend erfolgreich erweist. Mehr Effizienz und Ordnungskonformität als ein derartiges Kurieren am Symptom verspricht somit eine Politik, die die Ursachen unerwünschter Kapitalbewegungen zu beseitigen oder, besser noch, zu vermeiden sucht. Wesentliches Erfordernis einer derartigen Politik ist eine ausreichende Wechselkursflexibilität. Denn diese zwingt nicht mehr zur Intervention am Devisenmarkt und verhindert so, daß internationale Handelsströme und Kapitalbewegungen möglicherweise unerwünschte Geldmengenänderungen zur Folge haben.

4.3. Reform der internationalen Währungsordnung

Hohe Defizite in der US-Zahlungsbilanz führten seit Mitte der sechziger Jahre zu einem wachsenden Mißtrauen gegenüber dem Dollar und damit in zunehmendem Maße zu spekulativen Engagements in Währungen, deren Wert gesicherter erschien. Vor allem die Bundesrepublik sah sich immer wieder mit Devisenzuflüssen konfrontiert, deren Umfang schließlich zu dem Entschluß veranlaßte, den DM-Kurs am 9. 5. 1971 freizugeben. Damit bewirkte sie nicht nur einen wesentlichen Anstoß zu einer grundlegenden Reform des Systems von Bretton Woods, sondern ließ auch deutlich werden, worin wesentliche Aufgaben einer solchen Reform bestanden: in der Entlastung des Dollars als Reservewährung und in einer verbesserten Anpassungsfähigkeit der Wechselkurse.

Die dazu am 7./8. Januar 1976 in Kingston (Jamaika) getroffene Vereinbarung über eine zweite Änderung der IWF-Statuten – seine erste Revision erfuhr das Abkommen am 29. 9. 1967 in Rio de Janeiro durch die Einführung von Sonderziehungsrechten – versucht, den Reformnotwendigkeiten vor allem dadurch gerecht zu werden,

- daß den Mitgliedern die Art der Wechselkursregelung grundsätzlich freigestellt ist; ausdrücklich ausgeschlossen wird nur eine Bindung an das Gold. Ziel ist ein System „stabiler, aber anpassungsfähiger Paritäten"; und
- daß den Sonderziehungsrechten (SZR) nunmehr die Aufgabe zugewiesen wird, als offizielle internationale Recheneinheit zu dienen und zudem künftig das wichtigste internationale Reservemedium zu sein.

Strategie des „managed" Floating

Von der ihnen eröffneten Freiheit, ihr Wechselkurssystem weitgehend nach eigenem Ermessen zu gestalten, haben die IWF-Mitglieder auf sehr unterschiedliche Weise Gebrauch gemacht. Die Möglichkeit vollkommen flexibler Wechselkurse ist bislang nur von wenigen Ländern in Anspruch genommen worden. Die Mehrzahl der IWF-Mitglieder fixiert nach wie vor eine Parität ihrer Währung – entweder zum Dollar oder zum Sonderziehungsrecht, zur Europäischen Währungseinheit oder zu einem anderen Währungskorb.

Dort, wo weder eine derartige Koppelung der Paritäten noch vollkommene Wechselkursflexibilität besteht, wird eine Politik des kontrollierten („managed") Floating betrieben. Die Bildung des Wechselkurses wird dabei zwar grundsätzlich den Marktkräften übertragen; von den nationalen Währungsbehörden wird jedoch phasenweise auf dem Devisenmarkt interveniert. Die Begründung für diese Eingriffe in die freie Kursbildung besteht zumeist in dem Hinweis, es gelte, kurzfristige und damit vermeintlich „funktionslose" Wechselkursausschläge zu vermeiden.

Die Kurspflege, die von den Zentralbanken am Devisenmarkt betrieben wird, erschöpft sich jedoch nicht darin, lediglich kurzfristige Schwankungen um den mittelfristigen Trend zu vermeiden oder zu beseitigen. Nicht selten wird auch eine Einflußnahme auf den Trend selbst angestrebt, oder diese erfolgt unbewußt, weil Trend und Trendabweichung nicht korrekt unterschieden wurden. So kann etwa ein vom Markt angekündigter Aufwertungsprozeß durch Interventionen abgeschwächt oder verzögert werden, um die Anpassungsprobleme der heimischen Exportgüterindustrie zu reduzieren oder mehr Zeit für ihre Lösung verfügbar zu machen. Der ,,richtige" Trend, auf den man sich dabei als Orientierungsgröße bezieht und beruft, läßt sich kaum eindeutig bestimmen. Die marktwirtschaftliche Legitimation derartiger Eingriffe in die freie Kursbildung bleibt deshalb fragwürdig.

Erfolge und Probleme

Der Welthandel ist auch im Zeichen flexibler(er) Wechselkurse weiter gewachsen, der internationale Kapitalverkehr hat zugenommen. Die ,,Ölpreisschocks" der Jahre 1973/74 und 1979/80 konnten zwar nicht ohne erhebliche Probleme bei Wachstum und Beschäftigung bewältigt werden; doch ist es gelungen, das Eintreten in eine Phase der zunehmenden Des-Integration der Weltwirtschaft zu vermeiden. Auch ist unbestreitbar, daß die Notenbanken die inländische Geldmenge nunmehr sehr viel wirksamer kontrollieren können, als das im System von Bretton Woods jemals der Fall war. Dadurch hat sich der Zwang zur Anpassungsinflation für jene Länder deutlich vermindert, die, wie die Bundesrepublik, konsequenter und erfolgreicher Stabilitätspolitik betreiben als ihre Handelspartner (F-2.4.2). Dies sind Erfolge und Fortschritte, die auch dann nicht bestritten werden können, wenn die gegenwärtige Praxis des ,,managed" Floating nur als Vorstufe besserer Lösungen gesehen wird (E-6).

Die Hoffnung auf größere Wechselkursstabilität und gleichgewichtige Wechselkurse, die sich mit der Reform des Systems von Bretton Woods zunächst verband, hat sich bislang nicht erfüllt. Häufigkeit und Ausmaß der Wechselkursschwankungen waren vielmehr größer als erwartet. Das gilt vor allem für das Kursverhältnis wichtiger Währungen zum US-Dollar.

Kurzfristige Wechselkursschwankungen beinhalten für die am internationalen Waren-, Geld- und Kapitalverkehr Beteiligten zwar Risiken; diese können jedoch durch die verfügbaren Möglichkeiten der Kurssicherung kalkulierbar gemacht und damit begrenzt werden. Schwerer wiegen folglich die Probleme, die sich daraus ergeben, daß es bislang auch langfristig immer wieder zu stärkeren realen Wechselkursänderungen gekommen ist. Die Erwartung, die Wechselkurse würden bei weitgehend freier Kursbildung langfristig annähernd der Kaufkraftparität entsprechen, hat sich nur mit erheblichen Einschränkungen bestätigt. Tatsächliche oder auch nur erwartete Änderungen der internationalen Wettbewerbsposition einzelner Volkswirtschaften können, wie die Erfahrung der vergangenen Jahre lehrt, massive Kapitalbewegungen induzieren. Die daraus resultierende langfristige Instabilität der Wechselkurse schafft Risiken, gegen die Kurssicherung nicht möglich ist. Dort, wo Regierung oder Zentralbank die Währung der heimischen Volkswirtschaft als durch den Markt „falsch" bewertet ansehen, kann diese Einschätzung Anlaß für (verstärkte) Interventionen am Devisenmarkt und für Protektionismus sein. Damit entsteht, wie zuvor im System von Bretton Woods, die Gefahr, daß falsche Preissignale gesetzt und Verzerrungen der Handelsströme und Produktionsstrukturen bewirkt werden.

4.4. Probleme einer EG-Wirtschafts- und Währungsunion

Eine Wirtschafts- und Währungsunion (WWU), so wie sie im Rahmen der EG angestrebt wird, erfordert, daß die Wechselkurse zwischen den Währungen der Mitgliedsländer bei voller Konvertibilität dauerhaft konstant sind und die Eigenschaft besitzen, Gleichgewichtskurse zu sein.

Konstanz der Wechselkurse ist erforderlich, um die sich mit Paritätsänderungen verbindenden Informations- und Transaktionskosten zu beseitigen und es ökonomisch irrelevant werden zu lassen, ob Verbindlichkeiten in inländischer oder fremder Währung begründet werden. Überzeugend glaubhaft gemachte Wechselkurskonstanz ermutigt zu grenzüberschreitenden Engagements, die bei Fortbestehen des Wechselkursrisikos unterbleiben würden, und führt somit zu einem höheren Grad an wirtschaftlicher Verflechtung.

Gleichgewichtscharakter müssen die Wechselkurse nicht nur aufweisen, weil ihre Konstanz bei voller Konvertibilität und freiem Warenverkehr andernfalls nicht dauerhaft gewährleistet werden könnte; gleichgewichtige Kurse sind vielmehr auch geboten, damit es nicht zu jenen Protektions- und Subventionseffekten und damit zu jener Verzerrung der Standortbedingungen und Produktionsstrukturen kommt, die bei „falschen" Wechselkursen unvermeidbar sind und die angestrebte optimale Faktorallokation im Integrationsraum verhindern.

Konstante Wechselkurse mit Gleichgewichtscharakter und garantierter Konvertibilität sind vor allem an die Voraussetzung gebunden, daß sich die Kosten- und Preisniveaus der Partnerstaaten weitgehend gleichförmig entwickeln. Unter dieser Bedingung gewährleistet auch ein System grundsätzlich flexibler Paritäten die gewünschte Konstanz der Wechselkurse. Interventionen der Zentralbanken am Devisenmarkt sind nicht erforderlich. Entsprechende Vereinbarungen, die zur Einflußnahme auf die Wechselkurse verpflichten und dafür detaillierte Regelungen schaffen, erübrigen sich (VAUBEL, 1978).

Das Versprechen dauerhaft fester Wechselkurse muß dagegen immer wieder gebrochen werden, wenn sich zwischen den Partnerstaaten erhebliche Unterschiede in den Inflationsraten ergeben und die Länder mit relativ geringer Geldentwertung nicht bereit sind, ihren Stabilisierungserfolg im Zuge einer Anpassungsinflation zu opfern, also die sonst erforderlichen Paritätsänderungen dadurch vermeidbar werden zu lassen, daß man der Entwicklung der Währungsunion zu einer „Inflationsgemeinschaft" keinen Widerstand entgegensetzt.

Bisher fehlt es in der EG an dieser Bereitschaft der stärker stabilitätsbewußten Länder, die vielfach erheblich höhere Inflationsrate ihrer Integrationspartner auch für die eigene Volkswirtschaft zu akzeptieren. Als Illusion hat sich vorerst auch die Hoffnung erwiesen, das Beispiel einer konsequent und erfolgreich betriebenen Stabilisierungspolitik werde zur Nachahmung anspornen und die Mitglieder der EG allmählich zu einer „Stabilitätsgemeinschaft" zusammenführen.

WERNER-Plan, Europäischer Wechselkursverbund und Europäisches Währungssystem

Somit kann es nicht überraschen, daß man sich dem Ziel unabdingbar fixer Paritäten im Integrationsraum bislang noch nicht entscheidend anzunähern vermochte. An Versuchen dazu hat es nicht gefehlt. Sie nahmen ihren Anfang mit dem am 12. 12. 1969 in Den Haag von den Staats- und Regierungschefs der EG-Staaten an Rat und Kommission erteilten Auftrag, einen Stufenplan für die Fortentwicklung der EWG zu einer Wirtschafts- und Währungsunion auszuarbeiten. Kennzeichen der Beschlüsse, die auf der Grundlage des dazu vorgelegten WERNER-Planes am 22. 3. 1971 gefaßt wurden, war die angestrebte Parallelität der Maßnahmen, die auf eine schrittweise strengere Fixierung der Paritäten zwischen den Mitgliedstaaten abzielten, und der Erfolge, die man sich bei den Bemühungen um eine zunehmend an Umfang, Strenge und Verbindlichkeit gewinnende Koordinierung der nationalen Wirtschafts- und Währungspolitiken erhoffte. Ein „EUROPÄISCHER FONDS FÜR WÄHRUNGSPOLITISCHE ZUSAMMENARBEIT" sollte zunächst vor allem der Gewährung kurzfristiger Beistandskredite dienen; erst in späteren Phasen sollten ihm weitere Befugnisse übertragen werden.

Als das Eintreten in die erste Stufe der angestrebten Wirtschafts- und Währungsunion durch den Beschluß vollzogen wird, die Bandbreite für die Wechselkurse der Gemeinschaftswährungen von 4,5 v. H. auf 2,25 v. H. zu verringern, erweist es sich rasch als unmöglich, die zur Vermeidung von Paritätsänderungen erforderliche strenge Abstimmung der nationalen Wirtschaftspolitiken zustandezubringen. Sich sehr bald einstellende Zahlungsbilanzungleichgewichte haben zur Folge, daß einige Länder zum Floaten ihrer Währung übergehen, andere den Zeitpunkt ihres Beitritts zum Europäischen Währungsverbund hinausschieben, während wieder andere sich zumindest zeitlich befristet aus diesem zurückziehen.

Am 5. 12. 1978 verabschiedet der Europäische Rat in Brüssel eine Entschließung, mit der der weitgehend gescheiterte Versuch des Europäischen Wechselkursverbundes durch die Errichtung eines EUROPÄISCHEN WÄHRUNGSSYSTEMS (EWS) mit mehr Erfolg wiederholt werden soll. Am 13. 3. 1979 wird das EWS in Kraft gesetzt.

In Ziel und wesentlichen Verfahrensregeln stimmen der Europäische Währungsverbund und seine Fortentwicklung, das EWS, weitgehend überein. Die beteiligten Zentralbanken legen für jede Währung der Gemeinschaft die Kurse fest, in der sie diese Währung in unbegrenzter Höhe zu kaufen und zu verkaufen bereit sind. Die Bandbreite zwischen diesen bilateralen Interventionskursen beträgt nach oben und nach unten 2,25 v. H.; in Ausnahmefällen kann einzelnen Ländern ein breiteres Band zugestanden werden. Referenzstandard für die Wechselkurspolitik ist die neu geschaffene EUROPÄISCHE WÄHRUNGSEINHEIT ECU (= EUROPEAN CURRENCY Unit). Sie stellt eine reine Buchwährung dar und ist in ihrem Wert identisch mit dem eines Währungskorbes, der sich aus unterschiedlich bemessenen Beiträgen der Mitgliedswährungen zusammensetzt. Der Wert eines ECU entspricht somit der Summe der nationalen Währungsbeiträge, die den Währungskorb definieren. Der ECU dient im Verkehr der Zentralbanken untereinander als Rechnungseinheit; Bedeutung erhält er jedoch vor allem in seiner Funktion, den Zentralbanken als Indikator für Notwendigkeit und Umfang kursstabilisierender Interventionen zu dienen. Aus den bilateral vereinbarten Mittelkursen ergeben sich auch Leitkurse gegenüber dem ECU. Weicht der ECU-Tageswert einer Gemeinschaftswährung von dem ECU-Leitkurs stärker ab, als es 75 v. H. der maximal – d. h. bei Einhaltung aller bilateralen Bandbreiten – möglichen Differenz entspricht, gilt die sog. Abweichungsschwelle als überschritten. In diesem Falle wird erwartet, daß das betroffene Land mit „angemessenen" Maßnahmen auf diese Situation reagiert. Gegenüber dem Europäischen Währungsverbund ist das Kreditpotential des Europäischen Fonds für währungspolitische Zusammenarbeit (EFWZ) nahezu verdoppelt worden.

Die Kritik, auf die diese Vereinbarungen vor allem in der Bundesrepublik gestoßen sind, läßt sich in der Befürchtung zusammenfassen, daß mit der Rückkehr zu einem System grundsätzlich fester Wechselkurse einmal mehr jene Fehlentwicklungen drohen, die den Verfall des Systems von Bretton Woods kennzeichneten: das Verzögern fälliger Wechselkurskorrekturen, Beschränkungen des Kapitalverkehrs durch die Defizitländer und ein Zwang zur Anpassungsinflation für die Überschußländer – alles Entwicklungen, die nicht nur die Zusicherung fester Paritäten im Integrationsraum sehr bald unglaubwürdig machen, sondern auch dem Ziel „binnenmarktähnlicher Verhältnisse" höchst abträglich sind.

Das weitgehende Ausbleiben von Fortschritten auf dem Wege zu einer EG-Wirtschafts- und Währungsunion veranlaßt den Europäischen Rat, am 28. 7. 1988 eine Expertengruppe einzusetzen, der die Aufgabe zugewiesen wird, „konkrete Etappen" zur Verwirklichung dieses Zieles zu prüfen und vorzuschlagen. Die von den Sachverständigen vorgelegten Empfehlungen („*Delors-Bericht*") sehen vor, daß nach einer 1. Stufe zunehmend engerer geld- und fiskalpolitischer Abstimmung das Eintreten in eine 2. Stufe erfolgt, in der die gemeinsame Geldpolitik der Integrationspartner durch ein Europäisches System der Zentralbanken (ESZB) betrieben wird. Das ESZB soll von Weisungen der nationalen Regierungen und Gemeinschaftsorgane unabhängig sein und mit der Maßgabe, die allgemeine Wirtschaftspolitik auf Gemeinschaftsebene zu unterstützen, dem Ziel der Geldwertstabilität verpflichtet werden.

4.5. Beschlüsse von Maastricht

Ende Juni 1989 beschloß der Europäische Rat der Staats- und Regierungschefs, die 1. Stufe der Wirtschafts- und Währungsunion zum 1. Juli 1990 beginnen zu lassen. Regierungskonferenzen erarbeiteten Entwürfe für die folgenden Stufen der WWU und für den Ausbau der EG zu einer Politischen Union. Auf der Grundlage dieser Vorarbeiten billigten die EG-Staats- und Regierungschefs am 9./10. Dezember 1991 in Maastricht den Entwurf eines „Vertrages über die Europäische Union", der am 7. Februar 1992 unterzeichnet wurde.

Die Beschlüsse von Maastricht sehen weitgehende Änderungen und Ergänzungen des bisherigen EWG-Vertrages aus dem Jahre 1957 vor. So wird in den ursprünglichen Vertrag zur Gründung der EWG ein neuer Art. 3 a eingefügt, der die Einführung einer Wirtschaftspolitik vorschreibt, „die auf einer engen Koordinierung der Wirtschaftspolitik der Mitgliedstaaten, dem Binnenmarkt und der Festlegung gemeinsamer Ziele beruht und dem Grundsatz einer offenen Marktwirtschaft mit freiem Wettbewerb verpflichtet ist". Parallel dazu umfaßt die Tätigkeit der Mitgliedstaaten und der Gemeinschaft gemäß Art. 3 a EGV „die unwiderrufliche Festlegung der Wechselkurse im

Hinblick auf die Einführung einer einheitlichen Währung, der ECU, sowie die Festlegung und Durchführung einer einheitlichen Geld- sowie Wechselkurspolitik, die beide vorrangig das Ziel der Preisstabilität verfolgen und unbeschadet dieses Zieles die allgemeine Wirtschaftspolitik in der Gemeinschaft unter Beachtung des Grundsatzes einer offenen Marktwirtschaft mit freiem Wettbewerb unterstützen sollen. Diese Tätigkeit der Mitgliedstaaten und der Gemeinschaft setzt die Einhaltung der folgenden richtungsweisenden Grundsätze voraus: stabile Preise, gesunde öffentliche Finanzen und monetäre Rahmenbedingungen sowie eine dauerhafte finanzierbare Zahlungsbilanz."

Art. 103 EGV verpflichtet die Mitgliedstaaten, ihre Wirtschaftspolitik als Angelegenheit von gemeinsamem Interesse zu betrachten und sie im Rat zu koordinieren. Die monetäre Finanzierung von Haushaltsdefiziten, etwa durch das Europäische System der Zentralbanken, ist verboten. Art. 104c verpflichtet die Mitgliedstaaten zur Vermeidung übermäßiger öffentlicher Defizite und ermächtigt die Kommission, die Entwicklung der Haushaltslage und der Höhe des öffentlichen Schuldenstands zu überwachen.

Die Einhaltung der Haushaltsdisziplin wird daran gemessen, ob beim Verhältnis des öffentlichen Defizits und des öffentlichen Schuldenstands zum Bruttoinlandsprodukt bestimmte Referenzwerte beachtet werden. Bei Überschreiten dieser Referenzwerte kann der Rat nach Stellungnahme der Kommission Empfehlungen aussprechen. Bei Nichtbeachtung seiner Empfehlungen kann der Rat Maßnahmen treffen, die den zur Haushaltssanierung erforderlichen Defizitabbau gewährleisten.

In der 2. Stufe der Währungsunion, die am 1. Januar 1994 begonnen hat, verbleibt die Geldpolitik noch in der nationalen Verantwortung der Mitgliedstaaten. Diese haben jedoch in dieser Phase, soweit erforderlich, für eine Gesetzgebung Sorge zu tragen, die die Unabhängigkeit ihrer Zentralbank gewährleistet. Mit dem Eintreten in die 2. Phase wird ein Europäisches Währungsinstitut (EWI) errichtet, das Überwachungs- und Koordinierungsaufgaben wahrnimmt. Die 3. Phase der WWU ist zugleich deren Endstufe. Eine Entscheidung über das unwiderrufliche Eintreten in diesen letzten Abschnitt setzt voraus, daß die Mitgliedstaaten die dazu vereinbarten Konvergenzbedingungen erfüllen:

- Ein Mitgliedstaat muß „eine anhaltende Preisstabilität und eine während des letzten Jahres vor der Prüfung gemessene durchschnittliche Inflationsrate aufweisen, die um nicht mehr als 1,5 Prozentpunkte über der Inflationsrate jener – höchstens drei – Mitgliedstaaten liegt, die auf dem Gebiet der Preisstabilität das beste Ergebnis erzielt haben".
- Zum Zeitpunkt der Prüfung darf in dem betreffenden Mitgliedstaat kein „übermäßiges" Haushaltsdefizit bestehen.
- Ein Mitgliedstaat muß „die im Rahmen des Wechselkursmechanismus des EWS vorgesehenen normalen Bandbreiten zumindest in den letzten zwei Jahren vor der Prüfung ohne starke Spannungen eingehalten haben. Insbesondere darf er den bilateralen Leitkurs einer Währung ... gegenüber der Währung eines anderen Mitgliedstaats nicht von sich aus abgewertet haben."
- Der „durchschnittliche langfristige Nominalzinssatz" darf schließlich nicht „um mehr als 2 Prozentpunkte über dem entsprechenden Satz in jenen – höchstens drei

– Mitgliedstaaten liegen, die auf dem Gebiet der Preisstabilität das beste Ergebnis erzielt haben".

Bis spätestens 31. Dezember 1996 entscheidet der Rat der Staats- und Regierungschefs mit qualifizierter Mehrheit, ob eine Mehrheit der Mitgliedstaaten die zuvor genannten Voraussetzungen erfüllt und ob es für die Gemeinschaft zweckmäßig ist, in die 3. Stufe der WWU einzutreten. Werden diese Fragen vom Rat bejaht, bestimmt er den Beginn der 3. Stufe. Mitgliedstaaten, die die Konvergenzbedingungen nicht erfüllen, werden als ,,Mitgliedstaaten, für die eine Ausnahmeregelung gilt" behandelt. Bestimmte Vertragsvorschriften finden auf sie keine Anwendung. In der 3. Stufe der WWU wird die Geldpolitik der Gemeinschaft von einem europäischen System der Zentralbanken (ESZB) festgelegt. Dazu erhält die ESZB das Noten-Emissionsrecht und die erforderlichen geldpolitischen Befugnisse. Das ESZB ist in seinen geldpolitischen Entscheidungen von Weisungen unabhängig.

Zentrales Entscheidungsorgan des ESZB ist der Rat der Europäischen Zentralbank (EZB), dem neben den Präsidenten der nationalen Zentralbanken die Mitglieder des EZB-Direktoriums angehören. Das Direktorium besteht aus dem Präsidenten, dem Vizepräsidenten und vier weiteren Mitgliedern. Sie werden einvernehmlich von den Regierungschefs der Mitgliedstaaten auf Empfehlung des Ministerrates für eine einmalige Amtszeit von 8 Jahren ernannt.

Die künftige europäische Einheitswährung tritt erst zu einem noch zu bestimmenden späteren Zeitpunkt in der Endstufe an die Stelle der D-Mark und der anderen Teilnehmerwährungen. Der Umtausch erfolgt dann zu den bereits zu Beginn der Endstufe festgesetzten Umtauschkursen. Mit der Einführung als Einheitswährung wird der ECU zum alleinigen gesetzlichen Zahlungsmittel in denjenigen Ländern, die an der WWU voll teilnehmen.

Die Beschlüsse von Maastricht haben vor allem in der Bundesrepublik Deutschland vielfach die Befürchtung wachgerufen, die Ablösung der D-Mark durch eine Einheitswährung werde eine dauerhaft höhere Inflationsrate zur Folge haben.

Ob sich diese Befürchtung als berechtigt erweisen wird, ist schwer abzuschätzen. Die Vereinbarungen von Maastricht enthalten eine Vielzahl von Vorschriften, die eine inflationär wirkende Geldpolitik ausschließen sollen. Zu nennen sind hier die Unabhängigkeit des ESZB, die sehr streng gefaßte Verpflichtung dieses Instituts auf das Ziel der Geldwertstabilität, das Verbot einer Finanzierung von Haushaltsdefiziten durch Zentralbankkredite und die zuvor genannten Konvergenzbedingungen.

Ob ein „hoher Grad an dauerhafter Konvergenz" erreicht ist, wird von der Kommission und dem EWI festgestellt. Art. 109 j EGV bestimmt sodann: „Der Rat beurteilt auf der Grundlage dieser Berichte auf Empfehlung der Kommission mit qualifizierter Mehrheit,

- ob die einzelnen Mitgliedstaaten die notwendigen Voraussetzungen für die Einführung einer einheitlichen Währung erfüllen,
- ob eine Mehrheit der Mitgliedstaaten die notwendigen Voraussetzungen für die Einführung einer einheitlichen Währung erfüllt und empfiehlt seine Feststellungen dem Rat, der in der Zusammensetzung der Staats- und Regierungschefs tagt." Dieses Gremium entscheidet dann spätestens am 31. Dezember 1996 mit qualifi-

zierter Mehrheit, „ob es für die Gemeinschaft zweckmäßig ist, in die 3. Stufe einzutreten“.

Die Empfehlungen von Kommission und EWI sind also für den Europäischen Rat nicht bindend. Auch trifft er seine Entscheidung nicht etwa einstimmig, sondern mit qualifizierter Mehrheit. Es besteht somit grundsätzlich die Möglichkeit, daß die Bundesrepublik Deutschland überstimmt wird. Einstimmigkeit erfordert jedoch gemäß Art. 109 l der Beschluß, durch den die Umrechnungskurse der Teilnehmerwährungen zum ECU unwiderruflich festgelegt und zu denen diese Währungen dann durch den ECU ersetzt werden. Eine Ablösung der D-Mark durch den ECU kann somit nicht ohne Zustimmung der Bundesregierung stattfinden.

Für die Antwort auf die Frage, wie erfolgreich der Wert einer gemeinsamen Währung ECU stabil gehalten werden kann, ist die Strenge, mit der die Träger der Wirtschaftspolitik vertraglich auf das Ziel Preisniveaustabilität verpflichtet worden sind, vermutlich nicht entscheidend. Auch eine unabhängige Europäische Zentralbank kann dauerhaft keine Stabilitätspolitik betreiben, die mit den Präferenzen der Mehrheit der im Integrationsraum ansässigen Bürger nicht vereinbar ist. Eine konsequente Stabilitätspolitik ist in den meisten EG-Mitgliedstaaten gleichbedeutend mit dem Bruch einer langen Tradition relativ hoher Inflationsraten. Preisniveaustabilität erfordert den Verzicht auf Ansprüche, die bei gegebenem Produktivitätsfortschritt und niedriger Inflationsrate nicht erfüllt werden können. Eine starke Präferenz für Geldwertstabilität ist gleichbedeutend mit der Bereitschaft, sich gegebenenfalls mit Beschäftigungseinbußen abzufinden, falls beispielsweise eine nicht kostenniveauneutrale Lohnpolitik sich mit einer restriktiven Geldpolitik konfrontiert sieht, die die Preiserhöhungsspielräume gering hält und damit zu einer Gewinnkompression führt, die ein rückläufiges Investitionsvolumen, eine reduzierte Investitionsquote und damit auch sinkende Beschäftigung zur Folge hat.

Der durch die Beschlüsse von Maastricht für die Bildung einer Europäischen Währungsunion vorgesehene Zeitplan wird kaum einzuhalten sein. Anlaß zu dieser Vermutung ist vor allem die Erfahrung, daß sich das Europäische Währungssystem in der ursprünglich konzipierten Form nicht aufrechterhalten ließ. Nach fünf Jahren relativer Stabilität begann im Herbst 1992 eine Phase starker Spannungen: Der französische Franc, die spanische Peseta und der portugiesische Escudo gerieten massiv unter Abwertungsdruck. Zuvor hatten bereits das britische Pfund Sterling und die Lira aus dem Wechselkursverbund ausscheiden müssen. Als im Sommer 1993 auch der belgische Franc und die dänische Krone durch eine Aufwertungsspekulation bedroht wurden, beschloß man, die Bandbreite zulässiger Wechselkursschwankungen von ± 2,25 auf ± 15 Prozent zu erweitern. Damit ist das ursprünglich als ein Régime grundsätzlich fester Paritäten geschaffene EWS de facto zu einem System flexibler Wechselkurse geworden (Smeets/Möller, 1994).

Die Möglichkeiten der nationalen Zentralbanken zur Steuerung der heimischen Geldmenge haben sich dadurch erheblich verbessert. Der Handel zwischen den Mitgliedstaaten ist nicht beeinträchtigt worden. Diese Erfahrungen dürften die Bereitschaft vermindert haben, sich auf die Unwägbarkeiten einer schon auf mittlere Sicht zu schaffenden Währungsunion einzulassen. Eine Abkehr von der gegenwärtigen Praxis sehr weit gefaßter Bandbreiten erscheint zumindest solange nicht sinnvoll, wie Geldwertstabilität nicht von allen Mitgliedern gleichermaßen ernsthaft und erfolgreich angestrebt und verwirklicht wird.

Kommentierte Literaturhinweise

Lehrbücher zur Außenwirtschaftspolitik bieten EKKEHARD BIRNSTIEL (1982), MANFRED BORCHERT (1977, 3. A. 1987), BERNHARD KÜLP (1978), WERNER GLASTETTER (1975, 2. A. 1979), HANS A. GLISMANN; ERNST JÜRGEN HORN; SIGHART NEHRING; ROLAND VAUBEL (1980, 3. A. 1987), AXEL SELL (1991) und HARTMUT BERG (1976).

Eine Analyse der Liberalisierungspolitik im Zeitraum 1950–1980 liefert die lesenswerte Studie von ECKHARD MINX (1980). Einen kurzgefaßten Überblick über Konzeptionen und Praxis internationaler Wirtschaftspolitik geben HELMUT GRÖNER; ALFRED SCHÜLLER (1984). Aktuelle Fragen der internationalen Wirtschaftsordnung werden in den von HELMUT GRÖNER; ALFRED SCHÜLLER (1978) und ALFRED SCHÜLLER; ULRICH WAGNER (1980) herausgegebenen Sammelbänden diskutiert. Empfehlenswert ist auch die Lektüre des von ROLF H. HASSE und WOLF SCHÄFER (1954) herausgegebenen Sammelbandes. HELGA LUCKENBACH ist Herausgeberin einer informativen Zusammenstellung von wichtigen Beiträgen zur Theorie der Außenwirtschaftspolitik (1979).

Sehr empfehlenswert ist das fundierte und umfassende Lehrbuch zur internationalen Währungspolitik von HANS-JOACHIM JARCHOW und PETER RÜHMANN (1984, 3. A. 1993). Über die Traditionen des Systems von Bretton Woods informiert OTMAR ISSING (1965). Von OTMAR ISSING (1977 ff.) stammt auch der Beitrag „Internationale Währungspolitik“ im Handwörterbuch der Wirtschaftswissenschaft. Der Niedergang des Regimes fester Wechselkurse wird detailliert dokumentiert und analysiert in den Jahresgutachten des SACHVERSTÄNDIGENRATES ZUR BEGUTACHTUNG DER GESAMTWIRTSCHAFTLICHEN ENTWICKLUNG (1964 ff.).

Ein Standardwerk zur Problematik wirtschaftlicher Integration ist immer noch die von BELA BALASSA vorgelegte Studie (1962). Einen guten Überblick bietet WOLFGANG HARBRECHT (1978, 2. A. 1984); über neuere Entwicklungen informiert der Beitrag von HARMUT BERG in der Studie von HARTMUT BERG, HANS GÜNTHER MEISSNER und WOLFGANG B. SCHÜNEMANN (1990).

Möglichkeiten einer verstärkten Eingliederung der Entwicklungsländer in die Weltwirtschaft werden in einem von HERBERT GIERSCH; HANS-DIETER HAAS (1974) herausgegebenen Sammelband und in einer Studie von JÜRGEN B. DONGES (1981) diskutiert.

T. Entwicklungspolitik

Dieter Bender

Gliederung

1. Grundprobleme des ökonomischen Entwicklungsrückstandes

Entwicklungspolitik ist die Gesamtheit aller Maßnahmen, die auf Überwindung eines fundamentalen sozio-ökonomischen Entwicklungsrückstandes spezieller Volkswirtschaften gerichtet sind. Die Lösung dieses Problems setzt eine Lage- und Ursachendiagnose voraus. Unter Entwicklungspolitik als Teilgebiet der Volkswirtschaftslehre soll die Anwendung von Wachstums-, Struktur- und Außenwirtschaftsforschung auf die speziellen Bedingungen der als unterentwickelte Länder eingestuften Regionen der Weltwirtschaft verstanden werden. Zunächst wird daher der Begriff des Entwicklungsrückstandes operationalisiert, um sodann die ökonomischen Bedingungen zu beschreiben, denen typische Entwicklungsländer unterworfen sind.

1.1. Indikatoren ökonomischer Unterentwicklung

Eine Volkswirtschaft gilt als unterentwickelt, wenn sie durch absolute Armut eines im internationalen Vergleich überdurchschnittlichen Anteils ihrer Gesamtbevölkerung und durch relative Armut ihres Bevölkerungsdurchschnitts gekennzeichnet ist. Absolute Armut liegt vor, wenn elementare Grundbedürfnisse (Ernährung, Gesundheit, Wohnung, Ausbildung) eines Teils der Bevölkerung nur unzureichend abgedeckt werden können. Die Folgen sind Unterernährung, Krankheiten, geringe Lebenserwartung mit hoher Säuglingssterblichkeit, Analphabetentum und Arbeitslosigkeit. Diese Faktoren erzeugen jenen „Teufelskreis der Armut", der nicht mehr durch Selbsthilfe der betroffenen Individuen sondern nur noch durch die Fremdhilfe nationaler und internationaler Wirtschaftspolitik überwunden werden kann. Relative Armut einer Volkswirtschaft besteht, wenn wesentliche Indikatoren der gesellschaftlichen und ökonomischen Wohlfahrt einen relativen Rückstand zur Wohlfahrtsposition der Länder mit durchschnittlichem internationalen Lebensstandard aufweisen. Angesichts der Dimension bestehender Wohlfahrtsdisparitäten *(Tab. T–1)* erscheint dabei das kaum lösbare Problem einer exakten Bestimmung des kritischen Grenzwertes für den Eintritt in die Zone relativer Armut irrelevant.

Stattdessen stellt sich die Frage, ob eine Operationalisierung des Begriffs Unterentwicklung auf internationale Vergleiche eindimensionaler Entwicklungsindikatoren (z. B. reales Bruttosozialprodukt pro Kopf der Bevölkerung) beschränkt bleiben kann oder ein System mehrdimensionaler Entwicklungsindikatoren (soziale Indikatoren) benötigt. Ein solches System sozialer Indikatoren muß neben laufender Erfassung der Realeinkommen pro Kopf insbesondere Daten über Ernährungslage (Kalorienangebot pro Kopf, Verbrauch an tierischem Protein pro Kopf), Gesundheitszustand (durchschnittliche Lebenserwartung in Jahren), Ausbildungsstand (Analphabetenquote in v. H. der Bevölkerung, Schüler der Primar- und Sekundarstufe in v. H. der jeweiligen Altersgruppe), Beschäftigungslage (Arbeitslosenquote), Einkommensverteilung (interpersonelle Verteilungsmessung, Personen unterhalb der Armutsgrenze in v. H. der Bevölkerung) und Konsumstandards (Energieverbrauch pro Kopf, Stahlverbrauch pro Kopf, Radioempfänger und Personenkraftwagen pro tausend Einwohner) aufbereiten und auf diese Weise Ausmaß und Struktur absoluter und relativer Armut länderspezifisch differenzierter sichtbar machen als Globalindikatoren. Die in *Tab. T–1* erfaßte Auswahl sozialer Indikatoren weist zwar auf eine absolute Verbesserung der meisten Kennziffern hin; doch nicht in jedem Fall haben sich damit auch die Wohlfahrtsdisparitäten verringert, die für Entwicklungsländer mit niedrigem Einkommen noch immer sehr groß sind.

Tab. T-1: Soziales Indikatorsystem der Unterentwicklung

Indikator		LNE	LMEU	LMEO	LHE	ASS	OAP	SA	EZ	NN	LAK
Reales Bruttosozialprodukt je Einwohner (in US-$)	1992	390	2490	4020	22160	530	760	310	2080	1950	2690
Disparitätsindex (LHE = 100)		1,8	11,2	18,1	100	2,4	3,4	1,4	9,4	8,8	12,1
Lebenserwartung bei der Geburt eines Kindes	1970	54	60	62	72	45	59	49	67	53	61
	1992	62	68	69	77	52	68	60	70	64	68
Disparitätsindex (LHE = 100)	1970	75,0	83,3	86,1	100	62,5	81,9	68,1	93,1	73,6	84,7
	1992	80,5	88,3	89,6	100	67,5	88,3	77,9	90,9	83,1	88,3
Ärzte je 10 000 Einwohner	1970	0,5[1)]	2,6	5,2	14,0	0,3	2,0	1,6	..	1,6	5,0
	1990	0,9[1)]	5,0	8,8	23,8	0,5	..	3,4	24,4	4,5	..
Disparitätsindex (LHE = 100)	1970	3,6	18,6	37,1	100	2,1	14,3	11,4	..	11,4	35,7
	1990	3,8	21,0	37,0	100	2,1	..	14,3	102,5	18,9	..
Schüler an weiterführenden Schulen (in v. H. der jeweiligen Altersgruppe)	1970	21	32	32	73	7	24	25	..	24	28
	1991	41	55	54	93	18	50	39	..	56	47
Disparitätsindex (LHE = 100)	1970	28,8	43,8	43,8	100	9,6	32,9	34,2	..	32,9	38,4
	1991	44,1	59,1	58,1	100	19,4	53,8	41,9	..	60,2	50,5

1) Ohne China und Indien

Schlüssel:

LNE: Länder mit niedrigem Einkommen
(1994: 55 Länder mit bis zu 675 US-$ pro Kopf)

LMEU: Länder mit mittleren Einkommen, untere Kategorie
(1994: 70 Länder mit bis zu 2695 US-$ pro Kopf)

LMEO: Länder mit mittlerem Einkommen, obere Kategorie
(1994: 43 Länder mit bis zu 8355 US-$ pro Kopf)

davon: ASS : Afrika südlich der Sahara
OAP : Ostasien und Pazifik
SA : Südasien
EZ : Europa und Zentralasien
NN : Naher Osten und Nordafrika
LAK : Lateinamerika und Karibik

LHE: Länder mit hohen Einkommen
(1994: 40 Länder mit mehr als 8355 US-$ pro Kopf)

Quelle: Eigene Berechnungen nach WELTBANK, Weltentwicklungsbericht 1994

Dabei kommt dem realen Pro-Kopf-Einkommen die Rolle eines Primärindikators bei der Messung von Wohlfahrtsdisparitäten und Unterentwicklung (und damit auch bei der Formulierung von Entwicklungszielen) zu. Steigendes Pro-Kopf-Sozialprodukt vergrößert das Potential zur Verbesserung der übrigen Entwicklungsindikatoren. So zeigt sich, daß Entwicklungsländer mit den gegenüber Industrieländern niedrigsten Einkommensdisparitäten in der Regel auch bei anderen Indikatoren relativ günstige Werte innerhalb der Gruppe unterentwickelter Länder aufweisen (z. B. Lateinamerika, *Tab. T–1*). Bei sorgfältiger Interpretation des Zusammenhangs zwischen

Realeinkommen und Entwicklungsstand muß allerdings beachtet werden, daß internationale Einkommensdisparitäten wegen der größeren Bedeutung der nicht im Sozialprodukt erfaßten Eigenversorgung und unterschiedlicher Präferenzstrukturen in Entwicklungsländern zu einer Überschätzung der Wohlfahrtsdisparitäten tendieren (HESSE/SAUTER, 1977). Auch nach Berücksichtigung dieser Einschränkungen durch Errechnung korrigierter Einkommensdisparitäten ist bei Verbesserung solcher Kennziffern ein „Wachstum ohne Entwicklung“ nicht auszuschließen. Wachstum des durchschnittlichen Realeinkommens der Bevölkerung kann nämlich durchaus noch mit einer wachsenden Anzahl Arbeitsloser und unterhalb der Armutsgrenze Lebender verbunden sein. Darum ist zusätzlich zu prüfen, unter welchen Bedingungen Wachstumsbeschleunigung zu sinkender absoluter und relativer Armut führt (ADELMAN/MORRIS, 1973; AHLUWALIA, 1976).

Das entwicklungspolitische Zielsystem läßt sich nunmehr operationalisieren: Entwicklungsziele richten sich auf die Einleitung eines langfristigen dauerhaften Prozesses steigender realer Einkommen pro Kopf der Bevölkerung unter den Nebenbedingungen, daß die Personenzahl unterhalb der Armutsgrenze und die Defizite in der Abdeckung von Grundbedürfnissen abnehmen (ADELMAN, 1975). Verfehlt wäre es, eine Antinomie zwischen „wachstumsorientierter“ und „grundbedürfnisorientierter“ Entwicklungspolitik zu postulieren. Verbesserte Deckung von Grundbedürfnissen setzt Wachstum voraus und Wachstumserfolge müssen auch in einer verbesserten Versorgung armer Einkommensschichten mit Grundbedarfsgütern sichtbar werden.

1.2. Merkmale eines Entwicklungslandes

Wenn versucht wird, die für Entwicklungsländer typischen Strukturmerkmale aufzuzeigen, muß zugleich vor einer unkritischen Anwendung generalisierender Betrachtungsweisen gewarnt werden, da diese den spezifischen Eigenarten und Problemen eines individuellen Entwicklungslandes immer nur partiell gerecht werden können. Zwar erscheint eine differenzierende Typologie der Entwicklungsländer sinnvoll, jedoch kann auf einer ersten Stufe der Betrachtung von bestimmten stilisierenden Fakten eines Zustandes der Unterentwicklung ausgegangen werden (*Übersicht T-1*), die eine Trennung von Industrie- und Entwicklungsländern ermöglichen.

Die Charakteristika eines repräsentativen Entwicklungslandes enthalten bereits ein Gefüge interdependenter Kausalfaktoren der Unterentwicklung. Die als typisch unterstellte Wirtschaftsstruktur wird durch die Theorie der dualistischen Gesellschaft (MYRDAL, 1957) analysiert. Nach Auffassung des ökonomischen Dualismus ist die Wirtschaftsstruktur der Entwicklungsländer in die voneinander isolierten Subsysteme des traditionellen Subsistenzsektors und des modernen Industriesektors gespalten. Im traditionellen Sektor ländlicher Regionen dominieren arbeitsintensive, mit ineffizienten Technologien arbeitende Kleinbetriebe der Landwirtschaft, des Handwerks und Handels. Der moderne Sektor städtischer Regionen hingegen wird durch kapitalintensive, produktivere Mittel- und Großbetriebe der verarbeitenden Industrie beherrscht.

Übersicht T–1: Stilisierte Fakten einer unterentwickelten Volkswirtschaft

Einkommensentstehung	Einkommens-verteilung	Einkommens-verwendung
Primärer Sektor: Hoher Anteil des primären Sektors (der im primären Sektor Beschäftigten) an Gesamtproduktion (Erwerbstätigen). Zahlreiche landwirtschaftliche Betriebe mit geringer durchschnittlicher Betriebsgröße: Geringe Kapitalausstattung pro Arbeitsplatz und Verwendung einfacher, arbeitsintensiver Techniken (Folge: niedrige Arbeitsproduktivität). Reduktion der im Agrarsektor Beschäftigten erzeugt keinen spürbaren Rückgang der Gesamtproduktion (Grenzprodukt der Arbeit nahe Null, → versteckte Arbeitslosigkeit). Relativ hohe Quote des Inlandsabsatzes und Eigenverbrauchs; zum Teil nur Belieferung lokaler Märkte. Wenige Großbetriebe des Agrarsektors oder der Rohstoffgewinnung stellen Ausnahmeerscheinungen von diesen Bedingungen dar. Relativ hohe Exportquote, die aber auf sehr wenige Produkte konzentriert ist. **Sekundärer Sektor:** Geringer Anteil an Gesamtproduktion und Beschäftigung. Wenige kapitalintensive Großbetriebe, z. T. durch wesentliche ausländische Kapitalbeteiligung und Einsatz hochentwickelter arbeitssparender Technologien bestimmt. Hohe Arbeitsproduktivität und beträchtlicher Lohnsatzvorsprung gegenüber dem primären Sektor. Relativ hohe Exportquote. **Tertiärer Sektor:** Kleinbetriebe des Handwerks und des Handels mit geringem Anteil an Gesamtproduktion und Beschäftigung. Hierfür gelten ähnliche Bedingungen wie im primären Sektor.	Niedriges Realeinkommen pro Kopf der Bevölkerung, das im internationalen Vergleich sehr ungleichmäßig verteilt ist. Hohe Quoten an struktureller Arbeitslosigkeit: ● Versteckte Arbeitslosigkeit im Agrarsektor („labour surplus" mit Grenzprodukt von Null). Entlohnung aller Arbeitskräfte nach dem Wert des Durchschnittsprodukts bedingt niedrigen Durchschnittslohn gegenüber sekundärem Sektor. ● Offene Arbeitslosigkeit im sekundären Sektor. Hoher Anteil der Bevölkerung unterhalb oder nahe der Armutsschwelle.	**Niedrige Masseneinkommen:** Verfügbare Einkommen (plus: Eigenproduktion) decken nur den Grundbedarf an lebensnotwendigen Gütern. Ersparnisbildung aus Durchschnittseinkommen der Masse der Bevölkerung nahe bei Null. **Hohe Einkommen:** Relativ hoher Importgehalt der Konsumgüternachfrage dieser Einkommensschicht. Ersparnisbildung durch Einkommensverwendung dieser relativ schmalen Gesellschaftsschicht, auf die sich überproportionaler Anteil des Volkseinkommens konzentriert. Relativ hoher Anteil der Kapitalexporte an der Ersparnisbildung.

Die entwicklungspolitische Problematik eines solchen Dualismus besteht darin, daß die durch den Lohnvorsprung des modernen Sektors ausgelösten Mobilitätseffekte eher zur Umwandlung versteckter in offene Arbeitslosigkeit als zu Einkommenswachstum mit größerer Gleichmäßigkeit der Verteilung führen. Zwar wird durch Abwanderung aus dem Subsistenzsektor (Abbau versteckter Arbeitslosigkeit) das

Durchschnittseinkommen in diesem Sektor steigen, jedoch droht auch eine Zunahme der offenen Arbeitslosigkeit im Industriesektor. Führen nämlich Industrie-Mindestlöhne und subventionierter Kapitaleinsatz zu einer relativen Verteuerung des Faktors Arbeit im Verhältnis zum Faktor Kapital, so wird der Industriesektor zur Übernahme arbeitssparenden technischen Fortschritts neigen. Wegen der Kapitalintensivierung werden zum geltenden Lohnsatz also nur Teile des freigesetzten Arbeitspotentials absorbiert. Auf diese Weise kann sich ein „Wachstum ohne Entwicklung" anbahnen: Lediglich die Pro-Kopf-Einkommen der im traditionellen Sektor Beschäftigten und der durch den modernen Sektor aufgenommenen Arbeitskräfte wachsen. Gleichzeitig aber kann die Anzahl der unterhalb der Armutsgrenze Lebenden zunehmen und die Ungleichheit der personellen Einkommensverteilung wird verstärkt.

2. Ursachen der ökonomischen Unterentwicklung

Ursachen der Unterentwicklung sind zu rasches Bevölkerungswachstum, Kapitalbildungshemmnisse und eine auf wenige Primärgüter spezialisierte Außenhandelsstruktur. Diese Faktoren erscheinen zugleich als Wirkung und Ursache eines unzureichenden Entwicklungsstandes, der durch ihr Zusammenwirken auf dem Niveau zu niedriger Pro-Kopf-Einkommen verharrt.

2.1. Bevölkerungswachstum als Entwicklungshemmnis

Bevölkerungswachstum erweist sich als mögliches Hindernis für einen dauerhaften Anstieg des Pro-Kopf-Einkommens. Dies wird anhand der Definitionsgleichung für die Wachstumsrate des realen Pro-Kopf-Einkommens Y/N deutlich:

(1) $g_{Y/N} = g_Y - g_N$

Die jährliche Wachstumsrate der Bevölkerung g_N hängt von der Geburtenziffer (GZ = durchschnittliche jährliche Geburten pro 1000 Einwohner), der Sterblichkeitsziffer (SZ = durchschnittliche Zahl jährlicher Todesfälle pro 1000 Einwohner) und der Migrationsziffer (MZ = durchschnittliche jährliche Nettoeinwanderung pro 1000 Einwohner) ab. Je größer g_N ist, desto schwieriger wird es, wachsende Disparitäten von Pro-Kopf-Einkommen zwischen Industrie- und Entwicklungsländern zu vermeiden. Dieser Sachverhalt verdeutlicht zunächst die Berechtigung der These, die Bevölkerungsexplosion der Dritten Welt sei zugleich Ursache und Wirkung ihrer Armut. Die hiermit angesprochenen Zusammenhänge lassen sich wie folgt skizzieren:

Übersicht T–2: „Gesetz der Bevölkerungsfalle"

Der durch eine höhere Wachstumsrate des realen Sozialprodukts ausgelöste Anstieg des Pro-Kopf-Einkommens bewirkt ein höheres Bevölkerungswachstum. Wenn sich die Beschleunigung des Sozialproduktwachstums nicht fortsetzt, entsteht die Gefahr, daß das Pro-Kopf-Einkommen wieder absinkt und gegen das niedrige Ausgangsniveau („low level equilibrium trap") konvergiert. Dieses entwicklungshemmende Zusammenspiel von Einkommens- und Bevölkerungswachstum wird durch Unterentwicklungsmodelle der „Bevölkerungsfalle" (Leibenstein, 1954; Nelson, 1956) analysiert. Dabei wird berücksichtigt, daß für ein typisches Entwicklungsland MZ = 0 gesetzt werden kann und bei SZ in vielen Fällen die für Industrieländer typischen niedrigeren Sterblichkeitsziffern durch Import der dort errungenen medizinischen Fortschritte bereits näherungsweise erreicht sind. Die These der „Bevölkerungsfalle" reduziert sich dann auf den Zusammenhang zwischen hohen Geburtenziffern und niedrigen Durchschnittseinkommen (*Tab. T-2*).

In der neueren bevölkerungsökonomischen Diskussion (Kelley, 1988) wird die Eindeutigkeit eines negativen Zusammenhangs zwischen Bevölkerungswachstum und Pro-Kopf-Einkommen bestritten. Zur Begründung der These, daß Bevölkerungswachstum die ökonomische Entwicklung auch positiv beeinflussen kann, wird vor allem auf produktivitätssteigernde Skaleneffekte (Beitrag I-3.2.1) und technische Fortschritte verwiesen, die durch eine mit wachsender Bevölkerung zunehmende Nachfrage induziert würden (Boserup, 1981; Steinmann, 1986). Daher gelte es, für jedes einzelne Land negative und positive Auswirkungen des Bevölkerungsdruckes gegeneinander abzuwägen, bevor ein Urteil über die landesspezifischen Konsequenzen des Bevölkerungswachstums gefällt wird.

Die Relevanz der Hypothese einer „Bevölkerungsfalle" für Entwicklungsländer ist damit weder theoretisch noch empirisch widerlegt. Dies wird auch durch einen Vergleich des durchschnittlichen jährlichen Bevölkerungswachstums in Europa und unterentwickelten Regionen verdeutlicht (*Tab. T-2*).

Innerhalb der Gruppe der Entwicklungsländer zeigt sich dabei, daß Länder mit sehr niedrigem Pro-Kopf-Einkommen relativ hohe Zuwachsraten der Bevölkerung aufweisen, während die Länder mit einem vergleichsweise hohen Einkommensniveau niedrige Bevölkerungswachstumsraten erreicht haben. Im relativ breiten Zwischenbereich der Einkommensgruppen ergibt sich allerdings kein eindeutiges Bild. Bei weitergehender Disaggregation stößt man hier auf Länder mit hohem Bevölkerungswachstum bei gleichzeitig hohen Zuwachsraten des Pro-Kopf-Einkommens neben Ländern mit geringer Einkommenszunahme trotz niedrigen Bevölkerungswachstums. Das „Drama der Bevölkerungsexplosion" als Entwicklungshemmnis darf somit keineswegs als Gesetzmäßigkeit verallgemeinert werden. Immerhin wird bei Analyse einer breiteren Datenbasis davon auszugehen sein, daß für eine Reihe von Ländern (vor allem afrikanische Staaten) diese Unterentwicklungshypothese gültig bleibt.

Auswege aus dem geschilderten Dilemma sind eine auf sinkende Geburtenziffern gerichtete Bevölkerungspolitik und eine auf steigendes Einkommen zielende Förderung von Kapitalbildung und technologischer Entwicklung.

Tab. T-2: Bevölkerungswachstum und Einkommensniveau

	Afrika	Asien	Latein-Amerika	Europa
Jahresdurchschnittliche Wachstumsraten der Bevölkerung in v. H.				
1960–1970	2,5	2,6	3,4	0,9
1980–1985	2,9	1,7	2,3	0,3
1985–1990	3,0	1,9	2,1	0,2
Jährliche Geburten auf 1000 Einwohner				
1965–1970	47	35	44	18
1980–1985	46	27	32	14
1985–1990	45	28	29	13
Jährliche Sterbefälle auf 1000 Einwohner				
1965–1970	21	13	10	10
1980–1985	17	10	8	11
1985–1990	15	9	7	11

Quelle: United Nations Statistical Yearbook

Reales Bruttosozialprodukt pro Kopf in US-$, Einkommensgruppen		Anzahl der Länder		Bevölkerung in Mill.		Durchschnittliches jährliches Wachstum der Bevölkerung in v. H.		Unbereinigte Geburtenziffer (je 1000 Einwohner)		Unbereinigte Sterbeziffer (je 1000 Einwohner)	
1975	1992	1975	1992	1975	1992	1970–1980	1980–1992	1970	1992	1970	1992
unter 200		28		659							
200–499	unter 675	40	55	1295	3191	2,2	2,0	39	28	14	10
500–1999	675–2695	59	70	576	1419	3,1	1,8	35	24	11	8
2000–4999	2696–8355	30	43	654	478	2,5	1,8	33	24	10	7
5000 und mehr	8356 und mehr	25	40	422	828	0,8	0,7	18	13	13	9

Quelle: Weltentwicklungsbericht 1994

2.2. Mangel an Sachkapital

In einfacher Weise lassen sich die Voraussetzungen erfolgreicher Kapitalbildungspolitik aus folgender Gleichung ableiten (Beitrag G–3.2):

$$(2) \qquad g_Y = \frac{dY}{dK} \cdot \frac{dK}{Y} = \frac{1}{\varkappa'} \cdot \frac{I}{Y} \qquad \left(dK = I, \varkappa' = \frac{dK}{dY}\right)$$

Die Wachstumsrate der Produktion wird bei vollständiger Auslastung der Produktionskapazitäten als Quotient aus Investitionsquote I/Y und marginalem Kapitalkoeffizienten ($\varkappa' = dK/dY$) bestimmt. Kann während des Planungszeitraumes mit einem konstanten Kapitalbedarf pro zusätzlicher Sozialprodukteinheit ($\varkappa'_0 = 2{,}5$) gerechnet werden, so wird unter der Bedingung I = S eine proportionale Beziehung zwischen wachsender durchschnittlicher Sparquote und Zuwachsrate des realen Sozialprodukts bestehen:

$$(3) \qquad g_Y = \frac{1}{\varkappa'_0} \cdot \frac{S}{Y} = 0{,}4\,\frac{S}{Y}$$

Aus (3) folgt die Bedingung für ein dauerhaftes Wachstum des Pro-Kopf-Einkommens:

$$g_Y - g_N = \frac{s}{\varkappa'} - g_N > 0.$$

Der marginale Kapitalkoeffizient $\varkappa'$ darf dazu den kritischen Wert s/g_N nicht überschreiten. Ist diese Voraussetzung erfüllt, wird das Pro-Kopf-Einkommenswachstum um so höher sein, je niedriger die Bevölkerungswachstumsrate, je höher die Sparquote und je geringer der Kapitalkoeffizient ist.

Eine Erhöhung der Sparquote (Senkung der Konsumquote) von 5 v. H. (95 v. H.) auf 10 v. H. (90 v. H.) ermöglicht unter der Annahme eines konstanten marginalen Kapitalkoeffizienten von 2,5 eine Beschleunigung des Pro-Kopf-Produktionswachstums von 0 v. H. auf 2 v. H., wenn die Bevölkerungswachstumsrate 2 v. H. beträgt.

Dort, wo die Bevölkerung jährlich um 4 v. H. wächst, bedarf somit ein Pro-Kopf-Einkommenswachstum von 2 v. H. bei $\varkappa'_0 = 2{,}5$ bereits einer Sparquote von 15%. Liegt der Kapitalkoeffizient höher, so würden sich diese Anforderungen an die interne Ersparnisbildung verschärfen. Eine große Anzahl von Entwicklungsländern mit relativ niedrigem Pro-Kopf-Einkommen wies im Jahresdurchschnitt des Erhebungszeitraums 1960–65 Sparquoten zwischen 10 v. H. und 15 v. H. auf; in den am wenigsten entwickelten Ländern lagen die realisierten Sparquoten noch unter diesen Werten (Hesse/Sautter, 1977, S. 48). Die marginalen Kapitalkoeffizienten wiesen erhebliche Unterschiede zwischen den einzelnen Entwicklungsländern auf; im Durchschnitt der Erhebungsperiode 1965–69 lagen sie in den meisten Fällen zwischen Werten von 2 bis 4, wobei allerdings keine langfristige Konstanz der Kapitalkoeffizienten bestätigt wird (Dürr, 1977, S. 48). Deshalb darf die obige Gleichung nicht als Konzept der Entwicklungsplanung interpetiert werden, da der Wachstumseffekt einer bestimmten Investitionsquote von der Höhe des marginalen Kapitalkoeffizienten abhängt. Dieser wird aber durch die Kapitalintensivierung (s. Abschnitt 2.3.) und auch durch die ordnungspolitischen Rahmenbedingungen (s. Abschnitt 3.) beeinflußt, konnten doch für marktwirtschaftlich orientierte Entwicklungsländer niedrigere Kapitalkoeffizienten – also stärkere Wachstumseffekte der Investitionen – nachgewiesen werden (Dürr, 1977; Jungfer, 1991).

Die Frage nach den Möglichkeiten einer Entwicklungsbeschleunigung durch Anhebung der volkswirtschaftlichen Sparquote wird in der entwicklungstheoretischen Literatur kontrovers beantwortet. Dem Pessimismus der „Teufelskreis-Theoreme" (Nurkse, 1953) stehen optimistischer Auffassungen (Lewis, 1954; Fei/Ranis, 1964) gegenüber. Die Weiterentwicklung des Gesetzes der Bevölkerungsfalle zur These, niedrige Raten der Kapitalbildung seien Ursache und Wirkung eines „vicious circle of underdevelopment", läßt sich schematisch zusammenfassen (*Übersicht T-3*).

Nicht nur die interne Ersparnisbildung, sondern auch ihre Transformation in wachstumswirksame Investitionen wird als unzureichend angesehen: Ein Teil der Ersparnis privilegierter Einkommensschichten wird an den attraktiver erscheinenden Kapitalmärkten hochentwickelter Industrieländer angelegt, während das im Inland verbleibende Kapitalangebot unter Umständen nicht in die gesellschaftlich rentabelsten Investitionsprojekte fließt. Der Grund ist in der fehlenden monetären Infrastruktur leistungsfähiger Kapitalmärkte zu suchen (McKinnon, 1973, 1981; Roubini/Sala-I-Martin, 1992). Ein niedriger Entwicklungsstand des Kreditmarkt-Systems, Höchstzinsvorschriften und möglicherweise hohe Inflationsraten konfrontieren Kapitalanleger mit zu gering erwarteter Realverzinsung und potentielle Investoren zum Teil mit überhöhten Kosten der Fremdfinanzierung. Die durch relativ schwache Sparanreize mobilisierten Einlagen bei inländischen Geschäftsbanken werden über hohe Pflichtreservesätze zu einem großen Teil in die Zentralnotenbank umgelenkt. Diese leitet die nicht zur Finanzierung des Staatshaushalts verwendeten Mittel als niedrig verzinsliche

Übersicht T–3: „Teufelskreis der Unterentwicklung"

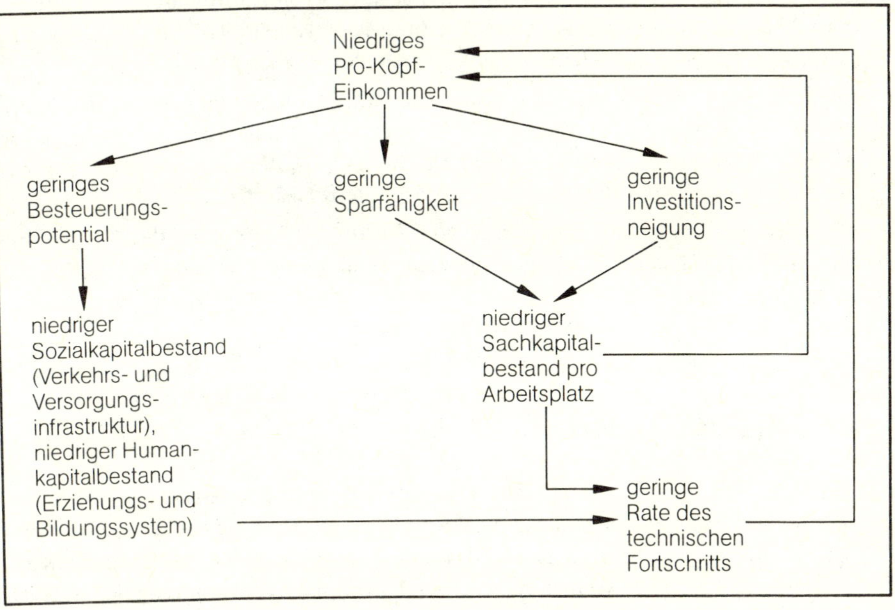

Kredite an spezialisierte Entwicklungsbanken (z. B. Industrieentwicklungs-, Export-, Hypotheken- und Landwirtschaftsbank), die dann zu subventionierten Zinsen an ausgewählte Kreditnehmer ausleihen. Das verbleibende knappe Kreditangebot der Geschäftsbanken steht auf engen nicht-regulierten Kreditmärkten nur zu überhöhten Zinsen zur Verfügung oder wird infolge von Zinsregulierungen nicht optimal auf die Investitionsprojekte verteilt.

Verdienst der „Teufelskreis-Theorien“ ist es, potentielle Ursachen ökonomischer Unterentwicklung aufzudecken. Wenn jedoch zugleich die Zwangsläufigkeit der beschriebenen Wirkungszusammenhänge behauptet wird, so muß diesem Anspruch mit Skepsis begegnet werden. Eine tiefer gehende Analyse kann folgende Ansatzpunkte zur Überwindung der Kapitalbildungshemmnisse aufdecken:

- Eine Umlenkung versteckt arbeitsloser Landbevölkerung (beschäftigte landwirtschaftliche Arbeiter mit Grenzproduktivität nahe bei Null) in den industriellen Sektor erhöht die gesamtwirtschaftliche Produktivität, solange dem industriellen Produktionszuwachs kein signifikanter Produktionsausfall im Agrarsektor gegenübersteht. Wenn somit der Agrarsektor dem expandierenden Industriesektor bei konstantem Industrie-Reallohn ein völlig elastisches Arbeitsangebot erschließt, steigt der Gewinn im Verhältnis zur industriellen Lohnsumme und Wertschöpfung überproportional. Aus der gestiegenen Gewinnquote kann eine weitere Kapazitätsausdehnung finanziert werden. Ein Teil dieser Gewinne kann aber auch steuerlich abgeschöpft und zur Finanzierung staatlicher Infrastruktur- oder Bildungsinvestitionen eingesetzt werden. Die Existenz versteckter Arbeitslosigkeit im primären Sektor erschließt somit Möglichkeiten zur Anhebung der gesamtwirtschaftlichen Sparquote (LEWIS-Modell; FREI-RANIS-Modell) durch Strukturwandel gemäß der Drei-Sektoren-Hypothese (Beitrag Q-1.2).
- Der Aufbau der finanziellen Infrastruktur (Geschäftsbanken, Bankenaufsicht, Einlagensicherung, Wertpapiermärkte) und der Abbau von Zinsregulierungen können zusätzliche Einkommensteile für die inländische Ersparnisbildung mobilisieren (MCKINNON-Modell der Überwindung finanzieller Repression).
- Schließlich ist in hochentwickelten Industrieländern mit hohem gesamtwirtschaftlichen Sparaufkommen für Entwicklungsländer eine Quelle zur Abschöpfung von Auslandsersparnissen vorhanden. Durch Kapitalimporte wird ein Überhang der Investitionsquote über die inländische Sparquote realisierbar.

Die Wachstumsbilanz des Zeitraums 1965–87 (*Tab. T-3*) bestätigt, daß Länder mit relativ hohen Wachstumsraten auch hohe Spar- und Investitionsquoten und einen Überhang der Investition über die heimische Ersparnis aufwiesen, der durch ausländische Kapitalzuflüsse finanziert werden mußte.

2.3. Mangel an Humankapital

Bislang wurden Elemente der HARROD-DOMAR-Wachstumstheorie (Beitrag G-3.2) zur Diagnose der Ursachen der Unterentwicklung herangezogen. Unbefriedigend an diesem Erklärungsansatz ist zum einen, daß der Kapitalkoeffizient als exogene Konstante behandelt wird, obwohl er bei wachsender Sachkapitalausstattung der Arbeits-

Tab. T-3: Ersparnis, Investition und Wachstum in den Entwicklungsländern[1], 1965–1987

Ländergruppe	*Bruttoersparnis* in v. H. des Bruttoinlandsproduktes	*Bruttoinvestition* in v. H. des Bruttoinlandsproduktes
Hohes Wachstum (über 7 v. H.)		
7 Länder	28,0	28,6
ohne China	23,2	26,7
Mittleres Wachstum (3 bis 7 v. H.)		
51 Länder	18,5	22,6
Geringes Wachstum (unter 3 v. H.)		
22 Länder	19,0	19,0

[1] Die Angaben sind gewogene Jahresdurchschnitte (multipliziert mit 100) und basieren auf einer Auswahl von 80 Entwicklungsländern.

Quelle: WELTBANK, Weltentwicklungsbericht 1989

plätze (Kapitalintensivierung) infolge abnehmender Grenzproduktivität des Kapitals ansteigt. Zum anderen wird der Beitrag des technischen Fortschritts zur wirtschaftlichen Entwicklung nicht deutlich, noch werden die Ursachen technologischer Rückständigkeit erfaßt, die einer Adaption des sich fortentwickelnden Standes der Technik entgegenstehen. Diese doch schwerwiegenden entwicklungsökonomischen Erklärungsdefizite traditioneller Wachstumsmodelle können zum einen durch Rückgriff auf das neoklassische SOLOW-Wachstumsmodell (Beitrag G-3.3), zum anderen durch die jüngsten Modelle der neuen Wachstumstheorie geschlossen werden.

Die gesamtwirtschaftliche Produktion wird durch die neoklassische Produktionsfunktion $Y = \pi K^{\alpha} N^{1-\alpha}$ $(0 < \alpha < 1)$ erklärt. Sie ist um so größer, je höher der Stand der Technik (π), der Sachkapitalbestand (K) und die Beschäftigtenzahl (N) sind. Die Wachstumsrate der Produktion wird dann durch die technische Fortschrittsrate (g_{π}), die Wachstumsrate des Kapitalstocks (g_K) und – bei konstanter Beschäftigungsquote – durch die Wachstumsrate der Bevölkerung (g_N) bestimmt:

$$(4) \qquad g_Y = g_{\pi} + \alpha g_K + (1 - \alpha)\, g_N.$$

Daraus folgt, daß die Wachstumsrate des Pro-Kopf-Einkommens auf die technische Fortschrittsrate und auf wachsende Sachkapitalausstattung pro Arbeitsplatz (Kapitalintensivierung: $g_K - g_N > 0$) zurückzuführen ist:

$$(5) \qquad g_Y - g_N = g_{\pi} + \alpha(g_K - g_N).$$

Werden die Nettoinvestitionen durch heimische Ersparnis (sY) finanziert, so gilt: $g_K = I/K = sY/K = s/\varkappa$. Bei konstanter Sparquote geht die Wachstumsrate des Kapitalstocks mit steigendem Kapitalkoeffizienten ($\varkappa = K/Y$) zurück. Genau dies wird aber durch die Kapitalintensivierung bewirkt, die eine Senkung der marginalen und durchschnittlichen Kapitalproduktivität herbeiführt.

Aus dem neoklassischen Wachstumsansatz (Gleichung 5) folgt damit eine entwicklungsökonomische Perspektive, die als Konvergenzhypothese oder „catching-up"-Hypothese bezeichnet wird:

$$g_Y - g_N = g_\pi + \alpha \left(\frac{s}{\varkappa(K/N)} - g_N\right) \qquad \varkappa_{K/N} > 0.$$

Wenn Entwicklungsländer durch Technologieimport die gleiche Fortschrittsrate (z. B. $g_\pi = 2$ v. H.) wie die Industrieländer erreichen können, konvergieren die Pro-Kopf-Einkommenswachstumsraten dieser Länder auf $g_Y - g_N = g_\pi$, weil die steigende Kapitalintensität (K/N) den Kapitalkoeffizienten so lange wachsen läßt, bis mit $s/\varkappa = g_K = g_N$ überall ein Wachstumspfad mit konstanter Kapitalintensität erreicht ist. Während hochentwickelte Industrieländer dieses Niveau annähernd erreicht haben, werden aufstrebende Entwicklungsländer noch die Phase der Kapitalintensivierung ($s/\varkappa > g_N$) durchlaufen und daher höhere Pro-Kopf-Einkommenswachstumsraten als die Industrieländer aufweisen (Abbau der Disparitäten). Wird z. B. eine Sparquote von 20 v. H. erreicht, so wird unter den Bedingungen $\varkappa = 2.5$, $\alpha = 0.5$ und $g_N = 2$ v. H. durch Kapitalintensivierung ($s/\varkappa - g_N = 6$ v. H.) ein Pro-Kopf-Einkommenswachstum von 5 v. H. ermöglicht.

Die Konvergenzhypothese mag zwar für aufstrebende Entwicklungsländer (z. B. des ostasiatischen Raumes) gelten. Doch kann sie nicht verallgemeinert werden, da auch wachsende Einkommensdisparitäten, stagnierende oder gar rückläufige Pro-Kopf-Einkommen von Entwicklungsländern (z. B. des afrikanischen Raumes) zu beklagen sind. Dies liegt nicht nur an unzureichender Sachkapitalausstattung vorhandener Arbeitsplätze und ausbleibender Kapitalintensivierung ($s/\varkappa - g_N \leq 0$), sondern auch darin begründet, daß kein Anschluß an den in Industrieländern generierten technischen Fortschritt gewonnen und auf veraltetem Stand der Technik weiter produziert wird. Der Grund für die möglicherweise sogar zunehmende technologische Rückständigkeit liegt nicht im Mangel an Sachkapital und an Finanzierungsmöglichkeiten der Sachkapitalbildung, sondern in der unzureichenden Humankapitalausstattung.

Aus Sicht der auf Joseph Alois Schumpeter zurückgehenden Entwicklungstheorie sind Prozeß- und Produktinnovationen und die Diffusion dieser Neuerungen, also die Dynamik des Innovations- und Imitationswettbewerbs, die eigentlichen Antriebskräfte ökonomischer Entwicklung (Beitrag 0-1). Hierfür erforderlich sind qualifizierte Arbeitskräfte, die neue Technologien adaptieren und weiterentwickeln können, und unternehmerische Persönlichkeiten, die fähig und bestrebt sind, neue Märkte zu erschließen, neue Produkte durchzusetzen und produktivitätssteigernde Technologien zu verwirklichen. Zum Aufbau eines qualifizierten Arbeitspotentials sind Investitionen in Schulen, Hochschulen und berufliche Aus- und Weiterbildungseinrichtungen erforderlich. Die Entwicklung des Unternehmerpotentials setzt begünstigende Rahmenbedingungen (Freiheit zur Entfaltung von Privatinitiativen, Gewerbefreiheit, Rechtssicherheit) und Leistungsanreize (keine Diskriminierung unternehmerischer Tätigkeit, keine konfiskatorische Besteuerung von Unternehmergewinnen) voraus.

Aus dieser Perspektive wird die entwicklungsökonomische Relevanz neuerer wachstumstheoretischer Ansätze (Lucas, 1988, 1990; Romer, 1990) deutlich. Diese gehen von der Vermutung einer positiven Abhängigkeit der technischen Fortschrittsrate vom Humankapitalbestand (HK) aus: $g_\pi = f(HK)$, $f_{HK} > 0$. Hieraus folgt eine Wachstumsgleichung, die anhaltende Divergenzen von Wachstumsraten auf unterschiedliche

Humankapitalausstattungen der Länder zurückführen kann (BENHABIB/SPIEGEL, 1994):

$$(6) \qquad g_Y - g_N = f(HK) + \alpha \left(\frac{s}{\varkappa(K/N)} - g_N\right).$$

Mangel an Humankapital behindert Innovationsprozesse, verhindert technologische Aufholprozesse und erschwert die Attraktion von Auslandskapital in Form von Direktinvestitionen (s. Abschnitt 4.5), die wiederum die Humankapitalbildung fördern könnten. Empirische Analysen bestätigen eine positive Beziehung zwischen Humankapitalbestand, Humankapitalbildung und Pro-Kopf-Einkommenswachstum (BARRO, 1991; MANKIW/ROMER/WEIL, 1992; BENHABIB/SPIEGEL, 1994). Sie können Wachstumsunterschiede und zunehmende Disparitäten durch unterschiedliche Humankapitalausstattungen der Länder erklären. Humankapital ist somit der Schlüsselfaktor, der ärmeren Ländern die Chance bietet, näher zu den reicheren Ländern aufzuschließen. Ist erst einmal eine Grundausstattung mit Humankapital vorhanden, so erweitern die mit Innovation und technologischer Adaption verbundenen Lernprozesse die Qualifikation des Arbeitspotentials und das unternehmerische Fähigkeitspotential eines Entwicklungslandes. Die These, ökonomische Entwicklung müsse am fehlenden Unternehmerpotential scheitern, ist nicht haltbar. Auch in Entwicklungsländern sind unternehmerische Initiativen vorhanden und werden zur Entfaltung kommen, wenn sie nicht durch staatliche Regulierungen behindert und deshalb auf relativ ineffiziente Tätigkeitsfelder (z. B. Grundstücksspekulation, Schwarzmarktaktivitäten) abgelenkt werden.

2.4. Außenwirtschaftliche Entwicklungsrestriktionen

Die Zusammenhänge zwischen Entwicklungsziel, internen Kapitalbildungshemmnissen und Auslandsverschuldung werden in Zwei-Lücken-Modellen der ökonomischen Entwicklung analysiert (CHENERY/BRUNO, 1962; MCKINNON, 1964). So könnte eine Anhebung der Investitionsquote auch durch die Kombination von heimischer Investitionsgütererzeugung I_d und Kapitalgüterimporten $I_f = Im_K$ erreicht werden (von der durch Direktinvestitionen ausländischer Produzenten repräsentierten Kombination aus Geld- und Realkapitalimport wird zunächst abgesehen):

$$(7.1) \qquad \frac{I}{Y} = \frac{I_d}{Y} + \frac{I_f}{Y}.$$

Der Überhang der geplanten Investition über die heimische Ersparnisbildung (Sparlücke) muß durch Nettokapitalimporte (KIm) finanziert werden, so daß die Ersparnislücke den realisierbaren Kapitalimport nicht überschreiten kann:

$$I - S = I_d + I_f - S \leqq KIm.$$

Die realisierbare Investitionsquote kann folglich nicht größer sein als die Summe aus inländischer Sparquote und Kapitalimportquote:

$$(7.2) \qquad \frac{I}{Y} = \frac{I_d}{Y} + \frac{I_f}{Y} \leqq \frac{S}{Y} + \frac{KIm}{Y}.$$

Die nur beschränkt verfügbaren heimischen Kapitalgüter weisen in der Regel einen größeren marginalen Kapitalkoeffizienten ($\varkappa' = I_d/dY = 2{,}5$) auf als die in hochentwickelten Industrieländern hergestellten importierten Kapitalgüter ($\varkappa'_f = I_f/dY = 1{,}5$). Wird dies in Gleichung (7.2) berücksichtigt, so ergibt sich:

$$\frac{I_d}{dY} \cdot \frac{dY}{Y} + \frac{I_f}{dY} \cdot \frac{dY}{Y} = (\varkappa' + \varkappa_f)\, g_Y \leqq \frac{S}{Y} + \frac{KIm}{Y}.$$

Die durch die Ersparnisrestriktion beschränkte Wachstumsrate lautet damit:

$$(8) \qquad g_Y \leqq \frac{1}{\varkappa' + \varkappa_f'} \left(\frac{S}{Y} + \frac{KIm}{Y} \right) = 0{,}25 \left(\frac{S}{Y} + \frac{KIm}{Y} \right).$$

Beträgt die heimische Sparquote 10 v. H. und läßt sich durch Auslandsverschuldung eine Kapitalimportquote von 10 v. H. realisieren, so kann maximal eine Investitionsquote von 20 v. H. finanziert und damit ein Wachstumsspielraum bis zu 5 v. H. erschlossen werden. Wie die in *Abb. T–1* dargestellte Ersparnisrestriktion zeigt, läßt sich dieser Wachstumsspielraum als linear steigende Funktion der Kapitalimportquote darstellen.

Nun muß allerdings beachtet werden, daß Kapitalimporte teilweise auch zur Finanzierung anderer Güterimporte benötigt werden, wenn die Deviseneinnahmen aus dem Export nicht ausreichen, um den Importbedarf an Konsumgütern und Vorleistungen zu decken. Da das realisierbare Importvolumen an Konsumgütern (Im_C), Zwischenprodukten (Im_{ZW}) und Investitionsgütern bei fehlenden Devisenreserven die durch

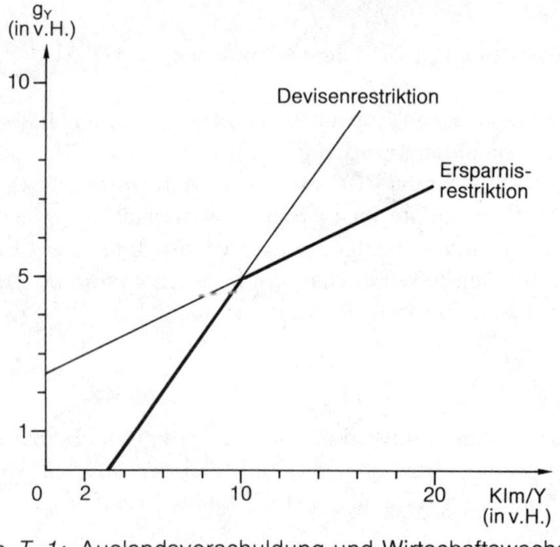

Abb. T–1: Auslandsverschuldung und Wirtschaftswachstum

Exporterlöse (Ex) und Nettokapitalimporte determinierte Importkapazität nicht überschreiten kann, muß langfristig außerdem die Devisenrestriktion (Zahlungsbilanzrestriktion) beachtet werden:

$$Ex + KIm \geqq Im_C + Im_K + Im_{ZW}.$$

Zusätzlich ist allerdings zu berücksichtigen, daß die durch Kapitalimporte ermöglichte Anhebung der Importkapazität und damit der Investitionsquote in Zukunft durch den Schuldendienst DS (debt service = Verzinsung plus Tilgung der Auslandsschuld) auf den Bestand an Nettoauslandsverbindlichkeiten wieder vermindert wird. Als erweiterte Devisenrestriktion gilt also:

$$(9.1)\quad \overbrace{\underbrace{Im_C + Im_K + Im_{ZW} - Ex}_{\text{Handelslücke}} + DS}^{\text{Devisenlücke}} \leqq KIm$$

Wird die aus Kapitalimporten resultierende zukünftige Schuldendienstbelastung als Bruchteil der Exporterlöse ausgedrückt, indem ein Schuldendienstkoeffizient $ds = DS/Ex$ eingeführt wird, so läßt sich Gleichung (9.1) auch in der Form schreiben:

$$(9.2)\quad Ex\,(1 - ds) + KIm \geqq Im_C + Im_{ZW} + Im_K\,.$$

Wird (9.2) durch Y dividiert und nach Im_K/Y aufgelöst, so zeigt sich, daß bei gegebener beschränkter heimischer Investitions- und Sparquote die durch Kapitalgütereinfuhr ermöglichte Wachstumsbeschleunigung von der realisierbaren Kapitalimportquote KIm/Y abhängt, wenn Exportquote Ex/Y, sonstige Importquoten Im_C/Y und Im_{ZW}/Y sowie der Schuldendienstkoeffizient als konstant vorgegeben sind:

$$(10)\quad \frac{Im_K}{Y} = \frac{I_f}{Y} \leqq \frac{Ex}{Y}\,(1 - ds) - \frac{Im_C}{Y} - \frac{Im_{ZW}}{Y} + \frac{KIm}{Y}\,.$$

Wegen $I_f/Y = I_f/dY \cdot dY/Y = \varkappa_f' \, g_Y$ ergibt sich hieraus eine durch die Devisenrestriktion beschränkte Wachstumsrate:

$$(11)\quad g_Y \leqq \frac{1}{\varkappa_f'}\left\{\frac{Ex}{Y}\,(1 - ds) - \frac{Im_C}{Y} - \frac{Im_{ZW}}{Y} + \frac{KIm}{Y}\right\}.$$

Dieser durch die Devisenrestriktion begrenzte Wachstumsspielraum ist ebenfalls in *Abb. T–1* als linear steigende Funktion der Kapitalimportquote darstellbar. Da Ersparnis- und Devisenrestriktion simultan erfüllt sein müssen, bestimmt zunächst die Devisenrestriktion und sodann – bei Überschreiten einer bestimmten Kapitalimportquote – die Ersparnisrestriktion den Wachstumsspielraum.

Steigende Exportquoten und sinkende Importquoten (Aufwärtsverschiebung der Devisenrestriktion) oder eine steigende heimische Sparquote (Aufwärtsverschiebung der Ersparnisrestriktion) verbessern somit die Wachstumsbedingungen. Bei gegebenen Kapitalimport- und Sparquoten sind hingegen in der Regel Wachstumseinbußen zu befürchten, wenn die Exportquote sinkt oder die Importquoten Im_C/Y und Im_{ZW}/Y sowie der Schuldendienstkoeffizient ansteigen. Außenwirtschaftliche Entwicklungsrestriktionen lassen sich damit in handelsbedingte und verschuldungsbedingte Entwicklungshemmnisse einteilen.

Probleme der internationalen Arbeitsteilung

Die für viele Entwicklungsländer typische komplementäre Außenhandelsstruktur läßt befürchten, daß die Entwicklung der Exporterlöse und Importaufwendungen zusätzliche Wachstumsbeschränkungen erzeugt:

- Eine Exportstruktur mit hohem Anteil von Primärgütern (Agrarprodukte, Rohstoffe) an den Gesamtexporten und geringem Diversifizierungsgrad läßt nur eine relativ geringe Wachstumsrate der Devisenerlöse erwarten, weil die Einkommenselastizität der Auslandsnachfrage bei diesen Produkten meist signifikant unter Eins liegt (ENGELsches Gesetz der einkommensabhängigen Nachfrage nach Nahrungsmitteln (Beitrag K–2.3.1); rohstoffsparender technischer Fortschritt; Substitution natürlicher Rohstoffe durch industriell gefertigte synthetische Inputs). Selbst wenn ein Entwicklungsland eine Industrieländern entsprechende Sozialproduktzuwachsrate erreicht, wird folglich die Exportquote sinken, weil die Auslandsnachfrage nach exportierten Primärgütern langsamer wächst als das Volkseinkommen.
- Angesichts der typischen Importstruktur zahlreicher Entwicklungsländer (relativ hoher Anteil industrieller Zwischen- und Fertigprodukte) ist nicht auszuschließen, daß mit wachsendem Pro-Kopf-Einkommen eher die Konsumgüterimportquote steigt als die Sparquote (internationale Demonstrationseffekte). Importstrukturen mit einer über Eins liegenden Einkommenselastizität der Importnachfrage von Entwicklungsländern verschärfen jedoch die Devisenengpässe weiter und erzwingen die Alternative höherer Kapitalimportquoten oder reduzierter Investitionsquoten.
- Dem Entwicklungsziel entgegengerichtete Auswirkungen komplementärer Strukturen der Arbeitsteilung zwischen Industrie- und Entwicklungsländern werden weiter verstärkt, wenn Entwicklungsländer einem langfristigen Trend sich verschlechternder terms of trade unterworfen sind. Selbst bei übereinstimmenden Wachstumsraten des Export- und Importvolumens wächst in einem solchen Fall der Devisenerlös aus Exporten langsamer als der Devisenbedarf zur Finanzierung des Importvolumens. Nach der PREBISCH-SINGER-These ist das reale Austauschverhältnis zwischen Primärgütern und Industrieerzeugnissen einer solchen Verschiebung der Preisrelationen zu Ungunsten der Primärgüter unterworfen (PREBISCH, 1950; SINGER, 1950), so daß eine komplementäre Struktur der internationalen Arbeitsteilung aus sich heraus eine permanente Einschränkung der Kapitalgüterimportkapazität erzeugen kann. Der Charakter eines allgemeinen Entwicklungsgesetzes muß der Terms-of-Trade-Hypothese von RAUL PREBISCH und HANS W. SINGER heute sowohl aus theoretischer als auch aus empirischer Sicht abgesprochen werden (Beitrag I–3.4). Individuelle Entwicklungsländer können höchst unterschiedliche Terms-of-Trade-Reaktionen erfahren. Das Export- oder Importsortiment kann nämlich auf ein Gut konzentriert sein, dessen Angebots- und Nachfragebedingungen Verbesserungen oder Verschlechterungen des realen Austauschverhältnisses nach sich ziehen. Weist z. B. das Haupt-Exportprodukt eine relativ geringe, das Haupt-Importprodukt eine relativ hohe Einkommenselastizität der Nachfrage auf, so wird die Wachstumsrate der Weltnachfrage auf den Importmärkten des Entwicklungslandes größer als auf seinen Exportmärkten sein. Kann dies nicht durch entsprechende Zuwachsraten der Weltproduktion beider Erzeugnisse ausgeglichen

werden, so geraten die terms of trade des Entwicklungslandes langfristig unter um so stärkeren Druck, je preisunelastischer die Nachfrage nach dem Importprodukt und je preiselastischer die Nachfrage nach dem Exportprodukt ist. Andererseits zeigt das Beispiel des Kartells ölexportierender Länder (OPEC; s. Abschnitt 4.6), daß sich bei relativ preisunelastischer Weltnachfrage Angebotsbedingungen durchsetzen ließen, die eine Anhebung des Terms-of-Trade-Niveaus ermöglichten (1. und 2. Ölpreisschock). Verallgemeinernde Globalbefunde über die Gesamtheit der Entwicklungsländer sind insofern nicht sinnvoll, da sich die Export- und Importsortimente der einzelnen Länder unterschiedlich entwickelt haben und die Streuung der individuellen Terms-of-Trade-Veränderungen deutlich größer geworden ist (Bird, 1979).

– Entsteht ein wesentlicher Teil der Deviseneinnahmen im Außenhandel durch den Export eines Primärproduktes, dessen Nachfrage oder Angebot starken Fluktuationen unterworfen ist, so kann die hiermit verbundene Instabilität der Exporterlöse zum Problem für eine Entwicklungspolitik werden, die stetiges Wachstum anstrebt und dabei auf einen stetigen Strom importierter Kapitalgüter angewiesen ist (Mayer, 1980).

Internationale Verschuldungsprobleme

Zunehmende Devisenlücken könnten zwar durch wachsende Kapitalimporte finanziert werden, so daß sich außenhandelsinduzierte Entwicklungshemmnisse neutralisieren lassen; ein (relativ zum Exportwachstum) überhöhtes Wachstum der Auslandsverschuldung wird sich aber mit zeitlicher Verzögerung in höheren Schuldendienstkoeffizienten auswirken, da die Tilgungszahlungen überproportional steigen und mit schlechteren Verschuldungskonditionen (steigende Verzinsung, ungünstige Tilgungskonditionen) zu rechnen ist. Wird diese erneute Beeinträchtigung der Importkapazität wirksam, können aber die erhöhte Investitionsquote und die hiermit verbundene Wachstumsrate des Pro-Kopf-Einkommens nur durchgehalten werden, wenn auch die Kapitalimportquote weiter angehoben wird. Nur dann läßt sich die wachsende Schuldendienstbelastung ohne erneuten Rückgang von I_f/Y finanzieren. Hieraus entwickelt sich ein Prozeß wachsender Auslandsverschuldung, der dann an seine Grenzen stößt, wenn die Gläubigerländer nicht bereit sind, den Anteil zins- und tilgungsfreier Geschenke an der Kapitalhilfe (s. Abschnitt 5.1) wesentlich zu erhöhen, und wenn angesichts von Überschuldung und Rückzahlungsproblemen keine neuen Kreditquellen verfügbar sind. Für viele Entwicklungsländer in Lateinamerika und Afrika läßt sich eine solche Zunahme der Schuldendienstkoeffizienten nachweisen, die auf chronische Handelsbilanzdefizite und deren Ursachen zurückzuführen ist (*Tab. T-4*).

Die zu Beginn der 80er Jahre verstärkt aufgetretenen Verschuldungsprobleme lateinamerikanischer teilindustrialisierter Entwicklungländer (insbesondere Argentinien, Brasilien, Chile, Mexiko, Peru) sowie afrikanischer (z. B. Algerien, Ägypten, Madagaskar) und asiatischer Länder (z. B. Philippinen, Thailand) zeigten die Anfälligkeit der Schuldendienstbelastung bei steigendem internationalem Zinsniveau vor allem dort, wo der Bestand an Auslandsschulden infolge von verteuerten Ölimporten und Terms-of-Trade-Verschlechterungen stark gewachsen war. Waren somit externe Ur-

Tab. T-4: Schuldendienstkoeffizienten[1] ausgewählter Entwicklungsländer, 1980–87

	1980	1981	1982	1983	1984	1985	1986	1987
Lateinamerika								
Argentinien	16,6	17,3	23,1	24,5	24,9	40,6	51,8	45,3
Brasilien	34,6	33,7	43,3	28,8	25,0	26,7	34,1	26,7
Chile	21,9	29,6	19,8	18,1	25,7	26,3	28,6	21,1
Kolumbien	8,9	13,1	17,3	21,9	20,1	29,9	26,4	30,7
Mexiko	32,1	28,1	34,1	40,0	34,8	35,7	37,2	30,1
Paraguay	10,2	9,2	10,2	14,3	17,7	23,9	25,5	21,3
Peru	31,1	44,8	36,3	19,8	15,9	17,8	14,4	12,5
Uruguay	12,4	10,0	13,4	20,6	29,8	30,0	21,1	24,4
Afrika								
Algerien	25,8	24,6	28,6	31,8	32,8	32,5	51,0	46,8
Burundi	6,7	5,5	5,3	7,7	16,8	18,9	20,6	38,5
Ägypten	13,2	18,5	16,6	15,2	15,8	17,7	15,9	12,7
Madagaskar	11,1	16,5	20,1	12,7	11,1	30,1	27,2	35,5
Mali	2,9	3,9	4,0	5,9	7,5	15,0	11,7	9,9
Nigeria	1,8	4,6	10,8	17,5	25,5	30,7	17,9	10,0
Somalia	3,5	17,8	6,0	10,0	21,5	4,0	9,2	–
Togo	8,0	9,2	9,4	13,4	19,7	25,7	32,9	13,9

[1] Schuldendienst auf öffentliche und staatliche garantierte langfristige Auslandsverbindlichkeiten in v. H. der Exporte

Quelle: Weltbank, World Debt Tables, External Debt of Developing Countries, 1988–89, Vol. II (Country Tables).

sachen wachsender Verschuldungsprobleme zunächst dominant, so trat nach 1983 die interne Verursachung in jenen Ländern deutlicher hervor, deren Verschuldungskennziffern sich in einer Phase rückläufiger internationaler Kreditzinsen weiter verschlechterten (z. B. Argentinien, Kolumbien, Algerien) oder nach zeitweiliger Verbesserung erneut anstiegen (z. B. Brasilien, Mexiko, Madagaskar). Verantwortlich für diese Entwicklungen waren hohe Inflationsraten, die vor allem durch Geldschöpfungsfinanzierung der stark gestiegenen Staatshaushaltsdefizite verursacht wurden, oder rückläufige Preise eines Rohstoff-Exportgutes bei einem zu einseitig auf diese Devisenquelle ausgerichteten engen Exportsortiment. Die Voraussetzungen zur Vermeidung oder Überwindung internationaler Verschuldungsprobleme werden daher durch wirksamere Inflationskontrolle und Exportdiversifizierung (s. Abschnitt 4.4) geschaffen. Vergleichsanalysen hochverschuldeter lateinamerikanischer Entwicklungsländer und asiatischer Entwicklungsländer ohne Verschuldungsprobleme können dies bestätigen (Sachs, 1985), lassen sich doch für die zweite Ländergruppe niedrigere Inflationsraten, stärker diversifizierte Exportsortimente, höhere Investitionsquoten sowie höhere Wachstumsraten des realen Sozialprodukts und der Exportmengen nachweisen.

Gerade die Erfahrungen dieser asiatischen Länder belegen, daß eine Finanzierung von Entwicklungsprojekten durch Kapitalimporte sinnvoll sein kann und nicht zwangsläufig zu einer Eskalation der Auslandsverschuldung führen muß. Vor dem Hintergrund historischer Erfahrungen sollten daher Schuldenzyklen (Siebert, 1989) und Verschuldungsinstabilität unterschieden werden. Eine erfolgreiche Strategie der Auslandsverschuldung besteht darin, die zur Finanzierung von Leistungsbilanzdefiziten mobilisierten Kapitalimporte möglichst für solche Investitionsprojekte zu verwenden, die in Zukunft höhere Exporte oder die Einsparung von Importen ermöglichen. In diesem Fall werden in der Phase wachsender Auslandsverschuldung Voraussetzungen für eine allmähliche Verbesserung der Leistungsbilanz geschaffen, so daß die zukünftige Auslandsschuld wieder geringer wird. Im Endergebnis bleibt das Land entweder in einer Nettoschuldnerposition, kann aber die relativ niedrige Auslandsschuld problemlos bedienen (halber Schuldenzyklus), oder es gelingt sogar, in dauerhafte Leistungsbilanzüberschüsse und in die Nettogläubigerposition eines Kapitalexportlandes hineinzuwachsen (voller Schuldenzyklus). Verschuldungsinstabilität entsteht, wenn Kapitalimporte nicht in Verwendungen fließen, die zum Abbau der Leistungsbilanzdefizite führen können (z. B. Finanzierung staatlicher oder privater Konsumausgaben durch Auslandskredite). In diesem Fall kann sich ein Teufelskreis von wachsender Auslandsschuld, infolge von Zinszahlungen zunehmenden Leistungsbilanzdefiziten und beschleunigtem Wachstum der Auslandsverschuldung entwickeln, der in eine Verschuldungskrise führt.

Symptome einer solchen Verschuldungskrise sind in den 80er Jahren bei einigen Schuldnerländern aufgetreten, die einseitig eine temporäre Einstellung von Zins- und Tilgungszahlungen erklärten (z. B. 1982 Mexiko, 1985 Peru, 1987 Brasilien) und damit zugleich auf Verhandlungen über Umschuldung (Umwandlung ausstehender Kredite in längere Laufzeiten mit tilgungsfreien Jahren und niedrigeren Zinsen) und Teilschuldenerlaß drängten. Die nun mit höheren Ausfallrisiken belasteten Auslandsforderungen der Gläubigerbanken wurden abgewertet. Banken, die aus diesen risikobehafteten Kreditengagements ganz oder teilweise ausscheiden wollten, boten ausstehende Auslandsforderungen zu weit unter dem Nennwert liegenden Preisen zum Verkauf an. Damit entwickelten sich Sekundärmärkte für Altkredite, auf denen gegen bestimmte Entwicklungsländer gerichtete (meist in US-Dollar denominierte) Forderungen mit Abschlägen von teilweise über 50 v. H. gekauft werden konnten.

Auf der Suche nach Auswegen aus dieser Verschuldungsproblematik (Sachs, 1989) zeichnen sich Programme einer konditionierten Schuldenerleichterung ab. So hat sich mit der Herausbildung von Sekundärmärkten das finanzielle Instrument der ,,debt for equity swaps" entwickelt (Bender, 1989). Diese bestehen in einem Angebot an ausländische Investoren, Altkredite zu einem weit unter dem Nennwert liegenden Kurs aufzukaufen, diesen Kreditvertrag sodann bei der Zentralbank des Schuldnerlandes mit einem geringeren Abschlag gegen die Schuldnerland-Währung einzutauschen und mit dem Verkaufserlös den Erwerb inländischer Produktionsanlagen oder bestimmte Direktinvestitionen (s. Abschnitt 4.5) zu finanzieren. Allerdings hängen die Erfolgsaussichten einer derartigen Schuldenstrategie nicht nur davon ab, in welchem Umfang Schulden in Eigenkapital umgewandelt werden. Entscheidend ist, daß das Schuldnerland die Schuldenerleichterung dazu nutzt, die eigentlichen Ursachen der Verschuldungsinstabilität wirksam zu bekämpfen. Einem solchen Konzept folgte der „Brady-Plan". Auf Initiative des damaligen US-amerikanischen Finanzministers Nicholas Brady werden seit 1989 für hochverschuldet Entwicklungsländer unter Beteiligung des Internationalen Währungsfonds (IWF) Schuldenerleichterungen in Aussicht gestellt. Danach kann das Schuldnerland einen Teil seiner IWF-Zahlungsbilanzkredite für den Rückkauf von Altschulden bei privaten ausländischen Banken verwenden. Voraussetzung dafür ist, daß mit dem IWF ein Stabilisierungs- und Strukturanpassungsprogramm vereinbart wurde und durchgeführt wird. Diese auf den jeweiligen Einzelfall zugeschnittene konditionierte Schuldenreduktion kommt zum Zuge, wenn umfassende Ursachentherapien eingeleitet werden, die von monetärer Inflationskontrolle und Verringerung staatlicher Haushaltsdefizite (Beitrag P-5.2) bis zu strukturpolitischen Maßnahmen (s. Abschnitt 4.1 und 4.4; Beitrag Q-3.1) und ordnungspolitischen Reformen (s. Abschnitt 3) reichen.

3. Ordnungspolitische Rahmenbedingungen ökonomischer Entwicklung

Alle Strategien zur Überwindung der Ursachen ökonomischer Unterentwicklung setzen Grundsatzentscheidungen über die ordnungspolitischen Rahmenbedingungen voraus. Als Organisationsmöglichkeiten stehen sich dezentralisierte, überwiegend marktwirtschaftlich gesteuerte Systeme mit privatem Unternehmertum und zentralisierte staatliche Planungs- und Lenkungssysteme mit sozialistischer Eigentumsverfassung gegenüber (Beitrag A–2.3).

Es wurde die These vertreten, marktwirtschaftliche Ordnung und Überwindung von Unterentwicklung seien nicht vereinbar (Rosenstein-Rodan, 1943; Myrdal, 1957). Geringe private Sparfähigkeit, mangelnde Leistungsmotivation, unzureichendes Unternehmerpotential, fehlende Infrastruktur und stark verzerrte Einkommens- und Vermögensverteilung machen nach dieser Auffassung staatliche Planung und einen staatlichen Unternehmenssektor unabdingbar. Hinzu tritt die Vermutung, sozio-kulturelle Normensysteme und Wertvorstellungen ließen in vielen Entwicklungsländern ökonomisch-rationale Verhaltensweisen nicht zur Entfaltung kommen (z. B. inverse Angebots- oder Nachfragereaktionen auf Preisänderungen). Daher wird die Funktionsfähigkeit von Märkten mit freier Preisbildung bezweifelt, so daß die Instabilität eines privatwirtschaftlichen Marktsystems staatliche Preispolitik notwendig mache.
Von Vertretern einer marktwirtschaftlichen Entwicklungspolitik wird dem entgegengehalten, daß zentralverwaltungswirtschaftliche Organisationsstrukturen nicht durch den Zustand der Unterentwicklung erzwungen werden. Dieser wird vielmehr durch ein System gefördert oder verstärkt, welches die zur Ersparnisbildung, Leistungsmotivation und zur Entfaltung unternehmerischer Initiativen erforderlichen Anreize, Entscheidungs- und Handlungsspielräume verweigert (Clapham, 1973; Dürr, 1977). Effiziente Entwicklungspolitik basiert nach dieser Auffassung auf einer angemessenen Kombination privatwirtschaftlicher Initiativen (innovative Investitionsentscheidungen, Ersparnisbildung aus Unternehmensgewinnen, Suche nach besser entlohnten Arbeitsplätzen) und staatlicher Gestaltung (staatliche Ersparnisbildung durch Steuerpolitik, staatliche Kapitalimporte, Aufbau einer wachstumsfördernden Infrastruktur, Bildungspolitik, Sozialpolitik). Die ordnungspolitische Aufgabe des Staates besteht dabei in der Sicherung der Rahmenbedingungen funktionsfähiger Güter- und Faktormärkte, der Überwachung des privaten Leistungswettbewerbs bei Garantie wirtschaftlicher Entscheidungsfreiheit privater Unternehmen und Haushalte sowie seinem Beitrag zur Entwicklung eines funktionsfähigen Systems von Kreditmärkten.

Neuere empirische Untersuchungen können belegen, daß die Bedingungen für die Funktionsfähigkeit einer dezentralisierten Wirtschaftsordnung marktwirtschaftlicher Prägung auch für Entwicklungsländer erfüllt sind:

- Länderstudien widerlegen die These des fehlenden Unternehmerpotentials (Leff, 1979), so daß kein Mangel an unternehmerischer Initiative, sondern eher ein Mangel an unternehmerischen Entfaltungsmöglichkeiten zu diagnostizieren ist.
- Die Wirksamkeit von Preisanreizen auf Produktion und Konsumverhalten ist meist gegeben, wie ökonometrische Analysen landwirtschaftlicher Sektoren von Entwicklungsländern nachweisen können (Askari/Cummings, 1976), so daß die Preisbildungsprozesse zahlreicher Gütermärkte sehr wohl funktionieren.
- Ländervergleichende empirische Analysen von Indikatoren der entwicklungspolitischen Ergebnisbilanz (s. Abschnitt 1.1) belegen, daß jene Länder (Beispiele: Kenia, Malaysia, Singapur, Südkorea, Taiwan, Thailand) die größten Entwicklungserfolge erzielt haben, deren Wirtschaftspolitik – wenngleich von staatlichen Interventionen begleitet – relativ marktwirtschaftlich orientiert war (Dürr, 1977; Morawetz, 1980; Jungfer, 1991).

Ein Übermaß an staatlicher Planung und Intervention, restriktive Einkommensbesteuerung, staatliche Allokation von Krediten zu niedrigen, der Sachkapitalknappheit nicht entsprechenden Zinssätzen und hohe Verstaatlichungsrisiken behindern die Entfaltung inländischer und ausländischer unternehmerischer Initiativen und privater Leistungsmotivation. Ergebnisse sind niedrige Investitionsquoten, unbefriedigende Arbeitsproduktivität, hohe Kapitalkoeffizienten und ein Klima, in dem die Fähigkeit zur effizienten privatwirtschaftlichen Nutzung des Kapitalbestandes nicht heranreifen kann.

4. Entwicklungspolitische Strategien der Entwicklungsländer

4.1. Wachstums- und Strukturpolitik

Ein Rückblick auf die entwicklungspolitische Kontroverse über die wirksamste Strategie zur Einleitung eines sich selbst tragenden Wachstumsprozesses mündet in die Einsicht, daß die Konzeptionen des ,,balanced growth" und des ,,unbalanced growth" nicht nur konkurrierende Alternativen darstellen, sondern auch sich ergänzende Elemente enthalten.

Ausgewogenes Wachstum

Die Vertreter der Doktrin des ,,balanced growth" (Rosenstein-Rodan, 1943; Nurkse, 1953; Lewis, 1955) sehen die Ursache für eine Stagnation auf niedrigem Entwicklungsniveau nicht in mangelnder Verfügbarkeit von Sparkapital sondern in geringer Investitionsneigung. Diese folgt aus der Enge der heimischen Absatzmärkte. Ihre geringe Aufnahmekapazität wird nur relativ wenigen und relativ kleinen Investitionsprojekten jene privatwirtschaftliche Rentabilität zusichern, die eine Bereitschaft zur Übernahme von Investitionsrisiken weckt. Eine Überwindung der Marktenge durch Investitionen in Sektoren mit wachsenden Exportmärkten erschließt keinen

Ausweg, da die traditionelle Exportstruktur mit hohem Primärgüteranteil – wie bereits dargestellt – nur ein schwaches Exportwachstum erwarten läßt. Die Lösung des Problems muß daher in einer Strategie des simultanen Wachstums zahlreicher Binnenmärkte gesucht werden, welche möglichst viele Sektoren der Endproduktionsstufe in ausgewogenem Verhältnis umfaßt. Der entscheidende Vorteil dieser Strategie wird darin gesehen, daß eine gleichzeitige Expansion mehrerer Sektoren jedem Bereich eine größere Zusatznachfrage garantiert und damit ein höheres Investitionsvolumen induziert als die isolierte Expansion eines Sektors. Die verstärkte Expansion der Binnenmärkte ermöglicht Kostensenkungen durch Betriebsgrößenwachstum (interne Ersparnisse). Darüber hinaus erzeugt jeder expandierende Konsumgütersektor eine Marktausweitung für Produkte anderer Konsumgütersektoren und Investitionsgüterbranchen, wodurch dort ebenfalls Potentiale für interne Ersparnisse freigesetzt werden (horizontale externe Ersparnisse). Schließlich werden die sich gegenseitig verstärkenden Wachstumsimpulse einer multisektoralen Expansion der Endproduktionssektoren auf die vorgelagerten Produktionsstufen übertragen, weil deren Absatzmärkte ebenfalls expandieren (vertikale externe Ersparnisse).

Das Konzept des ausgewogenen Wachstums verdeutlicht allerdings nicht, wie die Vielzahl sektoral diversifizierter Investitionsprogramme, die zur Einleitung eines solchen Wachstumsprozesses erforderlich sind, unter den Ausgangsbedingungen geringer Investitionsbereitschaft stimuliert werden kann. Das Problem besteht darin, Investitionsanreize, die erst als zukünftige Wirkung einer multisektoralen Expansion auftreten, bereits in der Gegenwart wirksam werden zu lassen, damit es überhaupt zu diesen Expansionsprozessen kommt. Hier divergieren die Auffassungen über die Rolle des Staates bei der Einleitung ausgewogener Wachstumsprozesse. Dezentrale, auf die Entfaltung von Privatinitiative gerichtete Lösungen empfahlen eine Initialzündung durch Subventionierung von Investitionsprojekten, während von anderen Vertretern der Strategie ausgewogenen Wachstums zentralverwaltungswirtschaftliche Lösungen empfohlen wurden.

Unausgewogenes Wachstum

Die Doktrin des „unbalanced growth" (Hirschman, 1958) knüpft an die genannten Schwierigkeiten einer Strategie des ausgewogenen Wachstums an. Nach Hirschman besteht der entscheidende Entwicklungsengpaß in der mangelnden Fähigkeit zur Investition, die auf das Fehlen dynamischer, innovativer Unternehmer zurückzuführen ist. Diese aber werden benötigt, um die schwierige und risikoträchtige Aufgabe der Investition in Wachstumsmärkte der Zukunft meistern zu können. Die knappe Ausstattung mit dem erforderlichen Humankapital – die im übrigen bürokratischen Investitionsentscheidungen die gleichen Grenzen setzt wie privatwirtschaftlichen Entscheidungen – erzwingt eine Konzentration des knappen Kapitalangebots auf wenige Investitionsprojekte.

Maßnahmen des Staates zur Investitionsförderung müssen also jene Projekte aufspüren, welche die größte entwicklungspolitische Effizienz erwarten lassen. Bei der Beurteilung förderungswürdiger Primärinvestitionen wird die Auffassung vertreten, daß Wachstumsdynamik eine Folge von Disproportionalitäten zwischen Angebot und

Nachfrage ist, also durch Marktungleichgewichte geschaffen wird. Bewirken Primärinvestitionen über die Rückwärtsverkettung des Wachstumssektors zunächst Nachfrageüberhänge auf vorgelagerten Produktionsstufen, so schaffen sie auch dort Gewinnchancen und damit Investitionsanreize, die den Expansionsprozeß in diese vorgelagerten Sektoren übertragen. Auf die gleiche Weise pflanzt sich dann der Wachstumsimpuls über weitere Disproportionalitäten auf die anderen Produktionsstufen fort. Bewirken die Primärinvestitionen andererseits über die Vorwärtsverkettung des wachsenden Sektors temporäre Angebotsüberhänge auf den die nachgelagerte Produktionsstufe beliefernden Märkten, so wird auch diese Inputverbilligung eine verbesserte Gewinnsituation der Abnehmer bewirken, die dort Investitionen rentabel machen kann.

Entwicklungspolitische Effizienz besitzen daher jene Projekte, die über Rückwärts- und Vorwärtsverkettungen die längsten und ihrerseits wiederum wachstumswirksamsten Investitionssequenzen auslösen. Da von der Rückwärtsverkettung eines Wachstumssektors längere Investitionssequenzen erwartet werden können, weil auf der jeweils vorgelagerten Stufe direkt ein wachsender Markt geschaffen wird, sind die geeigneten Investitionsschwerpunkte auf der Endproduktionsstufe zu suchen. Eine solche selektiv angelegte Strategie gestattet die optimale Nutzung des knappsten Faktors unternehmerischen Humankapitals, da die am Beginn einer Investitionssequenz stehenden Entscheidungen nicht nur die wichtigsten, sondern auch die schwierigsten sind. Diese können ein Wachstumsklima schaffen, das auch weniger dynamische und erfahrene Unternehmer zu Investitionsentscheidungen stimuliert und damit weiteres Entwicklungspotential entstehen läßt. Der Staat übernimmt im Rahmen dieser marktwirtschaftlichen Wachstumskonzeption die Aufgabe, nach erfolgter Selektion förderungswürdiger Projekte indirekte Anreize zur Vornahme von Primärinvestitionen einzusetzen und die dazu komplementäre Infrastruktur bereitzustellen.

Während die Strategie ausgewogenen Wachstums die Wachstumseffizienz gleichzeitiger Expansion aller Sektoren der horizontalen Produktionsstruktur betont, richtet sich das unausgewogene Wachstum auf die zeitliche Abfolge der Expansionsprozesse innerhalb einer vertikalen Produktionsstruktur. Wie die Analyse der vertikalen externen Ersparnisse zeigt, werden diese Zusammenhänge in Konzeptionen des ausgewogenen Wachstums keineswegs übersehen. Insofern kann die HIRSCHMAN-Konzeption durchaus in die NURKSE-Strategie einmünden, wenn es gelingt, eine hinreichende Zahl von Primärinvestitionsbereichen auf der Endproduktionsstufe zu aktivieren.

Industrialisierung und Entwicklung des Agrarsektors

Während Konzepte unausgewogenen Wachstums leicht in einseitige Industrialisierungsstrategien münden können, enthält die Konzeption einer ausgewogenen Wachstumspolitik auch das Ziel einer gleichzeitigen Entwicklung des landwirtschaftlichen Sektors (PRIEBE, 1983). Die Forderung nach landwirtschaftlicher Entwicklungspolitik läßt sich nicht mit dem Hinweis auf den größeren Beitrag des Industriesektors zur Entwicklungsdynamik entkräften. Im Verhältnis zum Agrarsektor weisen industrielle Sektoren stärkere Vor- und Rückwärtsverkettungen auf. Zwar folgt hieraus die entwicklungspolitische Führungsrolle der Industrialisierungsstrategie, jedoch darf dabei nicht übersehen werden, daß die Verflechtungen zwischen Industrie- und Agrarsektor auch eine landwirtschaftliche Wachstumsdynamik unverzichtbar machen. Auch wenn der Agrarsektor relativ schrumpfen wird (abnehmende Anteile an Wertschöpfung und Beschäftigung; Beitrag Q-1.3), muß er bei rückläufiger Zahl landwirtschaftlicher Erwerbstätiger eine positive Wachstumsrate aufweisen:

- Die industrielle Expansion führt zu einer wachsenden Inlandsnachfrage der Industrieunternehmen nach landwirtschaftlichen Vorleistungen (z. B. Veredelung von Agrarprodukten in Nahrungsmittelindustrien) und der im Industriesektor Beschäftigten nach landwirtschaftlichen Konsumgütern (nach Maßgabe der bei niedrigen Pro-Kopf-Einkommen noch relativ hohen Einkommenselastizitäten).
- Die – wenn auch in geringeren Raten – zunehmende Auslandsnachfrage nach Agrarprodukten sichert Exportmärkte, deren Bedienung zur Finanzierung industrieller Entwicklungsprogramme dringend benötigte Deviseneinnahmen erbringt.
- Weil der Agrarsektor somit einen wachsenden Überschuß der Gesamtproduktion über den Eigenverbrauch erwirtschaften muß, der zur Versorgung des Industriesektors und zur Erzielung von Exporterlösen benötigt wird, entstehen neue wachsende Absatzmärkte für Industrieerzeugnisse. Bei rückläufiger Beschäftigtenzahl kann nämlich die steigende Agrarproduktion in der Regel nur durch produktivitätssteigernde Technologien (Nutzfahrzeuge, Bewässerungsanlagen, Einsatz von Dünge- und Schädlingsbekämpfungsmitteln) und Reformmaßnahmen (Bodenreform, veränderte Betriebsgrößen und -formen) hervorgebracht werden. In Verbindung mit komplementären Infrastrukturinvestitionen (Verkehrswegebau, Energieversorgung) werden durch Einführung produktiverer Agrartechnologien neue Arbeitsplätze im sekundären und tertiären Sektor (Reparatur- und Handelsbetriebe) geschaffen, die zum Teil in den ländlichen Regionen angesiedelt sind und damit der bei dualistischer Wirtschaftsstruktur (s. Abschnitt 1.2) drohenden Umwandlung versteckter ländlicher in offene städtische Arbeitslosigkeit vorbeugen können.

Einerseits wird somit durch simultane Entwicklung des Agrarsektors auch die industrielle Wachstumsdynamik verstärkt (SCHÄFER, 1983, 2). Andererseits werden einseitige Industrialisierungsstrategien eine Stagnation oder gar Rückbildung der landwirtschaftlichen Produktion zu einer reinen Subsistenzwirtschaft herbeiführen, wenn die durch Mindestpreispolitik niedrig gehaltenen Agrarpreise Anreize zur Produktionssteigerung blockieren (SCHÄFER, 1983, 1). Da im Gefolge der industriellen Expansion auch die Inlandsnachfrage nach Agrarerzeugnissen wächst, kann sich hierdurch tendenziell eine Importabhängigkeit bei wichtigen Nahrungsmitteln herausbilden. Neue außenwirtschaftliche Entwicklungshemmnisse wären die Folge. Vermeidung solcher Fehlentwicklungen muß Grundlage einer strukturpolitisch ausgewogenen Industrialisierungspolitik sein.

4.2. Autozentrierte Entwicklung versus weltwirtschaftliche Integration

Nicht nur die binnenwirtschaftliche Ausgestaltung der Entwicklungspolitik, sondern auch ihre außenwirtschaftliche Komponente ist Gegenstand wissenschaftlicher Kontroversen. Der Streit, ob die Außenwirtschaftspolitik der Entwicklungsländer gegenüber den Industrieländern auf erhebliche Verminderung der Austauschverflechtungen (weltwirtschaftliche Desintegration) oder auf Intensivierung dieser Beziehungen (weltwirtschaftliche Integration) zu richten ist, beruht dabei wiederum auf kontroversen kausalen Interpretationen der Unterentwicklung (SAUTTER, 1976).

Autozentrierte Entwicklungsstrategien, welche die Entwicklungspolitik zur Rückbesinnung auf die eigenen Wachstumskräfte („self reliance") mahnen, interpretieren das bestehende Gefüge außenwirtschaftlicher Beziehungen mit Industrieländern als Einbindung der Entwicklungsländer in ein System einseitiger Abhängigkeit (SUNKEL, 1969; DOS SANTOS, 1972; SENGHAAS, 1977; AMIN, 1981). Die durch die lateinamerikanische Dependencia-Theorie geprägte Ursachenanalyse der Unterentwicklung betont die entwicklungshemmenden Auswirkungen einer komplementären internationalen Arbeitsteilung, wobei von den historischen Wurzeln dieser Austauschstruktur ausgegangen wird. Da sich diese in der kolonialen Epoche dadurch herausbildete, daß die industrialisierten Mutterländer in ihren Kolonien eine zu der eigenen Produktionsstruktur komplementäre (und ihren Interessen dienende) Ökonomie entwickelten, setzen sich nach dieser Auffassung die Auswirkungen der kolonialistischen Epoche in dieser bis heute erhaltenen Arbeitsteilung fort. Die geringe Wandlungsfähigkeit, welche die Außenhandelsstruktur in der Vergangenheit gezeigt hat, führt auf diese Interpretationsebene zu der These, daß die durch die Außenhandelspolitik der Industrieländer konservierten Strukturen lediglich eine Fortsetzung kolonialistischer Ausbeutung in anderer Form implizieren. Als Begründung werden bestimmte Abhängigkeitsthesen entwickelt, die im Prinzip auf eine Verabsolutierung der bereits erörterten außenwirtschaftlichen Entwicklungsrestriktionen hinauslaufen:

- Das Wirtschaftswachstum in Entwicklungsländern ist bloßer Reflex des Industrieländer-Wachstums, der aber wegen niedriger Einkommenselastizitäten und geringer Rückwärtsverkoppelung der Primärgütererzeugung nur unzureichende Wachstumsübertragungseffekte freisetzt.
- Entwicklungsländer stehen auf ihren Import-Beschaffungsmärkten der Marktmacht oligopolistischer Konzerne gegenüber, während sie sich auf ihren Export-Absatzmärkten intensiver Konkurrenz durch Erzeugnisse anderer Entwicklungsländer oder von Industrieländern ausgesetzt sehen. Folge dieser unausgewogenen Marktstrukturen ist, daß die Beschaffungspreise und Absatzkonditionen vielfach von den Entscheidungen der (zum Teil als multinationale Konzerne strukturierten) Industrieländer-Unternehmen abhängen und deshalb zu Ungunsten der Entwicklungsländer verzerrt werden.
- Konsequenz zu geringen Wachstums und ungünstiger internationaler Preisrelation ist eine starke Verschuldung der Entwicklungsländer gegenüber den Industrieländern. Die bei hohem und rasch wachsendem Importbedarf aus unzureichendem Exportwachstum und ungünstigen terms of trade folgende Nettoauslandsverschuldung wird somit zum Indikator der Dependenz und liefert eine empirische Basis der Dependencia-Theorie (SUNKEL, 1969).

Wird der Außenhandel auf diese Weise als Ursache der Unterentwicklung identifiziert, so ergibt sich hieraus die entwicklungspolitische Empfehlung einer „Abkoppelungsstrategie", die über eine allmähliche Ausgliederung aus der weltwirtschaftlichen Arbeitsteilung mit Industrieländern eine binnenmarktorientierte Entwicklung bei gleichzeitiger Intensivierung der Handelsbeziehungen zwischen Entwicklungsländern anstreben soll. Zielsetzung dieser Ausgliederungskonzeption ist eine Senkung der Export-, Import- und Kapitalimportquoten im Verkehr mit den Industrieländern, während eine binnenmarktorientierte Strategie einen Produktionsapparat aufbauen soll, der die auf relativ einfache, arbeitsintensive Produktionsmethoden gestützte Erzeugung einer möglichst gering differenzierten Konsumgüterpalette zur Aufgabe hat.

Diese aus dependenztheoretischen Analysen entwickelte Konzeption kann zwar für sich in Anspruch nehmen, den Blick auf mögliche historische Wurzeln der Unterentwicklung und die hiermit verbundenen außenwirtschaftlichen Entwicklungshemmnisse zu lenken. Dem Anspruch, eine grundsätzliche Lösung des Entwicklungsproblems anzubieten, kann sie jedoch nicht genügen. Die Skepsis der Vertreter autozentrierter Entwicklungsstrategien gegenüber außenhandelsorientierten entwicklungspolitischen Konzeptionen wird zumeist durch traditionelle Denkmuster der statischen Theorie der komparativen Kosten gestützt. Es erfolgt weder eine Auseinandersetzung mit den entwicklungspolitischen Folgerungen aus neuen dynamischen Außenhandelstheorien (Beitrag I–3.3), noch wird schlüssig nachgewiesen, daß Binnenmarktorientierung entwicklungspolitisch effizient ist (s. Abschnitt 4.3). Für die meisten Entwicklungsländer wäre wohl im Gegenteil zu befürchten, daß sie auf jene ungünstigen Ausgangsbedingungen interner Kapitalbildungshemmnisse zurückgeworfen werden, die sich bereits als wesentliche Ursache der Unterentwicklung erwiesen haben.

Die Position der außenwirtschaftsorientierten Entwicklung (Balassa, 1970, 1981) geht im Gegensatz zu dieser Auffassung von der Transformierbarkeit der Außenhandelsstruktur in ein System substitutiver Arbeitsteilung aus. Sie richtet sich auf steigende Industriegüter-Exportquoten bei gleichzeitiger Förderung ausländischer Direktinvestitionen, die entwicklungshemmende Auswirkungen außenwirtschaftlicher Beziehungen beseitigen sollen. Die These, historisch gewachsene Außenhandelsstrukturen seien Ursache der Unterentwicklung, wird so mit ihrer entwicklungspolitischen Antithese konfrontiert: Wandlungen der Welthandelsstruktur in Richtung eines steigenden Industriegüteranteils an den Entwicklungsländer-Exporten führen zu steigender Außenhandelsintensität, die bislang nicht genutzte Entwicklungskräfte exportgetriebenen Wachstums freisetzen soll. Zahlreiche empirische Studien dokumentieren die relative Überlegenheit dieser Strategie. Außenorientierte Entwicklungsländer (z. B. Singapur, Südkorea, Taiwan) haben in den vergangenen 25 Jahren niedrigere Kapitalkoeffizienten, stärkeres Exportwachstum und hierdurch höhere Sozialprodukt-Wachstumsraten erzielt als die relativ binnenorientierten Entwicklungsländer (z. B. Argentinien, Indien, Philippinen), die ihre Handelspolitik auf Importsubstitution ausrichteten (Laux-Meiselbach, 1989).

4.3. Importsubstitution

Importsubstitution umfaßt jene entwicklungspolitischen Instrumente, die auf eine Ersetzung von Importen durch Inlandserzeugung gerichtet sind. Da die Importstruktur der Entwicklungsländer durch hohe Industriegüteranteile gekennzeichnet ist, wird Importsubstitution vielfach auch als binnenwirtschaftsorientierte Strategie der Industrialisierung und der Verminderung von Importabhängigkeiten angesehen.

Für viele Entwicklungsländer des lateinamerikanischen und asiatischen Raumes bestand die Attraktivität dieser in den 50er und 60er Jahren sehr verbreiteten Strategie in der vermeintlichen Problemlosigkeit einer Industrialisierungspolitik, die den Markt zur Aufnahme der angestrebten Binnenproduktion nicht erst aufbauen muß. Erwartet wird hiervon die gleichzeitige Erfüllung wachstums-, beschäftigungs- und zahlungsbilanzpolitischer Ziele:

- Der in der Regel mit Konsumgüterimportsubstitution beginnende Aufbau einer Produktionsstruktur mit höherem Industriegüteranteil kann über Rückwärtsverkettungen wesentlich stärkere sekundäre Wachstumsimpulse freisetzen als die Expansion des primären Sektors.
- Die Schaffung zusätzlicher Arbeitsplätze in aufstrebenden Industriesektoren mindert ebenso die versteckte Arbeitslosigkeit in der Landwirtschaft – und erhöht damit die Produktivität des Agrarsektors – wie sie zur Verminderung der offenen Arbeitslosigkeit in den Städten beiträgt.
- Die durch Konsumgüterimportsubstitution induzierten Devisenersparnisse bedingen eine Ausweitung der Importkapazität, die zur Verminderung der Kapitalimportabhängigkeit oder zur Erhöhung der Kapitalgüterimportquote genutzt werden kann. Ergibt sich als Folge rückläufiger Importnachfrage der Entwicklungsländer sogar eine tendenzielle Verbesserung ihrer terms of trade, so wird der Importkapazitätseffekt weiter verstärkt.

Das Instrumentarium zur Einleitung solcher interdependenten Wachstums-, Beschäftigungs- und Zahlungsbilanzeffekte der Importsubstitution läßt sich im wesentlichen unter dem Sammelbegriff des Entwicklungsprotektionismus erfassen: Temporäre oder dauerhafte effektive Protektion (Beitrag I-4.1.1) inländischer Anbieter durch Importzölle oder nicht-tarifäre Importbeschränkungen und künstliche Verbilligung notwendiger Einfuhrgüter durch einen überbewerteten Wechselkurs der Landeswährung. Die Importsubstitutions-Strategie findet dabei weitere Stützung durch folgende Protektionismus-Argumente:

- Wegen eines über dem Grenzprodukt liegenden Durchschnittslohns im Agrarsektor muß der Industriesektor zur Attraktion von Arbeitskräften überhöhte Nominallöhne zahlen. Daher ist dessen Schutz durch Zölle erforderlich, um über höhere Inlandspreise von Industrieprodukten jenes niedrigere Reallohnniveau durchzusetzen, das eine kräftige Produktions- und Beschäftigungsexpansion dieses Sektors erst ermöglicht (Schutzzoll-Argument).
- Relativ junge inländische Industriezweige sind noch nicht in hinreichend große Absatzmärkte hineingewachsen, die optimale Betriebsgrößen und daraus folgende komparative Kostenvorteile erlauben. Auch wird bezweifelt, ob die unternehmerische Fähigkeit zur Einführung von Neuerungen unter dem Druck des internationalen Wettbewerbs überlegener Auslandsanbieter überhaupt zur Entfaltung kommen kann. Daher ist eine Phase der temporären effektiven Protektion notwendig, damit die betreffenden Industrien durch Wachstums- und Lernprozesse, die internationaler Wettbeweb bei Freihandel verweigern würde, economies of scale nutzen, zukünftige Kostenvorteile vorbereiten und unternehmerisches Innovations- und Managementpotential aufbauen können ((Erziehungszoll-Argument, Beitrag I–4.1.2).
- Importe können auch dadurch ersetzt werden, daß ausländische Lieferanten Standortverlagerungen in das Entwicklungsland vornehmen, um den bisherigen Markt-

anteil durch Produktion hinter der Zollmauer aufrechtzuerhalten. Deshalb erscheinen Schutzzölle als wirksames Instrument zur Attraktion ausländischer Direktinvestitionen (Direktinvestitions-Argument).

Die Problematik der Importsubstitutionspolitik besteht vor allem in der Gefahr eines auf lange Sicht zu geringen entwicklungspolitischen Erfolgsgrades. Die Auswertung der Erfahrungen lateinamerikanischer Importsubstitutionspolitik führt viele Autoren zu einer negativen Beurteilung dieser Strategie (LITTLE/SCITOVSKY/SCOTT, 1970; BALASSA u. a., 1971; BALASSA, 1981). Importbeschränkungen bewirken überhöhte Preise industrieller Erzeugnisse. Sie verzerren die Preisstruktur zugunsten des inländischen Importkonkurrenzsektors und induzieren auf diese Weise eine Überdimensionierung dieses Sektors. Die hiermit verbundene suboptimale Allokation knapper Produktionsfaktoren mindert die gesamtwirtschaftliche Produktivität und behindert die Expansion des Exportsektors (Beitrag I-4.1). Da Zwischenprodukt- und Kapitalgüterimportsubstitution wichtige Einsatzfaktoren verteuern, wird zudem der Aufbau international wettbewerbsfähiger Exportindustrien erschwert. Oftmals produzieren die hinter protektionistischen Mauern errichteten inländischen Importsubstitutionsindustrien zu vergleichsweise überhöhten Kosten und unter zu geringem Wettbewerbsdruck, so daß sie weder preispolitisch noch mit ihren Produktqualitäten internationale Wettbewerbsfähigkeit erlangen. Ergebnis ist ein die inländischen Nachfrager belastender Dauerschutz, der diese Industrien künstlich am Leben hält.

Weitere Mängel ergeben sich aus der Unfähigkeit einer binnenmarktorientierten Importsubstitution, in relativ kleinen Volkswirtschaften eine dauerhafte Wachstumsbeschleunigung durchzusetzen. Dem zeitweilig höheren Wachstumstempo droht bei nur begrenzt wachsendem Binnenmarkt wieder eine Verlangsamung zu folgen, so daß keine nachhaltige Erhöhung des Realeinkommenswachstums zustande kommt. Berücksichtigt man ferner, daß es sich bei den zu ersetzenden Importen oft um Industrieprodukte handelt, die unter hoher Fixkostenbelastung mit kapitalintensiven Methoden erzeugt werden, so bleiben die neugeschaffenen Betriebseinheiten weit von den optimalen Betriebsgrößen der verdrängten Auslandsproduzenten entfernt und die erhofften Beschäftigungseffekte zudem gering. Schließlich erscheint es zweifelhaft, ob Importsubstitution aus der Sicht zahlungsbilanzpolitischer Ziele eine wirksame Alternative zur Exportförderung darstellt. Erfaßt man die durch Importsubstitutionen induzierten zusätzlichen Importe, so kann sich zeigen, daß langfristig keine wesentliche Verminderung der Importabhängigkeit gelingt, weil höhere Importquoten an Kapitalgütern, Zwischenprodukten und Rohstoffen notwendig sind. Der binnenmarktorientierte Industriesektor erzielt somit kaum Deviseneinnahmen, löst aber relativ hohe Devisenaufwendungen aus.

4.4. Exportdiversifizierung

Außenwirtschaftsorientierte Entwicklungsstrategien richten sich auf Förderung des Wachstums traditioneller Exportsektoren oder die Entwicklung neuer Exportzweige im sekundären Sektor. Sie erstreben mithin eine gezielte Anhebung der Exportquote. Nachdem bereits das geringe Entwicklungspotential traditioneller Primärgüterexporte festgestellt wurde, kann nur die Strategie der Exportdiversifizierung einen

Ausweg weisen: Überwindung der einseitigen Ausrichtung der Exportaktivitäten auf wenige Produkte durch Verbreiterung des Exportsortiments und Aufbau einer Exportstruktur mit höherem Industriegüteranteil. Kennzeichen der Exportdiversifizierung sind also eine vergrößerte Anzahl industrieller Exportprodukte und die verstärkte Integration der Entwicklungsländer in eine substitutive internationale Arbeitsteilung (FELS, 1971; DONGES, 1971).

Importsubstitution und Exportdiversifizierung dürfen nicht als stets konkurrierende Industrialisierungsstrategien angesehen werden. Für die meisten Entwicklungsländer waren nämlich die Startbedingungen einer erfolgversprechenden exportgetriebenen Wachstumspolitik (Unternehmerpotential, Kenntnisse der Auslandsmärkte, qualifizierte Arbeitskräfte) nicht hinreichend erfüllt. In den Anfangsphasen waren viele Entwicklungsländer deshalb auf Industrialisierung durch Importsubstitution angewiesen, weil Unternehmer mangels hinreichender Information über Auslandsmärkte sich zunächst auf den Binnenmarkt konzentrieren mußten, der durch die zu verdrängenden Importe bereits erschlossen war. Erfolgreiche Importsubstitutionspolitik kann dabei aber langfristig die Voraussetzungen schaffen, die in einer späteren Industrialisierungsphase Exportdiversifizierung möglich machen. Sie müßte daher solchen Sektoren Priorität einräumen, die nach Abschluß der Importsubstitutionsphase Exportchancen besitzen, weil komparative Kostenvorteile existieren oder durch steigende Skalenerträge (Beitrag I–3.2.1) erschlossen werden.

Entwicklungspolitische Erfahrungen zahlreicher Länder belegen, ebenso wie die Entwicklungsgeschichte der hochindustrialisierten Länder, daß Exportdiversifizierung aus einer vorlaufenden Phase der Importsubstitution resultieren kann (HOFFMANN, 1970). An Stelle der vermeintlichen Alternative „Importsubstitution versus Exportdiversifizierung“ tritt somit das Konzept „Exportdiversifizierung durch Importsubstitution“, das die Umwandlung von Importsubstitutionssektoren in Exportindustrien anstrebt. Es lassen sich demgegenüber jedoch auch Fälle nachweisen (z. B. Schiffsbau in Korea, photographische Ausrüstungen in Singapur, elektronische Ausrüstungen in Taiwan), in denen der erfolgreiche Aufbau von Exportsektoren ohne Importsubstitutionspolitik gelang (BALASSA, 1981).

Die Selektion der potentiell exportfähigen Branchen, auf die Förderungsmaßnahmen zu konzentrieren sind, orientiert sich an den Spezialisierungskriterien der Faktorproportionen- und Produktzyklus-Theorie (Beitrag I-3.1; I-3.3) sowie an den Einkommenselastizitäten der jeweiligen Produktgruppen (FELS, 1971). Entwicklungsländer besitzen gegenüber Industrieländern relativ wenig Sach- und Humankapital, verfügen aber über günstige Ausstattungsrelationen bei Arbeitsleistungen mit geringem Gehalt an Ausbildungskapital. Infolge relativ niedriger Reallohnniveaus ungelernter oder angelernter Arbeitskräfte werden sie daher komparative Kostenvorteile in solchen Produktionszweigen aufweisen oder entwickeln können, welche diese reichlich vorhandenen Produktionsfaktoren intensiv nutzen, ohne daß ihre internationalen Produktivitätsnachteile diese Lohnvorteile überkompensieren.

In der Anfangsphase industrieller Entwicklung stehende Länder sollten daher zunächst den (in bezug auf die heimische Ressourcenbasis) rohstoffintensiven und arbeitsintensiven Industrieprodukten, deren Herstellungsprozeß relativ wenig Ausbildungskapital benötigt, die höchste Priorität einräumen (z. B. Lederverarbeitung,

Schuhe, Textilien, Bekleidung, Glaserzeugnisse, Keramik). Länder, die bereits die Importsubstitutionsphase und hiermit verbundene Lernprozesse der Industrialisierung durchlaufen haben, können aufgrund ihrer Lohnkostenvorteile auch die Exportproduktion in kapitalintensiveren Zweigen aufnehmen, die Arbeitskräfte höheren Qualifikationsniveaus benötigen, ihre Produkte aber mit relativ einfachen, ausgereiften Techniken herstellen. Solche Produktionsbedingungen sind für Erzeugnisse typisch, die sich in der Ausreifungs- und Standardisierungsphase ihres Lebenszyklus befinden (z. B. Möbelerzeugung, Elektrotechnik, Feinmechanik, Photoindustrie, Uhrenindustrie, Eisen- und Stahlverarbeitung). Die meisten Produkte dieser zweiten Kategorie weisen hinreichend hohe Werte der Einkommenselastizitäten auf, während die Einkommenselastizitäten einiger Produkte der ersten Kategorie (z. B. Textilien und Bekleidung, Schuhe) mit steigendem Pro-Kopf-Einkommen auf unter Eins liegende Werte sinken können (FELS, 1971, S. 39).

Eine langfristig angelegte Entwicklungsstrategie der weltwirtschaftlichen Integration sollte in der Lage sein, jene breite Exportstruktur aufzubauen, deren höhere durchschnittliche Einkommenselastizität eine wesentlich wirksamere Anbindung an das Einkommenswachstum der Industrieländer gestattet als die traditionelle Exportstruktur. Das diese Strukturwandlungen begünstigende Förderungsinstrumentarium besteht in Exportsubventionen bzw. Steuervergünstigungen für Exporte, Zinssubventionen für Exportkredite, Abbau exporthemmender Importrestriktionen und Beseitigung der Überbewertung des Wechselkurses der heimischen Währung sowie einer wirksamen Inflationskontrolle durch stabile makroökonomische Rahmenbedingungen (stabilitätsorientierte Geldpolitik, fiskalische Disziplin).

Im allgemeinen wird von dieser Strategie eine bessere Erfüllung entwicklungspolitischer Ziele erwartet als dies eine binnenmarktorientierte Importsubstitution ermöglicht:

- Sie wird zu dauerhaft höheren Zuwachsraten des Sozialprodukts beitragen, ohne daß ein vorzeitiges Erlahmen der Wachstumsdynamik zu befürchten ist.
- Aus diesem Grunde werden auch die Beschäftigungseffekte des Industrialisierungsprozesses größer sein, vor allem wenn das Spezialisierungskriterium der Arbeitsintensität im Vordergrund steht.
- Auf lange Sicht ist mit steigender Ausdehnung der Importkapazität bzw. Abbau der Devisenlücke zu rechnen, weil den Nettodevisenersparnissen der Importsubstitutionsphase Netto-Devisenzuflüsse in der Exportdiversifizierungsphase folgen.
- Ein erfolgreich eingeleitetes Programm der Exportdiversifizierung ermöglicht den schrittweisen Eintritt in den internationalen Wettbewerb eines Freihandelssystems. Die allmähliche Beseitigung zollinduzierter Preisverzerrungen erschließt somit Produktivitätsgewinne aus verbesserter Faktorallokation.

Um diese Erfolgsbedingungen der Exportdiversifizierung zu sichern, müßten zuvor folgende Probleme gelöst werden:

- Es muß verhindert werden, daß exportorientierte Importsubstitution in den verschiedenen Entwicklungsländern identische Branchenstrukturen entstehen läßt, weil dann nach Eintritt in die Exportphase dem einzelnen Land nur begrenzte Exportmöglichkeiten offenstehen, und der intensive Wettbewerb einer zu großen Anzahl von Anbietern die terms of trade zu verschlechtern droht. Eine zu einseitige Ausrichtung der Spezialisierung (z. B. auf die Textilindustrie) würde die Möglichkeiten dieser Strategie somit nur unzureichend ausschöpfen. Sie entspräche aber auch nicht dem Diversifikationskonzept, das eine Spezialisierung auf industrielle Exportprodukte anstrebt, die den komparativen Vorteilen des Landes entsprechen.

- Die mit dem Abschluß der Importsubstitutionsphase angestrebte Ausdehnung der Absatzgebiete in den Weltmarkt stößt auf größere Schwierigkeiten als die Bedienung des Binnenmarktes, da eine mit den Konkurrenten in Industrieländern vergleichbare Markterschließungs- und Absatzorganisation meist fehlt. Diese Konkurrenznachteile könnten durch staatliche Übernahme von Kosten der Informationsbeschaffung und des Exportmarketing oder durch Kooperation mit einem ausländischen Partner (z. B. joint venture) ausgeglichen werden.
- Im Fall überdurchschnittlich hoher Inflationsraten eines Entwicklungslandes muß deren exporthemmende Wirkung durch gleitende Abwertung der Inlandswährung neutralisiert werden.
- Exportdiversifizierung wird allerdings – wie jede Industrialisierungspolitik – mit hohem Kapitalimportbedarf verbunden sein. Daher ist zu prüfen, ob anstelle der Finanzierung dieses Kapitalbedarfs durch Auslandsverschuldung die Förderung ausländischer Direktinvestitionen eine überlegene Alternative außenwirtschaftsorientierter Entwicklungspolitik darstellt.

4.5. Direktinvestitionen und Technologietransfer

Eine wachstumsfördernde Erhöhung des Realkapitalbestandes in Entwicklungsländern durch ausländische Direktinvestitionen kann über Standortverlagerungen, Unternehmensgründungen oder Erwerb von Kapitalbeteiligungen an neu errichteten Unternehmen erfolgen. Zur Beurteilung der Frage, ob sich die gezielte Förderung solcher Direktinvestitionen als brauchbares entwicklungspolitisches Instrument erweisen kann, sollte einerseits bezüglich der Bestimmungsgründe zwischen absatzorientierten (binnenmarkt- oder exportorientiert) und beschaffungsorientierten Direktinvestitionen (Hemmer, 1972), andererseits bezüglich der Wirkungen zwischen importsubstituierenden, Inlandsangebot substituierenden und angebotsdiversifizierenden Projekten unterschieden werden. Hierbei ist zu beachten, daß die Gründung inländischer Tochtergesellschaften durch ausländische (meist vertikale oder konglomerate) Konzerne mit hohem internationalen Kapitalverflechtungsgrad (multinationale Konzerne) oder die Gründung von Gemeinschaftsunternehmen mit aus- und inländischer Kapital- und Leitungsbeteiligung (joint venture) bei Direktinvestitionen eine wichtige Rolle spielen.

Als Entwicklungsbeitrag ausländischer Direktinvestitionen wird ihre Fähigkeit hervorgehoben, den Abbau der drei elementaren „Entwicklungslücken" (technologische Lücke, Ersparnislücke und Devisenlücke) zu fördern (MacDougall, 1960; Lall, 1974):

- Der technologische Rückstand kann vermindert werden, weil ausländische Direktinvestitionen einen Zustrom an Kapitalgütern mit einem Zufluß des zur effizienten Nutzung dieses Kapitalbedarfs erforderlichen technischen und organisatorischen

Wissens (moderne Produktionstechnologien, Management, technische Intelligenz) verbinden. Die simultane Einfuhr von Geld-, Sach- und Humankapital läßt somit gegenüber kapitalimportfinanzierten heimischen Investitionsprojekten ein rascheres Produktivitätswachstum und modernere Technologien erwarten (Direktinvestitionen als Mittel des Technologietransfers).

- Die Lücke zwischen Investitionsbedarf und zu geringer interner Ersparnisbildung wird vermindert, wenn ausländische Direktinvestoren ihre Investitionsprojekte durch Absorption ausländischer Ersparnisse finanzieren. Jedoch könnten auch die durch Kapitalimporte finanzierten inländischen Investitionsprojekte den gleichen Beitrag zur Schließung dieser Ersparnislücke leisten. Hier ergibt sich eine unterschiedliche Beurteilung beider Alternativen erst dann, wenn ausländische Direktinvestoren Teile der knappen Ersparnisbildung im Entwicklungsland absorbieren und damit die Finanzierungsmöglichkeiten für heimische Investitionsprojekte verschlechtern.
- Zur Verminderung der Devisenlücke werden die Kapitalimporte ausländischer Direktinvestoren beitragen, wenn diese im Inland zu Güterkäufen verwendet werden. Obwohl der weitaus größere Teil dieser Devisenzuflüsse durch Kapitalgüter- und Vorleistungsimporte gebunden werden dürfte, sind zusätzlich positive Zahlungsbilanzwirkungen zu erwarten, wenn die Direktinvestitionen zu höheren Exporten oder reduzierten Importen beitragen. Lediglich binnenmarktorientierte, Inlandsangebot substitutierende Direktinvestitionen leisten daher geringe Beiträge zum Abbau der Devisenlücke. Von diesem Fall abgesehen, werden aber vergleichbare kapitalimportfinanzierte inländische Investitionsprojekte gleiche Zahlungsbilanzeffekte aufweisen. Potentielle Nettovorteile der Förderung von Direktinvestitionen werden erst langfristig sichtbar, wenn die zukünftigen Zahlungsbilanzbelastungen durch Gewinnrückflüsse in die Mutterländer der Direktinvestoren geringer sind als die mit der Finanzierung vergleichbarer heimischer Investitionsprojekte verbundenen Schuldendienstabflüsse ins kapitalgebende Ausland. Dies ist jedoch nicht unbedingt gewährleistet. Auch zukünftige Gewinntransfers können die laufenden Kapitalimporte überschreiten, so daß die Förderung ausländischer Direktinvestitionen die Gefahr außenwirtschaftlicher Entwicklungshemmnisse nicht eindeutig beseitigt.

Als wesentliche Beiträge der Direktinvestitionen zur Erfüllung des entwicklungspolitischen Zieles sind daher vor allem ihre Wachstums- und Beschäftigungseffekte hervorzuheben.

Unmittelbare einkommenssteigernde Wirkungen ergeben sich, wenn das durch Direktinvestitionen induzierte Produktivitätswachstum über steigende Entlohnung heimischer Produktionsfaktoren oder sinkende Güterpreise in Wachstum der realen Inländereinkommen umgesetzt wird.

Mittelbare Wachstumswirkungen ergeben sich aus rückwärtigen Wachstumsimpulsen auf vorgelagerte heimische Produktionssektoren und aus den externen Vorteilen ausländischer Direktinvestitionen. Die absorbierten inländischen Arbeitskräfte werden mit hochentwickelten Produktionstechnologien, Produktqualitäten und Management-Techniken vertraut gemacht, und es werden Lernprozesse eingeleitet, die langfristig das durchschnittliche Qualifikationsniveau des inländischen Arbeitspotentials verbessern können und dabei dem Entwicklungsland zur Einsparung sonst erforderlicher Ausbildungsinvestitionen verhelfen. Das durch den Direktinvestor aufgebaute technische Wissen und ökonomische Fähigkeitspotential kann in der Folgezeit auch für andere inländische Produktionssektoren verfügbar sein und somit eine Intensivierung und Diffusion technischen Fortschritts ermöglichen. Auf diese Weise könnten die Entwicklungshemmnisse beschränkter Imitationsfähigkeit und begrenzter Innovationskapazität allmählich überwunden werden.

Dem Beschäftigungsziel dienen Direktinvestitionen dann, wenn ihre direkten Wachstumseffekte Arbeitsplätze schaffen, ohne gleichzeitig durch Verdrängung vorhandener oder potentieller Inlandsanbieter Arbeitsplätze zu vernichten. Positive Beschäftigungseffekte setzen also importsubstituierende oder angebotsdiversifizierende Direktinvestitionen voraus. Weitere Beschäftigungsimpulse folgen aus den indirekten Wachstumswirkungen der Rückwärtsverkettungen von Direktinvestitionen mit inländischen Produktionsbetrieben.

Unter bestimmten Bedingungen können Direktinvestitionen aber auch zu einer Quelle von Fehlentwicklungen werden, die sich in negativen Einkommens- und Beschäftigungswirkungen äußern (LALL/STREETEN, 1977).

So wird darauf verwiesen, daß ein überhöhter Teil der produktivitätssteigernden Wirkungen der Direktinvestitionen in einer Erhöhung des realen Bruttoinlandsproduktes besteht, die durch Gewinnausschüttungen in die Länder der Direktinvestoren abfließt und sich nicht in ein Wachstum des realen Pro-Kopf-Einkommens im Entwicklungsland umsetzt (HEMMER, 1972; TAYLOR, 1979). Dies ist nur in jenem Umfang gesichert, in dem zusätzliche inländische Arbeitskräfte beschäftigt, Gewinne im Inland investiert und höhere Staatseinnahmen aus Gewinnbesteuerung induziert werden. Allerdings ist im Einzelfall zu prüfen, wann Gewinnrepatriierung als „überhöht" zu gelten hat, und ob nicht hohe Gewinnrückflüsse mangelnde Reinvestitionsmöglichkeiten – also Mißerfolge der Kapitalimportpolitik – reflektieren.

Neben diesen offenen Gewinntransfers verfügen vertikal konzentrierte multinationale Konzerne über Möglichkeiten, den Anteil ihres im Entwicklungsland einkommenswirksam werdenden Wertschöpfungsbeitrags durch preispolitische Methoden des verdeckten Gewinntransfers (transfer pricing) zu vermindern. Durch konzerninterne Verrechnung von gegenüber den Weltmarktpreisen überhöhten oder unterbewerteten Preisen für Vorleistungskäufe von oder Verkäufe an Konzerngesellschaften lassen sich Gewinne in das Land mit der geringsten Steuerbelastung verlagern, so daß mit transfer pricing steuerpolitische Versuche des Entwicklungslandes durchkreuzt werden können, einen größeren Teil des Wertschöpfungsbeitrags von Direktinvestitionen der Inlandsverwendung zuzuführen. Daneben bleiben indirekte Wachstumseffekte vertikal konzentrierter Unternehmen gering, wenn exportorientierte Direktinvestitionen dieser Konzerne in Rohstoffgewinnung, Weiterverarbeitung oder Fertigwarenproduktion nur relativ schwache Verkettungen mit heimischen Produktionsbereichen aufweisen („Exportenklaven").

Zudem kann die zusätzliche Beschäftigung inländischer Arbeitskräfte gering ausfallen, wenn der Direktinvestor kapitalintensive Produktionsprozesse einsetzt und ein wesentlicher Teil des Bedarfs an qualifizierten Arbeitskräften (Manager, Techniker, Facharbeiter) aus dem Ausland gedeckt wird. Kommt es durch Auslandsinvestitionen zur Verdrängung heimischer Anbieter, kann der Beschäftigungseffekt sogar negativ werden, da in kleineren heimischen Produktionsbetrieben meist weniger kapitalintensive Verfahren eingesetzt werden. Allerdings ist hierbei zu berücksichtigen, daß Direktinvestoren oft über höhere Weltmarktanteile verfügen und daher die Fertigung eines relativ großen Produktionsvolumens in Verbindung mit einem entsprechend großen Arbeitsplatzangebot in das Entwicklungsland verlagern können.

Wenn ferner durch Direktinvestitionen eine relativ starke Nachfrage nach knappen qualifizierten und eine nur relativ schwache Nachfrage nach reichlich vorhandenen gering qualifizierten Arbeitskräften wirksam wird, so werden relative Reallohnsteigerungen der Mittelklasse und oberen Einkommensschichten (Facharbeiter, Ingenieure, Kaufleute) induziert. Unter solchen Bedingungen tragen Direktinvestitionen zu größerer Ungleichheit der Einkommensverteilung bei, ohne die strukturelle Arbeitslosigkeit und absolute Armut wesentlich zu verringern.

Ein großer Teil der Auseinandersetzung um den Entwicklungsbeitrag ausländischer Direktinvestitionen konzentriert sich auf das Problem eines unzureichend an die Bedürfnisse von Entwicklungsländern angepaßten Technologietransfers (Johnson, 1975, 2; Agarwal u. a., 1975; Stewart, 1977). In den Herkunftsländern der Technologien, in denen sich die relativ zur Kapitalausstattung große Arbeitskräfteknappheit in hohen Reallohn-Realzins-Relationen ausdrückt, werden entsprechend arbeitssparende, kapitalintensive Technologien entwickelt. Da der technische Fortschritt in Industrieländern somit dominierend die Arbeitskoeffizienten senkt, stellt eine gleichbleibende Ausweitung des Kapitalstocks immer weniger zusätzliche Arbeitsplätze bereit und mildert auf diese Weise die relative Arbeitskräfteknappheit. Eine Übertragung dieser technologischen Gegebenheiten in Entwicklungsländer gerät aber in Widerspruch zu deren technologischen Bedürfnissen, die durch reichliche Bestände gering qualifizierter Arbeit und Kapitalarmut bestimmt sind. An die Bedürfnisse der Entwicklungsländer angepaßte Technologien müßten kapitalsparend und arbeitsintensivierend wirken, um Kapitalknappheit und strukturelle Arbeitslosigkeit gleichermaßen zu mildern. Optimale Technologiepolitik für Entwicklungsländer erfordert deshalb Verfahren, welche die Kapitalkoeffizienten relativ stark senken und somit bei relativ niedrigen Reallöhnen größere Kostenersparnisse und günstigere Beschäftigungseffekte induzieren als die modernen Industrieländer-Technologien.

Selbst wenn die Entwicklungsländer wegen eines beschränkten Innovationspotentials zunächst zu einer solchen eigenständigen Technologiepolitik nicht fähig sein sollten, folgt hieraus keineswegs zwangsläufig eine Zufuhr inadäquater Technologien:

- Ein Spektrum von Produktionstechnologien mit höheren Arbeitsintensitäten ist verfügbar, wenn die Isoquanten den Bedingungen neoklassischer Produktionsfunktionen (*Abb. K–20* in Beitrag K–3.1) entsprechen.
- Auch werden die Produktionstechnologien älterer Jahrgänge höhere Arbeitsintensitäten aufweisen. Der Rückgriff auf ältere Technologien ist allerdings nur lohnend, wenn die zusätzliche Kostenbelastung durch unproduktivere, ältere Verfahren geringer bleibt als die Kostenersparnis aus der technologischen Anpassung an niedrigere Reallohn-Realzins-Relationen.
- Ferner werden die in Industrieländern vorhandenen Forschungsstätten mit ihrem Potential an technischem Wissen auch in der Lage sein, die dem Bedarf der

Entwicklungsländer gerecht werdenden „intermediate technologies“ zu entwikkeln, falls diese nicht bereits aus Ländern mit mittlerem Industrialisierungsgrad (z. B. Brasilien, Indien) importiert werden können.

– Schließlich beinhaltet die bereits analysierte Strategie der Exportdiversifizierung eine angebotsverbreiternde, exportorientierte Industrialisierung, deren Spezialisierungskriterium die Standortverlagerung arbeitsintensiver Produktionssektoren von Industrieländern in Niedriglohn-Länder empfiehlt.

Die Lösung des Technologietransfer-Problems scheitert also keineswegs an mangelnder Verfügbarkeit angepaßter Technologien, sondern am Mangel wirksamer Anreize zur technologischen Adaption und zur Durchsetzung von Standortinnovationen in den vom weltwirtschaftlichen Strukturwandel bedrohten Industriesektoren. Die Anreize zum Einsatz adaptierter Produktionsverfahren waren bislang zu schwach wirksam, weil verzerrte Faktorpreisrelationen auch das Rentabilitätsinteresse der Kapitaleigner zugunsten kapitalintensiver Verfahren verzerrten: Die Mindestlöhne überschreiten die Opportunitätskosten der Arbeit, Zinssubventionen verbilligen den Kapitaleinsatz und ein überbewerteter Wechselkurs der heimischen Währung subventioniert importierte Kapitalgüter.

Grundlage einer optimalen Technologiepolitik sind daher Maßnahmen zur Entzerrung der Faktorpreisrelationen (Lohnsubventionen, Ausbildungssubventionen, Zulassung von Knappheitspreisen für Kapital, Wechselkurskorrekturen). Ansatzpunkte einer optimalen Förderungsstrategie von Direktinvestitionen bestehen etwa in Auflagen über Ausbildung inländischer Arbeitskräfte, der Vereinbarung eines Kodex unternehmenspolitischen Wohlverhaltens und der Gegenleistung eines Schutzes gegen Enteignungsrisiken, steuerpolitischer Förderung angepaßter Technologien und Abkommen über technische Zusammenarbeit.

4.6. Handelspolitische Kooperation der Entwicklungsländer

Entwicklungspolitische Formen handelspolitischer Kooperation sind Integrationspolitik und Kartellbildung. Regionale Integrationsprozesse (Freihandelszone, Zollunion, Gemeinsamer Markt) zwischen Entwicklungsländern stellen sich entweder als erweiterte Importsubstitution oder als erweiterte Exportdiversifizierung dar. Positive Entwicklungsbeiträge der Erschließung von Freihandelsbeziehungen sind für beide Strategien, gemäß früheren Ergebnissen aber in unterschiedlicher Intensität, zu erwarten.

Internationale Kartellierung in traditionellen Exportsektoren von Entwicklungsländern (Rohstoffgewinnung, Nahrungsmittelproduktion) wurde vor allem nach dem 1973 vollzogenen Übergang erdölexportierender Länder (OPEC) zu einer konzertierten Preispolitik als Muster einer Entwicklungspolitik neuen Stils angesehen. Exportkartelle erscheinen den Vertretern dieser Strategie als ein wirksames Instrument zur Durchsetzung von Terms-of-Trade-Verbesserungen und damit einer Umverteilung des Weltsozialprodukts zugunsten relativ armer Länder.

Die Ausschaltung der Konkurrenzsituation am Weltmarkt durch Preis- und Quotenkartelle ermöglicht nach dieser Auffassung eine dauerhafte Erhöhung der Exportpreise (bzw. ihrer relativen Wachstumsraten gegenüber den Importpreisen) und damit der Importkapazität, so daß Kartellierung einen Beitrag zur Beschleunigung des Pro-Kopf-Einkommens-Wachstums leisten kann. Dieser Erfolg ist aber nur unter sehr einschränkenden Bedingungen gesichert:

- Eine verbesserte Wachstumsrate der ,,commodity terms of trade" P_{ex}/P_{im} muß auf lange Sicht durchgesetzt werden können, was eine auch langfristig preisunelastische internationale Nachfrage voraussetzt.
- Es darf keine durch die relative Preisanhebung bedingte Abschwächung des Wachstums der Gesamtexporte eintreten, die rückläufige (reale) Exportquoten ex/Y herbeiführt, welche die Zunahme von P_{ex}/P_{im} kompensieren oder gar überkompensieren können. Diese Voraussetzung ist nur erfüllt, wenn langfristig relativ geringe Substitutionselastizitäten gegenüber anderen Primärgütern und unbedeutsame Außenseiterkonkurrenz bestehen.
- Das Einkommenswachstum aus steigenden terms of trade darf nur in geringem Umfang für höhere Kapitalexporte in attraktive ausländische Kapitalmärkte oder für Konsumgüterimporte verwendet werden, damit eine Erhöhung der Importquote an Kapitalgütern ermöglicht wird.

Langfristig wird dieser Katalog von Erfolgsbedingungen einer entwicklungspolitisch motivierten Kartellbildung kaum erfüllbar sein. Bei den meisten wichtigen Rohstoffen oder Nahrungsmitteln erscheinen diese Bedingungen schon gegenwärtig nicht realisiert, und selbst im OPEC-Fall wurden permanente entwicklungspolitische Erfolge zu Recht bezweifelt (DONGES, 1976). Einerseits wird die Durchsetzung höherer Lieferpreise bei wichtigen Rohstoffen über die Verteuerung der Fertigwareneinfuhr auf die Entwicklungsländer zurückwirken, wenn eine den Kostendruck alimentierende Geldpolitik der Industrieländer zur Anhebung des Weltinflationsniveaus beiträgt. Andererseits ist die Stabilität eines Kartells langfristig durch die sich herausbildenden Interessendivergenzen und Außenseiterkonkurrenz bedroht. Auch wird die Nachfrage der Industrieländer nach den kartellierten Rohstoffangeboten langfristig nicht hinreichend preisunelastisch sein, um den angestrebten Trend steigender terms of trade und Exportquoten zu sichern. Steigende Rohstoffpreise werden vielmehr Anreize zur Entwicklung von Substituten und von rohstoffsparenden Produktions- und Konsumtechnologien freisetzen, so daß steigende Preiselastizitäten und abnehmende Einkommenselastizitäten der Rohstoffnachfrage zu erwarten sind. Die Entwicklungen am internationalen Ölmarkt in den 80er Jahren haben die Richtigkeit dieser Überlegungen eindrucksvoll bestätigt. Außenseiterkonkurrenz, wachsendes Ölangebot und relativ rückläufige Ölnachfrage haben die Stabilität des Ölkartells erschüttert und einen starken Rückgang des Ölpreises erzwungen, der in ölexportierenden Entwicklungsländern zu Wachstumseinbußen und in einigen Fällen (z. B. Mexiko, Nigeria) zu internationalen Verschuldungsproblemen geführt hat.

5. Entwicklungshilfe der Industrieländer

Entwicklungshilfe umfaßt alle von entwickelten Ländern eingesetzten Maßnahmen, die unmittelbar oder mittelbar in den Empfängerländern die Überwindung der

Unterentwicklung fördern sollen. Es handelt sich hierbei also um eine Flankierung der Selbsthilfeprogramme durch Auslandshilfe. Ökonomisches Kriterium aller Auslandshilfeleistungen ist ein zugunsten eines unterentwickelten Nehmerlandes vollzogener freiwilliger Transfer realer Ressourcen oder der Ansprüche auf reale Ressourcen durch ein Geberland (bilaterale Entwicklungshilfe) oder durch internationale Organisationen (multilaterale Entwicklungshilfe).

Auslandshilfe kann dabei die Förderung wirtschaftlicher Entwicklung über internationale Kapitalbewegungen (Kapitalhilfe) oder Handelsbeziehungen (Handelshilfe) anstreben. Letztere sei durch folgendes Beispiel charakterisiert: Industrieland A gewährt einem Entwicklungsland B Zollpräferenzen (s. Abschnitt 5.2) und kauft somit industrielle Halb- und Fertigwaren zu Preisen, die über dem Preisniveau liegen, zu dem ein vergleichbares Warenbündel bei allgemeiner Zollsenkung aus den Industrieländern C, D ... hätte bezogen werden können. Kapitalhilfe sei durch folgendes Beispiel illustriert: Industrieland C gewährt dem Entwicklungsland B einen Kredit, dessen Zinsniveau und sonstige Schuldendienstkonditionen unter denen jener Kapitalmärkte liegen, über die Land B Kapitalimporte hätte beziehen können. Kapitalhilfe ist also nicht mit Kapitalexporten in Entwicklungsländer identisch. Ebensowenig kann Handelshilfe durch die Güterimporte aus Entwicklungsländern erfaßt werden. Eine Quantifizierung der Entwicklungshilfeleistungen setzt vielmehr die Aufdeckung des Transfergehaltes dieser Kapitalexporte und Güterimporte voraus.

5.1. Kapitalhilfe

Kapitalhilfe dient der Überwindung der Ersparnislücke (Sachkapitalhilfe) oder der technologischen Lücke (Humankapitalhilfe). Sachkapitalhilfe liegt vor, wenn ein Geberland die Sachkapitalbildung im Nehmerland zu „weichen" Konditionen (niedrige Verzinsung, tilgungsfreie Jahre, lange Laufzeiten) finanziert oder durch zins- und tilgungsfreie Zuschüsse (grants) ermöglicht. In der amtlichen Statistik werden als Kapitalhilfe nur öffentliche Nettoübertragungen (Bruttoauszahlungen minus Tilgungszahlungen auf ausstehende Entwicklungshilfekredite) erfaßt, die einen Zuschußanteil von mindestens 25 v. H. enthalten. Das Zuschußelement errechnet sich aus der Gegenüberstellung der durchschnittlichen Kreditmarktkonditionen der Betrachtungsperiode und der Konditionen von Entwicklungskrediten, deren Standardtyp in den 70er Jahren mit einer Verzinsung von 2,5 v. H. bei einer Laufzeit von 31 Jahren mit 8 tilgungsfreien Jahren ausgestattet war (noch günstigere Konditionen bis hin zu nichtrückzahlbaren Zuwendungen für die ärmsten Entwicklungsländer). Die Auswirkung der Sachkapitalhilfe zeigt sich also gegenüber einer reinen Kapitalimportfinanzierung in einer Senkung des Schuldendienstkoeffizienten: Entwicklungsgefährdende Verschuldungsgrenzen werden hinausgeschoben, während gleichzeitig die Importkapazität und damit das Wachstumspotential ausgeweitet werden.

Humankapitalhilfe besteht in der Übertragung technischen Wissens durch Entsendung von Experten (technische Hilfe; z. B. durch die Gesellschaft für technische Zusammenarbeit und den Deutschen Entwicklungsdienst) oder subventionierte Übernahme Auszubildender aus Entwicklungsländern in das Bildungssystem der Industrieländer (Bildungshilfe; z. B. durch die Deutsche Stiftung für internationale Entwicklung).

Direktinvestitionen können eine die Wirkungen beider Kapitalhilfeformen addierende Kombination aus Sach- und Humankapitalhilfe enthalten, wenn diese Investitionen durch Steuervergünstigungen (z. B. nach dem Entwicklungshilfesteuergesetz) gefördert wurden, ohne die sie nicht realisiert worden wären.

Neben der Unterscheidung nach Trägern der Kapitalhilfeleistungen (öffentliche oder private Hilfe, bilaterale oder multilaterale Hilfe, letztere z. B. durch die Vereinten Nationen, die Weltbank und ihre Tochterorganisationen) ist die verwendungsbezogene Trennung der Kapitalhilfeformen in verwendungsfreie Hilfe (Programmhilfe) und projektgebundene Transfers (Projekthilfe) ebenso wichtig wie die Unterscheidung zwischen Lieferbindung und Bindungsfreiheit.

Dabei kann verwendungsfreie Programmhilfe durchaus mit Lieferbindung verknüpft sein. Das ist der Fall, wenn das Entwicklungsland zwar frei über das mit dem Mittelzufluß realisierbare Entwicklungsprogramm entscheiden kann, aber an die Auflage gebunden ist, einen Teil des projektinduzierten Güterimportbedarfs im Geberland zu decken. Ebenso muß Projektbindung der Kapitalhilfe durchaus nicht Lieferbindung implizieren, wenn die Auslandsfinanzierung zwar für ein spezifisches Entwicklungsprojekt bestimmt ist, das Nehmerland aber frei über die Bezugsquellen der erforderlichen Güterimporte entscheiden kann. Aus ihrer Interessenlage heraus neigen Industrieländer zu bilateraler Projekthilfe mit Lieferbindung, weil dies Kontrollierbarkeit der Mittelverwendung und Mittelrückfluß sichert, während Entwicklungsländer multilaterale Programmhilfe ohne Lieferbindung anstreben, da sie aus ihrer Sicht größere politische und ökonomische Unabhängigkeit gewährt.

Entwicklungspolitische Effizienzunterschiede bestehen vor allem zwischen Liefergebundenheit und Bindungsfreiheit von Kapitalhilfeströmen. Eine Lieferbindung, die aus Sicht des Geberlandes die kapitalexportbedingte Zahlungsbilanzbelastung ausgleicht, wird im Regelfall nur deshalb vereinbart, weil die Kapitalhilfe ohne Lieferbindung Güterexporte anderer Länder, nicht aber des Geberlandes, ausgelöst hätte. Dies impliziert jedoch, daß die Lieferpreise des Geberlandes über dem Weltmarktpreisniveau vergleichbarer Produkte der übrigen Länder liegen. Unter solchen Bedingungen induziert liefergebundene Kapitalhilfe für das Empfängerland somit eine Handelsumlenkung auf kostenungünstigere Bezugsquellen. Die Verbesserung der Importkapazität des Entwicklungslandes wird durch eine kapitalhilfeinduzierte Verschlechterung seiner terms of trade zumindest partiell kompensiert. Die größtmögliche Wachstumswirksamkeit kann somit in der Regel eine nicht-liefergebundene Kapitalhilfe mit möglichst hohem Anteil an Kapitalhilfegeschenken und „weich“ ausgestalteten Krediten entfalten.

Angesichts der Probleme bestehender Ersparnislücken, wachsender Auslandsverschuldung und hoher Schuldendienstbelastung übernimmt die Kapitalhilfepolitik eine wichtige ergänzende Funktion. Sie kann aber kein Surrogat für wirksame Selbsthilfe der Entwicklungsländer sein; vielmehr setzt sie effiziente Entwicklungsprogramme voraus, deren Durchführung und Auswirkungen den Kapitalhilfebedarf allmählich durch zunehmende interne Sparfähigkeit und -willigkeit ersetzen. Wesentliches Merkmal wirksamer Kapitalhilfepolitik ist es also, sich langfristig überflüssig zu machen.

Der Erfüllung dieser Voraussetzung stehen Probleme entgegen, die bislang nicht befriedigend gelöst sind (White, 1992):

– Es wird bezweifelt, ob das inländische Sparverhalten vom Kapitalhilfezufluß unabhängig ist. Durch Geberländer subventionierte Kapitalimporte können danach die heimische Sparquote der Nehmerländer negativ beeinflussen, so daß eine Anhebung der Investitionsquote und eine langfristige Verbesserung der Wachstumsbedingungen fraglich werden (WEISSKOPF, 1972; MOSLEY, 1980). Wurden Entwicklungsprogramme bisher durch staatliche Ersparnis finanziert, so kann Kapitalhilfe bei gegebenem Wachstumsziel zur Erhöhung staatlicher Konsumausgaben und entsprechender Zurücknahme des geplanten Sparens beitragen; wurden private Investitionen bislang in wesentlichem Umfang durch Eigenkapital finanziert, so kann die privaten Investoren zufließende Kapitalhilfe Anreize zur Eigenkapitalbildung abschwächen. Induziert der Kapitalzufluß somit eine wesentliche Zunahme des privaten und staatlichen Konsums, geht die heimische Sparquote zurück, ohne daß die Sozialproduktwachstumsrate ansteigt. Allerdings kann diese Befürchtung durch Prüfung der Kausalitäten zwischen Kapitalhilfe, Ersparnisbildung und Wirtschaftswachstum weder theoretisch noch empirisch sicher untermauert werden (PAPANEK, 1979). Kapitalhilfe übernimmt in der Regel – bei bereits determiniertem Entwicklungsprogramm – die Funktion eines vorbeugenden Mittels gegen die zukünftige Herausbildung verschuldungsbedingter Entwicklungshemmnisse (s. Abschnitt 2.4). Werden hierdurch Mittel freigesetzt, die staatlichen Infrastrukturinvestitionen oder Konsumausgaben zur besseren Abdeckung von Grundbedarfsdefiziten zugeführt werden, so läßt sich eine entwicklungspolitische Effizienzminderung kaum nachweisen.

– Die Wirksamkeit der Kapitalhilfepolitik wird auch durch mangelnde Fähigkeit des Nehmerlandes bedroht, die externen Ressourcen effizient zu verwenden (Absorptionskapazität). Dieser Mangel kann in unzureichender Ausstattung mit den zur Durchführung rentabler privater Investitionsprojekte komplementären Produktionsfaktoren (Infrastrukturkapital, qualifizierte Arbeitskräfte) begründet sein. Ursache kann aber auch eine suboptimale Allokation der Kapitalhilfe durch die Administrationen der Geber- oder Nehmerländer sein, wenn in Geberländern außenpolitische Motive gegenüber entwicklungspolitischen Effizienzkriterien dominieren, oder wenn Nehmerländer dem durch fehlende Zins- und Tilgungslasten gelockerten Zwang zur Verteilung der Mittel auf die relativ rentablen Investitionsprojekte zugunsten unproduktiver Prestigeprojekte nachgeben.

– Schließlich ist das Problem einer inflationsneutralen Finanzierung der Kapitalhilfe zu beachten. Da ein wesentlicher Teil der Kapitalexporte über Güterimporte der Entwicklungsländer wieder in Industrieländer zurückfließt, dem monetären Transfer mithin der reale Transfer folgt, muß die Güternachfrage der Geberländer den entzogenen Ressourcen angepaßt werden, wenn inflationäre Anspannungen vermieden werden sollen. Die Finanzierung bilateraler oder multilateraler Kapitalhilfe durch nationale oder internationale Geldschöpfung – wie dies die Forderung nach Schaffung zusätzlicher zweckgebundener Sondererziehungsrechte des IWF vorsah – kann ohne die Erfüllung weiterer wirtschaftspolitischer Bedingungen dieser Voraussetzung nicht genügen (CLINE, 1976), während steuerfinanzierte Kapitalhilfe tendenziell entsprechende Anpassungsreaktionen induziert. Jedoch treten auch hier Probleme der Verteilung der Steuerlast und ihrer langfristigen Auswirkungen auf. In jüngerer Zeit wurde der im 1. BRANDT-Bericht (NORD-SÜD-KOMMIS-

SION, 1980) aufgegriffene Vorschlag einer Finanzierung der Kapitalhilfe durch zweckgebundene Besteuerung des internationalen Handels oder Kapitalverkehrs disktuiert (STEINBERG/YAGER, 1978; PEFFEKOVEN, 1983). Gegenüber den aus nationalen Steueraufkommen finanzierten, an der jeweiligen Leistungsfähigkeit der Geberländer orientierten Transferzahlungen bietet dieser Ansatz die schlechtere Alternative. Steuerliche Diskriminierung der international gehandelten Güter läuft im Regelfall einer Importbesteuerung auf die widersprüchliche Konstruktion einer Entwicklungshilfe durch verstärkten Protektionismus hinaus, welche die Nehmerländer mit höheren Einfuhrpreisen belastet, die den Realwert der Transfereinnahmen vermindern (PEFFEKOVEN, 1983), und welche den Auslandsabsatz ihrer Exportprodukte beschränkt.

5.2. Handelshilfe

Die im Rahmen der Handelshilfe eingesetzten Transfers dienen einer relativen Erhöhung und Stabilisierung der Exporterlöse unterentwickelter Länder oder der Überwindung spezifischer Nahrungslücken (Nahrungsmittelhilfe) durch unentgeltliche Lieferung landwirtschaftlicher Produkte, wie Getreide (USA; Weltweizenabkommen) oder Milchpulver (EG). Durch Förderung kurzfristig stabiler und langfristig steigender Exporterlöse soll die wachstumswirksame Ausweitung der Importkapazität ohne erratische Schwankungen vorangetrieben werden. Eine liberale Handelspolitik gegenüber sich entwickelnden Ländern muß dabei eine flankierende Rolle übernehmen, wenn Entwicklungshilfe nicht in die widersprüchliche Situation geraten soll, einerseits durch Kapitalhilfe die internationale Wettbewerbsfähigkeit aktueller oder potentieller Exportsektoren zu stärken, andererseits aber den Kapitalhilfeempfängern das Eindringen in diese Exportmärkte durch verbreiteten Protektionismus (z. B. EG-Agrarmärkte, Textilindustrie) zu verweigern.

Wie eine die Entwicklungspolitik wirksam flankierende Handelshilfe vorrangig auszugestalten ist, hängt von den angewandten Entwicklungsstrategien ab, die auch die Verwendung der Kapitalhilfe prägen. Dient die Kapitalhilfe primär der Förderung von Infrastrukturinvestitionen und importsubstituierender Industrialisierung, ohne daß die Überwindung der komplementären Exportstruktur angestrebt wird oder realisiert werden kann, dann wird sich Handelshilfe auf den Ausgleich von Nachteilen aus der komplementären internationalen Arbeitsteilung konzentrieren (kompensatorische Handelshilfe). Als Ansatzpunkte zur Erhöhung und Stabilisierung der Erlöse aus Primärgüterexporten werden in diesem Zusammenhang Waren- und Rohstoffabkommen (Primärgüterabkommen) und Rohstoffpreisindexierung diskutiert.

Durch Primärgüterabkommen sollen übersteigerte Fluktuationen der Exporterlöse gemildert werden. Die Gefahr der Exporterlös-Instabilität ist bei Konzentration der Exportaktivitäten auf wenige Produkte mit relativ preisunelastischen Angebotseigenschaften gegeben, wenn die Nachfrage der Abnehmerländer oder die Angebotsmengen der Erzeugerländer relativ starken Schwankungen unterworfen sind. Exporterlösstabilisierung soll durch sogenannte Ausgleichslager (buffer stocks) angestrebt werden, die von der UNCTAD im Rahmen des „integrierten Rohstoffprogramms" für ein breiteres Bündel von Rohstoffen beschlossen wurden. Danach hätten die

Industrieländer ergänzend zur sonstigen Kapitalhilfe die Finanzierung eines Marktinterventionssystems zu übernehmen, welches der Destabilisierung des Exportwertes bei temporärem Nachfragerückgang (Nachfrageanstieg) durch Rohstoffkäufe und Lagerung (Lagerbestandsauflösung und Rohstoffverkäufe) entgegenwirkt.

Wie frühere Erfahrungen mit Ausgleichslagern für Zinn (1954–1977) und Kakao (1973–1980) zeigten, entstehen dadurch Probleme, daß die Interventionsschwellen durch richtig adjustierte Höchst- und Mindestpreise fixiert werden müssen, um überhöhte Mindestpreissetzungen und damit chronische Überschußproduktion zu vermeiden. Überhöhte Mindestpreise würden daher die finanzielle Ausstattung des Ausgleichslagers erschöpfen oder ständig wachsende Kapitaltransfers erfordern. Ferner muß zwischen kurzfristigen und trendartigen Angebots- und Nachfragevariationen unterschieden werden, wenn das Interventionssystem funktionsfähig bleiben soll. Schließlich garantiert eine Preisstabilisierung durch Marktinterventionen noch keine Stabilität der Exporterlöse, wenn die Ursache der Instabilität in Angebotsfluktuationen begründet ist. Angesichts dieser Bedenken (Donges, 1976, 1981, S. 71–88; Giersch, 1978, 2) erscheint das von IWF praktizierte System der Ausgleichsfinanzierung (compensatory financing) als erwägenswerte Alternative. Durch Nachfrage- oder Angebotsschwankungen bedingte Exporterlöseinbußen gegenüber dem Durchschnitt der Erlöse einer Referenzperiode werden durch gering verzinsliche Auslandskredite ausgeglichen, so daß trotz beträchtlicher Exportfluktuationen eine Stabilisierung der Importkapazität und damit der Wachstumsmöglichkeiten erreicht werden kann.

Die UNCTAD-Forderung nach Indexierung der Rohstoffpreise läßt sich im Sinne einer langfristigen Stabilisierung des (mit Industriegüterpreisen deflationierten) Realwertes der Erlöse aus Primärgüterexporten interpretieren und verhält sich somit komplementär zu den bereits diskutierten buffer stocks. Durch Bindung der Preise (exportierter) Rohstoffe an den Weltmarktpreisindex (importierter) Industriegüter soll verhindert werden, daß Weltinflationsprozesse über verschlechterte terms of trade eine reale Einkommensumverteilung zu Lasten der Entwicklungsländer bewirken. Ein solcher Versuch der Erhaltung der realen Importkapazität durch Kaufkraftabsicherung der Exporteinnahmen dürfte allerdings der Weltwirtschaft insgesamt mehr Schaden zufügen, als er den Entwicklungsländern an – zudem ungewissen – Nutzen versprechen kann:

- Die Weltinflation kann durch Einbau einer Inflationsautomatik neue Auftriebskräfte empfangen.
- Eine ex-post-Indexierung der Rohstoffpreise wird bei akzelerierter internationaler Inflation (Beitrag F–1.3) reale Einkommensumverteilungen zugunsten der Rohstofflieferländer nicht sicherstellen können.
- Rohstoffarme, importabhängige Entwicklungsländer werden – im Gegensatz zu rohstoffreichen Industrieländern – verstärkte Realwertminderungen ihrer Exporterlöse erfahren, weil sie sowohl die höheren Industriegüterpreise als auch die höheren Rohstoffpreise zahlen müssen. Damit wird die Gefahr einer Realeinkommensumverteilung zu Lasten der ärmsten Länder der Weltwirtschaft eher verschärft als beseitigt (Bohnet, 1976).

Angesichts dieser mit Ausgleichslagern und indexierten Rohstoffpreisen verbundenen Probleme stellt sich vorrangig die handelspolitische Aufgabe, die Exportchancen der Primärgütersektoren von Entwicklungsländern durch Beseitigung protektionistischer Abschließung von Industrieländermärkten zu fördern. Während einerseits die EG-Agrarmarktordnungen diesen Notwendigkeiten widersprechen, ist andererseits festzustellen, daß die durchschnittliche Zollbelastung von Rohstoffen im Vergleich zu Erzeugnissen höherer Produktionsstufen bereits ein sehr niedriges Niveau erreicht hat. Die Außenhandelspolitik der Industrieländer im Rahmen des GATT hat zu dem Ergebnis geführt, daß der durchschnittliche Nominalzoll auf Importe steigt, je weiter in der Produktionskette von unbearbeiteten Rohstoffen zu Halb- und Fertigwaren vorangeschritten wird. Diese eskalierenden Zollstrukturen (Beitrag I-4.1) stehen in Widerspruch zu der zweiten Form der Handelshilfe, die Maßnahmen zur Überwindung komplementärer Handelsstrukturen flankieren will.

Steht die Verwendung der Kapitalhilfe hauptsächlich im Dienste einer exportdiversifizierenden Industrialisierung, so kann eine hierauf abgestimmte Handelshilfepolitik die Herausbildung neuer wachstumswirksamer Exportstrukturen von Entwicklungsländern aktiv fördern, indem Industrieländer Exporthilfen (Handelspräferenzen oder Vermarktungshilfen bei Industrieerzeugnissen) und Importhilfen (Subventionierung von Zwischenprodukt-, Kapitalgüter- und Technologieexporten in Entwicklungsländer) gewähren. Exportdiversifizierende Handelshilfe der Industrieländer darf aber nicht in Widerspruch zu ihrer Außenhandels- und Strukturpolitik geraten. Widerspruchsfreiheit setzt Strukturanpassungen begünstigende wirtschaftspolitische Rahmenbedingungen in den Industrieländern (Anpassungshilfen, Verbesserung der nationalen und internationalen Kapital- und Arbeitsmobilität, Innovationsförderung) und einen Abbau der effektiven Protektion inländischer Halb- und Fertigwaren voraus. Beide Voraussetzungen zur Auflockerung komplementärer Strukturen internationaler Arbeitsteilung waren in der Vergangenheit unzureichend erfüllt (Balassa, 1965; Fels, 1974). Nach wie vor weisen gerade jene Fertigungsbereiche (wie z. B. Textilindustrie, Bekleidung, Eisen und Stahl), die für Entwicklungsländer als aussichtsreiche Exportsektoren erscheinen, in den Industrieländern einen relativ hohen Grad an tarifärer oder nicht-tarifärer effektiver Protektion auf.

Die im Rahmen der UNCTAD erhobenen Forderungen der Entwicklungsländer richten sich auf eine Förderung ihrer Fertigwarenexporte durch Handelspräferenzen (Feldsieper, 1975; Gröner, 1978). Hierbei werden in Abweichung von der GATT-Meistbegünstigung Importe aus den in Präferenzabkommen eingebundenen Ländern mit niedrigeren Zöllen belastet oder geringer kontingentiert als konkurrierende Importerzeugnisse aus Drittländern. Aus weltwirtschaftlicher Sicht sind solche Präferenzsysteme ineffizient, wenn sie die internationalen Handelsströme von kostengünstigeren Drittländerexporten auf kostenungünstigere Entwicklungsländerexporte umlenken, also Produkte unterstützen, deren Herstellung im Entwicklungsland komparative Kostennachteile aufweist. Bestehen aber für bestimmte Industriegüter komparative Kostenvorteile des Entwicklungslandes, so ist die Exportförderung durch Handelspräferenzen nicht erforderlich und weltweite Liberalisierung die bessere Alternative. Ökonomisch lassen sich Präferenzsysteme nur dann rechtfertigen, wenn hierdurch Skaleneffekte wirksam werden, die das präferenznehmende Entwicklungsland in komparative Kostenvorteile hineinwachsen lassen. In Analogie zu Erziehungszöllen (Beitrag I–4.1.2) sollten Handelspräferenzen daher nur als temporäre Exporthilfen eingesetzt werden, wenn sie Entwicklungsprozesse in Gang bringen können, die ohne Präferenzgewährung nicht zur Entfaltung kämen und Handelspräferenzen in Zukunft überflüssig machen.

Die EG errichtete 1971 ein Zollpräferenzsystem, welches im Rahmen bestimmter Kontingente die zollfreie Einfuhr bestimmter industrieller Halb- und Fertigwaren aus Entwicklungsländern gestattet, wobei jedoch zahlreiche Ausnahmeregelungen oder enge Kontingente für sogenannte „sensible" Warenpositionen (z. B. Textilien, Stahl) bestehen. Bezieht sich aber die Liste der „sensiblen Produkte" auf wichtige Erzeugnisse, bei denen Entwicklungsländer komparative Vorteile aufbauen können, so bleiben Zollpräferenzen als Instrument exportdiversifizierender Handelshilfepolitik weitgehend unwirksam.

Einen umfassenderen Schritt in Richtung einer allgemeinen Entwicklungshilfestrategie stellt das 1975 unterzeichnete Abkommen von Lomé zwischen der EG und den sogenannten AKP-Staaten (ca. 70 Entwicklungsländer aus dem Raum Afrikas, der Karibik und des Pazifik) dar. Das 1990 mit einer Laufzeit von 10 Jahren erneuerte 4. Lomé-Abkommen umfaßt ein System von Handelspräferenzen (einschließlich einiger Sondervorteile im Rahmen der EG-Agrarmarktordnungen), die ausgewählten AKP-Exportgütern einen zoll- und quotenfreien Zutritt zum EG-Absatzmarkt eröffnen, ein System zur Stabilisierung der Ausfuhrerlöse bei landwirtschaftlichen Rohstoffen (Stabex) und mineralischen Rohstoffen (Sysmin), welches unter Verzicht auf Ausgleichslager nach dem Muster der Ausgleichsfinanzierung gestaltet ist, und ein multilaterales Kapitalhilfeabkommen über finanzielle und technische Zusammenarbeit im Rahmen eines von der EG-Kommission verwalteten Entwicklungsfonds. Auch hier ist festzustellen, daß die Realisation des Abkommens bislang am weitesten in der Ausgestaltung des Stabex-Systems vorangeschritten ist, das eine kompensatorische Handelshilfe anstrebt. Nachhaltige Wachstumseffekte durch Förderung der Exportdiversifizierung konnte die europäische Entwicklungshilfepolitik nicht erzielen.

6. Perspektiven der Entwicklungspolitik

Die entwicklungspolitischen Erfahrungen belegen, daß ausbleibende Entwicklung, wachsende Einkommensdisparität und Ausbreitung absoluter Armut nicht als globale, sondern als länderspezifische Probleme anzusehen sind. Gemessen am realen Bruttoinlandsprodukt pro Kopf der Bevölkerung, konnten jene Entwicklungsländer, die außenwirtschaftsorientierte, exportdiversifizierende Strategien genutzt haben, ihre Einkommensdisparitäten gegenüber Industrieländern deutlich verringern. Die Erfolge dieser entwicklungspolitischen Strategien zeigen sich in einem anhaltenden starken Anstieg des Industriegüteranteils am Gesamtexport der Entwicklungsländer. Zwischen Industrie- und Entwicklungsländern hat sich trotz aller Hemmnisse eine „neue internationale Arbeitsteilung" herausgebildet, in der die traditionellen Spezialisierungsmuster zwischen hochentwickelten Industriegüterexporteuren und unterentwickelten Primärgüterexporteuren zunehmend an Bedeutung verloren und Industrieländer bei ausgereiften Industrieprodukten Weltmarktanteile zugunsten von Entwicklungsländern aufgegeben haben (Chenery/Keesing, 1981; Reynolds, 1983; Riedel, 1984). Die Globaldaten verdecken aber, daß sich dieser Strukturwandel der internationalen Arbeitsteilung sehr stark auf ostasiatische Staaten (Schwellenländer der 1. Generation: Hongkong, Singapur, Südkorea, Taiwan; Schwellenländer der 2. Generation: Indonesien, Malaysia, Thailand) und auf vier lateinamerikanische Länder (Argentinien, Brasilien, Kolumbien, Mexiko) konzentriert hat.

Der Weltentwicklungsbericht (WELTBANK, 1991) zeigt innerhalb der Gruppe der Entwicklungsländer einen Trend wachsender Disparitäten. In afrikanischen Ländern südlich der Sahara (ohne Südafrika) sank die jahresdurchschnittliche Wachstumsrate des realen Bruttoinlandsprodukts pro Kopf der Bevölkerung von 2,1 v. H. (1965–73) auf 0,4 v. H. (1973–80) und −1,2 v. H. (1980–89). Die Entwicklungsländer Südasiens (einschließlich Indien) haben sich von 1,2 v. H. (1965–73) auf 1,7 v. H. (1973–80) und 3,0 v. H. (1980–89) verbessert, während die Länder Ostasiens, zu denen auch die Volksrepublik China und die besonders erfolgreichen ,,4 Tiger" (Hongkong, Singapur, Südkorea, Taiwan) gehören, auf Wachstumsraten von 5,3 v. H. (1965–73), 4,9 v. H. (1973–80) und 6,2 v. H. (1980–89) kamen. Im lateinamerikanischen und karibischen Raum schließlich hat sich das wirtschaftliche Wachstum von 3,8 v. H. (1965–73) und 2,5 v. H. (1973–80) auf −0,4 v. H. (1980–89) verschlechtert.

Die Aufholprozesse bestimmter Länder, vor allem im ostasiatischen Raum, und die weitere Verschlechterung der wirtschaftlichen Lage in anderen Ländern, vor allem im afrikanischen Kontinent, haben Untersuchungen der Ursachen erfolgreicher Entwicklungspolitik und der Gründe des Scheiterns entwicklungspolitischer Bemühungen angeregt (NAJA u. a. 1989). Dies führt zu einer entwicklungsökonomischen Neuorientierung, die traditionelle Denkmuster ablöst und neue entwicklungsstrategische Schwerpunkte setzt:

- Immer deutlicher tritt die Bedeutung der Humankapitalbildung für den Entwicklungsprozeß hervor. Nicht Sachkapitalmangel, sondern im internationalen Vergleich zu wenig qualifizierte Arbeitskräfte, zu hohe Analphabeten- und zu geringe Einschulungsquoten im Primar-, Sekundar- und Hochschulbereich sowie unzureichende berufliche Ausbildungseinrichtungen erweisen sich als entscheidende Entwicklungsengpässe (s. Abschnitt 2.3.).

- Die Erfolge außenwirtschaftsorientierter Entwicklungsstrategien wurden nicht durch verstärkten Protektionismus, sondern durch relative Außenhandelsliberalisierung in Verbindung mit dem Abbau von Devisenverkehrskontrollen und der Korrektur einer Überbewertung der Währung bei wirksamer Inflationsbekämpfung gefördert (SELL, 1989; MILNER, 1990, 2; BENDER, 1994). Sie widerlegen das Dogma des Entwicklungsprotektionismus. Auch die im Weltentwicklungsbericht (WELTBANK, 1991) vorgelegte empirische Evidenz stützt die Vermutung, daß eine positive Beziehung zwischen außenwirtschaftlicher Liberalisierung und Wachstumsrate der Pro-Kopf-Produktion besteht.

- Auch die Rolle des Staates im Entwicklungsprozeß ist neu zu überdenken. Traditionelle Leitbilder der Entwicklungspolitik folgen einem interventionistischen Konzept, wie es z. B. in den Strategien des ausgewogenen oder unausgewogenen Wachstums und der Importsubstitution deutlich hervortritt. Die Vorstellung der Machbarkeit ökonomischer Entwicklung und das Vertrauen in die Fähigkeit permanenter staatlicher Interventionen, einen Entwicklungsprozeß anzustoßen und auf Dauer aufrecht zu erhalten, sind an negativen Erfahrungen mit dieser Praxis gescheitert (KRUEGER, 1990; JUNGFER, 1991). Entwicklungshemmnisse sind auch in marktwirtschaftlichen Ordnungsdefiziten angelegt. Dies bestätigen die relativ hohen Zuwachsraten der Pro-Kopf-Produktion in jenen Ländern, in denen eine marktorientierte Wirtschaftspolitik eingeleitet wurde, die Privatinitiativen, Unternehmertum, Märkten mit freier Preisbildung und Wettbewerbsprozessen mehr Raum gab. So stieg z. B. in der Volksrepublik China die Wachstumsrate der landwirtschaftlichen Produktion von jahresdurchschnittlich 2,5 v. H. (1965–78) auf 7,2 v. H. (1978–88), nachdem dort marktorientierte Reformen des landwirtschaftlichen Sektors eingeleitet wurden (WELTBANK, 1991, S. 45). Ein weiteres aktuelles Beispiel bietet Indien, wo nach der Deregulierung des Systems zentraler Investitionslenkung eine Beschleunigung des Pro-Kopf-Einkommenswachstums zu beobachten war (SRINIVASAN, 1990).

Die Funktion des Staates im Entwicklungsprozeß wird damit nicht allein auf ordnungspolitische Weichenstellungen und die Sicherung eines stabilen Ordnungsrahmens reduziert. Als wichtige Aufgabenfelder bleiben die Entwicklung einer produktivitätsfördernden Infrastruktur, des Ausbildungssystems, des Gesundheitswesens und anderer sozialer Dienstleistungen. Bildungspolitische, gesundheitspolitische und sozialpolitische Programme müssen sicherstellen, daß die durch marktwirtschaftliche Rahmenbedingungen geförderten Wachstumserfolge vorrangig zur Überwindung absoluter Armut und ihrer Ursachen genutzt werden. Es besteht zwar keine Antinomie zwischen wachstums- und armutsorientierter Entwicklungspolitik, da Wachstum die Voraussetzungen zur Verminderung der absoluten Armut verbessert. Jedoch existiert auch kein Automatismus, der armutsmindernde Effekte wirtschaftlichen Wachstums sicherstellt. Gerade in Gesellschaften mit einem noch großen Ausmaß an absoluter Armut könnten solche Mechanismen im politischen Prozeß verankert werden, wenn demokratische Rahmenbedingungen, Mehr-Parteien-Systeme mit politischem Wettbewerb und Mindest-Ausbildungsstandards gewährleistet werden. Auch wenn der globale Ansatz der Entwicklungspolitik damit nicht obsolet wird, muß die nachhaltige Wirksamkeit armutsorientierter Entwicklungsstrategien gesteigert werden. Dies setzt eine systematische Erforschung der Ursachen von Armut und der Möglichkeiten ihrer Bekämpfung voraus (HEMMER, 1994).

Aus diesen Überlegungen ergibt sich auch die Notwendigkeit einer Neuorientierung der Entwicklungshilfepolitik. Oft stand Entwicklungshilfe im Dienst außenpolitischer Interessen der Geberländer. Die Auflösung des Ost-West-Konfliktes schafft neue Gestaltungsspielräume, die nicht zugunsten des Gießkannenprinzips sondern einer „neuen Konditionalität der Entwicklungszusammenarbeit“ genutzt werden sollten. Danach ist Entwicklungshilfe – von Katastrophenhilfe abgesehen – an die Bedingungen zu knüpfen, daß potentielle Empfängerländer die sozialen, politischen und ökonomischen Rahmenbedingungen für eine nachhaltige entwicklungspolitische Effizienz der Transferleistungen garantieren. Drohenden Süd-Nord-Armutswanderungen kann nur vorgebeugt werden, wenn es im Zusammenwirken von eigenständiger, rationaler Entwicklungspolitik und unterstützender Entwicklungshilfe gelingt, die Ursachen der Armut an den Entstehungsquellen zu überwinden.

Kommentierte Literaturhinweise

Als das zur Zeit wohl umfassendste deutschsprachige Lehrbuch über Entwicklungsländer ist die Monographie von HANS-RIMBERT HEMMER (1978) anzusehen. Als weitere Lehrbücher zum Gesamtproblem ökonomischer Entwicklung sind die Monographien von MICHAEL P. TODARO (1977) und von NORBERT WAGNER u. a. (1983) zu empfehlen. Auch die wachstumspolitische Monographie von ERNST DÜRR (1977) geht umfassend auf Probleme der Entwicklungspolitik ein.

Die Zusammenhänge von Außenwirtschafts- und Entwicklungspolitik werden in ihren handels- und währungspolitischen Aspekten durch die Lehrbücher von JÜRGEN B. DONGES (1981) und WOLFGANG OCHEL (1982) ausführlich gewürdigt. Eine Einführung in die außenwirtschaftspolitische Dimension der Entwicklungspolitik bieten HARTMUT BERG (1976) und HANS-HEINRICH GLISMANN u. a. (1987).

Theoretische und empirische Analysen der Ursachen ökonomischer Unterentwicklung werden in den Lehrbüchern von HELMUT HESSE und HERMANN SAUTTER (1977) und von FRIEDRICH L. SELL (1993) präsentiert. Eine um wirtschaftshistorische und dogmengeschichtliche Aspekte erweiterte Analyse des Entwicklungsproblems bietet VINCENZ TIMMERMANN (1982).

Einen Überblick über den gegenwärtigen Stand und die Perspektiven der entwicklungstheoretischen und -politischen Diskussion bieten das von HOLLIS B. CHENERY und T. N. SRINIVASAN (1988) herausgegebene zweibändige Handbuch der Entwicklungsökonomie sowie die Überblicksartikel von NICHOLAS STERN (1989) und von HANS-RIMBERT HEMMER (1990).

Auf der Grundlage einer umfassenden Kritik der interventionistischen Tradition von Entwicklungstheorie und -politik weisen die Monographien von IAN MALCOLM DAVID LITTLE (1982) und DEEPAK LAL (1983) den Weg zu einer entwicklungspolitischen Neuorientierung.

Als Kritiker der Entwicklungshilfepolitik ist vor allem PETER THOMAS BAUER (1984) hervorgetreten. Effizienzprobleme und Reform der Entwicklungshilfe werden in den Schriften von PETER MOSLEY (1987) und ROGER C. RIDDELL (1987) diskutiert.

Literaturverzeichnis

ABELSHAUSER, W. (1983), Wirtschaftsgeschichte der Bundesrepublik Deutschland 1945–1980, Frankfurt a. M. (Suhrkamp) 1983.

ABERLE, G. (1980), Wettbewerbstheorie und Wettbewerbspolitik, Stuttgart (Kohlhammer) 1980.

ACHINGER, H. (1958), Sozialpolitik als Gesellschaftspolitik, Reinbek (Rowohlt) 1958.

ADAMS, W. (1950), Hg., The structure of American industry, 7. A., New York (Macmillan) 1987.

ADELMAN, I. (1975), Development economics. A reassessment of goals, in: American Economic Review, 65, S. 302–309.

ADELMAN, I.; C. T. MORRIS (1973), Economic growth and social equity in developing countries, Stanford (Stanford University) 1973.

ADORNO, T. W.; u. a. (1969), Der Positivismusstreit in der deutschen Soziologie, Neuwied (Luchterhand) 1969.

AGARWAL, J. P.; u. a. (1975), Übertragung von Technologien an Entwicklungsländer, Kieler Studien, 132, Tübingen (Mohr) 1975.

AHLUWALIA, M. S. (1976), Inequality, poverty und development, in: Journal of Development Economics, 3, S. 307–342.

AHRNS, H.-J.; H.-D. FESER (1982), Wirtschaftspolitik, Problemorientierte Einführung, 5. A., München (Oldenbourg) 1987.

ALBACH, H.; D. SADOWSKI (1976), Hg., Die Bedeutung gesellschaftlicher Veränderungen für die Willensbildung in Unternehmen, Berlin (Duncker & Humblot) 1976.

ALBERS, W. (1976), Möglichkeiten einer stärker final orientierten Sozialpolitik, Göttingen (Schwartz) 1976.

ALBERS, W. (1977), Transferzahlungen als Instrument der Verteilungspolitik, in: W. DREISSIG, Hg. (1977), S. 157–182.

ALBERS, W.; u. a. (1977 ff.), Hg., Handwörterbuch der Wirtschaftswissenschaft, Stuttgart (Fischer) 1977 ff.

ALBERT, H. (1956), Werturteil und Wertbasis: Das Werturteilsproblem im Lichte der logischen Analyse, in: Zeitschrift für die gesamte Staatswissenschaft, 112, S. 410–439; wieder abgedruckt in: G. GÄFGEN, Hg. (1966), S. 25–52; H. ALBERT (1967), S. 92–130.

ALBERT, H. (1975), Theorie und Prognose in den Sozialwissenschaften, in: Schweizerische Zeitschrift für Nationalökonomie und Statistik, 93, S. 60–76; wieder abgedruckt in: E. TOPITSCH, Hg. (1965), S. 126–143.

ALBERT, H. (1962), Zur Frage der wissenschaftlichen Fundierung wirtschaftspolitischer Maßnahmen, in: Zeitschrift für Nationalökonomie, 22, S. 426–437; wieder abgedruckt in: H. ALBERT (1967), S. 188–204.

ALBERT, H. (1963, 1), Wertfreiheit als methodisches Prinzip. Zur Frage der Notwendigkeit einer normativen Sozialwissenschaft, in: E. VON BECKERATH; H. GIERSCH, Hg. (1963), S. 32–63; wieder abgedruckt in: E. TOPITSCH, Hg. (1965), S. 181–210.

ALBERT, H. (1963, 2), Modell-Platonismus: Der neoklassische Stil des ökonomischen Denkens in kritischer Beleuchtung, in: F. KARRENBERG; H. ALBERT, Hg. (1963), S. 45–76; wieder abgedruckt in: E. TOPITSCH, Hg. (1965), S. 406–434; H. ALBERT (1967), S. 331–367.

ALBERT, H. (1964, 1), Social science and moral philosophy: A critical approach to the value problem in the social sciences, in: M. A. BUNGE, Hg. (1964), S. 385–409; deutsche Übersetzung in: H. ALBERT (1967), S. 140–174.

ALBERT, H. (1964, 2), Hg., Theorie und Realität. Ausgewählte Aufsätze zur Wissenschaftslehre der Sozialwissenschaften, 2. A., Tübingen (Mohr) 1972.

ALBERT, H. (1967), Marktsoziologie und Entscheidungslogik. Ökonomische Probleme in soziologischer Perspektive, Neuwied (Luchterhand) 1967.

ALBERT, H. (1968), Traktat über kritische Vernunft, Tübingen (Mohr) 1968.

ALBERT, H.; E. TOPITSCH (1971), Hg., Werturteilsstreit, Darmstadt (Wissenschaftliche Buchgesellschaft) 1971.

ALBRECHT, G. (1952), Hg., Die Berliner Wirtschaft zwischen Ost und West. Die Reform der Sozialpolitik durch einen deutschen Sozialplan, Berlin (Duncker & Humblot) 1952.

ALDRUP, D.; H. BERG; E. KATZENBACH (1984), Hg., Weltwirtschaft nationale Wirtschaftspolitik – Strukturprobleme der achtziger Jahre. Festschrift Harald Jürgensen zum 60. Geburtstag, Göttingen (Vandenhoeck & Ruprecht) 1984.

ALTMANN, J. (1985), Wirtschaftspolitik. Eine praxisorientierte Einführung, Stuttgart (Fischer) 1985.

AMERICAN ECONOMIC ASSOCIATION; ROYAL ECONOMIC SOCIETY (1965), Hg., Surveys of economic theory, Vol. I, London (Macmillan) 1965.

AMIN, S. (1981), Some thoughts on self-reliant development, collective self-reliance and the new international economic order, in: S. GRASSMANN; E. LUNDBERG, Hg. (1981), S. 534–552.

ANDEL, N. (1970), Die einkommensteuerliche Behandlung der Beiträge an und der Leistungen von Altersversicherungen, in: H. HALLER; u. a., Hg. (1970), S. 327–344.

ANDEL, N. (1975), Verteilungswirkungen der Sozialversicherung am Beispiel der gesetzlichen Krankenversicherung in der Bundesrepublik Deutschland, in: W. DREISSIG, Hg. (1975), S. 39–82.

ANDO, A.; F. MODIGLIANI (1965), The relative stability of monetary velocity and the investment multiplier, in: American Economic Review, 55, S. 693–728.

ANDREAE, C. A.; u. a. (1989), Hg., Wettbewerb als Herausforderung und Chance, Köln (Heymann) 1989.

ANSARI, J. A. (1986), The political economy of international economic organization, Boulder, Colorado (Rienner) 1986.

ARNDT, A. (1969), Hg., Lohnpolitik und Einkommensverteilung, Berlin (Duncker & Humblot) 1969.

ARNDT, H.-J. (1973), Von der politischen zur plangebundenen Autonomie – Die Bundesbank in der parlamentarischen Demokratie –, in: D. DUWENDAG, Hg. (1973), S. 15–52.

ARROW, K. J. (1951), Social choice and individual values, 2. A., New York (Wiley) 1963.

ARROW, K. J. (1957), Statistics and economic policy, in: Econometrica, 25, S. 523–530; deutsche Übersetzung in: G. GÄFGEN Hg. (1966), S. 309–319.

ARROW, K. J. (1970), The organization of economic activity: Issues pertinent to the choice of market versus non-market allocation, in: R. H. HAVEMAN; J. MARGOLIS, Hg. (1970), S. 67–81.

ARROW, K. J. (1985), The economics of agency, in: PRATT J.; R. ZECKHAUSER, Hg. (1985), S. 37–51.

ARROW, K. J.; D. DEBREU (1954), Existence of equilibrium for a competitive economy, in: Econometrica, 22, S. 265–290.

ARROW, K. J.; F. H. HAHN (1971), General competitive analysis, San Francisco (Holden-Day) 1971.

ARROW, K. J.; u. a. (1961), Capital-labor substitution and economic efficiency, in: Review of Economics and Statistics, 43, S. 225–250.

Aschinger, F. E. (1971), Das Währungssystem des Westens, 2. A., Frankfurt am Main (Knapp) 1973.

Askari, H.; J. T. Cummings (1976), Agricultural supply response; a survey of the econometric evidence, New York (Praeger) 1976.

Assenmacher, W. (1986), Die Dynamik der Inflations- und Beschäftigungsentwicklung. Eine theoretische und ökonometrische Analyse, in: Kredit und Kapital, 19, S. 540–568.

Atkinson, S.; T. H. Tietenberg (1982), The empirical properties of two classes of designs for transferable discharge permit markets, in: Journal of Environmental Economics and Management, 9, S. 101–121.

Backhaus, J. (1980), Arbeitsverhältnis und Beschäftigung. Politisch-ökonomische Analyse zur Bekämpfung der Arbeitslosigkeit, Frankfurt am Main (Campus) 1980.

Backhaus, K.; K. Piltz (1989), Strategische Allianzen – eine neue Form kooperativen Wettbewerbs?, in: Zeitschrift für betriebswirtschaftliche Forschung, Sonderheft 27, S. 1–10.

Badura, J. R. (1975), Time lags der Geldpolitik, in: WiSt, Wirtschaftswissenschaftliches Studium, 4, S. 557–564.

Badura, J. R.; O. Issing (1980), Hg., Geldpolitik, Stuttgart (Fischer) 1980.

Bain, J. S. (1956), Barries to new competition. Their character and consequences in manufacturing industries, 3. A., Cambridge/Mass. (Harvard University) 1965.

Bain, J. S. (1959), Industrial organization, 2. A., New York (Wiley) 1968.

Balassa, B. (1962), The theory of economic integration, 4. A., London (Allen & Unwin) 1973.

Balassa, B. (1965), Tariff protection in industrial countries: an evaluation, in: Journal of Political Economy, 73, S. 573–594.

Balassa, B. (1970), Growth strategies in semi-industrial countries, in: Quarterly Journal of Economics, 84, S. 24–47.

Balassa, B. (1981), The process of industrial development and alternative development strategies, Essays in International Finance, 141, Princeton (University) 1981.

Balassa, B.; u. a. (1971), The structure of protection in developing countries, Baltimore (Johns Hopkins) 1971.

Baldwin, R. E. (1988), Trade policy in a changing world economy. New York (Harvester-Wheatsheaf) 1988.

Baltensperger, R.; P. Böhm (1984), Geldmengenpolitik und Inflationskontrolle. Möglichkeiten, Kosten, flankierende Maßnahmen, Diessenhofen (Rüegger) 1984.

Barro, R. J. (1976), Rational expectations and the role of monetary policy, in: Journal of Monetary Economics, 2, S. 1–32.

Barro, R. J. (1991), Economic growth in a cross section of countries, in: Quarterly Journal of Economics, 106, S. 407–443.

Bartel, R.; F. Hackl (1994), Hg., Einführung in die Umweltpolitik, München (Vahlen) 1994.

Barth, H. J. (1974), Bessere Stabilisierungspolitik durch Regelmechanismen oder regelgebundenes Verhalten?, in: B. Gahlen; H. K. Schneider, Hg. (1974), S. 147–170.

Bartling, H. (1980), Leitbilder der Wettbewerbspolitik. München (Vahlen) 1980.

Bauer, A. (1982), Probleme der Naturaneignung, in: Deutsche Zeitschrift für Philosophie, 30, S. 1323–1333.

Bauer, P. T. (1984), Reality and rhetoric, London (Weidenfeld) 1984.

BAUM, H. (1980), Der relevante Markt als Problem der Wettbewerbspolitik, in: Wirtschaft und Wettbewerb, 30, S. 401–407.

BAUM, H. (1981), Alternativen der Mißbrauchsaufsicht über marktbeherrschende Unternehmen, in: Wirtschaftspolitische Chronik 30, S. 143–173.

BAUMOL, W. J. (1972), On taxation and the control of externalities, in: American Economic Review, 62, S. 307–322.

BAUMOL, W.; W. E. OATES (1971), The use of standards and prices for protection of the environment, in: Swedish Journal of Economics, 73, S. 42–54.

BAUMOL, W. J.; J. C. PANZAR; R. D. WILLIG (1982), Contestable markets and the theory of industry structure, New York (Harcourt) 1982.

BAUR, J. (1972), Der Mißbrauch im deutschen Kartellrecht, Tübingen (Mohr) 1972.

BECKER, G. S. (1964), Human capital – a theoretical and empirical analysis with special reference to education, New York (NBER) 1964.

BECKER, G. S. (1982), Der ökonomische Ansatz zur Erklärung menschlichen Verhaltens, Tübingen (Mohr) 1982.

BECKER, I. (1983), Umverteilungswirkungen monetärer Transfers, in: IFO-Studien, 29, S. 273–298.

BECKERATH, E. VON; u. a. (1956 ff.), Hg., Handwörterbuch der Sozialwissenschaften, Stuttgart (Fischer) 1956 ff.

BECKERATH, E. VON; H. GIERSCH (1963), Hg., Probleme der normativen Ökonomik und der wirtschaftspolitischen Beratung, Berlin (Duncker & Humblot) 1963.

BENDER, D. (1977), Die Übertragung konjunktureller Impulse bei flexiblen Wechselkursen, in: Beihefte der Konjunkturpolitik, 24, S. 119–150.

BENDER, D. (1983), Nettoinvestition, Lohnbildung und Beschäftigung bei flexiblen Wechselkursen, in: M. FELDSIEFER; R. GROSS, Hg. (1983), S. 29–45.

BENDER, D. (1988), Weltwirtschaftliche Verflechtung und Internationalisierung der Politik, in: D. CASSEL; B.-T. RAMB; H. J. THIEME, Hg. (1988), S. 285–312.

BENDER, D. (1989), The role of financial innovation in solving international debt problems, in: Economics. A biannual collection of recent German contributions to the field of economics science, 39, S. 57–82.

BENDER, D. (1994), Außenwirtschaftliche Liberalisierungsprogramme und internationale Wettbewerbsfähigkeit, in: R. H. HASSE; W. SCHÄFER, Hg. (1994), S. 79–103.

BENHABIB, J.; M. M. SPIEGEL (1994), The role of human capital in economic development. Evidence from aggregate cross-country data, in: Journal of Monetary Economics, 34, S. 143–173.

BERG, H. (1972), Zur Funktionsfähigkeit der Europäischen Wirtschaftsgemeinschaft, Göttingen (Vandenhoeck & Ruprecht) 1972.

BERG, H. (1976), Internationale Wirtschaftspolitik, Göttingen (Vandenhoeck & Ruprecht) 1976.

BERG, H. (1982), Internationale Wettbewerbsfähigkeit und nationale Wirtschaftspolitik, in: H. BESTERS, Hg. (1982, 2), S. 14–31.

BERG, H. (1985), Internationale Wettbewerbsfähigkeit und nationale Zusammenschlußkontrolle, Köln (Heymans) 1985.

BERG, H. (1989), Wettbewerb als Prozeß: Idealtypus und Realität, in: C. A. ANDREAE, u. a., Hg. (1989), S. 27–48.

BERG, H. (1990, 1), Europäische Integration: Ziele – Strategien – Erfahrungen – Perspektiven, in: BERG, H.; H. G. MEISSNER; W. B. SCHÜNEMANN (1990), S. 1–100.

BERG, H. (1990, 2), Strategien wirtschaftlicher Integration: Konzepte und Erfahrungen – Zu Rationalität und Realisierungschance des Programms „EG-Binnenmarkt '92", in: E. KANTZENBACH, Hg. (1990, 2), S. 9–31.

BERG, H. (1992, 1), Die EG-Zusammenschlußkontrolle im Spannungsfeld von Wettbewerbs- und Industriepolitik: Der Fall „Aérospatiale-Alenia/De Havilland“, in: WiSt, Wirtschaftswissenschaftliches Studium, 31, S. 322–326.

BERG, H. (1992, 2), Die General Motors Corporation und der Wettbewerb auf dem US-Automobilmarkt: Aufstieg, Macht und Niedergang einer „dominant firm“, in: Ordo. Jahrbuch für die Ordnung von Wirtschaft und Gesellschaft, 43, S. 453–474.

BERG, H.; H. G. MEISSNER; W. B. SCHÜNEMANN (1990), Märkte in Europa. Strategien für das Marketing, Stuttgart (Poeschel) 1990.

BERG, H.; J. MÜLLER (1995), Auf der Suche nach den Wettbewerbsvorteilen konglomerater Diversifizierung: Zur Transformation der Daimler-Benz AG vom Automobilproduzenten zum „integrierten Technologiekonzern“, in: Hamburger Jahrbuch für Wirtschafts- und Gesellschaftspolitik, 40, S. 213–239.

BERG, H.; F. SCHMIDT (1993, 1), Zur Funktionsfähigkeit einer erweiterten Europäischen Gemeinschaft, in: E. KANTZENBACH; O. G. MAYER, Hg. (1993), S. 79–100.

BERG, H.; F. SCHMIDT (1993, 2), Erfordernisse, Möglichkeiten und Hemmnisse institutioneller Reformen einer erweiterten Europäischen Gemeinschaft, in: W. FILC; C. KÖHLER, Hg. (1993), S. 85–101.

BERG, H.; F. SCHMIDT (1995), Industriepolitik, in: P. KLEMMER, Hg. (1995), S. 325–397.

BERNHOLZ, P. (1973), Die Bedeutung der Verbände für die Wirtschaftspolitik, in: WISU, Wirtschaftsstudium, 2, S. 15–21.

BERNHOLZ, P. (1974), Logrolling, Arrow paradox and decision rules – A generalization, in: Kyklos, 27, S. 49–62.

BERNHOLZ, P.; F. BREYER (1972), Grundlagen der Politischen Ökonomie, 2. A., Tübingen (Mohr) 1984.

BESTERS, H. (1967), Hg., Theoretische und institutionelle Grundlagen der Wirtschaftspolitik. Th. Wessels zum 65. Geburtstag, Berlin (Duncker & Humblot) 1967.

BESTERS, H. (1978), Hg., Strukturpolitik – wozu?, Baden-Baden (Nomos) 1978.

BESTERS, H. (1979), Neue Wirtschaftspolitik durch Angebotslenkung, Baden-Baden (Nomos) 1979.

BESTERS, H. (1980), Strukturberichterstattung im Dienste aktiver Strukturpolitik zur Wiederherstellung der Vollbeschäftigung?, in: List Forum, 10, S. 343–361.

BESTERS, H. (1982, 1), Neue Wirtschaftspolitik durch Angebotslenkung, Baden-Baden (Nomos) 1982.

BESTERS, H. (1982, 2), Hg., Internationale Wettbewerbsfähigkeit bei unterschiedlichen Sozialordnungen – USA, Japan, Bundesrepublik Deutschland, Baden-Baden (Nomos) 1982.

BESTERS, H.; u. a. (1975), Investitionslenkung – Bedrohung der Marktwirtschaft?, Köln (Deutsche Institut-Verlag) 1975.

BETH, E. W.; u. a. (1949), Hg., Proceedings of the Tenth International Congress of Philosophy, Bd. I, Amsterdam (North-Holland) 1949.

BETHUSY-HUC, V. GRÄFIN VON (1965), Das Sozialleistungssystem der Bundesrepublik Deutschland, 2. A., Tübingen (Mohr) 1976.

BETHUSY-HUC, V. GRÄFIN VON (1979), Arbeitsplatzsicherung als ein „neues“ Thema in der Tarifauseinandersetzung, in: P. HERDER-DORNEICH, Hg. (1979), S. 97–111.

BILGER, F. (1994), Industriepolitik für die Europäische Union. Titel XIII des Vertrags von Maastricht, in: K.-H. HARTWIG, Hg. (1994), S. 203–228.

BINSWANGER, H. (1981), Emissionsrechte als Erweiterung der Eigentumsordnung, in: L. WEGEHENKEL, Hg. (1981), S. 87–93.

BINSWANGER, H.; H. BONUS; M. TIMMERMANN (1981), Wirtschaft und Umwelt, Stuttgart (Kohlhammer) 1981.

BIRD, G. (1979), The terms of trade of developing countries: theory, evidence and policy, in: Economia Internazionale, 32, S. 399–413.

BIRNSTIEL, E. (1982), Theorie und Politik des Außenhandels, Stuttgart (Kohlhammer) 1982.

BLAIR, J. M. (1972), Economic concentration. Structure, behavior and public policy, New York (Harcourt) 1972.

BLANKART, B. (1975), Zur ökonomischen Theorie der Bürokratie, in: Public Finance, 30, S. 166–185.

BLAUG, M. (1972), An introduction to the economics of education, Harmondsworth (Penguin) 1972.

BLETSCHACHER, G.; H. KLODT (1992), Strategische Handels- und Industriepolitik. Kieler Studien 244, Tübingen (Mohr) 1992.

BLEYMÜLLER, J.; G. GEHLERT (1989), Konzentrationsmessung, in: WiSt, Wirtschaftswissenschaftliches Studium, 18, S. 378–384.

BLUM, R. (1969), Soziale Marktwirtschaft. Wirtschaftspolitik zwischen Neoliberalismus und Ordoliberalismus, Tübingen (Mohr) 1969.

BÖGELEIN, M. (1990), Ordnungspolitische Ausnahmebereiche. Marktwirtschaftliche Legitimation und wirtschaftspolitische Konsequenzen, Wiesbaden (Deutscher Universitäts-Verlag) 1990.

BÖHM, F. (1933), Wettbewerb und Monopolkampf, Berlin (Duncker & Humblot) 1933.

BÖHRET, C. (1970), Entscheidungshilfen für die Regierung. Modelle, Instrumente, Probleme, Opladen (Westdeutscher) 1970.

BOETTCHER, E.; P. HERDER-DORNEICH; K.-E. SCHENK (1982 ff.), Hg., Jahrbuch für Neue Politische Ökonomie, Tübingen (Mohr) 1982 ff.

BÖVENTER, E. VON (1980), Einführung in die Mikroökonomie, 7. A., München (Oldenbourg) 1991.

BOGS, W.; u. a. (1966), Sozialenquète, Stuttgart (Kohlhammer) o. J.

BOHNET, M. (1976), Die Auswirkungen der weltwirtschaftlichen Veränderungen auf die MSA-Länder („most seriously affected countries"), in W. VON URFF, Hg. (1976), S. 121–146.

BOMBACH, G.; B. GAHLEN; A. E. OTT (1977), Hg., Probleme des Strukturwandels und der Strukturpolitik, Tübingen (Mohr) 1977.

BOMBACH, G.; B. GAHLEN; A. E. OTT (1983), Hg., Makroökonomik heute: Gemeinsamkeiten und Gegensätze, Tübingen (Mohr) 1983.

BOMBACH, G.; G. GAHLEN; A. E. OTT (1985), Hg., Industrieökonomik: Theorie und Empirie, Tübingen (Mohr) 1985.

BONUS, H. (1972), Über Schattenpreise von Umweltressourcen, in: Jahrbuch für Sozialwissenschaft, 23, S. 342–354.

BONUS, H. (1976), Möglichkeiten zur Internalisierung externer Effekte als Instrument der Koordination von Unternehmenszielen und gesellschaftlichen Zielen, in: H. ALBACH; D. SADOWSKI, Hg. (1976), S. 207–226.

BONUS, H. (1981), Zur Transformation der Marktwirtschaft durch Sozialkomponente und Demokratisierung, in: O. ISSING, Hg (1981, 2), S. 233–253.

BONUS, H. (1983), Mehr Markt im Verkehrswesen!, in: H. GIERSCH, Hg. (1983), S. 206–231.

BONUS, H. (1990), Preis- und Mengenlösungen in der Umweltpolitik, in: Jahrbuch für Sozialwissenschaft, 41, S. 343–358.

BORCHARDT, K. (1982), Wachstum, Krisen, Handlungsspielräume der Wirtschaftspolitik, Göttingen (Vandenhoeck & Ruprecht) 1982.

BORCHERT, M. (1977), Außenwirtschaftslehre. Theorie und Politik, 3. A., Wiesbaden (Gabler) 1987.

BORCHERT, M. (1988), Die künftige Rolle der Sonderziehungsrechte, in: E. DÜRR; H. SIEBER, Hg. (1988), S. 257–272.

BORCHERT, M.; U. FEHL; P. OBERENDER (1987), Hg., Markt und Wettbewerb, Bern (Haupt) 1987.

BORCHERT, M.; H. GROSSEKETTLER (1985), Preis- und Wettbewerbstheorie. Marktprozesse als analytisches Problem und ordnungspolitische Gestaltungsaufgabe, Stuttgart (Kohlhammer) 1985.

BORK, R. H. (1978), The antitrust paradox: A policy at war with itself, New York (Macmillan) 1978.

BORNER, S. (1975), Wissenschaftliche Ökonomik und politische Aktion. Eine Politische Ökonomie der professionellen Beratung der Wirtschaftspolitik, Berlin (Haupt) 1975.

BOSERUP, E. (1981), Population and technology, Oxford (Blackwell) 1981.

BOULDING, K. E. (1962), Notes on a theory of philanthropy, in: F. G. DICKINSON, Hg. (1962).

BOULDING, K. E. (1968), Beyond economics. Essays on society, religion and ethics, Ann Arbor (Michigan University) 1968.

BRAKEL, J. (1983), Sozialbudget, Neuberechnungen '74 bis '81, in: Bundesarbeitsblatt, 1983, Nr. 4, S. 20–25.

BRANDER, J. A.; B. J. SPENCER (1983), International R & D rivalry and industrial strategy, in: Review of Economic Studies, 50, S. 707–722.

BREYER, F.; P. ZWEIFEL (1992), Gesundheitsökonomie, Berlin (Springer) 1992.

BRÜCK, G. W. (1976), Allgemeine Sozialpolitik, Köln (Bund) 1976.

BRÜCK G. W.; H. EICHNER (1974), Perspektiven der Sozialpolitik, Göttingen (Schwartz) 1974.

BRUNNER, K. (1964), Hat der Monetarismus versagt?, in: Kredit und Kapital, 17, S. 18–63.

BRUNNER, K. (1968), The role of money and monetary policy, in: Federal Reserve Bank of St. Louis Review, 50, No. 7, S. 9–24.

BRUNNER, K. (1970), The „monetarist revolution" in monetary theory, in: Weltwirtschaftliches Archiv, 105, S. 1–29; deutsche Übersetzung in: P. KALMBACH, Hg. (1973), S. 70–103.

BRUNNER, K. (1971), Die Kosten der Inflation und der Inflationsbekämpfung, in: Sparkasse, 88, S. 37–40.

BRUNNER, K.; A. CUKIERMAN; A. H. MELTZER (1980), Stagflation, persistent unemployment and the permanence of economic shocks, in: Journal of Monetary Economics, 6, S. 467–492.

BRUNNER, K.; A. H. MELTZER (1975 ff.), Hg., Carnegie-Rochester Conference Series on Public Policy, Amsterdam (North-Holland) 1975 ff.

BRUNNER, K.; A. H. MELTZER (1976, 1), An aggregate theory for a closed economy, in: J. L. STEIN, Hg. (1976), S. 69–103.

BRUNNER, K.; A. H. MELTZER (1976, 2), Hg., The economics of price and wage controls, Amsterdam (North-Holland) 1976.

BRUNNER, K.; A. H. MELTZER (1977), Hg., Stabilization of the domestic and international economy, Amsterdam (North-Holland) 1977.

BRUNNER, K.; A. H. MELTZER (1980), Hg., Monetary institutions and the policy process, Amsterdam (North-Holland) 1980.

BRUNNER, K. H.; H. G. MONISSEN; M. J. M. NEUMANN (1974), Hg., Geldtheorie, Köln (Kiepenheuer & Witsch) 1974.

BUCHANAN, J. M. (1975, 1), The limits of liberty, Chicago (Chicago University) 1975; deutsche Übersetzung: Die Grenzen der Freiheit zwischen Anarchie und Leviathan, 12. A., Tübingen (Mohr) 1988.

BUCHANAN, J. M. (1975, 2), The samaritans dilemma, in: E. S. PHELPS, Hg. (1975), S. 71–86.

BUCHANAN, J. M.; G. TULLOCK (1962), The calculus of consent. Logical foundation of constitutional democracy, Ann Arbor (Michigan University) 1962.

BUCHANAN, J. M.; G. TULLOCK (1975), Polluters' profits and political response: Direct controls versus taxes, in: American Economic Review, 65, S. 139–147.

BUCHANAN, J. M.; R. E. WAGNER (1977), Democracy in deficit: The political legacy of Lord Keynes, New York (Academic) 1977.

BUCHS, M. (1987), Zur Methodik von Marktuntersuchungen. Eine kritische Analyse am Beispiel der schweizerischen Wettbewerbspolitik, Bern (Haupt) 1987.

BUNDESKARTELLAMT (1968), Hg., Zehn Jahre Bundeskartellamt. Beiträge zu Fragen und Entwicklungen auf dem Gebiet des Kartellrechts, Köln (Heymanns) 1968.

BUNDESMINISTER DES INNEREN (1984), Marktwirtschaftliche Instrumente des Umweltschutzes, Bonn 1984.

BUNDESMINISTER FÜR ARBEIT UND SOZIALORDNUNG (1979), Hg., Zur Einkommenslage der Rentner. Zwischenbericht der Transfer-Enquète-Kommission, Stuttgart (Kohlhammer) 1979.

BUNDESMINISTER FÜR ARBEIT UND SOZIALORDNUNG (1980, 1), Hg., Arbeitssicherheit '80. Unfallverhütungsbericht, Stuttgart (Kohlhammer) 1980.

BUNDESMINISTER FÜR ARBEIT UND SOZIALORDNUNG (1980, 2), Hg., Sozialbericht 1980, Stuttgart (Kohlhammer) 1980.

BUNDESMINISTER FÜR ARBEIT UND SOZIALORDNUNG (1983), Materialband zum Sozialbericht 1983, Bonn 1983.

BUNDESMINISTER FÜR ARBEIT UND SOZIALORDNUNG (1991), Hg., Übersicht über die soziale Sicherheit, Bonn 1991.

BUNDESMINISTER FÜR ARBEIT UND SOZIALORDNUNG, Hg., Arbeits- und Sozialstatistik, Hauptergebnisse, Bonn, lfde. Jahrgänge.

BUNDESMINISTER FÜR ARBEIT UND SOZIALORDNUNG, Hg., Statistisches Taschenbuch, Bonn, verschiedene Jahrgänge.

BUNDESMINISTER FÜR ERNÄHRUNG, LANDWIRTSCHAFT UND FORSTEN, Hg., Statistisches Jahrbuch über Ernährung, Landwirtschaft und Forsten, Hamburg (Parey), lfd. Jahrgänge.

BUNDESMINISTER FÜR UMWELT, NATURSCHUTZ UND REAKTORSICHERHEIT (1990), Eckwerte der ökologischen Sanierung und Entwicklung in den neuen Ländern, vervielf. Manuskript, Bonn 1990.

BUNDESMINISTERIUM DES INNEREN (1971), Umweltprogramm der Bundesregierung, Bonn 1971.

BUNDESMINISTERIUM FÜR INNERDEUTSCHE BEZIEHUNGEN (1987), Hg., Materialien zum Bericht zur Lage der Nation im geteilten Deutschland 1987, Bonn (Universitäts-Druckerei) 1987.

BUNGE, M. A. (1964), Hg., The critical approach to science and philosophy, New York (Free) 1964.

BUNTE, H.-J. (1980), Wettbewerbs- und Kartellrecht, München (Hanser) 1980.

BURROWS, R. (1979), Pigovian taxes, polluter subsidies and the size of the polluting industry, in: Canadian Journal of Economics, 12, S. 494–501.

CAESAR, R. (1981), Der Handlungsspielraum von Notenbanken. Theoretische Analyse und Internationaler Vergleich, Baden-Baden (Nomos) 1981.

CALABRESI, G. (1968), Transaction costs, resource allocation, and liability rules, in: Journal of Law and Economics, 11, S. 67–73.

CANSIER, C. (1981), Umweltschutz und Eigentumsrechte, in: L. WEGEHENKEL, Hg. (1981), S. 180–207.

CANTO, V. A.; D. H. JOINES; A. B. LAFFER (1983), Hg., Foundations of supply-side economics. Theory and evidence, London (Academic Press) 1983.

CASSEL, D. (1972, 1), Die Konzertierte Aktion: Instrument einer rationalen Stabilisierungspolitik?, in: D. CASSEL; G. GUTMANN; H. J. THIEME, Hg. (1972), S. 251–273.

CASSEL, D. (1972, 2), Wissen – Werten – Entscheiden. Zur Rolle der Wissenschaft in der modernen Gesellschaft, in: Jahrbuch für Sozialwissenschaft, 23, S. 32–48.

CASSEL, D. (1980), Wachsende Staatsverschuldung – Wohltat oder Plage? Entwicklungstendenzen und volkswirtschaftliche Auswirkungen der öffentlichen Verschuldung in der Bundesrepublik Deutschland, in: List Forum, 10, S. 265–283.

CASSEL, D. (1984, 1), Jugendarbeitslosigkeit. Ausmaß, Ursachen, Gegenmaßnahmen, in: Der Bürger im Staat (Landeszentrale für Politische Bildung Baden-Württemberg), 34, S. 43–50; wieder abgedruckt in: H.-G. WEHLING, Hg. (1984), S. 123–146.

CASSEL, D. (1984, 2), Hg., Wirtschaftspolitik im Systemvergleich. Konzeption und Praxis der Wirtschaftspolitik in kapitalistischen und sozialistischen Wirtschaftssystemen, München (Vahlen) 1984.

CASSEL, D. (1987), Beschäftigungs- und Stabilitätspolitik, in: BUNDESMINISTERIUM FÜR INNERDEUTSCHE BEZIEHUNGEN, Hg. (1987), S. 72–84.

CASSEL, D. (1990), Hg., Wirtschaftssysteme im Umbruch. Sowjetunion, China und industrialisierte Marktwirtschaften zwischen internationalem Anpassungszwang und nationalem Reformbedarf, München (Vahlen) 1990.

CASSEL, D. (1992), Organisationsreform der GKV, Anspruch und Wirklichkeit, in: Arbeit und Sozialordnung, 46, S. 4–10.

CASSEL, D.; G. GUTMANN; H. J. THIEME (1972), Hg., 25 Jahre Marktwirtschaft in der Bundesrepublik Deutschland. Konzeption und Wirklichkeit, Stuttgart (Fischer) 1972.

CASSEL, D.; B.-T. RAMB; H. J. THIEME (1988), Hg., Ordnungspolitik, München (Vahlen) 1988.

CASSEL, D.; H. J. THIEME (1977), Einkommenspolitik. Kritische Analyse eines umstrittenen stabilitätspolitischen Konzepts, Köln (Kiepenheuer & Witsch) 1977.

CHAMBERLIN, E. H. (1933), The theory of monopolistic competition, 8. A., Cambridge, Mass. (Harvard University) 1965.

CHENERY, H. B. (1960), Patterns of industrial growth, in: American Economic Review, 50, S. 624–654.

CHENERY, H.; M. BRUNO (1962), Development alternatives in an open economy: the case of Israel, in: Economic Journal, 72, S. 79–103.

CHENERY, H. B.; D. KEESING (1981), The changing composition of developing country exports, in: S. GRASSMANN, E. LUNDBERG, Hg. (1981), S. 82–116.

CHENERY, H.; T. N. SRINIVASAN (1988), Hg., Handbook of development economics. Vol. 1, Amsterdam (North-Holland) 1988, Vol. 2, Amsterdam (North-Holland) 1989.

CHENERY, H. B.; M. SYRQUIN (1975), Patterns of development, 1950–1970, London (Oxford University) 1975.

CIPOLLA, C. M.; K. BORCHARDT (1978 ff.), Hg., Europäische Wirtschaftsgeschichte, 5 Bde., Stuttgart (Fischer) 1978 ff.

CLASSEN, E.-M. (1972), Short-Period fluctuations in nominal and real income: A monetarist view, in: E.-M. Claassen; P. Salin, Hg. (1972), S. 42–61.

CLAASSEN, E.-M. (1977), Brauchen wir eine neue Konjunkturtheorie?, in: H. SEIDEL; F. BUTSCHEK, Hg. (1977), S. 53–68.

CLAASSEN, E.-M. (1978), Weltinflation, München (Vahlen) 1978.

CLAASSEN, E.-M. (1980), Grundlagen der makroökonomischen Theorie, München (Vahlen) 1980.

CLAASSEN, E.-M.; P. SALIN (1972), Hg., Stabilization policies in interdependent economies, Amsterdam (North-Holland) 1972.

CLAPHAM, R. (1973), Marktwirtschaft in Entwicklungsländern. Zur Anwendung und Leistungsfähigkeit des marktwirtschaftlichen Konzepts, Freiburg i. Br. (Rombach) 1973.

CLAPHAM, R. (1981), Das wettbewerbspolitische Konzept der Wettbewerbsfreiheit, in: H. COX; U. JENS; K. MARKERT, Hg. (1981), S. 129–148.

CLAPHAM, R. (1993), Die Zollunionstheorie als Grundlage eines regionalen wirtschaftlichen Integrationskonzeptes, in: W. ZIPPEL, Hg. (1993), S. 25–40.

CLARK, C. (1940), The conditions of economic progress, 3. A., London (Macmillan) 1957.

CLARK, J. M. (1940), Toward a concept of workable competition, in: American Economic Review, 30, S. 241–246.

CLARK, J. M. (1961), Competition as a dynamic process, Washington, D. C. (Brookings) 1961.

CLINE, W. R. (1976), International monetary reform and the developing countries, Washington D. C. (Brookings) 1976.

COASE, R. H. (1937), The nature of the firm, in: Economica, 4, S. 386–405.

COASE, R. H. (1960), The problem of social cost, in: Journal of Law and Economics, 3, S. 1–44.

COASE, R. H. (1974), The lighthouse in economics, in: Journal of Law and Economics, 17, S. 357–376.

COASE, R. H. (1988), The firm, the market, and the law, Chicago (University of Chicago Press) 1988.

COBB, P. H.; C. W. DOUGLAS (1928), A theory of production, in: American Economic Review, Papers and Proceedings, 18, S. 139–165.

COMMISSION ON MONEY AND CREDIT (1963), Hg., Fiscal and debt management policies, Englewood Cliffs (Prentice Hall) 1963.

COMMONS, J. R. (1931), Institutional economics, in: American Economic Review, 21, S. 648–657.

CORDEN, W. M. (1974), Trade policy and economic welfare, Oxford (Clarendon) 1974.

COURNOT, A. A. (1838), Recherches sur les principes mathématiques de la théorie des richesses, Paris 1838; deutsche Übersetzung: Untersuchungen über die mathematischen Grundlagen der Theorie des Reichtums, Jena (Fischer) 1924.

COX, H. (1980), Tariffonds in der Tarif- und Vermögenspolitik, in: Wirtschaftsdienst, 60, S. 46–56.

COX, H. (1981), Kartelle – Strukturanalyse, Wettbewerbswirkungen und wettbewerbspolitische Behandlung, in: H. COX; U. JENS; K. MARKERT, Hg. (1981), S. 225–270.

COX, H.; U. JENS, K. MARKERT (1981), Hg., Handbuch des Wettbewerbs, München (Vahlen) 1981.

CROCKER, T. D. (1966), The structuring of atmospheric pollution control systems, in: H. WOLOZIN, Hg. (1966), S. 791–804.

CROOME, D.; H. G. JOHNSON (1970), Hg., Money in Britain 1959–1969, Oxford (Oxford University) 1970.

CROPPER, M. L.; W. E. OATES (1992), Environmental Economics: A Survey, in: The Journal of Economic Literature, 30, S. 675–740.

CULYER, A. J. (1976), Need and the National Health Service, London (Robertson) 1976.

CURZON, V. (1974), The essentials of economic integration. Lessons of EFTA-experience, London (Macmillan) 1974.

CYERT, R. M.; J. G. MARCH (1963), A behavioral theory of the firm, Englewood Cliffs (Prentice Hall) 1963.

DAHL, R. A.; C. E. LINDBLOM (1953), Politics, economics and welfare, New York (Harper) 1953.

DALES, J. H. D. (1968), Pollution, property and prices, Toronto (University of Toronto) 1968.

DALY, G. (1974), The Coase Theorem: Assumptions, applications and ambiguities, in: Economic Inquiry, 12, S. 203–213.

DAM, K. W. (1982), The rules of the game: Reform and evolution in the international monetary system, London (Macmillan) 1982.

DARBY, M. R. (1976), Macroeconomics. The theory of income, employment, and the price level, New York (McGraw-Hill) 1976.

DEBREU, G. (1959), Theory of value. An axiomatic analysis of economic equilibrium, New Haven (Yale University) 1959; dt. Übersetzung: Werttheorie: Eine axiomatische Analyse des ökonomischen Gleichgewichts, Berlin (Springer) 1976.

DE JONG, H. W. (1981), Hg., The structure of European industry, 2. A., Dordrecht (Kluwer) 1988.

DEMSETZ, H. (1967), Toward a theory of property rights, in: American Economic Review, Papers and Proceedings, 57, S. 347–359.

DEMSETZ, H. (1976), Economics as a guide to antitrust regulation, in: The Journal of Law and Economics, 19, S. 371–384.

DEREGULIERUNGSKOMMISSION (1991), Marktöffnung und Wettbewerb, Stuttgart (Poeschel) 1991.

DEUTSCHE BUNDESBANK (1968), Das Ausmaß der Geldentwertung seit 1950 und die weitere Entwicklung des Geldwertes, in: Monatsberichte der Deutschen Bundesbank, 20, Nr. 3, S. 3–19.

DEUTSCHE BUNDESBANK (1978), Internationale Organisationen und Abkommen im Bereich von Währung und Wirtschaft, 4. A., Frankfurt am Main 1992.

DEUTSCHE BUNDESBANK (1979), Berücksichtigung der Geldentwertung bei der Besteuerung von Einkünften aus Kapitalvermögen. Gutachten der Deutschen Bundesbank vom 22. September 1977 für das Bundesverfassungsgericht, in: Monatsberichte der Deutschen Bundesbank, 31, Nr. 8, S. 20–33.

DEUTSCHE BUNDESBANK (1982), Die Deutsche Bundesbank. Geldpolitische Aufgaben und Instrumente, Sonderdrucke der Deutschen Bundesbank. 7, 6. A., Frankfurt am Main 1993.

DEUTSCHE BUNDESREGIERUNG (1968), Jahreswirtschaftsbericht 1968, Bonn (Heger) 1968.

DEUTSCHE BUNDESREGIERUNG (1983), Unfallverhütungsbericht, Bonn (BT-Drucksache) 1983.

DEUTSCHE BUNDESREGIERUNG (1989), Jahreswirtschaftsbericht 1989, Bonn (BT-Drucksache) 1989.

DEUTSCHES INSTITUT FÜR WIRTSCHAFTSFORSCHUNG (1979), Vermögenseinkommen der privaten Haushalte in der Bundesrepublik Deutschland 1970 bis 1978, in: DIW Wochenbericht 19/79, 46, S. 199–209.

DEUTSCHES INSTITUT FÜR WIRTSCHAFTSFORSCHUNG (1980), Das Einkommen der Familien in der Bundesrepublik Deutschland im Jahr 1979, in: DIW Wochenbericht 38/80, 47, S. 401–411.

DICKE, H.; u. a. (1987), EG-Politik auf dem Prüfstand. Wirkungen auf Wachstum und Strukturwandel in der Bundesrepublik, Tübingen (Mohr) 1987.

DICKERTMANN, D.; A. SIEDENBERG (1973), Instrumentarium der Geldpolitik, 4. A., Düsseldorf (Werner) 1984.

DICKINSON, F. G. (1962), Hg., Philanthropy and public policy, New York (NBER) 1962.

DIECKHEUER, G. (1980), Der crowding-out-Effekt – Zum gegenwärtigen Stand von Theorie und Empirie, in: DIW-Vierteljahreshefte zur Wirtschaftsforschung, S. 126–147.

DIECKHEUER, G. (1990), Internationale Wirtschaftsbeziehungen, München (Oldenbourg) 1990.

DOBIAS, P. (1980), Wirtschaftspolitik. Einführung in ihre Grundlagen und Hauptprobleme, Paderborn (Schöningh) 1980.

DONGES, J. B. (1971), Die Entwicklungsländer als Anbieter industrieller Erzeugnisse, in: Die Weltwirtschaft, H. 1, S. 41–61.

DONGES, J. B. (1976), Probleme einer neuen Weltwirtschaftsordnung, in: W. VON URFF, Hg. (1976), S. 185–209.

DONGES, J. B. (1981), Außenwirtschafts- und Entwicklungspolitik. Die Entwicklungsländer in der Weltwirtschaft, Berlin (Springer) 1981.

DONGES, J. B. (1988), Möglichkeiten und Grenzen staatlicher Technologiepolitik, in: M. STREIT, Hg. (1988), S. 143–160.

DONGES, J. B.; u. a. (1982), The second enlargement of the European Community. Adjustment requirements and challenges for policy reform, Tübingen (Mohr) 1982.

DONGES, J. B.; u. a. (1988), Mehr Strukturwandel für Wachstum und Beschäftigung, Tübingen (Mohr) 1988.

DORNBUSCH, R. (1980), Exchange rate economics: Where do we stand?, in: Brookings Papers on Economic Activity, 10, S. 143–185.

DOROW, F. (1989), Volkswirtschaftliche Gesamtrechnungen 1988, in: Wirtschaft und Statistik, 3, S. 123–148.

DOS SANTOS, T. (1972), Über die Struktur der Abhängigkeit, in: D. SENGHAAS, Hg. (1972), S. 243–257.

DOWNS, A. (1957), An economic theory of democracy, New York (Harper) 1957; deutsch: Ökonomische Theorie der Demokratie, Tübingen (Mohr) 1968.

DOWNS, A. (1967), Inside bureaucracy, Boston (Little Brown) 1967.

DRAY, W. H. (1966), Hg., Philosophical analysis and history, New York (Free) 1966.

DREISSIG, W. (1975), Hg., Öffentliche Finanzwirtschaft und Verteilung III, Berlin (Duncker & Humblot) 1975.

DREISSIG, W. (1977), Hg., Öffentliche Finanzwirtschaft und Verteilung V, Berlin (Duncker & Humblot) 1977.

DUDLER, H.-J. (1984), Geldpolitik und ihre theoretischen Grundlagen, Frankfurt a. M. (Knapp) 1984.

DÜRR, E. (1968), Probleme der Konjunkturpolitik, Freiburg i. Br. (Rombach) 1968.

DÜRR, E. (1970, 1), Time lags in der Geldpolitik. Systematik der Zusammenhänge, Ursachen und Verhütungsmöglichkeiten, in: Kredit und Kapital, 3, S. 129–147.

DÜRR, E. (1970, 2), Konjunkturpolitik, Regelmechanismen, Konzertierte Aktion der Laissez-faire?, in: Wirtschaftspolitische Chronik, 19, S. 57–73.

DÜRR, E. (1972), Hg., Neue Wege der Wirtschaftspolitik, Berlin (Duncker & Humblot) 1972.

DÜRR, E. (1977), Wachstumspolitik, Bern–Stuttgart (Haupt) 1977.

DÜRR, E.; H. SIEBER (1988), Hg., Weltwirtschaft im Wandel, Bern (Haupt) 1988.

DÜRR, E.; u. a. (1974), Konzept zur Wiedergewinnung der Stabilität, Bonn 1974.

DUESENBERRY, J. S. (1949), Income, saving and the theory of consumer behavior, Cambridge/Mass. (Harvard University) 1949.

DUWENDAG, D. (1973), Hg., Macht und Ohnmacht der Bundesbank, Frankfurt am Main (Athenäum) 1973.

DUWENDAG, D.; H. SIEBERT (1980), Hg., Politik und Markt. Wirtschaftspolitische Probleme der 80er Jahre, Stuttgart (Fischer) 1980.

EHEART, J. u. a. (1987), Costefficiency of time varying discharge permits for the control of BOD discharges, in: Water Resources Research, 23, S. 245–251.

EHRENBERG, H.; A. FUCHS (1980), Sozialstaat und Freiheit, Frankfurt am Main (Suhrkamp) 1980).

EHRLICHER, W. (1974), Hg., Probleme der Indexbindung, Beihefte zu Kredit und Kapital, 2, Berlin (Duncker & Humblot) 1974.

EHRLICHER, W.; W.-D. BECKER (1978), Hg., Die Monetarismus-Kontroverse, Beihefte zu Kredit und Kapital, 4, Berlin (Duncker & Humblot) 1978.

EHRLICHER, W.; D. B. SIMMERT (1982), Hg., Geld- und Währungspolitik in der Bundesrepublik Deutschland, Beihefte zu Kredit und Kapital, 7, Berlin (Duncker & Humblot) 1982.

EHRLICHER, W.; u. a. (1968), Hg., Kompendium der Volkswirtschaftslehre, Bd. 2, 4. A., Göttingen (Vandenhoeck & Ruprecht) 1975.

EICHHORN, W. (1970), Theorie der homogenen Produktionsfunktion, Berlin (Springer) 1970.

EICKHOFF, N. (1986), Theorien des Markt- und Wettbewerbsversagens, in: Wirtschaftsdienst, S. 468–476.

EICKHOF, N. (1992), Marktstruktur und Wettbewerbsprozeß, in: Ordo. Jahrbuch für die Ordnung von Wirtschaft und Gesellschaft, 43, S. 173–191.

EMMERICH, V. (1975, 1), Fälle zum Wahlfach Wettbewerbsrecht, 3. A., München (Beck) 1990.

EMMERICH, v. (1975, 2), Kartellrecht, 5. A., München (Beck) 1988.

ENDERLE, G. (1985), Hg., Ethik und Wirtschaftswissenschaft, Berlin (Duncker & Humblot) 1985.

ENDRES, A. (1976), Die paretooptimale Internalisierung externer Effekte, Frankfurt/M., Bern (Lang) 1976.

ENDRES, A. (1985), Umwelt- und Ressourcenökonomie, Darmstadt (Wissenschaftliche Verlagsgesellschaft) 1985.

ENDRES, A. (1986), Charges, permits and pollutant interaction, in: Eastern Economic Journal, 12, S. 327–386.

ENDRES, A.; P. KLEMMER; K. ZIMMERMANN (1991), Der Nutzen des Umweltschutzes, Forschungsbericht 10 103 150, Umweltbundesamt, Berlin 1991.

ENGEL, E. (1857), Die Productions- und Consumptionsverhältnisse des Königsreichs Sachsen, Zeitschrift des statistischen Bureaus des Königlich Sächsischen Ministeriums des Innern, Nr. 8 und Nr. 9.

ENGELEN-KEFER, U. (1977), Beschäftigungspolitik. Eine problemorientierte Einführung mit einem Kompendium beschäftigungspolitischer Fachbegriffe, 2. A., Köln (Bund) 1980.

ENGELMANN, M. (1982), Volkswirtschaftliche Gesamtrechnungen 1981, in: Wirtschaft und Statistik, 3, S. 151–173.

ENGELS, W. (1979, 1), Notenbanktechnik, Instrumente und Verfahren der monetären Stabilitätspolitik, Frankfurt am Main (Campus) 1979.

ENGELS, W. (1979, 2). Eine konstruktive Kritik des Wohlfahrtsstaates, Tübingen (Mohr) 1979.

ENGELS, W. (1983), Steuerreform, in: H. GIERSCH, Hg. (1983), S. 153–175.

ESSIG, H.; W. STROHM (1991), Volkswirtschaftliche Gesamtrechnung für das frühere Gebiet der Bundesrepublik Deutschland, in: Statistisches Bundesamt, Hg., Wirtschaft und Statistik, 9, S. 577–602.

EUCKEN, W. (1940), Die Grundlagen der Nationalökonomie, 8. A., Berlin (Springer) 1965.

EUCKEN, W. (1952), Grundsätze der Wirtschaftspolitik, 6. A., Tübingen (Mohr) 1990.

EVANGELISCHES SOZIALLEXIKON (1963), Stuttgart (Kreuz) 1963.

EWERS, H.-J.; M. FRITSCH (1987), Zu den Gründen staatlicher Forschungs- und Technologiepolitik, in: Jahrbuch für Neue Politische Ökonomie, 6, S. 108–135.

EWRINGMANN, D. (1995), Umweltabgaben, in: M. JUNKERNHEINRICH; P. KLEMMER; G. R. WAGNER, Hg. (1995), S. 250–256.

FARNY, D. (1977), Sozialversicherung, in: W. ALBERS, u. a., Hg. (1977 ff.), Bd. 7, S. 160–169.

FARREL, J. (1987), Information and the Coase Theorem, in: Journal of Economic Perspectives, 1, 1987, S. 113–129.

FEHL, U. (1985, 1), Das Konzept der contestable markets und der Marktprozeß, in: G. BOMBACH; B. GAHLEN; A. E. OTT, Hg. (1985), S. 29–49.

FEHL, U. (1985, 2), Zur Theorie „angreifbarer" Märkte, in: Ordo. Jahrbuch für die Ordnung von Wirtschaft und Gesellschaft, 36, S. 253–257.

FEHL, U. (1986), Wettbewerbliche Dimensionen des Oligopolmarktes, in: Ordo, 37, S. 141–153.

FEHL, U.; P. OBERENDER (1976), Grundlagen der Mikroökonomie, 6. A., München (Vahlen) 1994.

FEI, J. H. C.; G. RANIS (1964), Development of the labor surplus economy, Homewood (Irwin) 1964.

FELDERER, B. (1986), Hg., Beiträge zur Bevölkerungsökonomie, Berlin (Duncker & Humblot) 1986.

FELDSIEPER, M. (1975), Zollpräferenzen für Entwicklungsländer, Tübingen (Erdmann) 1975.

FELDSIEPER, M. (1978), Zollpräferenzen für Entwicklungsländer: eine Einführung, in: WiSt, Wirtschaftswissenschaftliches Studium, 7, S. 256–261.

FELDSIEPER, M.; R. GROSS (1983), Hg., Wirtschaftspolitik in weltoffener Wirtschaft. Festschrift zum 70. Geburtstag von Rudolf Meimberg, Berlin (Duncker & Humblot) 1983.

FELDSTEIN, M. (1975), Toward a reform of social security, in: The Public Interest, 40, S. 75–97.

FELS, G. (1971), Spezialisierungsmuster in der Arbeitsteilung zwischen Industrie- und Entwicklungsländern, in: Die Weltwirtschaft, H. 1, S. 19–40.

FELS, G. (1974), Die Exportnotwendigkeiten der Entwicklungsländer und der Anpassungsprozeß in den Industrieländern, in: H. GIERSCH; H. D. HAAS, Hg. (1974), S. 193–214.

FELS, G.; O. VOGEL (1987), Hg., Brauchen wir eine neue Industriepolitik? Köln (Deutscher Instituts-Verlag) 1987.

FELS, G.; F. WEISS (1977), Structural change in an open growing economy. The lesson of West Germany, Tokio (International Economic Association) 1977.

FERGUSON, C. E. (1966), Microeconomic theory, 4. A., Homewood (Irwin) 1975.

FIKENTSCHER, W.; K. BORCHARDT (1957), Wettbewerb, Wettbewerbsbeschränkung, Marktbeherrschung, Stuttgart (Fischer) 1957.

FILC, W.; C. KÖHLER (1993), Hg., Integration oder Desintegration der Weltwirtschaft Berlin (Duncker & Humblot) 1993.

FISCHER, S. (1980), Hg., Rational expectations and economic policy, Chicago (University of Chicago) 1980.

FISCHER, W. (1961), Deutsche Wirtschaftspolitik 1918–1945, 3. A., Opladen (Leske) 1968.

FISCHER, W. (1973 ff.), Hg., Geschichte der Weltwirtschaft im 20. Jahrhundert, 6 Bde., München (dtv) 1973 ff.

FISHER, A. G. B. (1939), Production, primary, secondary and tertiary, in: Economic Record, 15, S. 24–38.

FISHER, F. M.; J. J. MCGOWAN; J. GREENWOOD (1985), Der Antitrust-Fall USA gegen IBM, Tübingen (Mohr) 1985.

FISHER, I. (1930), The theory of interest, New York (Macmillan) 1930.

FJODOROW, J. K. (1978), Der „Club of Rome". Bürgerlicher Reformismus auf der Suche nach einem Ausweg, in: Sowjetwissenschaft, 31, S. 615–631.

FOGEL, W. W.; S. L. ENGERMAN (1971), Hg., The interpretation of American economic history, New York (Harper & Row) 1971.

FORSCHUNGSINSTITUT FÜR WIRTSCHAFTSVERFASSUNG UND WETTBEWERB (1978), Hg., Gefährdungen der Marktwirtschaft, Köln (Heymanns) 1978.

FORSCHUNGSINSTITUT FÜR WIRTSCHAFTSVERFASSUNG UND WETTBEWERB (1979), Hg., Innovationspolitik und Wirtschaftsordnung, Köln (Heymanns) 1979.

FOURASTIÉ, J. (1949), Le grand espoir du XXe siècle, 3. A., Paris (Gallimard) 1963; deutsche Übersetzung: Die große Hoffnung des zwanzigsten Jahrhunderts, 2. A., Köln (Bund) 1969.

FOX, K. A.; J. K. SENGUPTA; E. THORBECKE (1966), The theory of quantitative economic policy with applications to economic growth, stabilization and planning, 2. A., Amsterdam (North-Holland) 1973.

FRANK, G. (1983), Sozialstaatsprinzip und Gesundheitssystem, Frankfurt und New York (Campus) 1983.

FRANZ, W. (1991), Arbeitsmarktökonomik, 2. A., Berlin (Springer) 1994.

FREEMAN, A. M.; R. H. HAVEMAN; A. V. KNEESE (1973), The economics of environmental policy, New York (Wiley) 1973.

FRENKEL, M. (1990), Theorie der Zollunion, in: WISU. Wirtschaftsstudium, 19, S. 679–689.

FRERICH, J. (1987), Sozialpolitik. Das Sozialleistungssystem der Bundesrepublik Deutschland. 2. A., München, Wien (Oldenbourg) 1990.

FREY, B. S. (1972), Umweltökonomie, 3. A., Göttingen (Vandenhoeck & Ruprecht) 1992.

FREY, B. S. (1977), Moderne politische Ökonomie, München (Piper) 1977.

FREY, B. S. (1978, 1), Der Einfluß der Wirtschaftslage auf Wählerentscheidungen, in: WiSt, Wirtschaftswissenschaftliches Studium, 7, S. 553–556.

FREY, B. S. (1978, 2), Eine Theorie demokratischer Wirtschaftspolitik, in: Kyklos, 31, S. 208–234.

FREY, B. S. (1981), Theorie demokratischer Wirtschaftspolitik, München (Vahlen) 1981.

FRIEDMAN, B. M. (1976), The theoretical nondebate about monetarism, in: Kredit und Kapital, 9, S. 347–367; deutsche Übersetzung in: W. EHRLICHER; W.-D. BECKER, Hg. (1978), S. 129–147.

FRIEDMAN, M. (1956), Studies in the quantity theory of money, Chicago (Chicago University) 1956.

FRIEDMAN, M. (1957), A theory of the consumption function, Princeton (Princeton University) 1957.

FRIEDMAN, M. (1961), The lag in effect of monetary policy, in: Journal of Political Economy, 69, S. 447–466.

FRIEDMAN, M. (1962), Capitalism and freedom, Chicago (Chicago University) 1962; deutsche Übersetzung: Kapitalismus und Freiheit, Stuttgart (Seewald) 1971.
FRIEDMAN, M. (1968), The role of monetary policy, in: American Economic Review, 58, S. 1–17; deutsche Übersetzung in: M. FRIEDMAN (1970, 3), S. 135–156.
FRIEDMAN, M. (1969, 1), The optimum quantity of money, in: M. FRIEDMAN (1969, 2), S. 1–50; deutsche Übersetzung in: M. FRIEDMAN (1970, 3), S. 9–76.
FRIEDMAN, M. (1969, 2), The optimum quantity of money and other essays, Chicago (Aldine) 1969; deutsche Übersetzung: Die optimale Geldmenge und andere Essays, München (Moderne Industrie) 1970.
FRIEDMAN, M. (1970, 1), A theoretical framework for monetary analysis, in: Journal of Political Economy, 78, S. 193–238.
FRIEDMAN, M. (1970, 2), The counter-revolution in monetary theory, Institute of Economic Affairs for the Wincott Foundation, Occasional Paper 33, London 1970; deutsche Übersetzung in: P. KALMBACH, Hg. (1973), S. 47–69.
FRIEDMAN, M. (1970, 3), Die optimale Geldmenge und andere Essays, München (Moderne Industrie) 1970.
FRIEDMAN, M.; u. a. (1974), Indexing and inflation, Washington, D. C. (American Enterprise Institute) 1974.
FRIEDRICH, H. (1970), Staatliche Verwaltung und Wissenschaft. Die wissenschaftliche Beratung der Politik aus der Sicht der Ministerialbürokratie, Frankfurt am Main (Europäische Verlagsanstalt) 1970.
FRIEDRICH, H. (1978), Stabilisierungspolitik, 2. A., Wiesbaden (Gabler) 1986.
FRISCH, H. (1976), Hg., Inflation in small countries, Berlin (Springer) 1976.
FRISCH, H. (1977), Monetarism and monetary economics. A delayed comment, in: Kredit und Kapital, 10, S. 321–335; deutsche Übersetzung in: W. EHRLICHER; W.-D. BECKER, Hg. (1978), S. 203–216.
FRISCH, H.; G. SCHWÖDIAUER (1980), Hg., The economics of flexible exchange rates. Proceedings of a conference at the Institute for Advanced Studies, Vienna, March 29–31, 1978, in: Beihefte zu Kredit und Kapital, Heft 6, Berlin (Duncker & Humblot) 1980.
FRISCH, R. (1965), Theory of production, Dordrecht (Reidel) 1965.
FRITSCH, M.; T. WEIN; H.-J. EWERS (1993), Marktversagen und Wirtschaftspolitik. Mikroökonomische Grundlagen staatlichen Handelns, München (Vahlen) 1993.
FRÖHLICH, H.-P. (1988), Der neue Protektionismus, in: WiSt. Wirtschaftswissenschaftliches Studium, 17, S. 381–387.
FUNK, B.-C. (1980), Über die Rolle der juristischen Verfassung als Freiheitsgarant, in: E. STREISSLER; C. WATRIN, Hg. (1980), S. 446–472.
FUROBOTN, E.; S. PEJOVICH (1972), Property rights and economic theory: a survey of recent literature, in: Journal of Economic Literature, 10, S. 1137–1162.

GAAB, W.; A. GIESECK (1988), Freiwillige Exportselbstbeschränkungsabkommen, in: WISU. Wirtschaftsstudium, 17, S. 485–492.
GABISCH, G. (1985), Egoismus, Altruismus und ökonomische Effizienz, in: G. ENDERLE, Hg. (1985).
GÄFGEN, G. (1963), Theorie der wirtschaftlichen Entscheidung. Untersuchungen zur Logik und Bedeutung rationalen Handelns, 3. A., Tübingen (Mohr) 1974.
GÄFGEN, G. (1966), Hg., Grundlagen der Wirtschaftspolitik, 3. A., Köln (Kiepenheuer & Witsch) 1974.
GÄFGEN, G. (1968), Allgemeine Wirtschaftspolitik, in: W. EHRLICHER, u. a., Hg. (1968), S. 117–204.
GÄFGEN, G. (1973), Vom Dilemma des Gesetzesauftrages – Das Konzept der Alternativstrategien, in: R. MOLITOR, Hg. (1973), S. 58–79.

GÄFGEN, G. (1976), Politische Ökonomie und Lehre von der Wirtschaftspolitik: Zur Realisierbarkeit wirtschaftspolitischer Vorschläge, in: H. KÖRNER; u. a., Hg. (1976), S. 123–143.

GÄRTNER, M. (1989), Devisenmarktinterventionen. Mechanik, Wirkungen, Motive, in: WiSt. Wirtschaftswissenschaftliches Studium, 18, S. 8–14.

GAERTNER, W. (1978), Über Kenneth Arrows allgemeines Unmöglichkeitstheorem und einige Auswege aus dem Dilemma, in: Jahrbuch für Sozialwissenschaft, 29, S. 288–309.

GAHLEN, B. (1974), Grundfragen der Stabilisierungspolitik, in: WIRTSCHAFTS- UND SOZIALWISSENSCHAFTLICHES INSTITUT DES DEUTSCHEN GEWERKSCHAFTSBUNDES, Hg. (1974), S. 7–29.

GAHLEN, B. (1981), Strukturpolitik und soziale Marktwirtschaft, in: O. ISSING, Hg. (1981, 2), S. 853–871.

GAHLEN, B. (1982), Hg., Strukturberichterstattung der Wirtschaftsforschungsinstitute, Tübingen (Mohr) 1982.

GAHLEN, B.; H. K. SCHNEIDER (1974), Hg., Grundfragen der Stabilitätspolitik, Tübingen (Mohr) 1974.

GALLAWAY, E. (1966), Negative tax rates and elimination of poverty, in: National Tax Journal, 19, S. 298–307.

GALLER, H. P. (1976), Optimale Wirtschaftspolitik mit nichtlinearen ökonometrischen Modellen, Frankfurt am Main (Campus) 1976.

GANDOLFO, G. (1987), International economics, I: The pure theory of international trade, 2. A., Berlin (Springer) 1994; II: International monetary theory and open-economy macroeconomics, 2. A., Berlin (Springer) 1995.

GARDNER, R. N. (1956), Sterling-Dollar diplomacy. Collaboration in the reconstruction of multilateral trade. Oxford (Oxford University) 1956.

GAWEL, E. (1991), Umweltpolitik durch gemischten Instrumenteneinsatz. Allokative Effekte instrumentell diversifizierter Lenkungsstrategien für Umweltgüter, Berlin (Duncker & Humblot) 1991.

GAWEL, E.; K.-H. HANSMEYER (1995), Umweltauflagen, in: M. JUNKERNHEINRICH; P. KLEMMER; G. R. WAGNER, Hg. (1995), S. 262–268.

GEMPER, B. B. (1978), Hg., Stabilität im Wandel, Festschrift für B. Gleitze zum 75. Geburtstag, Berlin (Duncker & Humblot) 1978.

GIERSCH, H. (1952), Freihandel als Aufgabe, in: Zeitschrift für die gesamte Staatswissenschaft, 108, S. 504–519.

GIERSCH, H. (1957), Einige Probleme der kleineuropäischen Zollunion, in: Zeitschrift für die gesamte Staatswissenschaft, 113, S. 602–631.

GIERSCH, H. (1961), Allgemeine Wirtschaftspolitik, 1. Bd.: Grundlagen, Wiesbaden (Gabler) 1961.

GIERSCH, H. (1964), Aufgaben der Strukturpolitik, in: Hamburger Jahrbuch für Wirtschafts- und Gesellschaftspolitik, 9, S. 61–90.

GIERSCH, H. (1972), Hg., Demand management – Globalsteuerung, Symposium 1971, Tübingen (Mohr) 1972.

GIERSCH, H. (1974), Indexklauseln und Inflationsbekämpfung, in: W. EHRLICHER, Hg. (1974), S. 15–39.

GIERSCH, H. (1977), Konjunktur- und Wachstumspolitik in der offenen Wirtschaft, Wiesbaden (Gabler) 1977.

GIERSCH, H. (1978, 1), Hg., Capital shortage and unemployment in the world economy, Tübingen (Mohr) 1978.

GIERSCH, H. (1978, 2), Zu den Forderungen nach einer neuen Weltwirtschaftsordnung, in: B. SCHIEMENZ, Hg. (1978), S. 18–29.

GIERSCH, H. (1979), Sicherung der Vollbeschäftigung und Bekämpfung von Arbeitslosigkeit durch Einkommens- und Marktpolitik, in: H. LAMPERT, Hg. (1979, 1), S. 108–132.

GIERSCH, H. (1983), Hg., Wie es zu schaffen ist. Agenda für die deutsche Wirtschaftspolitik, Stuttgart (DVA) 1983.

GIERSCH, H. (1986), Hg., The international debt problem: Lessons for the future, Tübingen (Mohr) 1986.

GIERSCH, H. (1988), Der EG-Binnenmarkt als Chance und Risiko, Kieler Diskussionsbeiträge, Nr. 147, Kiel (Institut für Weltwirtschaft) 1988.

GIERSCH, H.; K. BORCHARDT (1962), Hg., Diagnose und Prognose als wirtschaftswissenschaftliche Methodenprobleme, Berlin (Duncker & Humblot) 1962.

GIERSCH, H.; H.-D. HAAS (1974), Hg., Probleme der weltwirtschaftlichen Arbeitsteilung, Berlin (Duncker & Humblot) 1974.

GIFFORD, A.; C. STONE (1972), Externalities, liability and the Coase Theorem: A mathematical analysis, in: Western Economic Journal, 10, S. 260–269.

GLASTETTER, W. (1975), Außenwirtschaftspolitik, 2. A., Köln (Bund) 1979.

GLASTETTER, W.; u. a. (1978), Hg., Handwörterbuch der Volkswirtschaft, 2. A., Wiesbaden (Gabler) 1980.

GLISMANN, H. H.; u. a. (1980), Weltwirtschaftlehre. I. Außenhandels- und Währungspolitik, 4. A., Göttingen (Vandenhoeck & Ruprecht) 1992.

GLISMANN, H. H.; u. a. (1987), Weltwirtschaftslehre. II. Entwicklungs- und Beschäftigungspolitik, 3. A., Göttingen (Vandenhoeck & Ruprecht) 1987.

GLOBAL 2000 (1980), Report to the President, Washington (U.S. Government Printing Office) 1980, dtsch. Übers. GLOBAL 2000 (1980), Bericht an den Präsidenten, Frankfurt (Zweitausendeins) 1980.

GÖRGENS, E.; E. TUCHTFELDT (1992), Hg., Die Zukunft der wirtschaftlichen Entwicklung – Perspektiven und Probleme, Bern (Haupt) 1992.

GOLDSCHMID, H. J.; H. M. MANN; J. F. WESTON (1974), Hg., Industrial concentration: The new learning, Boston (Little, Brown) 1974.

GOSSEN, H. H. (1854), Entwicklung der Gesetze des menschlichen Verkehrs und den daraus fließenden Regeln für menschliches Handeln, 3. A., Berlin (Prager) 1927.

GRASSMAN, S.; E. LUNDBERG (1981), Hg., The world economic order. Past and prospects, London (Macmillan) 1981.

GREEN, C. (1967), Negative taxes and the poverty problem, 5. A., Washington D. C. (Brookings) 1973.

GREENAWAY, D.; C. MILNER (1979), Protectionism again ...? London (Institute of Economic Affairs) 1979.

GREISS, F.; F. W. MEYER (1961), Hg., Wirtschaft, Gesellschaft und Kultur. Festgabe für A. Müller-Armack, Berlin (Duncker & Humblot) 1961.

GRÖNER H. (1974), Probleme nicht-tarifärer Handelshemmnisse, in: Wirtschaftspolitische Chronik, 23, S. 29–49.

GRÖNER, H. (1978), Wandlungen in der Handelspolitik, in: H. GRÖNER; A. SCHÜLLER, Hg. (1978), S. 23–43.

GRÖNER, H. (1993), Integrationsmerkmale und Integrationsmethoden, in: H. GRÖNER; A. SCHÜLLER, Hg. (1993), S. 3–19.

GRÖNER, H.; A. SCHÜLLER (1978), Hg., Internationale Wirtschaftsordnung, Stuttgart (Fischer) 1978.

GRÖNER, H.; A. SCHÜLLER (1984), Konzeptionen und Praxis internationaler Wirtschaftspolitik, in: D. CASSEL, Hg. (1984, 3), S. 117–142.

GRÖNER, H.; A. SCHÜLLER (1993), Hg., Die europäische Integration als ordnungspolitische Aufgabe, Stuttgart (Fischer) 1993.

GROSSESCHMIDT, B. (1976), Kritik der postkeynesianischen Stabilitätspolitik. Ein Beitrag zur Phillips-Kurven-Diskussion, Berlin (Duncker & Humblot) 1976.

GROSSMAN, G. M.; E. HELPMAN (1991), Innovation and growth in the global economy, Cambridge/Mass. (MIT Press) 1991.

GÜNTHER, E. (1968), Zehn Jahre Bundeskartellamt: Rückblick und Ausblick, in: Zehn Jahre Bundeskartellamt, Köln (Heymanns) 1968, S. 11–37.

GULDIMANN, T. (1976), Die Grenzen des Wohlfahrtsstaates, München (Beck) 1976.

GUTENBERG, E. (1951), Grundlagen der Betriebswirtschaftslehre, 1. Band: Die Produktion, 23. A., Berlin (Springer) 1979.

GUTENBERG, E. (1955), Grundlagen der Betriebswirtschaftslehre, 2. Band: Der Absatz, 17. A., Berlin (Springer) 1984.

GUTMANN, G. (1975), Ordnungspolitische Aspekte überbetrieblicher Investitionsplanung – Vereinbarkeit mit der Marktwirtschaft, in: H. BESTERS, u. a. (1975), S. 71–101.

GUTMANN, G.; W. KLEIN (1984), Wirtschaftspolitische Konzeptionen sozialistischer Planwirtschaften, in: D. CASSEL, Hg. (1984, 2), S. 93–116.

GUTOWSKI, A. (1987), Hg., Geldpolitische Regelbindung: theoretische Entwicklungen und empirische Befunde, Berlin (Duncker & Humblot) 1987.

GUTOWSKI, A.; u. a. (1974), Hg., Währungsstabilität in einer integrierten Welt. Beiträge zur Geldtheorie und Geldpolitik. Festgabe für Otto Veit, Stuttgart (Kohlhammer) 1974.

HABERLER G. (1971), Incomes policy and inflation. An analysis of basic principles, Washington, D. C. (American Enterprise Institute) 1971.

HABERLER, G. (1975), Economic growth and stability, Los Angeles (Nash) 1975; deutsche Übersetzung: Wirtschaftswachstum und Stabilität, Zürich (Moderne Industrie) 1975.

HABERMAS, J. (1964), Verwissenschaftlichte Politik und öffentliche Meinung, in: R. REICH, Hg. (1964), S. 54–73; wieder abgedruckt in: J. HABERMAS (1968), S. 120–145.

HABERMAS, J. (1968), Technik und Wissenschaft als ‚Ideologie', Frankfurt am Main (Suhrkamp) 1968.

HAGEN, E. (1958), An economic justification for protectionism, in: Quarterly Journal of Economics, 72, S. 496–514.

HAHN, R. W.; G. L. HESTER (1989), Where did all the markets go? An analysis of EPA's emissions trading program, in: Yale Journal of Regulation, 6, 109–153.

HALBERSTADT, V.; A. J. CULYER (1977), Hg., Human resources and public finance, Paris (Cujas) 1977.

HALL, R. L.; C. J. HITCH (1939), Price theory and business behavior, in: Oxford economic papers, 2, S. 12–45; wieder abgedruckt in: T. WILSON; P. W. S. ANDREWS, Hg. (1951), S. 107–138.

HALLER, H.; H. C. RECKTENWALD (1969), Hg., Finanz- und Geldpolitik im Umbruch, Mainz (Hase & Koehler) 1969.

HALLER, H.; u. a. (1970), Hg., Theorie und Praxis des finanzpolitischen Interventionismus, Tübingen (Mohr) 1970.

HAMM, W. (1976), Kollektive Investitionslenkung, in: Ordo, 27, S. 134–182.

HAMM, W. (1977), Strukturpolitik, sektorale, in: W. ALBERS, u. a. Hg. (1977 ff.), Bd. 7, S. 479–491.

HANSEN, B. (1970), General equilibrium systems, New York (McGraw-Hill) 1970.

HANSMEYER, K.-H. (1981), Ökonomische Anforderungen an die staatliche Datensetzung für die Umweltpolitik und ihre Realisierung, in: L. WEGEHENKEL, Hg. (1981), S. 6–20.

HANSMEYER, K.-H. (1983), Hg., Staatsfinanzierung im Wandel. Verhandlungen auf der Jahrestagung der Gesellschaft für Wirtschafts- und Sozialwissenschaften – Verein für Socialpolitik – in Köln vom 13.–15. September 1982. Schriften des Vereins für Socialpolitik. Gesellschaft für Wirtschafts- und Sozialwissenschaften. Neue Folge, Bd. 134, Berlin (Duncker & Humblot) 1983.

HARBRECHT, W. (1978), Die Europäische Gemeinschaft, 2. A., Stuttgart (Fischer) 1984.

HARBRECHT, W. (1988), Europa auf dem Weg zu einem einheitlichen Binnenmarkt – Erfolgsaussichten und Konsequenzen, in: E. DÜRR; H. SIEBER, Hg. (1988), S. 339–358.

HARBUSCH, P.; D. WIEK (1975), Hg., Marktwirtschaft. Eine Einführung in das Konzept der freiheitlichen Wirtschaftsordnung, Stuttgart (Fischer) 1975.

HARTWIG, K.-H. (1977), Kritisch-rationale Methodologie und ökonomische Forschungspraxis. Zum Gesetzesbegriff in der Nationalökonomie, Frankfurt am Main (Lang) 1977.

HARTWIG, K.-H. (1994), Hg., Veränderte Arbeitsteilung in Europa – Brauchen wir eine Industriepolitik, List Gesellschaft N. F. 16, Baden-Baden (Nomos) 1994.

HASSE, R. H. (1989), Die europäische Zentralbank: Perspektiven für eine Weiterentwicklung des europäischen Währungssystems, Gütersloh (Bertelsmann) 1989.

HASSE, R. H.; W. SCHÄFER (1994), Hg., Die Weltwirtschaft vor neuen Herausforderungen. Strategischer Handel, Protektion und Wettbewerb, Göttingen (Vandenhoeck u. Ruprecht) 1990.

HAUFF, V. (1984), Umweltpolitische Konzeptionen aus politischer Sicht, in: Wirtschaftsdienst, 64, S. 163–166.

HAVEMAN, R. H.; J. MARGOLIS (1970), Hg., Public expenditures and policy analysis, 2. A., Chicago (Markham) 1977.

HAY, D. A.; D. J. MORRIS (1979), Industrial economics. Theory and evidence, Oxford (Oxford University) 1979.

HAYEK, F. A. VON (1960), The constitution of liberty, Chicago (University of Chicago) 1960; dt. Übersetzung: Die Verfassung der Freiheit, Tübingen (Mohr) 1971.

HAYEK, F. A. VON (1968), Der Wettbewerb als Entdeckungsverfahren, Tübingen (Mohr) 1968; wieder abgedruckt in: F. A. VON HAYEK (1969, 1), S. 249–269.

HAYEK, F. A. VON (1969, 1), Freiburger Studien, Tübingen (Mohr) 1969.

HAYEK, F. A. VON (1969, 2), Die Ergebnisse menschlichen Handelns, aber nicht menschlichen Entwurfs, in: F. A. VON HAYEK (1969, 1), S. 97–107.

HAYEK, F. A. VON (1969, 3), Grundsätze einer liberalen Gesellschaftsordnung, in: F. A. VON HAYEK (1969, 1), S. 108–125.

HAYEK, F. A. VON (1972), Die Theorie komplexer Phänomene, Tübingen (Mohr) 1972.

HAYEK, F. A. VON (1975), Die Anmaßung von Wissen, in: Ordo, 26, S. 12–21.

HAYEK, F. A. VON (1977), Drei Vorlesungen über Demokratie, Gerechtigkeit und Sozialismus, Tübingen (Mohr) 1977.

HEALEY, D. T. (1972), Development policy: New thinking about an interpretation, in: Journal of Economic Literature, 10, S. 757–797.

HEALEY, J. M. (1971), The economics of aid, London (Routledge & Kegan Paul) 1971).

HEISTER, J.; P. MICHAELIS u. a. (1991), Umweltpolitik mit handelbaren Emissionsrechten, Tübingen (Mohr) 1991.

HEITGER, B. (1983), Strukturwandel und realer Wechselkurs, Tübingen (Mohr) 1983.

HELBERGER, C. (1974), Marxismus als Methode. Wissenschaftstheoretische Untersuchungen zur Methode der marxistischen politischen Ökonomie, Frankfurt am Main (Athenäum) 1974.

HELLER, P. W. (1989), Das Problem der Umweltbelastung in der ökonomischen Theorie, Frankfurt/M. (Campus) 1989.

HELMSTÄDTER, E. (1974), Wirtschaftstheorie I. Mikroökonomische Theorie, 4. A., München (Vahlen) 1991.

HELMSTÄDTER, E. (1982), Ordnungspolitische Probleme der Strukturberichterstattung, in: B. GAHLEN, Hg. (1982), S. 52–68.

HEMMER, H. R. (1972), Die Bedeutung ausländischer Direktinvestitionen für die wirtschaftliche Entwicklung der Dritten Welt, in: Zeitschrift für Wirtschafts- und Sozialwissenschaften, 92, S. 155–167.

HEMMER, H. R. (1978), Wirtschaftsprobleme der Entwicklungsländer, 2. A., München (Vahlen) 1988.

HEMMER, H.-R. (1990), 40 Jahre Entwicklungstheorie und -politik – Ein Rückblick aus wirtschaftswissenschaftlicher Sicht, in: Zeitschrift für Wirtschafts- und Sozialwissenschaften, 110, S. 505–570.

HEMMER, H.-R. (1994), Ansatzmöglichkeiten einer armutsorientierten Entwicklungspolitik: ein Überblick, in: H.-B. SCHÄFER Hg. (1994), S. 55–90.

HEMPEL, C. G. (1965), Hg., Aspects of scientific explanation and other essays in the philosophy of science, New York (Free) 1965.

HENDERSON, J. M.; R. E. QUANDT (1958), Microeconomic theory, 3. A., New York (McGraw-Hill) 1980; deutsche Übersetzung: Mikroökonomische Theorie, 5. A., München (Vahlen) 1983.

HENNING, H. (1965), Preußische Sozialpolitik im Vormärz?, in: Vierteljahresschrift für Sozial- und Wirtschaftsgeschichte, 52, S. 485–537.

HENNING, H. (1977), Sozialpolitik, III: Geschichte, in: W. ALBERS, u. a., Hg. (1977 ff.), Bd. 7, S. 85–109.

HENSEL, K. P. (1954), Das Verhältnis politischer Wissenschaft zur Politik, in: Ordo, 4., S. 3–17.

HENTSCHEL, V. (1983), Geschichte der deutschen Sozialpolitik 1880–1980, 4. A., Frankfurt am Main (Surhkamp) 1991.

HERDER-DORNEICH, P. (1977), Kostenexplosion im Gesundheitswesen, in: B. KÜLP; H.-D. HAAS, Hg. (1977), S. 577–597.

HERDER-DORNEICH, P. (1979), Hg., Die Sicherung des Arbeitsplatzes, Berlin (Dunker & Humblot) 1979.

HERDER-DORNEICH, P. (1982), Die Steuerung des Sozialstaates als ordnungspolitisches Problem, Düsseldorf (Bildungswerk der Nordrhein-Westfälischen Wirtschaft) 1982.

HERDER-DORNEICH, P.; M. GROSER (1977), Ökonomische Theorie des politischen Wettbewerbs, Göttingen (Vandenhoeck & Ruprecht) 1977.

HERDZINA, K. (1973), Oligopolistische Interdependenz, funktionsfähiger Wettbewerb und Wettbewerbsvoraussetzungen, in: Jahrbuch für Sozialwissenschaft, 24, S. 55–84.

HERDZINA, K. (1984), Wettbewerbspolitik, 3. A., Stuttgart (Fischer) 1991.

HESSE, H. (1980), Hg., Arbeitsbuch angewandte Mikroökonomik, Tübingen (Mohr) 1980.

HESSE, H. (1984), Wohnungswirtschaft, in: P. OBERENDER, Hg. (1984), S. 53–86.

HESSE, H.; R. LINDE (1976), Gesamtwirtschaftliche Produktionstheorie, Teil I und Teil II, Würzburg (Physica) 1976.

HESSE, H.; H. SAUTTER (1977), Entwicklungstheorie und -politik, Bd. 1, Tübingen (Mohr) 1977.

HEUSS, E. (1965), Allgemeine Markttheorie, Tübingen (Mohr) 1965.

HEUSS, E. (1968), Die Wettbewerbs- und Wachstumsproblematik des Oligopols, in: H. K. SCHNEIDER, Hg. (1968, 1), S. 50–73.

HEUSS, E. (1971), Makroökonomie und Stabilitätsgesetz, in: E. HOPPMANN, Hg. (1971), S. 93–115.

HEUSS, E. (1980), Wettbewerb, in: W. ALBERS, u. a., Hg. (1977 ff.), Bd. 8, S. 679–697.

HEY, J. D. (1979), Uncertainty in microeconomics, Oxford (Robertson) 1979.

HILDENBRAND, W.; A. P. KIRMAN (1976), Introduction to equilibrium analysis, Amsterdam (North-Holland) 1976.

HIMMELMANN, G. (1979), Sozialpolitik der Tarifparteien, in: Der Bürger im Staat, 29, S. 258–262.

HINE, R. C. (1985), The political economy of European trade: An introduction to the trade policies of the EEC, Brighton, Sussex (Harvester Press) 1985.

HIRSCHMAN, A. O. (1958), The strategy of economic development, New Haven (Yale University) 1958; deutsche Übersetzung: Die Strategie der wirtschaftlichen Entwicklung, 3. A., Stuttgart (Fischer) 1967.

HIRSHLEIFER, J.; A. GLAZER (1992), Price theory and applications; 1. A.: J. Hirshleifer, Price theory and applications, 1976; 5. A., Englewood Cliffs (Prentice Hall) 1992.

HODEIGE, F. (1967), Hg., Tätigkeit im rechten Sinne, Festschrift für G. H. Rombach, Freiburg (Rombach) 1967.

HOFFMANN, L. (1970), Importsubstitution und wirtschaftliches Wachstum in Entwicklungsländern, Tübingen (Mohr) 1970.

HOFMANN, W. (1961), Gesellschaftslehre als Ordnungsmacht. Die Werturteilsfrage – heute, Berlin (Duncker & Humblot) 1961.

HOLLER, M. J.; G. ILLING (1991), Einführung in die Spieltheorie, Berlin Heidelberg, New York u. a. (Springer) 1991.

HOLLMANN, H. H. (1980), Rechtsstaatliche Kontrolle der Globalsteuerung, Möglichkeiten und Grenzen einer normativen Kontrolle globalsteuernder Wirtschaftspolitik am Beispiel des Stabilitätsgesetzes, Baden-Baden (Nomos) 1980.

HOLT, C. C. (1970, 1), How can the Philipps curve be moved to reduce both inflation and unemployment?, in: E. S. PHELPS; u. a. (1970), S. 224–256.

HOLT, C. C. (1970, 2), Job search, Phillips' wage relation, and union influence: Theory and evidence, in: E. S. PHELPS; u. a. (1970), S. 53–123.

HOLZHEU, F. (1977), Zur optimalen Nutzung erschöpfbarer natürlicher Ressourcen, in: WISU, Wirtschaftsstudium S. 566–572.

HOLZHEU, F. (1989), Grundsatzprobleme wirtschaftspolitischer Beratung am Beispiel 25 Jahre Sachverständigenrat zur Begutachtung der gesamtwirtschaftlichen Entwicklung, in: WiSt, Wirtschaftswissenschaftliches Studium, 18, S. 230–237.

HOMANN, K. (1980), Die Interdependenz von Zielen und Mitteln, Tübingen (Mohr) 1980.

HOMBURG, S. (1988), Theorie der Alterssicherung, Berlin (Springer) 1988.

HOPPMANN, E. (1966), Das Konzept der optimalen Wettbewerbsintensität, in: Jahrbücher für Nationalökonomie und Statistik, 179, S. 286–323.

HOPPMANN, E. (1968), Zum Problem einer wirtschaftspolitisch praktikablen Definition des Wettbewerbs, in: H. K. SCHNEIDER, Hg. (1968, 1), S. 9–49.

HOPPMANN, E. (1971), Hg., Konzertierte Aktion. Kritische Beiträge zu einem Experiment, Frankfurt am Main (Athenäum) 1971.

HOPPMANN, E. (1972), Konzertierte Aktion als Instrument der Globalsteuerung, in: WiSt, Wirtschaftswissenschaftliches Studium 1, S. 7–12.

HOPPMANN, E. (1972–1973), Zur ökonomischen Begründung von Ausnahmebereichen, in: Jahrbücher für Nationalökonomie und Statistik, 187, S. 161–169.

HOPPMANN, E. (1973), Soziale Marktwirtschaft oder konstruktivistischer Interventionismus?, in: E. TUCHTFELDT, Hg. (1973, 2), S. 27–86.

HOPPMANN, E. (1988), Wirtschaftsordnung und Wettbewerb, Baden-Baden (Nomos) 1988.

HORNE, J.; P. R. MASSON (1988), Scope and limits of international economic cooperation and policy coordination, in: IMF Staff Papers 35, S. 259–296.

HOTELLING, H. (1931), The economics of exhaustible resources, in: Journal of Political Economy, 39, S. 137–175.

HRBEK, R. (1993), Die Entstehung und Weiterentwicklung der EG, in: W. ZIPPEL, Hg. (1993), S. 1–24.

HÜBL, L. (1980), Industrielle Entwicklung aus volkswirtschaftlicher Sicht – Perspektiven für die 80er und 90er Jahre, in: Zeitschrift des Vereins deutscher Ingenieure für Maschinenbau und Metallbearbeitung, 122, S. 253–260.

HÜBL, L.; W. SCHEPERS (1983), Strukturwandel und Strukturpolitik, Darmstadt (Wissenschaftliche Buchgesellschaft) 1983.

HUJER, R.; R. CREMER (1978), Methoden der empirischen Wirtschaftsforschung, München (Vahlen) 1978.

INSTITUT DER DEUTSCHEN WIRTSCHAFT (1978), Hg., Wachstum, warum, wozu, wodurch?, Köln (Deutscher Instituts-Verlag) 1978.

INSTITUT DER DEUTSCHEN WIRTSCHAFT (1993), Hg., Internationale Wirtschaftszahlen 1993, Köln (Deutscher Instituts-Verlag) 1993.

INSTITUT DER DEUTSCHEN WIRTSCHAFT (1994), Hg., Internationale Wirtschaftszahlen 1994, Köln (Deutscher Instituts-Verlag) 1994.

ISSING, O. (1965), Leitwährung und internationale Währungsordnung, Berlin (Dunkker & Humblot) 1965.

ISSING, O. (1975), Investitionslenkung in der Marktwirtschaft?, Göttingen (Vandenhoeck & Ruprecht) 1975.

ISSING, O. (1979, 1), Innovationsförderung und Ordnungspolitik, in: List Forum, 10, S. 33–51.

ISSING, O. (1979, 2), Markt, Freiheit und wirtschaftliche Sicherheit, in: Ordo, Jahrbuch für die Ordnung von Wirtschaft und Gesellschaft, 30, S. 151–157.

ISSING, O. (1980), Währungspolitik, internationale, in: W. ALBERS; u. a., Hg., (1977 ff.), Bd. 8, S. 533–542.

ISSING, O. (1981, 1), Einführung in die Geldpolitik, 4. A., München (Vahlen) 1992.

ISSING, O. (1981, 2), Hg., Zukunftsprobleme der Sozialen Marktwirtschaft, Berlin (Duncker & Humblot) 1981.

ISSING, O. (1982, 1), Angebotsorientierte Wirtschaftspolitik, in: WiSt, Wirtschaftswissenschaftliches Studium, 11, S. 463–467.

ISSING, O. (1982, 2), Hg., Allgemeine Wirtschaftspolitik, München (Vahlen) 1982.

ISSING, O. (1982, 3), Hg., Spezielle Wirtschaftspolitik, München (Vahlen) 1982.

ISSING, O. (1983), Supply-Side economics – Marginalien zu einem wirtschaftspolitischen Programm, in: A. WOLL, Hg. (1983, 2), S. 139–156.

ISSING, O. (1988), Hg., Wechselkursstabilisierung, EWG und Weltwährungssystem, Hamburg (Weltarchiv) 1988.

ISSING, O. (1990), Europäische Währungsintegration – Ausgangslage, Strategien, Risiken, in: E. KANTZENBACH, Hg. (1990, 2), S. 111–136.

ISSING, O. (1991), Perspektiven der Weltwährungsordnung – Evolution versus institutionelle Reformen, in: J. SIEBKE, Hg. (1991), S. 655–671.

ISSING, O.; W. LEISNER (1976), Kleineres Eigentum, Göttingen (Vandenhoeck & Ruprecht) 1976.

JACQUEMIN, A. (1984), Hg., European industry: Public policy and corporate strategy, Oxford (Clarendon) 1984.

JACQUEMIN, A. P.; H. W. DE JONG (1977), European industrial organization, London (Macmillan) 1977.

JARCHOW, H.-J. (1974), Theorie und Politik des Geldes, II. Geldmarkt und geldpolitische Instrumente, 6. A., Göttingen (Vandenhoeck & Ruprecht) 1993.

JARCHOW, H. J.; P. RÜHMANN (1984), Monetäre Außenwirtschaft, II. Internationale Währungspolitik, 3. A., Göttingen (Vandenhoeck & Ruprecht) 1993.

JOCHIMSEN, R. (1967), Strategie und wirtschaftspolitische Entscheidung, in: Weltwirtschaftliches Archiv, 99, S. 52–78.

JOCHIMSEN, R.; H. KNOBEL (1971), Hg., Gegenstand und Methoden der Nationalökonomie, Köln (Kiepenheuer & Witsch) 1971.

JÖHR, W. A. (1958), Der Kompromiß als Problem der Wirtschafts-, Gesellschafts- und Staatsethik, Tübingen (Mohr) 1958.

JÖHR, W. A. (1974), Lebensqualität und Werturteilsstreit, Zürich (Schulthess) 1974.

JÖHR, W. A.; F. KNESCHAUREK (1962), Die Prognose als Basis der Wirtschaftspolitik, in: H. GIERSCH; K. BORCHARDT, Hg. (1962), S. 415–435; wieder abgedruckt in: G. GÄFGEN, Hg. (1966), S. 338–356.

JÖHR, W. A.; H. W. SINGER (1957), Die Nationalökonomie im Dienste der Wirtschaftspolitik, 3. A., Göttingen (Vandenhoeck & Ruprecht) 1969.

JOHNSON, H. G. (1970), Recent developments in monetary theory – A commentary, in: D. CROOME; H. G. JOHNSON, Hg. (1970), S. 83–114; deutsche Übersetzung in: K. BRUNNER, H. G. MONISSEN; M. J. M. NEUMANN, Hg. (1974), S. 26–48.

JOHNSON, H. G. (1971), The Keynesian revolution and the monetarist counter-revolution, in: American Economic Review, 61, S. 1–14; deutsche Übersetzung in: P. KALMBACH, Hg. (1973), S. 196–216.

JOHNSON, H. G. (1975, 1), Inflation – Theorie und Politik, München (Vahlen) 1975.

JOHNSON, H. G. (1975, 2), Technology and economic interdependence, London (Macmillan) 1975.

JOKL, ST. (1983), Die volkswirtschaftlichen Kosten der Arbeitsunfälle 1980–1985, Bremerhaven (Wirtschaftsverlag NW) 1983.

JÜRGENSEN, H. (1959), Die Wirtschaftsgemeinschaft im Freihandelsraum, in: Jahrbuch für Sozialwissenschaft, 10, S. 38–63.

JÜRGENSEN, H.; H. BERG (1968), Konzentration und Wettbewerb im Gemeinsamen Markt – Das Beispiel der Automobilindustrie, Göttingen (Vandenhoeck & Ruprecht) 1968.

JUNGFER, J. (1991), Grundbedürfnisstrategie oder Ordnungspolitik als Wege zur Überwindung wirtschaftlicher Unterentwicklung, Bern, Stuttgart (Haupt) 1991.

JUNKERNHEINRICH, M.; P. KLEMMER; G. R. WAGNER (1995), Hg., Handbuch zur Umweltökonomie, Berlin (Analytica) 1995.

KABELITZ, K. R. (1984), Eigentumsrechte und Nutzungslizenzen als Instrumente einer ökonomischen Luftreinhaltepolitik, in: Ifo-Studien zur Umweltökonomie, 5, München 1984.

KALDOR, N. (1955–1956), Alternative theories of distribution, in: Review of Economic Studies, 23, S. 83–100.

KALMBACH, P. (1973), Hg., Der neue Monetarismus, München (Nymphenburger) 1973.

KANTZENBACH, E. (1966), Die Funktionsfähigkeit des Wettbewerbs, Göttingen (Vandenhoeck & Ruprecht) 1966.

KANTZENBACH, E. (1967), Das Konzept der optimalen Wettbewerbsintensität. Eine Erwiderung auf den gleichnamigen Besprechungsaufsatz von Erich Hoppmann, in: Jahrbücher für Nationalökonomie und Statistik, 181, S. 193–241.

KANTZENBACH, E. (1984), Internationaler Wettbewerb und nationale Zusammenschlußkontrolle, in: D. ALDRUP; H. BERG; E. KANTZENBACH, Hg. (1984), S. 234–241.

KANTZENBACH, E. (1990, 1), Erfahrungen aus der deutschen Zusammenschlußkontrolle, in: Wirtschaft und Wettbewerb, 40, S. 116–123.

KANTZENBACH, E. (1990, 2), Hg., Probleme der Vollendung des Binnenmarktes in Europa nach 1992, Berlin (Duncker & Humblot) 1990.

KANTZENBACH, E.; H. H. KALLFASS (1981), Das Konzept des funktionsfähigen Wettbewerbs – workable competition, in: H. COX; U. JENS; K. MARKERT, Hg. (1981), S. 103–128.

KANTZENBACH, E.; R. KRÜGER (1990), Zur Frage der richtigen Abgrenzung des sachlich relevanten Marktes bei der wettbewerbspolitischen Beurteilung von Unternehmenszusammenschlüssen, in: Wirtschaft und Wettbewerb, 40, S. 472–481.

KANTZENBACH, E.; J. KRUSE (1989), Kollektive Marktbeherrschung, Göttingen (Vandenhoeck & Ruprecht) 1989.

KANTZENBACH, E.; O. G. MAYER (1993), Hg., Europäische Gemeinschaft – Bestandsaufnahme und Perspektiven, Berlin (Duncker & Humblot) 1993.

KANTZENBACH, E.; H.-E. SCHARRER; L. WAVERMAN (1993), Hg., Competition policy in an interdependent world economy, Baden-Baden (Nomos), 1993.

KARRENBERG, F.; H. ALBERT (1963), Hg., Sozialwissenschaft und Gesellschaftsgestaltung. Festschrift für Gerhard Weisser, Berlin (Duncker & Humblot) 1963.

KARTTE, W. (1969), Ein neues Leitbild der Wettbewerbspolitik, Köln (Heymanns) 1969.

KATH, D. (1975), Der internationale Inflationsmechanismus und die Reform des Weltwährungssystems, in: Kredit und Kapital, 8, S. 31–46.

KATOUZIAN, M. A. (1970), The development of the service sector. A new approach, in: Oxford Economic Papers, N. S., 22, S. 362–382.

KAUFER, E. (1966), Kantzenbachs Konzept des funktionsfähigen Wettbewerbs. Ein Kommentar, in: Jahrbücher für Nationalökonomie und Statistik, 179, S. 481–492.

KAUFER, E. (1970), Patente, Wettbewerb und technischer Fortschritt, Bad Homburg (Athenäum) 1970.

KAUFER, E. (1976), Die Ökonomik der pharmazeutischen Industrie, Baden-Baden (Nomos) 1976.

KAUFER, E. (1977), Konzentration und Fusionskontrolle, Tübingen (Mohr) 1977.

KAUFER, E. (1980), Industrieökonomik. Eine Einführung in die Wettbewerbstheorie, München (Vahlen) 1980.

KELLEY, A. C. (1988), Economic consequences of population change in the third world, in: Journal of Economic Literature, 26, S. 1685–1728.

KEMPER, M. (1989), Das Umweltproblem in der Marktwirtschaft, Berlin (Duncker & Humblot) 1989.

KERN, M. (1979), Marktmacht, Preiskontrollen und Stabilisierungspolitik unter besonderer Berücksichtigung des amerikanischen Stabilisierungsprogramms 1971–1974, Köln (Habilitationsschrift) 1979.

KEYNES, J. M. (1936), The general theory of employment, interest and money, London (Macmillan) 1936.

KINDLEBERGER, C. P. (1973), Die Weltwirtschaftskrise 1929–1939, München (Beck) 1973.

KIRSCH, G. (1974), Neue Politische Ökonomie, 2. A., Düsseldorf (Werner) 1983.

KIRSCH, G. (1981), Ordnungspolitik als Gegenstand der politischen Auseinandersetzung, in: O. ISSING, Hg. (1981, 2), S. 255–275.

KIRSCHEN, E. S. (1974), Hg., Economic policies compared. West and East; Bd. 1: General theory; Bd. 2: National and international experience, Amsterdam (North-Holland) 1974.

KIRSCHEN, E. S.; u. a. (1964), Economic policy in our time, Vol. I–III, Amsterdam

(North-Holland) 1964; deutsche Übersetzung: International vergleichende Wirtschaftspolitik. Versuch einer empirischen Grundlegung, Berlin (Duncker & Humblot) 1967.

KLATT, S. (1980), Strukturprognosen als wirtschaftspolitische Informationsinstrumente, in: Hamburger Jahrbuch für Wirtschafts- und Gesellschaftspolitik, 25, S. 61–80.

KLAUS, J.; M. GÖMMEL (1973), Unterschiedliche Ansätze der Einkommenspolitik: Paritätische Kommission und Konzertierte Aktion, in: B. KÜLP; W. STÜTZEL, Hg. (1973), S. 175–197.

KLEINHENZ, G. (1973), Leitbilder und Zielsysteme der Sozialpolitik der Europäischen Gemeinschaften, in: H. SANMANN, Hg. (1973), S. 185–232.

KLEINHENZ, G. (1979), Die Forderung nach einem „Recht auf Arbeit", in: P. HERDER-DORNEICH, Hg. (1979), S. 73–95.

KLEINHENZ, G.; H. LAMPERT (1971), Zwei Jahrzehnte Sozialpolitik in der BRD. Eine kritische Analyse, in: Ordo, 22, S. 103–158.

KLEMMER, P. (1995), Hg., Kompendium der europäischen Wirtschaftspolitik, München (Vahlen) 1995.

KLEPS, K. H. (1980), Zur Effizienz partieller Mindestpreise, in: WiSt, Wirtschaftswissenschaftliches Studium, 9, S. 160–166.

KLEPS, K. H. (1982), Lohnpolitische Konzeptionen und Vermögensbildung, Baden-Baden (Nomos) 1982.

KLEPS, K. H. (1984), Staatliche Preispolitik, München (Vahlen) 1984.

KLEPS, K. H.; H.-R. PETERS; H. PACHUCKI (1972), Grundfragen staatlicher Strukturpolitik, Linz (Österreichisches Wirtschaftsinstitut für Strukturforschung und Strukturpolitik) 1972.

KLODT, H.; u. a. (1989), Weltwirtschaftlicher Strukturwandel und Standortwettbewerb, Tübingen (Mohr) 1989.

KLODT, H.; u. a. (1992), Die Strukturpolitik der EG, Kieler Studien 249, Tübingen (Mohr) 1992.

KLODT, H.; u. a. (1994), Standort Deutschland: Strukturelle Herausforderungen im neuen Europa. Kieler Studien 265, Tübingen (Mohr) 1994.

KLOTEN, N.; u. a. (1964), Hg., System und Methoden in den Wirtschafts- und Sozialwissenschaften, Festschrift für E. von Beckerath, Tübingen (Mohr) 1964.

KLUMP, R. (1989), Einführung in die Wirtschaftspolitik. Theoretische Grundlagen und Anwendungsbeispiele, München (Vahlen) 1989.

KNAPPE, E. (1981), Ausgabenexplosion im Gesundheitssektor: Folge einer ordnungspolitischen Fehlsteuerung, in: O. ISSING, Hg. (1981, 2), S. 499.–528.

KNECHT, T. (1980), Leistungsgewinn und Wettbewerb, Göttingen (Vandenhoeck & Ruprecht) 1980.

KNIGHT, F. H. (1924), Some fallacies in the interpretation of social cost, in: The Quarterly Journal of Economics, 36, S. 582–606.

KOCK, H. (1975), Stabilitätspolitik im föderalistischen System der Bundesrepublik Deutschland. Analyse und Reformvorschläge, Köln (Bund) 1975.

KOCK, H.; u. a. (1976), Stabilitätspolitik – Ein Überblick über die aktuelle Diskussion und Perspektiven einer Neuorientierung, Göttingen (Schwartz) 1976.

KOCK, K. (1969), International trade policy and the GATT 1947–1967, Stockholm (Almquist & Wiksell) 1969.

KÖHLER, C. (1974), Verstetigungsstrategie – eine konjunkturpolitische Alternative, in: WIRTSCHAFTS- UND SOZIALWISSENSCHAFTLICHES INSTITUT DES DEUTSCHEN GEWERKSCHAFTSBUNDES, Hg. (1975), S. 123–144.

KÖHLER, C. (1979), Geldwirtschaft, 2. Bd.: Zahlungsbilanz und Wechselkurs, Berlin (Duncker & Humblot) 1979.

Köhler, C. (1983), Geldwirtschaft, 3 Bd.: Wirtschaftspolitische Ziele und wirtschaftspolitische Strategie, Berlin (Duncker & Humblot) 1983.

Köllmann, W. (1966), Die Anfänge der staatlichen Sozialpolitik in Preußen bis 1869, in: Vierteljahresschrift für Sozial- und Wirtschaftsgeschichte, 53, S. 28–52.

König, H. (1962), Hg., Wandlungen der Wirtschaftsstruktur in der Bundesrepublik Deutschland, Berlin (Duncker & Humblot) 1962.

Körner, H. (1975), Außenwirtschaftliche Ansatzpunkte für die Stabilisierungspolitik, in: H. K. Schneider; W. Wittmann; H. Würgler, Hg. (1975), S. 693–711.

Körner, H. (1977), Theoretische Grundlagen der Wirtschaftspolitik. Eine problemorientierte Einführung, Köln (Bund) 1977.

Körner, H.; u. a. (1976), Hg., Wirtschaftspolitik – Wissenschaft und politische Aufgabe. Festschrift zum 65. Geburtstag von Karl Schiller, Bern (Haupt) 1976.

Körner, H.; C. Uhlig (1986), Hg., Die Zukunft der Globalsteuerung. Karl Schiller zum 75. Geburtstag gewidmet. Bern (Haupt) 1986.

Kösters, W. (1986), Zur theoretischen und empirischen Bestimmung der Vollbeschäftigung, Göttingen (Vandenhoeck & Ruprecht) 1986.

Kösters, W. (1990), Internationale Koordination der Wirtschaftspolitik, in: WiSt. Wirtschaftwissenschaftliches Studium, 19, S. 2–6.

Kösters, W. (1992), Freihandel versus Industriepolitik, in: Wirtschaftsdienst, 72, S. 49–56.

Kösters, W. (1994), Neue Wachstumstheorie und neue Außenhandelstheorie, in: WiSt, Wirtschaftswissenschaftliches Studium, 23, S. 117–122.

Kohler, B. (1970), Hg., Erfolge und Krisen der Integration, Köln (Europa Union) 1970.

Kolstadt, C. (1987), Uniformity versus differentiation in regulating externalities, in: Journal of Environmental Economics and Management, 14, S. 386–399.

Kommission für Wirtschaftlichen und Sozialen Wandel (1977), Wirtschaftlicher und sozialer Wandel in der Bundesrepublik Deutschland, Göttingen (Schwartz) 1977.

Koslowski, P. (1982), Ethik des Kapitalismus. Mit einem Kommentar von J. M. Buchanan, Tübingen (Mohr) 1982.

Koslowski, P.; P. Kreuzer; R. Löw (1983), Hg., Chancen und Grenzen des Sozialstaats. Staatstheorie – Politische Ökonomie-Politik, Tübingen (Mohr) 1983.

Krauss, M. B. (1979), The new protectionism. The welfare state and international trade, Oxford (Blackwell) 1979.

Krelle, W. (1961), Preistheorie, I. und II. Teil, 2. A., Tübingen (Mohr) 1976.

Krelle, W. (1969), Produktionstheorie, Tübingen (Mohr) 1969.

Krelle, W. (1985), Der „Maschinenbeitrag". Gesamtwirtschaftliche Auswirkungen alternativer Bemessungsgrundlagen für die Arbeitgeberbeiträge zur Sozialversicherung, Gutachten, im Auftrag des Bundesministeriums für Arbeit und Sozialordnung, erstellt unter der Leitung von Krelle, W., Tübingen (Mohr) 1985.

Kreps, D. M. (1990), A course in microeconomic theory, New York et al. (Harvester Wheatsheaf) 1990; deutsch: Mikroökonomische Theorie, Landsberg/Lech (Moderne Industrie) 1994.

Kromphardt, J. (1980), Konzeptionen und Analysen des Kapitalismus – von seiner Entstehung bis zur Gegenwart, Göttingen (Vandenhoeck & Ruprecht) 1980.

Kromphardt, J. (1982), Die angebotsorientierte Wirtschaftspolitik des Sachverständigenrates, in: O. Vogel, Hg. (1982), S. 79–99.

Kromphardt, J. (1986), Die Zukunft der Globalsteuerung – Theoretische Perspektiven, in: H. Körner; C. Uhlig, Hg. (1986), S. 75–106.

Kromphardt, J.; P. Clever; H. Klippert (1979), Methoden der Wirtschafts- und Sozialwissenschaften, Wiesbaden (Gabler) 1979.

KRUEGER, A. O. (1990), Government failures in development, in: Journal of Economic Perspectives, 4, S. 9–23.

KRUGMAN, P. R. (1988), Hg., Strategic trade policy and the new international economics, Cambridge/Mass. (MIT Press) 1988.

KRUGMAN, P. R.; M. OBSTFELD (1988), International economics. Theory and policy, 3. A., o. O. (Harper Collins) 1994.

KRUPP, H.-J. (1978), Das monetäre Transfersystem in der Bundesrepublik Deutschland, in: H.-J. KRUPP; W. GLATZER, Hg. (1978), S. 21–69.

KRUPP, H.-J.; W. GLATZER (1978), Hg., Umverteilung im Sozialstaat, Frankfurt und New York (Campus) 1978.

KRUSE, J. (1985), Ökonomie der Monopolregulierung, Göttingen (Vandenhoeck & Ruprecht) 1985.

KUCZYNSKI, J. (1973), Das Gleichgewicht der Null, Berlin (Akademie) 1973.

KÜLP, B. (1971), Verteilungspolitik, in: J. WERNER; B. KÜLP, Hg. (1971), S. 89–232.

KÜLP, B. (1976), Wohlfahrtsökonomik II. Maßnahmen und Systeme, Düsseldorf (Werner) 1976.

KÜLP, B. (1978), Außenwirtschaftspolitik, Tübingen (Mohr) 1978.

KÜLP, B.; H.-D. HAAS (1977), Hg., Soziale Probleme der modernen Industriegesellschaft, Berlin (Duncker & Humblot) 1977.

KÜLP, B.; E. KNAPPE (1984), Wohlfahrtsökonomik I. Die Wohlfahrtskriterien, Düsseldorf (Werner) 1984.

KÜLP, B.; W. SCHREIBER (1971), Soziale Sicherheit, Köln, Berlin (Kiepenheuer und Witsch) 1971.

KÜLP, B.; W. STÜTZEL (1973), Hg., Beiträge zu einer Theorie der Sozialpolitik, Berlin (Duncker & Humblot) 1973.

KÜLP, B.; u. a. (1980), Einführung in die Wirtschaftspolitik, Freiburg i. Br. (Rombach) 1980.

KÜLP, B.; u. a. (1984), Sektorale Wirtschaftspolitik, Berlin (Springer) 1984.

KÜNG, E. (1980), Hg., Wandlungen in Wirtschaft und Gesellschaft. Die Wirtschafts- und Sozialwissenschaften vor neuen Aufgaben, Tübingen (Mohr) 1980.

KUHBIER, P. (1981), Grundlagen der quantitativen Wirtschaftspolitik, Berlin (de Gruyter) 1981.

KURT, R.; L. RALL (1983), Behinderungsmißbrauch, Tübingen (Mohr) 1983.

KURZ, R.; L. RALL (1980), Probleme einer konjunktur- und vermögenspolitisch optimalen Sparquote, Tübingen (Institut für angewandte Wirtschaftsforschung) 1980.

KUZNETS, S. (1971), The pattern of economic growth, in: R. W. FOGEL; S. L. ENGERMANN, Hg. (1971), S. 13–49.

LAL, D. (1983), The poverty of ‚development economics', 2. A., London (Hobart) 1984.

LALL, S. (1974), Less developed countries and private foreign direct investment: a review article, in: World Development, 2, S. 43–48.

LALL, S.; P. STREETEN (1977), Foreign investment, transnationals and developing countries, London (Macmillan) 1977.

LAIDLER, D. E. W. (1975), Essays on money and inflation, 2. A., Manchester (Manchester University) 1977.

LAIDLER, D. E. W. (1976), An elementary monetarist model of simultaneous fluctuations in prices and output, in: H. FRISCH, Hg. (1976), S. 75–89.

LAMPE, H.-E. (1979), Wettbewerb, Wettbewerbsbeziehungen, Wettbewerbsintensität, Baden-Baden (Nomos) 1979.

LAMPERT, H. (1965), Die Wirtschafts- und Sozialordnung der Bundesrepublik Deutschland, 12. A., München (Olzog) 1995.

LAMPERT, H. (1973), Leitbild und Zielsystem der Sozialpolitik im „entwickelten gesellschaftlichen System des Sozialismus“ in der DDR, in: H. SANMANN, Hg. (1973), S. 101–163.

LAMPERT, H. (1977), Sozialpolitik, I: staatliche, in: W. ALBERS; u. a., Hg. (1977 ff.), Bd. 7, S. 60–75.

LAMPERT, H. (1979, 1), Hg., Arbeitsmarktpolitik, Stuttgart (Fischer) 1979.

LAMPERT, H. (1979, 2), Arbeitslosigkeit, in: H. LAMPERT, Hg. (1979, 1), S. 39–51.

LAMPERT, H. (1980), Sozialpolitik, Berlin (Springer) 1980.

LAMPERT, H. (1982, 1), Sozialpolitik, in: O. ISSING, Hg. (1982, 2), S. 51–65.

LAMPERT, H. (1982, 2), Verteilungspolitik, in: O. ISSING, Hg. (1982, 2), S. 67–82.

LAMPERT, H. (1985), Lehrbuch der Sozialpolitik, 3. A., Berlin u. a. (Springer) 1994.

LANDAU, D. (1983), Government expenditures and economic growth: A cross-country study, in: Southern Economic Journal, 44, S. 783–792.

LANG, F. P. (1990), Freiwillige Exportbeschränkung, in: WiSt, Wirtschaftswissenschaftliches Studium, 19, S. 118–122.

LANGHAMMER, R. J. (1993), Wirtschaftstheoretische und ordnungspolitische Aspekte nicht-tarifärer Handelshemmnisse am Beispiel der EG und ihres Binnenmarktprogramms, in: W. ZIPPEL, Hg. (1993), S. 41–60.

LAUX, M. (1980), Kritische Würdigung der vermögenspolitischen Diskussion, in: Der langfristige Kredit, 31, S. 233–236.

LAUX-MEISELBACH, W. (1989), A note on import substitution versus export promotion as strategies for development, in: Kyklos, 42, S. 219–229.

LEFF, N. H. (1979), Entrepreneurship and economic development: the problem revisited, in: Journal of Economic Literature, 17, S. 46–64.

LEIBENSTEIN, H. (1954), A theory of economic – demographic development, Princeton (Princeton University) 1954.

LEIPERT, C.; R. ZIESCHANK (1989), Hg., Perspektiven der Wirtschafts- und Umweltberichterstattung, Berlin (Sigma) 1989.

LENK, H. (1975), Hg., Pragmatische Philosophie, Hamburg (Hoffmann und Campe) 1975.

LEONTIEF, W. (1941), The structure of the American economy, 1919–1939, 2. A., New York (Oxford University) 1951.

LERNER, A. P. (1933), The concept of monopoly and the measurement of monopoly, in: Review of Economic Studies, 1, S. 157–175; deutsche Übersetzung in: A. E. OTT, Hg. (1965), S. 225–245.

LERNER, A. P. (1978), A wage-increase permit plan to stop inflation, in: A. M. OKUN; G. L. PERRY, Hg. (1978), S. 225–269.

LERNER, A. P.; D. C. COLANDER (1980), MAP. A market anti-inflation plan, New York (Harcourt) 1980.

LEWIS, W. A. (1954), Economic development with unlimited supplies of labour, in: Manchester School, 22, S. 139–191.

LEWIS, W. A. (1955), The theory of economic growth, London (Allen & Unwin) 1955.

LIEBICH, F. K. (1971), Das GATT als internationales Zentrum der Handelspolitik, Baden-Baden (Nomos) 1971.

LIEFMANN-KEIL, E. (1961), Ökonomische Theorie der Sozialpolitik, Berlin (Springer) 1961.

LINDBERG, A. (1993), Unemployment and macroeconomics, Cambridge/Mass. (MIT Press) 1993.

LINDBLOM, C. E. (1965), The intelligence of democracy, New York (Harper) 1965.

LINDE, R. (1979), Die CES-Produktionsfunktion und das Ertragsgesetz, in: Jahrbücher für Nationalökonomie und Statistik, 194, S. 433–440.

LINDNER, H. (1987), Die De-Industrialisierungsthese, Tübingen (Institut für Angewandte Wirtschaftsforschung) 1987.

LITTLE, I. M. D. (1950), A critique of welfare economics, 2. A., London (Oxford University) 1957.

LITTLE, I. M. D. (1982), Economic development, New York (Basic Books) 1982.

LITTLE, J.; T. SCITOVSKY; M. SCOTT (1970), Industry and trade in some developing countries, London (Oxford University) 1970.

LOEFFELHOLZ, H. D. (1981), Umverteilungswirkungen staatlicher Maßnahmen bei Arbeitnehmern, in: Mitteilungen des Rheinisch-Westfälischen Instituts für Wirtschaftsforschung, 32, S. 269–291.

LOMPE, K. (1966), Wissenschaftliche Beratungen der Politik. Ein Beitrag zur Theorie anwendender Sozialwissenschaften, 2. A., Göttingen (Schwartz) 1972.

LOMPE, K. (1969), Die Rolle von Sachverständigengremien im Prozeß der politischen Willensbildung. Entwicklungslinien und Probleme im Verhältnis von Wissenschaft, Politik und Regierungsorganisation in der Bundesrepublik Deutschland, in: Zeitschrift für Politik, 16, S. 223–260.

LORENZ, D. (1981), Ursachen und Konsequenzen des Neomerkantilismus, in: A. WOLL, Hg. (1981), S. 9–42.

LUCAS, R. E. (1972), Expectations and the neutrality of money, in: Journal of Economic Theory, 4, S. 103–124.

LUCAS, R. E. (1988), On the mechanics of economic development, in: Journal of Monetary Economics, 22, S. 3–42.

LUCAS, R. E. (1990), Why doesn't capital flow from rich to poor countries, in: American Economic Review, 80, S. 92–96.

LUCE, R.; H. RAIFFA (1957), Games and decisions: Introduction and critical survey, New York (Wiley) 1957.

LUCKENBACH, H. (1975), Theorie des Haushalts, Göttingen (Vandenhoeck & Ruprecht) 1975.

LUCKENBACH, H. (1979), Hg., Theorie der Außenwirtschaftspolitik, Berlin (Springer) 1979.

LUCKENBACH, H. (1986), Theoretische Grundlagen der Wirtschaftspolitik, München (Vahlen) 1986.

LÜHRS, G.; u. a. (1975), Hg., Kritischer Rationalismus und Sozialdemokratie. Mit einem Vorwort von H. Schmidt, Berlin (Dietz) 1975.

LÜHRS, G.; u. a. (1978), Hg., Theorie und Politik aus kritisch-rationaler Sicht, Berlin (Dietz) 1978.

LÜTZEL, H. (1986), Volkswirtschaftliche Gesamtrechnungen 1985, in: Wirtschaft und Statistik, 3, S. 159–180.

LÜTZEL, H.; u. a. (1984), Volkswirtschaftliche Gesamtrechnungen 1983, vorläufiges Ergebnis, in: Wirtschaft und Statistik, 1984, Nr. 3, S. 203–229.

LUTZ, F. A. (1956), Bemerkungen zum Monopolproblem, in: Ordo, 8, S. 19–43.

LYON, R. (1986), Equilibrium properties of auctions and alternative procedure for allocating transferable permits, in: Journal of Environmental Economics and Management, 13, S. 129–152.

MAC DOUGALL, G. O. A. (1960), The benefits and costs of private investment from abroad: A theoretical approach, in: Economic Record, 36, S. 13–35.

MACHLUP, F. (1952), The political economy of monopoly, Baltimore (John Hopkins) 1952.

MACKENROTH, G. (1952), Die Reform der Sozialpolitik durch einen deutschen Sozialplan, Berlin (Duncker & Humblot) 1952.

MACKSCHEIDT, K. (1972), Zur Bewertung der Ziele „Preisniveaustabilität“ und „Vollbeschäftigung" im Rahmen der Trade-off-Analyse, in: Wirtschaftspolitische Chronik, 1, S. 17–46.

MAENNING, W.; H. WAGNER (1994), Strukturpolitik. Internationaler Politikwettbewerb versus Koordinierung, in: Wirtschaftsdienst, 74, S. 515–521.

MAHR, W. (1978), Korrekturen im System der sozialen Krankenversicherung, in: J. H. MÜLLER, Hg. (1978), S. 85–146.

MALINVAUD, E. (1972), Lectures on microeconomic theory, Amsterdam (North Holland) 1972.

MANKIW, G.; D. ROMER; D. N. WEIL (1992), A contribution to the empirics of economic growth, in: Quarterly Journal of Economics, 106, S. 407–437.

MANSFIELD, E. (1970), Microeconomics, 5. A., New York (Norton) 1985.

MARCUSE, H. (1964), One-dimensional man. Studies in the ideology of advanced industrial society, Boston, Mass. (Beacon) 1964; deutsche Übersetzung: Der eindimensionale Mensch. Studien zur Ideologie der fortgeschrittenen Industriegesellschaft, Neuwied (Luchterhand) 1967.

MARKERT, K. (1981), Die Mißbrauchsaufsicht über marktbeherrschende Unternehmen, in: H. COX; U. JENS; K. MARKERT, Hg. (1981), S. 297–330.

MARKMANN, H.; D. B. SIMMERT (1978), Hg., Krise der Wirtschaftspolitik, Köln (Bund) 1978.

MARRIS, R.; D. C. MUELLER (1980), The corporation, competition, and the invisible hand, in: Journal of Economic Literature, 18, S. 32–63.

MARSHALL, A. (1890), Principles of economics, London (Macmillan) 1890.

MAYER, T. (1980), Zum Zusammenhang zwischen Exporterlösschwankungen und Investitionsgüterimporten in ausgewählten Entwicklungsländern, in: Konjunkturpolitik, 26, S. 292–307.

MCCALLUM, B. T. (1980), Rational expectations and macroeconomic stabilization policy: An overview, Washington, D. C. (American Enterprise Institute) 1980.

MCKINNON, R. J. (1964), Foreign exchange constraints in economic development, in: Economic Journal, 74, S. 388–409.

MCKINNON, R. J. (1973), Money and capital in economic development, Washington, D. C. (Brookings) 1973.

MCKINNON, R. J. (1981), Financial repression and the liberalization problem within LDC's, in: S. GRASSMAN; E. LUNDBERG, Hg. (1981), S. 365–386.

MEADOWS, D. H., u. a. (1972), The limits to growth. A report for the Club of Rome 's project on the predicament of mankind, New York (Universe Books) 1972; deutsch: Die Grenzen des Wachstums, Stuttgart (DVA) 1972.

MEHLER, F.; J. PÄTZOLD (1978), Konjunkturpolitische Lenkungsstrategien, in: WISU, Wirtschaftsstudium, 7, S. 433–440.

MEISSNER, W. (1974), Investitionslenkung, Frankfurt am Main (Fischer) 1974.

MEISSNER, W. (1980), Die Lehre der Fünf Weisen. Eine Auseinandersetzung mit den Jahresgutachten des Sachverständigenrates zur Begutachtung der gesamtwirtschaftlichen Entwicklung, Köln (Bund) 1980.

MEISSNER, W.; W. FASSING (1989), Wirtschaftsstruktur und Strukturpolitik, München (Vahlen) 1989.

MEISSNER, W.; L. UNTERSEHER (1972), Hg., Verteilungskampf und Stabilitätspolitik. Bedingungen der Tarifauseinandersetzung, Stuttgart (Kohlhammer) 1972.

MERTENS, D.; J. KÜHL (1979), Aktuelle arbeitsmarktpolitische Diskussionen in konzeptioneller Sicht, in: P. HERDER-DORNEICH, Hg. (1979), S. 39–71.

METZE, I. (1974), Soziale Sicherung und Einkommensverteilung, Berlin (Duncker & Humblot) 1974.

METZE, I. (1977), Allokation und Distribution im Bereich der sozialen Sicherung, in: W. DREISSIG, Hg. (1977), S. 127–155.

MEYER, L. H. (1981), Hg., The supply-side effects of economic policy. Proceedings of the 1980 Economic Policy Conference, St. Louis (Federal Reserve Bank) 1981.

MEYER, W. (1973), Falsifikationslehre und ökonomische Theorie, Anwendungsprobleme des kritischen Rationalismus, in: WiSt, Wirtschaftswissenschaftliches Studium, 2, S. 501–506; hier abgedruckt in: H. RAFFÉE; B. ABEL, Hg. (1979), S. 44–59.

MEYER, W. (1975), Values, facts and science. One the problem of objectivity in economics, in: Zeitschrift für die gesamte Staatswissenschaft, 131, S. 514–539.

MICHAELIS, E. (1985), Organisation unternehmerischer Aufgaben – Transaktionskosten als Beurteilungskriterium, Frankfurt (Peter Lang) 1985.

MIEGEL, M.; S. WAHL (1985), Gesetzliche Grundsicherung, Private Vorsorge – Der Weg aus der Rentenkrise, Stuttgart (Bonn Aktuell) 1985.

MIKSCH, L. (1937), Wettbewerb als Aufgabe. Die Grundsätze einer Wettbewerbsordnung, 2. A., Bad Godesberg (Küpper) 1947.

MILNER, C. (1990, 1), Hg., Export promotion strategies: Theory and evidence from developing countries, New York (Harvester Wheatsheaf) 1990.

MILNER, C. (1990, 2), The role of import liberalization in export promotion, in: C. MILNER, Hg. (1990, 1), S. 81–98.

MINX, E. (1980), Von der Liberalisierungs- zur Wettbewerbspolitik. Internationale Wirtschaftspolitik zwischen Industrieländern nach dem Zweiten Weltkrieg, Berlin–New York (de Gruyter) 1980.

MODIGLIANI, F. (1977), The monetarist controversy or should we forsake stabilization policy?, in: American Economic Review, 67, S. 1–19; deutsche Übersetzung in: W. EHRLICHER; W.-D. BECKER, Hg. (1978), S. 247–279.

MÖLLER, A. (1968), Kommentar zum Gesetz zur Förderung der Stabilität und des Wachstums der Wirtschaft, 2. A., Hannover (Verlag für Literatur und Zeitgeschehen) 1969.

MÖLLER, H.; R. OSTERKAMP; W. SCHNEIDER (1982), Hg., Umweltökonomik, Königstein/Ts. (Athenäum, Hain, Scriptor, Hanstein) 1982.

MÖSCHEL, W. (1972), 70 Jahre deutsche Kartellpolitik. Vom RGZ 38, 155 „Sächsisches Holzstoffkartell“ zu BGHZ 55, 104 „Teerfarben“. Tübingen (Mohr) 1972.

MÖSCHEL, W. (1974), Der Oligopolmißbrauch im Recht der Wettbewerbsbeschränkungen. Eine vergleichende Untersuchung zum Recht der USA, Großbritanniens, der EWG und der Bundesrepublik Deutschland, Tübingen (Mohr) 1974.

MÖSCHEL, W. (1981), Zur wettbewerbstheoretischen Begründung von Ausnahmebereichen, in: Ordo, 32, S. 85–101.

MÖSCHEL, W. (1993), Konturen einer politischen Union. Plädoyer für eine europäische Minimalgemeinschaft, in: E. KANTZENBACH; O. G. MAYER, Hg. (1993), S. 23–39.

MOLITOR, B. (1972), Was ist Sozialpolitik?, in: Hamburger Jahrbuch für Wirtschafts- und Gesellschaftspolitik, 17, S. 184–198.

MOLITOR, B. (1976, 1), Piecemeal-Engineering in der Wirtschafts- und Sozialpolitik, in: Hamburger Jahrbuch für Wirtschafts- und Gesellschaftspolitik, 21, S. 25–44.

MOLITOR, B. (1976, 2), Sozialpolitik auf dem Prüfstand, Hamburg (Weltarchiv) 1976.

MOLITOR, B (1987), Theorie der Sozialpolitik, Bd. 1: Soziale Sicherung, München (Vahlen) 1987.

MOLITOR, B. (1988, 1), Wirtschaftspolitik, München (Oldenbourg) 1988.

MOLITOR, B. (1988, 2), Theorie der Sozialpolitik, Bd. 2: Lohn- und Arbeitsmarktpolitik, München (Vahlen) 1988.

MOLITOR, R. (1973), Hg., Zehn Jahre Sachverständigenrat zur Begutachtung der gesamtwirtschaftlichen Entwicklung, Frankfurt am Main (Athenäum) 1973.

MOLSBERGER, J. (1978), Internationale Wettbewerbsbeschränkungen, in: H. GRÖNER; A. SCHÜLLER, Hg. (1978), S. 45–56.

MONOPOLKOMMISSION (1975–88), Hauptgutachten, Baden-Baden (Nomos) 1975–88.

MONOPOLKOMMISSION (1975), Anwendung und Möglichkeiten der Mißbrauchsaufsicht über marktbeherrschende Unternehmen seit Inkrafttreten der Kartellgesetznovelle, Sondergutachten 1, Baden-Baden (Nomos) 1975.

MONOPOLKOMMISSION (1992), Wettbewerb oder Industriepolitik?, Hauptgutachten 1990/91, Baden-Baden (Nomos) 1992.

MORAWETZ, D. (1980), Economic lessons from some small socialist developing countries, in: World Development, 8, S. 337–369.

MOSLEY, P. (1980), Aid, savings and growth revisited, in: Oxford Bulletin of Economics and Statistics, 42, S. 79–96.

MOSLEY, P. C. (1987), Overseas aid: Its defense and reform, Brighton (Wheatsheaf) 1987.

MÜCKL, W. (1975), Vermögenspolitische Konzepte in der Bundesrepublik Deutschland, Göttingen (Schwartz) 1975.

MÜLLER, H. (1975), Unbestimmte Handlungsalternativen in der Stabilitätspolitik, in: P. HARBUSCH; D. WIEK, Hg. (1975), S. 143–161.

MÜLLER, H.; A. WOLL (1972), Neuere Vorschläge zur Geldpolitik und die Möglichkeit ihrer Verwirklichung in der Bundesrepublik Deutschland, in: D. CASSEL; G. GUTMANN, H. J. THIEME, Hg. (1972), S. 193–211.

MÜLLER, J.; R. HOCHREITER (1975), Stand der Entwicklungstendenzen der Konzentration in der Bundesrepublik Deutschland, Göttingen (Schwartz) 1975.

MÜLLER, J. H. (1978), Hg., Fortentwicklung der sozialen Sicherung, Limburg (Lahn) 1978.

MÜLLER, M. (1980), Vermögenspolitik in der Marktwirtschaft, in: Der langfristige Kredit, 31, S. 15–17.

MÜLLER, U. (1975), Wettbewerb, Unternehmenskonzentration und Innovation, Göttingen (Schwartz) 1975.

MYRDAL, G. (1932), Das politische Element in der nationalökonomischen Doktrinbildung, 2. A., Hannover (Verlag für Literatur und Zeitgeschehen) 1963.

MYRDAL, G. (1933), Das Zweck-Mittel-Denken in der Nationalökonomie, in: Zeitschrift für Nationalökonomie, 4, S. 305–320.

MYRDAL, G. (1957), Economic theory and underdeveloped regions, London (Duckworth) 1957, deutsche Übersetzung: Ökonomische Theorie und unterentwickelte Regionen, Stuttgart (Fischer) 1959.

NAJA, S., u. a. (1989), Hg., Lessons in development. A comparative study of Asia and Latin America, San Francisco 1989.

NASH, J. F. (1953), Two-persons cooperative games, in: Econometrica, 21, S. 128–140.

NEEDHAM, D. (1978), The economics of industrial structure, conduct and performance, London (Holt, Rinehart) 1978.

NELDNER, M. (1989), Flexible Wechselkurse im Widerstreit der Meinungen. Traditionelle Argumente und neue Erfahrungen, in: WiSt, Wirtschaftswissenschaftliches Studium, 18, S. 119–126.

NELL-BREUNING, O. VON (1970), Zur Zielproblematik von Sozialinvestitionen, in: H. SANMANN, Hg. (1970), S. 57–68.

NELSON, R. (1956), A theory of the low level equilibrium trap in underdeveloped economies, in: American Economic Review, 46, S. 894–908.

NEUMANN, L F. (1979), Hg., Sozialforschung und soziale Demokratie. Festschrift für Otto Blume, Bonn (Neue Gesellschaft) 1979.

NEUMANN, M. J. M. (1974), Stabilisierungspolitik in monetaristischer Sicht, in: WIRTSCHAFTS- UND SOZIALWISSENSCHAFTLICHES INSTITUT DES DEUTSCHEN GEWERKSCHAFTSBUNDES, Hg. (1974).

NEUMANN, M. J. M. (1977), Überlegungen zu einem alternativen Konzept der Stabilisierungspolitik, in: Wirtschaftsdienst, 57, S. 455–459.

NEUMANN, M. J. M. (1981, 1), Der Beitrag der Geldpolitik zur konjunkturellen Entwicklung in der Bundesrepublik Deutschland 1973–1980, in: Kyklos, 34, S. 405–431.

NEUMANN, M. J. M. (1981, 2), Stabilisierungspolitik bei rationalen Erwartungen, in: WiSt, Wirtschaftswissenschaftliches Studium, 10, S. 111–115.

NEUMANN, M. J. M. (1985), Auf dem Weg zu einer Realtrendorientierung der Geldpolitik, in: Sparkasse, 102, S. 88–91.

NEUMARK, F. (1964), Hg., Strukturwandlungen einer wachsenden Wirtschaft, Berlin (Duncker & Humblot) 1964.

NEUMARK, F. (1970), Grundzüge gerechter und ökonomisch rationaler Steuerpolitik, Tübingen (Mohr) 1970.

NIEHANS, J. (1964), Strukturwandlungen als Wachstumsproblem, in: F. NEUMARK, Hg. (1964), S. 18–45.

NIENHAUS, V. (1984), Kontroversen um Markt und Plan, Darmstadt (Wissenschaftliche Buchgesellschaft) 1984.

NIENHAUS, V. (1989), Sektorale Anpassungspolitik zwischen politischer und ökonomischer Rationalität, in: List Forum, 15, H. 4, S. 351–366.

NISKANEN, W. (1971), Bureaucracy and representative government, Chicago (Aldine-Atherton) 1971.

NORD-SÜD-KOMMISSION (1980), Das Überleben sichern, Köln (Vorwärts) 1980.

NURKSE, R. (1953), Problems of capital formation in underdeveloped countries, New York (Oxford University) 1953.

NUTTER, W. (1978), Growth of government in the West, Washington, D. C. (American Enterprise Institute) 1978.

OBERENDER, P. (1975), Zur Problematik der Marktabgrenzung unter besonderer Berücksichtigung des Konzeptes des „relevanten Marktes", in: WiSt, Wirtschaftwissenschaftliches Studium, 4, S. 575–579.

OBERENDER, P. (1979). Die Benzinpreiserhöhung im Frühjahr 1974. Eine fallbezogene Einführung in wettbewerbsrechtliche, wettbewerbstheoretische und wettbewerbspolitische Fragestellungen zur Mißbrauchsaufsicht nach § 22 GWB, in: WiSt, Wirtschaftswissenschaftliches Studium, 8, S. 137–141, S. 191–197.

OBERENDER, P. (1984), Hg., Marktstruktur und Wettbewerb in der Bundesrepublik Deutschland, München (Vahlen) 1984.

OBERENDER, P. (1989), Marktökonomie, Marktstruktur und Wettbewerb in ausgewählten Branchen der Bundesrepublik Deutschland, München (Vahlen) 1989.

OBERENDER, P. (1994), Hg., Industriepolitik im Widerstreit mit der Wettbewerbspolitik, Berlin (Duncker & Humblot) 1994.

OBERHAUSER, A. (1966), Probleme der Geldversorgung in einer wachsenden Wirtschaft, in: Finanzarchiv, 25, S. 398–415.

OBERHAUSER, A. (1978), Investivlohn und investive Gewinnbeteiligung in verteilungs- und stabilitätspolitischer Sicht, in: WiSt, Wirtschaftswissenschaftliches Studium, 7, S. 60–65.

OBERHAUSER, A. (1980), Familienlastenausgleich, in: W. ALBERS; u. a., Hg. (1977 ff.), Bd. 2, S. 583–589.

OBERHAUSER, A. (1987), Kritische Thesen zu einer strikt potentialorientierten Geldmengenpolitik, in: A. GUTOWSKI, Hg. (1987), S. 123–132.

Ochel, W. (1982), Die Entwicklungsländer in der Weltwirtschaft, Köln (Bund) 1982.

OECD (1962), Hg., Policies for price stability, Paris (OECD) 1962.

OECD (1991), The state of environment, Paris (head of Publications Service, OECD) 1991.

Oh, K.-U. (1976), Hg., Methoden und Ergebnisse der Langfristprognose, Meisenheim/Glan (Hain) 1976.

Ohm, H. (1964), Hg., Methoden und Probleme der Wirtschaftspolitik. Gedächtnisschrift für H.-J. Seraphim, Berlin (Duncker & Humblot) 1964.

Ohne Verfasser (1976), Öffentliche Sozialleistungen, in: Wirtschaft und Statistik, 9, S. 579–583.

Ohne Verfasser (1977), Sozialleistungen, in: Wirtschaft und Statistik, 9, S. 598–602.

Okun, A. M. (1969), The political economy of prosperity, New York (Brookings) 1969.

Okun, A. M. (1975), Equality and efficiency. The big tradeoff, Washington, D. C. (Brookings) 1975.

Okun, A. M.; G. L. Perry (1978), Hg., Curing chronic inflation, Washington, D. C. (Brookings) 1978.

Olson, M. (1965), The logic of collective action – Public goods and the theory of groups, Cambridge/Mass. (Harvard University Press) 1965, dtsch. Übers.: Die Logik des kollektiven Handelns, Tübingen (Mohr) 1968.

Oppenländern, K.-H. (1982), Begründung, Funktion und Fundierung der Strukturberichterstattung, in: B. Gahlen, Hg (1982), S. 148–160.

Oppermann, Th.; J. Molsberger (1991), Hg., A new GATT for the nineties and Europa '92, Baden-Baden (Nomos) 1991.

Osterkamp, R.; W. Schneider (1982), Zur Umweltökonomie: Einführung und Überblick: in: H. Möller; R. Osterkamp; W. Schneider, Hg. (1982), S. 5–27.

Otremba, W. (1980), Marktzugangsbeschränkungen als Problem der Wettbewerbspolitik, Düsseldorf (Mannhold) 1980.

Ott, A. E. (1965), Hg., Preistheorie, Köln (Kiepenheuer & Witsch) 1965.

Ott, A. E. (1967), Hg., Fragen der wirtschaftlichen Stabilisierung, Tübingen (Mohr) 1967.

Ott, A. E. (1968), Grundzüge der Preistheorie, 3. A., Göttingen (Vandenhoeck & Ruprecht) 1989.

Ott, A. E. (1972), Volkswirtschaftliche Verluste oder Abweichungen von der volkswirtschaftlichen Zielkombination?, in: Zeitschrift für die gesamte Staatswissenschaft, 128, S. 304–316.

Ott, A. E. (1973), Hg., Wachstumszyklen. Über die neue Form der Konjunkturschwankungen. Theoretische und empirische Beiträge, Berlin (Duncker & Humblot) 1973.

Ott, A. E. (1978), Marktformen, in: W. Albers; u. a., Hg. (1977 ff.), Bd. 5, S. 104–113.

Pätzold, J. (1985), Stabilisierungspolitik, 5. A., Bern (Haupt) 1993.

Papanek, G. F. (1979), Aid, foreign private investment, savings and growth in less developed countries, in: Journal of Political Economy, 81, S. 120–130.

Parkinson, N. C. (1957), Parkinson's law or the pursuit of progress, London (Murray) 1957.

Peffekoven, R. (1983), Steuerliche Koordinationsprobleme in den Wirtschaftsbeziehungen zwischen Industrie- und Entwicklungsländern, in: K.-H. Hansmeyer, Hg. (1983), S. 787–816.

PEN, J. (1959), The wage rate under collective bargaining, Cambridge/Mass. (Harvard University) 1959.

PENROSE, E. T. (1959), The theory of the growth of the firm, 2. A., Oxford (Blackwell) 1980.

PERLMAN, M. (1974), Hg., The economics of health and medical care, London (Macmillan) 1974.

PETERS, H.-R. (1978), Sektorale Strukturpolitik und Mesoökonomik, in: WiSt, Wirtschaftswissenschaftliches Studium, 7, S. 261–268.

PETERS, H.-R. (1988), Sektorale Strukturpolitik, München (Oldenbourg) 1988.

PETERS, H.-R. (1992), Wirtschaftspolitik, 2. A., München (Oldenbourg) 1995.

PETHIG, R. (1975), Zur Theorie der Transaktionen, Tübingen (Mohr) 1975.

PHELPS, E. S. (1968), Money wage dynamics and labor market equilibrium, in: Journal of Political Economy, 76, S. 678–711.

PHELPS, E. S. (1975), Hg., Altruism, morality and economic theory, New York (Russell Sage) 1975.

PHELPS, E. S.; u. a. (1970), Microeconomic foundations of employment and inflation theory, 2. A., London (Macmillan) 1974.

PHELPS BROWN, E. H. (1962), The economics of labor, 2. A., New Haven (Yale University) 1969.

PICOT, A. (1982), Transaktionskostenansatz in der Organisationstheorie: Stand der Diskussion und Aussagewert, in: Betriebswirtschaft, 42.

PICOT, A.; H. DIETL (1990), Transaktionskostentheorie, in: WiSt, Wirtschaftswissenschaftliches Studium, 19, S. 178–184.

PIGOU, A. C. (1920), The economics of welfare, 4. A., London (Macmillan) 1950.

PIGOU, A. C. (1951), Some aspects of economic welfare, in: American Economic Review, 41, S. 287–302.

PINDYCK, R. S. (1973), Optimal planning for economic stabilization. The application of control theory to stabilization policy, Amsterdam (North-Holland) 1973.

POHL, R. (1985), Monetäre Verstetigung gegen Inflation und Arbeitslosigkeit, in: Sparkasse, 102, S. 96–99.

POPPER, K. R. (1935), Logik der Forschung, 6. A., Tübingen (Mohr) 1976.

POPPER, K. R. (1957), The poverty of historicism, London (Routledge & Kegan Paul) 1957; dt. Übersetzung: Das Elend des Historizismus, Tübingen (Mohr) 1965.

POPPER, K. R. (1961), Die Logik der Sozialwissenschaften, in: Kölner Zeitschrift für Soziologie und Sozialpsychologie, 14, S. 233–248; wieder abgedruckt in: T. W. Adorno; u. a. (1969), S. 103–123.

PORTER, M. E. (1990), The competitive advantage of nations, London (Macmillan) 1990.

POSNER, R. A. (1976), Antitrust law: An economic perspective, Chicago (Rand McNally) 1976.

PRATT, J.; R. ZECKHAUSER, Hg. (1985), Principals and agents: The structure of business, Boston (Harvard Business School Press) 1985.

PREBISCH, R. (1950), The economic development of Latin America and its principal problems, New York (United Nations, ECLA) 1950,

PREDÖHL, A. (1962), Das Ende der Weltwirtschaftskrise, Reinbek (Rowohlt) 1962.

PREDÖHL, A.; H. JÜRGENSEN (1961), Europäische Integration, in: E. VON BECKERATH; u. a., Hg. (1956 ff.), S. 371–386.

PREEG, E. H. (1970), Traders and Diplomats. An analysis of the Kennedy round of negotiations under the general agreement on tariffs and trade, Washington, D. C. (Brookings) 1970.

PREISER, E. (1948), Besitz und Macht in der Distributionstheorie, in: E. SALIN, Hg. (1948), S. 331–358.

PREISER, E. (1960), Die Zukunft unserer Wirtschaftsordnung, 5. A., Göttingen (Vandenhoeck & Ruprecht) 1968.

PREISER, E. (1961),Wachstum und Einkommensverteilung, 3. A., Heidelberg (Winter) 1970.

PRELLER, L. (1962), Sozialpolitik, Tübingen (Mohr) 1962.

PRIEBE, H. (1974), Hg., Beiträge zur Beurteilung von Entwicklungsstrategien, Berlin (Duncker & Humblot) 1974.

PRIEBE, H. (1983), Das verkannte Entwicklungspotential im Agrarbereich, in: A. WOLL; K. GLAUBITT; H.-B. SCHÄFER, Hg. (1983), S. 30–41.

PRUCKNER, G. J. (1994), Umweltpolitik in den Vereinigten Staaten von Amerika, in: R. BARTEL; F. HACKL, Hg. (1994), S. 265–286.

PÜTZ, T. (1964), Der Kompromiß in der Wirtschaftspolitik, in: H. OHM, Hg. (1964), S. 51–64.

PÜTZ, T. (1971), Grundlagen der theoretischen Wirtschaftspolitik, 4. A., Stuttgart (Fischer) 1979.

RABOY, D. G. (1982), Hg., Supply side economics, Washington (Institute for Research on the Economics of Taxation) 1982.

RADEMACHER, W.; C. STAMMER (1955), Umweltinformationen, in: M. JUNKERNHEINRICH; P. KLEMMER; G. R. WAGNER, Hg. (1955), S. 290–295.

RAFFAY, H. VON (1978), Erscheinungsformen und Auswirkungen von Indexkoppelungen, Berlin (Duncker & Humblot) 1978.

RAFFÉE, H.; B. ABEL (1979), Hg., Wissenschaftstheoretische Grundlagen der Wirtschaftswissenschaften, München (Vahlen) 1979.

RAHMEYER, F. (1984), Neue klassische Makroökonomie. Markträumung bei rationalen Erwartungen, in: WiSt, Wirtschaftswissenschaftliches Studium, 13, S. 170–176.

RALL, W. (1975), Zur Wirksamkeit der Einkommenspolitik, Tübingen (Mohr) 1975.

DER RAT VON SACHVERSTÄNDIGEN FÜR UMWELTFRAGEN (1978 ff.), Umweltgutachten, Stuttgart (Metzler-Poeschel) 1978 ff.

RAWLS, J. (1971), A theory of justice, Cambridge/Mass. (Harvard University) 1971; deutsche Übersetzung: Eine Theorie der Gerechtigkeit, 8. A., Frankfurt (Suhrkamp), 1994.

RECKTENWALD, H. C. (1969), Hg., Finanzpolitik, Köln (Kiepenheuer & Witsch) 1969.

REHBINDER, R.; R.-U. SPRENGER (1983), Möglichkeiten und Grenzen der Übertragbarkeit neuer Konzepte der US-amerikanischen Luftreinhaltepolitik in den Bereichen der deutschen Umweltpolitik, Forschungsbericht Nr. 101 03 084, Umweltbundesamt, Frankfurt/M., München 1983.

REICH, R. (1964), Hg., Humanität und politische Verantwortung. Zum 60. Geburtstag von Hans Barth, Erlenbach (Rentsch) 1964.

REYNOLDS, L. G. (1983), The spread of economic growth to the third world: 1850–1980, in: Journal of Economic Literature, 21, S. 941–980.

RHEINISCH-WESTFÄLISCHES INSTITUT FÜR WIRTSCHAFTSFORSCHUNG (1981), Die Umverteilungswirkungen der Staatstätigkeit bei den wichtigsten Haushaltstypen, Gutachten im Auftrag des Bundesministeriums für Wirtschaft, Tabellenband, 2. A., Essen 1981.

RHYS-WILLIAMS, J. (1942), Something to look forward to, London (MacDonald) 1942.

RIBHEGGE, H. (1978), Rationale Einkommenspolitik aus der Sicht der Neuen Politischen Ökonomie, Tübingen (Mohr) 1978.

RIBHEGGE, H. (1980), Die tax incomes policy von Wallich und Weintraub als mikroökonomische Ergänzung der Globalsteuerung. Eine kritische Bestandsaufnahme, in: Zeitschrift für Wirtschafts- und Sozialwissenschaften, 100, S. 567–590.

RIDDELL, R. C. (1987), Foreign aid reconsidered, Baltimore (John Hopkins University) 1987.

RIEDEL, J. (1984), Trade as an engine of growth in developing countries, revisited, in: Economic Journal, 94, S. 56–73.

RITTNER, F. (1981), Einführung in das Wettbewerbs- und Kartellrecht, 3. A., Heidelberg (Müller), 1989.

ROB, R. (1989), Pollution claim settlements under private information, in: Journal of Economic Theory, 47, S. 307–333.

ROBERT, D. (1978), Makroökonomische Konzeptionen im Meinungsstreit, Baden-Baden (Nomos) 1978.

ROBERTS, M. (1976), Environmental protection: The complexities of real policy choice, in: N. SWAINSON, Hg. (1976), S. 157–253.

ROBINSON, J. (1933), The economics of imperfect competition, 13. A., London (Macmillan) 1972.

ROLPH, E. R. (1969), Controversy surrounding negative income taxation, in: Public Finance, 24, S. 352–361; deutsche Übersetzung (gekürzt) in: H. C. RECKTENWALD, Hg. (1969), S. 335–343.

ROMER, P. M. (1986), Increasing returns and long-run growth, in: Journal of Political Economy, 94, S. 1002–1037.

ROMER, P. M. (1990), Endogenous technological change, in: Journal of Political Economy, 98, S. 71–102.

ROSE, K. (1980), Europäisches Währungssystem, in: W. ALBERS; u. a., Hg. (1977 ff.), Bd. 2, S. 512–517.

ROSE, K.; K. SAUERNHEIMER (1992), Theorie der Außenwirtschaft; 1. A.: K. ROSE, Theorie der Außenwirtschaft, 1964; 11. A., München (Vahlen) 1992.

ROSENSTEIN-RODAN, P. N. (1943), Problems of industrialization of eastern and south-eastern Europe, in: Economic Journal, 53, S. 202–211.

ROTHSCHILD, K. W. (1969), Wirtschaftsprognose, Berlin (Springer) 1969.

ROUBINI, N.; X. SALA-I-MARTIN (1992), Financial repression and economic growth, in: Journal of Development Economics, 39, S. 5–30.

ROYAL COMMISSION OF THE NATIONAL HEALTH SERVICE (1979), Report, London (Her Majesty's Stationary Office) 1979.

RYFFEL, H.; J. SCHWARTLÄNDER (1983), Hg., Das Recht des Menschen auf Arbeit, Kehl am Rhein und Straßburg (Engel) 1983.

SACHS, J. (1985), External debt and macroeconomic performance in Latin America and East Asia, in: Brookings Papers on Economic Activity, S. 523–573.

SACHS, J. (1989), New approaches to the Latin American debt crisis, Essays in International Finance, 117, Princeton 1989.

SACHVERSTÄNDIGENRAT ZUR BEGUTACHTUNG DER GESAMTWIRTSCHAFTLICHEN ENTWICKLUNG (1964 ff.), Jahresgutachten, Mainz (Kohlhammer) 1964–1988, Stuttgart (Metzler-Poeschel) 1988 ff.

SACHVERSTÄNDIGENRAT ZUR BEGUTACHTUNG DER GESAMTWIRTSCHAFTLICHEN ENTWICKLUNG, Sondergutachten März 1994, Mainz (Kohlhammer) 1994.

SALIN, E. (1948), Hg., Synopsis, Heidelberg (Schneider) 1948.

SAMUELSON, P. A. (1954), The pure theory of public expenditure, in: Review of Economics and Statistics, 36, S. 387–389.

SANMANN, H. (1970), Hg., Zur Problematik der Sozialinvestitionen, Berlin (Duncker & Humblot) 1970.

SANMANN, H. (1973), Hg., Leitbilder und Zielsysteme der Sozialpolitik, Berlin (Duncker & Humblot) 1973.

SANMANN, H. (1975), Sozialpolitik, in: W. EHRLICHER; u. a., Hg. (1968), S. 188–205.

SARGENT, T. J.; N. WALLACE (1976), Rational expectations and the theory of economic policy, in: Journal of Monetary Economics, 2, S. 169–183.

SAUTTER, H. (1976), Integration in internationale Güter- und Faktorströme. Ein Instrument zur Überwindung oder Verstärkung der Unterentwicklung, in: W. VON URFF, Hg. (1976), S. 11–40.

SAUTTER, H. (1981), Organisation für wirtschaftliche Zusammenarbeit und Entwicklung (OEEC, OECD), in: W. ALBERS; u. a., Hg. (1977 ff.), Bd. 6, S. 26–33.

SAUTTER, H. (1982), Zölle III: Handels- und Zollabkommen (GATT), in: W. ALBERS; u. a., Hg. (1977 ff.), Bd. 9, S. 660–666.

SCHACHTSCHABEL, H. G. (1967), Wirtschaftspolitische Konzeptionen, 3. A., Stuttgart (Kohlhammer) 1976.

SCHACHTSCHABEL, H. G. (1975), Allgemeine Wirtschaftspolitik, Stuttgart (Kohlhammer) 1975.

SCHÄFER, H.-B. (1983, 1), Niedrigpreispolitik für Agrarprodukte aus entwicklungstheoretischer Sicht, in: A. WOLL; K. GLAUBITT; H.-B. SCHÄFER, Hg. (1983), S. 42–53.

SCHÄFER, H.-B. (1983, 2), Landwirtschaftliche Akkumulationslasten und industrielle Entwicklung, Berlin (Springer) 1983.

SCHÄFER, H.-B. (1994), Hg., Armut in Entwicklungsländern, Berlin (Duncker & Humblot) 1994.

SCHÄFER, W. (1984), Hg., Schattenwirtschaft, Göttingen (Vandenhoeck & Ruprecht 1984.

SCHARRER, H.-E.; u. a. (1983), Hg., Das Europäische Währungssystem, Bonn (Europa Union) 1983.

SCHATZ, K. (1983), Neue Wege im Umweltschutz, in: H. GIERSCH, Hg. (1983), S. 232–253.

SCHATZ, K. W.; F. WOLTER (1979), Future structural changes in the industry of the Federal Republic of Germany, United Nations Industrial Development Organization/International Center for Industrial Studies, Wien 1979.

SCHELSKY, H. (1961), Der Mensch in der wissenschaftlichen Zivilisation, Köln (Westdeutscher) 1961; wieder abgedruckt in: H. SCHELSKY (1965), S. 439–480.

SCHELSKY, H. (1965), Auf der Suche nach der Wirklichkeit. Gesammelte Aufsätze, Düsseldorf (Diederichs) 1965.

SCHERRER, F.; D. ROSS (1970), Industrial market structure and economic performance, 3. A., Boston (Houghton Mifflin) 1990.

SCHERL, H. (1978), Absolute Armut in der Bundesrepublik Deutschland: Messung, Vorkommen und Ursachen, in: H. P. WIDMAIER, Hg. (1978), S. 79–126.

SCHIEMANN, J. (1983), Dilatorische Kompromisse auf dem Weg zur europäischen Währungsunion, in: Jahrbuch für Sozialwissenschaft, 34, S. 200–231.

SCHIEMENZ, B. (1978), Hg., Weltwirtschaftsordnung und Wirtschaftswissenschaft, Stuttgart (Fischer) 1978.

SCHILLER, K. (1964), Der Ökonom und die Gesellschaft. Das freiheitliche und das soziale Element in der modernen Wirtschaftspolitik, Stuttgart (Fischer) 1964.

SCHILLER, K. (1965, 1), Möglichkeiten einer rationalen Entwicklungspolitik, in: E. SCHNEIDER, Hg. (1965), S. 645–660.

SCHILLER, K. (1965, 2), Wirtschaftspolitik, in: E. VON BECKERATH; u. a., Hg. (1956 ff.), S. 210–231.

SCHLECHT, O. (1968, 1), Konzertierte Aktion als Instrument der Wirtschaftspolitik, Tübingen (Mohr) 1968.

SCHLECHT, O. (1968, 2), Strukturpolitik in der Marktwirtschaft, 2. A., Köln (Heymanns) 1969.
SCHLECHT, O. (1983), Konjunkturpolitik in der Krise, Tübingen (Mohr) 1983.
SCHLESINGER, H. (1977), Beschäftigungs- und Konjunkturpolitik in der Bundesrepublik Deutschland, in: W. ALBERS, u. a., Hg. (1977 ff.), Bd. 1, S. 499–513.
SCHMÄHL, W. (1977), Einkommensumverteilung im Rahmen von Einrichtungen der sozialen Sicherung, in: B. KÜLP; H.-D. HAAS, Hg. (1977), S. 519–576.
SCHMAHL, H.-J. (1970), Globalsteuerung der Wirtschaft. Die neue Konjunkturpolitik in der Bundesrepublik Deutschland, Hamburg (Weltarchiv) 1970.
SCHMIDT, A. (1976), Hg., Strategien gegen Unterentwicklung. Zwischen Weltmarkt und Eigenständigkeit, Frankfurt am Main (Campus) 1976.
SCHMIDT, F. (1993), First experiences with the EEC merger control, in: E. KANTZENBACH; H. E. SCHARRER; L. WAVERMAN, Hg. (1993), S. 109–125.
SCHMIDT, I. (1973), US-amerikanische und deutsche Wettbewerbspolitik gegen Marktmacht. Eine vergleichende Untersuchung und kritische Analyse der Rechtsprechung gegenüber Tatbeständen des externen und des internen Unternehmenswachstums sowie des Behinderungswettbewerbs, Berlin (Duncker & Humblot) 1973.
SCHMIDT, I. (1984), Wettbewerbspolitik und Kartellrecht. Eine Einführung, 3. A., Stuttgart (Fischer), 1990.
SCHMIDT, I.; J. B. RITTALER (1986), Die Chicago School of Antitrust Analysis, Baden-Baden (Nomos) 1986.
SCHMIDT, I.; J. B. RITTALER (1989), Marktphasen und Wettbewerb, in: WiSt, Wirtschaftswissenschaftliches Studium, 18, S. 597–602.
SCHMIDT, K. (1969), Steuerpolitik im Umbruch?, in: H. HALLER; H. C. RECKTENWALD, Hg. (1969), S. 175.–196.
SCHMIDT, S. (1977), Kapitalverkehrskontrollen und ihre Wirkung, Hamburg (Weltarchiv) 1977.
SCHMIDTCHEN, D. (1976/77), Wider den Vorwurf, das neoklassische Wettbewerbskonzept sei tautologisch: Eine Antikritik aus wissenschaftslogischer und markttheoretischer Sicht, in: Jahrbücher für Nationalökonomie und Statistik, 191, S. 428–454.
SCHMIDTCHEN, D. (1978), Wettbewerbspolitik als Aufgabe, Baden-Baden (Nomos) 1978.
SCHMIDTCHEN, D. (1988), Fehlurteile über das Konzept der Wettberbsfreiheit, in: Ordo, 39, S. 111–135.
SCHMÖLDERS, G. (1959), Die Überwindung von Widerständen der Wirtschaftssubjekte, in: H. J. SERAPHIM, Hg. (1959), S. 103–122.
SCHNEIDER, E. (1948), Einführung in die Wirtschaftstheorie, II. Teil, 13. A., Tübingen (Mohr) 1972.
SCHNEIDER, E. (1965), Hg., Weltwirtschaftliche Probleme der Gegenwart, Berlin (Duncker & Humblot) 1965.
SCHNEIDER, H. (1972), Mikroökonomie, 4. A., München (Vahlen) 1986.
SCHNEIDER, H. K. (1968, 1), Hg., Grundlagen der Wettbewerbspolitik, Berlin (Dunkker & Humblot) 1968.
SCHNEIDER, H. K. (1968, 2), Hg., Grundsatzprobleme wirtschaftlicher Beratung. Das Beispiel der Stabilisierungspolitik, Berlin (Duncker & Humblot) 1968.
SCHNEIDER, H. K.; W. WITTMANN; H. WÜRGLER (1975), Hg., Stabilisierungspolitik in der Marktwirtschaft, 2 Bde., Berlin (Duncker & Humblot) 1975.
SCHREIBER, W. (1971), Existenzsicherheit in der industriellen Gesellschaft, in: KÜLP, B.; W. SCHREIBER, Hg. (1971), S. 276–309.
SCHÜLLER, A. (1984), Hg., Wachstumsverlangsamung und Konjunkturzyklen in unterschiedlichen Wirtschaftssystemen, Berlin (Duncker & Humblot) 1984.

SCHÜLLER, A.; U. WAGNER (1980), Hg., Außenwirtschaftspolitik und Stabilisierung von Wirtschaftssystemen, Stuttgart (Fischer) 1980.

SCHUMACHER, H. (1976), Diversifikation, Wettbewerb und Strukturflexibilität, Göttingen (Vandenhoeck & Ruprecht) 1976.

SCHUMANN, J. (1971), Grundzüge der mikroökonomischen Theorie, 6. A., Berlin (Springer) 1992.

SCHUMPETER, J. A. (1911), Theorie der wirtschaftlichen Entwicklung, 6. A., Berlin (Duncker & Humblot) 1964.

SCHUMPETER, J. A. (1942), Capitalism, socialism and democracy, New York (Harper) 1942; deutsche Übersetzung: Kapitalismus, Sozialismus und Demokratie, 3. A., München (Francke) 1972.

SCHWABE, H. (1868), Das Verhältnis von Miete und Einkommen in Berlin und seine Entwicklung. Berlin (o. V.) 1868.

SCITOVSKY, T. (1954), Two concepts of external economies, in: Journal of Political Economy, 62, S. 143–151.

SEIDEL, H.; F. BUTSCHEK (1977), Hg., Die Rezession 1974/75 – ein Wendepunkt der langfristigen Entwicklung?, Stuttgart (Fischer) 1977.

SEIDMAN, L. S. (1976), A payroll tax-credit to restrain inflation, in: National Tax Journal, 29, S. 398–412.

SEIDMAN, L. S. (1979), TIP: feasability and equity, in: Journal of Post Keynesian Economics, 1, S. 24–37.

SELL, E.; H. J. THIEME (1980), Nebenwährungen bei zentraler Planung des Wirtschaftsprozesses, in: A. SCHÜLLER, U. WAGNER, Hg. (1980), S. 127–141.

SELL, F.-L. (1989), Die Rolle ökonomischer Verhaltensweisen für „Timing“ und „Sequencing“ handelspolitischer Liberalisierungsprogramme, in: Zeitschrift für Wirtschafts- und Sozialwissenschaften, 109, S. 449–466.

SELL, F.-L. (1993), Ökonomik der Entwicklungsländer, Frankfurt/M. (Lang) 1993.

SELTEN, R. (1982), Einführung in die Theorie der Spiele mit unvollständiger Information, in: E. STREISSLER, Hg. (1982), S. 81–147.

SENGHAAS, D. (1972), Hg., Imperialismus und strukturelle Gewalt. Analysen über abhängige Reproduktion, Frankfurt am Main (Suhrkamp) 1972.

SENGHAAS, D. (1977), Weltwirtschaftsordnung und Entwicklungspolitik, Frankfurt am Main (Suhrkamp) 1977.

SENTI, R. (1986), GATT. Allgemeines Zoll- und Handelsabkommen als System der Welthandelsordnung, Zürich (Schulthess Polygraphischer Verlag) 1986.

SENTI, R. (1987), Die wirtschaftliche Relevanz des GATT, in: Zeitschrift für Wirtschaftspolitik, 36, S. 143–206.

SENTI, R. (1995), GATT – WTO. Die neue Welthandelsordnung nach der Uruguay-Runde, Zürich (Institut für Wirtschaftsforschung der ETH Zürich) 1995.

SERAPHIM, H.-J. (1959), Hg., Probleme der Willensbildung und der wirtschaftpolitischen Führung, Berlin (Duncker & Humblot) 1959.

SERAPHIM, H.-J. (1960), Hg., Zur Grundlegung wirtschaftspolitischer Konzeptionen, Berlin (Duncker & Humblot) 1960.

SHAW, R. W.; C. J. SUTTON (1976), Industry and competition, London (Macmillan) 1976.

SHEPHARD, R. W. (1970), Theory of cost and production functions, Princeton (Princeton University) 1970.

SIEBERT, H. (1978), Ökonomische Theorie der Umwelt, Tübingen (Mohr) 1978.

SIEBERT, H. (1981), Economics of Environment. Theory and Policy, 2. A., Berlin, Heidelberg, New York u. a. (Springer) 1987.

SIEBERT, H. (1982), Zölle IV: Zollunionen und Präferenzzonen, in: W. ALBERS, u. a., Hg. (1977 ff.), Bd. 9, S. 666–678.

SIEBERT, H. (1983, 1), Ökonomische Theorie natürlicher Ressourcen, Tübingen (Mohr) 1983.

SIEBERT, H. (1983, 2), Hg., Perspektiven der deutschen Wirtschaftspolitik, Mainz (Kohlhammer) 1983.

SIEBERT, H. (1988), Strategische Handelspolitik. Theoretische Ansätze und wirtschaftspolitische Empfehlungen, in: Außenwirtschaft, 43, S. 549–584.

SIEBERT, H. (1989), The half and the full debt cycle, in: Weltwirtschaftliches Archiv, 125, S. 217–229.

SIEBERT, H. (1991), Hg., Environmental scarcity: The international dimension, Tübingen (Mohr) 1991.

SIEBERT, H. (1992), Standortwettbewerb – nicht Industriepolitik, in: Die Weltwirtschaft, H. 4, S. 409–424.

SIEBERT, H.; M. J. KOOP (1994), Europa zwischen Wettbewerb und Harmonisierung, in: WiSt. Wirtschaftswissenschaftliches Studium, 33, S. 611–616.

SIEBKE, J. (1982), Steuerung der Geldmengenaggregate: zwischen Können und Wollen, in: W. EHRLICHER, D. B. SIMMERT, Hg. (1982), S. 147–157.

SIEBKE, J. (1991), Hg., Monetäre Konfliktfelder der Weltwirtschaft, Berlin (Duncker & Humblot) 1991.

SIEBKE, J.; M. WILLMS (1974), Theorie der Geldpolitik, Berlin (Springer) 1974.

SIEVERT, O. (1968), Die wirtschaftspolitische Beratung in der Bundesrepublik Deutschland, in: H. K. SCHNEIDER, Hg. (1968, 2), S. 27–67.

SIEVERT, O. (1982), Die angebotsorientierte Wirtschaftspolitik des Sachverständigenrates. Das Konzept für die achtziger Jahre, in: O. VOGEL, Hg. (1982), S. 37–78.

SIMMERT, D. B. (1980), Hg., Wirtschaftspolitik – kontrovers, Köln (Bund) 1980.

SIMON, J. L. (1969), A further test of the kinky oligopoly demand curve, in: American Economic Review, 59, S. 971–975.

SIMONIS, U. E. (1980), Neue Methoden makroökonomischer Erfolgsmessung und Zielbestimmung, in: D. B. SIMMERT, Hg. (1980), S. 67–87.

SINGER, H. W. (1950), The distribution of gains between investing and borrowing countries, in: American Economic Review, 40, S. 473–510.

SINGER, H. W. (1979), Economic progress in underdeveloped countries, in: Social Research, 46, S. 1–11.

SLUTSKY, E. E. (1915), Sulla teoria del bilancio del consumatore, in: Giornale degli economisti, 51, S. 1–26; deutsche Übersetzung in: A. E. OTT, Hg. (1965), S. 87–116.

SMEETS, H.-D. (1987), Importschutz und GATT, Bern (Haupt) 1987.

SMEETS, H.-D.; M. MÖLLER (1994), Zur Krise des Europäischen Währungssystems, in: List Forum, 20, S. 226–243.

SMITH, A. (1776), Inquiry into the nature and causes of the wealth of nations, London (Strahan, Cadell) 1776; deutsche Übersetzung: Eine Untersuchung über Natur und Wesen des Volkswohlstandes, 3. A., Jena (Fischer) 1923.

SMITH, W. L.; R. L. TEIGEN (1965), Hg., Readings in money, national income, and stabilization policy. 3. A., Homewood (Irwin) 1974.

SOHMEN, E. (1973), Wechselkurs und Währungsordnung, Tübingen (Mohr) 1973.

SOHMEN, E. (1976), Allokationstheorie und Wirtschaftspolitik, Tübingen (Mohr) 1976.

SOLOW, R. M. (1974), The economics of resources or the resources of economics, in: American Economic Review, Papers and Proceedings, 64, S. 1–14.

SOLTWEDEL, R.; u. a. (1986), Deregulierungspotentiale in der Bundesrepublik, Tübingen (Mohr) 1986.

SPÄTH, L.; C. DRÄGER (1987), Hg., Die Europäische Gemeinschaft in der Weltwirtschaft, Baden-Baden (Nomos) 1987.

SRINIVASAN, T. N. (1990), External sector in development: China and India, 1950–89, in: American Economic Review: Papers and Proceedings, 80, S. 113–117.

STACKELBERG, H. VON (1934), Marktform und Gleichgewicht, Wien (Springer) 1934.

STACKELBERG, H. VON (1943), Grundlagen der theoretischen Volkswirtschaftslehre, 2. A., Bern (Francke) 1951.

STANDFEST, E. (1979), Sozialpolitik als Reformpolitik. Aspekte der sozialpolitischen Entwicklung in der Bundesrepublik Deutschland, Köln (Bund) 1979.

STARBATTY, J. (1976), Erfolgskontrolle der Globalsteuerung, Konjunkturpolitik unter dem Einfluß der politischen Willensbildung, Frankfurt am Main (Knapp) 1976.

STARBATTY, J. (1977), Stabilitätspolitik in der freiheitlich-sozialstaatlichen Demokratie, Baden-Baden (Nomos) 1977.

STARBATTY, J. (1982), Hg., Geldordnung und Geldpolitik in einer freiheitlichen Gesellschaft, Tübingen (Mohr) 1982.

STARBATTY, J. (1985), Die englischen Klassiker der Nationalökonomie. Lehre und Wirkung, Darmstadt (Wissenschaftliche Buchgesellschaft) 1985.

STATISTISCHES BUNDESAMT, Produzierendes Gewerbe, Fachserie 4, Reihe 4.1.1., Stuttgart (Kohlhammer) lfd. Jahrgänge.

STATISTISCHES BUNDESAMT, Statistisches Jahrbuch für die Bundesrepublik Deutschland, Stuttgart (Kohlhammer) lfd. Jahrgänge.

STATISTISCHES BUNDESAMT, Volkswirtschaftliche Gesamtrechnungen, Fachserie 18, Reihe 1, Stuttgart (Kohlhammer) lfd. Jahrgänge.

STATISTISCHES BUNDESAMT (1978), Volkswirtschaftliche Gesamtrechnungen, Fachserie 18, Reihe S. 3, Stuttgart (Kohlhammer) 1978.

STATISTISCHES BUNDESAMT, Volkswirtschaftliche Gesamtrechnungen, Fachserie 18, Reihe S. 5, Stuttgart (Kohlhammer) 1982.

STEFFEN, R. (1974), Integrationsprobleme im Rat für Gegenseitige Wirtschaftshilfe, Hamburg (Weltarchiv) 1974.

STEGEMANN, K. (1966), Wettbewerb und Harmonisierung im Gemeinsamen Markt, Köln (Heymanns) 1966.

STEGEMANN, K. (1988), Wirtschaftspolitische Rivalität zwischen Industriestaaten: Neue Erkenntnisse durch Modelle strategischer Handelstpolitik?, in: M. E. STREIT, Hg. (1988), S. 3–26.

STEIN, J. L. (1976), Hg., Monetarism, Amsterdam (North-Holland) 1976.

STEIN, J. L. (1981), Monetarist, Keynesian, and New Classical Economics, in: American Economic Review, Papers & Proceedings, 71, S. 139–144.

STEIN, J. L. (1982), Monetarist, Keynesian, and New Classical Economics, Oxford (Basil Blackwell) 1982.

STEINBERG, E. B.; J. A. YAGER (1978), New means of financing international needs, Washington, D. C. (Brookings) 1978.

STEINMANN, G. (1986), Bevölkerungsentwicklung und technischer Fortschritt, in B. FELDERER, Hg. (1986), S. 85–115.

STERN, K.; P. MÜNCH; K.-H. HANSMEYER (1967), Gesetz zur Förderung der Stabilität und des Wachstums der Wirtschaft, 2. A., Stuttgart u. a. (Kohlhammer) 1972.

STERN, N. H. (1989), The economics of development: A survey, in: Economic Journal, 99, S. 597–685.

STEWART, F. (1977), Technology and underdevelopment, 2. A., London (Macmillan) 1978.

STIGLER, G. J. (1947), The kinky oligopoly demand curve and rigid prices, in: Journal of Political Economy, 55, S. 432–449.

STIGLER, G. J. (1968), The organization of industry, Homewood, Ill. (Irwin) 1968.

STIGLER, G. J.; J. K. KINDAHL (1970), The behavior of industrial prices, New York (Columbia University) 1970.

STIGLITZ, J. E. (1976), Monopoly and the rate of extraction of exhaustible resources, in: American Economic Review, 66, S. 655–661.

STOBBE, A. (1983), Mikroökonomik, 2. A., Berlin (Springer) 1991.

STOLPE, M. (1993), Industriepolitik aus der Sicht der neuen Wachstumstheorie, in: Die Weltwirtschaft, H. 3, S. 361–377.

STREISSLER, E. (1973), Preisgesteuerte Wirtschaft – Preisgesteuerte Gesellschaft, in: Mitteilungen der List-Gesellschaft, 8, S. 67–87.

STREISSLER, E. (1974), Bessere Stabilisierungspolitik durch Regelmechanismen oder regelgebundenes Verhalten?, in: B. GAHLEN; H. K. SCHNEIDER, Hg. (1974), S. 171–188.

STREISSLER, E. (1982), Hg., Information in der Wirtschaft, Schriften des Vereins für Socialpolitik, N. F., Bd. 126, Berlin (Duncker & Humblot) 1982.

STREISSLER, E.; M. STREISSLER (1966), Hg., Konsum und Nachfrage, Köln (Kiepenheuer & Witsch) 1966.

STREISSLER, E.; C. WATRIN (1980), Hg., Zur Theorie marktwirtschaftlicher Ordnungen, Tübingen (Mohr) 1980.

STREISSLER, E.; u. a. (1976), Zur Relativierung des Zieles der Geldwertstabilität, Göttingen (Schwartz) 1976.

STREISSLER, M. (1974), Theorie des Haushaltes, Stuttgart (Fischer) 1974.

STREIT, M. E. (1979), Theorie der Wirtschaftspolitik, 4. A., Düsseldorf (Werner) 1991.

STREIT, M. E. (1987), Industriepolitik – eine ordnungspolitische Herausforderung, in: G. FELS; O. VOGEL, Hg. (1987), S. 131–150.

STREIT, M. E. (1988), Hg., Wirtschaftspolitik zwischen ökonomischer und politischer Rationalität, Wiesbaden (Gabler) 1988.

STREIT, M. E. (1992), Das Wettbewerbskonzept der Ordnungstheorie, in: E. GÖRGENS; E. TUCHTFELDT, Hg. (1992), S. 83–100.

STREIT, M. E.; S. VOIGT (1991), Die Handelspolitik der Europäischen Gemeinschaft aus weltwirtschaftlicher Perspektive, in: Hamburger Jahrbuch für Wirtschafts- und Gesellschaftspolitik, 36, S. 193–219.

STUCKEN, R. (1959), Hg., Probleme der Finanzierung von Investitionen in Entwicklungsländern, Berlin (Duncker & Humblot) 1959.

STÜTZEL, W. (1979), Das Mark-gleich-Mark-Prinzip und unsere Wirtschaftsordnung – Über den sogenannten Nominalismus, insbesondere im Schuld- und Steuerrecht, Baden-Baden (Nomos) 1979.

STÜTZEL, W. (1980), Systemkonforme Sozialpolitik in der sozialen Marktwirtschaft, in: Orientierungen zur Wirtschafts- und Gesellschaftspolitik, 2, S. 9–14.

SUNKEL, O. (1969), National development policy and external dependence in Latin America, in: Journal of Development Studies, 6, S. 23–48.

SWANSON, N. (1976), Hg., Managing the water environment, Vancouver (University of British Columbia Press) 1976.

SWEEZY, P. M. (1939), Demand under conditions of oligopoly, in: Journal of Political Economy, 47, S. 568–573; deutsche Übersetzung in: A. E. OTT, Hg. (1965), S. 230–325.

TABBERT, J. (1974), Unternehmensgröße, Marktstruktur und technischer Fortschritt. Eine empirische Untersuchung für die Bundesrepublik Deutschland, Göttingen (Vandenhoeck & Ruprecht) 1974.

TAYLOR, L. (1979), Macro models for developing countries, New York (McGraw-Hill), 1979.

TEICHMANN, U. (1976), Grundriß der Konjunkturpolitik, 4. A., München (Vahlen) 1988.

TEICHMANN, U. (1978), Hg., Probleme der Wirtschaftspolitik, Bd. I: Zielfindung und politischer Entscheidungsprozeß. Ordnungspolitik; Bd. II. Konjunkturpolitik, Wachstums- und Strukturpolitik, Verteilungs- und Sozialpolitik, Darmstadt (Wissenschaftliche Buchgesellschaft) 1978.

TEICHMANN, U. (1979), Wirtschaftspolitik, 2. A., München (Vahlen) 1983.

TEICHMANN, U. (1981), Hg., Gewerkschaften, Analysen, Theorie und Politik, Darmstadt (Wissenschaftliche Buchgesellschaft) 1981.

TEICHMANN, U. (1983), Der Entscheidungsprozeß in der Wirtschaftspolitik, Darmstadt (Wissenschaftliche Buchgesellschaft) 1983.

TEICHMANN, U. (1987), Grundlagen der Wachstumspolitik, München (Vahlen) 1987.

THEIL, H. (1964), Optimal decision rules for government and industry, Amsterdam (North-Holland) 1964.

THEOBALD, R. (1963), Free man and free markets, New York (Potter) 1963.

THIEME, H. J. (1979, 1), Hg., Gesamtwirtschaftliche Instabilität im Systemvergleich, Stuttgart (Fischer) 1979.

THIEME, H. J. (1979, 2), Gesamtwirtschaftliche Instabilitäten und Systemvergleich, in: H. J. THIEME, Hg. (1979, 1), S. 3–16.

THIEME, H. J. (1982), Keynesianismus – Monetarismus: Was bleibt?, in: J. STARBATTY, Hg. (1982), S. 18–34.

THIEME, H. J. (1991), Soziale Marktwirtschaft. Ordnungskonzeption und wirtschaftspolitische Gestaltung, 2. A., München (Beck) 1994.

THIEME, H. J.; R. STEINBRING (1984), Wirtschaftspolitische Konzeptionen kapitalistischer Marktwirtschaften, in: D. CASSEL, Hg. (1984, 2), S. 45–67.

TICHY, G. J. (1971), Das magische Fünfeck und die Trade-off-Analyse, in: Kredit und Kapital, 4, S. 1–25.

TICHY, G. J. (1976), Konjunkturschwankungen, Berlin (Springer), 1976.

TIETENBERG, T. H. (1990), Economic instruments for environmental regulation, in: Oxford Review of Economic Policy, 6, S. 17–31.

TIETMEYER, H. (1974), Möglichkeiten und Grenzen staatlicher Stabilisierungspolitik im marktwirtschaftlichen System der Bundesrepublik Deutschland, in: WIRTSCHAFTS- UND SOZIALWISSENSCHAFTLICHES INSTITUT DES DEUTSCHEN GEWERKSCHAFTSBUNDES, Hg. (1974), S. 217–240.

TIETZE, G. (1969), Zur Herausbildung theoretischer Grundlagen des Gesundheits- und Arbeitsschutzes, in: Sozialversicherung-Arbeitsschutz, 15, S. 16–18.

TIETZEL, M. (1981), Über die Unmöglichkeit von Wirtschaftsprognosen, in: List Forum, 11, S. 32–44.

TIETZEL, M. (1985, 1), Kriterien für die Qualität von Wirtschaftsprognosen, in: Sparkasse, 102, S. 100–106.

TIETZEL, M. (1985, 2), Wirtschaftstheorie und Unwissen. Überlegungen zur Wirtschaftstheorie jenseits von Risiko und Unsicherheit, Tübingen (Mohr) 1985.

TIETZEL, M. (1987/88), Zum Problem der Erfolgsbestimmung und der Erfolgsmessung in der Wirtschaftspolitik, in: List Forum, 14, S. 16–29.

TIMMERMANN, V. (1982), Entwicklungstheorie und Entwicklungspolitik, Göttingen (Vandenhoeck & Ruprecht) 1982.

TINBERGEN, J. (1952), On the theory of economic policy, Amsterdam (North-Holland) 1952; auszugsweise deutsche Übersetzung, in: G. GÄFGEN, Hg. (1966), S. 383–396.

TINBERGEN, J. (1956), Economic policy: principles and design, Amsterdam (North-Holland) 1956; deutsche Übersetzung: Wirtschaftspolitik, Freiburg i. Br. (Rombach) 1968.

TOBIN, J. (1965), Improving the economic status of the negro, in: Daedalus, 94, S. 878–898.

Tobin, J. (1970), Money and money income: Post hoc ergo propter hoc?, in: Quarterly Journal of Economics, 84, S. 301–317.

Tobin, J. (1980), Stabilization policy ten years after, in: Brookings Papers on Economic Activity, 10, S. 19–17.

Todaro, M. P. (1977), Economic development in the third world, 4. A., New York (Longman) 1989.

Tolksdorf, M. (1969), Hoppmanns neoklassische Wettbewerbstheorie als Grundlage der Wettbewerbspolitik, in: Jahrbücher für Nationalökonomie und Statistik, 183, S. 61–72.

Tolksdorf, M. (1971), Ruinöser Wettbewerb. Ein Beitrag zur Phänomenologie und wettbewerbspolitischen Behandlung einer marktwirtschaftlichen Fehlentwicklung, Berlin (Duncker & Humblot) 1971.

Tolksdorf, M. (1980), Stand und Entwicklungstendenzen der Wettbewerbstheorie, in: Wirtschaft und Wettbewerb, 30, S. 785–803.

Tolksdorf, M. (1994), Dynamischer Wettbewerb. Einführung in die Grundlagen der deutschen und internationalen Wettbewerbspolitik, Wiesbaden (Gabler) 1994.

Topitsch, E. (1960), Hg., Probleme der Wissenschaftstheorie. Festschrift für V. Kraft, Wien (Springer) 1960.

Topitsch, E. (1961), Sozialphilosophie zwischen Ideologie und Wissenschaft, 3. A., Neuwied (Luchterhand) 1971.

Topitsch, E. (1965), Hg., Logik der Sozialwissenschaften, Köln (Kiepenheuer & Witsch) 1965.

Transfer-Enquête-Kommission (1979), Zur Einkommenslage der Rentner, Bonn (Bundesminister für Arbeit und Sozialordnung) 1979.

Transfer-Enquête-Kommission (1981), Das Transfersystem in der Bundesrepublik Deutschland, Stuttgart (Kohlhammer) 1981.

Triffin, R. (1940), Monopolistic competition and general equilibrium theory, 7. A., Cambridge/Mass. (Harvard University) 1962.

Tuchtfeldt, E. (1957), Das Instrumentarium der Wirtschaftspolitik, in: Hamburger Jahrbuch für Wirtschafts- und Gesellschaftspolitik, 2, S. 52–64.

Tuchtfeldt, E. (1967, 1), Planung, Entscheidung und Durchführung als Phasen der Wirtschaftspolitik, in: F. Hodeige, Hg. (1967), S. 251–277.

Tuchtfeldt, E. (1967, 2), Wettbewerb und langfristige Wirtschaftspolitik, in: Zeitschrift für Nationalökonomie, 27, S. 1–18.

Tuchtfeldt, E. (1970, 1), Über unerwünschte Nebenwirkungen wirtschaftspolitischer Maßnahmen, in: Kyklos, 23, S. 721–735.

Tuchtfeldt, E. (1970, 2), Widerstände gegen wirtschaftspolitische Maßnahmen, in: Jahrbücher für Nationalökonomie und Statistik, 184, S. 366–380.

Tuchtfeldt, E. (1971, 1), Moral Suasion in der Wirtschaftspolitik, in: E. Hoppmann, Hg. (1971), S. 19–68.

Tuchtfeldt, E. (1971, 2), Zielprobleme in der modernen Wirtschaftspolitik, Tübingen (Mohr) 1971.

Tuchtfeldt, E. (1973, 1), Soziale Marktwirtschaft und Globalsteuerung, in: E. Tuchtfeldt, Hg. (1973, 2), S. 159–188.

Tuchtfeldt, E. (1973, 2), Hg., Soziale Marktwirtschaft im Wandel, Freiburg i. Br. (Rombach) 1973.

Tuchtfeldt, E. (1973/74), Über den Mythos der Machbarkeit, in: Schweizer Monatshefte, 53, S. 542–549.

Tuchtfeldt, E. (1976), Investitionslenkung, in: Wirtschaftspolitische Mitteilungen, 32, S. 1–21.

Tuchtfeldt, E. (1982), Wirtschaftspolitik, in: W. Albers; u. a. Hg. (1977 ff.), Bd. 9, S. 178–206.

TUCHTFELDT, E. (1983, 1), Konjunktur-, Wachstums- und Strukturpolitik, in: WiSt, Wirtschaftswissenschaftliches Studium, 12, S. 129–134.

TUCHTFELDT, E. (1983, 2), Bausteine zur Theorie der Wirtschaftspolitik, Bern (Haupt) 1983.

TULLOCK, G. (1965), The politics of bureaucracy, Washington D. C. (Public Affairs) 1965.

ULMER, P. (1972), Fälle und Entscheidungen zum deutschen und europäischen Kartellrecht, 2. A., Frankfurt am Main (Metzner) 1975.

ULMER, P.; G. WIEDEMANN (1981), Das Verbot abgestimmter Verhaltensweisen, in: H. COX; U. JENS; K. MARKERT, Hg. (1981), S. 271–296.

URFF, W. VON (1976), Hg., Integration der Entwicklungsländer in eine instabile Weltwirtschaft, Berlin (Duncker & Humblot) 1976.

URFF, W. VON (1993), Die Gemeinsame Agrarpolitik: Funktionsweise, innergemeinschaftliche und weltwirtschaftliche Implikationen, mögliche Perspektiven, in: W. ZIPPEL, Hg. (1993), S. 99–120.

VARIAN, H. R. (1978), Microeconomic analysis, 3. A., New York (Norton) 1992, deutsche Übersetzung: Mikroökonomie, 3. A., München (Oldenbourg) 1994.

VAUBEL, R. (1978), Strategies for currency unification. The economics of currency competition and the case for a european parallel currency, Tübingen (Mohr) 1978.

VAUBEL, R. (1992), Die Politische Ökonomie der wirtschaftpolitischen Zentralisierung in der Europäischen Gemeinschaft, in: Jahrbuch für Neue Politische Ökonomie, 11, S. 30–65.

VAUBEL, R.; H. D. BARBIER (1968), Hg., Handbuch Marktwirtschaft, Pfullingen (Neske) 1986.

VIELER, A. (1986), Interessen, Gruppen und Demokratie. Eine sozialökonomische Untersuchung über den Einfluß von Interessenverbänden auf wirtschaftspolitische Entscheidungen, Tübingen (Mohr) 1986.

VOGEL, O. (1982), Hg., Wirtschaftspolitik der achtziger Jahre, Leitbilder und Strategien, Köln (Deutscher Instituts-Verlag) 1982.

VOGEL, O. (1988), Hg., Deregulierung und Privatisierung, Köln (Deutscher Instituts-Verlag) 1988.

VOGT, W. (1973), Hg., Seminar: Politische Ökonomie. Zur Kritik der herrschenden Nationalökonomie, Frankfurt am Main (Suhrkamp) 1973.

VOIGT, S. (1992), GATT – Institution der Welthandelsordnung, in: WiSt, Wirtschaftswissenschaftliches Studium, 31, S. 32–35.

WAGNER, A. (1876), Grundlegung der politischen Oekonomie, 3. A., Leipzig (Winter) 1893.

WAGNER, H. (1989), Stabilitätspolitik. Theoretische Grundlagen und institutionelle Alternativen, 2. A., München (Oldenbourg) 1992.

WAGNER, N.; M. KAISER; F. BEIMDIEK (1983), Ökonomie der Entwicklungsländer, 3. A., Stuttgart (Fischer) 1995.

WALLICH, H. C.; S. WEINTRAUB (1971), A tax-based incomes policy, in: Journal of Economic Issues, 5, S. 1–19.

WALRAS, L. (1874), Eléments d'économie politique pure ou théorie de la richesse social, letzte A., Paris (Pichon et Durias-Auzias) 1926.

WATRIN, C. (1967), Konflikt und Kooperation. Bemerkungen zu zwei Betrachtungsweisen der internationalen Handelsbeziehungen, in: Wirtschaftspolitische Chronik, 16, S. 193–208.

WATRIN, C. (1971), Geldwertstabilität, Konzertierte Aktion und autonome Gruppen, in: E. HOPPMANN, Hg. (1971), S. 201–228.

WATRIN, C. (1976), Eine liberale Interpretation der Idee der sozialen Gerechtigkeit. Bemerkungen zum Buch von John Rawls „Eine Theorie der Gerechtigkeit", in: Hamburger Jahrbuch für Wirtschafts- und Gesellschaftspolitik, 21, S. 45–61.

WATRIN, C. (1977), Ordnungspolitische Aspekte des Sozialstaates, in: B. KÜLP, H.-D. HAAS, Hg. (1977), S. 963–985.

WATRIN, C. (1979), Grenzen der Gleichheit in einer freiheitlichen Ordnung, in: Ordo, Jahrbuch für die Ordnung von Wirtschaft und Gesellschaft, 30, S. 159–175.

WEBER, H. J. (1977), Abgestimmtes Verhalten und Parallelverhalten auf dem oligopolistischen Markt, in: Zeitschrift für die gesamte Staatswissenschaft, 33, S. 245–256.

WEBER, M. (1904), Die „Objektivität" sozialwissenschaftlicher und sozialpolitischer Erkenntnis, in: Archiv für Sozialwissenschaft und Sozialpolitik, 19, S. 22–87; wieder abgedruckt in: M. WEBER (1968), S. 11–64; G. LÜHRS; u. a., Hg. (1975), S. 335–348.

WEBER, M. (1917), Der Sinn der „Wertfreiheit" der soziologischen und ökonomischen Wissenschaft. Gutachten für den Ausschuß des Vereins für Socialpolitik, 1913, als Manuskript vervielfältigt; wieder abgedruckt in: M. WEBER (1968), S. 229–277.

WEBER, M. (1968), Methodologische Schriften, Frankfurt am Main (Fischer) 1968.

WECK, H.; W. W. POMMEREHNE; B. S. FREY (1984), Schattenwirtschaft, München (Vahlen) 1984.

WECK-HANNEMANN, H. (1992), Politische Ökonomie des Protektionismus. Eine institutionelle und empirische Analyse, Frankfurt a. M. (Lang) 1992.

WECK-HANNEMANN, H. (1994), Die politische Ökonomie der Umweltpolitik, in: R. BARTEL; F. HACKL, Hg. (1994), S. 101–117.

WEGEHENKEL, L. (1980), Coase-Theorem und Marktsystem, Tübingen (Mohr) 1980.

WEGEHENKEL, L. (1981), Hg., Marktwirtschaft und Umwelt, Tübingen (Mohr) 1981.

WEGEHENKEL, L. (1995), Marktwirtschaftliche Umweltpolitik, in: M. JUNKERNHEINRICH; P.KLEMMER; G. R. WAGNER, Hg. (1995), S. 123–128.

WEHLING, H. G. (1976), Hg., Konjunkturpolitik. Fachwissenschaftliche Analysen und Unterrichtsempfehlung, Opladen (Leske) 1976.

WEHLING, H.-G. (1984), Hg., Arbeitslosigkeit, Stuttgart (Kohlhammer) 1984.

WEIMANN, J. (1990), Umweltökonomik. Eine theorieorientierte Einführung, 2. A., Berlin, Heidelberg, New York u. a. (Springer) 1991.

WEISE, P.; u. a. (1979), Neue Mikroökonomie, 2. A., Würzburg (Physica) 1991.

WEISSER, G. (1951), Politik als System aus normativen Urteilen. Sinn-Möglichkeit-Haupterfordernisse, Göttingen (Schwartz) 1951.

WEISSER, G. (1963), Normative Sozialwissenschaft, in: Evangelisches Soziallexikon (1963), S. 1167–1170.

WEISSKOPF, T. (1972), The impact of foreign capital inflows on domestic savings in underdeveloped countries, in: Journal of International Economics, 2, S. 25–38.

WEITZMANN, M. (1974), Prices vs. Quantities, in: Review of Economic Studies, 41, S. 477–491.

WEIZSÄCKER, C. C. VON (1975), Grenzen der traditionellen Globalsteuerung, in: Jahrbücher für Nationalökonomie und Statistik, 189, S. 1–41.

WEIZSÄCKER, C. C. VON (1980), Barriers to entry. A theoretical treatment, Berlin (Springer) 1980.

WELFENS, J. M. (1993), Umweltprobleme und Umweltpolitik in Mittel- und Osteuropa: Ökonomie, Ökologie und Systemwandel, Heidelberg (Physica) 1993.

WELFENS, P. J. J. (1985), Theorie und Praxis angebotsorientierter Stabilitätspolitik, Baden-Baden (Nomos) 1985.

WELFENS, P. J. J. (1993), Integration der mittel- und osteuropäischen Staaten mit der EG: Ausgangsbedingungen, Anpassungsprobleme, Chancen, in: E. KANTZENBACH; O. G. MAYER, Hg. (1993), S. 135–188.

WELSCH, J. (1980), Globalsteuerung in der Bundesrepublik Deutschland. Eine kritische Analyse der Stabilisierungspolitik seit 1967, Köln (Bund) 1980.

WELTBANK, Jahresbericht, lfd. Jahrgänge.

WELTBANK, Weltentwicklungsbericht, lfd. Jahrgänge.

WERNER, H. (1987), Das GATT heute: Die Ausnahme als Regel, in: Beihefte der Konjunkturpolitik, 34, S. 43–70.

WERNER, J. (1979), Verteilungspolitik, Stuttgart (Fischer) 1979.

WERNER, J.; B. KÜLP (1971), Hg., Wachstumspolitik – Verteilungspolitik, Stuttgart (Fischer) 1971.

WERNER, J.; O. SCHNEIDER (1979), Grundlagen der allgemeinen Wirtschaftspolitik, in: WISU, Wirtschaftsstudium, 8, S. 341–346, S. 391–397, S. 445–449.

WESTPHAL, U. (1968), Die importierte Inflation bei festem und flexiblem Wechselkurs, Tübingen (Mohr) 1968.

WHITE, H. (1992), The macroeconomic impact of development aid: a critical survey, in: Journal of Development Studies, 28, S. 163–240.

WICKE, L. (1982) unter Mitarbeit von W. FRANKE, Umweltökonomie, 4. A., München (Vahlen) 1993.

WIDMAIER, H.-P. (1976), Sozialpolitik im Wohlfahrtsstaat, Reinbek bei Hamburg (Rowohlt) 1976.

WIDMAIER, H. P. (1978), Hg., Zur neuen sozialen Frage, Schriften des Vereins für Socialpolitik, Bd. 95 NF, Berlin (Duncker & Humblot) 1978.

WIED-NEBBELING, S. (1993), Markt- und Preistheorie, Heidelberg (Springer), 1993, 2. A., 1994.

WILLEKE, F.-U. (1980), Wettbewerbspolitik, Tübingen (Mohr) 1980.

WILLGERODT, H. (1983), Die Agrarpolitik der Europäischen Gemeinschaft in der Krise, in: Ordo. Jahrbuch für die Ordnung von Wirtschaft und Gesellschaft, 34, S. 97–139.

WILLIAMSON, O. E. (1975), Markets and hierarchies: Analysis and antitrust implications, New York (Free) 1975.

WILLIAMSON, O. E. (1981), The modern corporation: Origins, evolution, attributes, in: Journal of Economic Literature, 19, S. 1537–1568.

WILLMS, M. (1990), Der Delors-Plan und die Anforderungen an eine gemeinsame europäische Geldpolitik, in: Kredit und Kapital, 23, S. 27–44.

WILSON, T.; P. W. S. ANDREWS (1951), Hg., Oxford studies in the price mechanism, Oxford (Oxford University) 1951.

WINDISCH, R. (1980), Staatseingriffe in marktwirtschaftliche Ordnungen, in: E. STREISSLER; C. WATRIN, Hg. (1980), S. 297–339.

WINDISCH, R. (1987, 1), Hg., Privatisierung natürlicher Monopole im Bereich von Bahn, Post und Telekommunikation, Tübingen (Mohr) 1987.

WINDISCH, R. (1987, 2), Privatisierung natürlicher Monopole: Theoretische Grundlagen und Kriterien, in: R. WINDISCH (1987, 1), S. 1–146.

WINTERSTEIN, H. (1980), Das System der sozialen Sicherung in der Bundesrepublik Deutschland, München (Vahlen) 1980.

WIRTSCHAFTS- UND SOZIALWISSENSCHAFTLICHES INSTITUT DES DEUTSCHEN GEWERKSCHAFTSBUNDES (1974), Hg., Stabilisierungspolitik, 2. A., Köln (Bund) 1975.

WISSENSCHAFTLICHER BEIRAT BEIM BUNDESMINISTERIUM FÜR WIRTSCHAFT (1975), Indexierung wirtschaftlich relevanter Größen. Gutachtliche Äußerung des Wissenschaftlichen Beirats beim Bundesministerium für Wirtschaft, Göttingen (Schwartz) 1975.

WISSENSCHAFTLICHER BEIRAT BEIM BUNDESMINISTERIUM FÜR WIRTSCHAFT (1979), Staatliche Interventionen in einer Marktwirtschaft, Göttingen (Schwartz) 1979.

WISSENSCHAFTLICHER BEIRAT BEIM BUNDESMINISTERIUM FÜR WIRTSCHAFT UND FINANZEN (1972), Regelmechanismen in der Wirtschaftspolitik, Stellungnahme des Wissenschaftlichen Beirats beim Bundesministerium für Wirtschaft und Finanzen, in: Bulletin des Presse- und Informationsamtes der Bundesregierung, Nr. 36, S. 579–587.

WISSENSCHAFTLICHER BEIRAT BEIM BUNDESMINISTERIUM FÜR WIRTSCHAFT UND FINANZEN (1979), Staatliche Interventionen in einer Marktwirtschaft, Göttingen 1979.

WOLL, A. (1968), Wachstum als Ziel der Wirtschaftspolitik, Tübingen (Mohr) 1968.

WOLL, A. (1981), Hg., Internationale Anpassungsprozesse, Berlin (Duncker & Humblot) 1981.

WOLL, A. (1983, 1), Das Ende der Stabilitätspolitik, Tübingen (Mohr) 1983.

WOLL, A. (1983, 2), Hg., Aktuelle Wege der Wirtschaftspolitik, Berlin (Duncker & Humblot) 1983.

WOLL, A. (1984), Wirtschaftspolitik, München (Vahlen) 1984.

WOLL, A.; K. GLAUBITT, H.-B. SCHÄFER (1983), Hg., Nationale Entwicklung und internationale Zusammenarbeit, Berlin (Springer) 1983.

WOLL, A.; G. VOGL (1976), Geldpolitik, Stuttgart (Fischer) 1976.

WOLL, A.; u. a. (1977), Rationale Erwartungen und Stabilitätspolitik, in: Wirtschaftsdienst, 57, S. 59–69.

WOLOZIN, H. (1966), Hg., The economics of air pollution, New York (Mc Graw-Hill) 1966.

WOLTER, F. (1988), Freihandel und Gruppeninteresse, in: M. E. STREIT, Hg. (1988), S. 27–44.

ZIMMERMANN, H. (1983), Ökonomische Anreizinstrumente in einer auflagenorientierten Umweltpolitik, Stuttgart (Kohlhammer) 1983.

ZINN, K. G. (1973), Investitionskontrollen und -planung, in: Wirtschaftsdienst, 53, S. 301–307.

ZIPPEL, W. (1993), Hg., Ökonomische Grundlagen der europäischen Integration, München (Vahlen) 1993.

ZOHLNHÖFER, W. (1968), Wettbewerbspolitik im Oligopol. Erfahrungen der amerikanischen Antitrustpolitik, Tübingen (Mohr) 1968.

ZOHLNHÖFER W. (1984), Umweltschutz in der Demokratie, in: E. BOETTCHER; P. HERDER-DORNEICH, K. E. SCHENK, Hg. (1982 ff.), S. 101–121.

ZOHLNHÖFER, W. (1991), Marktstruktur und funktionsfähiger Wettbewerb. Versuch einer Erweiterung des Konzepts von Kantzenbach, in: Hamburger Jahrbuch für Wirtschafts- und Gesellschaftspolitik, 36, S. 71–85.

ZOHLNHÖFER, W.; H. GREIFFENBERG (1981), Neuere Entwicklungen in der Wettbewerbstheorie: Die Berücksichtigung organisations-struktureller Aspekte, in: H. COX; U. JENS; K. MARKERT, Hg. (1981), S. 79–102.

Symbolverzeichnis

In das Verzeichnis wurden außer den Symbolen, die in mehreren Beiträgen eine einheitliche Bedeutung haben, auch diejenigen Standardsymbole aufgenommen, die nur in einem Beitrag verwendet werden. Symbole, die spezifische Sachverhalte einzelner Beiträge kennzeichnen, sind an Ort und Stelle definiert. Dies gilt auch für die Fälle, in denen sich eine abweichende Verwendung desselben Symbols in verschiedenen Beiträgen nicht vermeiden ließ. So bezeichnet beispielsweise c generell die durchschnittliche Konsumquote, im Beitrag D symbolisiert c jedoch die Barzahlungsquote des Publikums. Definitionsgleichungen sind durch „:=" gekennzeichnet (z. B.: $Y := C + I$). Ableitungen nach der Zeit werden durch einen Punkt über dem Symbol für die zeitabhängige Größe markiert (z. B.: $dP/dt := \dot{P}$); partielle Ableitungen einer Funktion $F(x, y, \ldots)$ in bezug auf ihre Argumente werden in der Reihenfolge der Funktionsargumente mit $F_x, F_y, \ldots$ bezeichnet.

1. Allgemeine Regeln und Zeichen:

Angebotsgrößen:	hochgestelltes s (z. B.: $M^s :=$ Geldangebot)
Nachfragegrößen:	hochgestelltes d (z. B.: $M^d :=$ Geldnachfrage)
Erwartungsgrößen:	gekennzeichnet durch * (z. B.: $i^* :=$ erwarteter Nominalzins)
exogene Größen:	generell durch einen Querstrich über dem Symbol (z. B.: $\overline{M} :=$ exogen gegebenes Geldangebot)
Wachstumsraten:	generell durch g, speziell g mit Suffix (z. B.: $g_Y :=$ Wachstumsrate des Sozialprodukts)

2. Großbuchstaben:

A	Vermögen
B	Geldbasis
B^P	Bargeldumlauf außerhalb des Bankensystems
BP	Zahlungsbilanzsaldo
C	Ausgaben für Konsumgüter
D	Abschreibungen
D_1	Sichteinlagen
D_2	Termineinlagen
D_3	Spareinlagen
DD	Nachfragekurve
E	Gleichgewicht
ER	Überschußreserven der Banken bei der Zentralbank
Ex	Export
Ex-Im	güterwirtschaftlicher Beitrag des Auslandes
F,f	Funktionssymbole
G	Staatsausgaben
GD	verzinsliche Staatsschuld

GNP	Bruttosozialprodukt zu Marktpreisen
I	Ausgaben für Investitionsgüter (netto), Nettoinvestition
Im	Import
K	Kapitalstock, Kapitalbestand
KR	Kreditvolumen
L	Liquiditätspräferenz (Geldnachfrage)
M	Geldmenge
M1	Tausch-Geldmenge (Bargeld und Sichteinlagen)
M2	Quasigeldmenge (M1 + Termingelder bis unter 4 Jahren)
M3	M2 + Spareinlagen mit gesetzlicher Kündigungsfrist
M^d	Geldnachfrage
M^s	Geldangebot
N	Beschäftigungsniveau, Beschäftigungsmenge des Faktors Arbeit
N^d	Arbeitsnachfrage
NA	Nettovermögen des privaten Sektors
P	Güterpreisniveau
P_{Im}	Preisniveau der Importgüter
P_{Ex}	Preisniveau der Exportgüter
P_k	Preis pro Einheit Realkapital
Q	Gewinneinkommen
R	Gesamterlös des Unternehmens
RR	Pflichtreserven der Banken bei der Zentralbank
S	Ersparnis
SS	Angebotskurve
T	Steuern
TR	gesamte Reservehaltung der Banken bei der Zentralbank
U	Nutzen
V	Umlaufgeschwindigkeit des Geldes
W	Nominallohn-Niveau
Y	Volkseinkommen, Produktionsmenge, Sozialprodukt
Y^d	gesamtwirtschaftliche Güternachfrage
Y^s	gesamtwirtschaftliches Güterangebot

3. Kleinbuchstaben:

bk	Bargeldkassenhaltungskoeffizient
c	durchschnittliche Konsumquote (C/Y)
d	Differential (totale Ableitung)
e	Wechselkurs
ex	Exportvolumen
f,F	Funktionssymbol
g	Wachstumsrate für alle Größen
g_K	Wachstumsrate des Kapitals
g_N	Wachstumsrate der Arbeit
g_P	Inflationsrate
g_Y	Wachstumsrate des Sozialprodukts
g_π	Wachstumsrate des technischen Wissens (technischer Fortschritt)

i	Zinssatz (nominal)
im	Importvolumen
k	Kassenhaltungskoeffizient
m	durchschnittliche Importquote (Im/Y)
m'	marginale Importquote
p	Preis eines Gutes
r	Realzinssatz
r^*	Grenzleistungsfähigkeit der Investitionen
s	durchschnittliche Sparquote (S/Y)
tot	Terms of trade
u	Arbeitslosenquote
w	Nominallohnsatz
x	Mengeneinheit eines gehandelten Gutes
z	Zollsatz

4. Griechische Buchstaben:

α	Produktionselastizität
β	Akzelerator
∂	Differential (partielle Ableitung)
η	Nachfrageelastizität
η_y	Einkommenselastizität der Nachfrage
$\varkappa$	Kapitalkoeffizient (K/Y)
λ	Skalenelastizität
π	technisches Wissen
Θ	Periodenlänge
ν	Arbeitskoeffizient (N/Y)
ϱ	Arbeitsproduktivität
σ	Kapitalproduktivität

Stichwortverzeichnis